FIL D1063597

F. Bürgel
Phila. PA

»Liebe ist kälter
als der Tod,
aber Kino ist heißer
als das Leben.«

Robert Fischer / Joe Hembus

DER NEUE
DEUTSCHE FILM

1960—1980

Vorwort Douglas Sirk

Originalausgabe

Goldmann Verlag München

Die Bilder der vorderen Umschlagseite zeigen im Uhrzeigersinn: David Bennent in *Die Blechtrommel*, Klaus Kinski in *Aguirre*, Alexandra Kluge in *Abschied von gestern*, Hanna Schygulla und Rainer Werner Fassbinder in *Katzelmacher*, Rüdiger Vogler und Hanns Zischler in *Im Lauf der Zeit*, Bruno S. in *Jeder für sich und Gott gegen alle*, Bruno Ganz in *Messer im Kopf*, Marian Seidowsky und Bernd Tischer in *Der junge Törless*.

Die Bilder der hinteren Umschlagseite zeigen im Uhrzeigersinn: Rainer von Artenfels in *Hitler, ein Film aus Deutschland*, Angela Winkler in *Die verlorene Ehre der Katharina Blum*, Hanna Schygulla in *Die Ehe der Maria Braun*, Martin Sperr in *Jagdszenen aus Niederbayern*, Heinrich Hargesheimer und Henning Harmssen in *Nicht versöhnt*, Uwe Enkelmann und Dschingis Bowakow in *Nordsee ist Mordsee*, Hanna Schygulla und Margit Carstensen in *Die bitteren Tränen der Petra von Kant*.

Für Rat und Hilfe danken die Autoren Harry Baer, Christa Bandmann, Gerhard Becker, Gaby Bösand, Klaus H. Denicke, Klaus Eck, Françoise Ettel, Maria und Josef Fischer, Christian Friedel, Marie Margarethe Giese, Micky Glaessge, Klaus Hanitzsch, Reinhard Hauff, Beni und Käthchen Hembus, Klaus-Peter Heß, Doris Herzog, Manfred Hobsch, Klaus Jaeger, Hans-Jürgen Jagau, Eberhard Junkersdorf, Lothar R. Just, Mina Kindl, Annegret Kreppel, Burkhard Kroeber, Michael Krüger, Ulrich Kurowski, Tiziana Lago, Peter Magdowski, Germano di Marzemino, Peter Papenbrok, Charlotte Megow, Enno Patalas, Giuseppe Pecora, Anna Poplawsky, Babette Raitmayr, Diemut Remy, Max Saumweber, Martin Schäfer, Volker Schlöndorff, Hans Schönherr, Pit Schröder, Gerhilt Schwarz, Haro Senft, Douglas und Hilde Sirk, Laurens Straub, Rolf Thissen, Jimmy Vogler, Gerda Weiss und Patricia Wiedenhöft.

Für Jan Dawson

Made in Germany

1. Auflage · 9/81 · 1.–25. Tsd.

© der Originalausgabe 1981 by Wilhelm Goldmann Verlag München und Autoren

Umschlaggestaltung: Atelier Adolf & Angelika Bachmann, München

Fotos des Innenteils: Fotoarchiv Christa Bandmann, Fotoarchiv Robert Fischer, Fotoarchiv Joe Hembus, Fotoarchiv Klaus-Peter Heß, Martin Schäfer, Deutsches Institut für Filmkunde, Hochschule für Fernsehen und Film, Filmverlag der Autoren, Bioskop-Film, Filmwelt, Tobis Filmkunst, Constantin-Film, Atlas-Film, United Artists, L. A. PieCo;

Fotos aus den Kopien von *Liebe ist kälter als der Tod* und *Katzelmacher* von Gerhard Ullmann.

Satz: type center Filmsatz GmbH, München

Druck: St.-Otto-Verlag, Bamberg

Verlagsnummer: 10 211

Lektorat: Christa Bandmann · Herstellung: Peter Papenbrok

Layout: Josef Schaaf jr. und Christa Bandmann

ISBN 3-442-10211-1

Inhalt

Zu diesem Buch

Die Chronik des Citadel-Buches *Klassiker des deutschen Tonfilms 1930–1960* findet in dem vorliegenden Band ihre Fortsetzung: Die sechziger und siebziger Jahre, das ist die Zeit zwischen dem Oberhausener Manifest des Jungen Deutschen Films und der Hamburger Erklärung des Neuen Deutschen Films. (Obwohl erst ab 1975 auch hierzulande vom »Neuen Deutschen Film« geredet wurde – im englischsprachigen Ausland war »the New German Cinema« schon länger ein Begriff – und vorher vom »Jungen Deutschen Film«, haben die Autoren darauf verzichtet, diese eher verwirrende Sprachgepflogenheit im Text – außer an entscheidenden Stellen – zu berücksichtigen; mit Herbert Veselys *Das Brot der frühen Jahre* begann 1962 die kontinuierliche Entwicklung dessen, was sich heute als der Neue Deutsche Film repräsentiert.) Der Hauptteil dieses Buches stellt 51 Filme ausführlich und großzügig illustriert vor, wobei sich die Autoren bei der Auswahl nach der Bedeutung dieser Werke für den Neuen Deutschen Film, aber ebenso nach ihren persönlichen Neigungen und Vorlieben richteten. Wie bereits in dem Band *Klassiker des deutschen Tonfilms* folgen auch hier dem Hauptteil eine Filmographie mit weiteren wesentlichen Filmen (diesmal nicht weniger als 677 Titel) und eine Chronik des Berichtzeitraumes. Alle Jahresangaben in Hauptteil und Filmographie beziehen sich auf die Uraufführung der Filme.

Filmographie und Chronik beschäftigen sich – in Maßen – auch mit dem sogenannten »Altfilm«, dessen Werke ja zumindest in der ersten Hälfte der sechziger Jahre noch spielplanbestimmend waren, sowie mit der filmpolitischen Entwicklung in der Bundesrepublik während der letzten zwanzig Jahre. Im Unterschied zum Citadel-Band *Klassiker des deutschen Tonfilms* wird der Leser rein österreichische Filme und Werke aus der DDR in der vorliegenden Veröffentlichung vergeblich suchen: Die Entwicklung des DDR-Films hat in den sechziger und siebziger Jahren eine völlig andere Richtung eingeschlagen als der Neue Deutsche Film der BRD, und aus Österreich kamen zwar einige wichtige Regisseure zu uns, aber kaum ein nennenswerter Film (erst seit kurzem scheint sich die Entwicklung eines Neuen Österreichischen Films anzukündigen).

Die Autoren Robert Fischer und Joe Hembus gelten als Experten der Geschichte des Neuen Deutschen Films. Robert Fischer, geboren 1954 im westfälischen Greven bei Münster, gibt seit 1978 das Jahrbuch des Neuen Deutschen Films, *KINO* heraus. Er ist Autor von *Regie: Alfred Hitchcock*, Übersetzer des Filmbuch-Klassikers *Orson Welles* von André Bazin, der Bände Klassiker *des Horrorfilms* und *Marilyn Monroe und ihre Filme* und Herausgeber der *Schriftenreihe François Truffaut*. Joe Hembus, geboren 1933 in Kassel, zog 1961 mit seinem berühmten und berüchtigten Buch *Der deutsche Film kann gar nicht besser sein* eine provokante Bilanz der damaligen desolaten Situation. Seitdem kennt man ihn als Autor, Übersetzer und Herausgeber von zwei Dutzend Filmbüchern, darunter die Standardwerke *Western-Lexikon* und *Western-Geschichte*. Seit 1979 gibt er die Citadel-Filmbücher bei Goldmann heraus.

Robert Fischer

Joe Hembus (als Stadtschreiber in *Der plötzliche Reichtum der armen Leute von Kombach*)

Filme vom Wesen und Zustand des Menschen in einer Zeit des vergeßlichen Gewissens

Ein Vorwort von Douglas Sirk

Der neue deutsche Film hatte es schwer, sehr schwer. 1960 nämlich existierte er praktisch noch nicht. Sein Aufbruch danach zu einer schließlich die engen nationalen Grenzen überspannenden Anerkennung war zunächst voller Probleme. Das größte war der Schatten einer Vergangenheit, der sich über jeden schöpferischen Mut zu etwas Neuem legte. Die Phantasie verkroch sich in den Ruinen beschämender und banaler Erinnerungen und schien es für immer aufgegeben zu haben, aus dem Zustand lähmender Verunsicherung herauszufinden.

Erst bei der Verabschiedung des Oberhausener Manifestes mit der Parole »Der alte Film ist tot, wir glauben an den neuen!« war die erste Station auf dem Weg zu diesem, wenn auch noch weit in der Ferne liegenden »neuen« erreicht. 1965 dann, als das Bundesinnenministerium die Gründung »Kuratorium Junger Deutscher Film« ermöglicht hatte, kam es zu ersten größeren Publikumserfolgen, die auch bei der Fachkritik eine allmählich zunehmende Beachtung und Förderung fanden.

Douglas Sirk, Hanna Schygulla, Christian Berkel: Dreharbeiten zur HFF-Produktion *Sylvesternacht* (1979)

Aber die wirklichen Schwierigkeiten für den jungen deutschen Film ergaben sich aus filmwirtschaftlichen Gründen. Doch schließlich bewirkte zunehmendes filmkulturelles Interesse eine breitere Basis von Förderungsmöglichkeiten, nämlich die der Bundesländer, der Bundesregierung und auch durch kommunale Unterstützungen, die vor allem dazu beitrugen, das Niveau der kommerziellen Filmtheater zu steigern.
Zu dem Vorhergehenden möchte ich aus internationaler Sicht bemerken, daß ich für einen kulturellen Beginn wie diesen solche Unterstützungen durch die öffentliche Hand als absolut notwendig ansehe, denn im Unterschied zu anderen Künsten bedarf der Film wie auch das Theater des Geldes, und zwar bereits für den ersten Schritt, was das große Publikum im allgemeinen nicht weiß. Der Maler zum Beispiel braucht sich nur Farbe, Pinsel und Leinwand zu besorgen, um das, was ihm vorschwebt, Form und Wirklichkeit werden zu lassen.

Das Wesentliche jedoch in der Entwicklung des neuen deutschen Autorenfilms scheint mir sein unbeirrbarer Wille zur Qualität gewesen zu sein. Ein Wille, der zäh und gegen alle Enttäuschungen blind am Ende zu dem geführt hat, was man heute das »Wunder« des Neuen Deutschen Films nennt.

Diesen Ausdruck hörte ich zum ersten Mal während meines letzten Aufenthaltes in New York, ein Besuch, zu dem die Columbia University und andere öffentliche Institutionen mich eingeladen hatten.

Anläßlich der Preisüberreichung durch mich an eine Studentin, die einen Essay über einen meiner Filme verfaßt hatte, war es, daß einer der Studenten mich bat, ihm ein Einführungsschreiben für die Münchner Filmhochschule zu geben, an der ich ja lehrte.

Erstaunt fragte ich ihn: Wieso München und Deutschland? Es gibt doch hier in Amerika viele derartige Schulen. »Stimmt«, sagte er, »aber ich möchte lernen, solche Filme zu machen wie die des Neuen Deutschen Films, das ist doch einfach ein Wunder, was die jungen Filmemacher da fertigbringen. Sie haben doch sicher bemerkt« – fuhr er fort – »wie man rund um den Block Schlange steht, nur damit man noch eine Eintrittskarte für *Die Ehe der Maria Braun* bekommt! Einen deutschen Film! Und das in New York – das gab es noch nie!«

Ich versuchte, seinen Eifer zu dämpfen, indessen – »verstehen Sie doch«, sagte er, »wie wunderbar neu und frisch das alles ist! Wie diese deutschen Filmemacher eine Story anpacken! Und dieser großartige Stil, den sie entwickelt haben!«

Ich war bereit, ihm recht zu geben in dieser sehr emphatisch betonten Bewertung eines sogenannten Stils, denn auch nach meiner oft geäußerten Überzeugung kommt es zu allererst darauf an, eine eigene Handschrift zu zeigen. Doch sie »zu entwickeln«, wie der junge Student meinte, ist wohl nicht möglich, denn das ist nicht Sache des Willens, sondern der geheimere Vorgang einer Selbstfindung.

Darüber habe ich später auch oft und lange mit Susan Sontag gesprochen, der ausgezeichneten amerikanischen Kritikerin und Essayistin. Und wir waren uns mehr als einig in diesem Punkt. Besonders im Hinblick auf die jungen deutschen Filmemacher schien uns beiden dies Prinzip einer eigenen Handschrift das Bemerkenswerte zu sein. Welche Vielfalt von Talenten und Genies, und doch bliebe unverkennbar ein jeder er selbst.

Mich erinnern diese jungen Filmemacher oder, besser gesagt, »Autoren« – denn sie sind ja auch meistens die Verfasser der ihren Filmen zugrunde liegenden Stories –, an eine andere kulturelle Bewegung: den »Sturm und Drang« mit Lenz, Goethe, Klinger und dem jungen Schiller, zu denen für mich auch immer der tragische Schatten des später geborenen Büchner tritt.

Stets war es der stürmische Drang, das abgelebte Alte durch einen neuen Gehalt, neue Formen und durch neue Erfahrungen zu ersetzen. Sie alle aber, jetzt so wie damals, handeln in ihren besten Augenblicken vom Menschen, seinem Wesen und Zustand in einer Zeit des vergeßlichen Gewissens.

Indem ich dies schreibe, fühle ich eine Neigung, auf einzelne Werke und Namen dieser jungen Filmemacher näher einzugehen. Doch das kann leider nicht die Aufgabe eines kurzen Vorworts sein, sondern muß dem hier eingeleiteten Buch überlassen bleiben.

Douglas Sirk

Rainer Werner Fassbinder und Douglas Sirk: Dreharbeiten zur HFF-Produktion *Bourbon Street Blues* (1979)

Fassbinder über Sirk

»Film ist ein Schlachtfeld« hat Samuel Fuller gesagt, der mal für Douglas Sirk ein Drehbuch geschrieben hat, in einem Film von Jean-Luc Godard, der, kurz bevor er *A bout de souffle* drehte, eine Hymne auf Douglas Sirks Film *A Time to Love and a Time to Die* schrieb. Gleichviel, Godard oder Fuller, sonst einer oder ich, wir können ihm alle das Wasser nicht reichen. Sirk hat gesagt, Film, das ist Blut, das sind Tränen, Gewalt, Haß, der Tod und die Liebe. Und Sirk hat Filme gemacht, Filme mit Blut, mit Tränen, mit Gewalt, Haß, Filme mit Tod und Filme mit Liebe. Sirk hat gesagt, man kann nicht Filme über etwas machen, man kann nur Filme mit etwas machen, mit Menschen, mit Licht, mit Blumen, mit Spiegeln, mit Blut, eben mit all diesen wahnsinnigen Sachen, für die es sich lohnt. Sirk hat außerdem gesagt, das Licht und die Einstellung, das ist die Philosophie des Regisseurs. Und Douglas Sirk hat die zärtlichsten Filme gemacht, die ich kenne, Filme von einem, der die Menschen liebt und sie nicht verachtet wie wir. Darryl F. Zanuck hat einmal zu Sirk gesagt: »Der Film muß in Kansas City gefallen und in Singapur.« Das ist schon ein Wahnsinn, Amerika, was?
Douglas Sirk hatte eine Großmutter, die schrieb Gedichte und hatte schwarze Haare. Douglas hieß damals noch Detlef und lebte in Dänemark. Und es geschah, daß es in diesen nordischen Ländern um 1910 eine eigene Filmproduktion gab, die in erster Linie große menschliche Dramen herstellte. Und so ging der kleine Detlef mit der dichtenden Großmutter in das winzige dänische Kino, und beide weinten immer und immer wieder über die tragischen Tode der Asta Nielsen und vieler anderer wunderschöner weißgeschminkter Mädchen. Sie mußten das heimlich tun, denn Detlef Sierck sollte ein Gebildeter im Sinne der deutschen Tradition werden, humanistisch erzogen, und so vertauschte er eines Tages die Liebe zu Asta Nielsen mit der Liebe zu Klytaimnestra. In Deutschland machte er Theater, in Bremen, in Chemnitz, Hamburg und Leipzig, war gebildet und hatte Kultur. Er zählte Max Brod zu seinen Freunden, lernte Kafka kennen usw. Eine Karriere bahnte sich an, die etwa als Intendant des Münchner Residenztheaters hätte enden können. Aber nein, 1937, nachdem er schon ein paar Filme in Deutschland für die Ufa gemacht hatte, emigrierte Detlef Sierck nach Amerika, wurde Douglas Sirk und machte Filme, über die Leute mit etwa seinem Bildungsniveau in Deutschland höchstens lächeln würden.
So kommt es, daß man in Lugano in der Schweiz einem Mann begegnen kann, der so wach ist, so gescheit wie keiner, dem ich je begegnet bin, und der mit einem ganz kleinen glücklichen Lächeln sagen kann »Ich habe schon das, was ich gemacht habe, manchmal sehr geliebt«.
(Aus *Imitation of Life – Rainer Werner Fassbinder über die Filme von Douglas Sirk*, in: *Fernsehen + Film*, Februar 1971.)

Um sich das Altern zu ersparen, nennt sich der Junge Deutsche Film seit der Zeit seiner Reife der Neue Deutsche Film

»In einem Land wie Deutschland ist eine radikale Ästhetik gar nicht mehr drin. Das muß man aufsetzen, wie unsere Terroristen. Es ist ja alles endgültig eingeschlafen im Rausch des Geldes und der Kleinbürgerlichkeit. Den Leuten gehts ja wirklich allen zu gut, und deshalb bereiten sie sich innerlich bereits auf einen neuen Krieg vor.«

Werner Schroeter, 1979

Solange es mit der Prosperität bei uns bergab geht, brauchen wir uns um den Wohlstand des deutschen Films nicht zu sorgen. Seine erste Blüte erlebte er in den Wirtschaftskrisen der zwanziger Jahre. In den großen Zeiten des großdeutschen Reiches verkam er zum anrüchigen Staatsfilm. Im Wirtschaftswunder der Adenauer-Ära legte er sich einen dicken Bauch zu und fand seine eigene geistige Auszehrung ganz bekömmlich. Das Jahr der ersten großen Rezession 1966 ist zugleich das Jahr, in dem sich das junge Kino der Bundesrepublik durchsetzt, mit Filmen, die nun nicht mehr satt machen, sondern hungrig, zornig und mobil. Zu Beginn der achtziger Jahre verhindert eine neue, scharfe Rezession den Ausbruch einer neuen Gemütlichkeit. Immer ist es so, daß die Verhältnisse schlechter werden müssen, damit der Film besser werden kann. Das rechtfertigt nicht die mageren Zeiten oder den, der sie herbeiführt, aber es beleuchtet den Umstand, daß die fetten Zeiten unseren Köpfen, Sinnen, Herzen nicht bekommen, was wiederum von deren Unvollkommenheit kommt, nicht vom Überfluß. Werner Schroeter, ein Filmemacher, der keine Angst hat, schon gar nicht die, mißverstanden zu werden, sagt, daß die Kunst radikal sein muß und als eine heilsame Form von Terrorismus, rücksichtslos, alle Opfer in Kauf nehmend, alle Grenzen und Normen sprengend, gegen eine Gesellschaft Anwendung zu finden hat, die diese Grenzen und Normen zum Schutz ihrer unzüchtigen Schlummerseligkeit geschaffen hat. In diesem Sinn ist der Neue Deutsche Film der therapeutische Terrorismus der Bundesrepublik in den sechziger und siebziger Jahren, als Gesamtleistung einer Zunft das Beste, was das geistige Deutschland in dieser Zeit hervorgebracht hat, die große radikale Kunst eines Landes in einer Zeit, da die Engel aus Eisen sind und die Worte der Propheten als Graffiti in den U-Bahnhöfen geschrieben stehen. Diese Worte reden von der Liebe, die genau so radikal zu sein hat wie die Kunst. Schroeter, vom Filmen und von der Zuneigung redend: »Das gehört zu jedem Handwerk dazu, daß ein Kompromiß in der Substanz nicht möglich ist. Genauso wie im Verhalten zu Menschen und Zuneigungen, da sind Kompromisse auch nicht möglich. Du kannst erst behaupten, du liebst jemanden, wenn du ihn kompromißlos liebst. Um dazu sicher zu sein, gehört schon was. Mir ist das höchstens zweimal in meinem Leben vorgekommen.« Und Rainer Werner Fassbinder, von der Liebe und von seinem Freund Werner Schroeter redend: »Ich kenne keinen außer mir, der so verzweifelt konsequent einer wahrscheinlich infantilen, dummdreisten Utopie von so etwas wie Liebe (diese Worte, meine Damen und Herren, entlarven sich ohnehin ganz von allein, oder?) hinterherrennt und den immer gleichen graugrünen Erfahrungen hilflos gegenübersteht. Aber: Erfahrung macht dumm. Wir werden wohl beide so weitermachen.« Dies ist das schönste Manifest des Neuen Deutschen Films.

»Ich werde in meine Heimat zurückkehren, um Filme zu drehen, weil es dort keine gibt.«

Volker Schlöndorff, Paris 1961

In dieses Geschäft geht jeder mit seinem eigenen Manifest. 1961 wurde Volker Schlöndorff, damals Regie-Assistent in Paris, von den *Cahiers du Cinéma* gefragt, wie er sich denn seine berufliche Zukunft vorstelle. Und er antwortete in seinem elegantesten Französisch mit einem ganz einfachen Satz, der in seiner Klarheit und Klarsicht, in seinem Stolz und seinem Selbstvertrauen so unendlich erhebend und rührend ist wie nichts anderes, was ein 22jähriger Anfänger je in schier aussichtsloser Lage gesagt hat: »Je retournerai faire du cinéma dans mon pays – où il n'y en a pas.« (Der Rührung haben wir dann freien Lauf gelassen als wir 1979 nach der »Goldenen Palme« für die *Blechtrommel* dem Regisseur den Satz als Wandspruch aufgeblasen geschenkt haben.) Zu der Zeit, als statt brauchbarer Drehbücher scharfsinnige Bücher über die katastrophale Situation des deutschen Films geschrieben wurden, war die Feststellung, daß die Bundesrepublik das Land ohne Filme ist und dies Grund genug, hier Filme zu drehen, die prägnanteste Beschreibung der Situation und Notwendigkeit, sie zu ändern. Was die seit Jahren in permanenter Bankrott-Disposition befindliche Zelluloid-Industrie immer noch mengenhaft hervorbrachte, verdiente den Namen »Film« nicht. Manchmal wurde das auf peinliche Weise dingfest gemacht, so wenn internationale Festivals die ihnen zugesandten deutschen Beiträge einfach als nicht festspielreif wieder zurückschickten, oder wenn die eigentlich immer sehr nachsichtigen Bundesfilmpreis-Verleiher sich weigerten, Spielfilme auszuzeichnen. Die Industrie jammerte vor sich hin, nicht bereit und in der Lage, auch nur eine einzige vernünftige Idee für ihr Überleben, geschweige denn eine Verbesserung der Lage zu entwickeln. Keine öffentliche Filmförderung (und welche Partner hätte sie denn gehabt?), keine Filmkultur, keine Nachwuchsschulung (und welche Chancen hätte er gehabt?). Wer nur die heutige Filmszene der Bundesrepublik kennt, kann sich die Wüste von 1960 kaum vorstellen, und man kommt sich auch mahnend-onkelhaft vor, wenn man daran erinnert, in so einem Ton: »Kinder, seid doch dankbar für euren Kaviar

und denkt an die schlimmen Zeiten, als es kaum trocken Brot gab.« Es waren die schlimmsten Zeiten, und wer stur an der Idee festhielt, es müsse einen westdeutschen Film geben, der schaffte sich nur immer tiefer in verzweifelte Hoffnungslosigkeit. Am anschaulichsten hätte man damals die Situation mit der klassischen Lagebeschreibung aus Kluges *Zu böser Schlacht schleich ich heut nacht so bang* skizziert: »Das alte Scheißhaus steht in Flammen.« Etwas feiner wurde das dann unter Kluges Mitwirkung etwa zu der Zeit, als Schlöndorff von Paris aus feststellte, daß es keinen Film im Vaterland gab, im sozusagen offiziellen und jedenfalls kollektiven Manifest des Jungen Deutschen Films gesagt, in der am 28. Februar 1962 bei den Oberhausener Kurzfilmtagen verkündeten Erklärung von 26 jungen Filmemachern, in der es hieß: »Wir erklären unseren Anspruch, den neuen deutschen Spielfilm zu schaffen.« Diese jungen Filmemacher hatten das Vorbild ihrer französischen Kollegen von der *Nouvelle Vague* im Auge, mit denen sie aber in Wirklichkeit wenig Ähnlichkeit hatten, teils weil ihnen die Erfahrung einer gemeinsam entwickelten, in einer hochqualifizierten Kampfzeitschrift (den *Cahiers du Cinéma*) ausdiskutierten und ausformulierten Ästhetik eines neuen

Die Unterzeichner des Oberhausener Manifests, Februar 1962 (im Uhrzeigersinn von unten nach oben): Bernhard Dörries, Boris von Borresholm, Edgar Reitz, Haro Senft, Alexander Kluge, Hans Loeper, Walter Krüttner, Bodo Blüthner, Heinz Tichawsky, Raimond Ruehl, Wolfgang Urchs, Fritz Schwennicke, Peter Schamoni, Hans Rolf Strobel, Ferdinand Khittl, Detten Schleiermacher, Dieter Lemmel, Franz-Josef Spieker, Rob Houwer (es fehlen: Christian Doermer, Heinz Furchner, Pitt Koch, Ronald Martini, Hansjürgen Pohland und Herbert Vesely)

11

Films fehlte, aber auch, weil hier an die Stelle gallischer Solidarität germanische Rivalität trat. Die beste internationale Kennerin des Neuen Deutschen Films, die 1980 verstorbene Engländerin Jan Dawson, schreibt dazu: »Die wesentlich konkurrierende Haltung der hoffnungsfrohen jungen Deutschen ist nicht überraschend, wenn man bedenkt, daß das, was sie lose verband, einfach nur der gemeinsame Drang nach individuellem Selbstausdruck war. In dieser Beziehung waren ihre Interessen – beziehungsweise Eigeninteressen – eher parallel gerichtet als identisch: Sie brannten darauf, als Künstler zu arbeiten, waren sich aber (mit der stets ehrenhaften und weitsichtigen Ausnahme von Alexander Kluge, der nebenbei ein fähiger Rechtsanwalt war) nicht bewußt, daß die Existenz als Künstler, und besonders als Künstler in einem teuren Medium, bereits eine politische Position ist, anders gesagt: daß sie, um Künstler werden zu können, zuvor Politiker werden mußten. Individualismus war schließlich ein Hauptelement des literarischen und philosophischen Erbes, das sie antreten wollten. Und vielleicht hat auch die jüngste, traumatische Geschichte ihres Landes ein tiefes Mißtrauen gegen jede schnellfertige Verpflichtung auf jedwedes kollektives Ideal in sie gepflanzt.«

»Was man macht, ist immer eine Schwierigkeit.«

Rainer Werner Fassbinder, *Katzelmacher*

Die Geschichte des jungen deutschen Films beginnt mit der qualvollen Erfahrung eines jahrelangen Fehlstarts. Das Oberhausener Manifest war vom Großteil der Presse und filminteressierten Öffentlichkeit beifällig, von der Altbranche verstört oder mit hochmütiger Verärgerung aufgenommen worden. Als aber Monate vergingen und die angekündigte Schaffung des neuen deutschen Spielfilms einfach nicht stattfand und der erste Film eines Oberhauseners, Herbert Veselys *Brot der frühen Jahre*, in Cannes Mai 1962 nur einen Achtungserfolg erzielen konnte, schlug die Stimmung schnell um: Die Vertreter von »Bubis Kino« (mit diffamierenden Etiketten war man schnell bei der Hand) wurden bald nur noch als Spinner und größenwahnsinnige Revoluzzer verhöhnt. Man hatte erwartet, ein Kornfeld auf der flachen Hand wachsen zu sehen, und nahm den Umstand, daß ein solches Mirakel nicht passierte, für den Beweis, daß es einen neuen deutschen Film nicht geben könne. Völlig vergessen wurde dabei, daß alle Voraussetzungen einer Erneuerung schon deshalb fehlten, weil die herrschenden Kräfte, die von der Schaffung der Produktionsbedingungen eines neuen Films bis zu seiner Vermittlung an das Publikum für ein Revirement entscheidend waren, durchaus nicht auf der Seite eines neuen, womöglich sogar kritischen und progressiven Films standen, ganz abgesehen davon, daß die Subventionsquellen, ohne die

eine solche Bewegung gar nicht in Schwung zu bringen war, noch fast völlig fehlten. Der ganze Set-Up von Kommissionen, Gremien, Zensur- und Bewertungsstellen war hinter der Entwicklung einfach noch zwanzig Jahre zurück. Da saß noch jede Menge von alten Nazis und ewigen Spießern, ultrareaktionären Hinterwäldlern und alten Kameraden von Altfilmern und schaute voll Ekel auf das, was nun daherkam und auf die alten Regeln pfiff; solche Mentalitäten findet man heute nur noch in bayerischen Staatsfilmpreisausschüssen. Und mit der Filmkritik war es in dieser gemütvollen Adenauer-Ära auch nicht viel besser bestimmt; es ist ja schon damals deutlich genug bemerkt worden, daß das Niveau und die Zeitgenössigkeit der deutschen Filmkritik der Fasson der deutschen Filmproduktion absolut entsprach. Natürlich ist es auch richtig, daß die meisten der Oberhausener Manifestanten mit ihrem Anspruch, den neuen deutschen Film zu schaffen, ihre Kapazität kräftig überzogen haben; zwar gehörten ein Alexander Kluge und ein Edgar Reitz zu dieser Gruppe (um nur die zu nennen, die heute noch eine Rolle spielen), aber auch genug Mitläufer, die kaum das Talent zum Filmemachen hatten, und die Bereitschaft wohl auch nicht. Trotzdem war das Oberhausener Manifest nicht der hybride Bluff, als den man ihn manchmal gerne abtat, vor allem in den Jahren von 1962 bis 1966, als nichts passierte und auch unter den Sympathisanten der Jungfilmer langsam Frust und Panik ausbrachen. Nach dem Februar 1962 und den starken Worten von Oberhausen wurde nie mehr vergessen, daß der Abschied von gestern dringend fällig war; eine dringliche Mahnung war das, für die Unterzeichner wie für alle, die es sonst noch anging, ein Stachel im Fleisch, der piekste. Was man nebenbei als typisch verzeichnen muß, ist der Umstand, daß schon damals das Ausland dem jungen deutschen Film mehr Sympathie schenkte und Ermutigung zusprach, als er im Inland finden konnte. Im November 1962, als bei uns fast nur noch gegen »Bubis Kino« gerüpelt wurde, schrieb der große argentinische Filmregisseur Leopoldo Torre-Nilson in der englischen Zeitschrift *Films and Filming:* »Ich glaube, die nächste neue Welle wird aus Deutschland kommen. Es gab dort jahrelang eine sehr mächtige Industrie, die sehr dumme Filme und kein Geld machte, aber alle technischen Voraussetzungen schuf. Jetzt ist das Publikum den Filmen gegenüber gleichgültig geworden. Diese Situation kann nur zu etwas radikal Neuem führen. Deutschland hat eine Filmtradition, in den zwanziger Jahren erlebte es eine große Periode, und ich habe so eine Ahnung, daß dieser ganze Hintergrund zu besseren Dingen führen wird.« Einige bessere Sachen gab es freilich auch schon in dieser Angst- und Frustperiode, und die Natur dieser Sachen erklärt, warum sie zu keinem Durchbruch führen konnten, dafür aber die auf alte Werte eingeschworene Kritik noch mißmutiger stimmte. Der junge deutsche Film leistete sich die Kuriosität und Originalität, sich mit einer Experimentalfilmwelle einzuführen: Schon *Das Brot der frühen Jahre* mußte man als ein Werk zumindest halb-

Edgar Reitz, Alexander Kluge

experimentellen Charakters ansehen; was darauf folgte, waren *Die Parallelstraße* (1962), *Der Damm* (1964) und *Nicht versöhnt* (1965), womit auch schon das ganze Spielfilmrepertoire dieser Zeit aufgezählt ist. Der Drang, derart sperrige, nur einem Elitepublikum zugängliche Werke zu machen, entsprach sicher dem Naturell ihrer Schöpfer; aber im Unterbewußtsein war hier vielleicht auch das Gefühl mächtig, ein neuer Film müsse in jeder Hinsicht etwas radikal anderes schaffen als der alte; Berührungsängste wirkten hier mit angesichts eines Erzählkinos, daß heillos korrumpiert schien durch das Schwatz- und Plauschkino gehabter Fasson.

»Heute gehört uns der Kunstfilm, und morgen der ganze Markt!«

Florian Hopf, 1967

Jahrelang funktionierte überhaupt nichts. Dann plötzlich etablierte sich der junge deutsche Film mit einem Impakt, der an ein in seinen Bewegungen und Effekten minutiös geplantes und reibungslos nach der Stoppuhr ablaufendes strategisches Großmanöver denken ließ (was es nicht war, es war ein Fall von »Geist und ein wenig Glück«, wie es sich Ulrich Schamoni mit dem Titel eines Kurzfilms über die

Jungfilmsituation gewünscht hatte). Am Ende des Jahres 1966, das die Erfolge von *Es, Der junge Törless* und *Nicht versöhnt* in Cannes, von *Schonzeit für Füchse* in Berlin und von *Abschied von gestern* in Venedig gebracht hatte, herrschte eine Euphorie, die schon damals wohlbegründet war und uns heute, im Rückblick auf seither verflossene Zeiten voller Erfreulichkeiten, fast noch zu wenig enthusiastisch erscheint. Der Start hätte nicht besser sein können, und Grund zu einer Befürchtung, das ganze könne womöglich nur ein kurzer, kleiner Boom bleiben, bestand auch nicht: Die Produktion von Jungfilmen ging bald in Quantitäten, die den Einbruch von Minderqualitäten als nur geringes Risiko erscheinen ließ. Das wilde und ertragreiche Produzieren wurde auf Dauer abgesichert durch ein filmpolitisches Taktieren, das die Künstlerfiguren der geistigen Filmerneuerung, allen voran immer Alexander Kluge, als politisch-organisatorische Strategen auswies, die den Ränkeschmieden des ums Überleben kämpfenden Altfilms nur bei gelegentlichen Konditionsschwächen oder infolge unversehens abgefeimter Streiche der Gegenseite unterlegen waren. In der ersten Hälfte der sechziger Jahre kämpften sich die Jungfilmer zuerst zu den Fleischtöpfen der Bundes-Drehbuchprämien vor, der zunächst einzigen Nachwuchsversorgungsstelle, die aber die Weisheit der Prämienverleiher am liebsten dem Altfilm-

Schund vorbehalten hätte; vor allem aber erreichten sie endlich die von Oberhausen an propagierte Etablierung des Kuratoriums Junger Deutscher Film, das zur ersten soliden Basis für Debütfilmer wurde. In der zweiten Hälfte der sechziger Jahre unterlagen Kluge & Co. zunächst bei dem Ringen um ein jungfilmfreundliches Filmförderungsgesetz und mußten es in mächtigem Zorn hinnehmen, daß eine unheilige Allianz von Altfilmhändlern und Parlamentariern ein Gesetz machte, das ganz dazu angetan war, eine verrottete Branche zu restaurieren und den jungen deutschen Film, obwohl dieser inzwischen der einzige repräsentable deutsche Film war, draußen vor der Tür verhungern zu lassen. Diese Schlappe wurde dann in den siebziger Jahren bei verschiedenen Novellierungen des Filmförderungsgesetzes und dem raffinierten Aufbau eines ganzen »Labyrinths von Subventionen« (Sight and Sound- Charakterisierung der deutschen fiskalischen und para-fiskalischen Filmförderungssysteme) wettgemacht. Inzwischen fließt ja eine Menge Geld. Aber lange noch nicht so viel wie für andere Künste. Dabei ist die kulturpolitische Bilanz des deutschen Films sehr viel positiver als die Prestige-Erträge anderer Schaukünste.

Kontinuität ist, wenn die Söhne die Väter erschlagen und die Mütter sich mit den Enkeln einlassen, während die Großväter einfach weitermachen.

Beim Oberhausen-Festival 1965 traten einige neue Kurzfilmer auf und leisteten sich ein starkes Manifest gegen die nun bereits als »Väter-Generation« geschmähten Oberhausener Rebellen von 1962, deren Filmen »subtile Wirklichkeitsverfälschung« angelastet wurde. Seither hat es im Neuen Deutschen Film eine wirklich atemberaubend schnelle Abfolge von immer neuen Filmemacher-Generationen gegeben, was zur Kontinuität einer sich stets verjüngenden Bewegung geführt hat, außerdem zu vielen heftigen, für Außenstehende eher belustigenden Generationskrächen zwischen Jungtürken und von diesen als »Etablierte« beschimpften Jungveteranen, schließlich zu dem schönen Nebeneffekt, daß mancher Meister sich unbesorgt und oft unbemerkt seine Formkrisen leisten konnte, ohne daß die Bewegung darüber zusammengebrochen wäre. Auf die »Brotbeutel-Generation« (wie Raymond Durgnat die Pioniere des deutschen Jungfilms einmal genannt hat), also auf Kluge, Schlöndorff, Straub und die Schamonis, folgte die »Münchner Schule« mit Lemke, Thome und ihrem Stoff-Lieferanten Max Zihlmann, die aber (noch) nicht so richtig zum Zuge kamen, weil wenig später – 1969 – die Newcomer Fassbinder, Herzog und Schroeter eine geballte Ladung so radikal persönlichen Kinos ablieferten, daß viele andere Namen (Spils, Schaaf, Fleischmann) darüber erst einmal vergessen wurden. Ein Jahr darauf schlossen sich zwanzig junge Filmemacher zusammen, um nach den Theorien und Forderungen von Oberhausen endlich einmal konkret und pragmatisch zur Selbsthilfe zu greifen: Dreizehn von ihnen unterzeichneten 1971 einen Gesellschaftervertrag. »Filmverlag der Autoren« nannte sich diese von der Altbranche zunächst müde belächelte Verleih- und Produktionsfirma, die binnen kurzem Namen bekannt machte wie Lilienthal, Bohm, Geissendörfer, Hauff und vor allem Wim Wenders. Letzterer gehörte zum ersten Abschlußjahrgang der Münchner Hochschule für Fernsehen und Film; von der Deutschen Film- und Fernsehakademie Berlin meldeten sich Christian Ziewer, Max Willutzki und Kratisch/Lüdcke mit dem Arbeiterfilm der »Berliner Schule«. Niklaus Schilling, der – wie übrigens auch Robert Van Ackeren – erst nach jahrelanger Arbeit als Kameramann zur Regie überwechselte, lieferte als gebürtiger Schweizer erneut den Beweis, daß es eigentlich vermessen war, angesichts der Verdienste von Holländern wie Rob Houwer, Gerard Vandenberg und Robby Müller, Österreichern wie Vesely, Schell und Wicki und Schweizern wie Erwin Keusch, Daniel Schmid und eben Schilling um den Neuen Deutschen Film diesen überhaupt so zu nennen; Vlado Kristl ist Jugoslawe, Marran Gosov Bulgare, Nicos Perakis Grieche und Jean-Marie Straub Franzose – ist vielleicht ganz sinnvoll, hin und wieder darauf hinzuweisen.

»Wir sind von filmhistorischen Kapazitäten wie Lotte H. Eisner abgesegnet worden wie die Kirchenhäupter vom Papst.«

Werner Herzog, 1977

Die Vertreter der Filmwirtschaft – von wenigen Ausnahmen abgesehen – waren oder stellten sich blind für diesen Fluß von Kreativität, ignorierten standhaft die sich häufenden Erfolge des deutschen Films auf internationalen Filmfestivals und taten die Lobeshymnen ausländischer Kritiker als Cineasten-Geschwätz ab. Bis 1975 das einzige eintrat, was die Alten dazu bringen konnte, in sich zu gehen und ihre Haltung zu den Jungen noch einmal zu überdenken: Publikumserfolg. Lina Braake und Berlinger von (wieder neue Namen!) Bernhard Sinkel und Alf Brustellin, Ansichten eines Clowns des Tschechen Vojtech Jasny und Die verlorene Ehre der Katharina Blum vom Jungfilm-Veteranen Schlöndorff (Co-Regie Margarethe von Trotta) erwiesen sich endlich als höher in der Gunst der Kinogänger stehend als Schulmädchenreport, x-ter Teil, oder die x-te Simmel-Fließband-Verfilmung. In Frankreich erhoben die Filmhistoriker Lotte H. Eisner, Henri Langlois und andere die deutschen Regisseure Werner Herzog (der in Cannes soeben für Jeder für sich und Gott gegen alle den Großen Spezialpreis der Jury erhalten hatte), Werner Schroeter und den im eigenen Lande weitgehend mißachteten Hans Jürgen Syberberg zu Kult- und Schlüsselfiguren des modernen Films, während man sich in Großbritannien und den USA eher für Fassbinder und Wim Wenders begeisterte. Jan Dawson 1976: »Der Neue Deutsche Film hat für die siebziger Jahre die gleiche Bedeutung wie die *Nouvelle Vague* für die sechziger: ein Infragestellen geltender Werte, ein schwindelerregender Ausbruch an Energie, in einer Liebesaffäre dem Kino und in Haßliebe Hollywood verbunden.« Seit dieser Zeit der Reife nennt sich der Junge Deutsche Film – vielleicht, um sich das Altern zu ersparen – der Neue Deutsche Film.

»Eine kleine Clique gestrenger Herren bestimmt, welche und wieviel Wahrheit über die Leinwand flimmert. Dieser Zustand ist zum Kotzen, da sind sich alle Filmemacher einig.«

Doris Dörrie, 1978

Natürlich blieb nicht alles eitel Sonnenschein, und von verschiedenen Seiten wurde dafür gesorgt, daß den neuen deutschen Regisseuren Ruhm und Erfolg nicht zu sehr zu Kopfe stiegen. »Literaturverfilmung« wurde zum Reizwort, da sich in dieser Gattung Film zu oft eine Haltung verriet, die es den Filmförderungsgremien ermöglichte, sich mit vielleicht heiklen, kritischen Zeitstoffen erst gar nicht befassen zu müssen. Heidi Genées Regie-Erstling *Grete Minde* fiel diesem Bannfluch der Kritiker

ebenso zum Opfer wie Bernhard Sinkels *Taugenichts,* und alle Beteuerungen der Macher, ihre Filme seien voller aktueller Bezüge (was nicht einmal unrichtig war), halfen da gar nichts. Fassbinder setzte sich mit *Eine Reise ins Licht – Despair* nicht nur in das Literatur-Fettnäpfchen (Nabokov-Verfilmung!); hier handelte es sich um einen mehrere Millionen Mark verschlingenden, mit internationaler Besetzung und auf englisch gedrehten Ausstattungsfilm, finanziert auf *Abschreibungsbasis* (noch ein Reizwort)! Die richtigen Stoffe provozierte im Herbst 1977 die bittere Realität: *Deutschland im Herbst,* die spontane Reaktion auf Schleyer-Entführung, Mogadischu-Drama und Terroristen-Hatz, wurde zum ersten *joint venture* des Neuen Deutschen Films, und drei Jahre nach *Katharina Blum* setzten Filme wie *Das zweite Erwachen der Christa Klages* und *Messer im Kopf* das fort, was Jan Dawson als *investigative cinema* bezeichnet hat: »Generalisierungen finden in diesen Filmen ausschließlich im Kopfe des Zuschauers statt; nichtsdestoweniger lassen sich die spezifischen (meistens fiktiven) Fälle, die darin aufgerollt werden, ohne weiteres als Chiffren betrachten für spezifische Fälle anderer Art.« Irgendwann fiel dann jemandem der Begriff ein, der das genaue Gegenteil vom millionenschweren Coproduktions- oder Abschreibungsfilm bezeichnet: der »dreckige kleine Film«. Josef Rödls Hochschul-Abschlußfilm *Albert – warum?* verdiente diese (wohlgemerkt: positiv zu verstehende!) Bezeichnung ebenso wie Adolf Winkelmanns Spielfilm-Erstling *Die Abfahrer* oder Hans Noevers *Die Nacht mit*

Deutsches Steadicam-Kino: *Der Willi-Busch-Report* (1979).
Kameramann Wolfgang Dickmann, links Regisseur Niklaus Schilling

Chandler. Der relative Kassen- und absolute Kriti-ker-Erfolg dieser Billigproduktionen (bald fiel das Schlagwort »No-Budget-Filme«) stellte in Aussicht, daß man die Produktionskosten für seine Filme auch ohne den Gang durch die Förderungsinstanzen zu-sammenkratzen könnte. Die Erklärung, die 98 Fil-memacher auf ihrem 1. Filmfest 1979 in Hamburg formulierten (»Unsere Stärke ist die Vielfalt«), zeugte von diesem neuen, berechtigten Selbstbe-wußtsein.

Die Vielfalt des Neuen Deutschen Films liegt in der Vielzahl seiner Widersprüche.

Inzwischen ist die Vielfalt unüberschaubar. No-Budget-Filme wie *Taxi zum Klo* sind die Renner in den Programmkinos; *Die Ehe der Maria Braun* macht Hanna Schygulla in den USA zum Star, wor-auf Fassbinder für Alt-Produzent Luggi Waldleitner *Lili Marleen* verfilmt und einen Simmel-Roman als Projekt ins Auge faßt; Volker Schlöndorffs *Die Blechtrommel* erhält in Cannes die Goldene Palme, wird in Hollywood mit dem Oscar ausgezeichnet und läßt in seiner Heimat die Kassen klingeln; noch er-folgreicher als diese Bestseller-Verfilmung wird aber völlig überraschend der Originalstoff *Theo gegen den Rest der Welt,* dessen Regisseur Peter F. Bringmann vorher nur Fernsehen gemacht hat; noch ein Spiel-film-Erstling, *Christiane F. – Wir Kinder vom Bahn-hof Zoo,* bricht 1981 schließlich alle Kassenrekorde eines deutschen Films; *Die Fälschung,* von Schlön-dorff an Originalschauplätzen in Beirut gedreht, und *Die bleierne Zeit,* ein Film von Margarethe von Trotta nach dem Leben und Sterben einer Terrori-stin – zwei weitere Beiträge zum *investigative cine-ma;* Hans W. Geissendörfer verfilmt Thomas Manns *Der Zauberberg* als internationale Großproduktion mit Rod Steiger und Marie-France Pisier; immer wieder erstaunliche Regie-Debüts, wie etwa Vadim Glownas *Desperado City.* Währenddessen stellt Wim Wenders, der 1978 wirklich nach Hollywood gegangen ist, für Francis Ford Coppola *Hammett* fer-tig und verarbeitet seine Erfahrungen gleich in ei-nem neuen Film, *Der Stand der Dinge* (»Welcome back home, Wim!«, steht in Anzeigen des Filmver-lags). Wie schwer es sein kann, sich den Willen zu bewahren, neu anzufangen und die Energie nicht zu verlieren, hat Werner Herzog mit seinem Film *Fitz-carraldo* im südamerikanischen Dschungel mehr als einmal erfahren. Klaus Lemke ist plötzlich wieder da und dreht Schwabing-Komödien, Rudolf Thome ist plötzlich wieder da und dreht einen Liebesfilm *(Ber-lin Chamissoplatz),* der so zart ist, daß er aggressiv macht, und Max Zihlmann schreibt das Drehbuch zu *Tristan und Isolde* für Veith von Fürstenberg. Unge-brochene Kontinuität im Schaffen von einzelnen Filmemachern ist nicht häufig zu beobachten, und daß einer heute nicht nur noch ebenso gut ist wie 1966, sondern noch viel besser, läßt sich überhaupt nur von Schlöndorff behaupten.

»Laßt uns nun preisen die mytholo-gische Konzeption des Realisti-schen, sowie alle Arten von Ver-rücktheiten und Verzücktheiten ohne Maß und Ziel!«

Frei nach Andrew Sarris

Es läßt sich kaum ein Kino eines bestimmten Landes zu einer bestimmten Zeit denken, das den aktuellen Ereignissen seines politisch-soziologischen Umfel-des so dicht, so intelligent und phantasierreich auf den Spuren bleibt und prophetisch antizipiert wie der Neue Deutsche Film, so schnell und gierig ist im Aufspüren und Festhalten von dem, was heute schon auf den Nägeln brennt und morgen ein noch heißeres Thema sein wird, so traumwandlerisch sicher in sei-nen Hochrechnungsinstinkten. In den frühen Zeiten des Jungen Deutschen Films durfte man manchmal noch besorgt sein, daß sich die neuen Filmemacher beim Einlassen auf deutsche Realitäten von einem altbackenen deutschen Ernst übermannen ließen, der nicht allzuweit entfernt war von der Attitüde der alten Aussage- und »Problemfilme«. Da gab es dann so ein paar Filme mit quasi-zornigen jungen Män-nern, deren Zorn aber mehr die larmoyante Lust war, im eigenen Trübsinn herumzustochern. Aber schon damals sagte ein Mann wie Ferdinand Khittl: »Es gibt keinen Realismus, der nicht mythologisch ist. Oder irrational, allegorisch, visionär. Realistisch funktioniert er nicht, der Realismus.« Die große Kraft des deutschen Films hat sich dann sehr schnell in der Begabung gezeigt, die besseren urdeutschen Neigungen zum Mythomanischen, Irrationalen und Phantastischen mit einer realistischen Methode zu verbinden. Der Mythos ist das gereinigte, für höhere Zwecke der Erkenntnis brauchbare Abbild der Er-scheinungen. Durch die mythologische Dimension gewinnt der Realismus Glaubwürdigkeit und Leben; eine lange Reihe der besten Werke des Neuen Deut-schen Films, von *Abschied von gestern* und *Die Arti-sten in der Zirkuskuppel: ratlos* über die Filme von Wenders und Herzog bis zu *Die Vertreibung aus dem Paradies, Messer im Kopf* und *Die Blechtrommel* las-sen sich definieren als realistische Beschreibung my-thologisch-allegorischer Abstraktionen. Aber natür-lich ist der Realismus kein Rezept ohne sinnfreie Al-ternative: Einige seiner schönsten Momente hat der Neue Deutsche Film gehabt, wenn er in die Hände von Schwarm- und Poltergeistern wie Schroeter, Bockmayer und Ottinger gefallen ist und der Aus-malung und Verherrlichung von ekstatischen Ver-rückt- und Verzücktheiten ohne Maß und Ziel ge-dient hat.

»Was ich für entscheidend halte, ist der Gedanke, sich den Willen zu be-wahren, neu anzufangen. Die Ener-gie nicht zu verlieren.«

Wim Wenders, 1976

Der Neue
Deutsche Film

Das Brot der frühen Jahre
1962

Regie Herbert Vesely. *Regie-Assistenz* Leo Ti. *Buch* Herbert Vesely, Leo Ti, Hans Robert Budewell, nach der Erzählung von Heinrich Böll (1955). *Dialoge* Heinrich Böll. *Kamera* Wolf Wirth. *Kamera-Assistenz* Petrus Schloemp. *Musik* Attila Zoller. *Musikalische Beratung* Joachim Ernst Behrendt. *Schnitt* Christa Pohland. *Darsteller* Christian Doermer (Walter Fendrich), Karen Blanguernon (Hedwig Muller), Vera Tschechowa (Ulla Wickweber), Eike Siegel (Frau Brotig), Tilo von Berlepsch (Vater Fendrich), Gerry Bretscher (Wolf Wickweber). *Produktion* modern art film (Hans-Jürgen Pohland). *Länge* 89 Minuten. *Uraufführung* 22. 5. 1962 (Filmfestspiele Cannes).

An einem Montag um 11 Uhr geht Walter Fendrich zum Bahnhof, um Hedwig Muller abzuholen. Der 24jährige Elektromechaniker ist die erste Kraft im gut funktionierenden Kundendienst der auf Waschmaschinen spezialisierten Firma Wickweber und so gut wie verlobt mit der Tochter des Chefs, Ulla. Hedwig Muller, 20, kommt aus ihrem gemeinsamen Heimatstädtchen, wo er sie vor sieben Jahren zum letztenmal gesehen hat, zum Studieren in die Großstadt. »Später dachte ich oft darüber nach, wie alles gekommen wäre, wenn ich Hedwig nicht vom Bahnhof abgeholt hätte. Ich wäre in ein anderes Leben eingestiegen, wie man aus Versehen in den falschen Zug steigt. Dieses falsche Leben stand für mich bereit, wie der Zug auf der anderen Seite des Bahnsteigs. Ich sehe mich in diesem Leben herumstehen, ich lächle, rede wie ein Zwillingsbruder lächeln und reden würde. Ich kaufe in diesem Leben, verkaufe, halte Kinder im Arm, die meine hätten sein sollen, ich mache Spaziergänge und Ausflüge, halte Reden bei Betriebsfesten, drücke

Hände. Ich gehe in Filme und zu Leuten, ich öffne Türen und führe Buch, ich schreibe ab und schreibe auf. Im Traum führe ich dieses Leben, das ganz passabel erschien: alles war abgemacht, alles vorgesehen, was nicht abgemacht war, gab es nicht.« Sein Vater, Studienrat und Kollege von Hedwigs Vater, hat ihn brieflich gebeten, sich um Hedwig zu kümmern. Walter erinnert sich oft daran, wie sein Vater früher, als es ohne Marken nichts gab und Walter immer einen Heißhunger auf frisches Brot hatte, jeden Sonntag beim Bäcker einen Laib Brot für ihn erbettelte. Am Bahnhof trifft Walter das Mädchen und vergißt sofort und radikal alles andere. »Dieses Gesicht drang tief in mich ein, durch und hindurch, wie ein Prägestock, der auf Wachs stößt.« Walter bringt Hedwig zu dem Zimmer, das er für sie besorgt hat. Er hebt sein ganzes Bankkonto ab. Er bringt Hedwig viele Blumen. Inzwischen wird er fieberhaft gesucht. Die Kunden mit kaputten

Waschmaschinen, die vergeblich auf seinen Besuch warten, rufen die Firma Wickweber an, die Firma Wickweber versucht bei Walters Zimmerwirtin, Frau Brotig, zu erfahren, wohin er verschwunden ist. Der Sohn des Chefs, Ullas Bruder Wolf, findet Walter, kann ihn aber nicht bewegen, sich um seine Arbeit und die Kunden zu kümmern. Er muß sich aber zu einem Treffen mit Ulla bereiterklären. Das erzählt er auch Hedwig, als er sie in eine Konditorei ausführt: »Ich will das Mädchen treffen, das ich einmal heiraten wollte, und ihr sagen, daß ich sie nicht heiraten will.« Walter trifft Ulla, die wütend ist, weil sie schon von Hedwig gehört hat. Walter: »Sie ist wie Brot, wenn ich Hunger habe. Ich habe Hunger gehabt. Aber du weißt ja nicht, wie Hunger ist, und du weißt nicht, was Brot ist.« Ulla: »Bitte, sprich das Wort Brot nicht mehr aus!« Sie trennen sich. Walter findet Hedwig wieder. Zu Hedwigs Zimmer können sie nicht gehen, weil dort eine Bekannte ihres Vaters auf sie wartet. Sie gehen zu Walters Zimmer bei Frau Brotig. Frau Brotig sagt: »Wird sie bei Ihnen bleiben?« Walter: »Ja – sie ist meine Frau.« Frau Brotig will nichts davon wissen, daß es Nothochzeiten gibt, wie es Nottaufen gibt: »Ersparen Sie es mir, das Mädchen rauszusetzen.« In der Lichterstraße der Stadt liegen sich Walter und Hedwig in den Armen.

Herbert Vesely, Wolf Wirth, Vera Tschechowa, Christian Doermer, Karen Blanguernon, Hansjürgen Pohland

Am 28. Februar 1962 verkünden 26 junge deutsche Filmemacher das Oberhausener Manifest, dessen schlagkräftiger Kernsatz hieß: »Wir erklären unseren Anspruch, den neuen deutschen Spielfilm zu schaffen.« Weniger schlagkräftig, aber für das Denken und die Zielsetzung der Gruppe noch aufschlußreicher waren die Grundsätze, die zwei Mitverfasser des Manifests, Bodo Blüthner und Ferdinand Khittl, etwa zur gleichen Zeit in einem Kommentar zu ihrem Film *Die Parallelstraße* veröffentlichten: »Das Suchen und der Weg zu einem Ziel sind für jeden von uns wesentlicher als das möglicherweise zu erreichende Ziel selbst. Dieser Grundzug wird notwendigerweise die Form des kommenden deutschen Spielfilms bestimmen: Suchen als Grundzug modernen Denkens überhaupt.« Natürlich hielt sich die Öffentlichkeit an den ersten und nicht an den zweiten Satz, als zweieinhalb Monate nach Oberhausen bei den Festspielen von Cannes als deutscher Beitrag der Film *Das Brot der frühen Jahre* gezeigt wurde, die Böll-Verfilmung, die zur Zeit der Manifest-Abfassung längst abgedreht war und an deren Herstellung vier der damals sogenannten »Oberhausener Rebellen« beteiligt waren: der Produzent Hans-Jürgen Pohland, der Regisseur Herbert Vesely, der Kameramann Wolf Wirth und der Hauptdarsteller

Tilo von Berlepsch (rechts)

Christian Doermer. So wurde dem Film im Inland die ganze Beweislast für den Oberhausener Anspruch aufgebürdet, mit dem von der *Bild-Zeitung* gesteckten Pensum »Wir greifen nach der Goldenen Palme!«, während er im Ausland sehr viel angemessener betrachtet wurde als verdienstvoller »erster Versuch, die gegenwärtige völlige Auszehrung des deutschen Films zu überwinden« *(Cahiers du Cinéma)*. Daß ein solcher Versuch überhaupt zustandegekommen war in dieser ausgezehrten deutschen Filmlandschaft, einer Szene ohne Filmkultur, einer Wüste, in der die heute funktionierenden Fördergeld-Systeme nicht einmal als Fata Morgana vorstellbar waren, einer maroden Industrie, beherrscht vom kaputten, aber immer noch arroganten Papas Kino, war schon Wunder genug, nicht denkbar ohne den selbstmörderischen Einsatz eines Kamikaze-Typen wie Herbert Vesely, der damals 30 war und 1981 50 wurde, ein Österreicher natürlich, wie die meisten, die im deutschen Film etwas in Gang gebracht haben. Geboren 1931 in Wien, hat Vesely in seiner Heimatstadt bei Joseph Gregor Theater- und Filmwissenschaft studiert, vor allem aber schon mit 17 Jahren angefangen, kleine Filme zu drehen, die meist von Kafka-Erzäh-

lungen inspiriert waren. Bekannt wurde er durch den 1951 entstandenen Kurzfilm *An diesen Abenden* (nach einem Gedicht von Trakl); er unternahm mit diesem Film mehrere Tourneen durch die deutschen Filmclubs und kam dabei auch in Kontakt mit dem Filmproduzenten Hans Abich (Filmaufbau), der ihm 1953 die Möglichkeit verschaffte, den mittellangen Experimentalfilm *Nicht mehr fliehen* zu drehen, eine philosophische Recherche auf den

Christian Doermer

Vera Tschechowa

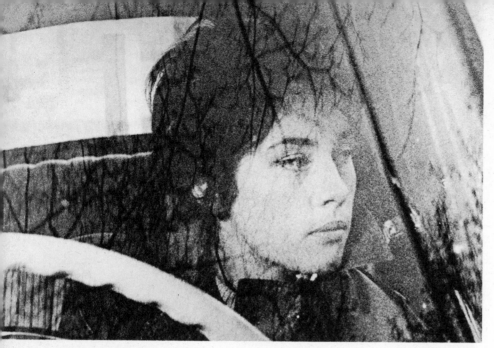

Vera Tschechowa

Spuren von Albert Camus. Weitere Spielfim-Pläne zerschlugen sich; Vesely mußte sich damit begnügen, Kurzfilme und Fernseh-Feuilletons zu drehen, so 1958 *Menschen im Espresso* und *Ein Wochenende,* 1959 *Mode in der Stadt* und *Die Stadt,* 1960 *Folkwangschule* und *Düsseldorf.* Der Kameramann aller dieser Filme war Wolf Wirth, ein Nürnberger vom Jahrgang 1928, der als Kamera-Assistent bei der Filmaufbau in Göttingen angefangen hatte und dann in den sechziger Jahren der neben Gerard Vandenberg wichtigste Kamerakünstler des Jungen Deutschen Films wurde, außerdem der Lehrmeister einer neuen Generation ausgezeichneter Kameraleute (Frank Brühne, Petrus Schloemp). Wirth, heute erfolgreicher Werbefilmer, war damals ein Mann, der die Leute auf Ideen und zueinander brachte: Er schlug Vesely, der die vage Idee hatte, ein deutsches Gegenstück zu Zavattinis *Amore in città* zu machen, als Stoff Bölls *Brot der frühen Jahre* vor und besorgte ihm als Produzenten den Berliner Hans-Jürgen Pohland, dessen erster Spielfilm *Tobby* auch Wirths Debüt im Langfilm war. Von der ersten Idee der Böll-Verfilmung bis zum ersten Drehtag in Berlin, im November 1961, vergingen für Vesely zwei Jahre mit der Jagd nach Produktionsmöglichkeiten und immer neuen Drehbuch-Variationen der

Böll-Erzählung. In dem Buch, nach dem dann gedreht wurde, findet sich schon eine Vorbemerkung, die Veselys radikale Veränderung der Böll'schen Erzählstruktur, einer geradlinigen Erzählung mit eingestreuten Rückblenden, deutlich macht: »Das Vergangene und das Gegenwärtige durchdringen sich. Der Blick ist gleichzeitig und überall. Keine Handlung mit Rückblenden, sondern gleichzeitige Abläufe: Reflexionen, Möglichkeiten, Wirklichkeiten. Diese Verschränkung der Ebenen erzeugt ein wachsendes Bewußtsein, das Bewußtsein des Walter Fendrich, 23, Elektromechaniker und Spezialist für Waschmaschinen, an diesem Montag, den 14. März.« Genau dieses Konzept hat Vesely realisiert, zusammen mit seiner während des Drehens öfter geäußerten Ansicht, Böll zu »entmiefen«. Aber das Gelingen des Verfilmungsplanes brachte nicht nur eine überaus reiche Filmsprache zum Erblühen, sondern auch den Stoff zum Verdorren: der Mief ist weg, aber der Gehalt auch, und die reichlich vorhandene, als solche faszinierende, aufregend rhythmisierte Struktur verstellt den Blick auf die Menschen, die Empfindungen des Hungers wie der Sättigung, den Aufruhr des Abschieds vom gestern und vom heute, den Walter Fendrich nimmt. Der sehr intelligente Fendrich-Darsteller Christian Doermer hat ganz richtig

gesagt, Herbert Vesely sei weniger ein *metteur en scène* als vielmehr ein *décorateur en scène,* ein Filmemacher, der die Szene zum Dekor macht statt den Stoff zur Szene. Was dem *Brot der frühen Jahre* am meisten fehlt, ist ein einziges Bild wie die berühmte, geniale Schlußeinstellung von Chabrols *Les bonnes femmes,* in der Karen Blanguernon endlos lange in die Kamera sieht, während sie mit einem Mann tanzt, dessen Gesicht wir nie sehen. Diese Einstellung – die einzige der Blanguernon in dem Chabrol-Film – hat Vesely wahrscheinlich bewogen, ihr die Rolle der Hedwig Muller zu geben, die Walter Fendrich ansieht und mit diesem Augenblick den Ausbruch aus seinem »ganz passablen Leben« bewirkt. Aber dieser lange Augenblick der größten Kraft hat in dem Delirium der *Brot*-Bilder keinen Platz. So bleibt diese erste Böll-Verfilmung des Neuen Deutschen Films ihrem Autor viel schuldig, aber gerechterweise muß man sagen, daß auch *Nicht versöhnt, Ansichten eines Clowns, Gruppenbild mit Dame* und sogar *Katharina Blum* sehr viel vom besten ihrer Vorlagen verschenken, und es gibt überhaupt keine Böll-Verfilmung, die vom Geist und Stil dieses Autors so viel hat wie der Fassbinder-Film *Der Händler der vier Jahreszeiten,* der außer diesem Geist und diesem Stil (und der Lehre, daß das Abbilden von Wohnküchen durchaus nicht zwangsläufig zum Filmmief führt) gar nichts mit Böll zu tun hat. Der Vesely-Film erfüllte in Cannes nicht die zu hoch gesteckten Erwartungen der deutschen Filmwelt (»die angestaubten Routiniers lachten sich ins Fäustchen«, schrieb die *Stuttgarter Zeitung*), brachte aber für das Ausland »etwas, das wir aus Deutschland seit langer Zeit nicht mehr kennen« *(Le Figaro)* und bekam deshalb völlig zu Recht 1962 fünf Bundesfilmpreise (beste Produktion; beste Hauptdarstellerin Vera Tschechowa; beste Kamera Wolf Wirth; beste Filmmusik Attila Zoller und Joachim E. Behrendt; bester Nachwuchsregisseur Herbert Vesely). Vesely, der beste Nachwuchsregisseur von 1962, hat nie wieder eine Chance wie *Das Brot der frühen Jahre* bekommen.

Christian Doermer und *Karen Blanguernon*

Nicht versöhnt
oder Es hilft nur Gewalt, wo Gewalt herrscht
1965

Regie Jean-Marie Straub. *Regie-Assistenz* Danièle Huillet. *Buch* Jean-Marie Straub, Danièle Huillet, nach dem Roman *Billard um halbzehn* von Heinrich Böll (1959). *Kamera* Wendelin Sachtler, Gerhard Ries, Christian Schwarzwald, Jean-Marie Straub. *Musik* »Sonate für zwei Klaviere und Schlagzeug« von Béla Bartók, »Suite Nummer 2 in b-Moll« von Johann Sebastian Bach. *Ton* Lutz Grübnau, Willi Hanspach, Paul Schöler. *Schnitt* Jean-Marie Straub, Danièle Huillet. *Darsteller* Heinrich Hargesheimer (Heinrich Fähmel, 80), Chargesheimer (Heinrich Fähmel, 35), Martha Städner (Johanna Fähmel, 70), Danièle Huillet (Johanna Fähmel als junge Frau), Henning Harmssen (Robert Fähmel, 40), Ulrich Hopmann (Robert Fähmel, 18), Joachim Weiler (Joseph Fähmel), Eva-Maria Bold (Ruth Fähmel), Hiltraud Wegener (Marianne), Ulrich von Thüna (Schrella, 35), Ernst Kutzinski (Schrella, 15), Heiner Braun (Nettlinger), Georg Zander (Hugo/Ferdinand Progulske), Kathrin Bold (Ferdinands Schwester), Erika Brühl (Edith), Werner Brühl (Trischler), Helga Brühl (Frau Trischler), Lutz Grübnau (Erster Abt), Martin Trieb (Zweiter Abt), Karl Bodenschatz (Hotelportier), Wendelin Sachtler (Mull), Anita Bell, Margrit Borstel, Eduard von Wickenburg, Huguette Sellen, Hartmut Kirchner, Jürgen Kraeft, Paul Esser, Michael Krüger, Karsten Peters, Piero Poli, Max Dietrich Willutzki, Rudolf Thome, Kai Niemeyer, Kim Sachtler, Walter Talmon-Gros, Joe Hembus, Max Zihlmann, Maurie Fischbein, Christel Meuser, Annie Lautner, Johannes Buzalski, Gottfried Bold, Victor von Halem, Beate Speith. *Produktion* Straub-Huillet. *Länge* 55 Minuten. *Uraufführung* 4. 7. 1965. (Sonderveranstaltung der Filmfestspiele Berlin).

Köln 1956. Drei Generationen der Familie Fähmel schicken sich an, den 80. Geburtstag des Familienoberhauptes Heinrich Fähmel zu feiern. Der Jubilar und seine Frau Johanna, die seit dem 1. Weltkrieg verstört ist und sonst in einem Sanatorium lebt, haben das Balkonzimmer 212 im Hotel Prinz Heinrich; in diesem Haus pflegt ihr Sohn, der 40jährige Robert Fähmel, seine täglichen Billardpartien zu absolvieren. Das Zimmer neben den alten Fähmels, Balkonzimmer 211, hat ein Minister, der sich gerade überlegt, ob er aus wahltaktischen Gründen einer für diesen Tag vor dem Hotel angesetzten Demonstration eines rechtsgerichteten »Kampfbundes« seine Reverenz erweisen soll. Die Gespräche des Billardspielers Robert Fähmel mit dem jungen Pagen Hugo führen in die Vergangenheit der Familie. – 1910 kommt Heinrich Fähmel als junger Architekt nach Köln. Er gewinnt das Preisausschreiben zum Bau der Abtei Sankt Anton und heiratet die Tochter eines prominenten Notars, Johanna. Im 1. Weltkrieg wird er eingezogen, aber in der Heimat zum Bau von Kasernen, Festungen und Lazaretten eingesetzt. Bei einer Abendgesellschaft verursacht Johanna einen Skandal, indem sie den Kaiser laut einen Narren nennt. Ihr Mann kommt vor ein Ehrengericht. »Und ich sagte nicht, was ich hätte sagen müssen, daß ich meiner Frau zustimmte.« Er macht mildernde Umstände geltend: Johanna ist schwanger, eine kleine Tochter hat sie zuvor schon verloren, zwei ihrer Brüder sind am gleichen Tag gefallen. Nach der Tochter verlieren die Fähmels auch noch einen Sohn; in seinen letzten Fieberanfällen versucht er, die Zeilen eines patriotischen Gedichtes zusammenzukommen, das er für die Schule lernen mußte und dessen Text die Mutter zerrissen hat, »vorwärts mit Hurra und Hindenburg!«. Die Fähmels bekommen noch zwei Söhne, Robert und Otto. Johannas Geist beginnt sich zu verwirren. – 1934. Der 18jährige Robert Fähmel und seine Freunde Schrella und Progulske werden von dem Nazi-Lehrer Vacano und ihrem Mitschüler Nettlinger brutal mißhandelt, weil sie mit einer pazifistischen Sekte sympathisieren: »Wir sind Lämmer, haben geschworen, nie vom Sakrament des Büffels zu essen.« Progulske wirft Vacano eine Bombe vor die Füße, der Lehrer wird aber nur leicht verletzt. Progulske wird hingerichtet, Robert Fähmel und Schrella fliehen nach Holland. Nach einem Jahr erwirkt Johanna eine Amnestie für ihren Sohn: Er darf heimkehren unter der Bedingung, daß er sich nie mehr politisch betätigt und nach dem Examen – er studiert Statik – sofort zum Militär geht. Robert heiratet Schrellas Schwester Edith und hat mit ihr einen Sohn, Joseph. Roberts Bruder Otto ist mit den Nazis Vacano und Nettlinger befreundet; zwischen den Brüdern gibt es keine Versöhnung mehr. Otto fällt im 2. Weltkrieg an der Ostfront. Roberts Frau Edith kommt bei einem Bombenangriff um; das Paar hatte außer dem Sohn Joseph noch eine Tochter Ruth bekommen. 1956 beim Billardspielen erzählt Robert Fähmel dem Pagen Hugo, daß auch er den Krieg mitgemacht hat, als Spezialist für Sprengungen: »Ich hatte eine gute Mannschaft beisammen: Physiker und Architekten, und wir sprengten, was uns in den Weg kam; das letzte war die Abtei Sankt Anton im Kissatal, die mein Vater erbaut hatte – die lag genau zwischen zwei Armeen, einer deutschen und einer amerikanischen, und ich besorgte der deutschen Armee ihr Schußfeld, das sie gar nicht brauchte.« In der Nachkriegszeit führt Robert Fähmel ein ruhiges Leben, geht nur noch nebenher seinem Beruf nach, spielt seine Billardpartien. Sein Sohn Joseph will Architekt werden wie der Großvater; Robert besorgt ihm einen Job beim Wiederaufbau von Sankt Anton, aber als Joseph erfährt, daß sein Vater bei der Zerstörung der Abtei beteiligt war, verliert er die Lust am Bauen. Schrella kehrt nach 30 Jahren Exil in die Heimat zurück und wird sofort verhaftet, weil sein Name wegen der Sache mit Vacano noch auf der Fahndungsliste steht, »ein verdammter Zufall«, wie sein ehemaliger Schulkamerad Nettlinger, jetzt Beamter im Verteidigungsministerium, ihm erklärt. Nettlinger verschafft ihm die Freiheit und lädt ihn zum Essen ein. Schrella: »Eure Wohltaten sind fast schrecklicher als eure Missetaten.« Nettlinger: »Und ihr seid unbarmherziger als Gott.« Vacano, obwohl laut Nettlinger »einer von den Unbelehrbaren«, ist jetzt ein hoher Polizeibeamter. Nettlinger wie Vacano sind bei der Demonstration des Kampfbundes zugegen, die am Tag von Heinrich Fähmels 80. Geburtstag vor dem Hotel Prinz Heinrich stattfindet. Johanna Fähmel, die sich eine Pistole besorgt hat, erklärt ihrem Mann, sie werde vom Balkon aus Vacano erschießen. Heinrich Fähmel schlägt ihr vor, doch lieber den Minister zu erschießen, der sich auf dem Balkon nebenan den Kämpfern zeigen wird, den »Mörder deines Enkels«. Johanna geht auf diesen Vorschlag ein: »Ich verlaß mich auf den Paragraphen einundfünfzig, Liebster.« Der alte Fähmel berichtet dann beim Anschneiden der Geburtstagstorte seinen Gästen das Ergebnis: »Er ist ja nicht lebensgefährlich verletzt worden, und ich hoffe, das große Staunen wird nicht von seinem Gesicht verschwinden.«

Jean-Marie Straub

Joe Hembus, Danièle Huillet, Max Zihlmann, Chargesheimer

Alexander Kluge über *Nicht versöhnt:* »Ich habe das Buch von Böll gelesen, und ich finde literarisch den Film besser als das Buch. Der Film versucht nicht, die Wirklichkeit zu imitieren und darzustellen, und den Leser in eine Scheinwirklichkeit oder in einen Scheinrealismus hineinzuziehen, sondern versucht, die Phantasie des Zuschauers in Bewegung zu setzen auf einen Gegenstand hin, der selbst im Film nicht enthalten ist und auch gar nicht enthalten sein kann, es sei denn als die Scheinwelt, wie wir sie in Filmen, die sich mit Zeitgeschichte befassen, oft genug gesehen haben. Ich glaube nicht, daß man Dinge, die in der Geschichte liegen, also in der Vergangenheit, bei denen man eigentlich sinnliche Wahrnehmung nicht haben kann, es sei denn, man hat eine Erinnerung daran, daß man da mehr tun kann, als durch Wirklichkeitspartikel Reize auszuüben, die die Phantasie des Zuschauers in Bewegung setzen in Richtung auf das Ereignis, das sich eigentlich im Kopf des Zuschauers herstellt. Ich finde es falsch, wenn man diese Phantasiebewegung nicht selber gemacht hat und dann einfach sagt, das alles gibt es nicht, und das ist ein Machwerk!« Dieses Machtwort gegen einen vor wilder Wut und feindseligster Ablehnung kochenden Kinosaal sprach Alexander Kluge auf der

Tumultveranstaltung, mit der die Karriere von *Nicht versöhnt* als erster internationaler Kultfilm des Neuen Deutschen Films begann. Die Berliner Filmfestspiele hatten das Langfilm-Debüt von Jean-Marie Straub abgelehnt. Enno Patalas, damals der einzige, der eine stabile »Tribüne des Jungen Deutschen Films« errichtet hatte (nicht nur mit der gleichnamigen Serie in seiner Zeitschrift *Filmkritik,* sondern auch durch viele andere Aktivitäten), hatte den Film in das Festival eingeschmuggelt: Er erwirkte eine Randveranstaltung »Neue Erzählstrukturen im Film«, deren einziger Zweck die Uraufführung und Diskussion von *Nicht versöhnt* war. Neben Kluge war er dann der einzige, der in der Lage und bereit war, die neuen Erzählstrukturen dieses Films zu diskutieren. Der Saal tobte, und Peter Schamoni schrie am lautesten »Katastrophe!«. Straub selbst blieb schroff und unverbindlich, wie sein Film. Er hatte bereits eine lange Erfahrung mit Unversöhnlichkeit. Hier der Beginn einer autobiographischen Skizze: »Geboren under Capricorn (comme la vieille dame de NICHT VERSÖHNT . . ./›Die werden alt geboren‹, sagt Max Jacob) am Sonntag nach der Epiphanias in der Geburtsstadt von Paul Verlaine (›Et si j'avais cent fils, ils auraient cent chevaux Pour vite déserter le Ser-

23

Henning Harmssen

gent et l'Armée‹) und getauft auf den Namen eines der allerersten Militärdienstverweigerer (Jean-Marie Vianney, Pfarrer von Ars), das Jahr, wo Hitler an die Macht kam. Bis 1940 nur französisch gehört, gelernt und gesprochen – zu Hause und draußen. Und auf einmal darf ich draußen nur noch deutsch hören und sprechen, und muß es in der Schule (wo wie überall jedes französische Wort verboten ist) ›direkt‹ lernen.« Geboren also 1933 in Metz als geborener Militärdienstverweigerer, studiert er in Straßburg und Nancy, führt in der Heimatstadt einen Filmclub und hospitiert dann in Paris bei seinen Vorbildern Robert Bresson und Jean Renoir, begegnet seiner späteren Frau und Mitarbeiterin Danièle Huillet und entzieht sich der Einberufung in den Algerienkrieg durch die Flucht nach Deutschland; hätte er sich in den folgenden Jahren in Frankreich sehen lassen, so hätte man ihn zuerst ins Gefängnis und dann in eine Uniform gesteckt. Die Bundesrepublik suchte er sich als Asyl aus, weil er ohnehin einen Film *Chronik der Anna Magdalena Bach* drehen wollte. Vor dem Bach-Film entstanden dann aber noch zwei Böll-Verfilmungen, der Kurzfilm *Machorka-Muff* (1962, nach *Hauptstädtisches Journal*) und die *Billard um halb zehn*-Verfilmung *Nicht versöhnt*. Mit dem Kurzfilm waren die künftigen Straub-Gegner bereits auf den radikal asketischen Stil eines *minimal cinema* vorge-

warnt, den die Straub-Freunde als »imponierende Kälte ... nüchterne Filmprosa« *(Deutsche Zeitung)* schätzen lernten. Zu seinem *Nicht versöhnt*-Konzept schrieb Straub: »Ich scheide bewußt alle pittoresken und satirischen Elemente des Romans aus. Und anstatt wie Böll, wie der Autor von *Citizen Kane* und wie Alain Resnais ein Puzzle-Spiel zu konstruieren, riskiere ich es, einen Film zu machen, in dem Lücken offenbleiben, in dem Sinn, in dem Littré einen lakunären Körper definiert: ein Ganzes, komponiert aus agglomerierten Kristallen, die Zwischenräume zwischen sich lassen, wie die interstitiellen Räume zwischen den Zellen eines Organismus. Kein sogenannter Experimentalfilm, sondern ein Film für die vielen, die man seit Jahren in einem Ghetto von Grün-ist-die-Heide-Edgar-Wallace-Winnetou versucht zu vergiften oder zu chloroformieren. Und genauso wie er ist, würde mein Film auch sein, wenn ich sieben Millionen zur Verfügung gehabt hätte.« Statt mit Millionen hat Straub den Film mit zusammengeliehenen 115 000 Mark gedreht. Mit dem Böll-Verlag Kiepenheuer und Witsch gab es wegen Rechterwerbs-Problemen erbitterte Differenzen, die bald nach der Berliner Premiere zu der Verlags-Drohung führten, den Film zu vernichten. Aber bald darauf begann der erste internationale Siegeszug eines Werks des Neuen Deutschen Films: Hauptpreis der Kategorie »Expe-

rimental- und Avantgarde-Film« beim Festival von Bergamo 1965, deutscher Beitrag zum New York Film Festival 1965, deutscher Beitrag zum London Film Festival 1965, Preis der Kritik und Preis der Regisseure beim Festival des Neuen Films in Pesaro 1966, deutscher Beitrag zum Filmfestival Montreal 1966. »Seit Jahr und Tag hat es keinen Film gegeben, der so wie dieser für das Ansehen des deutschen Films wirkte« *(Filmreport, 1965)*. Aber bei der Vergabe der Bundesfilmpreise und Spielfilmprämien 1966 ging *Nicht versöhnt* leer aus, die Finanzierung des nächsten Straub-Films *Chronik der Anna Magdalena Bach* gelang erst nach Überwindung unsäglicher Schwierigkeiten. Nach einem weiteren kurzen Spielfilm, *Der Bräutigam, die Komödiantin und der Zuhälter* (1968) verließen Jean-Marie Straub und Danièle Huillet die Bundesrepublik und gingen nach Italien. In seinem 1972 erschienenen Buch *Straub,* einer englischen Publikation, schreibt Richard Roud: »Straubs Filme teilen sich mit der größten Musik und den größten Gemälden einen Effekt der Erhöhung, die um so mächtiger wirkt, wenn man die Obskurität ihrer Ursprünge bedenkt.«

Heinrich Hargesheimer

Es
1966

Regie und Buch Ulrich Schamoni. *Regie-Assistenz* Heidi Rente [= Heidi Genée]. *Kamera* Gerard Vandenberg. *Kamera-Assistenz* Dagmar Sowa. *Musik* Hans Posegga. *Ton* Sepp Schiller. *Schnitt* Heidi Rente [= Heidi Genée]. *Darsteller* Sabine Sinjen (Hilke), Bruno Dietrich (Manfred), Ulrike Ullrich (Hilkes Freundin), Harry Gillmann (Hilkes Vater), Inge Herbrecht (Hilkes Mutter), Horst Manfred Adloff (Manfreds Chef), Rolf Zacher (Redner beim Polterabend), Tilla Durieux (die Alte aus dem Osten), Werner Schwier (Angler), Marcel Marceau, Bernhard Minetti, Robert Müller, Will Tremper. *Produktion* Horst Manfred Adloff. *Länge* 86 Minuten. *Uraufführung* 17. 3. 1966.

Berlin 1965. Manfred, 28, Assistent bei einem Grundstücksmakler, holt wieder einmal einen westdeutschen Kunden, der sich durch Ausnutzung der Berlin-Gesetze Steuervorteile verschaffen will, vom Flughafen Tempelhof ab. Weil er dachte, der Kunde käme mit Gattin, hat er Blumen gekauft. Weil er die Blumen nun schon mal hat, bringt er sie nach getaner Arbeit dem Mädchen, mit dem er glücklich zusammenlebt: Hilke, 23, Zeichnerin bei einem Architekten. Hilke freut sich, weil das schon ein ganzes Jahr lang nicht mehr vorgekommen ist. Aber sonst und abgesehen von den üblichen kleinen Reibereien sind sie ganz vergnügt und zufrieden miteinander. Am Wochenende besuchen sie Hilkes Eltern in ihrem Schrebergarten oder gehen mit Freunden angeln. Einer ihrer Angel-Freunde philosophiert über den undisziplinierten Fortpflanzungstrieb der menschlichen Rasse: »Die Maßnahmen der Tiere reichen von einfacher Enthaltung bis überhaupt nicht mehr. Und die Menschen sind zu dumm dafür, die machen das nicht ... Eigentlich haben das nur die Menschen und die Heuschrekken, daß sie so weit gehen, daß sie gar nicht mehr wissen, wie viele sie sind.« Dann führt Manfred wieder zahllosen Kunden zahllose Grundstücke vor und führt flotte, smarte Verkaufsgespräche. Und Hilke zeichnet bei ihrem Architekten. Eines Abends erzählt Manfred seiner Freundin, er habe eine alte Bekannte getroffen, jetzt verheiratet, zwei Kinder, »... und das dritte eventuell schon unterwegs. Das Mädchen kann einem schon leid tun. Da hat sie eine jahrelange Ausbildung, war allein drei Jahre in der Lehre, hat während der ganzen Zeit kaum was zum Leben, weil es an der Penunse fehlt. Und dann, wenn sie es gerade geschafft hat, auf eigenen Füßen steht, dann kriegt sie ihr erstes Kind, und dann kommt auch gleich das zweite; muß ihren Beruf an den Nagel hängen, geht mit den Kindern im Volkspark spazieren. Und warum das Ganze? Weil irgend so ein kleiner Trottel von Siemens nicht aufgepaßt hat.« Hilke: »Vielleicht ist sie aber ganz glücklich?« Manfred: »Welcher halbwegs normale, im Leben stehende Mensch kann denn dabei glücklich sein?« Hilke: »Wenn sie gerne Kinder hat?« Manfred: »Ich finde so etwas ja auch ganz putzig und schnuckelig und pusselig, aber dafür seine eigene Existenz aufgeben, sich in Abhängigkeiten bringen ...« Hilke ist schon einige Tage sehr unruhig, nach einigen weiteren Tagen vertraut sie einer Freundin an, daß sie schwanger ist. Manfred sagt sie nichts, weil der öfter solche Reden über das Kinderkriegen führt. Sie unternimmt einige dilettantische Versuche, ES loszuwerden. Manfred muß seinem Chef die unangenehme Verpflichtung abnehmen, dessen alte, aus dem Osten zu Besuch gekommene Tante zum Kreuzberger Friedhof zu begleiten. Unterwegs sagt die Alte: »... und plötzlich bin ich in einer fremden Welt ... wie im Märchen: Der arme Vetter besucht den reichen Bauern. Und der Reiche freut sich, weil der Arme sich nicht sattsehen kann. Wir werden stets die armen Verwandten bleiben, so angesehen werden, solange, bis wir von der Verwandtschaft nichts mehr wissen wollen. Sie hier und wir drüben.« Während die Alte Gräber besucht, rechnet Manfred sich aus, wieviel schöne Grundstücke dieser Friedhof hergäbe. Hilke sucht einen Arzt, der ihr helfen könnte. Die Unterredungen mit mehreren Ärzten verlaufen peinlich und vergeblich. Schließlich findet sie einen Arzt, der ES abtreibt. Manfred erfährt es, als es gerade passiert ist, ganz zufällig, in seinem Büro, durch ein Telefonat mit Hilkes Freundin, die glauben muß, daß er Bescheid weiß. Er eilt nach Hause, wo er Hilke völlig gebrochen vorfindet. Niedergeschmettert setzt er sich hin, nicht zu ihr ans Bett, sondern ein Stück weiter, an den Tisch.

Ulrich Schamoni

Tilla Durieux

Bernhard Minetti

»Am 17. März fand im ›Atelier am Zoo‹ die Uraufführung des Erstlingsfilms von Ulrich Schamoni mit dem lapidaren und vieldeutigen Titel *Es* statt. Spätere Chronisten werden möglicherweise den 17. 3. 1966 als den Geburtstag des Neuen Deutschen Films feiern« (Kurt Habernoll, *Stuttgarter Zeitung*, 22. 4. 1966). Auf jeden Fall wirkte das Erscheinen von *Es* wie eine Erlösung; es war nun etwas bewiesen, und zwar bewiesen mit einem von Publikum wie Kritik mit überwältigendem Zuspruch angenommenen Werk, was lange genug als zweifelhaft gelten mußte: »Ulrich Schamoni hat mit *Es* bewiesen, daß man in diesem Land einen Film machen kann«, und das in einer für einen Neubeginn ebenso günstigen wie beschwerlichen Kahlschlag-Situation: »In diesem Land Filme drehen, heißt im Jahre Null beginnen« *(Stuttgarter Zeitung)*, oder, wie Enno Patalas sagte: »Die Bundesrepublik ist auf ihre neue Welle so vorbereitet wie das zaristische Rußland für die Oktoberrevolution« *(Filmkritik)*. Zu den wahren Geburtsfeiern des Neuen Deutschen Films aber wurden die Festivals von Cannes, Mai 1966, und Venedig, August 1966: *Es* von Schamoni, *Der junge Törless* von Schlöndorff und *Nicht versöhnt* von Straub in Cannes und Alexander Kluges *Abschied von gestern* in Venedig zeigten einer erstaunten und dann sehr schnell zu stürmischen Beifall hingerissenen Welt, daß es einen neuen Film in der Bundesrepublik Deutschland gab, noch dazu als Kino von großer Vielfalt, nicht

als Produkt einer *Schule* oder auf gemeinsame Zielsetzungen und Formvorstellungen eingeschworenen *Bewegung,* sondern als ein Sammelangebot völlig individualistischer Talente, deren Werke kaum etwas gemeinsam haben außer der Tatsache, daß sie »durch und durch deutsch sind« *(Wiener Arbeiterzeitung)*. Wie verschiedenartig die Filme sind, ersieht man vielleicht am besten aus dem Umstand, daß sich ihre mit bestimmten deutschen Situationen zusammenhängenden Gemeinsamkeiten erst bei sehr genauen Hinsehen erschließen. Da kann einem dann nämlich Hilke, die Heldin von *Es,* wie die brave, angepaßte, in der Wohlstandsgesellschaft verwurzelte Schwester von Kluges Heldin Anita G. erscheinen, die als Streunerin in dieser selben Gesellschaft überlebt und schließlich ihr ungewolltes Kind in dem Gefängnis zur Welt bringt, in das nach dem Recht dieser Gesellschaft der Arzt gehört, der das ungewollte Kind Hilkes abtreibt. In Cannes konnte der ambitionsscheue Schamoni (»Ich wollte einen kleinen Film machen«) mit den Musil- und Böll-Verfilmungen von Schlöndorff und Straub spielend Schritt halten. »*Es* gehört mit *Der junge Törless* und *Nicht versöhnt* zu der Trilogie, die die große Überraschung des Cannes-Festivals war und uns erstklassigen deutschen Film entdeckte. Dieser Film ist sympathisch, jung und mutig. Er ist nicht zimperlich, wenn es darum geht, sich mit dem deutschen Wirtschaftswunder anzulegen und, was in Frankreich noch niemand gewagt hat, die Grundstückspekulation anzugreifen« (François Chevassu, *Image et Son*). Wie man hier schon sieht, wurde der Film draußen viel stärker als ein Stück deutscher

Selbstkritik empfunden als das zuhause der Fall gewesen war. Auch Jean-Louis Bory sagte in *Arts:* »Man kann sich keine weniger nachsichtige Analyse der Prosperität und Amerikanisierung Westdeutschlands vorstellen.« Ulrich Schamoni hatte programmatische Erklärungen dieser Richtung vermieden; darüber hinaus war er in einem Ton, der typisch war für die damalige Jungfilmer-Tendenz gegenseitiger Verachtung, bestrebt gewesen, sich gegen die allgemeinen, hauptsächlich von den Oberhausener Manifestanten verkörperten Aufbruchstendenzen abzugrenzen: »Mit den beiden Hauptdarstellern waren wir ein Team von 15 Mann (Durchschnittsalter 25), das zu beweisen suchte, daß es noch möglich ist, in Deutschland Filme zu machen, ohne auf den schwabbernden Schaumkronen irgendwelcher auslaufender Wellen zu reiten. Wir hatten uns kein Programm gesetzt und brauchten keine Thesen zu verteidigen, da kluge Reden vorher nicht gehalten worden waren.« Statt der klugen Reden hat sich Ulrich Schamoni, geboren 1939 in Berlin

Sabine Sinjen, Bruno Dietrich

als jüngster Sohn des Experimentalfilmers Victor Schamoni, aufgewachsen in Werl und Münster, Schauspielschule in München, Regie-Assistenzen bei Wilhelm Dieterle, Rudolf Noelte und anderen, schon immer lieber spektakuläre Streiche geleistet. Mit 19 Jahren schrieb er einen Roman *Dein Sohn läßt grüßen,* der sofort nach seinem Erscheinen als jugendgefährdend indiziert wurde. Mit seinem ersten Kurzfilm *Hollywood in Deblatschka Pescara* verulkte er 1965 die Dreharbeiten zu *Dschingis Khan* in Jugoslawien, mit seiner Fernsehdokumentation *Geist und ein wenig Glück* 1965 die Bemühungen der Jungfilmer, ein Bein auf die Erde zu kriegen. Er selbst schaffte das mit dem Glück, in dem Bildhauer und Kunststoff-Fabrikanten Horst Manfred Adloff den Mann zu finden, der *Es* ohne Fördergelder finanzierte und produzierte, und mit dem Selbstvertrauen, der ihn unter Verzicht auf alle sogenannten »großen« Stoffe zu einer Story greifen ließ, wie sie abgegriffener kaum sein konnte: Schamoni macht wesentliche Unterschiede zwischen Altfilm und Jungfilm deutlicher als die gleichzeitig entstandenen Filme von Schlöndorff, Straub und Kluge, da er sich einer Thematik und eines Milieus bedient, die jahrelang von müden Routiniers in Dutzenden von Filmen bereits restlos heruntergewirtschaftet worden waren; nun mit dem Blick des Autorenfilmers Schamoni betrachtet, enthüllen sie zum erstenmal ihre Wahrheiten. Dieser Blick wäre freilich kaum so frisch und durchdringend geraten, wäre er nicht durch die Kamera von Gerard Vandenberg gegangen. »Es ist falsch, ständig mit dem Auge zu fotografieren, denn man fotografiert mit dem Herzen, mit der Brust, mit den Hüften, mit allem. Und das ist, was Gerard Vandenberg zum Teil ausmacht«, hat Peter Lilienthal einmal zum Ruhm des Holländers Vandenberg gesagt, der einer ganzen Generation junger Filmemacher das Sehen, »nicht nur mit den Augen«, gelehrt hat und der nach dem erfolgreichen Durchwühlen des holländischen und des deutschen Undergrounds (Kristls *Damm,* Moorse's *Inside Out*) mit *Es* in den regulären deutschen Kino-

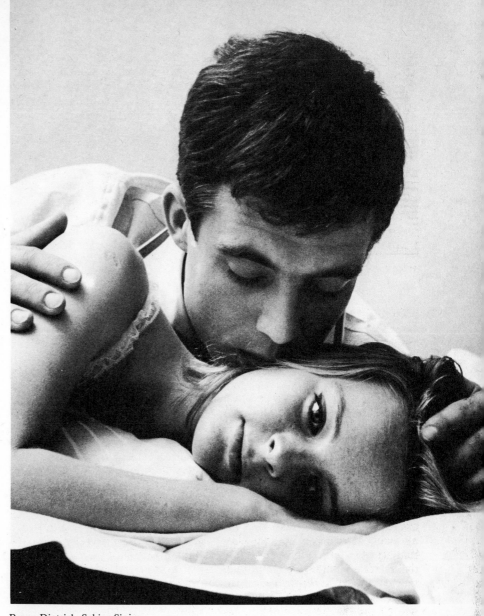

Bruno Dietrich, Sabine Sinjen

und Fernsehfilm einbrach, dessen Optik er bis heute wesentlich mitbestimmt. Über seine *Es*-Fotografie schrieb Ernst Wendt in *Film:* »Schamoni zeigt das Berlin, in dem gelebt wird – und das sind nicht die Cafés am Kurfürstendamm. Sein Kameramann Gerard Vandenberg hat diese Kulisse aus Mauern und Unkräutern und frisch verschmiertem Beton wie neu gesehen. Seine mit Moorse und Vlado Kristl geübte ästhetische Sensibilität wendet sich hier vorsichtig einer Realität zu, die weniger verklemmt gesehen ist als in Kristls Filmen, und einem Berliner Alltag, der nicht, wie in Moorse's *Inside Out,* zu phantastischem Tanz formalisiert ist. Er entdeckt das ›Ästhetische‹ in dieser Land-

schaft nah am Stacheldraht, er fotografiert die Brandmauern wie rissige, aufgeklüftete Bilder von Tapiès, und in den unverputzten Wohnblockfassaden mit den zerrissenen Plastikfolien vor ihren noch nicht gerahmten Fenstern entdeckt er gigantische ›Berliner Décollagen‹, Formalisierungen banalen Materials, die der Zufall hergerichtet hat und die nur ein spürsames, für die ›Sprünge‹ der Wirklichkeit empfindsames Auge entdeckt.« Für *Es* bekam Vandenberg 1966 einen Bundesfilmpreis, ebenso wie Ulrich Schamoni (Regie), Horst Manfred Adloff (Produktion), Sabine Sinjen (beste Hauptdarstellerin) und Bruno Dietrich (bester Nachwuchsschauspieler).

Der junge Törless
1966

Regie Volker Schlöndorff. *Regie-Assistenz* Herbert Rimbach, Klaus Müller-Laue. *Buch* Volker Schlöndorff, nach dem Roman *Die Verwirrungen des Zöglings Törless* von Robert Musil (1906). *Buchbearbeitung* Herbert Asmodi. *Kamera* Franz Rath. *Musik* Hans Werner Henze. *Ausstattung* Maleen Pacha. *Ton* Klaus Eckelt. *Schnitt* Claus von Boro. *Darsteller* Matthieu Carrière (Törless), Marian Seidowsky (Basini), Bernd Tischer (Beineberg), Fred Dietz (Reiting), Barbara Steele (Bozena), Hanna Axmann-Rezzori (Frau Törless), Herbert Asmodi (Herr Törless), Fritz Gehlen (Direktor), Lotte Ledl (Kellnerin), Jean Launay (Lehrer). *Produktion* Franz Seitz Filmproduktion, München/Nouvelles Editions de Films (Louis Malle), Paris. *Länge* 87 Minuten. *Uraufführung* März 1966 (Nantes).

Österreich-Ungarn, zu Beginn unseres Jahrhunderts. Auf der kleinen Bahnstation von Neudorf verabschiedet der junge Internatszögling Törless seine Eltern, die nach einem Besuch nun zurück in die Residenzstadt fahren. Zusammen mit den Kameraden, die die Familie zum Bahnhof begleitet hatten, macht sich Törless auf den Rückweg. Auf den Feldern bieten ihnen Bäuerinnen heiße Kartoffeln an, und im Dorf spendiert Zögling Basini einen Wein. Beim Würfeln mit der Kellnerin verliert er sein Geld. Abends im Waschraum bittet Basini seinen Kameraden Reiting, bei dem er Schulden hat, um Aufschub der Rückzahlung. Reiting bleibt hart. Nachts bricht Basini den Schrank des Zöglings Beineberg auf und entwendet dessen Geld. Bei einem Café-Besuch am Sonntag, während Törless mit Beineberg an einem anderen Tisch sitzt und über seine Ziellosigkeit spricht, beschuldigt Reiting Basini geradeheraus des Diebstahls. Basini verspricht unterwürfisch, der Sklave Reitings zu

werden, wenn dieser ihn nur nicht verrate. Beineberg und Törless gehen noch zu der Dirne Bozena. Beineberg legt ihr ein paar Scheine hin, Törless zögert schüchtern, und Bozena beschimpft die feinen Elternhäuser der scheinheiligen Zöglinge. In einer versteckt gelegenen Dachkammer berichtet Reiting in der Nacht Beineberg und Törless von Basinis Vergehen. Törless ist empört und will den Dieb des Internats verweisen lassen. Die beiden anderen dagegen möchten aus der Sache ihr Vergnügen ziehen. Am nächsten Tag machen sie Basini in der Waschküche klar, daß er sich von nun an völlig dem Willen und der Kontrolle der drei zu unterstellen habe. Während Reiting und Beineberg neue Erniedrigungen für Basini aushecken, sucht Törless wegen eines Problems ganz anderer Art beim Mathematiklehrer Rat: Er begreift nicht, wie man mit imaginären Zahlen rechnen kann. Aber das inhaltslose Gerede des Lehrers vertröstet ihn nur auf später, dann werde er verstehen. In der Dachkammer setzt Beineberg Törless davon in Kenntnis, daß Reiting sie mit Basini hintergehe. Er erinnert an einen Skandal vor vier Jahren und meint, nun habe er auch Reiting in der Hand. Törless erschrickt, als er hört, daß Beineberg vorhat, Basini zu bestrafen, ja zu quälen. Er wolle das überflüssige Gefühl des Mitleids in sich abtöten. Am Abend lassen die drei »Richter« Basini zu sich auf den Dachboden kommen. Reiting und Beineberg schlagen ihn blutig; Törless sieht mit verwirrten Gefühlen zu. Während ein paar Ferientagen bleibt Törless mit Basini allein im Internat zurück. In der Dachkammer will er von Basini wissen, was für Gefühle er empfindet, wenn die anderen ihn erniedrigen. Basini versteht ihn nicht und beteuert nur, er könne doch nicht anders. Als Beineberg und Reiting zurück-

kommen, beschließen sie, einen Schritt weiterzugehen, da Basini sich an das Bisherige angepaßt habe. Beineberg möchte durch eine Hypnose Basinis Seele hervorlokken. Auf dem Dachboden, in Anwesenheit von Reiting und Törless, beschwört Beineberg den auf einem Balken hockenden Basini. Dieser läßt sich – scheinbar in Trance – zwar eine heiße Nadel ins Fleisch stechen, doch statt zu schweben, schlägt sein Körper hart am Boden auf. Beineberg prügelt wütend und enttäuscht auf ihn ein. Eines Spätnachmittags bittet Basini Törless im Park um Hilfe. Dieser lehnt ab, doch Reiting kommt hinzu und reizt ihn. Törless eröffnet ihm, daß er die Quälereien an Basini für schmutzig, gedankenlos und widerlich halte und sie ihn künftig nicht mehr interessierten. Abends im Schlafsaal versucht Törless, Basini zu warnen, doch er kann nicht verhindern, daß Beinberg und Reiting den Dieb am nächsten Tag in der Turnhalle der Klasse ausliefern. Man hängt Basini mit den Füßen in die Ringe und quält ihn, bis die Lehrer die Sache entdecken. Törless flieht, während die beiden Schuldigen sich vor dem Direktor rechtfertigen. Törless landet bei Bozena und erzählt ihr von seinem Entschluß, das Internat zu verlassen. Er kehrt zurück und tritt ruhig vor die Lehrerkonferenz, die eine Erklärung dafür verlangt, weshalb er das Vergehen an Basini nicht zur Anzeige gebracht habe. Törless erzählt von seiner anfänglichen Neugier zu erfahren, was passiert, wenn Menschen quälen oder sich erniedrigen, und von seiner späteren Einsicht, daß keine Welt dabei einstürzt. Der Direktor empfiehlt Törless' Eltern, ihn vom Internat zu nehmen. In einer Kutsche fährt Törless mit seiner Mutter ein letztes Mal durch das Dorf und an dem kleinen Bahnhof vorbei.

Volker Schlöndorff, Matthieu Carrière

Marian Seidowsky, Fred Dietz, Bernd Tischer

»Schon die Fotos, die man sehen konnte, bevor der Film erschien, überraschten. Es war in diesen Bildern etwas, das über sie hinauswies, eine Faszination, die nicht nur mit den Farben – ja, Farben – des Spektrums Grau, nicht nur mit der Ausgewogenheit der Komposition, der Plastizität des Sichtbaren zusammenhing. Der Film bestätigte diesen Eindruck. Und wenn man sich dem Eindruck überließ und sich ganz aufrichtig fragte, durfte man sagen: Dies ist der erste deutsche Film der Sechzigerjahre« (Peter M. Ladiges, *Filmkritik*). Daß Volker Schlöndorff, Jahrgang 1939, von vielen als das einzige wahre Kinotalent des Jungen Deutschen Films angesehen wurde, war legitim: Schlöndorff studierte in Paris, drückte jahrelang neben den späteren Regisseuren der Nouvelle Vague die Kinosessel der Cinémathèque und war schließlich Regieassistent bei Alain Resnais, Jean-Pierre Melville und Louis Malle. Ironischerweise handelt es sich bei einem der auch aus dem Rückblick unbestreitbar besten Filme des Jungen Deutschen Films um eine jener Literaturverfilmungen, die zehn Jahre später innerhalb des Neuen Deut-

schen Films heftiger Kritik ausgeliefert waren. Was hatte Schlöndorff dazu bewogen, einen Musil-Stoff zu adaptieren, warum kein Original-Drehbuch als Erstlingswerk? »Letzten Endes ist die Entscheidung, welchen von allen möglichen Filmen man tatsächlich dreht, ein Pokerspiel. Man mag noch so viele Gründe für oder gegen einen Stoff

Marian Seidowsky, Matthieu Carrière

haben, irgendwann trifft man seine Entscheidung und Wahl irrational, vielleicht durch Würfeln. Ich kann also nur Elemente aufzählen, die mich zum Törless bewogen: das Exemplarische der Fabel; ihre Inkarnation in einem so ›deutschen‹ Rahmen, wie es eine Kadettenanstalt ist, was mir ein gewisses Anknüpfen an deutsche Filmtraditio-

29

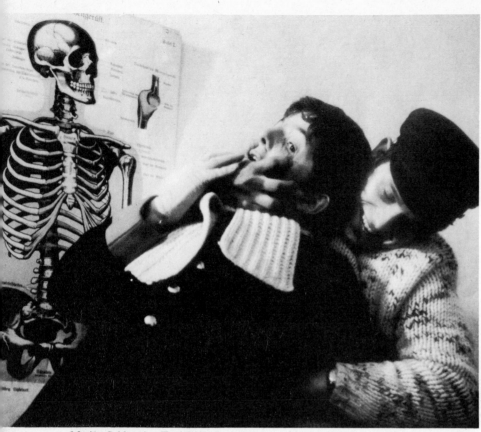

Marian Seidowsky, Fred Dietz

mit Bunuels *Tagebuch einer Kammerzofe,* wo ebenfalls Faschismus als in verdrängter Sexualität und Sadismus begründet gezeigt wird. Wie Bunuel zeigt Schlöndorff eine Situation, in der nach den Worten des Musil-Biographen Wilfried Berghahn die Kruste bürgerlicher Wohlanständigkeit zerbricht, das heimliche, lang unterdrückte Verlangen nach Demütigung und Vernichtung der rationalen Selbstsicherheit einer Epoche seine ersten Triumphe feiert. Diesen Zerfall der Realität optisch genau nachvollzogen zu haben, ist das Verdienst des Films und besonders des Kameramannes Franz Rath, der es verstand, die gedanklichen Vorgänge in diesem Film zu übersetzen in drückende, elegische Bilder, die sämtlich von Schwere behaftet scheinen und dem Film eine eigenartig trockene, spröde Schönheit verleihen« (Helmut Schmerber, *Neue Zürcher Zeitung).*

Matthieu Carrière, Barbara Steele

nen – Stroheim und Lang – erlaubte; meine Vorliebe für Musil als Schriftsteller; die Tatsache, daß durch das Alter der Hauptpersonen von vornherein Schauspieler ganz ausfielen und deshalb keine ›Besetzung‹ aufgezwungen werden konnte; die dank Musils Prestige zu erwartende Drehbuchprämie; meine sehr lebhaften Erinnerungen und Erlebnisse aus der eigenen Internatszeit; das Interesse für Machtverhältnisse, Krisensituationen, ›unnatürliche‹ Verhaltensweisen. Eine ›getreue Literaturverfilmung‹ hat mir nicht vorgeschwebt. Meinetwegen können die Autoren in ihren Gräbern rotieren. Es ergab sich aber, daß meine Darsteller und ich in fast allen wesentlichen Punkten so reagierten, wie Musil es beschrieben hatte. Nur haben wir uns oft auf anderes konzentriert als Musil. Auf Dinge, die uns aus historischen Gründen wichtiger erschienen, als das 1910 der Fall gewesen sein konnte, auf Dinge, die sich im Film besser darstellen ließen oder uns nicht zu literarisch waren, wie die essayistische Behandlung der Wahrnehmungs- und Bewußtseins-

spaltung, die Musil beschäftigte« (Volker Schlöndorff in einem Interview der *Filmkritik).* Auf den Europäischen Filmtagen in Nantes erhielt *Der junge Törless* den Max-Ophüls-Preis 1966. Die FIPRESCI-Jury in Cannes zeichnete ihn mit ihrem Kritikerpreis aus. Bundesfilmpreise gab es für Produktion, Regie und Drehbuch. Die Filmbewertungsstelle Wiesbaden begründete ihr Prädikat »Besonders wertvoll« u. a. wie folgt: »So ist dieser Film, der im übrigen mit vorzüglich ausgewählten jungen Leuten besetzt ist, die sich – ohne jede Glätte des Sprechens – selbst darstellen und nicht etwa in eine pseudodramatische Allüre entgleiten, ein Unternehmen, das im Bereich der deutschen Filmproduktion Hervorhebung und Anerkennung verdient.« – »Schlöndorffs Film ist die eindringliche Studie über die Bewußtwerdung eines jungen Menschen, aber vor allem die viviszierende Darstellung der Inhumanisierung und des Faschismus. In seiner Gabe, das Morbide, Zwielichtige der Atmosphäre darzustellen, wäre dieser Film am ehesten vergleichbar

Abschied von gestern

1966

Regie Alexander Kluge. *Buch* Alexander Kluge, nach der Erzählung *Anita G.* aus seinem Buch *Lebensläufe* (1962). *Kamera* Edgar Reitz, Thomas Mauch. *Ton* Hans-Jörg Wicha, Klaus Eckelt, Heinz Pusel. *Schnitt* Beate Mainka. *Darsteller* Alexandra Kluge (Anita G.), Günther Mack (Ministerialrat Manfred Pichota), Eva Maria Meineke (Frau Pichota), Hans Korte (Richter), Edith Kuntze-Pellagio (Bewährungshelferin Treiber), Peter Staimmer (junger Mann), Werner Kreindl (Chef der Schallplattenfirma), Ursula Dirichs (Mutter), E. O. Fuhrmann (Fallschirmjäger), Karl-Heinz Peters (Herr), Palma Falck (Frau Budek), Ado Riegler (Geistlicher), Käthe Ebner (Frau des Chefs der Schallplattenfirma), Hans Brammer (Professor), Fritz Werner (Geschäftsführer im Pelzgeschäft), Hedwig Wissing (Zimmermädchen), Nathan Gnath (Hoteldirektor), Maria Schäfer (Zimmerwirtin), Harald Patzer (Ordentl. Professor), Alfred Edel (Universitäts-Assistent), Gottfried Gerhard Bowin-Schlegel (Hotelportier), Adam Delle (Hundedresseur), Ingeborg Werneth (Zimmerwirtin), Fritz Bauer (Generalstaatsanwalt), Irma Kolmhuber (Gefängniskrankenschwester), Erna Bepperling (Gefängnisfürsorgerin). *Sprecher* Alexander Kluge. *Produktion* Kairos (Alexander Kluge)/Independent (Heinz Angermeyer). *Länge* 88 Minuten. *Uraufführung* 5. 9. 1966 (Filmfestspiele Venedig).

UNS TRENNT VON GESTERN KEIN ABGRUND, SONDERN DIE VERÄNDERTE LAGE. Vor dem Richter steht, weil sie eine Jacke gestohlen hat, Anita Grün. Sie ist 1937 in Leipzig geboren, war im Dritten Reich als Jüdin vom Schulbesuch ausgeschlossen, besuchte dann bis 1952 die Schule, arbeitete anschließend als Telefonistin und ging 1957 in den Westen. Der Richter interessiert sich für die Gründe ihrer Flucht in den Westen, hält dann aber ihre Aussage, sie habe sich in Erinnerung an Vorfälle aus der Nazizeit verängstigt gefühlt, für irrelevant: »Nach der Lebenserfahrung wirkt das bei jungen Menschen nicht nach.« Als Krankenschwester in Hannover beging sie die vorliegende Straftat. Der Richter bezweifelt ihre Aussage, sie habe die Jacke gestohlen, weil sie gefroren habe; es sei schließlich Sommer gewesen. Anita: »Ich friere auch im Sommer.« Weiter führt Anita an, sie sei ganz durcheinander gewesen, »es war alles ganz gefühlsmäßig.« Anita wird verurteilt, die Strafe aber teilweise zur Bewährung ausgesetzt. Die Versuche der Bewährungshelferin, ihr moralische und soziale Vorstellungen zu vermitteln, sind ihr lästig. Frau Treiber: »Was ist gut?« Anita: »Das Gute.« Frau Treiber: »Aber was ist das?« Anita: »Das, was gut tut.« Frau Treiber: »Das ist nicht ganz richtig.« In Frankfurt wird Anita Vertreterin einer Schallplattenfirma. Sie fälscht Auftragsformulare und kleidet sich in einem Pelzhaus ein. Wegen des Restes, den sie nicht barzahlen kann, sagt Anita: »Hierfür bürgt mein Chef.« Sie wird die Geliebte des Chefs, dessen Frau bald mißtrauisch wird. Um ihr zu beweisen, daß nichts ist, sagt der Chef: »Damit du mir glaubst, werde ich sie anzeigen.« Anita verschwindet in eine andere Stadt. SIE WILL SICH BESSERN. Sie wird Zimmermädchen in einem Hotel. Wegen eines Diebstahls, den sie nicht begangen hat (»Also ich habe nun wirklich in einer ganzen Reihe von Fällen etwas weggeholt, aber hier nicht!«) wird sie entlassen. Gleichzeitig verliert sie wegen rückständiger Mietzahlung ihr Zimmer. Mit einem jungen Mann verbringt Anita einen Feiertag. Sie hören einander Geschichtskenntnisse ab, besuchen einen Judenfriedhof und beteiligen sich um Mitternacht im Bett am Abspielen des Deutschlandliedes im Rundfunk. SIE WILL EIN NEUES LEBEN ANFANGEN. Anita glaubt an Bildung: »Kein Mensch kann lernen, nicht zu lernen.« Sie besucht Vorlesungen. Da sie das Studium einer gesellschaftlich höheren Sphäre zurechnet, wohnt Anita im Hotel. Sie kann die Rechnungen nicht bezahlen und zieht heimlich aus. Anita wird nun bereits im Fahndungsblatt gesucht. Ein Professor, bei dem sie Rat sucht, kann ihr diesen nicht geben: »Kein Rat ist manchmal besser als ein falscher Rat. Natürlich wäre ein rechter Rat besser als keiner, aber das kann man nicht verallgemeinern.« In ihren Alpträumen wird Anita von Fallschirmjägern, SA-Leuten und Frau Treiber belästigt. KOMMT GESTERN MORGEN? Anita: »Nach einem Streit wieder gut Freund sein, die faulen Eier, die einem angeworfen werden, nicht übelnehmen, auch angesichts einer strähnigen Hausfrau oder eines stocktauben Greises die Menschenwürde hochhalten!« Anita wird die Freundin des Ministerialrats Pichota vom Kultusministerium. Pichota ist verheiratet und besorgt, seine Stellung nicht aufs Spiel zu setzen. WENN PICHOTA IHR SCHON NICHT HELFEN KANN, WILL ER SIE WENIGSTENS ERZIEHEN. Er bringt ihr bei, wie man ein Kursbuch liest, interpretiert ihr eine *Herr K.*-Geschichte von Brecht und führt sie in Verdis *Don Carlos* ein. Bald darauf stellt Anita fest, daß sie schwanger ist. An einer Würstchenbude vor dem Mainzer Hauptbahnhof nimmt Pichota Abschied von ihr: »Kann ich dir noch irgendwie helfen? Also ich würde dir raten, nach Nordrhein-Westfalen zu gehen. Hier sind hundert Mark.« Anita: »Nun mach Schluß!« Pichota: »Wie soll man Schluß machen?« Anita wandert weiter. Als die Zeit der Niederkunft naht – es ist Winter –, stellt sie sich der Polizei. Im Gefängnis bekommt sie ihr Kind, hat eine Nervenkrise und hilft, die Unterlagen für ihre Bestrafung zusammenzustellen. JEDER IST AN ALLEM SCHULD, ABER WENN DAS JEDER WÜSSTE, HÄTTEN WIR DAS PARADIES AUF ERDEN.

Günther Mack, Alexandra Kluge

Alice im Wunderland als Anita im Wirtschaftswunderland; der gierig und neugierig streunende Film über die wißbegierige Streunerin beider deutscher Staaten; Anita G. *the uneasy drifter* als bundesrepublikanische Vorwegnahme des *Easy Rider;* eine Heldin ohne Tugenden, eingestandenermaßen »völlig durcheinander«, im Dialog mit Amts- und Akademie-Personen, die ihre eigene, nicht eingestandene Verwirrung hinter der usurpierten Wichtigkeit und Klugheit Lewis Caroll'scher Figuren verbergen: *Abschied von gestern,* von Enno Patalas auf den ersten Blick und widerspruchslos als bester deutscher Film seit 1933 ausgerufen und nach reiflicher Überlegung in diesem Rang bestätigt: »Durch *Abschied von gestern* ging eine Bewegung, eine physische, räumlich-zeitliche Bewegung, die sich meinen Sinnen mitteilte und meine Gefühle und Gedanken ergriff. Es war zuerst die Bewegung eines Körpers, danach auch eine Folge von Kamera- und Schnittoperationen und von visuellen, akustischen und verbalen Assoziationen. Der Film wäre sicher ein anderer gewesen ohne seine Hauptdarstellerin, ohne ihre Blicke, ihre Stimme, ihren Gang. Ein Raum, den sie betrat, eine Straße, die sie überquerte, wurden zu

Kraftfeldern, aus denen ein Strom überfloß auf den Zuschauer. Der Film machte die ganze Bundesrepublik zu einem solchen Raum. *Abschied von gestern,* das war: Ein Mädchen zieht durch die Bundesrepublik. Spürbar wurde dieses Land nicht durch Abbildungen, sondern in der Aktion, in den Handlungen und Bewegungen des Mädchens und in den Reflexen, die sie hervorrief« (*Filmkritik,* 1968). Lebenslauf des Dr. K.: Geboren 1932 in Halberstatt im Harz, ab 1946 Charlottenburger Gymnasium in Berlin. Studium der Rechtswissenschaft, Geschichte und Kirchenmusik in Marburg, Freiburg und Frankfurt (Main). 1956 Promotion zum Dr. jur.; kommt wie später die Juristen Norbert Kückelmann, Hark Bohm und Bernhard Sinkel rechtzeitig zu der Erkenntnis, daß das Prinzip, nach dem die Poesie der Justiz in der Verteidigung des Menschenrechts liegt, sich im Film besser verwirklichen läßt als in der juristischen Praxis (die er gleichwohl auch betreibt). 1958 Assistenz bei Fritz Lang. Erste Kurzfilme 1960 *Brutalität in Stein* (zusammen mit Peter Schamoni), 1961 *Rennen* und *Rennfahrer,* 1963 *Lehrer im Wandel,* 1965 *Porträt einer Bewährung.* 1962 Mitbegründer und Wortführer der Oberhausener Gruppe,

Gründer und Leiter der Filmabteilung an der Hochschule für Gestaltung Ulm, Mitinitiator des Kuratoriums Junger Deutscher Film und aller folgenden filmförderlichen Maßnahmen, mit der besonderen »capacity to ›fix things‹ and to persuade people to pay« (Ian Wright, *Guardian*). Erste literarische Veröffentlichungen 1962 *Lebensläufe* und 1964 *Schlachtbeschreibung.* Im Herbst 1965 beginnt er mit den Dreharbeiten zu *Abschied von gestern,* mit einem von nun an klassischen, von ihm selbst entworfenen Finanzierungsmodell: 200000 Mark Drehbuchprämie vom Bund, 100000 Mark vom Kuratorium Junger Deutscher Film, 100000 Mark aus einem Fonds des nordrhein-westfälischen Kultusministerium, 200000 Mark Eigenleistung. Sein Produktionspartner wird der sympathischste Mann von Papas Kino, der auch in der Zukunft des Neuen Deutschen Films eine große Rolle spielt, Heinz Angermeyer, von Kluge liebevoll »the elder producer« genannt. Seinen Stoff findet Kluge in seinen *Lebensläufen,* die Geschichte der Anita Grün. Kluge: »Anita G. ist ein Mädchen, das nie

Hans Korte

richtig erzogen worden ist, weder im Dritten Reich noch in der DDR. Als sie in den Westen kommt, ist sie gewissermaßen als ›freie Unternehmerin‹ tätig. Besonders auffällig ist ihr völliger Mangel an Tugenden. Sie hat sehr, sehr viele Fehler, aber es geht ihr um so viel schlechter, als sie selber schlecht ist, daß man doch Sympathie für sie empfinden muß. Anita selbst und ihre Geschichte sind spezifisch für die Bundesrepublik. Ihre Geschichte wäre eine andere, wenn sie in einer anderen Gesellschaft leben würde. Und sie wäre auch eine andere, wenn die Deutschen eine andere Geschichte hätten.« Eine Hauptdarstellerin, die ihre schöpferische Kapazität voll in den Film einbringen konnte, fand Kluge in seiner Schwester Alexandra, Medizinerin; »Er ist Doktor der Rechte, sie ist Doktor der Medizin, zusammen sind sie Doktoren des Films«, wie dann ein begeisterter französischer Reporter schrieb. Der Film ist doppelt und dreifach in der Wirklichkeit abgesi-

chert. Die Story selbst beruht auf einem authentischen Fall. Die Darstellung beruht auf der weitgehenden Identifikation zwischen der Rolle und ihrer Interpretin; sie stellt das Leben der Anita G. dar, aber als Alexandra K.: die im Film vorkommenden Lebensdaten, die Kindheitsfotos, die Ansichten über Leben und Kunst, die Gesten und Redensarten sind die Daten, Fotos, Ansichten und Manierismen der Alexandra K., die für diesen Film mit dem Lebenslauf der Anita G. »programmiert« wurde. Besonders erquickliche Resultate hat Kluges Bereitschaft gebracht, seine Schwester die zur Filmfigur passenden Musiken aussuchen zu lassen: Tangos und Arien, die *Abschied* vorübergehend in die Nähe eines Werner-Schroeter-Films rücken. Mit seinen Drehmethoden machte Kluge dann die Wirklichkeit noch intensiver zu seinem Partner: »Der Darsteller des Pichota hat mir erzählt, er interessiere sich für Hemingway. Dann haben wir ihn über

Hemingway interviewt. Dabei kamen wir darauf, daß ihn Brecht interessiert, und da haben wir ihn die Geschichte ›Mensch und Entwurf‹ aus den Keuner-Geschichten sprechen lassen. Dabei hat sich dann ganz automatisch ergeben, daß die Darstellerin der Anita Abstraktion nicht versteht und findet, daß der Entwurf ganz praktisch dem Menschen ähnlich werden müßte – umgekehrt wie in der Geschichte. Das ist ein ganz typisches Mißverständnis. Wir haben die Szene nur aufgenommen, weil wir den Pichota porträtieren wollten, nicht die Anita, und dabei hat sich sofort ergeben, daß das Verhältnis der beiden sich eigentlich recht genau herstellt ... Die Anita lacht am Ende der Geschichte von Herrn K. und korrespondiert mit den Augen mit dem Team. Man sieht das, sie schaut ja aus dem Bild heraus; sie lacht und wiederholt ihren Satz; sie fällt aus der Rolle. Das sind Dinge, die ich gar nicht schlecht finde, weil sie sich ja nicht außerhalb des Films bewegen« (Kluge-Interview von Frieda Grafe und Enno Patals in *Filmkritik*). *Abschied von gestern* war der deutsche Beitrag zu den Filmfestspielen Venedig 1966 und bestätigte der internationalen Kritik den Eindruck vom Cannes-Festival dieses Jahres (mit den deutschen Beiträgen *Der junge Törless, Es* und *Nicht versöhnt*), daß der westdeutsche Film eine Renaissance erlebe. Von Venedig brachte *Abschied* neun (!) Preise mit nach Hause: Silberner Löwe (Spezialpreis der Jury); Preis der OCIC (Internationales Katholisches Filmbüro); Preis der italienischen Filmkritik (F. I. C. C.); Preis der Spanischen Filmkritik; Preis der Zeitschrift *Cinema Nuovo;* Preis der Zeitschrift *Cinema 60;* Preis der TVC *(Trimestrale di cinema e televisione);* CIC-Preis der italienischen Filmclubs und, als Bonus für die am Lido von allgemeiner Zuneigung sehr verwöhnte Alexandra Kluge, die Goldene Rose der Filmautoren für die beste Darstellerin. Bei den Bundesfilmpreisen 1967 kamen dann noch dazu die Filmbänder für den besten Spielfilm, den besten Regisseur, die beste Hauptdarstellerin und den besten männlichen Nebendarsteller (Günter Mack).

Wilder Reiter GmbH
1967

Regie und Buch Franz-Josef Spieker. *Regie-Assistenz* Hans Jürgen Tögel. *Kamera* Wolfgang Fischer. *Kamera-Assistenz* Günther Wulff. *Musik* Erich Ferstl. *Ausstattung* Maleen Pacha, Ingo Tögel. *Ton* Jörg Schmidt-Reitwein. *Schnitt* Barbara Mondry. *Darsteller* Herbert Fux (Kim), Bernd Herzsprung (Georg), Chantal Cachin (Tanja), Rainer Basedow (Whitey), Ellen Umlauf (Opernsängerin), Marthe Keller (Nonne), Karin Feddersen (Uschi) Klaus Höhne (Amann), Ernst Ronnecker (Pfarrer), Ekkehard Aschauer [= Philipp Sonntag] (Walter), Laurens Straub (Castro), Kenneth Scott (Gene), Johannes Buzalski (Pimo), Paul Luotto (Mr. Ribbs), Hertha von Walter, Maria Winne, Tilo Prückner, Horst Pasderski, Monika Zinnenberg. *Produktion* Horst Manfred Adloff. *Länge* 104 Minuten. *Uraufführung* 12. 1. 1967.

Georg Maltus, Redaktions-Volontär an der Zeitung seines Heimatstädtchens, geht nach München, um Karriere zu machen. Amann, ein freundlicher Redakteur, kann ihm keinen Job als Reporter geben, vermittelt ihn aber als Publicity-Manager an Kim Calder, einen karrieresüchtigen Schlagersänger. Kim lebt in einem verwahrlosten Holzhaus vor den Toren der Stadt, am Rande eines Moores, nahe einem Nonnenkloster. Er ist umgeben von willfährigen Gammlertypen, die sich wie der Chef ganz amerikanisch geben. Sie sind an seiner Firma »Wilder Reiter GmbH« mit geringen Prozenten beteiligt. Das »Wilde Reiter«-Image ist Kims Idee, wie er in die Schlagzeilen und zu einer Karriere kommen kann. In einem abgerissenen Westerner-Kostüm reitet er wie ein Narr durch die Stadt, wilde Schreie ausstoßend, auch rüpelt er durch feine Hotelhallen und Nachtbars und läßt überhaupt keine Gelegenheit aus, uriges Aufsehen zu erregen. Georgs Aufgabe ist es nun, dafür zu sorgen, daß von den wilden Auftritten des Chefs

Fotos gemacht werden und in die Zeitungen kommen. Eines Tags begegnet Kim beim Ritt am Moor entlang einer jungen Nonne, die gerade dem Kloster entlaufen ist. Er treibt sie zuerst ins Moor herein und setzt dann, sobald Georg mit dem Fotoapparat zur Stelle ist, eine umständliche, »heroische« Rettungsaktion in Szene. Der Redakteur Amann, dem Georg die Bilder und die Geschichte bringt, ist ganz begeistert: »Junge, du bist ein Vollblut-Journalist!« Die Sensations-Reportage macht großes Aufsehen und führt zu Kims ersten Plattenerfolg mit dem Lied, dessen erste Strophe so geht:

> Marie-Luis war noch so jung,
> als sie ins Kloster ging,
> nur auf Gottes Ruhm bedacht.
> Doch im tiefen, tiefen Wald
> eine Stimme wild erschallt
> *(Lauter, verhallter Schrei von Kim)*
> und sie hört sie in der Nacht.

Kim, eskortiert von seinem Handlanger Whitey und seinem Pressechef Georg, trifft sich im vornehmen George-Club mit dem Plattenproduzenten, der äußerst zufrieden ist und möglichst bald neue Nummern und vor allem neue Publicity-Gags haben will. Später werden Georg und Whitey von zwei Mädchen aufgelesen, Tanja und Uschi;

erst als sie schon fast im Bett liegen, wird Georg klar, daß Tanja eine Nutte ist. Georg beschließt, sie zu retten, und nimmt sie als Sekretärin mit in die »Wilde Reiter GmbH«. Trotz des neuen Liebesglückes mit Georg läßt Tanja sich aber auch mit Kim ein. Als nächste Publicity-Aktion wird eine Entführung Kims fingiert, mit schweren Mißhandlungen des Sängers durch die Kidnapper. Völlig bandagiert empfängt er auf seinem Schmerzenslager die Presse. Zum Dank für die schließliche Genesung singt er in der Klosterkirche ein Hallelujah. Die Reporter glauben die Geschichte gar nicht, bringen sie aber doch, weil es eine »dufte Story« ist. Kims Handlanger Whitey hat schon öfter den Zorn seines Herrn erregt, weil er eigenen Ehrgeiz entfaltet. Als Whitey den wilden Reiter eines Tages auch noch bei einem Geschicklichkeitsspiel besiegt, wird er von diesem mit dem Hufeisen, um den es bei dem Spiel ging, niedergeschlagen. Whitey ist sofort tot. Kims Leute müssen sich unter Ehrenwort auf die Aussage verpflichten, daß es ein Unfall war, auch Georg, der dieses Wort nur widerwillig gibt. Aus Amerika kommt Mr. Ribbs, der Kim ganz groß ins Platten-Weltgeschäft bringen will. Zu seinen Ehren wird eine große nächtliche Party am Moor gefeiert. Eine Kulturreferentin sagt: »Man muß diejenigen fördern, die es verstehen, sich selbst an die Rampe zu boxen.« Georg ist endgültig sauer, weil Tanja sich nun auch Mr. Ribbs hingibt. Am nächsten Morgen haut er ab. Kim läßt ihn von seinen Doggen hetzen, aber Georg entkommt.

34

Franz-Josef Spieker,
Marthe Keller

1957 drehte Stanley Kubrick in München-Geiselgasteig seinen Film *Paths of Glory*. Einer der Hauptdarsteller dieses Films war der vollbärtige Exzentriker Tim Carey, der keine Woche verstreichen ließ, ohne eine spektakuläre Verrücktheit anzustellen, die dann die örtliche *Abendzeitung* genüßlich abschilderte; genau das war das Ziel des närrischen, publicity-wütigen Erfindungsreichtums von Tim Carey; einer seiner vielbelachten Glanznummern war, daß er sich in einem Nachtlokal zum Partner einer Stripperin mit der Nummer »Susanne im Schaumbad« machte. Als deutscher Regie-Assistent bei *Paths of Glory* diente ein 24jähriger Junge aus der Provinz, der nach München gekommen war, um in der großen Filmwelt sein Glück zu machen: Franz-Josef Spieker. Geboren 1933 in Paderborn, schrieb und fotografierte er schon während seiner Schulzeit für die *Westfalenzeitung,* war in der Filmclub-Bewegung aktiv, schrieb seinen Abituraufsatz über seine Filmambitionen und folgte dann diesem Ehrgeiz, indem er in München das DIFF (Deutsches Institut für Film und Fernsehen, später HFF = Hochschule für Film und Fernsehen) besuchte und unter anderem bei Douglas Sirk *(Interlude)* und Stanley Kubrick assistierte. In diesem eifrigen Filmnovizen glaubte der karrieregeile Tim Carey seinen Mann gefunden zu haben; er engagierte ihn als Drehbuchautor und Kameramann (ein Beruf, den Spieker überhaupt nicht beherrschte) und nahm ihn mit nach Hollywood, zur Produktion eines Tim-Carey-Films. Der Film wurde nie gedreht, aber Spieker erlebte in Hollywood, daß es da noch mehr solche Verrückte gab: »Die Idee des Publicity-Stunt geisterte so unter den Gammlern von Hollywood herum. Die Jungen, die Karriere machen wollten, redeten dauernd davon, daß sie einen tollen Publicity-Stunt vorhatten, der dann meistens aus irgendeinem Grund nicht funktionierte. Einer wollte zum Beispiel Marilyn Monroe kidnappen. Das scheiterte dann daran, daß er ihre Adresse nicht rausbekam« (Spieker im Gespräch mit Frieda Grafe und Enno Patalas, *Filmkritik,* 1967). Aus diesem Stoff

Herbert Fux

seines Lebens machte Spieker dann nach einem runden Dutzend Fernseh- und Kurzfilmen (1961 *Süden im Schatten,* 1963 *Doppelkonzert,* 1964 *Das Malschiff*) seinen ersten und einzig gelungenen Langfilm, *Wilder Reiter GmbH,* einer der großen populären Erfolge aus der Frühzeit des Neuen Deutschen Films. »Eine schwungvolle Attacke auf das kapitalistische und amerikanisierte Deutschland, das von einem mythischen und folkloristischen Amerika träumt (der Wilde Westen, das gesunde Leben der Cowboys, eine gewisse Reinheit, die zugleich idealisiert und travestiert wird) und sich mit dem guten materialistischen Gewissen einer Konsumgesellschaft in der Illusion des Komforts und eines parodierten Luxus made in USA installiert, die für den alliierten Dollar wohlfeil zu haben sind. All das wird mit Drolerie und einem sicheren Sinn für Effekte vorgeführt oder symbolisch suggeriert, ein bißchen in der Manier von Billy Wilder, das heißt nicht ohne Vulgarität, Skrupellosigkeit und einem Hang zur Übertreibung, die aus der Parodie oft die grobe Farce werden läßt, zugleich mit einem exzessiven Ästhetizismus, der sich in manieristischer

Manier am Barocken ergötzt« (Guy Braucourt, *Cinema 68*). Im zweiten Glied der *Wilder Reiter GmbH* wimmelt es von Figuren, die später erstklassige Karrieren machten: Marthe Keller ist heute ein Hollywood-Star, Karin Feddersen pflastert mit herben Magazin-Akten ihren Weg zu einer neuen Filmkarriere, Tilo Prückner ist längst ein Haupt-Star des Neuen Deutschen Films, Monika Zinnenberg erlebte einen kurzen Boom als Lemke-Muse und »Busen der Nation« *(Spiegel),* Ekkehart Aschauer wurde zum populären Komiker Philipp Sonntag und hat inzwischen sogar einen eigenen Film inszeniert, Laurens Straub wurde zum ruhmreichen Filmverlag-, dann Filmwelt-Manager, und Jörg Schmidt-Reitwein, hier Tonmeister, ist jetzt weltberühmt als Werner Herzogs Kameramann. Bei der Bundesfilmpreisverleihung 1967 gab es ein goldenes Filmband für die beste Filmmusik (Erich Ferstl). Franz-Josef Spieker hatte mit seinen folgenden Filmen *Mit Eichenlaub und Feigenblatt* (1967) und *Kuckucksei im Gangsternest* (1969) so viel Pech, daß seine Karriere schnell verebbte. Er ist 1978 auf Bali umgekommen.

Mahlzeiten
1967

Regie Edgar Reitz. *Regie-Assistenz* Ula Stöckl. *Buch* Edgar Reitz, unter Mitarbeit von Alexander Kluge und Hans Dieter Müller. *Kamera* Thomas Mauch. *Musik* Maurice Ravel. *Ton* Herbert Pasch, Hans-Jörg Wicha. *Schnitt* Beate Mainka-Jellinghaus. *Darsteller* Heidi Stroh (Elisabeth), Georg Hauke (Rolf), Nina Frank (Irina), Ruth von Zerboni (Rolfs Mutter), Ilona Schütze (Ilona), Dirk Borchert (Freund), Klaus Lakschéwitz (Redakteur), Peter Hohberger (Brian Leak). *Produktion* Edgar Reitz. *Länge* 95 Minuten. *Uraufführung* 21. 3. 1967.

Die Fotoschülerin Elisabeth lernt den Medizinstudenten Rolf kennen; ihr erstes Gespräch kommt über die Frage zustande, ob Fotografie Kunst sein könne. Elisabeth ist der Meinung, daß alle sichtbaren Dinge beseelt seien, und daß es beim Fotografieren nur darauf ankäme, das Wesentliche der Sache zu sehen; man müsse sich weit offenhalten. Rolf fühlt sich angezogen von Elisabeths Art, alles interessant zu finden. Auch bei Rolfs Freunden kommt Elisabeth gut an, es bilden sich lebhafte Gesprächskreise um sie. Zu einem Freund sagt Elisabeth über Rolf: »Wenn ich ihn nicht sehe, tut er mir leid.« Durch viele Krankheiten in seiner Kindheit ist Rolf Idealist geworden. Er will Arzt werden, um der Menschheit zu helfen. Mit seinem Studium kommt er aber nicht gut voran. Elisabeth bringt ihn in einen Zustand der euphorischen Begeisterung für alles, was er tut. Von einem gemeinsamen Ausflug kommt Elisabeth schwanger zurück. Sie fühlt sich mit Rolf in einer großen romantischen Liebesgeschichte. Sie heiraten. Ihr erstes Kind, Michael, wird geboren. Sie richten sich eine Wohnung ein. Rolf verliert viel Zeit für sein Studium. Elisabeth forciert sein Interesse für Kunst und Literatur; sie glaubt, daß Rolf der geborene Künstler ist. Ein zweites Kind wird geboren, Manuela. Rolf arbeitet als Werkstudent und besucht kunstgeschichtliche Vorträge. Elisabeth versammelt in ihrem Heim einen literarischen Zirkel um sich. Ein drittes Kind wird geboren, Barbara. Rolf gibt die Medizin auf. Um zu sich zu kommen, verläßt er Elisabeth vorübergehend. Sie erwartet das vierte Kind, hält ihre literarischen Zirkel ab. Ein Eingriff verhindert die Geburt des vierten Kindes. Rolf bekommt eine Stelle als Ärzteberater bei einer pharmazeutischen Firma. Elisabeth will sich von ihm scheiden lassen. Dann versöhnt sie sich wieder mit ihm. Bald darauf erwartet sie zum fünftenmal ein Kind. Rolf wird Vertreter bei einer Kosmetikfirma. Elisabeth bekommt ihr Kind. Sie beginnt, sich leidenschaftlich für die Mormonen zu interessieren und überredet Rolf, sich mit ihr mormonisch taufen zu lassen. Wenig später bringt Rolf sich um, indem er Auspuffgase in seinen Wagen leitet. Elisabeth findet den Tod ihres Mannes unbegreiflich. Sie lernt einen zehn Jahre jüngeren Amerikaner, Brian Leak, kennen, heiratet ihn und geht mit ihm nach Amerika. Ihren Freunden und Verwandten in Deutschland schreibt sie: »Es ist wunderschön, nochmals ein neues Leben und eine so große Liebe erleben zu dürfen, noch dazu in einem fremden Land, in dem einsamen kleinen Haus mit Garten. So vieles ist hier ganz meinem Wesen entsprechend, so großzügig, frei, und, wenn man so veranlagt ist, ganz individuell. Vielleicht auch, weil es mich an Rolf denken läßt. Was man mit liebenden Händen berührt, muß doppelt schön werden.«

Heidi Stroh, Georg Hauke

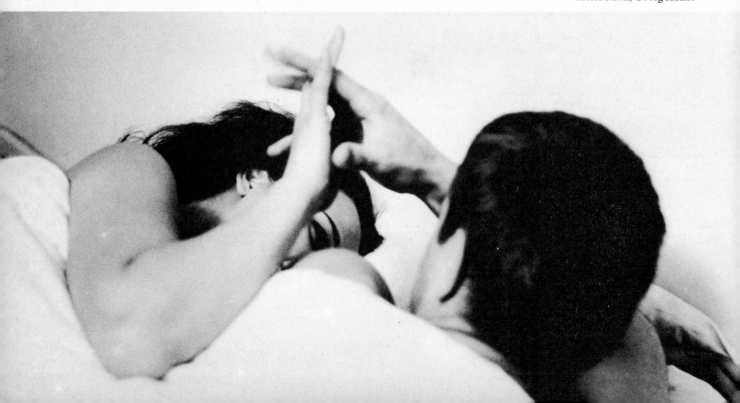

»Mann und Weib – ein Leib!« – »Ja, aber doch nicht dauernd!« (Filmdialog). *Mahlzeiten* ist der erste Spielfilm von Edgar Reitz, geboren 1932 in Morbach bei Trier, der sich mit vielen experimentellen Filmen derart als ein Meister in der kühl formalisierenden Darstellung von Produkten und Begriffen erwiesen hat (am berühmtesten ist seine *Geschwindigkeit* von 1963, mit vielen internationalen Preisen ausgezeichnet), daß niemand von ihm einen Film wie *Mahlzeiten* erwartet hätte, der in Inhalt und Form nichts als Sinnlichkeit ist. Er gewann damit bei den Filmfestspielen Venedig 1967 den Preis für das beste Erstlingswerk und viele verblüffte Kritiken. »Schon in den ersten Einstellungen, in denen die Heldin die Namen von Farben akkumuliert, verrät sie uns ihren enormen Energiebedarf. Anstatt ihre Vitalität in eine bestimmte Richtung zu kanalisieren, läßt sie sich von den geringsten äußeren Anlässen stimulieren. Essen, Trinken, Gebären, Diskutieren und Arbeiten werden zu identischen Funktionen ohne Rücksicht auf Anlaß und Zweck, alles nur manifeste Bekundungen eines unersättlichen Heißhungers. Das Porträt einer Moral, deren einziges Kriterium die Erfahrung ist, eine Aufhäufung von Ereignissen, von denen eins bedeutungsvoller ist als das andere: eine Abfolge von Geburten, die Bekehrung zum mormonischen Glauben, der Selbstmord des Mannes und die finale Wiederverheiratung mit einem Amerikaner, als sicheres Versprechen neuer, fruchtbarer Umtriebe. Eine Figur, die offensichtlich hinreichend für die Aufgabe ausgestattet ist, alle vier Enden der Welt mit Leben zu erfüllen« (André Téchiné, *Cahiers du Cinema*, 1967). Der Inhalt des Films läßt sich kaum referieren, ohne den Eindruck zu erwecken, als handele es sich um den Typ der Frau, die in den Verzückungen der Bewußtwerdung und des Gebärens versinkt und dann jenseits der 40 entschlossen in die Latzhose steigt, um zu neuen Horizonten aufzubrechen; ein Monstrum also, oder die Karikatur eines Monstrums. Reitz vermittelt aber nicht diesen Eindruck, sondern die Faszination, die der Heldin Eigenart auf ihn ausübt:

»Einerseits eine gewisse Gesundheit und eine starke weibliche Ausstrahlung, so daß man sich als Mann zu ihr hingezogen fühlt, ohne Rücksicht darauf, daß ihre Vorstellungswelt einen abschreckt. Auf der Ebene ihrer Körperlichkeit, ihrer Bewegungen, ihres Aussehens mobilisiert sie etwas, spricht sie mich an. Die Körperlichkeit dieser Frau ist ein Versprechen, sozusagen ein Gefäß, das man sich mit einer Unmenge von wunderschönen Inhalten gefüllt vorstellen könnte, aber die Welt, die aus dieser Person spricht, ist mir unheimlich, davor habe ich Angst. Ich kenne diesen Frauentyp als einen in kleineren gesellschaftlichen Zusammenhängen sich kulturell betätigenden Typ, ›allem Höheren zugeneigt‹. Für ihn wird alles, was Gedanken leisten können, Gegenstand eines genußvollen Zusammenseins. Das ist dann wie ein riesiger Wattebausch, der alle Arbeitsintensität in sich aufsaugt« (Reitz im Gespräch mit Frieda Grafe und Enno Patalas, *Filmkritik*, 1967). In seinen jungen Jahren bezeugte der Neue Deutsche Film sehr häufig und sehr eindrucksvoll die Faszination, die vitale, staunenswerte, dem eigenen kräftigen Naturell mehr als den Konventionen verpflichtete Frauen auf die männlichen Filmemacher ausübten; die spezifische Qualität dieser Frauen machte wesentlich die Qualität der Filme aus: das geht von Trempers *Playgirl*-Eva Renzi über Schlöndorffs *Mord und Totschlag*-Anita Pallenberg, Kluges *Abschied von gestern*-Alexandra Kluge, Reitz' *Mahlzeiten*-Heidi Stroh und etlichen von Helga Anders, Sabine Sinjen und Hannelore Hoger gespielten Figuren bis zu Fassbinders Hanna Schygulla. Männer dagegen waren uninteressant: Die einzige faszinierende und lebendige Männer-Figur aus den Filmen dieser Zeit ist der Werner Enke aus *Zur Sache, Schätzchen*, dem Film einer Frau. Ansonsten sah man da nur die übellaunigen Helden des Muffel-Syndroms und der weinerlichen Innerlichkeit, nebst etlichen Marionetten und stoischen Opfern weiblicher Initiative. Einen kommenden Frauenfilm hätte man sich damals hoffnungsvoll am ehesten als einen Film vorgestellt, in

Heidi Stroh, Peter Hohberger

dem ähnliche Persönlichkeiten wie Alexandra Kluge, Anita Pallenberg und Heidi Stroh eigenständig das realisieren, was diese Darstellerinnen in die Werke des Männerfilms eingebracht hatten. Diese Hoffnung hat sich nicht erfüllt. Zehn Jahre nach *Schonzeit für Füchse* und *Der sanfte Lauf* wanken deren weinerliche Helden als Travestien durch Filme, die den Eindruck erwecken, als sei Feminismus einfach nur Narzißmus als Verliebtheit in die eigene Larmoyanz; abgesehen von Margarethe von Trottas *Das zweite Erwachen der Christa Klages* und den Filmen der Ulrike Ottinger versucht der Großteil dieser Bewegung den Eindruck zu erwecken, als sei die Befreiung der Frau schon gelungen, wenn man progressive Themen zum Kaffeekränzchen zuläßt und diese Neuigkeit mit großer Selbstzufriedenheit verbreitet. Die Frauen (und die Männer) der Frauenfilme sind kaum mehr als Projektionen eines nur als Fata Morgana vorhandenen Überbaus. Man vergleiche nur Vergleichbares: die Heldin von Helma Sanders-Brahms *Deutschland, bleiche Mutter* und die Heldin von Fassbinders *Ehe der Maria Braun*. Freilich ist Fassbinder auch unter den Männerfilmern heute der einzige, der sich mit Gewinn (für die Frau) auf die Frau einläßt.

Tätowierung

1967

Regie Johannes Schaaf. *Regie-Assistenz* Dagmar Hirtz, Ulrike Mascher. *Buch* Günter Herburger, Johannes Schaaf. *Kamera* (Farbe) Wolf Wirth. *Kamera-Assistenz* Petrus Schloemp. *Musik* George Gruntz. *Bauten* Götz Heymann. *Ton* Haymo Henry Heyder. *Schnitt* Dagmar Hirtz. *Darsteller* Helga Anders (Gaby), Christof Wackernagel (Benno), Rosemarie Fendel (Frau Lohmann), Alexander May (Herr Lohmann), Tilo von Berlepsch (Rudolf Lohmann), Heinz Meier (Sigi), Heinz Schubert (Auktionator), Wolfgang Schnell (Simon), Evelyn Meyka. *Produktion* Rob Houwer. *Länge* 88 Minuten. *Uraufführung* 27. 6. 1967 (Filmfestspiele Berlin).

Berlin 1967. Benno ist in einem Waisenhaus aufgewachsen, dann war er in einer Erziehungsanstalt, jetzt ist er in einem Jugendhof, aber bereits adoptiert von Herrn und Frau Lohmann, die eine nahe der Mauer gelegene kleine Mosaikfabrik betreiben. Die anderen Insassen des Jugendhofes hetzen und foltern ihn, weil er das Versteck einer gestohlenen Pistole nicht verraten will. Von der Bedrohung mit einem elektrischen Bohrer behält er eine kleine Wunde auf der Brust zurück, eine »Tätowierung«. Herr Lohmann holt Benno ab, um ihn für immer in seine Familie aufzunehmen; zu der Familie gehört noch Lohmanns junge Nichte Gaby, die auch im Betrieb mitarbeitet. Lohmann hat für Benno ein Moped gekauft: »Du mußt es natürlich abzahlen. Aber in sehr kleinen Raten, versteht sich. Wenn du genug verdienst. Nur, damit du lernst, was Besitz ist.« Mit großem Eifer, unendlichem Verständnis und in kameradschaftlichem Ton versucht Lohmann, pädagogisch auf Benno einzuwirken, was diesen sofort entnervt. Gaby wechselt gerne mit den Arbeitern schmutzige Witze, hängt den Lohmanns ein freches Maul an und hilft Benno manchmal mit kleinen Anleihen aus. Am wohlsten fühlt sich Benno, wenn er ins Hallenbad geht und den erfahrenen Schwimmern ihre Kunststücke abschaut. Einen Job als Küchenhilfe gibt er wieder auf, weil die Köche ihn wie einen Vorbestraften behandeln. Lohmann ist untröstlich: »Als Koch verdienst du später Geld, viel Geld.« Benno: »Aber nicht jetzt.« Benno holt sich heimlich aus dem Jugendhof die Pistole, die er da versteckt hatte. Lohmanns Bruder Rudolf, ein Teppichhändler, läßt sich widerstrebend überreden, Benno bei ihm arbeiten zu lassen: »Ein Teppich ist kein Topflappen.« Benno genießt die spannende Atmosphäre, wenn Rudolf ihn mit zu Auktionen nimmt; aber die Freude vergeht ihm, als Rudolf ihn daran hindert, drei Kriegsschiff-Modelle zu ersteigern. Nachts amüsieren sich Benno und Gaby manchmal mit einem Mauer-Happening: Sie werfen an einem Seil eine Harke über die Mauer und verursachen damit derartige Geräusche, daß die nervösen Vopos auf der anderen Seite mit Leuchtkugeln ein ganzes Feuerwerk veranstalten. Am Wochenende geht Lohmann mit den Seinen spazieren und erklärt ihnen die Se-henswürdigkeiten. Nachts kommt Benno in Gabys Zimmer. Sie verführt ihn. Vom Wohnzimmer her lauschen Herr und Frau Lohmann. Herr Lohmann: »Eigentlich hätte ich's ihm nicht zugetraut.« Frau Lohmann: »Besser so, als wenn er woanders.« Beim Frühstück am nächsten Morgen ist Lohmann dann besorgt, daß sich die erotische Stimmung im Haus wieder normalisiert. Benno klaut bei Rudolf einen Teppich und verkauft ihn; mit dem Geld zahlt er seine Schulden bei Gaby; Gaby verrät es den Lohmanns; Herr Lohmann ist voller Verständnis bereit, das Ganze zu bereinigen. Benno geht zurück in den Jugendhof. Die anderen Jungen schneiden ihn. Benno geht zurück zu Lohmanns. Die Lohmanns brechen gerade zu einem Spaziergang durch die Baumblüte auf. Herr und Frau Lohmann rezitieren im Wechselgesang Goethes Osterspaziergang. Gaby zieht an einem Zweig. Lohmann: »Laß doch die Blüten.« Frau Lohmann: »Aus jeder Blüte wird eine Kirsche.« Benno und Gaby laufen den beiden davon. Benno will etwas mit Gaby anfangen. Sie läßt sich einfach von dem nächsten Autofahrer mit in die Stadt nehmen. Benno nimmt seine Pistole und schießt Lohmann damit zwischen den blühenden Bäumen tot. Dann geht er ins Hallenbad und schwimmt sich frei. Die Polizei kommt, um ihn zu holen.

Helga Anders, Christoph Wackernagel

38

Christoph Wackernagel

Zehn Jahre vor *Tätowierung* war der deutsche Film weder willens noch in der Lage, gesellschaftliche und politische Prozesse zu reflektieren, geschweige denn sie voranzutreiben oder vorauszusehen. Zwar gab es an »Jugendproblemfilmen«, die der nackten Story nach genau das gleiche behandelten wie *Tätowierung,* keinen Mangel, doch fanden solche Probleme immer sehr schnell ihre denkbar reaktionärste und konservativste Lösung: Für jeden unzufrieden randalierenden Jugendlichen war schnell eine alles verstehende Erzieherfigur vom Schlage eines Heinz Rühmann oder einer Ruth Leuwerik parat, die mit gütiger Hand die fällige Anpassung besorgte. In *Tätowierung* stellen Johannes Schaaf und Günter Herburger das Problem entschlossen

vom Kopf auf die Füße, denunzieren das penetrante unverständige Verständnis als die ängstliche, nur auf Bewahrung der eigenen, für die Zeit und die nächste Generation unzureichenden Welt bedachten, die Anpassung der Unzufriedenen herbeisäuselnde Attitüde; so gelingt ihnen wie von selbst ein Film, der die aktuelle Lage rigoros analysiert und deren Zuspitzung im Revolutionsjahr 1968 präzis voraussagt; mit seinem prophetischen Gemüt schließt der Film mittelbar und auf makabre Weise auch noch das weitere Schicksal seines Hauptdarstellers ein, jenes Christof Wackernagel, der zehn Jahre nach *Tätowierung* zum Terrorist geworden war, den die Polizei dann tatsächlich mitnahm. Über seinen Film-Adoptivvater hatte Karl Korn

in der *FAZ* geschrieben: »Er ist immer sanft, er hat das Geld dazu.« Indem der Film das trügerische Selbstvertrauen der bewahrend Besitzenden entblößt, die gütig lächelnd gewiß sind, daß mit Geduld und guten Worten alles zu richten ist, weist er unübersehbar darauf hin, daß es nicht allein die aktiv und aggressiv repressiven Kräfte waren, die die Unruhen von 1968 heraufbeschworen. Diese Einsichten und die gute Idee, einen halben Analphabeten zum Prä-Revoluzzer zu machen statt eines jungen zornigen Intellektuellen, verdankt der Film seinem Autor Günter Herburger, die Beschreibungskünste der Dekadenz des modernen gehobenen Mittelstandes dem Regie-Debütanten Johannes Schaaf. Der geborene Stuttgarter vom Jahrgang 1933

hatte zuerst Medizin studiert und sich ab 1956 sehr schnell als Schauspieler und Regisseur am Theater und im Fernsehen hochgearbeitet; mit seinen darstellerischen Talenten hat er auch später noch viele Kino- und Fernsehfilme bereichert. Sein Erstlingsfilm *Tätowierung*, als deutscher Beitrag der Berliner Filmfestspiele 1967 uraufgeführt, verblüffte durch einen fast beängstigten Perfektionismus, an dem freilich auch der Kameramann Wolf Wirth großen Anteil hatte. »Verblüffend an Schaafs Film ist vielleicht vor allem anderen seine optische Virtuosität, die kühle Brillanz der Konstruktion und Montage. Schaaf hat den meisten Regisseuren des jungen Films seine intensive Erfahrung mit Schauspielern voraus (und das spürt man an der Exaktheit ihrer Reaktionen), jahrelang war er im Fernsehen einer der drei oder vier hartnäckigsten Außenseiter, die sich auf die eher industrielle Produktionspraxis nicht einließen, ein unbequemer Individualist. Das ist er geblieben: Und *Tätowierung* setzt den knappen, manchmal überscharfen Inszenierungsstil seiner Fernsehfilme (etwa *Große Liebe* oder *Der Mann aus dem Bootshaus*) fort, nur kommt hier als stimulierendes Kunstmittel die Farbe dazu: Der Film beginnt in blassen Pastelltönen, fast grau, und riskiert, je mehr die Situationen sich zuspitzen, immer schrillere Farben, spielt mit einem gründlich vergifteten ›guten Geschmack‹ – das trägt ihm seine blendenden Höhepunkte ein, allerdings auch einige Szenen von fast verbitternder Penetranz, wo die Stilisierung zur Tour de Force wird – da kann Schaaf seine Figuren nur noch durch eine zart um Verzeihung bittende Geste vor der Bloßstellung retten« (Urs Jenny, *Süddeutsche Zeitung*, 1967). Bei der Bundesfilmpreisverleihung 1968 gab es Filmbänder für die beste Produktion (Rob Houwer), den besten Regisseur (Schaaf) und den besten Hauptdarsteller (Alexander May).

Helga Anders, Alexander May

Zur Sache, Schätzchen

1968

Regie May Spils. *Regie-Assistenz* Li Bonk. *Buch* May Spils, Werner Enke, Rüdiger Leberecht. *Kamera* Klaus König. *Kamera-Assistenz* Georg Gegenfurtner. *Musik* Kristian Schultze. *Ton* Horst Weiser. *Schnitt* May Spils. *Darsteller* Werner Enke (Martin), Uschi Glas (Barbara), Henry van Lyck (Henry), Inge Marschall (Anita), Helmut Brasch (Block), Rainer Basedow (Wachhabender), Joachim Schneider (Wachtmeister), Johannes Buzalski (Voyeur), Martin Lüttge (Dichter im Lift), Fritz Schuster (Bettler), Elisabeth Volkmann (Hausmeisterin), Horst Pasderski (Filmproduzent), Erwin Dietzel (Zoo-Wärter). *Produktion* Peter Schamoni. 80 Minuten. *Uraufführung* 4. 1. 1968.

Der Schlagertexter Martin, 25, und sein Freund, der Schauspieler Henry, 33, leben in Schwabing und warten ständig darauf, daß nichts passiert. Henry besucht mittags Martin, der schon seit Tagen nicht aus dem Bett gekommen ist: »Es interessiert mich nicht, draußen herumzurennen.« Henry erinnert Martin daran, daß heute sein Geburtstag ist und er sich mit seiner Freundin Anita verloben wolle. Als Anita dann selbst zum Gratulieren erscheint, muß sie wieder einmal feststellen, daß er überhaupt nicht ans Verloben denkt. Martin und Henry gehen in eine Badeanstalt, wo es ihnen angesichts der vielen ausgezogenen Mädchen schwerfällt, einen an diesem Tag fälligen Schlagertext fertigzubringen. Dafür lernt Martin aber ein Mädchen kennen, das es lohnend erscheinen läßt, sich zu einem »kleinen Match« aufzuraffen: Barbara, eine Tochter aus gutbürgerlichem Haus. Um ihr zu imponieren, erzählt Martin, er sei ein steckbrieflich gesuchter Verbrecher auf der Flucht vor der Polizei. Tatsächlich ist er nur zufällig Zeuge eines nächtlichen Einbruchdiebstahls gewesen und hat bei seiner Vernehmung durch die Polizei nur freche Witze auf Kosten der Beamten gemacht, die nun sauer auf ihn sind. Barbara findet Gefallen an Martin und läßt sich auch durch seine Frage »Kannst du mich denn überhaupt ernähren?« nicht irritieren. Als die Polizisten Martin vor seiner Wohnung abfangen und auf dem Revier ins Kreuzverhör nehmen, stiftet sie durch einen Striptease Verwirrung, so daß Martin entkommen kann. Während abends Anita und Henry auf einer eigens arrangierten Geburtstags- und Verlobungsparty vergeblich auf Martin warten, folgt Barbara ihm auf seine Bude, und sie fummeln sich tatsächlich in die Erfüllung hinein. Spät in der Nacht bringt Martin Barbara nach Hause. Als er zu seiner Bude zurückkehrt, wartet dort die enttäuschte Anita auf ihn. Martin tröstet sie mit herrlichen Versprechungen. Und nun scheint sich doch noch seine ewige Prophezeiung »Es wird böse enden!« zu erfüllen. Die Polizisten erscheinen und wollen ihn verhaften. Martin provoziert sie mit einer Pistole. Die Pistole ist völlig ungefährlich, aber der Polizist, der das nicht weiß, warnt eindringlich und schießt dann. Martin stellt sich tot. Dann steht er mit einem Streifschuß auf und sagt zu dem Beamten: »Da haben Sie aber noch mal Schwein gehabt!«

Werner Enke, May Spils, Uschi Glas

Werner Enke

Uschi Glas, Rainer Basedow

»Ich habe noch keinen Film der neuen deutschen Welle gesehen, in dem so viel Freiheit anwesend war. Freiheit, zu der auch die Ahnung gehört, daß sie am Ende doch nicht zu verwirklichen ist« (Peter W. Jansen, *Filmkritik*, 1968). Die Bewußtseinsströme, die diese Schwabinger Minimal-Version von James Joyce's *Ulysses* zu ihrem sicheren Hafen bringen, werden genährt von der Taugenichts-Phantasie, die einem Werner Enke Sätze eingeben wie diesen: »Das wichtigste an einer Pseudophilosophie ist, daß am Ende nichts dabei herauskommt.« Was dabei herauskommen kann, wenn man Pseudophilosophie im vollen Bewußtsein ihrer völligen Nutzlosigkeit ernst nimmt, zeigt dieser Film: »Eine Sprachkomödie – die erste des jungen deutschen Films« (Wolfram Schütte, *Frankfurter Rundschau*). Bloomsday an der Leopoldstraße, und ein 27jähriges Mädchen, das zum ersten Mal einen Spielfilm inszeniert, gelegentlich im Bikini, erklärt freundlich, ihre Absichten seien denkbar harmlos: »Man sollte endlich die Langeweile aus den Kinos vertreiben – denn das haben die Herren vom Jungen Deutschen Film bisher kaum geschafft.« Um den Film möglich zu machen, hat May Spils aus Twistringen bei Bremen, zuvor mit den Kurzfilmen *Das Porträt*

(1966) und *Manöver* (1967 hervorgetreten, einen ererbten Bauernhof beliehen, sich mit Peter Schamoni als Produzent eingelassen und vor allem monatelang ihren Freunden Werner Enke und Henry van Lyck aufs Maul und auf die Manieren geschaut. Der Erfolg des Films, der gemäß der Weisung seiner Regisseurin mit der Realität spielt, ohne je realistisch zu werden, war gewaltig; das sicherste Indiz für seine Publikumswirkung ist das Ausmaß, in dem seine Idiomatik in den allgemeinen Sprachschatz eingegangen ist. Und die Kritik war heilfroh, vorübergehend von der Analyse des herrschenden Cineasten-Frustes dispensiert zu sein: »Zum Auftakt der Jungfilmerschwemme hat sich May Spils einen kleinen Sonderorden verdient: Sie lieferte den ersten leichten Unterhaltungsfilm inmitten des reichen Angebots

an Selbstbetrachtungsgram und satirischem Generationsmief – eine urkomische Geschichte über das kuriose Protestgebaren zweier friedlicher Jungschwabinger ... Das Idiom, das hier benutzt wird, besteht aus Wortschöpfungen, wie sie in ähnlicher phonetischer Präzision nur noch im Jiddischen vorkommen. Und diese bewußte Unterwanderung jedes Gesprächs durch ein Tiefstaplervokabular, das in seiner Schnoddrigkeit von den Benutzern dann noch selbst ironisiert wird, läßt einen plötzlich die ›Normalsprachler‹ wie Fossilien aus dem prähistorischen Museum vorkommen« (Ponkie, *Abendzeitung*). Amtlich anerkannt wurden diese Verdienste durch die Verleihung eines noch nie zuvor verliehenen Bundesfilmpreises für »beste Dialoge«.

Werner Enke, Uschi Glas

Lebenszeichen
1968

Regie Werner Herzog. *Buch* Werner Herzog, nach der Erzählung *Der tolle Invalide auf dem Fort Ratonneau* von Achim von Arnim (1818). *Mitarbeit* Florian Fricke, Nicos Trandafyllidis, Ina Fritsche, Tasos Karabelas, Mike Piller, Thomas Hartwig, Bettina von Waldhausen, Friederike Petzold, Martje Grohmann. *Kamera* Thomas Mauch. *Kamera-Assistenz* Dietrich Lohmann. *Musik* Stavros Xarchakos. *Ton* Herbert Prasch. *Schnitt* Beate Mainka-Jellinghaus, Maximiliane Mainka. *Darsteller* Peter Broglé (Stroszek), Wolfgang Reichmann (Meinhard), Athina Zacharopoulou (Nora), Wolfgang von Ungern-Sternberg (Becker), Wolfgang Stumpf (Hauptmann), Henry van Lyck (Leutnant), Julio Pinheiro (Zigeuner), Florian Fricke (Pianist), Dr. Heinz Usener (Arzt), Werner Herzog (Soldat), Achmed Hafiz (Einheimischer), Jannakis Frasakis, Katerinaki. *Produktion* Werner Herzog. *Länge* 90 Minuten. *Uraufführung* 26. 6. 1968 (Filmfestspiele Berlin).

1942. Bei einem Partisanenüberfall auf der Insel Kreta wird der deutsche Soldat Stroszek verwundet. Während eines längeren Lazarettaufenthaltes heiratet er Nora, eine junge Griechin, die ihn gepflegt hat. Nachdem er auskuriert ist, wird er zur Erholung zu leichtem Dienst auf die Insel Kos versetzt. Seine Frau darf er mitnehmen. Zusammen mit zwei anderen Soldaten, Meinhard und Becker, soll Stroszek ein Munitionsdepot in einem alten venetianischen Kastell am Hafen von Kos bewachen. Der Dienst ist so leicht, daß sie sich wie Urlauber fühlen können. Das Hafenstädtchen hat nur eine kleine deutsche Besatzung unter dem Kommando eines freundlichen Hauptmanns. Auf der Insel ist alles friedlich. Die kleine Besatzung des Kastells beschäftigt sich mit den Hühnern und Ziegen, die sie sich zugelegt hat, und streicht ihre Behausung neu an. Meinhard, der im Zivilleben Wirt war, baut mit

Flaschen Fallen für die Kakerlaken. Der humanistisch gebildete Becker versucht, die Inschriften auf den alten Mauern und Steinen zu entziffern. Einmal kommt ein Zigeuner mit einer Drehorgel vorbei und behauptet, er wäre ein König auf der Suche nach seinem Volk. Zum Zeitvertreib basteln die Soldaten aus Pulver Feuerwerkskörper. Stroszek fühlt sich in dieser Umgebung und unter diesen Umständen zunehmend irritiert und isoliert. Bei einem Spaziergang in die Stadt begegnet Stroszek einem klavierspielenden deutschen Soldaten, der ihm erzählt, Chopin wäre ein bösartiger Charakter gewesen. Damit kann Stroszek nichts anfangen. Als er dem Hauptmann von der zunehmenden Langeweile erzählt, schickt dieser ihn mit Meinhard auf einen Patrouillengang. Nach dem Ersteigen eines Berghanges öffnet sich ihnen der Blick in ein Tal mit tausenden von Windmühlen, deren Flügel sich wie rasend drehen. Stroszek bekommt bei diesem Anblick einen Tobsuchtsanfall und schießt sein Magazin leer. Am nächsten Tag im Kastell merkt Stroszek, daß Meinhard und Nora den Vorfall dem Hauptmann gemeldet haben, um seine Versetzung in die Heimat zu

erwirken. Stroszek gerät außer sich. Er jagt mit dem Gewehr in der Hand seine Frau und die Kameraden vom Kastell, beschießt die Stadt und versucht, sie mit Feuerwerkskörpern in Brand zu setzen. Er will, sagt der Kommentar, »die Erde zum Beben bringen. Da käme dann schon heraus, was wirklich in den Häusern sei und was wirklich unter den Dingen liege. Er wolle das endlich ans Licht bringen.« Das einzige Opfer seiner Schüsse wird vorerst ein Esel, und die Raketen, mit denen Stroszek auch die Sonne beschießt, setzen nur einen Stuhl in Brand. Aber da er droht, das ganze Munitionsdepot in die Luft zu sprengen, was nicht nur das Kastell vernichten, sondern auch die Stadt in Mitleidenschaft ziehen würde, bricht Panik aus. Das nahe dem Kastell gelegene Viertel wird geräumt. Stroszek glaubt, daß diese Stadt wie alle Städte immer schon nur auf Belagerung und Vergewaltigung gewartet haben: Nun belagert er sie zwei Tage lang, einsam in dem Kastell herumtobend und wilde Drohungen ausstoßend. Als er wieder einmal daran geht, ein Feuerwerk zu zünden, können seine Kameraden ihn endlich überwältigen. Was ihm geschehen wird, erfahren wir nicht. Ein Wagen fährt durch eine einsame Ebene und wirbelt Staub auf. Der Kommentar sagt: »Er hatte in seinem Aufbegehren gegen alles etwas Titanisches begonnen, denn der Gegner war hoffnungslos stärker. Und so war er elend und schäbig gescheitert wie alle seinesgleichen.«

Werner Herzog

»Werner Herzog kommt aus den deutschen Wäldern. Dort, wo im Dunkeln die blaue Blume blüht, wo es Abgründe gibt, in die noch kein Lichtstrahl fiel, wo noch keine Forstverwaltung Schneisen ins Dickicht hieb, kommt er her, ein Feind der kalten Rationalität und des technisch-zweckgebundenen Verstands unserer Zeit, ein Prophet mystischer Kräfte, ein vom Teufel besessener Gottsucher, ein Abenteurer, bescheiden und größenwahnsinnig, gutherzig und grausam. Trotz seiner Jugend, trotz seines internationalen Ansehens hat er etwas zutiefst Deutsches, etwas Waldschrathaftes, und es ist leicht, darüber zu lachen, leicht auch, ihn reaktionärer Neigungen zu überführen, aber Herzogs Filme, von den *Lebenszeichen* (1967) bis zu *Herz aus Glas* (1976), enthalten etwas vom deutschen Wald, der in jedem von uns ist, sie weinen Tränen, die manch einer gern weinte, wenn er nur dürfte, träumen Alpträume, die am Morgen längst vergessen sind, bebildern Sehnsüchte, die wir längst *ad acta* gelegt zu haben glauben« (Ulrich Greiner, *Frankfurter Allgemeine Zeitung,* 1977). Das Komischste, was es von Werner Herzog gibt, ist ein 1980 von dem amerikanischen Filmemacher und Herzog-Freund Les Blank gedrehter Dokumentarfilm, der hält, was sein Titel verspricht: *Werner Herzog Eats His Shoe;* auf Grund einer verlorenen Wette und als Publicity-Stunt für einen anderen Les-Blank-Film zerlegt und verspeist Herzog seinen Schuh, der zuvor ähnlich wie Chaplins *Goldrausch*-

Schuh, aber mit feineren Zutaten und dem zärtlichsten gastronomischen Know-How gefüllt und gekocht wurde. Dazu hält er mit Pokermiene ein Kolleg über »the importance of doing foolish things«. Das Treiben von extremen Dingen,

Peter Broglé

die nach gutbürgerlichen Begriffen närrisch sind, ist die Philosophie seines Lebens und der Inhalt seiner Filme, die das sind, was er ist, wie der Titel eines Dokumentarfilms über sein Schaffen besagt. Der Wahnsinn seines Lebens, der dazu führt, daß er sich in Kamerun als vermeintlicher Söldner in Aufständischen-Kerkern wiederfindet oder in nordamerikanischen Weiten als Gefangener eines Blizzards; der ihn dazu treibt, mit der Kamera auf einer südamerikanischen Vulkaninsel herumzuklettern in der sicheren Erwartung, daß es im nächsten Augenblick zum Ausbruch und er wahrscheinlich ums Leben, aber zuvor noch zu einigen nie gesehenen

Bildern kommt; der Wahnsinn auch, der ihn als Mutprobe für sich selbst und Ansporn für andere aus dem dritten Stock oder in einen Riesenkaktus springen läßt; dieser Wahnsinn ist identisch mit der Narretei, die seine Filmfiguren verleiten, unter Einsatz ihres Lebens das Eldorado ihrer Existenz zu finden. Diese Narretei ist die Alternative zu dem bürgerlichen, dem normalen Wahnsinn, der den Sinn des Lebens in der unendlichen Wiederholung bereits gemachter Erfahrungen sieht. Herzog, der streng unterscheidet zwischen dem Leben und der Existenz, muß auf seinem eigenen Wahnsinn beharren, weil Leben erst zur Existenz und zur Kunst wird durch das Überschreiten der Grenzen zum noch nicht Dagewesenen, noch nicht Erfahrenen, selbst wenn dieser extreme Schritt zum Scheitern verurteilt ist: Das Scheitern ist der Preis, den alle Herzog-Figuren für den Griff nach dem Unmöglichen bezahlen, diesem Unmöglichen, das ja nichts anderes ist als eine noch nicht erfolgreich erlebte Erfahrung. Werner Herzog stammt tatsächlich aus den deutschen Wäldern; 1942 in München geboren, wuchs er auf in den oberbayerischen Bergen. Er absolvierte das Abitur und diverse Studien, aber zugleich trieb er sich auch herum als Weltenwanderer, als Punktschweißer, als Wilderer und Waffenhändler, schließlich als autodidaktischer Macher von kurzen und mittellangen Filmen: *Herakles* (1962), *Spiel im Sand* (1964), *Die beispiellose Verteidigung der Festung Deutschkreuz* (1966). Der erste lange Spielfilm *Lebenszeichen* beruht auf jahrelangen Vorarbeiten und jahrzehntelangen Familienerfahrungen. »Mein Großvater, den ich sehr geliebt habe, der verrückt gewesen ist am Ende seines Lebens, war Archäologe und hat auf der Insel Kos sein Lebenswerk getan: Er hat dort das Asklepion gefunden und ausgegraben. Das hat mich interessiert. Und da bin ich an Plätze gekommen, die er entdeckt hat, zum Beispiel das Kastell. Das war der Kern meines Films, der Schauplatz, dieses Kastell. Daran hat sich die Filmhandlung geklebt.« In dem *Playboy*-Interview von 1977, in dem Herzog diese Genesis

Wolfgang von Ungern-Sternberg, Athina Zacharopoulou, Peter Broglé, stehend: Wolfgang Reichmann

des Films referiert, gibt er auch die für Herzog-Dreharbeiten typische dramatische Situation wieder, zu der es kam, als mitten im griechischen Militärputsch von 1967 die Schieß- und Raketenorgie des Films trotz ausdrücklichen Verbots der Machthaber gedreht wurde: »Das Feuerwerk sollte im Morgengrauen abgefeuert werden. Eine ganz seltsame Sache, daß der Wahnsinnige mit Feuerwerksraketen gegen das Sonnenlicht anschießen will. Ich habe gesagt: In zwei Stunden drehen wir die Szene. Darauf sagten die: Dann werden wir Sie festnehmen. Gut, tun Sie das, sagte ich, ich werde aber nicht unbewaffnet sein, ich werde das nicht überleben wollen. Ich verabschiede mich von Ihnen jetzt schon. Aber der erste Mann mindestens, der Hand an mich legt, der geht mit mir hops. Ei-

nen Dolmetscher brauche ich nicht, ich kann Griechisch. Dann haben wir am Morgen gedreht, es waren 3000 Zuschauer da, die wie eine schweigende Mauer an der Straße entlang hinter der Kamera standen. Dazu mindestens 40 bis 50 Polizisten und Militärs. Wir haben das Feuerwerk gemacht. Es ist völlig normal über die Bühne gegangen. Dann war das vorüber. Es ist kein Wort gefallen.« Die *Feuerzeichen* (ursprünglicher Titel des Films) sind die Wahnsinnszeichen des Soldaten Stroszek als die Lebenszeichen eines Menschen, der in eine glühende Idylle eingemauert ist, in der nur noch jahrtausendalte Steine und Statuen zu leben scheinen, zugleich die aufschreckenden Lebenszeichen eines neugeborenen Filmemachers, der von nun an nicht mehr aufhört, die Stille zu stören,

»das Werk eines jungen Deutschen, der von den Feuern des mediterranen Lichts fasziniert ist und sich so wie sein verrückter Soldat an ihnen die Flügel seiner Träume verbrennt« (Marcel Martin, *Cinema 69*). Über weitere Lebenszeichen des Filmemachers Herzog berichtete im August 1968 *Die Zeit*: »Als deutscher Beitrag zu den Berliner Filmfestspielen 1968 wurde der Film *Lebenszeichen* mit einem Bundesfilmpreis des Bundesministers des Inneren ausgezeichnet. Während der Preisverleihung in der Berliner Kongreßhalle kam es allerdings zu einem Zwischenfall: Des Protokolls nicht achtend, bat Werner Herzog den Bundesminister des Inneren ums Wort und erklärte, daß er Wert darauf lege, zu dieser Auszeichnung weder nein noch danke zu sagen.«

Die Artisten in der Zirkuskuppel: ratlos

1968

Regie und Buch Alexander Kluge. *Kamera* Günter Hörmann, Thomas Mauch. *Kamera-Assistenz* Dietrich Lohmann, Frank Brühne. *Ton* Bernd Hoeltz. *Schnitt* Beate Mainka-Jellinghaus. *Darsteller* Hannelore Hoger (Leni Peickert), Alfred Edel (Dr. Busch), Sigi Graue (Manfred Peickert), Bernd Hoeltz (Herr von Lüptow), Eva Oertel (Gitti Bornemann), Kurt Jürgens (Dompteur Mackensen), Gilbert Houcke (Dompteur Houcke), Wanda Bronska-Pampuch (Frau Saiweza), Herr Jobst (Impresario), Hans-Ludger Schneider (Assessor), Klaus Schwarzkopf (Oberstudienrat Gerloff), Nils von der Heyde (Herr Arbogast), Marie Luise Dutoit (Schweizer Artistin), Peter Staimmer (Perry Woodcock), Theodor Hoffa (Monokelträger), Maximiliane Mainka/Ingeborg Pressler (Clowns), Wolfgang Mai (Dramaturg Willkins), Tilde Trommler (Lotte Losemeyer), Ingo Binder (Fadil Sojkowski), Kurt Tharandt (Herr Böhme), Ina Giehrt (Journalistin). *Sprecher* Alexander Kluge, Hannelore Hoger, Herr Hollenbeck. *Produktion* Kairos (Alexander Kluge). *Länge* 103 Minuten. *Uraufführung* 30. 8. 1968 (Filmfestspiele Venedig).

SIE HABEN SICH BIS HIER OBEN VORGEARBEITET. JETZT WISSEN SIE NICHT, WAS WEITER. SICH MÜHE GEBEN ALLEIN NÜTZT GAR NICHTS. DIE ARTISTEN IN DER ZIRKUSKUPPEL: RATLOS. Der Artist Manfred Peickert möchte den Zirkus bereichern: »Ich würde das wahnsinnig lustig finden und schön, wenn die Elefanten in den Kuppeln mit rumhängen würden und mit das Programm aufbauen würden.« Eines Tages wird Peickert bei seiner Trapeznummer von Melancholie überfallen. Er stürzt ab und bricht sich das Genick. Seine Tochter Leni Peickert will einen eigenen Zirkus aufmachen, ei-

nen Zirkus, der einen Toten wert ist. Sie sieht sich bei den führenden Unternehmen um und berät sich mit Fachkräften. Leni: »Wir wollen die Tiere authentisch zeigen.« Dompteur Houcke: »Authentisch sind sie nur im Dschungel.« Leni: »Ich habe Bücher gelesen über das sogenannte Böse. Sie müssen umlernen!« Zugleich versucht sie, Geld zu verdienen, um ihr Projekt finanzieren zu können. Ihr Mitarbeiter von Lüptow sagt: »Man kann gegen die Unmenschlichkeit dadurch ankommen, daß alle Artisten gleichzeitig in der Welt den Schwierigkeitsgrad ihrer Künste erhöhen.« Ein alter Freund, der Werbefachmann Dr. Busch, mahnt sie, sich keine Illusionen zu machen: »Du glaubst ja gar nicht, wie schwierig es ist, wenn du arbeitest, und du kannst ja das, was du willst, gar nicht steuern ... Früher haben wir geglaubt, wir könnten was verändern, was besser machen, wir könnten helfen. Wir könnten ein menschlicheres Leben führen.« Ursprünglich glaubt Leni, sie brauche nichts als ihre Liebe zur Sache, um ihre Pläne zu verwirklichen. Nach einer Besprechung mit einem Delphin-Dompteur (Leni: »Ich würde gern ein großes Bassin aufbauen, durchsichtig, und in dieses Bassin kleine Schiffe setzen und dann die Delphine dazu«) und einer vertraulichen Unterredung mit dem alten Freund Dr. Busch, dem sie dabei in der Badewanne Gesellschaft leistet, weiß sie es besser. »Frau Peickert sieht ein, daß sie nicht Artistin bleiben kann, wenn sie freie Unternehmerin sein will. Nur als Kapitalist ändert man das, was ist!« Leni beginnt, Elefanten zu kaufen. Ihre Kreditgeber machen Schwierigkeiten und nehmen Leni schließlich ihre Tiere weg. »Tut der Kapitalist, was er liebt, und nicht was ihm nützt, wird er von dem, was ist, nicht

unterstützt.« Da stirbt Lenis Freundin, die schwerreiche Gitti Bornemann. Leni hat es stets vermieden, sie um Geld zu bitten. Jetzt wird sie Gittis Universalerbin. Sie gründet die Leni Peickert GmbH, engagiert Mitarbeiter und Artisten, ihr Reformzirkus nimmt Gestalt an. Ihre Mitarbeiter können sich nur schwer von ihren hergebrachten Zirkus-Vorstellungen lösen, und bei einer Pressekonferenz zeigt sich, daß auch die Journalisten nicht für neue Ideen zu begeistern sind. »Frau Peickert, mir ist Ihr Anliegen inzwischen durchaus klar geworden. Sie möchten das Publikum engagieren, sie wollen es interessieren ... Das ist eine sehr eigenwillige Idee, möchte ich sagen, daß Sie den Zirkus als einen Roman auffassen. Meinen Sie nicht, daß Sie Gefahr laufen, daß Sie da völlig heterogene Genres vermischen?« Doch mit Feuereifer läßt sie das Programm proben. Das Programmheft sieht unter anderem vor: »Begegnung mit Fremdintelligenzen, dargestellt durch Delphine ... Elefantenherde Peickert, das Land der Griechen mit der Seele suchend ... Sieben Tiger versuchen 60 rote Mäuse aufzuhalten ... Die Eisbären zünden in der Zirkuskuppel ein Feuerchen an und wärmen sich ... Trauer der Clowns über die verlorene Ehre.« Ihre Vision beginnt Wirklichkeit zu werden, da bricht Leni das Unternehmen ab und liquidiert die Firma. »Die Utopie wird immer besser, während wir auf sie warten.« Samt ihren Mitarbeitern geht Leni zum Fernsehen. Nachts arbeiten sie an Romanserien. »Irgendwann einmal wächst dies zusammen: Die Liebe zur Sache, die Romane und die Fernsehtechnik.« Bei ihrer neuen Arbeit macht Leni die Bekanntschaft von Oberstudienrat Gerloff, der mit Hilfe des Fernsehens seine Bildungsideen durchsetzen will (»Waren Sie mal in der Sixtinischen Kapelle?«), und des Staatsanwaltsassessors Korti, der für die Zensur zuständig ist. »Er wird die Lust nach Neuerungen, rerum novarum cupiditats, im Keim ersticken, es sei denn, auch er selbst wird erlöst, dann hat die Revolution in ihm einen Rechtswahrer.« Leni sagt sich: »Mit großen Schritten macht man sich nur lächerlich. Aber mit lauter kleinen Schritten könnte ich Staatssekretärin im Auswärtigen Amt werden.« Oberstudienrat Gerloff erklärt im Fernsehen den *Troubadour* von Verdi: »Es ist ein wahnsinnig kompliziertes Stück, aber ich finde, es ist eines der schönsten Verdis.«

Mit der Anita G. in *Abschied von gestern* war Alexander Kluge 1966 »eine Gestalt gelungen, die in die Familie der lebenden Zerrspiegel der deutschen Zustände gehört wie der Blechtrommler Oskar Matzerath von Günter Grass« (Peter W. Jansen, *Neue Zürcher Zeitung*).

Als schier unglaubliche Leistung gelang Kluge nur zwei Jahre später mit der Leni Peickert in *Die Artisten in der Zirkuskuppel: ratlos*, die eine völlig andere Figur ist, nicht unbestimmt und verwirrt wie Anita G., sondern sehr bestimmt und zielstrebig, eine Gestalt von ähnlich bedeu-

Hannelore Hoger

Die Artiste in der Zirku ppel: ratlos

Hannelore Hoger

tender Dimension und Wichtigkeit. Noch unglaublicher wird diese Leistung, wenn man sich bewußt macht, daß Kluge mit der Geschichte der Zirkusdirektorin Leni Peickert, gedreht von Juli bis September 1967 und uraufgeführt bei den Filmfestspielen Venedig im August 1968 (wo der Film den Hauptpreis, den Goldenen Löwen, errang), als Parabel die ganze Entwicklung der Protestbewegung der späten sechziger Jahre mitsamt den Veränderungen in der Beziehung zwischen dem Künstler, seinem Werk und der Gesellschaft im allgemeinen und dem deutschen Filmemacher, seinem Reformkino und seinem Publikum im besonderen voraussieht und mit prophetischem Gemüt analysiert. Als Manege der Veränderung ist der Zirkus seit der Französischen Revolution immer wieder betrachtet worden; im Film spielt der Zirkus als Sanktuarium der Revolution seit den Euro-Western eine Rolle; Kluge macht nun den Zirkus-Film als Revolutions-Film zum Kunst-Film, zum Film-Film, nicht zuletzt zum Fernseh-Film, der in seiner beängstigend präzisen Vorausschau schon ganz genau kommen sieht, wie das Fernsehen zur Müllhalde der desillusionierten Artisten aller kreativen Berufssparten wird. Mit seiner eigenen Darstellung der *Artisten*-Genesis schmälert Kluge dieses Verdienst aus unerfindlichen Gründen. »Bei *Artisten in der Zirkuskuppel: ratlos* gab es überhaupt keine Planung. Der Film resultierte einfach aus einer Frustration über die Berliner Filmfestspiele und über die Trennung von Edgar Reitz, der, erschreckt durch die faulen Eier, die damals von den Akademiestudenten auf Patalas und uns geworfen

wurden, sich von Ulm und mir trennte (die Krise hätten wir eigentlich auch zusammen bewältigen können). Dieser Angriff also führte zu einer Zerstreuung, und aus Frustration habe ich einfach einen Film angefangen. Natürlich ist dann das Thema, das mich bewegt, die Lage, in der wir uns selbst befinden, wir, die wir auf dem hohen Seil, den Trapezakten der fine arts uns bewegen. Da gab es keine Planung voraus und auch kein Drehbuch. Das Drehbuch kann man hinterher schreiben ... Da war nichts weiter als die Wut darüber, wie es einem zwei Wochen vorher in Berlin ergangen ist« (Kluge-Interview von Ulrich Gregor in *Herzog Kluge Straub,* 1976). Gegen diese Darstellung spricht Kluges Feststellung in der Buchausgabe von *Artisten* (samt sämtlicher Vorentwürfe), er habe an diesem Projekt ein Jahr lang gearbeitet; mehr noch der Umstand, daß es im Juli *1968* war, also *nach* Fertigstellung des *Artisten*-Films, daß in Berlin die faulen Eier gegen Kluge und Freunde flogen, vielleicht als ein Akt unbewußter vorbeugender Wut gegen einen kommenden Film, in dem zugunsten einer Politik der kleinen Schritte die große Revolution abgesagt wird, mit einer Begründung, die Studenten von 1968 unmöglich akzeptieren konnten: »Die Utopie wird immer besser, während wir darauf warten.« Gewisse Formen von Ehrlichkeit galten damals als nicht mehr tolerabel. »Der Film ist ehrlich, er gesteht ein, daß er so wenig wie Leni Peickert den Weg schon kennt, auf dem Kunst und Wirklichkeit, Artisten und Zuschauer zu versöhnen und artistische Leistungen gesellschaftlich wirksam zu machen wären« (Ernst Wendt, *Film,* Oktober 1968). Doch so wie den Studenten der Protestbewegung blühten auch vielen anderen Zuschauern Schwierigkeiten mit Kluges *Artisten,* aus völlig anderen Gründen freilich: *Artisten* ist gegenüber *Abschied von gestern* insofern ein schlimmer Rückschritt, als Kluge mit diesem Werk beginnt, seine Filme sorgsam gegen das Verständnis des Zuschauers abzuriegeln. »Die Kontinuität jedes dargestellten Vorgangs wird gekappt und zerstört, auch keine andere, außer der gedanklichen Verknüpfung, an ihre Stelle gesetzt. Jeder Schnitt wird zum Bruch, schneidet der Einstellung den Atem ab, reduziert sie auf ihren Bedeutungsgehalt. Es ist, als werde man durch eine endlose Flucht von Kammern gejagt, deren Wände mit Sinnsprüchen tapeziert sind, in denen Luft zum Atmen aber immer nur für Sekunden ist« (Enno Patalas über *Artisten* in *Filmkritik,* 1968). Und Peter Handke beklagt die Schwierigkeiten, die auch das Auffinden der »gedanklichen Verknüpfungen« macht: »›Tut der Kapitalist, was er liebt und nicht was ihm nützt, wird er von dem, was ist, nicht unterstützt.‹ Der Film *Die Artisten in der Zirkuskuppel: ratlos* ist ein Film aus Sätzen, aus solchen Sätzen. Die Bilder scheinen dazu eine Art von Analogie zu bedeuten, zumindest stehen sie dadurch, daß diese Sätze *formuliert* sind, eindeutig und nicht *spielerisches Zitat,* in einem Bezug zu den Sätzen, sie fordern den Zuschauer auf, den Bezug zu suchen und machen ihn schon dadurch weniger frei, lassen auch die Bilder, statt sie Bilder sein zu lassen, zu einem Bilder*rätsel* werden. Statt sich was anzusehen und dann was zu sehen, soll man Bilder auf Sätze beziehen!« (*Film,* 1969). Erschlagen von den Schauern der Filmpartikel, die Kluge von nun an statt richtiger Filme liefert, sucht man das schützende Dach des Kluge-Buchs zum Kluge-Film auf; nur so ist eine Annäherung an die Klugeschen Urgewalten noch möglich. Vergleicht man die Filme mit den ihnen zugrunde liegenden oder sie begleitenden Entwürfen, Drehbüchern, literarischen Produkten und Interviews und die Strapaze, die man mit dem einen, mit der Lust, die man am anderen hat, so wird bald klar, daß Kluge das Schreiben für ein großes Publikum betreibt, das Filmen für die *happy few.* Was sich beim Lesen eines Textes im Kopf als Film zusammensetzt, fällt beim Anschauen des Films wieder auseinander. Vom unvorbereiteten Zuschauer wird mehr verlangt als vom Leser, Unmögliches schier: Er muß klüger sein als Kluge selbst, am Puzzleteil erkennen, was Kluge selbst nur beim Zusammenfügen der Teile begreifen kann. »Das ist eine Frage des Zusammenhangs« (A. Kluge).

Jagdszenen aus Niederbayern

1969

Regie Peter Fleischmann. *Regie-Assistenz* Peter Kaiser. *Buch* Peter Fleischmann, nach dem Bühnenstück von Martin Sperr (1966). *Kamera* Alain Derobe. *Kamera-Assistenz* Colin Mounier, Konrad Kotowsky. *Bauten* Günther Naumann. *Kostüme* Barbara Baum. *Requisite* Jochen von Vietinghoff. *Ton* Karl Heinz Frank. *Schnitt* Barbara Mondry, Jane Seitz. *Darsteller* Martin Sperr (Abram), Angela Winkler (Hannelore), Else Quecke (Barbara), Michael Strixner (Georg), Maria Stadler (Metzgerin), Gunja Seiser (Maria), Johann Brunner (Hiasl), Hanna Schygulla (Paula), Renate Sandner (Zenta), Ernst Wagner (Volker), Johann Lang (Ernstl), Johann Fuchs (Bürgermeister), Hans Elwenspoek (Pfarrer), Erika Wackernagel (Frau des Bürgermeisters), Eva Berthold (Lehrerin) und die Bewohner von Unholzing, Niederbayern. *Produktion* Rob Houwer. *Länge* 85 Minuten. *Uraufführung* 29. 5. 1969.

Abram, ein 20jähriger Mechaniker, kommt nach längerem Aufenthalt in Landshut zurück in das niederbayerische Dorf, wo er als Sohn der Flüchtlingsfrau Barbara aufgewachsen ist. Die Dörfler meinen: »Es stimmt was nicht mit dem Abram!«, und das sei selbst seiner Mutter klar: »Einen Zorn hat's auf ihn, die Barbara.« Die allgemeine Meinung geht dahin, daß Abram homosexuell ist und deshalb im Gefängnis gesessen hat: »Gesessen soll er haben, weil er so Sauereien gemacht hat, mit Männern.« Abram macht sich nützlich mit der Reparatur von Erntemaschinen und läßt allen Hohn und Spott geduldig über sich ergehen. Der einzige Mensch, der ihm mit unverhohlener Zuneigung begegnet, ist Hannelore, das Dienstmädchen vom Bürgermeister, von der man weiß, daß sie mit fast jedem schläft, am liebsten gegen Bezahlung. Aber gegen diese

Verbindung ist wiederum Abrams Mutter. Abram verabredet sich mit Hannelore im Sportcafé. Im Sportcafé machen sich die Leute einen sadistischen Spaß daraus, einem Dorfbeatle mit der Schere an die langen Haare zu gehen: »Jetzt ist es aus mit der Kulturschande. Mit deiner Beatmusik, mit deiner dreckigen, da kann einem ja alles im Hals steckenbleiben!« Der Beatle rehabilitiert sich, indem er mit den anderen Front macht gegen Abram, den »warmen Bruder«. Abram geht, ohne auf Hannelore zu warten. Abrams Mutter Barbara wird so lange mit mitleidlosen Anspielungen über ihren Sohn gequält, bis sie schließlich zu diesem sagt: »Ich hoff', die schlagen dich so lange, bis du freiwillig gehst, ich hoffe, die schlagen dich zum Dorf raus. Ich wünsch mir's. Das Dorf ist doch nicht so wie die Stadt, wo man das modern findet.« Abram wird beobachtet, wie er auf der Autobahnbrücke mit dem schwachsinnigen Sohn Ernstl der sonst verachteten Witwe Maria Kontakt sucht. Abram wird von der Witwe, die ihn kurz zuvor noch in nicht ganz durchschaubarer Absicht mit einer Arbeit betraut und ihn in ihrem Haus bewirtet hat, wiederholt ins Gesicht geschlagen. Die Metzgerin, die zur Wortführerin der Hetze gegen Ab-

Angela Winkler, Peter Fleischmann

Hanna Schygulla

ram wird, sieht durch ihn die Erziehung der Kinder gefährdet: »Da plagt man sich, daß anständige Menschen draus werden. Dann wird einem von solchen Drecksäuen die Moral verdorben.« Mutter Barbara, die sich das alles anhören muß: »Ich hab getan, was ich konnte. Eingesperrt habe ich ihn. Geschlagen, daß mir die Hand geschwollen ist.« Das Mädchen Paula, das Fabrikarbeiterin geworden ist und sich deshalb erheblich mehr leisten kann als ihre Freundinnen vom Dorf, führt das auf ihre sinnvolle Erziehung zurück: »Grün und blau haben sie mich geschlagen, meine Eltern. Und was ist aus mir geworden.« Paula erzählt den anderen, was Hannelore ihr anvertraut hat: Hannelore erwartet ein Kind von Abram. Die Metzgerin: »Dem genügts nicht, daß er so rum ist, der muß auch noch so sein.« Andere wollen es nicht glauben: »Denn erstens ist sie Hure, und zweitens macht der Abram bloß hinten.« Oder sehen schwarz für die Zukunft: »Vielleicht wird das Kind wieder schwul. Das bringt neues Unglück.« Die Metzgerin alarmiert die Polizei, aus Angst um ihren Sohn Franz, wie sie sagt. Türkische Gastarbeiter, von den Dörflern stets mit feindseliger

Gleichgültigkeit behandelt, rüsten sich zur Heimfahrt, begleitet von freundlichen Kommentaren: »Jetzt essen wir unser Brot wieder selber. Jetzt heißt es aber, den Gürtel enger schnallen, wenn ihr daheim seid, gell?« Auch Abram will, ein Köfferchen unterm Arm, mit dem Postbus den Ort verlassen. Die Dörfler verhindern das. Abram versucht, den Bus noch am Ortsausgang zu erwischen. Hannelore hängt sich an ihn und versucht, mit Gewalt zu verhindern, daß er sie verläßt. Voll Panik und Ekel sticht Abram sie nieder. Er flieht in die Wälder. Mit Knüppeln bewaffnet durchstreift alles, was im Dorf Beine hat, als Treiber den Wald. Die Polizei braucht nur noch zu warten, bis ihr das Wild zugetrieben wird. Im Dorf ist wieder Ruhe und Ordnung: Sonne, Fahnen, Bierkrüge, Glockengeläut, Sonntagsstaat, Bayerischer Defiliermarsch, Kirchweihstimmung. Der Bürgermeister hält zu den morgigen Kommunalwahlen, bei denen er, ausdrücklich mit dem Segen der Kirche versehen, wieder kandidiert, eine kleine Ansprache: »Meine Rede ist ganz kurz. Jeder kann ein Freibier trinken, auf meine Rechnung!«

Martin Sperr, Maria Stadler, Else Quecke

Volker Schlöndorff über Peter Fleischmann und *Jagdszenen aus Niederbayern:* »Ich beneide Peter Fleischmann um die Kontinuität der Themen in allen seinen Filmen. Ich bewundere die Hartnäckigkeit, mit der er immer wieder das darstellt, was niemand von uns wahrhaben will und was doch in den Augen der Ausländer unsere Eigenart ausmacht: die Angst vor der Zukunft, die panische Reaktion auf Außenseiter, die Flucht in die Gemütlichkeit, das Klammern ans jodelnde und singende Volkstum, die barbarischen Eß- und die verklemmten Sexgebräuche. In *Jagdszenen aus Niederbayern* hat er auf dem Land die Hysterie gezeigt, die bald im Gefolge der terroristischen Fahndung die Städte ergriff. Nicht zufällig erscheint Angela Winkler Jahre vor *Die verlorene Ehre der Katharina Blum* in den *Jagdszenen* ... Ihrer ist das Himmelreich, heißt es von den Einfältigen. Einfältig war Martin Sperr in den *Jagdszenen,* und einfältig ist auch wieder Ulrike in der *Hamburger Krankheit*« (Presseheft zu *Die Hamburger Krankheit,* 1979). Wie Volker Schlöndorff, mit dem er 1969 die Produktionsfirma Hallelujah-Film gründete, ist Peter Fleischmann der Herkunft nach Hesse (geboren 1937 in Zweibrücken), der Filmbildung nach Franzose (1960/61 Studium an der Pariser Filmhochschule IDHEC, Assistenzen bei verschiedenen französischen Regisseuren). Vom Dokumentarischen seines ersten Langfilms *Herbst der Gammler,* 1967, kam er mit der Fülle und der Genauigkeit von *Jagdszenen* zum Realismus, mit der apokalyptischen Phantastik von *Das Unheil,* 1970, zum Surrealismus; eine folgerichtige, in der Filmgeschichte nicht seltene Entwicklung: die wachsende Einsicht lehrt, daß es Dinge gibt, die sich dem Dokumentarischen widersetzen, und wieder andere Dinge, die sich dem Realismus entziehen. Wie er Kontinuität im Thematischen pflegt, erleidet er Kontinuität in seinen Zusammenstößen mit der Wirklichkeit. »Fleischmann drehte im vergangenen Jahr mit Klaus Müller-Laue zusammen einen Report über das Leben der Gammler und deren Schwierigkeiten mit der Umwelt,

Herbst der Gammler. Als arbeitsloses Gesindel ließ er sie von braven Rentiers beschimpfen, die nicht anders als die Gammler auch die Mittagssonne an einem ruhigen Münchner Fleck genießen wollten. Demaskierend war sein Bericht, weil er zeigte, wie leicht sich die gewohnten faschistischen Redeweisen in der älteren Generation heute gegen ebenso neue, aber mißliebige Phänomene richten, wie es das Gammlerwesen nun einmal darstellt. Demaskierend aber ist nun für Niederbayern nicht nur Sperrs Bühnenstück, eine Sensation von Ursprünglichkeit, demaskierend war auch die Reaktion auf das Filmteam, das anrückte, um *Jagdszenen aus Niederbayern* zu verfilmen. Nur wenige Male reiste Teammitglied Müller-Laue in die bayerische Provinz, dann kündigte er seine Mitarbeit an dem Film: Die langen Haare, die er zu tragen pflegt, erregten den Ärger der Landbevölkerung in solchem Maße, daß er um seine Gesundheit fürchten mußte« (Florian Hopf, *Er,* 1968). Die wahre Episode bezeugt die Filmszene mit dem tätlich angegangenen Beatles-Fan. Angela Winkler hatte einen eher komischen, aber ebenso typischen Zusammenstoß mit zwei Polizisten vom Drehort Unholzing, die in der Tatsache, daß die ortsfremde Person sich zu einer Verschnaufpause ausgerechnet auf einer Bank vor der Raiffeisenkasse niedergelassen hatte, die Möglichkeit eines drohenden Banküberfalls sah: Die Zurechtweisung mit dem angelernten bayerischen Ausdruck »Seien Sie doch nicht deppert!« sahen die Ordnungshüter als Beamtenbeleidigung an, mit dem kühnen Spruch der Filmnovizin »Lassen Sie mich in Ruhe, ich bin ein Filmstar« gaben sie sich jedoch sofort zufrieden. Aus der Welt von Fassbinders *Katzelmacher,* die Stück und Film *Jagdszenen* in völlig anderem Milieu und radikal anderem Stil vorwegnehmen, scheint ein Konflikt zu sein, der das Dorf Hagenau als Drehort ausschloß: Hier verhinderte ein Großbauer die Dreharbeiten aus Angst, seine Frau könne sich von den Filmleuten verführen lassen; aus dem gleichen Grund hatte er vorher das Asphaltieren einer Ortsdurchfahrt hintertrieben – die Bau-

Johann Lang, Gunja Seiser

Martin Sperr, Angela Winkler

Martin Sperr, Angela Winkler

kolonne hätte ja von potenten Italienern durchsetzt sein können! Das Niederbayerische ist in *Jagdszenen* füllig vorhanden, aber Fleischmann hat vorsorglich darauf aufmerksam gemacht, daß »das Thema nicht nur in einer lokalisierbaren Gegend interessiert«. Das gleiche gilt für *Katzelmacher:* Hier wie dort ist eine Mentalität, die zur totalen physischen Aggression gegen einen Außenseiter führt, mehr als die Voraussetzung zu einem Drama; es ist das Drama selbst, das Drama einer Gesellschaft, deren Mitglieder in ihrer alltäglichen mentalen und verbalen Kommunikation wie besessen sind von dem Drang, übereinander herzufallen und ineinander herumzuwühlen. Die Erlösung von dem Haß aufeinander ist nur möglich durch den solidarisierenden Haß auf einen Dritten, an dem sich dieser Haß endlich ungeniert und

ungestraft handgreiflich austoben kann. Indem Fleischmann und Sperr die ländliche Version dieses Dramas erzählen, werden sie mit ihren *Jagdszenen* auch zum Vorläufer des »neuen Heimatfilms« von Schlöndorff, Hauff, Brandner und Vogeler: *Der plötzliche Reichtum der armen Leute von Kombach, Mathias Kneißl, Ich liebe dich, ich töte dich* und *Jaider – der einsame Jäger.* Vom Triumph der *Jagdszenen aus Niederbayern* beim Festival des *nuovo cinema* in Pesaro 1969, bei dem in diesem Jahr hauptsächlich süd- und mittelamerikanische Filme reüssierten, schrieb Jan Dawson in *Sight and Sound:* »Die alte Welt konnte wenigstens mit einem einzigen Meisterwerk aufwarten. Peter Fleischmanns *Jagdszenen aus Niederbayern* ist die zugleich erbarmungslose und brillant amüsante Studie einer Dorfgemeinschaft, die

einen Bauernburschen wegen seiner vermuteten päderastischen Neigungen ächtet und ihn zu einem Mord treibt, ehe sie ihn in einer organisierten Menschenjagd zur Strecke bringt. Seine Szenen vom Landleben (eingeschlossen anheimelnder Schlacht- und Wursterei-Szenen, bei denen die Kinder sich wie im Spiel mit den verstümmelten Därmen schmücken) sind so reich im Detail, als hätten hier Breughel und Flaubert zusammengewirkt. Das Thema des Films mag die Unmenschlichkeit von Vorurteilen sein, aber der Film läßt uns keine Sekunde vergessen, daß seine Figuren menschlich sind, auch und gerade in ihrer Fehlbarkeit und Gefühllosigkeit.« Peter Fleischmann erhielt den Bundesfilmpreis 1969 als bester Regisseur.

Die Verfolgung im Hochwald

Liebe ist kälter als der Tod
Katzelmacher
1969

Liebe ist kälter als der Tod. »Für Claude Chabrol, Eric Rohmer, Jean-Marie Straub, Lino und Cuncho.« *Regie und Buch* Rainer Werner Fassbinder. *Regie-Assistenz* Martin Müller. *Kamera* Dietrich Lohmann. *Kamera-Assistenz* Herbert Paetzold. *Musik* Peer Raben, Holger Münzer. *Ausstattung* Ulli Lommel, Rainer Werner Fassbinder. *Schnitt* Franz Walsch [= Rainer Werner Fassbinder]. *Darsteller* Ulli Lommel (Bruno Straub), Hanna Schygulla (Joanna), Rainer Werner Fassbinder (Franz Walsch), Hans Hirschmüller (Peter), Katrin Schaake (Dame im Zug), Peter Berling (Schuster), Hannes Gromball (Kunde bei Joanna), Gisela Otto (erste Prostituierte), Ingrid Caven (zweite Prostituierte), Ursula Strätz (fette Prostituierte), Irm Hermann (Sonnenbrillen-Verkäuferin), Les Olvides (Georges), Wil Rabenbauer [=Peer Raben] (Jürgen), Peter Moland (Leiter des Syndikat-Verhörs), Anastassios Karalas (Türke), Monika Stadler [= Monika Nüchtern] (Kellnerin beim Türken), Kurt Raab (Kaufhaus-Detektiv), Rudolf Waldemar Brem (Motorrad-Polizist), Yaak Karsunke (Kommissar), Howard Gaines (Raoul). *Produktion* antiteater-X-Film (Peer Raben, Thomas Schamoni). *Länge* 88 Minuten. *Uraufführung* 26. 6. 1969 (Filmfestspiele Berlin).

Franz Walsch, ein kleiner Münchner Zuhälter und Gelegenheitskrimineller, wird von dem Syndikat in eine fremde Stadt verschleppt und unter Druck gesetzt, nur noch für diese kriminelle Organisation zu arbeiten. Franz lehnt ab, überraschenderweise läßt man ihn trotzdem laufen. In der Syndikatshaft hat Franz einen eleganten Ganoven kennengelernt, Bruno Straub, den das Syndikat offenbar ebenfalls un-ter Gewaltanwendung zum Mitmachen zwingen will. Franz lädt ihn ein, doch mal in München vorbeizukommen. Bruno ist in Wirklichkeit ein Mitglied des Syndikats und beauftragt, Franz in eine Situation zu bringen, in der er der Organisation ausgeliefert ist. Bruno reist nach München und findet die Wohnung, wo Franz mit Joanna lebt, dem Mädchen, das für ihn als Prostituierte arbeitet, aber ungern: »Wir sollten eine Wohnung haben, wo wir immer bleiben können, und ein Kind und Ruhe.« Franz erzählt Bruno, daß er sich nicht auf die Straße traut, weil ihm fälschlicherweise der Mord an einem türkischen Zuhälter in die Schuhe geschoben wird, den sein Bruder rächen will. Bruno schlägt ihm vor, diesen Türken abzuknallen und so das Problem aus der Welt zu schaffen. Franz, Bruno und Joanna suchen einen Schuster auf, der illegal mit Waffen handelt. Sie kaufen ihm eine Pistole ab, dann erschießt Bruno den Schuster: Bruno, der Münchner Polizei unbekannt, verfolgt die Strategie, den der Polizei bestens bekannten Franz mit einigen Morden zu belasten und ihn so dem Syndikat in die Arme zu treiben. Franz ahnt das nicht. Er liebt Bruno und hält Joanna an, sich ihm hinzugeben. Als sie daran mangelndes Interesse zeigt, schlägt Franz sie. Joanna: »Warum hast du das getan?« Franz: »Weil du Bruno ausgelacht hast, und Bruno ist mein Freund.« Joanna: »Und ich?« Franz: »Du, du liebst mich sowieso.« In einem Café finden sie den Türken. Bruno erschießt den Türken und die Kellnerin gleich dazu. Beim Spazierengehen auf einer Landstraße erschießt Bruno einen Streifenpolizisten, der sie nur nach ihren Papieren gefragt hat. »Oh Boy!« seufzt der sterbende Polizist. Ein Kommissar verhört Franz wegen der Morde an dem Türken und der Kellnerin. Franz leugnet alles, es gibt ja auch keine Zeugen. Während Franz bei der Polizei festgehalten wird, macht Joanna Anstalten, sich Bruno anzubieten. Bruno ignoriert das. Die Polizei muß Franz laufenlassen. Bruno und Franz planen einen Banküberfall. Ein Kunde, der zu Joanna kommt, wird zuerst von Franz mißhandelt, dann von Bruno erschossen. Bruno vereinbart heimlich mit dem Syndikat, daß Joanna während des Durcheinanders des Banküberfalls von einem Syndikats-Killer erschossen werden soll. Joanna ruft die Polizei an und informiert sie von dem geplanten Banküberfall. Infolgedessen geht bei dem Überfall alles schief. Der Killer, der Joanna umlegen sollte, merkt noch rechtzeitig, was gespielt wird, und flieht. Bruno wird von den Polizisten angeschossen. Franz und Joanna stecken ihn in das bereitstehende Fluchtauto und fahren los. Als sie unterwegs merken, daß Bruno tot ist, werfen sie ihn aus dem Auto. Die verfolgenden Polizisten finden ihn. Franz und Joanna setzen die Flucht fort, offensichtlich ohne jede Chance. Joanna: »Ich habe bei der Polizei angerufen.« Franz: »Nutte.«

Rainer Werner Fassbinder

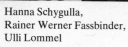
Hanna Schygulla,
Rainer Werner Fassbinder,
Ulli Lommel

Hanna Schygulla, Hannes Gromball

Rainer Werner Fassbinder, Ulli Lommel

Katzelmacher. »Für Marie Luise Fleisser.« *Regie* Rainer Werner Fassbinder. *Regie-Assistenz* Michael Fengler. *Buch* Rainer Werner Fassbinder, nach seinem Bühnenstück (1968). *Kamera* Dietrich Lohmann. *Kamera-Assistenz* Herbert Paetzold. *Musik* »Sehnsuchtswalzer« von Franz Schubert, gespielt von Peer Raben (Piano). *Ausstattung* Rainer Werner Fassbinder. *Ton* Gottfried von Hüngsberg. *Schnitt* Franz Walsch [= Rainer Werner Fassbinder]. *Darsteller* Hanna Schygulla (Marie), Rudolf Waldemar Brem (Paul), Lilith Ungerer (Helga), Elga Sorbas (Rosy), Doris Mattes (Gunda), Irm Hermann (Elisabeth), Harry Baer (Franz), Peter Moland (Peter), Hannes Gromball (Klaus), Hans Hirschmüller (Erich), Rainer Werner Fassbinder (Jorgos), Katrin Schaake (die Dame, die Peter aufreißt). *Produktion* antiteater-X-Film (Peer Raben). *Länge* 88 Minuten. *Uraufführung* 8. 10. 1969 (Filmwoche Mannheim).

In einer Münchner Vorstadt. Marie, die in einem Lebensmittelgeschäft arbeitet, liebt Erich, der immer irgendwelche krummen Dinger vorhat, um zu Geld zu kommen. Marie hat Angst, daß ihm etwas passieren könnte, aber Erich meint, dann gäbe es auch noch andere als ihn. Marie: »Es gibt keinen anderen wie dich.« Paul schläft mit Helga und sagt hinterher: »Schreib's auf die Rechnung, Baby.« Peter läßt sich von Elisabeth aushalten, und Elisabeth sieht zu, daß er das nie vergißt. Rosy schläft mit Franz, wenn er ihr 20 Mark dafür gibt, mit anderen macht sie es auch so, außerdem will sie Filmstar werden. »Von einer Zärtlichkeit ist keine Rede bei der,« sagt Erich. Paul, der mit Helga schläft, läßt sich gegen Geld von Klaus benützen, der ansonsten nicht zu dieser Gruppe gehört. Erich verlangt von Marie, daß sie sich prostituiert, damit sie zu Geld kommen. Marie weigert sich. Erich schlägt sie, damit »ihr Kopf zu denken anfängt«. »Eine Liebe oder so, das hat immer mit Geld was zum tun,« sagt Peter zu seiner Helga. Elisabeth geht mit ihrem Peter spazieren und stellt befriedigt fest, daß die Weiber vom Haus ihr nachglotzen: »Sie neiden mir meinen Besitz.« Elisabeth richtet ein Zimmer ihrer Wohnung zum Vermieten her. Der es

mieten will, Jorgos, ein Gastarbeiter, »ein Griech aus Griechenland«, kommt und fragt die anderen, die vor dem Haus herumhängen, nach dem Weg. Sie sagen ihm Bescheid, er geht hin, für die anderen ist alles klar: »Zu Elisabeth ist er gegangen, ich habe immer gesagt, daß die mannstoll ist.« Jorgos bekommt das Zimmer. Die anderen fragen Peter aus, was der Griech ist und wie er ausschaut. Peter meint, der Griech sei viel besser gebaut. Erich: »Wo?« Peter: »Am Schwanz.« Gunda, die als einziges Mädchen der Gruppe keinen Kerl hat, macht sich in einem unbeobachteten Augenblick an Jorgos an. Er entflieht ihr erschreckt. Später erzählt sie den anderen: »Eben traf ich den Griechen am Spielplatz. G'grüßt hab ich ihn, weil ich eine Erziehung habe. Da hält er mich fest, schmeißt mich auf den Boden und sagt immer ficke-fick.« Franz: »Jetzt geht es los mit den fremden Sitten.« Als Erich hört, daß der Griech sich ausgerechnet Gunda ausgesucht hat, sagt er: »Der hat auch keinen Geschmack nicht.« Nur Marie glaubt von der ganzen Geschichte kein Wort: »Der schaut immer so gerad.« Paul und Erich reden ziemlich resigniert von der Möglichkeit, auf leichte Weise ein Geld zu machen. Paul: »Was man macht, ist immer eine Schwierigkeit.« Rosy erzählt Marie, der Griech habe ihr den Unterrock heruntergefetzt (in Wirklichkeit war es Peter). Marie glaubt es nicht: »Der hat einen geraden Blick.« Erich geht zu Helga und fällt über sie her. Helga: »Au, das tut doch weh!« Erich: »In einer Liebe gehört da eben Schmerz.« Franz fragt Jorgos aus und erfährt, daß dieser in Piräus eine Frau und zwei Kinder hat. Marie verliebt sich in Jorgos: »Eine Liebe spür ich, wie wenn sie singen ihre Lieder.« Jorgos verspricht ihr, sie mitzunehmen nach Griechenland, mit »viel Liebe«. Marie: »Ich hab dich auch lieb, ich spür's ganz riesengroß.« Der verlassene Erich zu der gewandelten Situation: »Die kann mich schon lange am Arsch lecken.« Für Paul, dessen Helga schwanger geworden ist, hat er einen praktischen Rat: Er solle ihr mal auf den Bauch hauen, oder sie in die Isar schmeißen, dann ginge das Kind schon

weg. Franz klärt die anderen auf, daß es da, wo Jorgos herkommt, Kommunisten gibt, daß überhaupt ganz Griechenland voll mit Kommunisten ist. Gunda: »Weil, mit die Kommunisten ist's eine Gefahr.« Gunda und Helga machen Marie Vorwürfe, weil sie mit Jorgos geht. Marie ist unbeirrbar: »Wo ich meine Liebe hintue, bleibt mir überlassen.« Die Männer beraten, wie man es dem Griech zeigen kann: »Einfach abschneiden, dann könnt der schauen, wie er fickt, weil er sonst nichts im Kopf hat.« Rosy erzählt Gunda, daß sie Karriere machen wird: »Ich werd spielen im Fernsehen, und du wirst mich sehen, und das wird dir stinken.« Marie geht mit Jorgos spazieren und sagt: »Du bist lieb. Dich mag ich. Du kannst ja nichts reden, und das ist das beste für mich.« Die Männer schlagen Jorgos brutal zusammen. Den Frauen ist das recht. Gunda: »Das hat mal sein müssen, weil der hier rumläuft, wie wenn er hergehört.« Marie hält unbeirrt zu Jorgos. Marie: »Gib mir einen Kuß, weil das schön ist.« Jorgos: »Griechenland schön. Deutschland viel kalt.« Peter erklärt seinen Freunden, daß Elisabeth den Griech trotz des Zwischenfalls nicht ziehen lassen will, weil sie ihm 150 Mark für das Zimmer abnimmt und es wichtig ist, daß das Geld, das die Gastarbeiter verdienen, im Lande bleibt: »Genau. Das ist für Deutschland.« Marie vertraut darauf, daß Jorgos sie mitnehmen wird nach Griechenland und daß dort alles gut werden wird, und auch der Hinweis auf die Frau und die zwei Kinder, die dort auf ihn warten, kann sie nicht beirren, denn in Griechenland ist alles ganz anders.

Rainer Werner Fassbinder,
Hanna Schygulla

Wie Rainer Werner Fassbinder Filmemacher wurde: »Ich habe gelernt, Filme zu machen, indem ich sie gemacht habe. Nur wer Leier spielt, lernt Leier spielen. Ich hab' halt mal bei einem Film Ton gemacht, mal bei einem Regie-Assistenz und hab' bei ein paar Filmen mitgespielt. Regie-Assistenz hab' ich gemacht bei einem Herrn Willutzki, der hat einen Film gemacht über kindergelähmte Kinder, wie die Sport treiben. Ton hab' ich gemacht bei einem Dokumentarfilm über uneheliche Mütter in Norditalien, und gespielt hab' ich bei Bundeswehrfilmen, die für die Bundeswehr produziert werden, um den armen Soldaten zu zeigen, daß man, wenn man in der Autoreparatur-Werkstatt arbeitet, auf die Bremskolben kein Öl spritzen darf, weil sonst ein tödlicher Unfall passieren kann. So hab' ich halt das Filmemachen gelernt. Und dann bin ich sehr viel ins Kino gegangen, drei Jahre lang jeden Tag zwischen drei- und viermal. In alle Filme, ich hab' mich da nicht spezialisiert, was man halt so schafft am Tag, vom Leopold ins Marmorhaus und vom Marmorhaus ins ABC und vom ABC ins Studio für Filmkunst. Und dann gab's da mal so ein Institut in München, das Deutsche Institut für Film und Fernsehen, da konnte man so Filmliteratur aus dem Ausland lesen, die *Cahiers* und *Sight and Sound,* man konnte auch reden und man konnte zugucken, wie andere Leute Filme schneiden. Da gab's einen Schneidetisch, wo ich mir an einem Tag das Schneiden beigebracht habe« (Barbara Bronnen/Corinna Brocher: *Die Filmemacher,* 1973). Einem englischen Reporter hat er einmal erzählt, er habe mit 9 Jahren beschlossen, Filmregisseur zu werden, »etwas anderes kam überhaupt nicht in Frage!«. Um diese Zeit läßt sich Rainer Werner Fassbinder, geboren 1946 in Bad Wörishofen als Sohn eines Arztes und einer Übersetzerin, auf der Rudolf-Steiner-Schule die Aura massieren. Die Gymnasialzeit beendet er 1964, ohne Abitur. Er geht verschiedenen Jobs nach, unter anderem im Archiv der *Süddeutschen Zeitung,* und besucht eine Schauspielschule, wo er Hanna Schygulla kennenlernt, die aber in der Hauptsache Germani-

Hanna Schygulla, Hans Hirschmüller

stik studiert, um Lehrerin zu werden. 1965 dreht er seinen ersten Kurzfilm, *Der Stadtstreicher,* eine Art Mini-Adaption von Eric Rohmers *Le Signe du Lion,* 1966 einen zweiten Kurzfilm, *Das kleine Chaos,* eine Fingerübung im Stil Godards. Unter den Darstellern des *Kleinen Chaos* ist seine Mutter, die auch in den meisten späteren Fassbinder-Filmen mitspielt, unter den Pseudonymen Lilo Pempeit oder Liselotte Eder. 1967 kommt er zum Action-Theater, das in dieser Zeit der beginnenden Protestbewegung die Revolution des Theaters probt. Für seine erste eigene Inszenierung, Ferdinand Bruckners *Die Verbrecher,* holt er sich Hanna Schygulla, die von nun an sein Star bleibt. Später erzählt sie, daß Fassbinder seine ersten Bühneninszenierungen ganz filmmäßig machte, seine ersten Filme dann ganz bühnenmäßig. Jean-Marie Straub inszeniert am Action-Theater Bruckners *Krankheit der Jugend* und übernimmt diese Inszenierung in seinen 23-Minuten-Film *Der Bräutigam, die Komödiantin und der Zuhälter;* unter den Darstellern sind Fassbinder und die Schygulla. Bald nach der Premiere von Fassbinders er-

stem eigenen Bühnenstück *Katzelmacher,* April 1968, wird das Action-Theater polizeilich geschlossen. Mit den Action-Leuten und späteren Mitgliedern von Fassbinders Stamm-Mannschaft Peer Raben, Hanna Schygulla, Ingrid Caven und Kurt Raab macht er im Sommer 1968 das antiteater auf, das binnen kurzem zu Deutschlands berühmtesten Off-Theater wird. 1969 dreht das antiteater in 24 Apriltagen für 95000 Mark den ersten Fassbinder-Film, *Liebe ist kälter als der Tod.* »Geld hatten wir für die ersten Filme keins. Beim ersten Film gab's Frau von Rezzori in München, eine Bosch-Erbin (Hanna Axmann-von Rezzori, Malerin, Ausstatterin einiger Schlöndorff-Filme, vertraute Freundin von Nicholas Ray und Joe Losey, A.d.A.), und von der wußten wir, daß sie manchmal Leuten Geld fürs Filmen gibt. Im Film *Rio das Mortes* spielt sie auch eine Frau, die den beiden Leuten, die nach Peru wollen, um einen Schatz auszugraben, Geld gibt. Zu der sind wir gepilgert, der Raben und ich, und ich habe ihr erklärt, was ich für einen Film machen will. Das fand sie auch sehr interessant und hat uns 10000 Mark gegeben. Mit den

Hanna Schygulla, Hans Hirschmüller, Harry Baer,
Rudolf Waldemar Brem, Lilith Ungerer

10 000 Mark haben wir das Material gekauft, und dann haben wir über Pfingsten gedreht. Dann haben wir das Material ins Kopierwerk gebracht, und da stellte sich heraus, daß das Negativ kaputt war. Von Versicherungen wußten wir nichts – da waren wir völlig im Arsch. Dann sind wir noch mal zu der Frau gegangen, und sie hat uns noch mal 5000 Mark gegeben. Mit den 5000 Mark haben wir dann tatsächlich den Film gemacht« (Wolfgang Limmer, *Rainer Werner Fassbinder Filmemacher,* 1981). Zur Restfinanzierung mußten die antiteater-Leute erst kreditfähig werden, was sie erreichten, indem sie mit Thomas Schamoni die X-Filmgesellschaft gründeten. Wie die Filme, von denen *Liebe ist kälter als der Tod* am meisten beeinflußt ist, Godards *Vivre sa vie* und Melvilles *Le samurai,* hat er auf besondere Art mit Kriminalität zu tun. Fassbinder 1969: »Ich weiß nicht, ich finde, daß *alles* Kriminalgeschichten sind. Ich finde, auch die ganz normale Unterdrückung von Leuten ist kriminell. Ich könnte fast so weit gehen zu sagen, daß man überhaupt nichts anderes machen kann als Kriminalsachen. Man müßte alles als kriminell deklarieren . . . Darum habe ich die Krimiszenen, die Totschläger-

szenen, die drinnen sind, so konventionell wie möglich gemacht, so daß sie einfach vorbeilaufen. Dadurch soll herauskommen, daß das Kriminelle eigentlich nicht in den Überfällen und Morden liegt, sondern daran, daß Leute so erzogen werden, daß sie solche Beziehungen haben wie diese Leute, die eben nicht fähig sind, sich ihrer Beziehungen klar zu werden« *(Film).* Jede Inhaltsangabe des Films, auch die unsere, kann nur trügerisch sein, weil sie sich zwangsläufig an Handlung festhält und die langen, für die Beziehungen der Figuren wichtigen Passagen vernachlässigt, in denen gar nichts passiert, sondern nur etwas gezeigt wird: drei Minuten lang nur ein Spaziergang von Bruno, Franz und Joanna auf der Landstraße, oder fast drei Minuten lang eine Fahrt durch die Landsbergerstraße. Diese berühmte Landsbergerstraßen-Fahrt bekam Fassbinder von Straub geschenkt, es ist eine nicht verwendete Aufnahme für *Der Bräutigam, die Komödiantin und der Zuhälter.* Der Einfluß von Straub und seinem Stil der rigorosen Askese ist auch ansonsten unübersehbar: »Ohne Straub kein Fassbinder«, sagte Heinrich Böll in einem *Apropos Film*-Interview 1977. Wie Straub räumt Fassbinder alle als filmisch geltenden, aber für den Kern der Sache irrelevanten Reiz-Momente von Sprache, Gestik, Ausstattung und Milieu, an die sich Auge und Aufmerksamkeit des Zuschauers klammern könnten, entschieden weg, ohne an dem, was bleibt, eine Stilisierung vorzunehmen. Daß er der Sinnlichkeit mehr Bedeutung beimißt als Straub, wird besonders deutlich in den komischen Szenen des Films, in der Kaufhaus-Sequenz etwa, in der die drei Helden das Personal so durcheinanderbringen, daß sie drei Sonnenbrillen klauen können, die Komik des sarkastischen Schelmenstücks, die dann mit der erhabenen und melancholischen Grazie, zu der nur die Musik aus dem *Rosenkavalier* paßt, variiert wird in dem Lebensmittel-Klau-Spaziergang durch einen Supermarkt, eine der schönsten Sequenzen der ganzen Filmgeschichte. Aus den Interview-Auskünften Fassbinders über die Kriminalisierung der Gefühle wird

Hanna Schygulla mit Doris Mattes, Lilith Ungerer
und Rainer Werner Fassbinder

schon klar, daß dieser erste Fassbinder-Film thematisch alle folgenden vorwegnimmt; es geht um die Schwierigkeiten, die die Leute in ihren Beziehungen haben; über die armselige Art, mit der sie mit ihren Empfindungen und mit dem Nächsten umgehen; über die Ausbeutbarkeit der Gefühle; über die Dialektik von Erfolg und Glück. Franz beutet die Gefühle von Joanna aus, und Bruno beutet die Gefühle von Franz aus, und das kann nicht ewig gut gehen, nur solange nämlich, bis Joanna, die sich das Leben durchaus nicht so vorstellt als fatale Dreierbeziehung, den großen Coup hochgehen läßt – so wie zehn Jahre später Maria Braun das Haus, in dem sie mit ihrem Mann glücklich geworden wäre, hätte der nicht mit einem anderen Mann ein dummes Ding gedreht. Der Däne Christian Braad Thomsen, international der beste Fassbinder-Kenner, sieht in *Liebe ist kälter als der Tod* den besten Beleg für die These, daß der erste Film eines wirklich großen Filmemachers immer so etwas ist wie der erste Film überhaupt: »Man hat das Gefühl, als wäre man zugegen bei einem Schöpfungsprozeß im wahrsten Sinn des Wortes – als sähe man mit seinen eigenen Augen die Geburt des ersten Films der Welt.« Fassbinder zeigte *Liebe ist kälter als der Tod* bei den Berliner Filmfestspielen 1969, fand auch einen Verleiher und machte für sich selbst die damals notorische Erfahrung, daß Verleiher weniger ein Mittler zwischen Produzent und Publikum sind als vielmehr eine Mauer zwischen beiden. In dem ersten Interview der *Filmkritik* mit der Fassbinder-Gruppe verriet Peer Raben, der Produktionschef und Komponist des Teams, lachhafte Details: »Das Schlimme ist, daß die Verleiher sich immer auf das Publikum herausreden, und man merkt, daß die glauben, sie hätten das allerschlechteste Publikum. Die halten von dem Publikum überhaupt nichts. Der eine sagte, die Katrin Schaake, die will das Publikum sehen, die muß immer wieder kommen. Die andere, die wollen wir nicht sehen, die Hanna Schygulla, die will niemand sehen.« In neun Augusttagen 1969 drehte Fassbinder für 80000 Mark seinen zweiten Film *Katzelmacher*. Hanna

Doris Mattes, Lilith Ungerer, Hanna Schygulla, Rainer Werner Fassbinder

Schygulla hat als Marie den »geraden Blick«, den sie an dem »Griech aus Griechenland« so liebt, während man von allen anderen – schon dies ist ein fabelhafter Regie-Einfall – immer den Eindruck hat, als vermieden sie es, einander und dem Publikum in die Augen zu sehen (»Das Wichtigste beim Inszenieren ist immer, daß man die Augen der Darsteller sieht«, hat John Ford gesagt). Mit ihrem geraden Blick sagt Marie zu Jorgos einen der niederschmetterndsten, abgründigsten Sätze des ganzen Films: »Du bist lieb. Dich mag ich. Du kannst ja nichts reden, und das ist das beste für mich.« Die Unmöglichkeit des Dialogs eröffnet die Möglichkeit der Liebe. Die Möglichkeit, Sprache zu benutzen, ist für alle anderen nur die Möglichkeit, eine Waffe zu benutzen, die möglichst verheerend verletzt und zerstört. Oder als eine Möglichkeit, sich über den anderen zu erheben. Es ist oft gesagt und geschrieben worden, die *Katzelmacher*-Figuren drückten sich in einem kuriosen Kunst-Bayrisch aus. Mit einem bayrischen Dialekt, künstlich verformt oder nicht, hat diese Sprache aber überhaupt nichts zu tun (wie man sich an den vielen Zitaten unserer Inhaltsangabe leicht überzeugen kann). Vielmehr ist es die

Hanna Schygulla, Rainer Werner Fassbinder

Hanna Schygulla, Hans Hirschmüller

wichtigtuerische Sprache einer formalisierten Klugscheißerei, die sich als Dokumentation eines usurpierten sozialen Aufsteigertums versteht, eine im deutschen Alltag ständig vernehmbare Imitation einer Wichtigkeit und Überlegenheit suggerierenden Amts-, Vereinsvorsitzenden und Zeitungs-Sprache; in einer Schriftform findet man diese Sprache zum Beispiel häufig in dem hochstaplerischen Ton der Leserbriefe in Fernseh-Zeitschriften, die nichts anderes tun, als mit ungelenker Arroganz den üblen Jargon der Fachkritiker in denselben Zeitschriften nachzuäffen. Bleibt einem diese Sprache weg, so entsteht die für *Katzelmacher* typische Komik der gescheiterten Aggression, wie in der Szene, in der Peter den Griechen 20 Sekunden lang nur anstarrt; weil ihm nichts einfällt, wie er sein Gegenüber beleidigen könnte, sagt er schließlich: »Na?« – regelmäßig immer der größte Lacher des ganzen Films. Formal folgt der Film einem genial-einfachen, unwiederholbaren Konzept. »Für *Katzelmacher* hat Fassbinder einen Stil kreiert, der seinem Stoff wie ein Handschuh paßt. Form und Inhalt sind hier praktisch nicht auseinanderzudividieren, da das ›Narrative‹, wie in den meisten seiner Filme, wesentlich trivial ist, wenn aus seinem for-

malen Kontext gelöst. Er hat den Film wie ein Rondo oder wie eine ›Reise nach Jerusalem‹ angelegt (letzteres buchstäblich: die Darsteller wechseln oft ihre Plätze rund um einen Tisch), so daß sich jeder am Schluß wieder dort findet, wo er angefangen hat. Dieser Zirkel-Effekt wird unterstrichen von zwei sich immer wieder wiederholenden formalen Variationen. In einer statischen Totalen, die in sich schon ein Ausdruck des zynischen Blicks des Regisseurs auf seine Figuren ist, sieht man die Darsteller immer wieder an einem Geländer vor einem Haus ›herumhängen‹ und Banalitäten übereinander oder über den Griechen austauschen; und in einem immer wieder wiederholten Zwischenspiel fährt die Kamera vor jeweils zwei Darstellern her, die Arm in Arm über einen Garagenhof spazieren und Klatsch über den Rest der Gruppe austauschen, wobei ihre selbstgerechte Großspurigkeit noch durch eine Schubert-Melodie auf dem Soundtrack akzentuiert wird ... Wie Schlafwandler gehen die Figuren durch ihre Begegnungen; genau das ist natürlich der Eindruck, den Fassbinder suggerieren will. Diese Suggestion wirkt im Verein mit Fassbinders statischen Totalen und seinen bewußt unästhetischen Gruppierungen der Fi-

guren einer Identifikation entgegen und zwingt zugleich den Zuschauer, seine Haltung zu den Darstellern und ihren Rollen zu überdenken. Die wohlfeile Versuchung, in *Katzelmacher* einen Mikrokosmos der kleinbürgerlichen deutschen Gesellschaft zu sehen, wird so abgelöst von der Erkenntnis, daß die Lektionen dieses Films universelle Gültigkeit haben« (David Wilson, *Sight and Sound*, 1972). Fassbinders Erstlingswerke bekamen 1970 fünf Bundesfilmpreise: für den besten Film *(Katzelmacher)*, bestes Drehbuch und beste Regie (Fassbinder für *Katzelmacher)*, die besten Darsteller-Leistungen und die beste Kamera (Ensemble des antiteaters und Dietrich Lohmann jeweils für *Liebe ist kälter als der Tod, Katzelmacher* und *Götter der Pest)*. Mit der Vorführung von *Katzelmacher* beim Pesaro-Festival des *nuovo cinema* 1970 begann der Weltruhm Fassbinders (der zu diesem Zeitpunkt bereits drei weitere Filme, *Götter der Pest, Warum läuft Herr R. Amok?* und *Rio das Mortes*, fertiggestellt hatte). *Sight and Sound* berichtete aus Pesaro: »Nach *Katzelmacher* zu schließen, ist Fassbinder ein wirklich großes Talent, das die Pioniertaten von Godard und Straub um neue Horizonte erweitert.«

Der plötzliche Reichtum der armen Leute von Kombach
1971

Regie Volker Schlöndorff. *Regie-Assistenz* Hans-Jörg Weymüller. *Buch* Volker Schlöndorff, Margarethe von Trotta, nach einer Chronik aus dem Jahre 1825 über den Postraub von Subach. *Kamera* Franz Rath. *Kamera-Assistenz* Franz Knoll, Klaus Müller-Laue. *Musik* Klaus Doldinger. *Ausstattung* Hanna Axmann. *Ton* Klaus Eckelt. *Schnitt* Claus von Boro. *Darsteller* Reinhard Hauff (Heinrich Geiz), Georg Lehn (Hans Jacob Geiz), Karl-Josef Cramer (Jacob Geiz), Wolfgang Bächler (David Briel), Harry Owen (Ludwig Acker), Wilhelm Grasshoff (Richter Danz), Angela Hillebrecht (Johanna Soldan), Margarethe von Trotta (Sophie), Eva Pampuch (Gänseliesel), Maria Donnerstag (Frau Geiz), Karl-Heinz Merz (Landschütze Volk), Harald Müller (Johann Soldan), Walter Buschhoff (Pfarrer), Rainer Werner Fassbinder (Bauer), Joe Hembus (Schreiber). *Produktion* Hallelujah (Eberhard Junkersdorf)/HR. *Länge* 102 Minuten. Uraufführung 26.1.71 (TV).

Oberhessen im Jahre 1821. Der Strumpfhändler David Briel erzählt dem jungen Tagelöhner Jacob Geiz von seiner Idee, die Kutsche mit den Steuergeldern zu überfallen, die regelmäßig von Biedenkopf nach Gießen fährt. In Jacob findet er einen Verbündeten. Drei Monate später sind auch Jacobs Vater, sein Bruder Heinrich, sein Schwager Johann Soldan sowie die Tagelöhner Ludwig Acker und Jost Wege in den Plan eingeweiht. Ein erster Versuch, dem Geldtransport aufzulauern, scheitert wegen frisch gefallenen Schnees. Beim zweiten Mal wird das Unternehmen abgeblasen, weil unerwartet scharf bewaffnete Landschützen den Wagen begleiten. Heinrich hat keine Mühe, den Landschützen Volk zu überreden, dafür zu sorgen, daß die Gewehre das nächste Mal ungeladen sein werden. Wieder hocken die sieben Männer im Wald und erwarten den Transport, da läuft Volk auf sie zu und warnt: Es ist diesmal kein Geld in der Kiste. Heinrich steht abermals mit leeren Händen vor Sophie, die ein uneheliches Kind von ihm hat. Beim vierten Versuch entwischt ihnen der Geldkarren in dichtem Nebel. In Kombach werden durch Los Rekruten gezogen. Jost Wege trifft es, doch er ist froh, ferne Länder sehen zu können. Der Transport der frischen Rekruten ist es dann, der die nächste Gelegenheit zum Überfall verdirbt, denn sie ziehen den gleichen Weg wie der Wagen mit den Steuergeldern. Soldan hält das fünfmalige Scheitern für ein Zeichen Gottes und will nicht mehr mitmachen, doch der alte Geiz macht ihm klar, daß ihn andernfalls die Schulden auffressen würden. Im Mai 1822 schließlich ist es soweit: In einem Hohlweg attackieren die sechs Räuber den Wagen. Postillon und Landschütz werden gefesselt im Wald zurückgelassen, und auf getrennten Wegen machen die Männer zurück nach Kombach. In der Küche der Geizens wird die Beute verteilt. Die beiden Gefesselten können sich befreien, alarmieren die Obrigkeit und werden von Richter Danz verhört. Aufgrund geringfügiger Widersprüche läßt dieser sie bis auf weiteres verhaften. Ludwig Acker schenkt der Gänseliesel, damit sie sich ein Kleid zu Heinrichs Hochzeit kaufen kann, einen goldenen Taler aus der Beute. Einen weiteren Taler bringt Jacob zum Vorschein, als er nach dem Hochzeitsmahl im Garten hinter dem Wirtshaus leichtsinnig mit ein paar Dragonern wettet. Während die Bauern ihre mühselige Arbeit auf dem Felde verrichten, diktiert der Richter einem Schreiber seine Überzeugung, daß die Armut der Räuber diese zwingen werde, mit Geld aus der Beute auf dem Markt zu bezahlen. Für die Ergreifung der Täter setzt er dreihundert Gulden zur Belohnung aus. Viele Dorfbewohner und Tagelöhner, denen allen bei den Geizens eine Veränderung aufgefallen ist, können dieser Versuchung nicht widerstehen und geben ihre Beobachtungen zu Protokoll. Die mühsam bestellten zwei Äcker der Familie werden bei der Suche nach der Beute völlig verwüstet. Nachdem auch das Haus durchsucht worden ist, werden der alte Geiz, Jacob und Soldan abgeführt und alle Wertgegenstände beschlagnahmt. Im September werden die Verdächtigen ins Kriminalgefängnis nach Gießen geschafft. Auch Heinrich wird nun verhaftet und – wie die anderen – vom Richter erbarmungslosen Verhören unterzogen. Ein Wilddieb, der an dem Raub nicht beteiligt war, wird von Zeugen schwer belastet und leugnet, ohne daß man ihm glaubt. Als er gesteht, von Ludwig Acker vor einiger Zeit Geld geliehen bekommen zu haben, sucht man diesen, kann aber nur der Gänseliesel habhaft werden. Im Verhör gibt sie zu, fünfzig Gulden von Acker bekommen zu haben. Im Oktober meldet sich Ludwig freiwillig beim Gericht. Nach anfänglichem Leugnen gesteht er den Überfall, gibt die Namen der anderen an und läßt auch den Mitwisser Volk nicht aus. Kurz nach der Festnahme des Landschützen schießt sich dieser eine Kugel ins Herz. Soldan erhängt sich am Fensterkreuz seiner Zelle. Bei der Urteilsverkündung – Tod durch Enthauptung – stürzt sich Heinrich verzweifelt auf Richter Danz und würgt ihn. Soldaten schleppen ihn fort. Sophie überzeugt ihn schließlich, das Versteck des Geldes zu verraten und zu bereuen, damit er das Abendmahl empfangen kann. Auch die anderen zeigen Reue, ehe sie auf dem Richtplatz sterben. Nur David Briel, dem Anstifter des Komplotts, gelingt die Flucht nach Amerika.

Margarethe von Trotta,
Rainer Werner Fassbinder

Das Geldkärrchen

Harry Owen, Eva Pampuch

Georg Lehn, Reinhard Hauff,
Karl-Josef Cramer, Harry Owen

Eine Bewegung im Jungen Deutschen Film, die 1968 Peter Fleischmann mit *Jagdszenen aus Niederbayern* eingeleitet hatte, erreichte 1971 ihren Höhepunkt: Reinhard Hauffs *Mathias Kneißl,* Uwe Brandners *Ich liebe dich, ich töte dich,* Volker Vogelers *Jaider – der einsame Jäger* und Volker Schlöndorffs *Der plötzliche Reichtum der armen Leute von Kombach* prägten den Begriff des »neuen Heimatfilms«. Die Handlung dieser Filme war stets in der deutschen (meist bayerischen) Provinz angesiedelt und schilderte in der Regel das verzweifelte Auflehnen der ausgebeuteten Bauern gegenüber der Obrigkeit. Für seinen Film über die armen Bauern und Tagelöhner von Kombach, deren plötzlicher Reichtum sie als Räuber zeichnet, griff Volker Schlöndorff auf authentisches Material zurück: »Ein aktenmäßiger Bericht mit dem Titel *Der Postraub von Subach,* den der Kriminalsekretär Carl Franz im Jahre 1825 drucken ließ und den ein Heimatblatt 1909 nachdruckte, war die Hauptquelle. Diese alte Chronik hatte ein junger Buchhalter, der sich als Hobby mit Heimatforschung beschäftigt, dem Hessischen Rundfunk geschickt. Der Frankfurter Sender gab mir diese Chronik weiter, die mir sofort als eine brauchbare Filmvorlage erschien und die ich zu Teilen auch wörtlich im Drehbuch verwendet habe. Dieser authentischen Darstellung stehen im Film eine Menge Zitate aus der deutschen Literatur des 19. Jahrhunderts gegenüber, die das Bauernleben schwülstig und verbrämend beschreiben« (Volker Schlöndorff). »Mit diesem Film, einem seiner besten, schuf Schlöndorff das wichtigste Werk des neuen Heimatfilms, der auf die Geographie und Handlungszeit traditioneller Heimatfilme zurückgriff, diese jedoch nüchtern und realistisch, das heißt mit besonderem Gewicht auf den herrschenen Notsituationen, darzustellen versucht. Schlöndorffs kargem Schwarzweißfilm gelang dies besser als jedem anderen; immer wieder kommt es vor, daß den Zuschauer angesichts eines empörenden, aber nur zu richtig gesehenen Sachverhalts eine merkliche Beklemmung beschleicht – vielleicht auch, weil er sich sein Geschichtsbild schon zu sehr hat von anderen, romantischeren Werken prägen lassen. Dies gilt besonders für die Schlußsequenz, in der die Leute von Kombach sich auf dem Weg zum Richtplatz als reuige Sünder zeigen, die den herrschenden Begriff der ›Gerechtigkeit‹ verinnerlicht haben und ihre Strafe annehmen, statt das Unrecht in die Welt zu schreien« *(Buchers Enzyklopädie des Films).*

Wolfgang Bächler

Die Angst des Tormanns beim Elfmeter

1972

Regie Wim Wenders. *Regie-Assistenz* Klaus Baedekerl, Veith von Fürstenberg. *Buch* Wim Wenders, nach dem Roman von Peter Handke (1970). *Dialoge* Wim Wenders, Peter Handke. *Kamera* (Farbe) Robby Müller. *Musik* Jürgen Knieper. *Bauten* Rudolf Schneider, Burghard Schlicht. *Ton* Martin Müller, Rainer Lorenz. *Schnitt* Peter Przygodda. *Darsteller* Arthur Brauss (Josef Bloch), Kai Fischer (Hertha Gabler), Erika Pluhar (Gloria T.), Libgart Schwarz (Anna), Marie Bardischewski (Maria), Michael Toost (Vertreter), Bert Fortell (der Zollwachebeamte), Edda Köchl (Mädchen), Mario Kranz (der Schuldiener), Ernst Meister (der Steuerbeamte), Rosl Dorena (die Frau im Bus), Rudi Schippel (Hausmeister), Monika Pöschl/Sybille Danzer (die bei-

den Friseusen), Rüdiger Vogler (der Schwachsinnige), Karl Krittl (Pförtner im Schloß), Maria Engelstorfer (Ladenbesitzerin), Otto Hoch-Fischer (Wirt), Eberhard Maier (Mann im Wirtshaus), Brigitte Svoboda (Kellnerin), Ina Genée (das Kind). *Produktion* Produktion 1 im Filmverlag der Autoren (Thomas Schamoni, Peter Genée)/ Österreichische Telefilm, Wien/ WDR. *Länge* 101 Minuten. Uraufführung 19.2.72 (TV).

Der Torwart Josef Bloch beschimpft während eines Spiels in Wien den Schiedsrichter und wird vom Platz verwiesen. Er wohnt im Hotel, streift ziellos durch die Stadt, geht ins Kino. Er folgt der Kassiere-

rin nach Hause und verbringt die Nacht mit ihr. Morgens, nach dem Frühstück, erwürgt er sie unvermittelt. Bloch holt seine Sachen aus dem Hotel und fährt mit dem Bus in ein kleines Dorf nahe der Grenze, wo er sich in einem Gasthaus einmietet. Hertha Gabler, eine Bekannte Blochs, hat außerhalb des Ortes, in unmittelbarer Nähe der geschlossenen Grenze, ein Lokal gepachtet. Bloch sucht sie auf, ohne eine Absicht zu verfolgen. In der Gegend wird ein taubstummer Schüler vermißt. Bei einem seiner unsteten Spaziergänge sieht Bloch ihn tot in einem Weiher liegen. In der Zeitung liest er uninteressiert von den Ergebnissen der polizeilichen Ermittlung im Mordfall Gloria T. Einmal erscheint sogar ein Phantombild, in dem er sich selbst erkennt. Nach einer Schlägerei in Herthas Kneipe geht er mit dem Zollwachebeamten ins Dorf zurück. Am nächsten Tag wird auf dem Sportplatz Fußball gespielt. Bloch setzt sich neben einen Vertreter und schlägt diesem vor, einmal nicht die Stürmer und den Ball, sondern den Tormann zu beobachten. Der Schiedsrichter pfeift Elfmeter. Der Tormann hält den Ball, Bloch lächelt und entfernt sich.

Wim Wenders

Wim Wenders, 1945 in Düsseldorf geboren, gehörte dem ersten Jahrgang der Münchner Hochschule für Fernsehen und Film an, wo er von 1967 bis 1970 studierte. Nach sechs Übungskurzfilmen entstand hier auch sein erster Langfilm, *Summer in the City*, seine Abschlußarbeit an der Hochschule. Dennoch wird *Die Angst des Tormanns beim Elfmeter* – produziert vom Filmverlag der Autoren, zu dessen Gründungsmitgliedern Wenders zählt – allgemein als sein erster Spielfilm betrachtet, was der Regisseur selbst so erklärt: »Für mich gehört *Summer in the City* viel eher zu meinen Kurzfilmen als zu meinen Spielfilmen. Obwohl er ursprünglich drei Stunden lang war (...), betrachte ich ihn dennoch als den letzten meiner Kurzfilme. Und *Die Angst des Tormanns* bleibt für mich mein erster Spielfilm. ... In *Summer in the City* spiegelt sich noch die Angst zu schneiden: die Angst vor Genauigkeit; und die Angst vor einem neuen Konzept der Filmsprache. *Die Angst des Tormanns* ist in Einstellungen konzipiert worden: Totalen und Nahaufnahmen; wogegen wir in *Summer in the City* überhaupt keine Schnitte im Kopf hatten« (Jan Dawson: *An Interview with Wim Wenders*, 1976). Die Tatsache, daß die Vorlage des Films eine von der Literaturkritik sehr geschätzte Erzählung des mit Wenders befreundeten Peter Handke war (Karl Heinz Bohrer: »Diese Erzählung mit dem eingängig parabolischen Titel gehört zu dem Bestechendsten, was in den letzten zehn Jahren deutsch geschrieben worden ist«), hatte zur Folge, daß sich das Lager der Filmkritiker auf krasse Weise spaltete. Auf der einen Seite: »Wim Wenders' Film braucht nicht mit Handkes Roman, nach dem er gedreht wurde, verglichen zu werden, weil er den Vergleich nicht zu scheuen braucht und weil er eine völlig eigene, unabhängige Sache geworden ist, ein Film, der auf seine Weise ebenso aufregend und meisterhaft ist wie der Roman. ... Was kann man mehr zum Lob eines Films sagen, als daß man kein Bild in ihm überflüssig fand und einem keine Einstellung anders möglich schien?« (Siegfried Schober, *Filmkritik,* April 1972). Auf der ande-

Arthur Brauss

Erika Pluhar

ren Seite: »Selten war denn auch eine Literaturverfilmung sinnloser und überflüssiger als jene von Handkes Elfmeterangst. ... Ein bloßes Übertragen von Geschehnis von einem Medium ins andere, ohne Interpretation, ohne Verfremdung, ohne neue Betrachtungsweise, ist unkreativ, Selbstzweck« (Urs Odermatt, *Zoom-Filmberater*, 1979). Zwischen diesen beiden entgegengesetzten Polen aber doch noch eine dritte Meinung: »Jeder darf diesen Film schön, spannend, gut gespielt, in jeder Hinsicht gelungen, vielleicht ein bißchen sinnlos-schön, wie auch immer finden; aber er hüte sich zu sagen, warum« (Wolf Donner, *Die Zeit,* Februar 1972). Zu Beginn des

Films, wenn Bloch ins Kino geht, läuft dort ein Film mit dem merkwürdigen Titel *Das Zittern des Fälschers*. Doch einen Film, der so heißt, gibt es gar nicht. Es ist eine Anspielung auf Patricia Highsmiths Kriminalroman *Tremor of Forgery*. Wenders hatte sich jahrelang vergeblich um die Filmrechte zu diesem Stoff bemüht. Auch in Highsmiths Romanen werden an sich harmlose Zeitgenossen zu Mördern (wenngleich auch selten so ganz und gar motivlos wie hier), und wie Wenders/Handke konzentriert sich die Kriminalschriftstellerin in ihren Geschichten allein auf das Verhalten des Täters, den sie in einem Bereich jenseits eines möglichen moralischen Urteils wandeln läßt, und nicht auf die Detektivarbeit der Polizei. Diesem quasi in der Requisite versteckten Hinweis des Regisseurs darauf, daß er sich thematisch ganz bewußt der Highsmith verwandt fühlt, entspricht im formalen Bereich auf unterschwellige Weise eine Verpflichtung gegenüber dem amerikanischen Kino. Was Wenders' Film den Versuchen der Neuen Münchner Gruppe (also den frühen Filmen von Klaus Lemke und Rudolf Thome mit den Drehbüchern von Max Zihlmann) voraus hat, ist, daß er, ähnlich wie Truffaut und Chabrol in Frankreich, seine Liebe zum Hollywood-Film zwar in seine Arbeit mit einfließen läßt, dessen gängige Muster aber nie platt imitiert. Trotz der deutlichen Verweise auf und Einflüsse von Handke, Highsmith und Hollywood in *Die Angst des Tormanns beim Elfmeter* bleibt der Film das rigoros persönliche Werk seines Regisseurs. Wim Wenders 1976 zu Jan Dawson: »Heute sehe ich die Dinge, die ich damals unbewußt gemacht habe: Und die Mischung reflektiert exakt die Situation von jemandem, der so etwas wie das amerikanische Kino geerbt hat, aber nicht wie ein Amerikaner denkt. Während der Dreharbeiten zum *Tormann* wurde mir klar, daß ich kein amerikanischer Regisseur war, daß ich – obwohl ich die Art liebe, wie amerikanische Filme Dinge zeigen – nicht in der Lage war, dies nachzumachen, weil ich eine andere Bildsprache im Kopf hatte. Daraus entstand ein Konflikt, in jeder Einstellung ... daß sich da eben sozusagen zwei grammatikalische Systeme gegenüberstanden: Ein verstecktes, das ich noch nicht richtig kannte und in das ich noch kein Vertrauen hatte, und eines, das sich mir praktisch anbot« (Jan Dawson: *An Interview with Wim Wenders*).

Arthur Brauss, Kai Fischer

Der Händler der vier Jahreszeiten

1972

Regie und Buch Rainer Werner Fassbinder. *Regie-Assistenz* Harry Baer. *Kamera* (Farbe) Dietrich Lohmann. *Kamera-Assistenz* Herbert Paetzold. *Musik* »Buona Notte«, gesungen von Rocco Granata, und Archivmusik. *Ausstattung* Kurt Raab. *Schnitt* Thea Eymèsz. *Darsteller* Hans Hirschmüller (Hans Epp), Irm Hermann (Irmgard Epp), Hanna Schygulla (Anna), Andrea Schober (Renate), Gusti Kreissl (Mutter), Kurt Raab (Kurt), Heide Simon (Heide), Klaus Löwitsch (Harry), Karl Scheydt (Anzell), Ingrid Caven (Hans' große Liebe), Peter Chatel (Arzt), Lilo Pempeit (die Kundin, die Hans so nett findet), Walter Sedlmayr (Verkäufer des Obstkarrens), El Hedi Ben Salem (Araber), Hark Bohm (Vorgesetzter bei der Polizei), Michael Fengler (Playboy), Rainer Werner Fassbinder (Zukker), Elga Sorbas (Marile Kosemund), Daniel Schmid/ Harry Baer/ Marian Seidowsky (Bewerber um den Verkäufer-Job), Sigi Graue (Stammtisch-Bruder). *Produktion* Tango (Rainer Werner Fassbinder, Michael Fengler). *Länge* 89 Minuten. *Uraufführung* 10. 3. 1972.

Hans Epp möchte gerne Mechaniker werden. Seine Mutter zwingt ihn zum Besuch des Gymnasiums, damit der Sohn einen Beruf ergreifen kann, bei dem man sich nicht die Hände schmutzig macht. Hans widersetzt sich; zur Verzweiflung seiner Schwester Anna, die ihn als einzige wirklich versteht und liebt, geht er zur Fremdenlegion. Auch dort erweist er sich in den Augen seiner Mutter als Versager, denn wie sie bei seiner Heimkehr sagt: »Die besten bleiben draußen, so einer wie du kehrt zurück.« Hans geht zur Polizei. Als er sich beim Verhör der Prostituierten Marile Kosemund von dieser mitten im Amtszimmer verführen läßt, kommt ein Vorgesetzter hinzu, und Hans wird gefeuert. Er wird ambulanter Obsthändler (in Frankreich »marchand des quatre-saisons« genannt, daher der Titel) und zieht mit seinem Karren über die Hinterhöfe, sehr zum Verdruß seiner prestige-bedachten Mutter und seines Bruders Kurt, der indessen bei der Zeitung Karriere macht. Hans verliebt sich in ein Mädchen, aber die Eltern seiner großen Liebe können sich einen fliegenden Obsthändler als Schwiegersohn nicht vorstellen. Enttäuscht heiratet er eine andere, Irmgard. Aus Kummer über seine ewig mißtrauische und mürrische Frau beginnt er zu trinken. Einmal kommt er spätabends betrunken aus der Kneipe und verprügelt Irmgard, im Beisein der Tochter Renate, die sie inzwischen haben. Als Irmgard ihn verläßt und mit Scheidung droht, erleidet er einen Herzinfarkt. Während Hans im Krankenhaus liegt, betrügt Irmgard ihn mit einer Straßenbekanntschaft. Hans wird wieder einigermaßen gesund; der Arzt macht ihn darauf aufmerksam, daß schwere körperliche Arbeit und Alkoholgenuß den sofortigen Tod zur Folge haben können. Das Ehepaar macht einen neuen Anfang und verbessert sich dabei noch: Irmgard verkauft jetzt an einem Standplatz, für einen neu angeschafften zweiten Karren wird eine Hilfskraft eingestellt, zum Herumziehen auf den Hinterhöfen, was Hans nun nicht mehr darf. Unter mehreren Bewerbern um den Job fällt die Wahl von Hans ausgerechnet auf Anzell, den Mann, mit dem Irmgard ihn betrogen hatte. Anzell bewährt sich, aber Irmgard will den lästigen Mitwisser loswerden und baut den beiden Männern eine Falle: Weil sie weiß, daß Hans seinen neuen Verkäufer heimlich kontrolliert, stiftet sie ihn zum Betrug an. Anzell muß gehen, aber es ist Hans nicht ganz verborgen geblieben, was da gespielt worden ist. In der Kneipe läuft Hans einem alten Freund aus der Fremdenlegion in die Arme, Harry. In ihm findet Hans einen treuen Mitarbeiter, der auch von Irmgard und der kleinen Tochter Renate geschätzt wird. Das Geschäft floriert, die Verwandten beginnen, in Hans allmählich einen respektablen Gewerbetreibenden zu sehen. Hans aber fühlt sich zunehmend überflüssig und versinkt in traurige Apathie. Er sucht Hilfe bei Schwester Anna, die ihn mit ihrer Liebe und Wärme immer zu schützen versucht hat und die auch der kleinen Renate behutsam klargemacht hat, daß »die Menschen nicht immer gut zu deinem Vater gewesen sind«. Aber Anna hat gerade keine Zeit und Aufmerksamkeit für ihn. Hans zerbricht eine Schallplatte, die ihm immer viel bedeutet hat: Rocco Granata singt »Alles, was du willst, kannst du nicht haben — buona notte«. In der Kneipe, im Kreis seiner vier Stammtischbrüder nebst Irmgard und Harry, trinkt er langsam und feierlich hintereinander 15 Schnäpse, für jeden am Tisch einen, und einen für die Tochter, für die Mutter, für den Bruder, für die Schwägerin, und einen auf die Schule, auf die Polizei, auf die Legion. Die anderen am Tisch trinken nicht mit, sehen betroffen zu, Irmgard laufen die Tränen über das Gesicht, keiner versucht Hans aufzuhalten. Er bricht tot zusammen. Nach der Beerdigung bietet die Witwe dem treuen Harry die Ehe und die Geschäftspartnerschaft an. Harry sagt »okay«.

Rainer Werner Fassbinder

Hans Hirschmüller

»Fassbinder geht behutsam, zärtlich mit seinen Figuren um, er verachtet keinen, stellt niemand bloß. Der Film ist voller Trauer, doch ohne Wehleidigkeit, keine Tragödie, sondern virtuos inszenierte und gespielte Tragikomik ... Für mich ist es der beste deutsche Film seit dem Krieg« (Hans Günther Pflaum, *Süddeutsche Zeitung*, 1972). Rainer Werner Fassbinder drehte seinen ersten Film 1969. 1971 belief sich sein Oeuvre (Fernsehinszenierungen nicht mitgerechnet) schon auf neun Filme: *Liebe ist kälter als der Tod, Katzelmacher, Götter der Pest, Warum läuft Herr R. Amok?, Rio das Mortes, Whity, Der amerikanische Soldat, Warnung vor einer heiligen Nutte* und *Pioniere in Ingol-*

stadt, ein glanzvolles Werk bereits, mit dem sich Fassbinder einen guten Platz in der Filmgeschichte gesichert hatte, eine imponierende Abfolge von Filmen, die sich in Qualität und Bedeutung mit denen seiner frühen Vorbilder Eric Rohmer und Jean-Luc Godard messen können. In ihrer Zugänglichkeit für ein großes Publikum freilich auch, und dieser Punkt machte Fassbinder zu schaffen. 1973 sagte er in einem Interview: »Wenn man sich die frühen Filme ansieht, ist es klar, daß sie von einem Menschen von großer Sensibilität, Aggression und Angst gemacht worden sind. Trotzdem glaube ich nicht, daß die ersten neun Filme richtig sind. Sie sind zu elitär und zu privat, nur für mich und ein

paar Freunde gemacht. Es ist wichtig, daß ich sie gemacht habe, aber selbst wenn es für mich richtig war, sie zu machen, war es, objektiv gesehen, nicht richtig, denn man muß sein Publikum mehr respektieren als ich es getan hatte« (zitiert in Tony Rayns: *Fassbinder*, 1980). Um ein populärer Filmemacher zu werden, ohne sich selbst zu verraten, ging Fassbinder zu den Quellen zurück: Er entdeckte für sich den von den Regisseuren der *nouvelle vague*, besonders von Godard, hochgeschätzten Douglas Sirk, studierte seine Filme und lernte auch den Mann selbst kennen: Douglas Sirk, Jahrgang 1900, der in den dreißiger Jahren als Detlef Sierck ein großer Regisseur des deutschen Films war und dann ein noch größerer Hollywood-Regisseur wurde. Die erste Frucht dieser Begegnung war eine Beschreibung von Sirk und von sechs Sirk-Filmen, die unter dem (Sirkfilm-)Titel *Imitation of Life* in der Februar-1971-Nummer von *Fernsehen + Film* erschien, ein Dokument, das für die Entwicklung und das Verständnis Fassbinders so wichtig ist wie das Oberhausener Manifest für den Neuen Deutschen Film. »Sirk hat gesagt, Film, das ist Blut, das sind Tränen, Gewalt, Haß, der Tod und die Liebe. Sirk hat gesagt, man kann nicht Filme über etwas machen, man kann nur Filme mit etwas machen, mit Menschen, mit Licht, mit Blumen, mit Spiegeln, mit Blut, eben mit all diesen wahnsinnigen Sachen, für die es sich lohnt. Sirk hat außerdem gesagt, das Licht und die Einstellung, das ist die Philosophie des Regisseurs. Und Douglas Sirk hat die zärtlichsten Filme gemacht, die ich kenne, Filme von einem, der die Menschen liebt und sie nicht verachtet wie wir.« Mit dieser Lektion ging Fassbinder hin und drehte *Der Händler der vier Jahreszeiten,* der für manche »der beste deutsche Film seit dem Krieg« und für alle »einer der wichtigsten deutschen Filme seit Jahren« (Wilfried Wiegand in der *FAZ*) war. Nachdem er Fassbinders *Imitation of Life* gelesen und den *Händler der vier Jahreszeiten* gesehen hatte, schrieb Urs Jenny in *Filmkritik:* »*Der Händler der vier Jahreszeiten* ist ein vollendetes Melodram; man muß es so nennen (obwohl Fassbinder untermalende, emotionierende Musik nur sparsam und nur im letzten Drittel des Films einsetzt), denn die Klischeefiguren dieses erzbürgerlichen Genres sind rund um den Helden, den verlorenen Sohn, säuberlich aufgebaut: der pharisäerhafte Schwager; die große Liebe; die unnahbare Schwester, die mit liebenden Augen alles durchschaut; der Zufallsliebhaber der Frau, der (welcher Zufall!) als Geschäftspartner wieder ins Haus kommt; der totgeglaubte Kriegskamerad aus der Fremdenlegion, der (welcher Zufall!) im rettenden Augenblick wieder auftaucht. Auch die ›großen Szenen‹ des Melodram sind wieder da, die dramatischen Kräche und die Bekenntnis-Dialoge, in denen sich ausdrückt, daß es immer auf Leben und Tod geht; das Pathos der bläulich getönten Rückblenden; und selbst die optischen Ausrufezeichen (Kamera groß auf eine Uhr, auf einen Telefonhörer, auf ein Tablett mit zerbrochenem Geschirr) und die großen symbolischen Gesten. Fassbinder siegt über diese Klischees, indem er die Emotionen wahrmacht, die sie tragen ... Was er in Sirk-Filmen wahrgenommen hat, hat er sich in diesem zu eigen gemacht: Bedeutung des Lichts (gleich Sympathie) und des Dekors (Leute in Räumen, ›die schon extrem von deren gesellschaftlicher Situation geprägt sind‹), Geduld mit den Schauspielern (Irm Hermann ist ganz außerordentlich), Liebe zur Sache. Vor diesem Film begreift man, daß Melodramen Melodramen sein müssen, weil es keine gefühllose Erkenntnis gibt ... Fassbinder führt die alltäglichste, verbreitetste, scheußlichste Erscheinungsform von Gewalt vor: Jene, die einen Menschen allmählich so unter Druck setzt, daß er – in Ermangelung eines anderen Gegners – gewalttätig gegen sich selber wird und sich selber kaputtmacht. Er vollstreckt quasi an sich dieses Gesetz: Je besser, desto schlimmer.« Bundesfilmpreise gab es 1972 für die beste Regie und für die besten Hauptdarsteller (Irm Hermann und Hans Hirschmüller).

Hanna Schygulla   Ingrid Caven   Kurt Raab

Karl Scheydt, Hans Hirschmüller, Irm Hermann

Irm Hermann, Hans Hirschmüller, Klaus Löwitsch

Ludwig – Requiem für einen jungfräulichen König

1972

Regie und Buch Hans Jürgen Syberberg. *Regie-Assistenz* Eberhard Schubert. *Kamera* (Farbe) Dietrich Lohmann. *Kamera-Assistenz* Thomas Gitt. *Musik* Motive aus *Lohengrin, Tristan und Isolde* und *Der Ring des Nibelungen* von Richard Wagner. *Ausstattung* Chr. Dank, J. Hofmann, H. Döll, A. Quaglio, G. Dehn, H. Brehling, M. Schultze, F. Seitz, F. Knab, J. Lange. *Kostüme* Barbara Baum, Chris Wilhelm. *Maske* Sybille Danzer, Wolfgang Schnürlein. *Special Effects* Theo Nischwitz. *Ton* Harry Hamela, Heinz Schürer. *Schnitt* Peter Przygodda. *Darsteller* Harry Baer (Ludwig), Balthasar Thomas (der kleine Ludwig), Peter Kern (Lakai Mayr/Friseur Hoppe/Röhm), Peter Moland (Premierminister Lutz), Günther Kaufmann (Graf Holstein), Rudolf Waldemar Brem (Professor von Gudden), Gert Haucke (Baron Freyschlag), Eynon Hanfstaengl (Graf Dürckheim), Oscar von Schab (Ludwig I./Karl May), Siggi Graue (Ludwigs Bruder Otto), Rudi Scheibengraber (Prinzregent Luitpold), Gerhard März (Richard Wagner I), Annette Tirier (Richard Wagner II), Ingrid Caven (Lola Montez/ 1. Norne), Hanna Köhler (Sissi/ 2. Norne), Ursula Strätz (Madame Bulyowski / 3. Norne), Liesl Haller (Anna Vogl), Johannes Buzalski (Emanuel Geibel / Hitler), Daniel Schmid (Minister von der Pfordten), Heinrich Wilhelm Narr (Privatsekretär Pfistermeister), Eberhard Schubert (Hofphotograph Albert / Reporter), Wolfram Kunkel (Lakai Hesselschwert), Eddy Murray (Joseph Kainz / Winnetou), Cornelius Martinowitz (Prinz Carl), Wolfgang Haas (Alfons Weber), Hermann Pröll (Prinz Thurn und Taxis), Otto Glass (Hornig), Richard Halbesma (Baron Hirschberg), Rudi Halbesma (de Varicourt), Ludwig Schneider (Altbayer/ Bucheron), Peter Przygodda (Bismarck), Ilona von Halem (Ludwigs Mutter), Monika Bleibtreu (Elisabeth Ney), Fridolin Werther (Kaiser Wilhelm), Stefan Abendroth (Kronprinz Friedrich-Wilhelm), Peter Mattes (Prinz Arnulf), Siegfried Schmitt (Prinz Leopold), Kurt Jungmann (Prinz Ludwig), Alfons Scharf (Prinz Hohenlohe), Sepp Gneissl und Frau (Schuhplattler), Ginette Marie (1. Mädchen), Claudia Marie (2. Mädchen). *Produktion* TMS (Hans Jürgen Syberberg)/ZDF. *Länge* 139 Minuten. *Uraufführung* 23. 6. 1972.

1. Teil: Ludwigs Traum seines Lebens als Ludwigs Traum einer Nacht. Ludwig schenkt und entzieht Mitgliedern seines Hofes und seiner Regierung seine Gunst. Nächtlich besucht er die ärmsten seiner Untertanen, fährt mit dem Pferdeschlitten durch die Wälder. Er vertraut seiner Cousine Sissi seine Ängste an und seine Hoffnung, sich mit Wagner in die Schweiz zurückziehen zu können. Der Finanzminister beklagt die hohen Ausgaben für Wagners skandalöse Musik. Ludwig versenkt sich in die Tragik seiner Existenz und führt Gespräche mit imaginären Besuchern vom Hause Bourbon. Graf Holnstein betreibt eine Konspiration, die Ludwig zum Opfer eines Unfalltodes machen soll; man will aber vermeiden, ihn zum Märtyrer werden zu lassen. Ludwig erzählt Elisabeth Ney von einer neuen Prachtkutsche, die er sich bauen läßt, und vom Fluch der Lola Montez, der Ludwig zum Wahnsinn verdammt. Seinem geistig verwirrten Bruder Otto setzt Ludwig auseinander, daß er den Thron besteigen müsse. 2. Teil: Ich war einmal – Ludwig wird von seinen Ängsten und seinen Visionen einer deutschen Zukunft verfolgt. Wagner tritt in zweierlei Gestalt auf, als gewaltiger Hermaphrodit und als Zwerg: Er proklamiert Freiheit für die Kunst. Ludwigs Diener tritt als SA-Führer Röhm *en travestie* auf und tanzt mit Hitler Rumba. Winnetou stellt seinen Schöpfer Karl May vor. Bismarck trifft Kriegsvorbereitungen. Ludwig will von Politik nichts mehr wissen. Sein Eigentum soll Bayern gehören. Eine alte Schauspielerin rühmt Ludwigs Qualität als Zuschauer. Der junge Joseph Kainz weigert sich, für Ludwig Schiller zu zitieren, läßt sich aber mit ihm photographieren. Ludwig beschließt, gegen seine Homosexualität anzukämpfen. Holnstein klagt vor der Presse über des Königs Verschwendungssucht, doch ein alter Bauer meint, der König repräsentiere die Träume seines Volkes. Bei der Nachricht von Wagners Tod erleidet Ludwig seelisch den Liebestod Isoldes. Am Starnberger See referiert Professor von Gudden seine Autopsie des toten Königs. Angesichts drohenden Arrests ordnet Ludwig die Zerstörung seiner Schlösser an und überschüttet seine Diener mit Geschenken. Die Nachricht von kommunistischen Unruhen in München läßt ihn das Ende der Monarchie voraussehen. Ludwigs Bruder Otto wird vom Tod des Königs im Starnberger See informiert, Prinz Luitpold als Regent eingesetzt. Der Diener Mayr schwärmt von seiner Zeit im Dienst des Königs und erklärt, daß dessen Schulden durch die Besucherströme in Ludwigs Schlössern wettgemacht werden. Unter dem Jubel des Volkes wird Ludwig zur Guillotine geführt, doch bewahrheitet sich die Prophezeiung einer alten Bäuerin, er werde sogleich wieder auferstehen – als jodelnder Lederhosen-König! *Requiescat in Pace:* Ludwig als bärtiges Kind wischt sich eine Träne aus dem Auge.

Ludwig – Requiem für einen jungfräulichen König ist der erste Teil
von Syberbergs deutscher Trilogie,
die 1974 mit Karl May fortgesetzt
und 1977 mit Hitler, ein Film aus
Deutschland vollendet wurde; zugleich ist es die Einweihung der Re-
quiem-Revue, die der Filmemacher
von nun an zu seinem Stil macht.
»Ich danke Viscontis Ludwig II.,
daß in seinem Kielwasser der beste
deutsche Film zu uns kommt, den
wir seit Jahren gesehen haben.
Film? Ja, aber auf der Linie von Méliès, der das Kino als ein Mittel be-
trachtete, seine Gauklertricks des
Robert-Houdin-Theaters wieder
vorzuführen und zu perfektionie-
ren. Bis auf ein oder zwei Sequenzen rollt Ludwig – Requiem für einen jungfräulichen König vor ge-
malten Prospekten im Stile der
80er-Jahre-Dekorationen für die
lyrischen Dramen Richard Wagners
ab. Dieser Film ist in gewisser Weise
eine Abfolge der ›Lebenden Bilder‹, die zu dieser Zeit sehr en vogue waren, und die nicht das Leben
des bayerischen Königs schildern,
sondern das Bild, daß sich dieser
in seinen Träumereien – die er mit
der Realität verwechselte – davon
machte. Es scheint, daß Hans-Jürgen Syberberg von dieser außergewöhnlichen Persönlichkeit so sehr
besessen ist, daß er oft seine eigenen
Phantasmen an die Stelle derer
Ludwigs setzt. Er kümmert sich wenig darum, verstanden zu werden,
und häuft Anachronismen und Anspielungen an, die nur von guten
Kennern der ungewöhnlichen Existenz des Mond-Königs und der Geschichte Deutschlands im letzten
Jahrhundert erfaßt werden können.
Es ist einer der aufregendsten Filme, der keinem anderen gleicht«
(Les Nouvelles Litteraires, 1973).
Ein Ableger des Ludwig-Films kam
1972 mit Theodor Hierneis oder:
Wie man ehem. Hofkoch wird zutage. In diesem Film erklärt Walter
Sedlmayr als Ludwigs ehemaliger
Hofkoch Theodor Hierneis in der
Kulisse der Ludwig-Residenzen
Linderhof, Neuschwanstein und
Schachen »das königliche Ambien-
te, schildert seinen eigenen Aufstieg
vom Proletarier zum mittelständi-
schen Unternehmer und entwirft
beflissen ein ›Märchenbild von einem Monarchen, wie er vollendeter

Harry Baer

nicht zu träumen war‹« (Der Spiegel). Seine Ästhetik vom »Film als
Musik der Zukunft gegen das Bou-
levard-Kino« hat Syberberg oft und
ausführlich erläutert, in einem Aufsatz zum Ludwig zum Beispiel so:
»Auf der einen Seite verkommt der
Film immer mehr zum allzu leicht
verständlichen und konsumierba-
ren Informations- und Storyträger
eines Händler- und TV-Funktio-
närskinos mit auswechselbarer Besetzung auf den Ruinen des zer-
bröckelnden Boulevardtheaters.
Und auf der anderen Seite hat er die
Chance, neue magische Welten nach
eigenen Gesetzen zu schaffen, die
nach meinen Beobachtungen denen
der Musik näher sind als allen ande-

ren vergleichbaren Reichen der
Kulturgeschichte. Die mathemati-
schen Bauprinzipien, die sich in
den Musik-Termini wie Requiem,
Kammermusik, Chor, Arie, Sonate, Passion, Rhapsodie, Rezitativ,
Leitmotiv, Durch- und Engfüh-
rung, Variation, Solo, Fuge, Kon-
trapunkt, vertikale Verschmelzung,
dialineares Gleichgewichtssystem,
Linienverspinnung, Wiederholung
und Rhythmus ausdrücken, helfen
verstehen, wie die Motive und Signale eines Films in ihrem notwendigen Neben- und Nacheinander
verschmelzen, wie sie kreuz-und-
quer-klingen und zwischen oben
und unten, Anfang und Ende sich
entsprechen in einer labyrinthi-

Ursula Strätz, Hanna Köhler, Ingrid Caven

schen Mathematik des optisch-akustischen Gefühls- und Geistesgewebes« (*Syberbergs Filmbuch*, 1976). Das klingt wie eine etwas unbeholfene Beschreibung der Ästhetik von Werner Schroeter, wie sie zur Zeit von *Ludwig* bereits mit Filmen wie *Eika Katapa* (1969), *Der Bomberpilot* (1970) und *Salome* (1971) eindrucksvoll realisiert war, und tatsächlich ist das, was Syberberg sein »Requiem-System« nennt, nichts anderes als eine Vulgarisierung des Schroeter-Stils, angereichert mit anderen Einflüssen wie etwa denen, die von den historisch-kulturhistorischen Travestien von Jean-Marie Rivière und Marc Doelnitz im Pariser »Alcazar« und anderen Etablissements ausgingen, und durchaus auch von Fassbinder, besonders von dessen Fernsehfilm *Die Niklashauser Fart* (1970), in dem Dekorationen, Kostüme und Texte verschiedener Epochen zur Passions-Revue einer (historischen) fränkischen Sozialrevolution integriert werden. Eine kleine Referenz an Schroeter birgt Syberbergs *Ludwig* in der Bemerkung seines Richard Wagner, wirklich frei sei er erst, wenn der *Ring* von Werner Schroeter, (dem Schroeter-Star) Magdalena Montezuma, Cocteau, Visconti und anderen aufgeführt werde. Fassbinder ist in *Ludwig* unübersehbar präsent durch seine Darsteller und Freunde Harry Baer, Peter Moland, Günther Kaufmann, Rudolf Waldemar Brem, Ingrid Caven, Hanna Köhler und Ursula Strätz; dazu kommt noch Fassbinders Kameramann Dietrich Lohmann. Das alles ist na-

türlich ganz üblich und in Ordnung, nur kann man Fassbinder, selbst ein Mann, der seinen Vorbildern und Lehrmeistern immer ausführlich gehuldigt hat, verstehen, wenn er meint, daß man nicht zu knauserig sein soll beim Zahlen der Schulden, die man bei anderen macht, um das eigene Fortkommen zu fördern. In einem Zeitungsartikel, in dem er den schwierigen Weg Schroeters aus dem Underground nach ganz oben beschreibt, wird Fassbinder deutlich: »Und ein überaus geschickter Schroeter-Imitator hat sich gefunden, der zur selben Zeit, da Schroeter hilflos wartete, von Schroeter Entwendetes geschickt vermarktet hat. In Paris sind sie dann auch noch tatsächlich eine ganze Weile auf diesen Geschäftsmann in Sachen Plagiat, auf Hans-Jürgen Syberberg, reingefallen. Es war ziemlich mühsam, in Frankreich zu erklären, daß nicht wir Epigonen des flinkeren Syberberg waren, sondern daß da grausamer Ausverkauf getrieben wurde mit unserem Persönlichsten zum Teil. Aber auch Syberberg, unabhängig von der großen Lust, es einmal loswerden zu können, steht für Chancen, mit Werner Schroeters ureigenen Erfindungen ›große Filme‹ zu machen, die dem originalen Talent verwehrt blieben« (*Frankfurter Rundschau*, 1978). Ein schwieriger Fall, Hans Jürgen Syberberg, geboren 1935 in Nossendorf (Pommern), der von sich in der dritten Person spricht, oft im plurale majestatis, und der nach der Erwähnung des Namens »Syberberg« wie ein geübter Conferencier eine kleine

Pause einlegt, damit die weiteren Ausführungen nicht im aufbrandenden Beifall untergehen; ähnlich wie sein *Ludwig*-Wagner, der gleichzeitig von einem mächtigen Hermaphroditen und einem Alberich-Zwerg dargestellt wird, führt er eine Doppelexistenz: HJS, der geniale Filmschöpfer, ein Kunstriese, und HJS als sein eigener Mythograph, ein kleinbürgerlicher Zwerg, der mit seinem Mäppchen voll guter Zeugnisse über den Kunstriesen herumläuft, getrieben von der panischen Angst, jemand könnte nicht wissen, vergessen haben oder anzweifeln, daß die deutsche Kultur seit Goethe, Kleist und Wagner, die internationale Filmszene seit Méliès, Griffith und Stroheim keine so göttliche Erscheinung mehr gehabt hat; der eine ein Hl. Georg, der den Drachen tötet, der andere ein Hl. Sebastian, der in verzückten Verrenkungen die ihm von einer unverständigen Heimat beigebrachten Wunden zur besten Geltung bringt; der eine ein Don Giovanni, dessen Lust und Schicksal es ist, die Kritiker zu verführen, der andere dessen Leporello, der immerzu verkünden muß, in Deutschland habe sein Herr erst 231 Opfer gefunden – »ma in Ispagna son già mille e tre!« Der Zwerg HJS hat unzählige leidvolle Probleme, der Riese HJS nur ein einziges wesentliches Manko, den Mangel an einer Sinnlichkeit, deren Besitz er prominenten Kollegen im Ernst ankreidet, denn daß Leute »wie zum Beispiel Werner Herzog plötzlich von einem Bauchkino sprechen (›ich mache alle meine Filme aus dem Bauch‹), ist gefährlich und bringt ihn so nahe an eine Gruppe, die er gar nicht sucht. Hat er die Überlegung vergessen, daß es der Kopf ist, der uns sehen, hören und fühlen und zum Beispiel denken läßt?« (*Syberbergs Filmbuch*). Als er lesen mußte, daß Werner Schroeter zu diesem Problem sagte »Ohne ein permanent in Schwung gehaltenes Gefühlschaos läuft nichts. Ich hab's ja nicht im Kopf, ich hab's in den Beinen und im Schwanz« *(tip)* hat sich unser wahnseliger Mytho-Masochist wahrscheinlich wie sein bärtiges Ludwigs-Kind nur noch die Tränen aus den schönen Augen gewischt.

Liebe Mutter, mir geht es gut

1972

Regie Christian Ziewer. *Regie-Assistenz* Klaus Wiese. *Buch* Klaus Wiese, Christian Ziewer. *Kamera* (Farbe) Jörg Michael Baldenius. *Kamera-Assistenz* Ingo Kratisch, Martin Streit. *Ausstattung* Edwin und Brigitte Wengoborski. *Ton* Josef Listl. *Schnitt* Stefanie Wilke. *Darsteller* Claus Eberth (Alfred Schefczyk), Nikolaus Dutsch (Bruno), Henning Gissel (Georg), Horst Thomayer (Horst), Norbert Langer (2. Mann), Franz Kloss (Heimleiter Krüger), Klaus Sonnenschein (ein Berliner in der Kneipe), Karl-Heinz Lemke (2. Gast), Heinz Schinköthe (3. Gast), Hans Rickmann (Gerhard, Vertrauensmann), Horst Pinnow (Wolfgang), Axel Böhmert (Axel), Gerhard Krüger (Harry), Christian Brückner (Rudi), Klaus Klemrath (Klaus), Michael Pagels (Hilfsarbeiter Pagels), Nicolas Brieger (Transportarbeiter Kurt), Claus Jurichs (Vorarbeiter Werner), Heinz Herrmann, Erhard Dhein, Fred Lüder, Kar-Heinz Fischer, Dieter Stelter, Heinz Diesing, Kurt Michler, Alexander Bzik, Burckhard Backhaus, Horst Lange, Marianne Lüdcke, Hans-Günter Nagel, Wolfgang Ihle, Eberhard Gentsch, Manfred Meurer, Günther Kieslich, Dagmar Dorsten, Heinz Giese, Ernest Lenart, Alfred Ziewer, Walter Schoof, Wolfgang Wagner, Erik von Loewis, Helen Schwarz, Joachim Nottke. *Produktion* Basis-Film (Max Willutzki, Christian Ziewer) / WDR. *Länge* 90 Minuten. *Uraufführung* 26.6.1972 (Internationales Forum des jungen Films, Berlin).

»Arbeiter, die gegen erhöhte Mieten kämpfen und unterliegen und daraus lernen, die sich gegen den Verlust des Arbeitsplatzes empören und erfolglos bleiben und daraus Schlüsse ziehen, die schließlich den Streik organisieren und ihre Kraft erkennen und ihre Lage zu ändern beginnen, solche Arbeiter zeigt dieser Film, und er stellt die Frage, warum sie uns nicht alltäglich erscheinen« (Filmkommentar). West-

berlin 1966. Alfred Schefczyk, von seinen Kollegen kurz »Scheff« genannt, hatte in Baden-Württemberg infolge der Rezession seine Stelle als Hilfsschlosser verloren, war Willy Brandts Worten »Auch Deine Chance ist Berlin!« gefolgt und arbeitet nun in einem Großbetrieb als Transportarbeiter. Zusammen mit anderen ledigen Arbeitern wohnt er in einem vom Berliner Senat getragenen Wohnheim. Scheff wird rasch klar, daß er als Transportarbeiter in der hierarchischen Struktur der Fabrikarbeiter an zweitletzter Stelle steht: Mit seinen Karren ist er Zulieferer der Akkordarbeiter; der Akkordarbeiter muß es dem Vorarbeiter recht machen, der seinerseits wieder dem Meister unterstellt ist; lediglich die angelernten Frauen kann Schefczyk für sich ausnutzen, indem er sich bei ihnen Ersatz für seine Körbe besorgt. Natürlich setzt diese Hierarchie sich nach oben fort: Über dem Meister steht der Betriebsleiter, über diesem der Direktor, und selbst der ist den Aktionären, den Kapitaleignern, verpflichtet, die an möglichst hohen Gewinnen interessiert sind. Angesichts dieses Systems von gegenseitiger Ausnutzung und Verpflichtung fällt es Scheff schwer, kollegiales Verhalten zu entdecken oder selbst zu entwickeln. Als im Arbeiterwohnheim eine Mieterhöhung angekündigt wird, gelingt es Scheffs Freund Bruno zwar, eine Mieterversammlung einzuberufen, doch von der Notwendigkeit eines Streiks kann er die Mitbewohner nicht überzeugen: Jeder hat Angst, sein immer noch relativ preisgünstiges Zimmer zu verlieren. In einer Kneipe wird Scheff als unerwünschter Westdeutscher angepöbelt und läßt sich zu einer Schlägerei hinreißen. Bruno macht ihm klar, daß sich seine Wut noch immer gegen die Falschen

richtet. Im Betrieb verdichten sich die Gerüchte, daß ein Produktionszweig in die Bundesrepublik verlegt und eine Reihe von Arbeitern entlassen werden soll. Der Protest der Betriebsräte, die unter sich noch nicht einmal einig sind, kann in der Aufsichtsratssitzung zwangsläufig nichts ausrichten. Scheffs Reaktion ist wie die der meisten noch resignativ: »Man kann nichts tun.« Erst als die Akkordzeiten gekürzt werden, kommt es zu einem spontanen Streik, und Scheff sieht sich plötzlich in einer wichtigen Rolle: Als Transportarbeiter kann er die Nachricht von dem Streik im gesamten Betrieb verbreiten. Da die Streikenden zu ihrem Betriebsrat kein Vertrauen mehr haben, wird eine eigene Delegation gebildet. Doch die Delegierten lassen sich auf Einzelgespräche mit der Betriebsleitung ein, der es dann mit Beschwichtigungen und Drohungen schnell gelingt, den Streik zu beenden. Einige Tage später wird Gerhard, einer der Delegierten, fristlos entlassen. Alfred Schefczyk bemüht sich vergeblich, mit einer Unterschriftensammlung die Belegschaft noch einmal zu mobilisieren. Lediglich ein alter Arbeiter, der eigentlich am meisten zu befürchten hätte, unterschreibt. »Liebe Mutter, mir geht es gut«, schreibt Scheff auf eine Ansichtskarte. Er habe jetzt eine Arbeit an der Maschine bekommen.

Christian Ziewer

Nikolaus Dutsch, Claus Eberth

Der erste Jahrgang der Deutschen Film- und Fernsehakademie Berlin studierte von 1966 bis 1968. Auffällig im Vergleich zum ersten Jahrgang der zweiten bundesdeutschen Filmhochschule, der Hochschule für Fernsehen und Film in München, die ein Jahr später gegründet wurde, war ein größeres politisches Bewußtsein der DFFB-Absolventen: Während beispielsweise Wim Wenders, Aushängeschild des ersten HFF-Jahrganges, seine Zeit an der Münchner Hochschule eher als formalistische Exerzitien begriff, sich bei seinen Kurzfilmen wenig um klar zu umreißende »Aussagen« kümmerte und einzig mit dem satirischen *Polizeifilm* (1970) politisch festzulegen war, formulierten die Berliner angesichts der rezessionsbedingten Arbeitskämpfe Mitte der sechziger Jahre und der anschließenden Studentenunruhen in ihrer Stadt von vornherein einen unmißverständlichen politischen Anspruch und gestatteten dem Inhalt ihrer Filme absolute Priorität vor der Form. So entstanden 1969 *Kinogramm I* und *Kinogramm II*, Dokumentarfilme der DFFB-Absolventen Christian Ziewer und Max Willutzki über Mietprobleme und Bürgerinitiativen im Märkischen Viertel. *Liebe Mutter, mir geht es gut,* 1971 mit finanzieller Unterstützung des Westdeutschen Rundfunks gedreht und Ziewers erster Langfilm, knüpfte als erster deutscher Nachkriegsfilm an die »proletarischen Filme« aus der Weimarer Republik an (Phil Jutzis *Mutter Krausens Fahrt ins Glück*, Carl Junghans' *So ist das Leben* und Slatan Dudows *Kuhle Wampe*), indem er sein Anliegen in publikumswirksamer Spielfilmform vortrug. »Ab-

sicht von Ziewer und seinem Koautor Klaus Wiese war es, den Zuschauern ihre Situation – dies ganz im Sinne Brechts – als veränderbare vorzuführen. Der Film versucht also, am konkreten Alltag seiner Adressaten anzuknüpfen und diesen unter übergreifenden analytischen Aspekten zu beleuchten, die aus der Empirie des Alltags nicht unmittelbar ableitbar sind. Zu diesem Zweck bedient er sich einer offenen Dramaturgie: Es gibt zwar eine Hauptfigur, den Transportarbeiter Alfred Schefczyk, die aber nicht zu einem ›runden‹ Charakter, also psychologisch ausgeleuchtet wird. Die Handlung ist nicht mehr durchgängig, sondern wird aufgebrochen durch Titel, Kommentare und andere Einschübe. Ziewer arbeitet auch mit unterschiedlichen Darstellungsweisen: So sind die Szenen, in denen die Bosse zu sehen sind, im Unterschied zu den Sequenzen, in denen Arbeiter gezeigt werden, stärker stilisiert. Die Konkretheit der Plastizität der Alltags- und Betriebsszenen ist ein Ergebnis der Arbeitsweise der Filmemacher: Dem Film gingen umfangreiche Recherchen voraus, und die Drehbuchentwürfe wurden mehrfach mit Gewerkschaftlern und anderen Arbeitern durchdiskutiert, bis sich das endgültige Drehbuch allmählich herauskristallisierte. Die dargestellten Konflikte sind so ein Konzentrat realer Erfahrungen. Daß daraus keine bloße Milieuschilderung wird, kein naturalistischer Abklatsch, ist in entscheidendem Maße eine Funktion der Dramaturgie, in der diese Szenen sich entfalten, aber etwa auch der ganz aufs Wesent-

liche konzentrierten Kameraführung; diese möglichst funktionale Ästhetik ist überhaupt ein typisches Merkmal der meisten Berliner Arbeiterfilme« (Winfried Günther, *Jugend Film Fernsehen*). Marianne Lüdcke und Ingo Kratisch, ebenfalls DFFB-Absolventen, folgten 1972 mit *Die Wollands,* Max Willutzki drehte 1973 *Der lange Jammer,* und Ziewer ließ seinem Erstling 1974 *Schneeglöckchen blühn im September* und 1976 *Der aufrechte Gang* folgen. Ohne die Berliner Schule – ein Begriff, den diese Namen und Titel rasch prägten – wären aber auch Rainer Werner Fassbinders fünfteilige Fernsehserie *Acht Stunden sind kein Tag* (1972) oder Erwin Keuschs Spielfilmdebüt *Das Brot des Bäckers* (1976) undenkbar gewesen. Das National Film Theatre London veranstaltete im Januar 1981 unter dem Titel *WDR and the Arbeiterfilm* eine acht Filme umfassende Retrospektive (darunter auch *Rote Fahnen sieht man besser* von Theo Gallehr und Rolf Schübel, *Ich heiße Erwin und bin siebzehn Jahre* von Erika Runge und *Kalldorf gegen Mannesmann* von Susanne Beyeler, Rainer März und Manfred Stelzer), die vor allem den Anteil des Westdeutschen Rundfunks an der Entwicklung dieses Genres unterstrich. »Die Arbeiterfilme benutzen einen Ästhetischen Realismus, der von Filmtheoretikern vielfach als zwangsläufig konservativ und für kritische Filme ungeeignet eingestuft wird. Der Arbeiterfilm stellt diese Haltung überzeugend in Frage« (Richard Collins, Vincent Porter, *NFT*).

Hans Rickmann (links)

Die bitteren Tränen der Petra von Kant
1972

»Gewidmet dem, der hier Marlene wurde.« *Regie* Rainer Werner Fassbinder. *Regie-Assistenz* Harry Baer. *Buch* Rainer Werner Fassbinder, nach seinem Bühnenstück (1971). *Kamera* (Farbe) Michael Ballhaus. *Musik* »Smoke Gets in Your Eyes« von Jerome Kern und Otto Harbach; »The Great Pretender« von Buck Ram, gesungen von The Platters; »In My Room« von Joacquin Pirieto, Lee Pockriss und Paul Vince, gesungen von The Walker Brothers; Giuseppe Verdi. *Ausstattung* Kurt Raab. *Maske* Peter Müller. *Ton* Gunther Kortwich. *Schnitt* Thea Eymèsz. *Darsteller* Margit Carstensen (Petra von Kant), Hanna Schygulla (Karin Thimm), Irm Hermann (Marlene), Eva Mattes (Gabriele von Kant), Katrin Schaake (Sidonie von Grasenabb), Gisela Fackeldey (Valerie von Kant). *Produktion* Tango (Rainer Werner Fassbinder, Michael Fengler). *Länge* 124 Minuten. *Uraufführung* 28.6.1972 (Filmfestspiele Berlin).

Die Modeschöpferin Petra von Kant lebt in einem kostbar eingerichteten Wohn-Atelier, zusammen mit ihrer Assistentin und Dienerin Marlene, die wortlos alle Befehle ausführt und alle Launen über sich ergehen läßt. Ihr erster Mann ist tödlich verunglückt; aus dieser Ehe hat Petra von Kant eine halbwüchsige Tochter, Gabriele, die in einem Internat aufwächst. Eine zweite Ehe endete mit Scheidung. Eine Freundin, Sidonie von Grasenabb, kommt zu Besuch und bringt ein junges Mädchen mit, Karin Thimm. Petra lädt Karin auf einen Abend zu sich ein und nimmt sie dann ganz bei sich auf. Karin, im Gegensatz zu Petra von proletarischer Herkunft und direkter Ausdrucksweise, kommt gerade aus Australien; dort hat sie ihren Mann Freddy zurückgelassen. Jetzt will sie sich in Deutschland eine neue Existenz aufbauen. Petra bewundert Karin und verspricht, sie als Mannequin groß herauszubringen. Karin, die bald spürt, daß Petras Stärke nur gespielt und ihre klugen Reden nur hohles Geschwätz sind, wird faul und indifferent. Gegen Petras entnervend possessive Liebe wehrt sie sich mit provozierenden Erzählungen über wirkliche und erfundene Liebhaber. Als mitten in die gereizte Stimmung auch noch ein Telefonanruf von Freddy kommt, der unvermutet in Deutschland aufgetaucht ist, verläßt Karin ihre anstrengende Gönnerin. Petra konzentriert sich völlig auf die Erwartung eines Anrufs von Karin und nimmt dabei große Mengen von Gin zu sich. An ihrem Geburtstag bekommt sie Besuch von ihrer Tochter Gabriele und ihrer Mutter, Valerie von Kant. (Nach zwei Ehen führt sie noch immer ihren Mädchennamen.) Sie beschimpft ihre Tochter, weil Gabriele erzählt, sie sei verliebt, und schockiert ihre Mutter mit dem Geständnis, daß sie eine Frau liebt. Vor Mutter, Tochter und der Freundin Sidonie bricht sie volltrunken und in einem Rausch von Haß und Verzweiflung zusammen. Wieder nüchtern geworden, reagiert sie auf den Anruf von Karin, der endlich doch noch kommt, nur noch kühl. Petra von Kant versucht, einen neuen Anfang zu machen. Sie erklärt der bis jetzt von ihr nur terrorisierten oder ignorierten Marlene, von nun an werde sie ihr eine wahre Freundin und Partnerin sein, denn Marlene habe es sich nun redlich verdient, das Leben zu genießen. Marlene schweigt wie bisher, packt aber auf der Stelle ihre Koffer und verläßt das Haus.

Margit Carstensen, Harry Baer, Rainer Werner Fassbinder

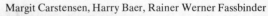

Margit Carstensen, Hanna Schygulla

Rainer Werner Fassbinder über Frauen und seinen Film *Die bitteren Tränen der Petra von Kant*, den die Frauen nicht mögen: »Ich betrachte eine Frau genau so kritisch wie einen Mann, aber ich habe eben das Gefühl, daß ich das, was ich sagen will, besser ausdrücken kann, wenn ich eine weibliche Figur in den Mittelpunkt stelle. Frauen sind interessanter, denn auf der einen Seite sind sie unterdrückt, aber andererseits sind sie es nicht wirklich, weil sie diese ›Unterdrückung‹ als Terrorin-

strument benutzen. Männer sind so simpel, sie sind viel gewöhnlicher als Frauen. Außerdem ist es amüsanter, mit Frauen zu arbeiten. Männer sind primitiv in ihren Ausdrucksmitteln. Frauen können ihre Emotionen besser zeigen, bei Männern wird das leicht langweilig… Meine Filme sind *für* die Frauen, nicht *gegen* sie. Aber fast alle Frauen hassen *Petra von Kant* – jedenfalls die, die die Arten von Problemen haben, von denen der Film handelt, die das aber nicht zugeben wollen. Das kann ich nicht ändern. Ich finde, daß meine Haltung den Frauen gegenüber ganz ehrlich ist. Alles in allem finde ich das Verhalten der Frauen genau so schrecklich wie das Verhalten der Männer, und ich versuche, die Gründe dafür zu illustrieren und vor allem zu zeigen, daß wir fehlgeleitet werden durch unsere Erziehung und durch die Gesellschaft, in der wir leben. Meine Beschreibung dieser Verhältnisse ist nicht frauenfeindlich. Sie ist ehrlich. Zur gleichen Zeit muß ich aber sagen, daß es mir nicht zukommt, den Frauen zu sagen, wie sie ihre Befreiung anstellen sollen. Das muß jede Frau für sich selbst entscheiden« (Fassbinder-Interview von Christian Braad Thomsen, 1973, in Tony Rayns: *Fassbinder*, 1980). Wie stets geht Fassbinder in *Petra von Kant* ebenso schonungslos wie zärtlich mit seinen Figuren

um, eine besondere Qualität, die nur möglich ist durch sein nahes Verwandschaftsverhältnis zu diesen Figuren. »Wie kein zweiter deutscher Filmemacher und wie außer ihm nur Woody Allen, Ingmar Bergmann und Federico Fellini hat Fassbinder derart ausschließlich den Kampf ums eigene Ego, seine Ängste und Hoffnungen als Steinbruch für seine Werke benutzt« (Wolfgang Limmer). Der Film ist gewidmet »dem, der hier Marlene wurde«, damit kann, Fassbinders eigener Andeutung nach, Günther Kaufmann gemeint sein, Darsteller in vielen frühen Fassbinder-Filmen, aber auch Irm Hermann selbst, die die Rolle spielt; zu beiden hat Fassbinder, in gewissem Maße »der, der hier Petra von Kant wurde«, ähnliche Beziehungen gehabt wie die tyrannische Herrin und die stumme Sklavin sie im Film haben. Das darf man aber nicht zu simpel sehen, denn natürlich ist der Filmemacher völlig glaubwürdig, wenn er versichert, als Ergebnis sei dies doch schon der Versuch, etwas über Frauen zu erzählen. Petra von Kant hat ihr Lebensgefühl auf ein Niveau preziöser und prätentiöser Kompliziertheit hochstilisiert. Wie sie für sich selbst die Mode kreiert, die dieser Bewußtseinslage angemessen ist – ein exotisches Revuekostüm smartester Dekadenz zum ersten Rendezvous mit Karin Thimm –, so

Hanna Schygulla

kreiert sie auch eine gesellschafts-
fähige, für sich selbst und andere
genießbare Rhetorik der bewußten
Verzweiflung, die Jet-Set-Variante
des auf andere Weise ähnlich ge-
schraubten *Katzelmacher*-Jargons
der unbewußten Verzweiflung. Der
Vorteil der Petra-von-Kant-Rheto-
rik ist, daß sie übergangslos in einen
Schreikrampf übergehen kann und
so ihre hysterische Katharsis findet;
die *Katzelmacher*-Helden wissen
am Ende ihres bösen Lateins keine
Steigerung als den Schlag auf den
Kopf des Nebenmannes, »damit der
(der Kopf) zu denken anfängt«.
»Frau von Kant verliert ihre Form,
der Film hält seine. Daß Fassbinder
diese Geschichte zunächst fürs
Theater geschrieben hat, will er
keinen Augenblick verbergen.
Wenn ein Akt zu Ende ist, blendet
er überdeutlich ab. Wenn ein Dialog ausläuft, klingelt sofort hilfreich
das Telefon, um der Handlung wei-
terzuhelfen. Immer wieder dekla-
miert sich Margit Carstensen hoch
in übernatürliche, theatralische
Sprachlagen: Sie spricht an wichtigen Stellen wahrhaftig Jamben, und
ihre Sätze wirken dann wie in Blatt-
goldrähmchen ausgestellt. Von
morgens bis abends bewegen sich
diese Frauen in wallenden Trance-
gewändern, die Köpfe meist aus
Pelzkrägelchen hervorschauend.
Kein Luftzug Außenwelt weht in
dieses aufgedonnerte Wohnatelier
der Petra von Kant, das der einzige
Schauplatz des Films bleibt. So
dreht die Künstlichkeit des Dekors
und der Mittel die wilde, verzückte
Künstlichkeit der hier vorgetrage-
nen Gefühle Spirale um Spirale höher. Zwei Stunden lang ist der Zuschauer eingeschlossen in diese
Welt ohne Aussicht. Ein Sog entsteht, ein Schwindelgefühl, bis der
Ernst und die Lächerlichkeit dieser
Passionsgeschichte, bis der Kitsch
und die Kunst daran sich nicht mehr
klar unterscheiden lassen. Wieder
einmal hat Fassbinder den sogenannten guten Geschmack kunstvoll aufs Kreuz gelegt« (Reinhard
Baumgart, *Süddeutsche Zeitung*,
1972). Für *Die bitteren Tränen* bekamen 1973 Margit Carstensen und
Eva Mattes Bundesfilmpreise als
beste Darstellerinnen, Michael
Ballhaus den Kamera-Bundesfilm-
preis.

Margit Carstensen, Eva Mattes

Katrin Schaake, Margit Carstensen, Irm Hermann

Irm Hermann

Harlis
1972

Regie Robert Van Ackeren. *Regie-Assistenz* Joy Markert. *Buch* Robert Van Ackeren, Joy Markert, Iris Wagner. *Kamera* (Farbe) Dietrich Lohmann, Lothar E. Stickelbrucks. *Kamera-Assistenz* Mischa Haertel, Volker Hombach, Martin Schäfer. *Musik* Gustav Mahler, C.A.M. *Musikalische Gestaltung* Iris Wagner. *Ausstattung* Maleen Pacha. *Choreographie* Jean Pierre Bonnin. *Kostüme* Janken Janssen. *Schnitt* Gibbie Shaw, Doerte Voelz. *Darsteller* Mascha Rabben (Harlis), Gabi Larifari (Pera), Ulli Lommel (Raymond), Rolf Zacher (Prado), Heidy Bohlen (Ria), Jean Pierre Bonnin, Ellen Esser, Helga Hennig, Monika Bonet, Eleonore Münchhoff, Uschi Lina, Asta Leone. *Produktion* Inter West (Wenzel Lüdecke) / Robert Van Ackeren Filmproduktion. *Länge* 86 Minuten. *Uraufführung* 27.12.72.

Die Freundinnen Harlis und Pera sind Revuetänzerinnen in einem Damenclub. Sie wohnen zusammen, lieben sich und sind glücklich. Doch eines Abends fühlt Harlis die leidenschaftlichen Blicke eines männlichen Gastes auf sich gerichtet, und wirklich: Der schöne Raymond verliebt sich in sie! Für Harlis ist es zunächst nur ein Abenteuer. Nach und nach aber findet sie Gefallen an den neuen Erfahrungen, und ihre Zuneigung zu dem sensiblen Mann wächst. Raymond will nur noch für Harlis dasein, trennt sich von der Fleischerin Ria, seiner bisherigen Geliebten, und zieht aus der Wohnung, in der er mit seinem Bruder Prado zusammenlebte, aus. Pera ist auf Raymond eifersüchtig. Sie kann und will auf Harlis nicht verzichten und fordert von der Freundin eine Entscheidung. Harlis ist verzweifelt: Sie liebt Raymond, will aber auch die Beziehung zu Pera aufrechterhalten. Die Spannungen und Liebesverhältnisse zwischen den fünf Menschen lösen unweigerlich extreme Reaktionen aus: Raymond unternimmt einen Selbstmordversuch, Harlis rettet ihn; Ria verbündet sich mit Prado, um sich an Raymond zu rächen; die beiden heiraten, doch noch in der Hochzeitsnacht wird die Fleischerin von Prado erdrosselt. Nur die leidenschaftliche Liebe zwischen Harlis und Raymond ist am Ende unversehrt. Das sieht sogar Pera schließlich ein, die zu dem Entschluß kommt, neben ihrer Freundin auch Raymond zu akzeptieren. Die Beziehungen der beiden Tänzerinnen zu Raymond gipfeln in einem unfreiwilligen Bühnenauftritt der drei.

Robert Van Ackeren

Nach zehn seit 1964 gedrehten Kurz- und Experimentalfilmen hatte der Berliner Kameramann Robert Van Ackeren 1970 mit dem Langfilm *Blondie's Number One* sein Kinodebüt gegeben. Danach stand er weitere zwei Jahre bei Filmen von Roland Klick *(Deadlock)*, Rosa von Praunheim *(Nicht der Homosexuelle ist pervers…)* und Werner Schroeter *(Salome)* hinter der Kamera, bis er 1972 mit *Harlis* einen Film schuf, der mit zwei Bundesfilmpreisen ausgezeichnet wurde (für die beste Gestaltung an den Regisseur und für die Musikdramaturgie an Iris Wagner) und aus dem »Geheimtip« Robert Van Ackeren ein allgemein anerkanntes neues Regietalent machte. Auf den ersten Blick könnte *Harlis* wie ein auf populär getrimmter Werner-Schroeter-Film wirken: das Opernhafte wird zur Revue, die outrierte Tragödie zum ironischen Melodram. Trotz der unbestreitbaren Einflüsse Schroeters (wie auch Warhols bei *Blondie's Number One*) erweist sich *Harlis* bei näherer Betrachtung jedoch als erstaunlich originäres Werk, das von dem gewaltigen kreativen Pontential seines Autors zeugt. »Grundlage des Films ist ein triviales und kitschiges Melodram mit einer ausgesucht bombastischen Musik, das von Liebe, Schmerz, Eifersucht, Vergewaltigung, Selbstmordversuch und Mord erzählt. Ohne sich über die Illustriertenkolportage lustig zu machen, stattdessen mit großem Spaß an melodramatischen Schauwerten, gelang Van Ackeren jedoch ein stilsicheres und ironisches Spiel mit den Klischees der Gattung: Das Unechte der Gefühle und Konflikte wird durch die Haltung des Films zu seinem Stoff deutlich, der kühl und emotionslos dargeboten wird; nur insofern ist der Film ›komisch‹« *(Buchers Enzyklopädie des Films)*. Die affektiv distanzierte Regie scheint die Sinnlichkeit der beiden Hauptdarstellerinnen noch zu betonen: Mascha Rabben und Gabi Larifari signalisieren in diesem Film pausenlos Star Quality. (Mascha Rabben spielte nach *Harlis* Hauptrollen in Fassbinders zweiteiligem TV-Film *Welt am Draht* und Helma Sanders-Brahms *Die letzten Tage von Gomorrha*; Gabi Larifari nennt sich heute La Fari und ist 1977 noch einmal in Van Ackerens *Belcanto* zu sehen.) Der Erfolg des mit dem Ernst-Lubitsch-Preis ausgezeichneten *Harlis* ermöglichte es Van Ackeren, seinen nächsten Film mit großem Budget und internationaler Besetzung zu drehen: *Der letzte Schrei* (1974/75) spielte im Schikkeria-Milieu und stellte mit beißendem Spott die These auf, daß im Kapitalismus die Ehe eine der Unternehmensplanung untergeordnete Institution ist und Liebe ein Schlagwort. Variationen desselben Themas im gleichen Milieu folgten mit *Das andere Lächeln* (1977) und *Die Reinheit des Herzens* (1979/1980). Doch weder in diesen Bourgeoisie-Melodramen noch in den experimentellen Filmen *Belcanto* (1977) und *Deutschland privat* (1980) fand sich das, was Robert Van Ackerens zweiten Film so unwiderstehlich machte und von der Zeitschrift *medium* wie folgt charakterisiert wurde: »*Harlis* ist ein Paradox: Geschmacklos und doch genußvoll.«

Mascha Rabben, Gabi Larifari

Aguirre, der Zorn Gottes
1972

Regie und Buch Werner Herzog. *Regie-Assistenz* Gustavo Ceff Arbulu. *Mitarbeit* Martje Grohmann, Dr. Georg Hagmüller, Ina Fritsche, René Lechleitner, Ovidio Ore. *Kamera* (Farbe) Thomas Mauch. *Zweite Kamera* Francisco Joán, Orlando Macciavello. *Musik* Popol Vuh. *Special Effects* Juvenal Herrera, Miguel Vasquez. *Ton* Herbert Prasch. *Schnitt* Beate Mainka-Jellinghaus. *Darsteller* Klaus Kinski (Don Lope de Aguirre), Helena Rojo (Inez de Atienza), Del Negro (Carvajal), Ruy Guerra (Ursúa), Peter Berling (Guzman), Cecilia Rivera (Flores), Daniel Ades (Perucho), Edward Roland (Okello), Armando Polanah (Armando), Daniel Farfán, Alejandro Chavez, Antonia Marquez, Julio Martinez, Alejandro Repullés und Indianer der Kooperative Lauramarca. *Produktion* Werner Herzog/Hessischer Rundfunk. *Länge* 93 Minuten. *Uraufführung* 29. 12. 1972.

1560. Ein endloser Zug von gepanzerten Conquistadoren mit indianischen Hilfstruppen, Pferden, Damen in Sänften, Kanonen, Lamas und Schweinen windet sich von den nebelumwehten Höhen der peruanischen Anden in den Dschungel herunter: Gonzales Pizarros Expedition auf der Suche nach der sagenhaften Goldstadt der Inkas, El Dorado, die in den Amazonas-Niederungen liegen soll. Als der Dschungel das Vorwärtskommen erschwert, sendet Pizarro einen Vortrupp von etwa 40 Mann aus; er soll auf Flößen den Fluß hinunterreisen und das Gelände erkunden. Zu dieser Gruppe gehören Don Pedro de Ursúa, der Anführer, seine Frau Inez, sein Stellvertreter Don Lope de Aguirre mit dessen fünfzehnjähriger Tochter Flores, der Priester Gaspar des Carvajal und der Edelmann Don Fernando de Guzman. Eines der Flöße kommt aus einem Stromwirbel nicht mehr frei, seine Besatzung wird während der Nacht von Indianern getötet. Die anderen Flöße werden bei der Weiterfahrt beschädigt. Ursúa ordnet die Rückkehr zum Haupttrupp an. Der ehrgeizige Aguirre zettelt eine Meuterei an, setzt Ursúa gefangen, erklärt den spanischen König Philipp II. für abgesetzt und ernennt Guzmann zum Kaiser von El Dorado. Er selbst nennt sich von nun an »Der Zorn Gottes« und »Der Große Verräter«. Zu Aguirres Verdruß weigert Guzmann sich, Ursúa aufhängen zu lassen. Aguirre läßt sich mit seiner kleinen Streitmacht immer weiter auf den Flößen flußabwärts treiben. Sie gelangen zu einem brennenden Dorf und finden zu ihrem Entsetzen Spuren von Kannibalismus. Auf der Weiterreise werden sie ständig von den Ufern her beobachtet und bedroht. Als sie einmal einem friedlichen Eingeborenen begegnen, mißhandeln sie ihn als Ketzer. Die Vorräte sind erschöpft, das Land bietet ihnen nur wenig zum Essen. Nur Guzman besteht weiterhin unnachgiebig darauf, wie ein Kaiser zu speisen. Als er anordnet, das auf einem Floß mitgeführte Pferd über Bord zu werfen, hat die Geduld der Männer ein Ende; wenig später wird Guzman ermordet aufgefunden. Der immer noch als Gefangener gehaltene ehemalige Anführer Ursúa wird in den Dschungel geführt und von Aguirres Gefolgsmann Perucho getötet. Während eines von Aguirre befohlenen Angriffs auf ein Eingeborenen-Dorf wandert Ursúas Frau Inez in den Dschungel, sie wird nie mehr gesehen. Als eine Meuterei droht, läßt Aguirre den Rädelsführer töten. Ungebrochen verkündet er weiter seine Visionen vom Reich El Dorado, wo er in Glanz und Herrlichkeit regieren wird. Die verbleibenden Männer seiner Truppe werden von Hunger, Krankheit und den Pfeilen der Indianer dezimiert. Aguirre treibt weiter flußabwärts, völlig gefangen in seinem Wahn, der ihm sagt, daß er zu immer größeren Eroberungen ausziehen und mit seiner Tocher eine neue Dynastie gründen wird.

Klaus Kinski (links),
Werner Herzog (rechts)

Klaus Kinski

Klaus Kinski, Helena Rojo

Peter Berling

»Das Große Deutsche Schweigen
hat Herzog zu der Annahme gebracht, wir lebten im 19. Jahrhundert und er sei Beethoven. In Wirklichkeit schreiben wir aber das 21.
Jahrhundert und er ist nur Abel
Gance, nicht im Einklang mit seiner
Zeit und nicht ganz bei Trost. Ohne
geradezu das Führerprinzip zu ver-
herrlichen, erinnert *Aguirre* an die
protofaschistischen Termini von
Thomas Carlyles *Heroes and Hero
Worship* (typisch für den Einfluß
des germanischen Denkens auf
das englische). Und getreu seiner
Bestimmung führt unser Conqui-
stador, dessen bemerkenswerte
Arm-Gesten an den Hitler-Gruß
erinnern, seine Kameraden in das
Schicksal ihres Untergangs« (Raymond Durgnat, *Film Comment*,
1980). Am Amazonas begegneten
sich Werner Herzog, Mythomane
der heiligsten Verrücktheit im neu-
deutschen Film, und Klaus Kinski,
der wahnsinnige Poltergeist des
deutschen Altfilms, und ließen die
Riesenwogen ihres närrischen
Übermenschentums zu einer gemeinsamen Schaumkrone aufklat-
schen; dies alles, um ein Werk zur
Verklärung des grenzenlosen heroi-
schen Wahns zu schaffen. Mitlau-
fende Tonbänder haben die Details
dieses Showdowns festgehalten.
»Kinski: ›Los jetzt, also drehen
wir's jetzt. Los, machen Sie und
drehen den Scheißdreck runter.‹
Herzog: ›Die Kamera dreht jetzt
nicht.‹ Kinski: ›Ich spiele es jetzt so
wie ich will und aus.‹ Herzog: ›Gut,
aber wir müssen jetzt wissen…‹
Kinski: ›Endlich aufhören soll man
hier, mir Hausfrauenanweisungen
zu geben. Sorgen Sie dafür, daß alles still wird. Ich will keinen Regisseur. Sie müssen bei mir lernen.‹
Herzog: ›Nein, natürlich lerne ich
nicht.‹ Kinski: ›Sie sind ein Anfänger, ein Zwergenregisseur sind Sie,
aber nicht ein Regisseur für mich!‹
Herzog: ›Jetzt beleidigen Sie mich
besser nicht…‹ Kinski: ›Beleidigen!
Beleidigen! Sie können mich nicht
mehr beleidigen, als daß Sie mir Re-
gieanweisungen geben. Allein das
ist ja eine Beleidigung‹« (Zitiert
nach *Filmtelegramm*, 1973). So
sieht unter schöpferischen Menschen der Beginn einer wirklich
fruchtbaren, kontinuierlichen Zusammenarbeit aus. Nicht nur hatten

Ruy Guerra, Helena Rojo

Herzog und Kinski mit *Aguirre* einen gemeinsamen Welterfolg, einen der bahnbrechenden Welterfolge des Neuen Deutschen Films überhaupt, sie drehten dann auch noch zusammen *Nosferatu* und *Woyzeck*, und 1981 holte sich Herzog in letzter Not, als er schon so hilflos in den Strudeln eines von Katastrophen heimgesuchten Filmunternehmens kreiste wie Aguirre in den klassischen letzten Szenen des Films, Kinski als Ersatz für seinen durch Krankheit ausgefallenen *Fitzcarraldo*-Titeldarsteller Jason Robards. Die betäubende visionäre Kraft der Bilder vom Heerstrom in den Anden und von dem auf seinem Affen-besetzten Floß durch den kreisenden Strom schleudernden Aguirre rahmen eine Geschichte ein, die jeden Kritiker ein wichtiges Herzog-Diktum vergessen läßt: »Fragen Sie das Hirn nicht so viel, schauen Sie auf das Athletische!« (*Playboy*-Interview von 1973). Das ist aber bei diesem Film, der den Augen so viel gibt, aber auch mit dem Hirn gesehen schöne Ausblicke bietet, zu viel verlangt. »Werner Herzog hat einmal gesagt, daß er Landschaften inszeniert. Die Menschen früherer Jahrhunderte glaubten, daß das Land lebt; Herzog beweist, daß das wirklich so ist. Seine Landschaften werden zu dramatischen Figuren, mit eigenen Emotionen und fast mit eigenen Dialogen. Die Abendhimmel in *Nosferatu* machen nicht nur Angst; sie *haben* Angst. Kein Film hängt in seiner Wirkung mehr von Landschaften ab als *Aguirre, der Zorn Gottes*, Herzogs bester Film und vielleicht die herausragendste Leistung seiner Generation in Westdeutschland. Wir werden von *Aguirre* verschlungen als würden wir von Wassern verschlungen. Herzog benutzt den Amazonas, um seinem Film einen unaufhaltsamen Fluß zu geben, und der Zuschauer treibt mitten im Strom mit. *Aguirre* hat die Kraft, einen ernstlich überdenken zu lassen, was es bedeutet, ein Filmzuschauer zu sein. In dem neueren Film *Herz aus Glas* hat Herzog seine Darsteller hypnotisiert; auf eine andere Weise hypnotisiert er in *Aguirre* das Publikum. Kein anderer Film der letzten Zeit ist im Wortsinn so berauschend. Nicht nur

werden Auge und Gemüt des Zuschauers völlig gebannt; dies ist ein in seiner Schönheit so reicher Film von so kostbarer Textur, daß das, was Publikum und Leinwand meist trennt, fast verschwindet. Man *fühlt* den Film. Auch der blasierteste Kinogänger wird Klaus Kinski als Aguirre wahrhaft erstaunlich finden. In einer Leistung, die oft mit Oliviers Richard III. verglichen wird, bietet Kinski die aufregendste Leinwand-Präsenz seiner Zeit.

Francis Ford Coppola hat zugegeben, daß *Aguirre* sich auf dem gleichen thematischen Boden bewegt wie seine *Apocalypse Now*. Und in der Tat bekommt der ›verrückte‹ Aguirre auf seinem Weg stromabwärts einen Eindruck von dem, was Joseph Conrad ›the horror‹ nannte« (Peter Gambaccini, *Horizon - The Magazine of the Arts*, 1980). Thomas Mauch bekam für *Aguirre* den Bundesfilmpreis 1973 für die beste Kamera-Arbeit.

Klaus Kinski

Zärtlichkeit der Wölfe

1973

Regie Ulli Lommel. *Regie-Assistenz* Fritz Müller-Scherz, Renate Leiffer. *Buch* Kurt Raab. *Kamera* (Farbe) Jürgen Jürges. *Kamera-Assistenz* Ekkehard Heinrich. *Musik* Peer Raben, unter Benutzung von Motiven von Johann Sebastian Bach und der Lieder »Plaisir d'amour« und »Johnny Is the Boy for Me«. *Bauten* Kurt Raab. *Kostüme* Katherina Schüssler. *Maske* Elfie Kruse. *Schnitt* Thea Eymèsz, Franz Walsch [= Rainer Werner Fassbinder]. *Darsteller* Kurt Raab (Haarmann), Jeff Roden (Granz), Margit Carstensen (Frau Linder), Hannelore Tiefenbrunner (Frau Bucher), Tana Schanzara (verwirrte Mutter), Wolfgang Schenck (Inspektor Braun), Rainer Hauser (Inspektor Müller), Rainer Werner Fassbinder (Wittkowski), Barbara Schrein (Wittkowskis Freundin), Heinrich Giskes (Lungis), Friedrich Karl Praetorius (Kurt Fromm), Rosl Zech (Dame), Karl von Liebezeit (Engel), Malte Mylo (Engels Sohn), Ingrid Caven (Dora), Barbara Bertram (Elli), Peer Raben (Vater), Renate Grosser/Irm Hermann (Frauen, die Kleider hergeben), Walter Kaltheuner (Schuster), Jürgen Prochnow/Wolfgang Schneider (Hehler), Jörg Maekker/Peter Gauhe (Polizisten), Brigitte Mira (Louise Engel), El Hedi Ben Salem (französischer Soldat), Hans Hirschmüller (Fahrrad-Käufer), Peter Chatel (Karl Meier), Karl Scheydt (Polizei-Kommissar), Rainer Will/Inigo Natzel/Hans Turantik/Christoph Eichhorn/J. Wacker/Oliver Hirschmüller (Haarmanns Opfer), Rudolf Waldemar Brem, Joachim Preen. *Produktion* Tango (Rainer Werner Fassbinder, Michael Fengler). *Länge* 95 Minuten. *Uraufführung* 12.7.1973 (Filmfestspiele Berlin).

Westfalen, nach dem 2. Weltkrieg. Haarmann ist beliebt, denn er gibt manchmal etwas ab. Nachbarin: »Krieg ich morgen auch was ab?« Haarmann: »Was wollen Sie?« Nachbarin: »'n bißchen was von ihrem Fleisch.« Haarmann: »Nee, morgen nicht. Is'n bißchen knapp. Vielleicht Knochen.« Die Polizei hat an Haarmann einiges auszusetzen, aber sie weiß auch, wie sie ihn benutzen kann. Inspektor Braun: »Diebstahl, Hehlerei, Verführung Minderjähriger, Bettelei, Landstreicherei, Überfall, Betrug, Urkundenfälschung. Jetzt im Rückfall. Zuchthaus und Sicherheitsverwahrung. Setz dich. Wir werden dich laufen lassen. Unter einer Bedingung: Du wirst für uns arbeiten. Verstehst Du? Du wirst uns Spitzeldienste leisten. Bei deinen Beziehungen ...« Haarmann: »Ich soll meine Freunde verschütt gehen lassen?« Inspektor: »Im Gefängnis nützt du uns nichts. Merk dir das! He, Haarmann, wart mal. Die Zeiten sind schlecht. Auch für Polizisten. Denk immer daran!« Haarmann greift sich gestrandete Jungens auf. Junge: »Ich möchte nach Bremerhaven. Zur See. Auf die großen Schiffe.« Haarmann: »Hast du Geld?« Junge: »Mein Geld hat nur bis hierher gereicht.« Haarmann: »Ich bringe junge Leute wie dich hier unter, die von zu Hause ausgerissen sind. Für die erste Zeit. Ich hätte dich zur Wache bringen müssen. Dann wärst du ins Gefängnis gekommen. Für Leute wie du will ich das nicht. Hier bist du besser aufgehoben.« Haarmann vampirisiert die Jungens und verarbeitet sie zum Verzehr. Die Wirtin Louise Engel weiß seine Lieferungen zu schätzen. Wirtin: »Ah, Fritze, na, was gibt's denn heute?« Haarmann: »Frisches vom Schlachterkarl. Achteinhalb Pfund. Echt Schweinernes, Engelchen.« Haarmann: »Zehn Mark.« Wirtin: »Gut. Ich nehm's.« Haarmann: »Morgen koch ich wieder für uns Sülze. Kalte Platten und Wurst. Und Wein und Cognac.« Unter den Strichjungen der Gegend gilt Haarmann als heißer Tip. Strichjunge: »Ich kenn einen Kriminaler. Vom Bahnhof. Der zahlt gut. Manchmal zwanzig Mark und mehr. Ich war öfter bei ihm. Da trinken wir Cognac und rauchen Zigaretten. Das ist fidel. Der hilft dir auch, wenn du mal Ärger mit der Polizei hast. Jede Nacht ist der am Bahnhof und macht Kontrollen.« Die Nachbarn werden aber langsam mißtrauisch. Nachbarin Linder: »Das geht nicht mit rechten Dingen zu, Herr Kobes. Das viele Jungenvolk! Das viele Jungenvolk! ich glaube, er läßt sie rein, aber sie kommen nicht wieder raus.« Tabakhändler: »Wissen Sie, was ich glaube, er verkauft die Jungen nach Afrika, zur Fremdenlegion.« Aber wenn eine verzweifelte Mutter ihren verschwundenen Jungen sucht, sagt der Kommissar von der Polizei: »Sie werden verstehen, daß ich wegen eines fortgelaufenen Jungen nicht den ganzen Apparat in Bewegung setzen kann.« Und zur Nachbarin Linder, die angibt, sie höre Harmann oben in seiner Kammer stundenlang klopfen und hacken, sagt der Beamte: »Es ist uns bekannt, daß er mit Fleisch hamstert. Wir wissen auch über andere Dinge Bescheid. Sie sind sehr voreilig, Frau Linder. Trotzdem, wir werden mal nachschauen.« Schließlich dringt aber sogar die Besatzungsmacht darauf, daß die deutsche Polizei in dieser dunklen Sache etwas unternimmt. Mit Hilfe eines Lockvogels baut der Inspektor eine Falle für Haarmann. So wird er auf frischer Tat ertappt. Sein Kommentar zum Todesurteil: »Nehmt mein bißchen Leben, ich fürchte mich nicht vor dem Beil des Henkers. Es ist für mich eine Erlösung. Mein Tod und Blut gebe ich gern zur Sühne in Gottes Arme und Gerechtigkeit. Es können dreißig gewesen sein, aber auch vierzig. Ich weiß es nicht. Es sind auch Opfer da, von denen Sie nichts ahnen. Aber die, die sie meinen, sind es nicht. Es waren vielmehr die Schönsten, die ich besaß.«

Gelegentlich läßt Rainer Werner Fassbinder Mitglieder seiner Stamm-Mannschaft eigene Filme drehen. Ein einziges Mal ist ein Geniestreich dabei herausgekommen: *Zärtlichkeit der Wölfe*, »an expressionist revial« (Jan Dawson, *Sight*

Kurt Raab

Ingrid Caven, Kurt Raab

Margit Carstensen

and Sound), geschrieben und in der Hauptrolle gespielt von Kurt Raab, der schon ein führender Kopf des Münchner Action-Theaters war, als Fassbinder zu dieser Truppe stieß, inszeniert von Ulli Lommel, Familienmitglied seit seiner Hauptrolle in Fassbinders Erstling *Liebe ist kälter als der Tod*. Der Haarmann-Film wurde in 24 Drehtagen im Herbst 1972 im Ruhrgebiet gedreht. Fassbinder arbeitete zu dieser Zeit mit seinen Leuten am Bochumer Theater. Seine Proben zu *Liliom*, in dem Lommel und Raab mitspielten, überlappten sich mit den Dreharbeiten des Films. Durch diese Produktionsumstände ist der Film entscheidend konditioniert worden. Nicht nur mußten viele der Beteiligten vormittags am Theater proben und anschließend drehen, was durchgehend einen Arbeitstag von 15 Stunden und mehr ausmachte,

85

auch die Landschaft und die Zeit, in denen der Film spielt, waren vorgegeben. Der historische Haarmann wirkte in den zwanziger Jahren in Hannover, der Film-Haarmann treibt es in der Zeit nach dem 2. Weltkrieg in der Gegend von Bochum und Gelsenkirchen. Raab: »Es ging uns ja nicht darum, einen historischen Film oder einen dokumentarischen Film über Haarmann zu machen; eine soziologische Studie darüber, wie Haarmann zum Massenmörder geworden ist, sowieso nicht. Es sollte eine Kriminalfilm, ein Thriller über einen Massenmörder sein in einer Zeit, die ihm den Nährboden bot. Das war in den zwanziger Jahren gegeben, aber in den Jahren nach dem zweiten Weltkrieg war die Situation ähnlich.« »Ein Dokumentarstück war also nicht beabsichtigt, eher ein böses Kino-Märchen über ein fast liebenswertes Monster in Menschengestalt. Und das gelingt dank Raabs intensivem Spiel (er sieht wie der junge Peter Lorre aus) und Lommels Kunst, die Moritat zwischen Kolportage und Poesie in der Schwebe zu halten« *(Der Spiegel).* Mit Glatze spielt Raab den Mörder mit dem Hackebeilchen, weil Fassbinder ihn veranlasst hatte, seine Haare für *Liliom* zu opfern. Aber dem Regisseur Lommel paßte das gut ins Konzept: »Ich finde ja, daß ein Mensch erst richtig zu erkennen ist, wenn er keine Haare mehr hat, weil Haare so viel vertuschen. Eigentlich müßte sich jeder mal, damit die anderen ihn richtig kennenlernen können, die Haare abschneiden.«

Kurt Raab, Opfer

Kurt Raab

Supermarkt
1974

Charly Wierzejewski

Regie Roland Klick. *Regie-Assistenz* Kurt Noack. *Buch* Roland Klick. *Drehbuch-Mitgestaltung* Georg Althammer, Jane Sperr. *Kamera* (Farbe) Jost Vacano. *Kamera-Assistenz* Peter Arnold. *Musik* Peter Hesslein. *Titelsong* (»Celebration«) Peter Hesslein (Musik), Marius Müller-Westernhagen (Gesang). *Backgroundmusik* Udo Lindenberg. *Ausstattung* Georg von Kieseritzky. *Ton* Christian Dalchow, Werner Gieseler, Thomas Kukuck, Gérard Rueff. *Schnitt* Jane Sperr. *Darsteller* Charly Wierczejewski (Willi), Eva Mattes (Monika), Michael Degen (Frank), Walter Kohut (Theo), Hans Michael Rehberg (Homosexueller), Eva Schukardt (Anna), Rudolf Brand (Geisel), Witta Pohl (Frau der Geisel), Ferdinand Henning (Peter), Thilo Weber (Kommissar), Alfred Edel (Chefredakteur), Hans Irle, Paul Burian, Peter Petran, Edgar Bessen, Rolf Jühlich, Jürgen Bieske, Karl Walter Diess, die Billstedter Lehrlingsgruppe. *Produktion* Roland Klick Film / Independent (Heinz Angermeyer). *Länge* 84 Minuten. *Uraufführung* 31.1.74.

Willi, achtzehn Jahre alt, lebt auf der Straße. Er ist »ein Typ, der alleine macht«, wie er selbst von sich sagt. Er streunt durch Hamburgs Randgebiete und Vergnügungsviertel, immer auf der Suche nach Möglichkeiten, über die Runden zu kommen, aber auch nach Ruhepunkten und Geborgenheit. Als die Polizei ihn wegen Ladendiebstahls aufgreift, gelingt ihm schon nach kurzer Zeit die Flucht. Er begegnet Theo, einem Penner und drittklassigen Ganoven, der ihn überredet, auf dem Homosexuellenstrich im Hauptbahnhof als Lockvogel zu fungieren. Tatsächlich spricht ihn ein Mann mittleren Alters an, doch ehe dieser Theo in die Falle läuft, verhilft Willi ihm zur Flucht. Der Homosexuelle nimmt Willi bei sich auf, versucht aber, den Jungen auf seine Weise auszunutzen. Also haut Willi wieder ab. Auf der Reeperbahn wird er Zeuge, wie ein Mädchen brutal verprügelt wird. Monika scheint es noch dreckiger zu gehen als ihm, und deshalb steckt er sich das romantisch verklärte Ziel, sie aus dem Sumpf zu holen. Das gleiche hat der junge Journalist Frank mit Willi vor: Er läßt ihn bei sich wohnen und will ihm einen Job verschaffen. Als er jedoch erfährt, daß sein Schützling den Homosexuellen ermordet hat und von der Polizei gesucht wird, läßt er ihn nicht mehr in die Wohnung und zeigt ihn obendrein noch an. Jetzt sieht Willi nur noch einen Ausweg, um mit Monika ganz von vorn anfangen zu können. Er plant den großen Coup, einen Überfall auf den Geldtransport eines Supermarktes. Die Ausführung des Verbrechens erweist sich als wesentlich komplizierter, risikoreicher und gefährlicher, als Willi gedacht hatte. Doch es klappt – er hat die Million! Da stellt sich sein Kumpel Theo ihm in den Weg. Willi fühlt die Verwirklichung seines Wunschtraumes bedroht und erschießt Theo. Er ahnt nicht, daß Monika ihn nach einem zermürbenden Verhör längst verraten hat und daß nicht sie, sondern die Polizei am vereinbarten Treffpunkt auf ihn warten wird.

Roland Klick

»Was junge deutsche Regisseure seit Jahren angestrengt und meist vergebens versuchen, nämlich populäre, originelle, kompromißlose Kinofilme zu machen, das ist nun Roland Klick *(Bübchen, Deadlock)* mit seinem dritten Spielfilm gelungen« *(Der Spiegel)*. »Der Film ist erstaunlich sicher, einfach und sorgfältig gemacht, so effektiv wie effektvoll« (Wolf Donner, *Die Zeit*). Trotz überwiegend positiver Beurteilung von seiten der Kritik tat sich *Supermarkt* an der Kinokasse überraschend schwer. Überraschend deshalb, weil Roland Klick in seinem Film zum ersten Mal versuchte,

einen persönlichen Stoff in gekonntes Action-Kino zu verpacken und das breite Publikum anzusprechen, indem er sowohl auf stilistische und formale Eskapaden als auch auf thesenhafte Sozialkritik verzichtete. Heute sieht es so aus, als sei *Supermarkt* damit seiner Zeit voraus gewesen: Sechs oder sieben Jahre später hätte er sich nahtlos zwischen Filme wie *Das Ende des Regenbogens, Endstation Freiheit* oder *Desperado City* eingereiht und hätte im Verein mit diesen sicher breitere Beachtung und Anerkennung gefunden. Bezeichnenderweise finden sich im Vorspann von *Supermarkt* eine Reihe von Namen, die erst Jahre später zu populären Figuren des Neuen Deutschen Films werden sollten – Marius Müller-Westernhagen, Udo Lindenberg, Eva Mattes. Es wäre zuviel, von einem heimlichen Einfluß von *Supermarkt* auf Filmemacher wie Hauff, Frießner oder Glowna zu sprechen; fest steht, daß Klick hier unbewußt einige wichtige Komponenten des Neuen Deutschen Films vorweggenommen hat: Jugendkriminalität, die Großstadt als Dschungel und die Entstehung von Gewalt im thematischen Bereich, glaubhafter Realismus und geradliniges Erzählkino im formalen.

Eva Mattes

Charly Wierzejewski

Witta Pohl

Angst essen Seele auf
1974

Regie und Buch Rainer Werner Fassbinder. *Regie-Assistenz* Rainer Langhans. *Kamera* (Farbe) Jürgen Jürges. *Musik* Archiv. *Ausstattung* Rainer Werner Fassbinder. *Ton* Fritz Müller-Scherz. *Schnitt* Thea Eymèsz. *Darsteller* Brigitte Mira (Emmi), El Hedi Ben Salem (Ali), Barbara Valentin (Barbara), Irm Hermann (Krista), Peter Gauhe (Bruno), Karl Scheydt (Albert), Rainer Werner Fassbinder (Eugen), Marquard Bohm (Herr Gruber), Walter Sedlmayr (Herr Angermayer), Doris Mattes (Frau Angermayer), Liselotte Eder (Frau Münchmeyer), Gusti Kreissl (Paula), Margit Symo (Hedwig), Elisabeth Bertram (Frieda), Helga Ballhaus (Yolanda), Elma Karlowa (Frau Kargus), Anita Bucher (Frau Ellis), Hannes Gromball (Ober in der Osteria), Katharina Herberg (Mädchen in der Kneipe), Rudolf Waldemar Brem (Gast in Kneipe), Peter Moland (Chef der Autowerkstatt), Hark Bohm (Arzt). *Produktion* Tango (Rainer Werner Fassbinder, Michael Fengler). *Länge* 93 Minuten. *Uraufführung* 5.3.1974.

Die etwa sechzigjährige, verwitwete Putzfrau Emmi lernt in einer Münchner Gastarbeiter-Kneipe, wo sie vor dem Regen Zuflucht sucht, den jungen Marokkaner Ali kennen; er tanzt mit ihr, teils aus Freundlichkeit, mehr noch, um zu zeigen, daß der Spott seiner Freunde und die eisige Eifersuchts-Miene der vollbusigen Barfrau Barbara ihm nichts ausmachen. Hinterher bringt er Emmi nach Hause. Dankbar lädt sie ihn noch zu einem Kaffee ein. Sie erzählen sich ihre Probleme und finden sich sympathisch. Emmi ist entsetzt über die Verhältnisse, in denen Ali als Gastarbeiter leben muß; um ihm für den Abend den langen Heimweg zu ersparen, bietet sie ihm ein Zimmer an. Doch Ali nächtigt in ihrem Doppelbett. Am nächsten Morgen ist Emmi über sich entsetzt, aber dann faßt sie Zutrauen zu Ali.

Emmi: »Ich hab' nur gedacht, ich alte Frau, ich . . .« Ali: »Du nix alte Frau. Du viel gut. Große Herz.« Emmi: »Ja? Ach Gott.« Ali: »Nix weinen, bitte. Warum weinen??« Emmi: »Weil – weil ich so glücklich bin, und so viel Angst hab'.« Ali: »Du nix Angst. Angst nix gut. Angst essen Seele auf.« Ali bleibt bei Emmi. Die Nachbarinnen sind außer sich und schmieden ein Komplott. Der von ihnen informierte Sohn des Hauswirts, Herr Gruber, weist Ali die Tür; laut Mietvertrag darf Emmi nicht untervermieten. In ihrer Not greift Emmi zu einer Lüge und stellt Ali als ihren zukünftigen Mann vor. Dann nehmen die beiden die Gelegenheit wahr und heiraten tatsächlich. Von nun an muß Emmi Spießruten laufen. Ihre Kinder sind über die Heirat mit dem jungen Marokkaner entsetzt und treten ihren Fernseher ein. Der Lebensmittelhändler verkauft ihnen nichts mehr. Die Nachbarinnen diffamieren sie. Die anderen Putzfrauen am Arbeitsplatz meiden sie. Die einzige Gesellschaft sind Alis Freunde in der Kneipe. Emmi ist unglücklich. Sie schlägt Ali eine gemeinsame Urlaubsreise vor: »Danach wird alles gut sein.« Daß sie den gutbürgerlichen Ritus der gemeinsamen Urlaubsreise absolvieren, ändert tatsächlich alles, dazu kommen freilich noch einige andere Momente. Emmis Familie und die Nachbarn brauchen ihre Hilfe, der Lebensmittelhändler braucht ihre Kundschaft und die anderen Putzfrauen brauchen eine Verbündete gegen eine neue Kollegin, eine jugoslawische Gastarbeiterin. Mehr und mehr führt Emmi ihren Mann der Freund- und Verwandtschaft wie einen Preisstier vor. Ali fühlt sich nicht mehr wohl in seiner Haut und sucht Trost im Bett der Barfrau Barbara. Er zieht aus, und als Emmi ihn an seinem Arbeitsplatz besucht, um sich mit ihm zu versöhnen, über-

läßt er sie dem Spott der Kollegen. In Alis Stammkneipe kommt es zu einem milderen Wiedersehen. Sie tanzen nach derselben Melodie wie beim erstenmal und versichern sich ihre Liebe. Da bricht Ali plötzlich stöhnend zusammen. Emmi besucht ihren Mann im Krankenhaus. Wie der Arzt sagt, hat Ali ein Magengeschwür, das immer wieder aufbrechen kann. Die Gastarbeiter sind dem Streß und der feindlichen Umgebung nicht gewachsen. Es macht sie krank.

Rainer Werner Fassbinder,
El Hedi Ben Salem

Fassbinder über *Angst essen Seele auf*: »Das ist ein Film über eine Liebe, die eigentlich unmöglich ist, aber eben doch eine Möglichkeit. Der Film zeigt eine Realität und eine Möglichkeit. Wenn die Geschichte von Emmi und Ali noch weiter ginge, würde es schwieriger werden. Denn: daß die Geschichte läuft, liegt ja daran, daß der Druck von außen auf diese beiden Leute, die sich ja lieben, daß der so stark ist, daß er einen Zusammenhalt gibt. Wenn das umschlägt, so im letzten Drittel des Films, wenn die Welt drumherum anfängt, das zu akzeptieren oder nicht mehr so sehr dagegen ist, da fängt es denn dafür an, im Innenverhältnis zu kriseln. Obwohl es noch nicht wirklich schwierig wird mit den beiden. Das wäre ein neuer Film, den man machen könnte, in dem es darum geht, daß die beiden ihre wirklichen Probleme, ihre ganz persönlichen Strukturen entdecken. Das ist in diesem Film ja gar nicht drin. Da geht es ja nur darum, daß eine Liebe, dadurch, daß sie so Belastungen ausgesetzt ist, möglicher wird« (Presseheft). *Angst essen Seele auf* geht zurück auf eine Geschichte, die in dem frühen Fassbinder-Film *Der amerikanische Soldat* von einem

Brigitte Mira, El Hedi Ben Salem

Zimmermädchen erzählt wird, und auf den Douglas-Sirk-Film *All That Heaven Allows*, den Fassbinder zu der Zeit von *Der amerikanische Soldat* noch gar nicht kannte; was nur beweist, daß solche Geschichten nicht selten passieren, und besonders häufig in Fassbinders Nähe. Aus der Geschichte des Dienstmädchens stammen die Konfrontation von Gastarbeiterwelt und deutscher Kleinbürgerlichkeit und die Figuren, die schon dort Emmi und Ali heißen. Sirks Film spielt in einer amerikanischen Kleinstadt und erzählt von der Verbindung zwischen einer reichen Witwe, Jane Wyman, und ihrem 15 Jahre jüngeren Gärtner, Rock Hudson. In *Angst essen Seele auf* sind Emmis Kinder von ihrer Eröffnung, sie werde den jungen Marokkaner heiraten, so angewidert, daß sie in jähem Zorn ihren Fernseher eintreten. In *All That Heaven Allows* mißgönnen die Kinder der Witwe ihr das Glück mit

dem jungen Habenichts und schenken ihr als Ersatz einen Fernseher. »Da bricht man zusammen im Kino. Da begreift man was von der Welt und was sie macht an einem. Später dann geht Jane zurück zu Rock, weil sie Kopfschmerzen hat, die hat jeder von uns, wenn er zu selten fickt. Aber jetzt, wo sie da ist, da ist das kein Happy-End, obwohl sie zusammen sind, die beiden. Wer sich so Schwierigkeiten macht mit der Liebe, glücklich wird der nicht sein können später« (Fassbinder über den Sirk-Film in *Fernsehen + Film*, 1971). Sirk zu Fassbinder: »Meine Frau und ich haben zusammen *Angst essen Seele auf* gesehen und finden, es ist einer deiner besten und schönsten Filme« *(Süddeutsche Zeitung*, 1979). Die Unverwechselbarkeit von Fassbinders Handschrift ist um so erstaunlicher, als sie in diesem, dem vierten Jahr seiner Filmkarriere, bereits die disparatesten Einflüsse integriert. »Beson-

ders in seinen frühen Filmen war Fassbinder beeinflußt von den Minimalisten wie Straub-Huillet und anderen, und selbst in seinen späteren Filmen ist der minimalistische Einfluß spürbar, wenn auch modifiziert durch Fassbinders Hinwendung zum Hollywood-Melodram. Genau gesagt ist es gerade die Mischung traditioneller Themen und einer modernistischen Ästhetik, die für Fassbinders Filmerfolge in den Mittsiebzigern hauptsächlich verantwortlich ist. Eine minimalistische Ästhetik und das populäre, triviale Melodram überblenden sich; die Präsentation eines konventionellen Stoffes in einem unkonventionellen Stil ist das herausragende Charakteristikum der Fassbinder-Filme dieser Zeit« (J. C. Franklin: *The Films of Fassbinder: Form and Formula*, in: *Quarterly Review of Film Studies*, 1980). Ab *Angst essen Seele auf* werden die Ensembles der Fassbinder-Kinofilme, bislang fast

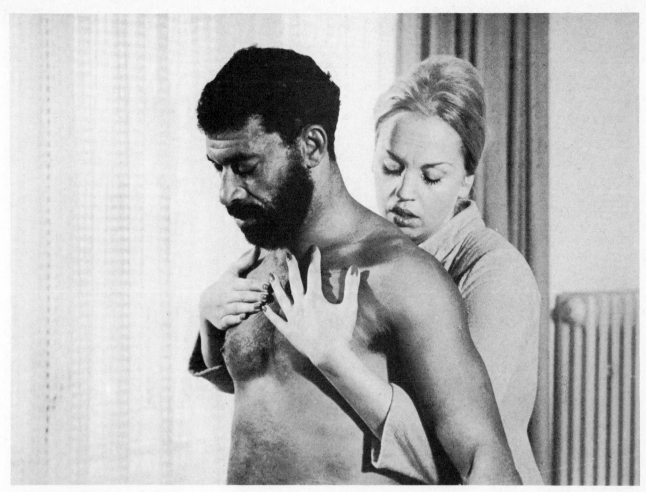

El Hedi Ben Salem, Barbara Valentin

Brigitte Mira, El Hedi Ben Salem

ausschließlich aus dem antiteater-Team rekrutiert, bereichert durch zuvor allgemein unterschätzte Darsteller des deutschen Altfilms, so hier Brigitte Mira, Barbara Valentin, Elma Karlowa und Margit Symo; in Fernseharbeiten zuvor und Kinofilmen hinterher tauchen Adrian Hoven, Joachim Hansen, Karlheinz Böhm, Ivan Desny und viele dergleichen auf. Fassbinder: »Die sind professionell und haben einen gewissen Glamour, auf den ich achte. Die waren immer gut, die haben nur in schlechten Filmen gespielt« (Wilfried Wiegand und andere: *Rainer Werner Fassbinder* 1979). *Angst essen Seele auf* lief als deutscher Beitrag bei den Filmfestspielen Cannes 1974 und wurde mit dem Preis der Internationalen Filmkritik und dem Preis der Christlichen Jury ausgezeichnet. Brigitte Mira erhielt den Bundesfilmpreis 1974 als beste Darstellerin.

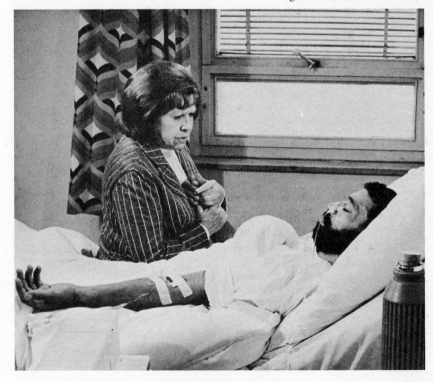

Brigitte Mira, El Hedi Ben Salem

Alice in den Städten
1974

Regie Wim Wenders. *Regie-Assistenz* Micky Kley. *Buch* Wim Wenders, Veith von Fürstenberg. *Kamera* Robby Müller, Martin Schäfer. *Musik* Irmin Schmidt, »Can.« *Ton* Martin Müller, Paul Schöler. *Schnitt* Peter Przygodda. *Darsteller* Rüdiger Vogler (Philip Winter), Yella Rottländer (Alice van Damm), Elisabeth Kreuzer (Lisa van Damm), Edda Köchl (Edda), Didi Petrikat (Mädchen), Ernest Böhm (Polizist), Sam Presti (Autoverkäufer), Lois Moran (Flughafenangestellte), Hans Hirschmüller/Sibylle Baier/Mirko (Gastrollen). *Produktion* Produktion 1 im Filmverlag der Autoren (Peter Genée)/WDR. *Länge* 110 Minuten. *Uraufführung* 3.3.74 (TV).

Unter einem Boardwalk in Virginia/USA sitzt der Münchner Journalist Philip Winter im Sand und macht mit seiner Polaroid-Sofortbildkamera Aufnahmen vom Meer. In seiner gemieteten Limousine macht er sich auf den Weg zurück nach New York, übernachtet in schäbigen Motels, rast über die Highways. Der Agent, den er in dessen New Yorker Büro aufsucht, macht ihm Vorwürfe: Von seiner vierwöchigen Reise durch die Staaten, auf der er für einen Münchner Verlag eine Geschichte über die amerikanische Landschaft schreiben sollte, habe er nichts weiter mitgebracht als eine Schachtel voller Polaroid-Fotos. Philip hat keine Lust zu langen Erklärungen, will zurück nach Deutschland und bittet um Vorschuß. Der Agent lehnt ab. Philip bleiben noch die dreihundert Dollar, die ihm ein Autohändler am Shea-Stadium für seinen Wagen gezahlt hat. Am Kennedy-Airport erfährt er, daß wegen Streiks alle Flüge nach Westdeutschland gestrichen sind. Er läßt sich für den nächsten Tag einen Platz nach Amsterdam reservieren. Dabei lernt er die Deutsche Lisa kennen, die mit ihrer neunjährigen Tochter Alice denselben Flug bucht. Philips Bekannte Edda, bei der er übernachten will, weist ihn ab, und so schläft er bei Lisa und Alice im Hotel. Kurz vor dem Abflug bekommt Philip eine schriftliche Nachricht von Lisa: Sie müsse noch mit Hans, der in New York bleibt und von dem sie sich trennen will, reden, Philip solle Alice schon einmal mit nach Amsterdam nehmen, sie käme in zwei Tagen nach. Während des Fluges und in Amsterdam lernen Philip und Alice sich gezwungenermaßen näher kennen. Alice fordert Philip, geht ihm einerseits auf die Nerven, gibt ihm andererseits ein Bewußtsein von sich selbst zurück. Lisa kommt nicht. Alice meint sich zu erinnern, daß ihre Großmutter, deren Namen sie aber nicht weiß, in Wuppertal wohnt. Mit dem Bus fahren sie dorthin, wohnen im Hotel, mieten sich einen R 4 und machen sich auf die Suche nach dem Haus der Oma. Fehlanzeige. Widerstrebend läßt sich Alice von Philip auf eine Polizeiwache bringen, wo man sich um sie kümmern wird. Alice reißt aber wenig später aus und schließt sich Philip wieder an, der darüber nicht einmal verärgert ist. Jetzt gibt es auch einen Anhaltspunkt, ein Foto vom Haus der Oma, an das sich Alice erst jetzt erinnert hat. Und außerdem wohne die Oma gar nicht in Wuppertal, sondern im Ruhrgebiet. Sie fahren nach Essen, von dort aus nach Duisburg, suchen in Oberhausen und schließlich in Gelsenkirchen. In einer Siedlung finden sie tatsächlich das Haus auf dem Foto, aber die Italienerin, die dort schon seit zwei Jahren wohnt, weiß nichts von der Oma. Philip und Alice tragen es mit Fassung und gehen erst einmal Schwimmen. Alice stellt den Kontakt zu einer jungen Frau her, die die beiden zum Essen einlädt und bei sich übernachten läßt. Am Morgen schleichen sie sich weg und beschließen, über den Rhein zu Philips Eltern zu fahren. Auf der Fähre spricht sie ein Polizeifahnder an und teilt ihnen mit, daß die Großmutter ausfindig gemacht werden konnte und Alices Mutter in München eingetroffen sei. Auf dem Bahnhof in Duisburg gibt Alice, ehe die Polizei sie in den Zug nach München setzt, Philip einen 100-Dollar-Schein, den sie bei sich gefunden hat. Philip nimmt denselben Zug. Auf der Fahrt liest er in der Zeitung einen Nachruf auf John Ford.

Robby Müller, Wim Wenders

Yella Rottländer

Ein Jahr nach *Die Angst des Tormanns beim Elfmeter* hatte Wim
Wenders Nathaniel Hawthornes
Der scharlachrote Buchstabe in
deutsch-spanischer Co-Produktion
verfilmt. Noch während der Dreharbeiten verlor er die Lust an diesem Stoff, was sowohl daran lag,
daß das »internationale Format«
dieses Films Wenders in seiner
Kreativität eher behinderte, als
auch an der Tatsache, daß es sich
um einen Kostümfilm handelte. Der
Regisseur nach Beendigung der
Dreharbeiten: »Ich werde nie mehr
einen Kostümfilm machen, nie
mehr einen Film, in dem keine Autos oder Telefonzellen vorkommen
dürfen.« Oder Kinos, Züge, Flipper
und Musicboxen, ist man versucht
zu ergänzen. Senta Bergers Film-
tochter in *Der scharlachrote Buchstabe* war ein kleines Mädchen
namens Yella Rottländer. Yella
machte auf ihren Regisseur einen
solchen Eindruck, daß er beschloß,
ihr seinen nächsten Film zu widmen.
Es sollte ein Reisefilm werden, in
dem die Landschaft der USA der
des Ruhrgebietes gegenübergestellt
würde und der von der Beziehung
zwischen einem jungen Journalisten
in der Krise und einem neunjährigen, aufgeweckten Mädchen erzählte. Yella wurde Alice, und Rüdiger Vogler, der schon in den beiden vorigen Wenders-Filmen kleine
Rollen gespielt hatte, bekam als
Philip Winter seine erste Hauptrolle. »Im Sommer '73 schrieb ich das
Drehbuch zu *Alice* in New York zuende. Als es fertig war und ich auf
Motivsuche ging, schlug ein Freund
mir vor, mit ihm die Pressevorfüh-
rung des neuen Bogdanovich-Films
zu besuchen. Aufgrund von *Targets*
und *The Last Picture Show* hielt ich
ziemlich viel von Bogdanovich.
Deshalb kam ich mit zu der Vorführung, ohne überhaupt irgendetwas
über den Film zu wissen. Und als ich
wieder rauskam, war ich sehr niedergeschlagen, denn zu diesem
Zeitpunkt hatte mein Drehbuch
noch mehr Ähnlichkeit mit *Paper
Moon*: Das kleine Mädchen blieb
am Schluß bei einer Tante und riß
dann wieder aus. Also genau der
gleiche Schluß. Ich fand auch, daß
es da eine verblüffende Ähnlichkeit
zwischen Yella und Tatum O'Neal
gab. Ich war also total niederge-

Yella Rottländer

Lisa Kreuzer, Rüdiger Vogler

Rüdiger Vogler

94

schlagen, blieb noch eine Woche in New York und rief in Deutschland an, um zu sagen, daß ich den Film nicht machen würde, weil ihn schon jemand anderes gemacht hätte. Aber nach einer Woche begann ich zu überlegen, daß es vielleicht eine Möglichkeit gäbe, den Film auf eine andere Weise zu machen. Nicht nur, das, mir wurde klar, daß mein Film doch ein anderer Film war. Trotzdem änderte ich die gesamte zweite Hälfte des Drehbuches, und während des Drehens änderte ich es noch einmal. Deshalb ist es jetzt wirklich etwas ganz anderes. Die beiden Filme sind jetzt überhaupt ganz verschieden, und meiner hat auch ein ganz anderes Verhältnis zu seinen Figuren. Übrigens hat mir Samuel Fuller sehr geholfen, als ich in New York den Mut verloren hatte. Ich flog für drei Tage an die Westküste und erzählte ihm von meinem Problem mit *Paper Moon*, und er kam mit einer wirklich guten

Idee, wie man den Mittelteil des Films ändern könnte. Die Polizeiwache war seine Idee. Aber schon allein die Tatsache, mit jemandem zu reden, der wußte, wovon er sprach und der sich mit Filmen unheimlich auskannte, half mir enorm. Ich flog zurück nach Deutschland und schrieb die Endfassung des Drehbuches in drei Tagen fertig« (Wim Wenders im Gespräch mit Jan Dawson, 1976). Schon nach seiner Fernseh-Erstaufführung im März 1974 und erst recht, als der Film ein paar Monate später in die Kinos kam, erntete er das einhellige Lob der Kritiker: »Wenders' *Alice* ist ein kleiner, intimer Film, in 16 mm gedreht; und es ist ein leiser, bei aller Gemächlichkeit enorm konzentrierter Film – einer der besten deutschen Filme seit Jahren« (Peter Buchka, *Süddeutsche Zeitung*). »Ein mehrschichtiger, sensibler Abenteuerfilm, ein Film zum Sehen: einer der schönsten, ruhig-

sten, gelassensten und eindringlichsten des neuen deutschen Kinos« (Rolf Wiest, *Kölner Stadt-Anzeiger*). »Es ist eine abenteuerliche Welt, die Wim Wenders beschwört. Abenteuerlich in dem Sinn, daß Menschlichkeit, Zuneigung und Vertrauen in unserer Welt die wahren Abenteuer sind. *Alice in den Städten* ist ein wunderbar genauer Abenteuerfilm von heute, der, wie jeder gute Abenteuerfilm, unsere Blicke ungezwungen mit Regungen, Gesten, Örtlichkeiten, Nöten, Gesichtern, Möglichkeiten und Menschen klar und sinnlich vertraut macht. Solche Filme sind selten geworden. Filme über die man selten schreiben kann, was 1921 über Chaplins *The Kid* geschrieben wurde: ›Eine große Story, mit einem neuen zärtlichen Touch, einfach und bewegend‹« (Siegfried Schober, *Der Spiegel*).

Yella Rottländer, Rüdiger Vogler

Die Verrohung des Franz Blum
1974

Regie Reinhard Hauff. *Buch* Burkhard Driest, nach seinem gleichnamigen Roman. *Kamera* (Farbe) W. P. Hassenstein. *Musik* Mike Lewis. *Ausstattung* Nicos Perakis. *Ton* Lothar Mankewitz. *Schnitt* Jane Sperr. *Darsteller* Jürgen Prochnow (Franz Blum), Eike Gallwitz (Bielich), Burkhard Driest (Kuul), Tilo Prückner (Zick Zack), Karlheinz Merz (G'O'H'), Claus-Dieter Reents (Manienta), Nico Milian (Rosato), Lutz Mackensy (Marie), Fritz Hollenbeck (Aldo Fux), Günter Meisner (Borsig), Kurt Raab (Wupke), Gert Haucke (Engelweich), Charles Brauer (Direktor), Franz-Joseph Steffens (Buffe), Horst Beck (Dr. Stern), Günter Spörrle (Spörl), Marianne Kehlau (Mutter Blum), Manfred Günther (Schütting). *Produktion* Bioskop (Eberhard Junkersdorf)/WDR. *Länge* 100 Minuten. *Uraufführung* 26.3.74 (TV).

Der Versicherungs-Angestellte Franz Blum pfeift auf seine gesicherte Existenz und beteiligt sich an einem Banküberfall. Er wird aber verhaftet und wegen schweren Raubes zu fünf Jahren Haft verurteilt. Hinter den Mauern der Strafanstalt erwartet ihn ein System primitivster darwinistischer Überlebensregeln: Unter den Gefangenen ist das Recht des Stärkeren absolut. Als Blum mitansehen muß, wie der unangepaßte, zu zehn Jahren verurteilte Student Bielich von dem Schläger Kuul, genannt Tiger-Kuul, ungerechtfertigt mißhandelt wird, lernt er die beiden Extrempunkte der Hackordnung kennen und nimmt wie selbstverständlich den herzkranken Bielich in Schutz. Die Anstaltsleitung, an die er sich gutgläubig wendet, mißt dem Vorfall geringe Bedeutung zu, und Kuuls Rache läßt nicht lange auf sich warten. Blum wird von ihm brutal zusammengeschlagen und gedemütigt. Erst jetzt beginnt der Neuling, den Ablauf des Gefängnisalltages analytisch zu beobachten und die spezifischen Gesetze und Normen der Häftlinge zu durchschauen. Die Hackordnung konstituiert sich nicht allein durch das Messen körperlicher Kräfte, sondern in weitaus größerem Maße durch geschäftliches Talent und Kalkül beim bestens florierenden Handel mit Tabak, Kaffee und Alkohol. Franz Blum verdrängt mehr und mehr Mitleid und Gerechtigkeitsempfinden und steigt in der Hierarchie der Gefangenen immer höher. Das geht so weit, daß er beim Torfstechen andere für sich arbeiten läßt und selber faul in der Sonne liegen kann. Als ein Gefangenensportverein gegründet werden soll, erkennt er sofort die Machtmittel, die ihm die Funktion des Präsidenten in die Hand geben würde. Da er inzwischen vor Denunziationen und gemeinsten Intrigen nicht mehr zurückschreckt, gelingt es ihm, die Wahl zu gewinnen. Jetzt kann er endlich seinen Feind Kuul mattsetzen. Bielich, der sich inzwischen gegen Blums Machenschaften auflehnt wie vorher gegen Kuuls, muß ebenfalls ausgeschaltet werden: Blum hetzt ihn beim Sport zutode. Wegen guter Führung wird Franz Blum vorzeitig entlassen. »Wir hoffen, aus Ihnen ist ein anderer Mensch geworden«, meint die Anstaltsleitung. »Machen Sie weiter so!«

Tilo Prückner, Jürgen Prochnow, Nico Milian, Karlheinz Merz

»Gefängnisfilme hat es schon viele gegeben. Die meisten waren redlich, wohl auch engagiert gemacht, aber sie trugen nicht weit, weil sie sich in der naturalistischen Beschreibung des Gefängnisalltags oder dem Psychogramm von Gefangenen verloren. Reinhard Hauffs Film *Die Verrohung des Franz Blum* ist da ein entschiedener Fortschritt. Nichts ist da mehr von schlechter Sozialromantik, nichts von folgenloser Einfühlung in die Vereinzelung des Gefangenen, nichts auch von Elendmalerei, die niemandem nützt, wenn zu der Anschauung nicht auch der Begriff kommt« (Michael Schwarze, *Frankfurter Allgemeine Zeitung*). »Seit langem hat mich kein deutscher Film so gefesselt. Er hat eine runde, handfeste Geschichte, aber vor allem eine große atmosphärische Faszination« (Peter Buchka, *Süddeutsche Zeitung*). »Ich erinnere mich an keinen zweiten deutschen Film, der exakt das System von Ausbeutung und gnadenloser Herrschaft im Zellen-Staat einer Haftanstalt so präzise und beklemmend vorgeführt hat. Blums Gegenspieler, den Schläger Kuul, markierte Autor und Amateurdarsteller Driest mit erstaunlicher Sicherheit. Genau den Stil authentischer Realistik traf die Kamera W.P. Hassensteins. Es zeigt sich einmal mehr, daß auch aus dokumentarischen Stoffen ohne aufgesetzte Gags echte ›Thriller‹ werden – wenn Könner zugreifen« *(Hamburger Abendblatt)*. Gegen so viel Lob konnte auch Klaus Umbachs einsamer Verriß im Spiegel (»Der Pranger, an den Driest die Verhältnisse stellt, strahlt in full color: zu schön, um wahr zu wirken«) nichts ausrichten. Was sich schon bei *Mathias Kneißl*, Hauffs erstem Fernseh/Kino-Zwitter, zwei Jahre zuvor abgespielt hatte, wiederholte sich nun: Wenige Monate nach der TV-Ausstrahlung brachte man *Die Verrohung des Franz Blum* auch in die Lichtspielhäuser. Von nun an galt Reinhard Hauff als Spezialist für Filme über (kriminelle) gesellschaftliche Außenseiter und Aussteiger, wobei schon jetzt auffiel, daß er seine eigene Persönlichkeit gern hinter dem starken Drehbuch eines anderen verbarg und sich

auf eine ebenso effektive wie effektvolle Inszenierung des fremden Stoffes beschränkte. Nach Martin Sperrs historischem Fall des Räubers Mathias Kneißl handelte es sich jetzt um die Dramatisierung der Erfahrungen, die der ehemalige Jurastudent und Bankräuber Burkhard Driest während drei Jahren und vier Monaten Haft gemacht hatte. Mehr noch als für Hauff bedeutete der Film denn auch für Burkhard Driest den Durchbruch: Er ist jetzt nicht nur Schriftsteller, sondern auch noch Drehbuchautor und Schauspieler! Werner Herzog verpflichtete ihn für *Stroszek*, Sam Peckinpah für *Steiner – Das eiserne Kreuz*, und in München spielte er unter der Regie des Amerikaners Rod Amateau in der Komödie *Hitler's Son* – Drehbuch: Burkhard Driest. Die Zusammenarbeit zwischen Hauff und Driest setzte sich bereits ein Jahr später mit dem Fernsehspiel *Zündschnüre* fort, zu dem Driest nach dem Roman von Franz Josef Degenhardt das Drehbuch schrieb. 1975 folgte *Paule Pauländer* und 1980 schließlich *Endstation Freiheit*, wieder eine autobiographisch gefärbte Geschichte und praktisch die Fortsetzung von *Franz Blum:* Wie ein ehemaliger Häftling Karriere auf der westdeutschen Kulturszene macht...

Burkhard Driest

Lutz Mackenzy, Jürgen Prochnow, Burkhard Driest

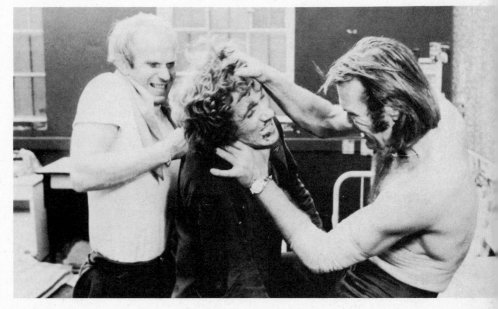

97

Jeder für sich und Gott gegen alle

1974

Regie und Buch Werner Herzog. *Regie-Assistenz* Benedict Kuby. *Kamera* (Farbe) Jörg Schmidt-Reitwein. *Kamera-Assistenz* Michael Gast. *Zweite Kamera (Traumbilder)* Klaus Wyborny. *Musik* Orlando di Lasso, Pachelbel, Albinoni; Arie »Dies Bildnis ist bezaubernd schön« von Mozart, gesungen von Heinrich Knote. *Bauten* Henning Gierke. *Kostüme* Gisela Storch, Ann Poppel. *Ton* Haymo Henry Heyder. *Schnitt* Beate Mainka-Jellinghaus. *Darsteller* Bruno S. (Kaspar Hauser), Walter Ladengast (Daumer), Brigitte Mira (Käthe), Hans Musäus (Unbekannter), Willy Semmelrogge (Zirkusdirektor), Michael Kroecher (Lord Stanhope), Henry van Lyck (Rittmeister), Enno Patalas (Pastor Fuhrmann), Elis Pilgrim (zweiter Pastor), Volker Prechtel (Gefängniswärter Hiltel), Gloria Doer (Frau Hiltel), Helmut Döring (»Der kleine König«), Kidlat Tahimik (Hombrecito), Andi Gottwald (»Der junge Mozart«), Herbert Achternbusch/Wolfgang Bauer/Walter Steiner (Bauernburschen), Florian Fricke (Herr Florian), Clemens Scheitz (Schreiber), Johannes Buzalski (Stadtaktuar), Dr. Willy Meyer-Fürst (Arzt), Alfred Edel (Professor der Logik), Franz Brumbach, Herbert Fritsch, Wilhelm Bayer, Peter Gebhart, Otto Heinzle, Reinhard Hauff, Dr. Heinz H. Niemöller, Markus Weller, Dr. Walter Pflaum, Peter-Udo Schönborn, Dorothea Kraft. *Produktion* Werner Herzog (Walter Saxer) / ZDF. *Länge* 109 Minuten. *Uraufführung* 1. 11. 1974 in Dinkelsbühl.

»Traumverlorene Bilder« (Herzog): Ein Fluß, ein Mensch in einem Ruderboot, ein Mädchengesicht zwischen Gräsern, das vorbeiziehende Ufer, eine alte Frau, die am Ufer wäscht: sie schaut feindselig in die Kamera; dazu Gesang der Arie »Dies Bildnis ist bezaubernd schön«. Dann weiße Schrift auf schwarzem Grund: »Am Pfingstsonntag des Jahres 1828 wurde in der Stadt N. ein verwahrloster Findling aufgegriffen, den man später Kaspar Hauser nannte. Er konnte kaum gehen und sprach einen einzigen Satz. Später, als er sprechen lernte, berichtete er, er sei Zeit seines Lebens in einem dunklen Kellerloch eingesperrt gewesen. Er habe keinerlei Begriff von der Welt gehabt und nicht gewußt, daß es außer ihm noch andere Menschen gäbe, weil man ihm das Essen hereinschob, während er schlief. Er habe nicht gewußt, was ein Baum, was Sprache sei. Erst ganz zuletzt sei ein Mann zu ihm hereingekommen. Das Rätsel seiner Herkunft ist bis heute nicht gelöst«. Auf dem Traumbild eines wogenden Kornfeldes die Schrift: »Hören Sei denn nicht das entsetzliche Schreien ringsum, das man gewöhnlich die Stille heißt?« Ein Unbekannter kommt in das dunkle Verließ zu Kaspar Hauser, lehrt ihn seinen Namen schreiben. Später trägt er ihn aus dem Keller und bringt ihm in der offenen Landschaft Stehen, Gehen und ein paar Worte bei. Schließlich läßt er ihn auf dem Marktplatz von N. stehen, in der einen Hand ein Gebetbuch, in der anderen einen Brief. So steht Kaspar reglos, bis sich ein Mann seiner erbarmt und ihn zu dem Adressaten des Briefes bringt, einem Rittmeister. Der Rittmeister holt den Stadtschreiber und den Stadtarktuarius herbei und nimmt ein Protokoll über den verschmutzten, teilnahmslosen, der Sprache unfähigen Findling auf. Der anonyme Schreiber des Briefes teilt mit, der Bursche sei ihm, einem armen Tagelöhner, 1812 vor die Türe gelegt worden; er sei gelehrig und solle ein Reiter werden, wie sein Vater einer gewesen sei. Kaspar wird im Stadtgefängnis beherbergt, wo der Gefängniswärter und seine Familie sich freundlich um ihn bemühen. Der kleine Sohn des Wärters bringt ihm Worte bei, die Frau zeigt ihm ihr Vertrauen, indem sie ihn ihr Baby auf den Armen halten läßt. Die Stadt beschließt, daß er die Kosten für seinen Aufenthalt selbst verdienen soll; sie steckt ihn in eine Zirkusschau, dessen Direktor ihn neben anderen Kuriositäten vorführt, so einem Liliputaner-König, einem Indianer und einem Jungen, der als »der junge Mozart« ausgegeben wird. Kaspar wird präsentiert als »das Rätsel Europas«, möglicherweise sei er ein Prinz oder gar ein Abkomme Napoleons. Mit den anderen Zirkus-Attraktionen nimmt Kaspar eines Tages Reißaus. Die anderen werden wieder eingefangen. Kaspar verbirgt sich in einem Haus, dessen Besitzer, Professor Daumer, schon vorher auf den Findling aufmerksam geworden, ihn findet und bei sich behält. Kaspar lernt nicht nur immer besser denken und sprechen, sondern sogar Klavierspielen. Zwei Pastoren nehmen ihn streng ins Gebet und weisen darauf hin, daß Glauben wichtiger ist als Verstehen. Kaspar entwickelt seine eigene Logik und sperrt sich gegen die Arten von Logik, die ihm gelehrt werden, wobei die Umstände ihm meist recht geben, vor allem dann, wenn die von ihm erfragten Auskünfte aus Gründen der Religion, Wissenschaft und Schicklichkeit mangelhaft ausfallen. Dem Professor Daumer und dessen Haushälterin Käthe, die Kaspar bemuttert, erzählt er, er habe Träume, so zum Beispiel einen Traum vom Kaukasus. Bestürzt ist Daumer über Kaspars Satz: »Mir kommt es vor, daß mein Erscheinen in dieser Welt ein harter Sturz gewesen ist.« Ein spleeniger Engländer, Lord Stanhope, kommt in die Stadt; er hat von Kaspar gehört, sieht in ihm eine Art edlen Wilden und will ihn adoptieren. Von diesem Plan nimmt er Abstand, nachdem er Kaspar beim Stricken erwischt, der ersten Fertigkeit, die Kaspar gelernt hat, damals bei der Familie des Gefängniswärters, für Stanhope eine unbegreiflich unkultivierte Beschäftigung. Beim Sonntags-Gottesdienst stürzt Kaspar aus der Kirche und erklärt Daumer, der Gesang der Gemeinde käme ihm vor wie ein widerliches Schreien, und wenn die Gemeinde aufhöre, begänne der Pfarrer vorne zu schreien. Der Unbekannte, der Kaspar einst ausgesetzt hat, überfällt ihn und schlägt ihm mit einem Knüppel mehrfach über den Kopf. Auf seinem Krankenlager erzählt Kaspar dem Professor und Käthe einen Traum: Viele Menschen steigen einen nebelverhangenen Berg hoch, »und oben wartet der Tod«. Nach seiner Genesung wird Kaspar ein zweitesmal angefallen; diesmal trägt er tödliche Stichwunden in der Brust davon. Auf seinem Sterbelager erzählt er einen Traum von einer Karawane, die durch die Wüste zieht, geführt von einem alten, blinden Berber. Seine Leiche wird in der Anatomie seziert; es werden Abnormitäten an Leber und Hirn festgestellt. Der Schreiber protokolliert das hochbefriedigt: »Wir haben endlich für diesen Menschen eine Erklärung, wie man sie besser nicht finden kann.« Er geht nach Hause, und wir hören wieder die Arie aus der *Zauberflöte*: ». . . kann die Empfindung Liebe sein? Ja, ja, die Liebe ist's allein!«

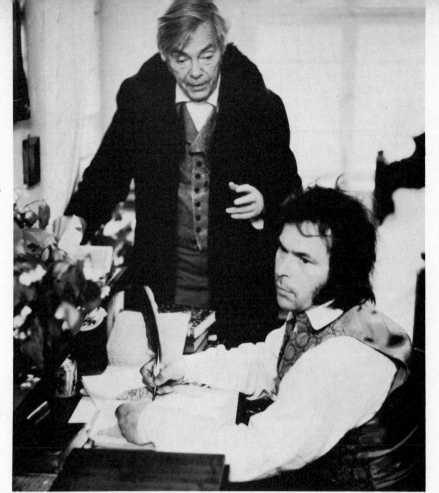

Walter Ladengast, Bruno S.

Walter Ladengast, Bruno S.,
Werner Herzog, Brigitte Mira
(an der Kamera: Jörg Schmidt-Reitwein)

Ingmar Bergman über *Jeder für sich und Gott gegen alle:* »Wenn ich die zehn wichtigsten Filme meines Lebens nennen sollte, dann wäre *Jeder für sich und Gott gegen alle* einer davon. Ich fand ihn unglaublich und weise und tief und schön« *(Newsweek,* 1977). Die Figuren

von Werner Herzog versuchen, unter extremen Umständen ihre Existenz zu finden, was immer ein Wagnis auf Leben und Tod bedeutet. Aguirre unternimmt dieses Wagnis aus freien Stücken. Bei Kaspar Hauser, dem Findlings-Helden von *Jeder für sich und Gott gegen alle* geschieht das Existenz-Experiment unfreiwillig. Das Experiment liegt wesentlich im Begreifen, nicht, wie bei Aguirre, im Erobern der Welt, und zwar das Begreifen einer Welt, in die der Held unter den ungewöhnlichsten Umständen geraten ist. Wie Aguirre scheitert Kaspar Hauser, aber anders als Aguirre scheitert er nicht, ohne im Verständnis der Welt zu einem anderen, richtigeren Resultat gelangt zu sein als die normalen Menschen, die diese selbe Welt auf die als normal geltende Weise studiert haben, die Logiker, Pfarrer und Globetrotter. Werner Herzog: »Bei Kaspar Hauser handelt es sich um den einzig bekannten Fall in der Menschheitsgeschichte, wo ein Mensch erst als Erwachsener ›gebo-

ren‹ wird. Kaspar war ja, soweit er sich zurückerinnern konnte, sein Leben lang in einem dunklen Kellerloch gefangen gehalten und bekam nie einen lebendigen Menschen zu Gesicht, weil man ihm nachts, während er schlief, Essen hereinschob. Er glaubte, der einzige Mensch auf der Welt zu sein und nahm es offensichtlich als natürliches Merkmal seiner Anatomie hin, daß er am Hosenbund am Boden festgemacht war, also lediglich sitzen konnte. Kaspar war im reinsten Sinn ein Begriffsloser, ein Sprachloser, ein Unzivilisierter, ein noch unbearbeitetes Stück Mensch, ein Rohling, wie einer, der von einem Planeten heruntergefallen ist. Als Kaspar mit einem Schlag ausgesetzt und in eine biedermeierliche Bürgerwelt hineingestoßen wird, entwickelt sich die Geschichte einer Passion, einer langsamen Abtötung dessen, was an ihm spontan menschlich war. Am Schluß, wenn Kaspar ermordet ist, sucht man verzweifelt nach irgendeiner Deformation an ihm; daß das Deformierte aber die bürgerliche Gesellschaft ist, die ihn nach ihren Maßstäben abrichten wollte, dafür sind sie alle blind« (Presseheft). Für die Drehvorbereitungen nahm Herzog sich ein ganzes Jahr Zeit und erwies sich dabei wieder einmal als ein Filmemacher, der sich seinen Stoff vor allem in der physischen Annäherung an sein Material erobert; er sieht sich lieber als einen Handwerker denn als Künstler, und im material-besessenen Hand-Werken liegt für ihn einer der größten Reize des Filmemachens: So legte er selbst und zeitig in Dinkelsbühl, seinem Drehort, die Gemüse- und Blumengärten an, damit sie zur Drehzeit in der richtigen Anordnung wachsen würden. Seinen Helden fand er in dem damals 42jährigen Bruno S., den 1970 bereits Lutz Eisholtz in dem Film *Bruno – der Schwarze, es blies ein Jäger wohl in sein Horn* porträtiert hatte, eine Figur, der es nur wenig besser gegangen war als Kaspar Hauser: Unehelich in Berlin geboren, mit drei Jahren von der Mutter, von der er sich später abgeschoben fühlt, in eine Anstalt für Geisteskranke gesteckt, ab dem zehnten Jahr eine Odyssee durch Heilstätten, Erziehungsheime und Jugendwohnheime, mit immer neuen Ausbruchsversuchen aus diesen Verwahrungen, 1958 als »geheilt« in die Gesellschaft entlassen. Als Darsteller ein Mensch, der sich um Sprache mehr bemühen muß als ein Schauspieler; das Resultat eine Diktion, die wohl behindert ist, aber zugleich von einer Energie und Bestimmtheit, die Augenblicke von großer Autorität und Würde zutage bringen. Herzog war sich wahrscheinlich im klaren darüber, daß man ihm die Ausbeutung und Zurschaustellung eines Behinderten vorwerfen würde, und es gab tatsächlich Kritiker, die in unglaublich einfältigem Ton schrieben, Bruno S. werde hier dem Gelächter des Publikums ausgeliefert. Diese Kritiker waren selbst das unverständigste Publikum für die verblüffend selbstironische Werner-Herzog-Freak-Show-Retrospektive, die der Filmemacher sich mit der Sequenz des Kuriositäten-Zirkus leistet: Neben Kaspar Hauser/Bruno S. werden hier noch der Liliputaner Helmut Döring aus *Auch*

Bruno S., Brigitte Mira, Alfred Edel

Zwerge haben klein angefangen und der Indianer Hombrecito aus *Aguirre* vorgeführt. Es ist ja nicht zu übersehen, daß der Zirkusdirektor in seiner Art und Darbietung nicht die geringste Ähnlichkeit hat mit der Art und Darbietung des Filmemachers Werner Herzog, weshalb die Freaks dem einen, dem Sensations-Schreier, weglaufen, dem anderen aber nicht, dessen musikalisches Leitmotiv nicht umsonst heißt »Dies Bildnis ist bezaubernd schön« und »Kann die Empfindung Liebe sein? Ja, ja, die Liebe ist's allein.« Nachdem Herzog in Griechenland *Lebenszeichen*, in Afrika *Fata Morgana*, in Spanien *Auch Zwerge haben klein angefangen* und in Südamerika *Aguirre* gedreht hatte, machte er mit *Jeder für sich und Gott gegen alle* seinen ersten Spielfilm in Deutschland, und zwar bewußt als »wirklich nationalen, jedoch nicht provinziellen Film«. Was für Herzog die dramatische Entdeckung der deutschen Landschaft ist, wird für den Zuschauer zu einer wichtigen Wiederentdeckung. Wolfram Schütte in der *Frankfurter Rundschau*: »Die Wiederentdeckung eigener Kultur und eigener Traditionen und das Wiedererstarken eines selbstbe-

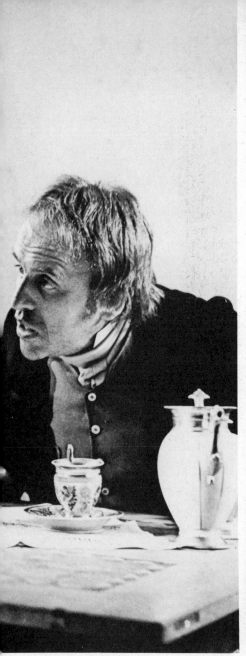

Bruno S., Hans Musäus

Walter Ladengast, Brigitte Mira, Willy Meyer-Fürst, Bruno S., Enno Patalas, Elis Pilgrim

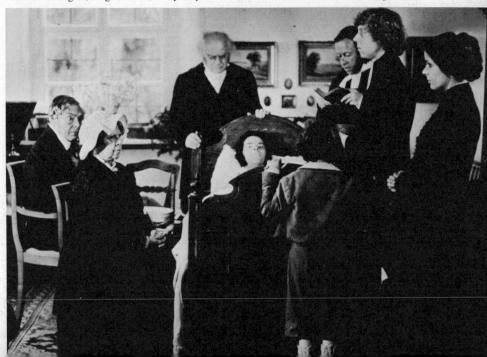

wußten Regionalismus – sei es in Wounded Knee oder in Wyhl am Rhein – setzt einem alle Differenzen und unterschiedliche Lebensinteressen einebnenden Bürokratismus staatlicher Verfügungsgewalt humanen Widerstand entgegen. Es bedeutet nicht, Herzogs Kaspar-Hauser-Film Gewalt anzutun, wenn man die geistige Problematik dieser ›Passionsgeschichte‹ in solche historischen und aktuellen Zusammenhänge bringt. Denn dadurch wird ein Moment dieser scheinbar rückschrittlichen Poesie in andere Beleuchtung gerückt, das bisher oft im Dunkel geblieben war. Nicht viel anders verhält es sich mit der Natur, deren Schönheit, deren Wahrnehmung als unbegrenzter Raum und als Gegenwart von keinem Regisseur seit Dowschenko oder John Ford uns so nachdrücklich wieder vor Augen gestellt worden ist wie von Werner Herzog. Seit den kreisenden Windmühlen und der Staubfahne auf der Hochebene in *Lebenszeichen*, den hitzeflimmernden Saharabildern von *Fata Morgana* und der unpathetischen Gewalt der Anden- und Amazonasaufnahmen in *Aguirre* bis nun zu den Fernhorizonten auf der Schwäbischen Alb, den winddurchflirrten Kornfeldern, Gärten und Parks, der Stille der Seen und Bäche in *Jeder für sich und*

Gott gegen alle hat Herzog der Naturschönheit ein Eingedenken bewahrt, das weit über die Liebe hinaus, die er ihr huldigend zollte, Protest und Einspruch auch ist, gegen ihre Vernichtung und ihr Verschwinden. Daß wir der Natur und ihrer Schönheit (und Häßlichkeit, z.B. in *Auch Zwerge haben klein angefangen*), also ihrer Präsenz wie durch einen Schock in seinen Filmen gewahr werden, offenbart, wie sehr ihre selbstverständliche Wahrnehmung und ihr alltäglicher Genuß uns schon verlorengegangen sind.« Nach der Fertigstellung des Films machte Herzog einen langen Gang durch die Natur: Im November/Dezember 1974 unternahm er

einen Fußmarsch von München nach Paris, um die erkrankte Filmhistorikerin Lotte Eisner zu besuchen; darüber hat er dann später das Buch *Vom Gehen im Eis* geschrieben. Im nächsten Frühling wurde der Kaspar-Hauser-Film zu den Festspielen Cannes eingeladen, wo er den großen Sonderpreis der Jury, den Preis der internationalen Filmkritik und den Preis der ökumenischen Jury gewann. Im Sommer gab's dann Bundesfilmpreise für den besten Film, die beste Ausstattung (Henning Gierke) und den besten Schnitt (Beate Mainka-Jellinghaus).

Bruno S.

Helmut Döring, Willy Semmelrogge

Falsche Bewegung
1975

Regie Wim Wenders. *Regie-Assistenz* Micky Kley. *Buch* Peter Handke, frei nach *Wilhelm Meisters Lehrjahre* von Johann Wolfgang von Goethe (1795). *Kamera* (Farbe) Robby Müller, Martin Schäfer. *Musik* Jürgen Knieper. *Bauten* Heidi Lüdi. *Ton* Martin Müller, Klaus-Peter Kaiser. *Schnitt* Peter Przygodda, Barbara von Weitershausen. *Darsteller* Rüdiger Vogler (Wilhelm Meister), Hanna Schygulla (Therese Farner), Hans Christian Blech (Laertes), Peter Kern (Bernhard Landau), Ivan Desny (der Industrielle), Nastassja Nakszynski [= Nostarsja Kuiski] (Mignon), Marianne Hoppe (Frau Meister), Elisabeth Kreuzer (Janine), Adolf Hansen (der Schaffner). *Produktion* Solaris (Peter Genée, Bernd Eichinger) / WDR. *Länge* 103 Minuten. *Uraufführung* 14.3.1975.

Der Marktplatz der Stadt Glückstadt in Holstein. Der junge Wilhelm Meister betrachtet ihn durch ein Fenster im Hause seiner Mutter – und zerschmettert die Fensterscheibe mit der Faust. Wilhelm möchte Schriftsteller werden, aber wie, so fragt er sich, ist das möglich ohne Lust auf Menschen? Schließlich spricht Wilhelms Mutter für ihn, der seit zwei Tagen kein Wort mehr geredet hat, sie ermutigt ihn zu gehen, hat seinen Koffer schon gepackt. Das Geschäft wird sie verkaufen, sich selbst schöne Tage machen und ihm von der Verkaufssumme Geld dorthin schicken, wo er gerade ist. Wilhelm fährt mit dem Zug nach Hamburg und steigt dort in einen Schnellzug Richtung Süden. Am Fenster des Zuges auf dem Nachbargleis, der gleichzeitig mit seinem den Bahnhof verläßt, erblickt er eine Frau, die ihn unverwandt ansieht. Von einem alten Mann in schäbigen Kleidern, der bei Wilhelm im Abteil sitzt, erfährt er den Namen der fremden Frau, Therese Farner, und daß sie eine bekannte Schauspielerin ist. Als der Schaffner kommt, löst Wilhelm für den alten Laertes und Mignon, des-

sen junge, stumme Begleiterin, die Fahrkarten nach. Mignon bedankt sich mit einem Kopfstand. Der Schaffner hat eine Nachricht für Wilhelm, die aus dem anderen Zug übermittelt wurde – Thereses Telefonnummer. Wilhelm, Laertes und Mignon steigen in Bonn aus und mieten sich in einem Hotel ein. Wilhelm wählt Thereses Nummer: »Seit ich dich gesehen habe, bin ich ziemlich ungeduldig.« Beim Frühstück erzählt Laertes, er habe als Hundertmeterläufer an den Olympischen Spielen 1936 in Berlin teilgenommen. Therese fährt in ihrem Auto vor und schließt sich der Gruppe zu einem Spaziergang an. Ein Österreicher namens Bernhard Landau stellt sich ihnen vor und bittet, etwas Selbstgedichtetes vortragen zu dürfen. Sie kommen zu einem geschlossenen Restaurant am Rhein. Bernhard macht den Vorschlag, daß sie alle seinen Onkel besuchen, der in einem großen Haus im Siebengebirge wohne, wo man auch die Nacht verbringen könne. Der Hausherr, ein Industrieller, ist zwar nicht mit Bernhard verwandt, zeigt sich aber dennoch froh über den Besuch, der ihn soeben vom Selbstmord abgehalten hat. Am Abend spricht der Industrielle über seine grenzenlose Einsamkeit. Wilhelm, der nicht weiß, in welchem

der Zimmer Therese ihn erwartet, landet in der Nacht bei Mignon. Nachdem man sich am Morgen seine Träume erzählt hat, wandern Wilhelm, Therese, Laertes, Mignon und Bernhard eine lange, gewundene Bergstraße hinauf. Dabei erzählt der alte Laertes Wilhelm endlich mehr von seiner Vergangenheit: Der Schaffner im Zug sei in Vilna sein Adjutant gewesen, er selbst verantwortlich für den Tod eines Juden. Bei ihrer Rückkehr stellten sie fest, daß sich der Industrielle erhängt hat. Die Gruppe macht sich in Thereses Auto weiter auf den Weg. Bernhard läßt sich schon bald irgendwo absetzen. Therese nimmt die anderen mit zu sich nach Hause. Sie wohnt in einem Apartment in einer »Wohnstadt« bei Frankfurt. Wilhelm und Therese lieben sich in dieser Nacht. Am nächsten Tag spricht Therese über ihren wachsenden Unmut, als Schauspielerin einen vorgegebenen Text auswendig zu lernen. Worauf Wilhelm ihr vorwirft, ihn durch die Formulierung ihrer Probleme am Schreiben zu hindern. Während einer Bootsfahrt über den Main droht Wilhelm, Laertes über Bord zu werfen und ersaufen zu lassen. Sobald sie wieder an Land sind, läuft Laertes davon. Wilhelm und die beiden Frauen entschließen sich, getrennte Wege zu gehen. Therese und Mignon werden nach Italien fahren. Auf der Zugspitze faßt Wilhelm den Vorsatz, trotz aller falscher Bewegungen, die er bisher gemacht zu haben glaubt, weiterhin zu versuchen, ein Dichter in Deutschland zu werden.

Rüdiger Vogler, Marianne Hoppe, Wim Wenders

Hanna Schygulla   Rüdiger Vogler

Hanna Schygulla, Peter Kern, Rüdiger Vogler

Falsche Bewegung wurde 1975 mit Bundesfilmpreisen förmlich überschüttet: Er erhielt je ein Filmband in Gold für Regie, Drehbuch, Kamera, das Darstellerensemble, Musik und Schnitt. Diese Tatsache war für diejenigen, die es in den siebziger Jahren als erwiesen ansahen, daß Verfilmungen deutscher Literaturklassiker bei den Förderungsgremien und Bundesfilmpreis-Kommissionen von vornherein gewonnenes Spiel hatten, Wasser auf die Mühlen. Aber kann man diesen

Rüdiger Vogler, Hans Christian Blech

Film, den Handke »in Erinnerung an die lange zurückliegende Lektüre des Goethe-Romans *Wilhelm Meister*« geschrieben hat, wirklich noch als Literaturverfilmung bezeichnen? »Für mich«, so Handke in einem Interview, »war es was Normales, daß ich nur einige Sachen von Goethe übernommen habe, die mir im Gedächtnis geblieben sind. Daraus und aber auch aus dieser ganzen Bewegung habe ich das Buch geschrieben. Ich wollte keine Rekonstruktion der Historie machen, ich wollte die historische Situation, daß jemand aufbricht,

Ivan Desny

unterwegs ist, um was zu lernen, um was anderes zu werden, um überhaupt was zu werden, also diese Bewegung ins Drehbuch übernehmen. Das ist es auch – da bin ich ganz sicher –, worauf es Goethe angekommen ist: Eine Bewegung oder die Anstrengung, eine Bewegung zu unternehmen. Es war mir wichtig, jemanden zu zeigen, der sich was vornimmt und danach lebt, auch wenn es immer wieder kokett geäußerte Träume sind, und was werden will, ein Künstler, mein ich, etwas tun will, was gleichzeitig auch Arbeit ist.« Betrachtet man *Die Angst des Tormanns beim Elfmeter*, *Falsche Bewegung* und *Die linkshändige Frau* (1977) als Trilogie der Zusammenarbeit zwischen Wim Wenders und Peter Handke (allerdings war Handke bereits 1969 an Wenders' Kurzfilm *3 amerikanische LP's* als Autor beteiligt), dann fällt auf, daß *Die Angst des Tormanns* – obwohl Handke Autor der Vorlage war – ganz und gar Wenders' Film ist und *Die linkshändige Frau* – von Wenders produziert – zweifellos

Nastassja Kinski

Handkes Werk; bei *Falsche Bewegung* dagegen scheint eine derartig eindeutige Bestimmung der künstlerischen Vaterschaft unmöglich. Er ist unter den drei Filmen der einzige mit einem Original-Drehbuch von Handke, und bezeichnenderweise tritt Wenders nicht einmal als Co-Autor auf. Inhalt und Dialoge dieses Films gehören uneingeschränkt Handke; in Form und Bildsprache

äußert sich allein Wenders. Daß dabei ein Film herausgekommen ist, der »vernunftmäßig ebenso überzeugt, wie er sinnlich zu reizen vermag« *(Zoom-Filmberater)*, macht ihn zu einem fast einzigartigen Beispiel für eine gelungene Verbindung zwischen literarischem und filmischem Anspruch: »Denn die Bilder kommen, wenn die Sätze gehen« (Frieda Grafe, *Süddeutsche Zeitung*). »Da ist dieser endlose Spaziergang auf einer Serpentinenstraße durch die herbstlichen Weinberge am Rhein mit den ständig wechselnden Sprechpartnern. Hier bleibt die Kamera (Robby Müller), ohne daß man es wahrnimmt, immer in Bewegung, durch die manchmal ein malerischer Hintergrund hereingeholt und dann wieder bis zur Ernüchterung ausgespart wird. Handkes Texte werden nicht transportiert, sondern überreicht. Wenn zu Anfang Wilhelm aus dem Zugfenster blickt, sieht er auf dem Bahnsteig gegenüber in einem anderen Zug Therese. Beide Züge fahren gleichzeitig an und mit wechselnder Geschwindigkeit nebeneinander her, bis sie sich endlich und sehr schnell trennen: Wilhelm und Therese haben sich kennengelernt. Und es ist bereits etwas über sie gesagt. Diese gleitende Bewegung, ein fast überästhetisiertes Ritual, hat Wenders von Anfang an, schon in seinem *Silver City*, geliebt. Heute beherrscht er sie so, daß sich Empfindungen von Schönheit und, wie in *Falsche Bewegung,* Relationen zu Handke herstellen: Wenders setzt seine Sprache gegen die Sprache Handkes. Und hält ihr stand« (Hellmut Haffner, *Deutsches Allgemeines Sonntagsblatt*).

Rüdiger Vogler

Lina Braake

oder Die Interessen der Bank können nicht die Interessen sein, die Lina Braake hat

1975

Regie Bernhard Sinkel. *Regie-Assistenz* Alexander von Richthofen. *Buch* Bernhard Sinkel. *Kamera* (Farbe) Alf Brustellin. *Kamera-Assistenz* Detlef Nietballa. *Musik* Joe Haider. *Ausstattung* Nikos Perakis. *Ton* Hayo von Zündt, Frank Jahn. *Schnitt* Heidi Genée. *Darsteller* Lina Carstens (Lina Braake), Fritz Rasp (Gustav Härtlein), Herbert Bötticher (Körner), Erica Schramm (Lene Schöner), Benno Hoffmann (Lawlonski), Ellen Mahlke (Frau Scholz), Oskar von Schwab (Herr Dürr), Gustl Datz (Herr Gruber), Rainer Basedow (Fink), Wilfried Klaus (Wenzl), Ellen Frank (Frau Mangold), Walter Sedlmayr. *Produktion* Bernhard Sinkel Filmproduktion / WDR. *Länge* 85 Minuten. *Uraufführung* Juni 1975 (Internationales Forum des jungen Films Berlin).

Von dem Besitzer des Altbaus, in dem Lina Braake wohnt, war der 81jährigen lebenslanges Wohnrecht zugesichert worden. Nach dessen Tod kauft jedoch eine Bank das Haus und schiebt Lina Braake in ein Altersheim ab. Die an sich rüstige und lebensfrohe alte Dame kann sich in die neue Umgebung nicht einleben: Die arrogante Art des Heimleiters Körner ist ihr zuwider, ihr kleines Zimmer muß sie mit zwei skurrilen Mitbewohnern teilen, und der feste Stundenplan, nach dem ihr Alltag jetzt abläuft, gefällt ihr am allerwenigsten. Sie wird depressiv, kränkelnd und bettlägerig. Doch die zwei Menschen, mit denen sie im Heim inzwischen Freundschaft geschlossen hat, bringen sie rasch wieder auf die Beine: Lawlonski, der bärbeißige Hausmeister, baut ihr ein dreirädriges Fahrrad, mit dem sie Ausflüge in die Umgebung unternimmt, und Dr. h.c. Gustav Härtlein, 84 Jahre und ebenfalls Insasse des Altersheims, bringt sie auf die abenteuerliche Idee, sich an der Bank zu rächen. Als ehemaliger Finanzberater und Bankrotteur fällt es dem geistig immer noch äußerst regen Härtlein nicht schwer, einen entsprechenden Plan auszuhecken. Beim Monopoly-Spielen bringt er Lina den groben Umgang mit Geld bei, am Essensschalter der Küche üben sie »Schalter der Bank«, und bei Nacht und Nebel wird der Wortschatz des Kreditwesens einstudiert. Der Coup läuft wie am Schnürchen ab: Lina Braake eröffnet – ausgestattet mit einem fingierten Empfehlungsschreiben Härtleins – ein Konto bei der Bank und überweist ihr Erspartes jeden Monat zu kleinen Teilen als angebliche Mieteinnahmen. Nach einiger Zeit ist sie dadurch kreditwürdig und kann ohne weiteres ein Darlehen von DM 20000 beantragen. Das Geld wird ihr tatsächlich ausbezahlt. Auch die weiteren Schritte hat Lina vorbereitet: Bei ihrer Friseuse, Frau Schöner, hatte sie den italienischen Gastarbeiter Ettore Falcone kennengelernt, der seiner Familie in Sardinien ein Bauernhaus kaufen möchte und deshalb in Deutschland arbeitet. Lina macht sich auf den Weg nach Sardinien, wird dort von Familie Falcone herzlich empfangen und ersteht in deren Namen einen wunderschönen Bauernhof. Daß sie darauf lebenslanges Wohnrecht hat, ist bei den Falcones Ehrensache. Doch der Schwindel ist inzwischen aufgeflogen, Interpol wird eingeschaltet und Lina Braake von Carabinieri abgeholt. Aufgrund ihres Alters geht sie glücklicherweise straffrei aus, wird aber, wie schon Gustav Härtlein, entmündigt. In jeder Beziehung das Nachsehen hat die Bank, die auch von der italienischen Familie das Geld nicht zurückverlangen kann. Lina kehrt ins Altersheim zurück und schlägt ihrem Freund Gustav vor, im nächsten Sommer mit ihr nach Sardinien zu fahren.

Bernhard Sinkel

Dieser Film ist so sehr er selbst, daß es fast ungerecht und lieblos erscheint, darauf hinzuweisen, was er Brecht verdankt, wie er lehrstückhaft plausibel erklärt, daß die Gründung einer Bank ein schlimmeres Delikt ist als deren Ausraubung, oder durchaus auch dem Western, dessen Helden Popularität genießen, weil sie die Institute der Wirtschaft als Institutionen der Ausbeutung begreifen und deshalb den Holdup als das Coupon-Schneiden des kleinen Mannes praktizieren. Lina Braake ist die energische Großmutter von jedermann, der kapiert hat, daß die Interessen der Interessenvertreter jeglicher Couleur nicht die Interessen sein können, die der Staat und seine Staatsbürger haben, und daß das schärfste Mißtrauen angebracht ist, wenn diese Interessenvertreter, ob sie nun zur Lobby der Wohnsilo-Erbauer, der Notstandsgesetze oder der Atomenergie gehören, erklären, alle ihre Aktivitäten und Umtriebe geschähen ja nur im Interesse, *zum eigenen besten der Betroffenen*, ein in seiner klarsichtigen Ironie ebenso ergötzliches wie vernichtendes Leitmotiv von *Lina Braake*. Bonnie und Clyde als Philemon und Baucis – welch ein Tableau, welche Erfindung, welcher Spaß! »Alles redet von einer Renaissance des deutschen Films ... Das beginnt bei Bernhard Sinkel und seinem Publikumsknüller *Lina Braake*, einem Film, der in bisher nicht erfahrener Form Ansprüche an Unterhaltung, gesellschaftliches Engagement und Humor erfüllt ... In Kreuzberg (!) währte der Applaus des Publikums über fünfzehn Minuten« *(Spandauer Volksblatt)*. *Lina Braake* wurde 1975 als bester Spielfilm des Jahres mit einem Filmband in Silber ausgezeichnet, und Hauptdarstellerin Lina Carstens erhielt gar ein Filmband in Gold für ihre eindrucksvolle Leistung. Auf der Berlinale, wo *Lina Braake* innerhalb des Forum-Programms seine Uraufführung vor Publikum erlebte, erwies er sich als unumstrittener Zuschauerfavorit. Der Club der Berliner Filmjournalisten verlieh ihm kurze Zeit später den Ernst-Lubitsch-Preis. Für den damals 35jährigen Juristen, ehemaligen *Spiegel*-Ressortleiter und

Lina Carstens

Fritz Rasp

Herbert Bötticher

Fritz Rasp, Lina Carstens

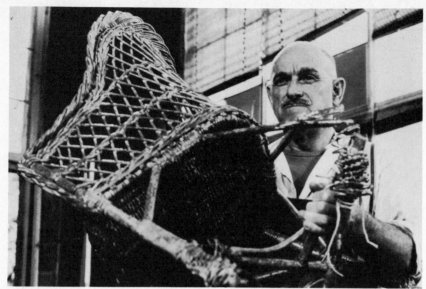

Benno Hoffmann

Lina Carstens

Filmkritiker Bernhard Sinkel und seinen Kameramann Alf Brustellin, Ex-Filmkritiker und künftiger Regie-Partner Sinkels, bedeutete der kolossale Erfolg von *Lina Braake*, der sich dann in Frankreich und England wiederholen sollte, den Einstieg in die deutsche Filmszene. Die wenigen kritischen Stimmen faszinierten vor allem durch die Komik ihrer Argumentation. »Also ein rundum gelungener deutscher Film? Keineswegs. Denn was wir auf der Kinoleinwand sehen, ist doch überwiegend nur ein Fernsehspiel, in dessen Wohnzimmer-Dramaturgie sich Menschen wie du und ich bewegen. Dagegen ist an sich nichts einzuwenden, aber ein kleiner Seitenblick etwa auf Fassbinders *Angst essen Seele auf* macht doch schlagartig klar, wie man ein prinzipiell gleichartiges Thema doch auch als richtiges Kinostück inszenieren kann: mit ungewöhnlichen Menschen, die sich in außergewöhnliche Gefühle verstricken, die vom Regisseur nach allen Regeln melodramatischer Unterhaltungskunst ausgemalt werden« (Wilfried Wiegand, *Frankfurter Allgemeine Zeitung*). Fassbinder benutzt das Melodram wie Douglas Sirk und Sinkel benutzt das Volksstück wie Bertolt Brecht, und es ist die *Gewöhnlichkeit* der Gefühle von *gewöhnlichen* Menschen, die den Adel und Effekt von *Angst essen Seele auf* ausmachen, während es die ungewöhnliche Initiative und Schlauheit beim verschlagenen Rationalisieren von Geldstrategien durch zwei alte Leute ist, die bei *Lina Braake* zum Triumph führen. Und wenn es je ein Stück zunächst medial undefinierter Zelluloid-Unterhaltung gab, das zum Kinofilm wurde, weil es vom Kino mit ungeheurer Spontanität adoptiert wurde (was Produkten, die nicht als Kinofilm geboren sind, niemals passiert), dann ist es *Lina Braake*. Das Fernsehen weiß sowieso, wo es zu bleiben hat: »Der Inhalt des Fernsehens ist das Kino« (Irmgard Schneeberger, *Vogue*). Was Sinkels *Lina Braake* mit Fassbinders *Angst essen Seele auf* gleich hat, war der Publikumserfolg und dessen weitergehende Wirkung: Im Laufe des Jahres 1975 etablierte sich der Begriff des Neuen Deutschen Kinos.

Die verlorene Ehre der Katharina Blum
1975

Regie Volker Schlöndorff und Margarethe von Trotta. *Regie-Assistenz* Alexander von Richthofen, Gerhard von Halem. *Buch* Volker Schlöndorff, Margarethe von Trotta, nach der Erzählung von Heinrich Böll. *Kamera* (Farbe) Jost Vacano. *Kamera-Assistenz* Peter Arnold. *Musik* Hans Werner Henze. *Ausstattung* Günther Naumann. *Ton* Klaus Eckelt, Wolfgang Löper. *Schnitt* Peter Przygodda. *Darsteller* Angela Winkler (Katharina Blum), Mario Adorf (Kommissar Beizmenne), Dieter Laser (Journalist Werner Tötges), Heinz Bennent (Rechtsanwalt Dr. Blorna), Hannelore Hoger (Trude Blorna), Harald Kuhlmann (Kriminalassistent Moeding), Karl Heinz Vosgerau (Professor Alois Sträubleder), Jürgen Prochnow (Ludwig Götten), Rolf Bekker (Staatsanwalt Hach), Regine Lutz (Else Woltersheim), Werner Eichhorn (Konrad Beiters), Stephanie Thönessen (Claudia Stern), Josephine Gierens (Hertha Scheumel), Angela Hillebrecht (Frau Pletzer), Horatius Haeberle (Staatsanwalt Dr. Korten), Henry van Lyck (Scheich Karl), Walter Gontermann (Pater Urbanus), Leo Weisse (Fotograf Schönner), Achim Strietzel (Konzernherr Lüding), Olivia Wredenhagen (Protokollistin Anna Lockster), Bernd Nesselhut (Georg Plotten), Hildegard Linden (Hedwig Plotten), Herbert Fux (Journalist Weniger), Peter Franke (Dr. Heinen). *Produktion* Paramount-Orion (Willi Benninger) / Bioskop (Eberhard Junkersdorf) / WDR. *Länge* 106 Minuten. *Uraufführung* 10.10.75.

Jeder Schritt Ludwig Göttens wird von der Polizei überwacht. Selbst als er im nächtlichen Trubel des Kölner Karnevals untertauchen will, bleibt ein als Scheich verkleideter Beamte auf seiner Spur. Auf einer Party begegnet er der stillen Katharina Blum und tanzt den ganzen Abend mit ihr. Die sonst eher zurückhaltende Katharina verliebt sich in Ludwig und nimmt ihn mit in ihre Wohnung. Am nächsten Morgen dringt ein Trupp bis an die Zähne bewaffneter Polizisten bei ihr ein. Einsatzleiter Kommissar Beizmenne ist außer sich, als er feststellt, daß es Götten trotz der Observierung gelingen konnte zu entkommen. Für ihn ist sofort klar, daß Katharina ihm vorsätzlich Unterschlupf und Fluchthilfe gewährt hat.

Angela Winkler, Heinrich Böll, Volker Schlöndorff

Sie wird vorläufig festgenommen. Im Treppenhaus warten schon Tötges, eifriger, eiskalter Journalist des auflagenstarken Boulevardblattes »Zeitung«, sein Fotograf Schönner und andere Reporter. Tötges und Schönner machen sich sofort daran, Katharinas Hintergrund zu recherchieren und sprechen mit Leuten aus ihrem Heimatdorf, darunter auch ihr geschiedener Mann. Da auch die Reporter davon ausgehen, daß Katharina die abgebrühte Komplizin eines Verbrechers ist, biegen sie selbst die positiven Aus-

sagen so hin, daß sie dem Bild der »Räuberbraut«, das sie am nächsten Morgen ihren Lesern vermitteln wollen, entsprechen. Unterdessen wird Katharina, die immer noch nicht weiß, was Ludwig eigentlich getan haben soll, von Beizmenne und Staatsanwalt Hach pausenlosen Verhören unterzogen. Nicht nur, daß die Beamten aus Zufällen eine Kausalkette konstruieren und unbedeutenden Einzelheiten die Wichtigkeit entscheidender Indizien beimessen – Katharina wird durch die Art und Weise der Vernehmung erniedrigt, entwürdigt und in ihrem tiefsten Innern verletzt. Tötges, der mit Beizmenne einen florierenden Informationsaustausch betreibt, hat mittlerweile Katharinas Arbeitgeber ausfindig gemacht. Es ist Rechtsanwalt Dr.

Blorna, für den Katharina den Haushalt besorgt und der sich mit seiner Frau Trude gerade in den österreichischen Bergen aufhält. Ein Innsbrucker Kollege von Tötges konfrontiert das Ehepaar dort mit der Nachricht von Katharinas Festnahme. Auch Blornas verwunderte Reaktion hierauf – für ihn ist Katharina eine völlige integre Person – wird später in der »Zeitung« verzerrt wiedergegeben. Tötges trägt Beizmenne das Gerücht zu, Katharina empfange seit längerer Zeit ominöse Herrenbesuche. Auch ein wertvoller Ring wird bei ihr gefunden, und weil Katharina eine Stellungnahme ablehnt, sehen alle ihren Verdacht bestätigt. Die haarsträubenden Artikel in der »Zeitung« veranlassen die Blornas am Morgen, unverzüglich nach Köln zurückzureisen. Auf dem Weg zur Vernehmung – schlafen durfte sie zuhause – erfährt Katharina durch die »Zeitung«, daß ihre schwerkranke Mutter, die auf der Intensivstation eines Krankenhauses liegt, von Tötges trotz ihres Zustandes über die Angelegenheit unterrichtet worden ist. Die »Zeitung« stellt es natürlich so dar, als sei die Mutter erst aufgrund der Nachricht zusammengebrochen. Diesmal wird auch Katharinas Tante Else Woltersheim von Beizmenne verhört. Else beschwert sich über die Methoden der »Zeitung«, was der Kommissar nur mit dem Stichwort Pressefreiheit abtut. Nachmittags wird Katharina von ihrem Freund Pater Urbanus in dessen Kloster gerufen, muß aber erkennen, daß der Geistliche im Auftrag von Alois Sträubleder gehandelt hat, mit dem sie sich sonst nie getroffen hätte. Bei dem einflußreichen Professor und Industriellen handelt es sich nämlich um besagten Herrenbesuch. Sträubleder dankt Katharina für ihr bisheriges Schweigen, verlangt aber dringlichst den Schlüssel für sein Landhaus zurück, den er ihr einmal gegeben hat. Angewidert verläßt Katharina das Kloster. In ihrer Wohnung erwartet sie ein Schwall von obszönen und beleidigenden Briefen. Nachdem sie in verzweifelter Wut einen Teil der Einrichtung zerschlagen hat, findet sie bei ihrer Tante und deren Freund eine provisorische Bleibe. Nachts telefoniert sie von dort aus mit Ludwig Göttgen, dem sie den Schlüssel zu Sträubleders Landhaus mitgegeben hatte. Erst am nächsten Vormittag kommen die Blornas, die mit dem Zug gereist sind, in Köln an. Blorna sucht unverzüglich Staatsanwalt Hach auf, mit dem er befreundet ist, und macht ihm schwere Vorwürfe. Von Hach erfährt er, daß Ludwig Göttgen aus der Bundeswehr desertiert ist und einen Einbruch in die Zahlmeisterei verübt haben soll. Sträubleder, der Katharina bei Blorna kennengelernt hat, wendet

Angela Winkler

Angela Hillebrecht, Angela Winkler, Regine Lutz

sich voller Angst an den Anwalt und erzählt ihm von dem Schlüssel und seiner Überzeugung, daß Göttgen sich in seinem Landhaus versteckt. Doch Blorna zeigt ihm die kalte Schulter. Katharina wird ins Krankenhaus gerufen: Ihre Mutter, eigentlich auf dem Wege der Besserung, ist gestorben. Das Fernsehen überträgt Bilder von kompaniestarken Polizeieinheiten, die Göttgens Versteck umstellen und ihn verhaften. Die Blornas versuchen, die niedergeschlagene Katharina zu trösten. Für den nächsten Tag – Sonntag – hat sich Tötges für ein Interview bei Katharina angesagt. Sie hat zugestimmt, weil sie wissen will, wie so ein Mensch aussieht. Die Schlagzeile der »Zeitung« verkündet den Tod der Mutter: »Erstes Opfer der Anarchistenbraut«. Katharina wartet auf Tötges mit einer geladenen Pistole. Als der Reporter kommt und anfängt, von Exklusivrechten und vom Bumsen zu reden, drückt Katharina Blum ab. Bei der Beerdigung von Tötges hält Konzernherr Lüding eine ergreifende Rede zu Ehren dieses Mannes, der ein Opfer seines Berufes geworden sei.

»Personen und Handlung sind frei erfunden. Sollten sich bei der Schilderung gewisser journalistischer Praktiken Ähnlichkeiten mit den Praktiken der BILD-Zeitung ergeben haben, so sind diese Ähnlichkeiten weder beabsichtigt noch zufällig, sondern unvermeidlich.
Heinrich Böll«

110

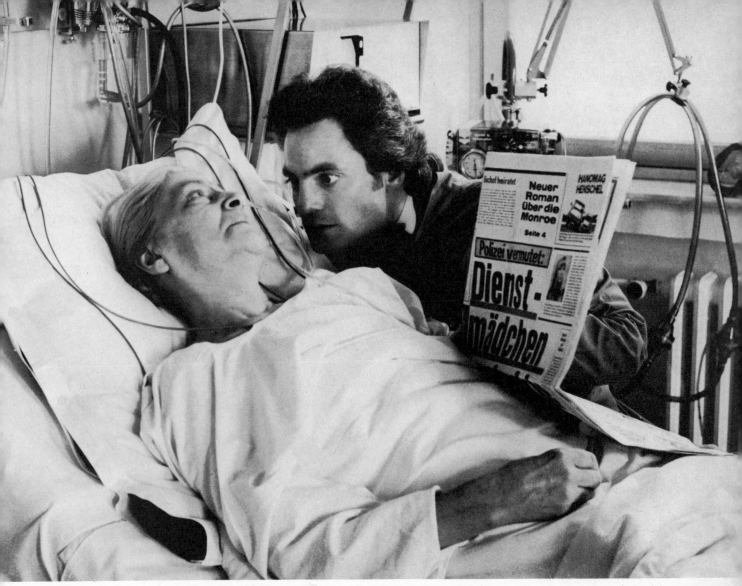

Dieter Laser

Ein Vierteljahr nach *Lina Braake* kam, mit vielen Vorschußlorbeeren bedacht, der zweite Publikumserfolg des Neuen Deutschen Films in die Kinos. Fühlten sich konservative Vertreter der Altbranche durch die Popularität von *Lina Braake* noch in ihrer Ansicht bestärkt, die Zuschauer verlangten eben gute, originelle Unterhaltungsstoffe, so blieb ihnen angesichts der baldigen Entwicklung der *Katharina Blum* zum erfolgreichsten deutschen Film des Jahres das Wort im Halse stecken: Von Unterhaltungsstoff konnte hier keine Rede mehr sein. Zwar hatte es schon vorher genügend zeit- und gesellschaftskritische Filme gegeben (z.B. von Kluge, Fleischmann und Hauff), doch noch nie hatte ein Regisseur den Finger so konkret auf Wunden des Staates gelegt wie Schlöndorff und von Trotta in ihrer Bearbeitung der Böll-Erzählung. Es war allgemein bekannt, daß Böll beim Schreiben der *Katharina Blum* auf eigene Erfahrungen mit Hetzkampagnen der *Bild-Zeitung* und anschließenden Haussuchungen der Polizei zurückgriff. Über mangelnde Publizität ihres brisanten Stoffes konnten die Autoren sicher nicht klagen (der *Spiegel* hatte bereits vor einem Jahr mit dem Vorabdruck der Erzählung begonnen). Entscheidend für den Erfolg des Films war aber noch ein anderer Faktor, den Volker Schlöndorff in seinen Arbeitsnotizen erläutert: »Als Filmemacher haben wir in den vergangenen Jahren versucht, der Wirklichkeit unserer Gesellschaft näher zu kommen. Unser Problem war und ist die Frage, wie sich das Leben in der Bundesrepublik darstellen läßt. Wir haben versucht, besonders zu betonen, was daran ›gesellschaftlich‹ war. Doch je weiter wir vorstießen, desto mehr kamen wir auf eine Komplexität der Gesellschaft, die sich filmisch schwer darstellen ließ. Deswegen haben wir uns hier jetzt auf das besonnen, was Film seit seinen Anfängen am besten geleistet hat: auf die Beschreibung von Einzelpersonen, mit deren Hilfe Wirklichkeit ohne viel Interpretation und Theorie geschildert werden kann. Wir vertrauten und vertrauen darauf, daß die Erzählung eines Einzelschicksals genügend Verständnis für unser aller Lebensumstände weckt. Die Mischung aus Allgemeinverständlichkeit, Sich-zur-Einfachheit-Bekennen, dazu

111

Angela Winkler, Mario Adorf

Jürgen Prochnow, Angela Winkler

die genaue Beschreibung der Umwelt: das ist für uns Filmemacher eine Lektion, die Böll uns gibt. Denn es geht nicht darum, zu erfinden, sondern darum, genau zu beobachten. Böll ist eben ein großer Erzähler, das heißt, er analysiert nicht Probleme, um sie dann zu illustrieren, sondern er schildert die richtigen Personen in den richtigen Situationen. Uns ist es bislang noch nie gelungen, mit soviel Einfachheit unsere Vorstellungen festzuhalten.« Diese »Einfachheit«, von der Schlöndorff spricht, haben ihm viele Kritiker – neben allem Lob und der Bestätigung der Wichtigkeit dieses Films – als Schwäche angekreidet: »Der Film bleibt, wie schon Bölls Pamphlet, bei der Schwarzweiß-

zeichnung, bei der – zugegeben sehr kinogerechten, suggestiven – Konfiguration von einem Engel samt einigen sympathischen Freunden hier, lauter Schurken und Fieslingen dort. Da gibt es wenig Differenzierung, keinen Abstand, keine Alternative. Das ›Nachspiel‹, die Beerdigung des Journalisten, ist bis zum grellen politischen Kabarett verzerrt« (Wolf Donner, *Die Zeit*). Daß Angela Winkler die richtige Schauspielerin im richtigen Film war, darüber gab es nicht den geringsten Zweifel. »A Star is born«, verkündete die *Zeit* begeistert, und der *Stern* schrieb: »Den Film *Die verlorene Ehre der Katharina Blum* muß man gesehen haben – wegen eines Gesichtes, dem von Angela

Winkler.« – »Angela Winkler ist eine vorzügliche Darstellerin verfolgter Kreaturen« *(Frankfurter Allgemeine Zeitung)*. Trotz des unglaublichen Erfolges dieses Films fand sein Rezept so wenig Nachfolger, daß sich Gerhard Zwerenz auf den Frankfurter Römerberggesprächen im April 1977 immer noch über die »falschen Stoffe« des Neuen Deutschen Films beklagte: Niemand würde sich an heiße Themen heranwagen (er führte als nachahmenswerte Beispiele die US–Filme *All the President's Men* und *Network* an), und wenn, dann wüßte es die Projektkommission der Filmförderungsanstalt (die *Katharina Blum* als eines der ersten Projekte noch mit 300 000 Mark gefördert hatte) zu verhindern – siehe Fassbinders abgelehntes Drehbuch nach Zwerenz' eigenem Roman *Die Erde ist unbewohnbar wie der Mond*. Erst ein Jahr später, 1978 (mit der Schleyer-Entführung und Mogadischu als zeitgeschichtliche Ereignisse dazwischen), kommen *Deutschland im Herbst, Das zweite Erwachen der Christa Klages* und *Messer im Kopf* in die Kinos.

Karl Heinz Vosgerau

Es herrscht Ruhe im Land

1975

Regie Peter Lilienthal. *Regie-Assistenz* Eduardo Duran, Luis Filipe Rocha. *Buch* Antonio Skarmeta, Peter Lilienthal. *Kamera* (Farbe) Robby Müller. *Kamera-Assistenz* Abel Alboim. *Musik* Angel Parra. *Ton* Hans Dieter Schwarz, Gerd Jensen. *Schnitt* Susi Jäger. *Darsteller* Charles Vanel (Großvater Parra), Mario Pardo (sein Enkel Gustavo), Eduardo Duran (Miguel Neira), Zita Duarte (Cecilia Neira), Henriqueta Maya (Maria Angelica), Luciano Noble (Herr Paselli, ihr Vater), Miguel Franco (Gouverneur), Uberlinda Cordeiro (Consuela, Lehrerin), Antonio Skarmeta (Rechtsanwalt Amaya), Curt Meyer-Clason (Richter), Santiago Reyes (Don Cosme), Carlos Silva (Jongleur). *Produktion* FFAT-Film (Peter Lilienthal) / ZDF / ORF. *Länge* 104 Minuten. *Uraufführung* Oktober 1975 (Hof).

Las Piedras, eine kleine Stadt in einem südamerikanischen Land. Herr Paselli, ein alter Mann, der sich durch Schreibmaschinenreparaturen mühsam ernährt, mietet sich in der Pension Parra ein und erkundigt sich nach dem Weg zum Gefängnis. Er will dort seine Tochter, Maria Angelica, besuchen. Sie ist eine politische Gefangene. Gustavo Parra, einer der Enkel des Pensionsinhabers, arbeitet als Postangestellter auf dem Flughafen und wird eines Tages Zeuge, wie eine Gruppe politischer Häftlinge aus einem Flugzeug in bereitstehende Gefängniswagen verfrachtet wird. Er gibt die Nachricht telefonisch an die Ärztin Cecilia Neira weiter, deren Bruder Miguel er unter den Häftlingen erkannt hat. Die Gefangenen werden in eine zu einem Gefängnis umfunktionierte Kaserne gebracht, aus der häufig die Schreie der gefolterten Häftlinge zu hören sind. Gustavo Parra sammelt in den Cafés Geld, mit dem er, Cecilia, die Lehrerin Consuela und andere Nahrung und Kleidung für die Gefangenen besorgen. Zusammen mit dem Rechtsanwalt Maya beantragen sie Besuchserlaubnis im Gefängnis. Herr Paselli darf als erster seine Tochter wiedersehen. Von da an besucht das Bürgerkomitee die Häftlinge regelmäßig. Die Regierung duldet diese Begegnungen; sie will damit ihre Menschlichkeit beweisen. Trotzdem wagen viele, wie der Händler Cosme, nicht, sich dem Komitee anzuschließen: Die Angst, als Regimegegner verdächtigt zu werden, ist zu groß. Ohne daß das Komitee davon erfahren hat, haben die Häftlinge inzwischen ihre Flucht vorbereitet. Der Chef einer Gauklertruppe, die von den Militärs zur Unterhaltung der Häftlinge in den Gefängnishof eingeladen wurde, schmuggelt eine Uniform und eine Pistole ein. Doch die Aktion gelingt nur teilweise: Nur wenige Gefangene können entkommen. Die anderen geben der Öffentlichkeit über Rundfunk Sinn und Ziel ihres Widerstandes bekannt, bevor sie sich der Übermacht des Militärs ergeben. Der Ausnahmezustand wird verkündet. Willkürmaßnahmen treffen auch die, die sich bisher passiv verhalten haben: Don Cosme wird gefoltert. Im Rundfunk lassen die Herrschenden verkünden: »Die Ruhe im Land ist wieder hergestellt.« Im Militärgefängnis werden alle Häftlinge (nach vergeblichen Versuchen, sie zu provozieren) auf dem Gang erschossen. Die Bürger solidarisieren sich zum aktiven Widerstand. Draufhin dehnt das Regime seinen Terror auf die ganze Stadt aus. Der Trauerzug zur Beerdigung Miguel Neiras – eine Demonstration gegen die Gewalt – wird brutal zerschlagen. Es kommt zu Straßenkämpfen. Die Massenverhaftungen machen es nötig, ein riesiges Stadion in eine Art Konzentrationslager zu verwandeln. Fast die gesamte männliche Bevölkerung ist festgenommen, das Leben stagniert, die Stadt ist leer geworden. Der Wirtschaft fehlen die Arbeitskräfte. Nachdem der alte Großvater Parra beim Gouverneur vergeblich die Freilassung seiner Enkel beantragt hat, versorgt er sich mit Proviant, läßt seine Hühner frei, bittet den kleinen Sohn eines verhafteten Taxifahrers, ihn zum Stadion zu fahren und geht mit den Worten »Faschisten! Verbrecher!« freiwillig in Gefangenschaft.

Charles Vanel

Eduardo Duran, Zita Duarte

»Nach *La Victoria*, dem Film, den Peter Lilienthal und Antonio Skarmeta in Chile vor dem Putsch gedreht hatten, ist dies der zweite Film der beiden Autoren, der sich mit einer speziell südamerikanischen Problematik befaßt. Die Kleinstadt Las Piedras steht stellvertretend für eine Reihe solcher Staaten, in denen demokratische Freiheiten durch mehr oder weniger faschistische Diktaturen suspendiert sind. Lilienthal wollte diesen Film ursprünglich als ZDF-Koproduktion mit argentinischer Beteiligung herstellen. Durch die Veränderung der politischen Verhältnisse in Argentinien war dieser Plan nicht mehr durchführbar. Das Angebot, mit dem Projekt nach Peru auszuweichen, konnte ebenfalls nicht realisiert werden, weil die soziologische Struktur dieses Landes das in Lilienthals Film geschilderte Bürgertum nicht aufweist. So wurde die Realisation nach Portugal verlegt. Der Film wurde dann von Januar bis März 1975 in Setubal und Lissabon mit großzügiger Unterstützung der portugiesischen Armee gedreht. Neben Charles Vanel, der den alten Hotelbesitzer Parra spielt, wirken in Lilienthals Film Schauspieler aus Portugal, Spanien und Chile mit,

aber auch viele politische Flüchtlinge aus Lateinamerika, deren persönliche Erfahrungen mit Gewalt und Unterdrückung im direkten Zusammenhang mit den Rollen stehen, die sie in diesem Film verkörpern« (*Das Fernsehspiel im ZDF*, Heft 15). Peter Lilienthal, der als Zehnjähriger 1939 mit seinen Eltern nach Uruguay emigrierte, 1956 nach Berlin zurückkehrte und bis zu seinem ersten Kinofilm *Malatesta* (1970) an die zwanzig Fernsehfilme drehte, zu seinem Film: »Antonio Skarmeta und ich sind unter den Leuten aufgewachsen, von denen wir sprechen, diesen ›betroffenen Kleinbürgern‹, die erst dann, wenn sie an den Gittern rütteln und rausschauen, wissen, was Freiheit ist.« Und Skarmeta ergänzt: »Wir wollten die Menschen nicht in einer romantischen oder betont ideologischen Art zeigen. Wir wollten sie so zeigen, wie sie sind: Menschen mit Angst, Menschen mit Sorgen, Alltagsmenschen. Wir zeigen, wie Menschen Bewußtsein entwickeln, den Weg zum Fühlen, zum Handeln finden. Es mag unrealistisch erscheinen, wenn am Ende des Films alle Leute im Gefängnis sind, aber es ist eine Metapher für die Realität, eine Parabel dessen,

was wirklich ist.« Trotz *La Victoria* kam Lilienthals zweiter Chile-Film mit seiner Brisanz, seinem Mut und seiner weniger agitatorischen als aufklärerischen Kraft überraschend. Niemand hätte in den Reihen der deutschen Regisseure einen Mann vermutet, der sich in einem Spielfilm der verlorenen Ehre eines südamerikanischen Volkes annimmt und dabei einen Grad an Wahrhaftigkeit erreicht, der sein Werk den spektakulären Polit-Thrillern *Z* oder *Der unsichtbare Aufstand* des Franzosen Costa-Gavras weit überlegen macht. »In der dialektischen Verzahnung von ruhig ausgehaltenen Sequenzen, die hilflose Trauer und Resignation signalisieren, und hektischen Bildfolgen, die den Terror beschreiben, gewinnt Lilienthals Film realistische Schärfe: Der Terror, mit dem Ruhe und Ordnung erreicht werden sollen, setzt immer wieder neue Kräfte der Solidarität und des Widerstands frei, die in ihrer Beschreibung nach einer bewegten Bildsprache verlangen. Zwangsläufig wird so das vorgegebene Muster der Konfrontation von ruhig ausholenden und hektisch vorwärtstreibenden Sequenzen aufgehoben. Die anfangs so bewegten Aktivitäten der Herrschenden erstarren, das Volk gerät in Bewegung« (Wolfgang Ruf, *Deutsches Allgemeines Sonntagsblatt*). *Es herrscht Ruhe im Land* wurde 1976 mit dem höchsten Bundesfilmpreis, der Goldenen Schale, ausgezeichnet und erhielt den Preis der Filmkritik. Vier Jahre später zeichneten Lilienthal und Skarmeta in ihrem dritten gemeinsamen Film *Der Aufstand* erneut ein Stück südamerikanischer Wirklichkeit nach, diesmal den Befreiungskampf der Sandinisten in Nicaragua. Auffällig bei Lilienthal ist, daß im Gegensatz zu seiner Südamerika-Trilogie seine »europäischen« Filme *Malatesta*, *Hauptlehrer Hofer* und *David* allesamt in der Vergangenheit angesiedelt sind (die ersten beiden um 1910, *David* von 1933 bis 1943). So ist Lilienthal der einzige politisch bewußte Regisseur des Neuen Deutschen Films, dessen filmische Verarbeitung der bundesrepublikanischen Wirklichkeit immer noch aussteht.

Sommergäste

1976

Regie Peter Stein. *Regie-Assistenz* Jan Kauwenhowen. *Buch* Botho Strauß, nach dem Bühnenstück von Maxim Gorki (1904). *Kamera* (Farbe) Michael Ballhaus. *Kamera-Assistenz* Wolfgang Knigge. *Musik* Peter Fischer. *Ausstattung* Karl-Ernst Herrmann. *Ton* Gunther Kortwich, Hans Dieter Schwarz. *Schnitt* Siegrun Jäger. *Darsteller* Wolf Redl (Sergej Basow, Rechtsanwalt), Edith Clever (Warwara, seine Frau), Ilse Ritter (Kalerija, Basows Schwester), Michael König (Wlas Tschernow, Warwaras Bruder), Jutta Lampe (Marja Lwowna, Ärztin), Bruno Ganz (Jakow Schalimow, Schriftsteller), Otto Sander (Pjotr Suslow, Ingenieur), Elke Petri (Julija, seine Frau), Werner Rehm (Kirill Dudakow, Arzt), Sabine Andreas (Olga, seine Frau), Rüdiger Hacker (Pawel Rjumin), Günther Lampe (Doppelpunkt, Suslows Onkel), Gerd Wameling (Zamyslow, Basows Stellvertreter), Otto Mächtlinger (Pustobajka, Wächter), Eberhard Feik (Kropilkin, Wächter), Katharina Tüschen (Sascha, Basows Kinderfrau). *Produktion* Regina Ziegler Film / SFB. *Länge* 115 Minuten. *Uraufführung* 29. 1. 1976.

»Eine Sommerhaus-Kolonie in Rußland in den ersten Jahren unseres Jahrhunderts. Eine Gruppe von Leuten, die sich in der Datscha des Rechtsanwalts Basow und seiner Frau Warwara treffen. Gespräche und Diskussionen, Theaterspiel, eine Bootsfahrt, ein Waldspaziergang, Liebe und immer wieder Reibereien, Irritationen. Dreizehn Menschen suchen einen Ausweg. Drei Ehepaare – Rechtsanwalt, Ingenieur, Arzt –, ein Schriftsteller, eine Ärztin, Verwandte, Freunde. Dreizehn unterschiedliche Lebenseinstellungen. Einig sind sich alle darin, daß das Leben, das sie führen, äußerst unbefriedigend ist. Einig sind sich fast alle darin, daß das Leben anders sein, verändert werden müsse. Aber jeder hat seine eigene Geschichte, jeder seine individuellen Probleme, jeder reagiert anders auf die Unzufriedenheit. Tag für Tag treffen sie sich, vertreiben sich die Zeit, gehen sich gegenseitig auf die Nerven. Warwara leidet darunter, daß die Menschen sich gegenseitig erniedrigen und kränken und daß sie auch in dieser Gruppe keine Achtung mehr voreinander empfinden. Sie möchte fortgehen – irgendwohin, wo man anders lebt, anders redet, wo man etwas Nützliches, Vernünftiges tun kann. Ihr Bruder Wlas richtet seine zynischen Aggressionen gegen die Gruppe, auch er wütend darüber, daß er unter diesen Menschen nicht anders leben kann als sie. Die Ärztin Marja Lwowna propagiert aktives soziales Engagement und sieht den Sinn des Lebens in dessen gesellschaftlicher Notwendigkeit. Doppelpunkt, der reiche Onkel des Ingenieurs, läßt sich von ihr überzeugen. Der Schriftsteller, Ausgangspunkt der Gespräche und Diskussionen, hat seine Leser verloren. Und damit den Impetus zu schreiben. Die nervöse Spannung dieser dreizehn Menschen steigert sich von Tag zu Tag. Bei einem Ausflug im nahen Birkenwald brechen die aufgestauten Emotionen auf. Liebe, ein ungeschickter Selbstmordversuch. Die Fronten des bürgerlichen Kleinkriegs verschärfen sich. Gegensätze, ja, fast Feindseligkeiten kristallisieren sich heraus. Die Geschichte einer Zerstörung nimmt ihren Lauf. Wie ändert man sich selbst, die Gesellschaft, das Leben? Wie soll es weitergehen? Warwara, Wlas, Marja Lwowna und Doppelpunkt brechen aus der Gruppe aus. Sie haben sich entschieden. Sie sind entschlossen, etwas zu verändern. Staunend folgt ihnen Kalerija, die Schwester des Anwalts, die brennenden Fragen sonst nur mit Poesie und Klavierspiel ausweicht. Zurück bleibt der Rest der Gruppe, verständnislos, verstört, hilflos. ›Die sind alle verrückt geworden‹, sagt der Anwalt zum Schriftsteller, und dieser bekommt das Schlußwort: ›Die Menschen und was mit ihnen geschieht, das alles bedeutet nichts ... Das ist alles vollkommen gleichgültig ...‹« (Inhaltsangabe der Produktion).

Edith Clever, Bruno Ganz

Nach Gründung der neuen Schaubühne am Halleschen Ufer in Berlin am 1.8.1970 versammelte der über München, Bremen und Zürich in seine Heimatstadt zurückkehrende Theatermann Peter Stein (Jahrgang 1937) rasch eine Gruppe von Mitarbeitern und Schauspielern um sich, die die bundesrepublikanische Bühnenszene beleben sollte wie vorher nur Zadeks Bochumer Truppe. Zusammen mit dem Schriftsteller und Dramaturgen Botho Strauß, der für die Schaubühne Ibsens *Peer Gynt* (1971), Kleists *Prinz von Homburg* (1973) und Labiches *Sparschwein* (1973) bearbeitete, entstand schon recht früh die Idee, aus Maxim Gorkis 1904 geschriebener Szenenfolge *Sommergäste* ein Filmdrehbuch anzufertigen. Denn Stein, immer auf der Suche nach Möglichkeiten, die traditionellen Grenzen bühnendramaturgischer Möglichkeiten zu erweitern oder gar zu überschreiten, sah anhand der Erfolge von Syberbergs *Ludwig* oder Wenders'/Handkes *Falsche Bewegung* im Film ein Medium, das unter bestimmten Bedingungen fähig ist, Vorgaben sowohl von Theater als auch von Literatur rückstandslos zu etwas Eigenem, Größerem zu verarbeiten. Für die *Sommergäste* schwebte ihm deshalb von Anfang an das Kino und nicht etwa das Fernsehen vor. Stein: »Die Fernsehaufzeichnungen einiger un-

serer Aufführungen haben uns eigentlich eher frustriert, denn die waren immer ein merkwürdiger Zwitter zwischen Theater und Film. Man arbeitet mit zwei oder drei elektronischen Kameras, muß demzufolge zwei oder drei Bilder bauen, die dann auf dem Monitor eines ergeben. Das heißt, man muß dreimal lügen, muß dreimal mogeln, um überhaupt etwas herzustellen.« Da das Geld nicht reichte, wurde der Plan erst einmal zurückgestellt und aus dem *Sommergäste*-Drehbuch eine Bühneninszenierung entwickelt, die im Dezember 1974 uraufgeführt und augenblicklich als stärkste Attraktion innerhalb der Berliner Theaterlandschaft apostrophiert wurde. Der Bühnenerfolg sicherte nun die Finanzierung des Filmprojektes: Sowohl von der Filmförderungsanstalt als auch vom Sender Freies Berlin kamen die nötigen Summen, und Jungproduzentin Regina Ziegler sah ihre Chance, sich nach vier Achtungserfolgen (*Ich dachte, ich wäre tot* und *Meine Sorgen möcht' ich haben* von Wolf Gremm, *Chapeau Claque* von Ulrich Schamoni und *Familienglück* von Lüdcke/Kratisch) mit den *Sommergästen* endgültig einen Namen zu machen. Sie stellte dem filmhandwerklich unerfahrenen Peter Stein den Fassbinder-Kameramann Michael Ballhaus zur Seite, und in Gatow auf den Rieselfeldern

und an einem Uferstreifen der Pfaueninsel fand man Birkenwäldchen, Wiesen und Schilf, so daß der Verfilmung nichts mehr im Wege stand. Peter Stein über die Dreharbeiten: »Einzelne Szenen mußten aufgeteilt werden in Einstellungen – das erforderte von allen Beteiligten eine ganz andere Intensität. Wir haben nicht im Studio gedreht und brauchten sehr viele Außenaufnahmen – da waren wir nicht nur vom Wetter, sondern vor allem vom Licht sehr abhängig, und es gibt viele Einstellungen, in denen die Kamera von innen direkt nach außen geht. Überhaupt ist das Licht etwas, das mich beim Film besonders fasziniert: es bestimmt die optische Komposition eines Bildes und damit die filmische Sprache entscheidend. Für die Schauspieler war es eine ungeheure Strapaze: jeden Morgen um sechs Uhr aufstehen, den ganzen Tag am Drehort und anschließend abends wieder auf die Bühne. Aber sie fühlten sich auf diese Weise untereinander sicherer. Sie spielten alle Szenen zusammen, ganz gleich, ob alle oder nur einige von ihnen im Bild waren. Diejenigen, die von der Kamera erfaßt wurden, funktionierten nur, wenn sie zu einem oder mehreren wirklichen Partnern im Off sprechen konnten. Das war für den Ablauf der filmisch-technischen Arbeit keineswegs immer leicht. Aber für mich war es eine überaus interessante und natürlich auch völlig neue Erfahrung.« Der Film *Sommergäste* fand sowohl bei der Kritik als auch beim Publikum Zuspruch, was von *Trilogie des Wiedersehens* (1978) und *Groß und klein* (1980), die Stein und Strauß ihrem Erstlingserfolg nachschickten, nicht behauptet werden kann. Der Franzose Eric Rohmer, von *Sommergäste* offenbar stark beeindruckt, verpflichtete gleich drei Schauspieler aus dem Ensemble der Schaubühne für Hauptrollen in seiner Kleist-Verfilmung *Die Marquise von O...*: Edith Clever, Otto Sander und Bruno Ganz. Für Ganz bedeuteten diese beiden Filme den Beginn einer internationalen Filmkarriere, obwohl er bereits 1967 Hauptdarsteller in Haro Senfts *Der sanfte Lauf* gewesen war.

Wolf Redl, Günther Lampe, Edith Clever, ▷
Otto Sander, Bruno Ganz

Jutta Lampe, Michael König

Im Lauf der Zeit
1976

Regie Wim Wenders. *Regie-Assistenz* Martin Hennig. *Buch* Wim Wenders. *Kamera* Robby Müller, Martin Schäfer. *Musik* Axel Linstädt (Improved Sound Limited). *Ausstattung* Heidi Lüdi, Bernd Hirskorn. *Ton* Martin Müller, Bruno Bollhalder. *Schnitt* Peter Przygodda. *Darsteller* Rüdiger Vogler (Bruno Winter), Hanns Zischler (Robert Lander), Lisa Kreuzer (Pauline), Rudolf Schündler (Roberts Vater), Marquard Bohm (Mann), Dieter Traier (Paul), Franziska Stömmer (Kinobesitzerin), Peter Kaiser (Filmvorführer), Patrick Kreuzer (Junge), Michael Wiedemann (Lehrer). *Produktion* Wim Wenders/WDR. *Länge* 176 Minuten. *Uraufführung* 4.3.1976.

Die Elbe bei Lüchow-Dannenberg, im Norden der Bundesrepublik Deutschland. Bruno Winter, der seit zwei Jahren allein durch die Provinz reist und in den wenigen dort noch existierenden Kinos die Projektoren repariert, hat seinen Lkw – einen ehemaligen Möbeltransporter, der ihm als mobile Werkstatt und Zuhause dient – über Nacht hier geparkt. Beim Rasieren in der Frühe glaubt er plötzlich seinen Augen nicht zu trauen: Ein VW–Käfer rast in halsbrecherischem Tempo auf der Straße direkt auf die Elbe zu, macht keinerlei Anstalten zu bremsen und landet im Wasser. Ehe das Auto im Fluß versinkt, zwängt sich ein Mann mit einem offenbar leeren Koffer durch das Schiebedach ins Freie und schwimmt an Land. Der so mit dem Leben spielt, ist Robert Lander, etwa so alt wie Bruno; in Genua hat er sich gerade von seiner Frau getrennt. Später wird er Bruno sagen, er sei so etwas wie ein Kinderarzt. Viel später wird er präzisieren, er arbeite auf einem Grenzgebiet zwischen Sprachwissenschaft und Kinderheilkunde. Vorerst sagen sich die beiden Männer noch nicht viel, beobachten sich, lassen sich aber in Ruhe. Robert, der wartet, bis seine

Kleider trocken sind und auf dem Beifahrersitz vor sich hin brütet, begleitet Bruno auf seiner Tour durch Lüchow, Wolfsburg und Helmstedt. Fast wortlos wird vereinbart, daß Robert, solange er kein Ziel hat, mitfahren kann. In dieser Nacht steht der Lkw auf einem Feldweg bei einer Eisenbahnlinie. Robert schläft in der zweiten Koje. Am nächsten Tag geht Robert in einem Kino in Schöningen Bruno sogar bei der Arbeit zur Hand. Vor einer versammelten Schulklasse, die einen Film sehen soll, improvisieren sie plötzlich ein pantomimisches Slapstick-Schattentheater hinter der Leinwand. Am Abend hält Bruno vor einem stillgelegten Basaltwerk. Robert, der im Laderaum auf einer Matratze schläft, wird

Wim Wenders

nachts von einem Geräusch geweckt und entdeckt auf einer Plattform der Werkanlage einen weinenden Mann, der Steine in einen Schacht fallen läßt. Der Mann sagt, er wolle in Ruhe gelassen werden, kommt dann aber doch zu Robert in den Laderaum und erzählt unzusammenhängend und stockend, daß seine Frau nach einem Streit ihren Wagen vor einen Baum gelenkt habe. Er trägt den blutbefleckten Mantel der Toten. Am nächsten Morgen holt ein Abschleppwagen das Wrack ab; der Unfall hatte sich ganz in der Nähe ereignet. Während Bruno einen Aussichtsturm besteigt, klemmt Robert ihm einen Zettel unter die Windschutzscheibe: »Ich fahre nach Ostheim zu meinem Vater. Ich kenne Deine Route. R.« Robert findet seinen alten Vater allein in den Redaktionsräumen der kleinen Ostheimer Zeitung, die er herausgibt. Robert war seit zehn Jahren nicht mehr hier. In dieser Nacht, die er mit seinem Vater in der heruntergekommenen Druckerei verbringt, wirft er ihm vor, seine Mutter und ihn nie zu

Wort kommen gelassen zu haben. In der Zwischenzeit hat Bruno auf einer Dorfkirmes Pauline kennengelernt und sich für den Abend mit ihr zum Kino verabredet. Wie sich herausstellt, arbeitet sie aber aushilfsweise als Kassiererin in dem Kino. Bruno vergrault den Vorführer, der die Projektion zu eigenen Vergnügungen mißbraucht, und führt den Film selber zuende vor. Sie bleiben die Nacht über in dem leeren Kino; Bruno führt Pauline eine Filmschleife vor, die er aus Resten zusammengeklebt hat. Am nächsten Morgen holt Bruno Robert in Ostheim ab. Sie borgen sich von Roberts ehemaligem Klassenkameraden Paul, der eine Tankstelle hat, ein altes Motorrad mit Beiwagen aus und fahren damit zum Rhein. Abends rudern sie zu einem verfallenen Haus auf einer Insel, in dem Bruno als Kind mit seiner Mutter gelebt hat. In der Nacht streicht Bruno unruhig durch das dunkle Haus. Robert schläft im Freien. Nachdem sie das Motorrad zurückgebracht haben, nehmen sie Brunos Route wieder auf: Kinos in Ebern, Haßfurt und anderen Orten. Eines Abends führt eine Sackstraße sie zur Grenze zur DDR. In einer ausgedienten Wachhütte der Amerikaner, in der sie sich für die Nacht eingerichtet haben, kommt es zu einem Streit: Bruno zieht Robert auf, weil er pausenlos versucht, seine Frau telefonisch zu erreichen, worauf Robert Brunos Einzelgängerdasein kritisiert. Nach einer kurzen Prügelei gestehen sie sich ihre Sehnsucht nach einer Frau. Robert steht am Morgen als erster auf, nimmt seinen Koffer und macht sich zu Fuß auf den Weg. Bruno findet seine letzte Nachricht: »Es muß alles anders werden. So long. R.« Robert tauscht an einem Bahnhof mit einem kleinen Jungen seinen leeren Koffer gegen dessen Schreibheft. Als Bruno mit seinem Lkw vor einer geschlossenen Schranke halten muß, kreuzen sich zum letzten Mal ihre Wege. Abends hört Bruno einer resignierten Kinobesitzerin zu, die von der desolaten Situation deutscher Provinzkinos spricht. Bruno zerreißt seinen Tourenplan. Von der Leuchtschrift des Kinos »Weiße Wand« funktionieren nur noch die Buchstaben E, N und D.

Rüdiger Vogler

Rüdiger Vogler, Lisa Kreuzer

119

Hanns Zischler

Hanns Zischler, Rüdiger Vogler

Marquard Bohm

»Bei der Motivsuche zu *Falsche Bewegung* bin ich dauernd auf Motive gestoßen, die ich gar nicht gebrauchen konnte, weil so ein Ort in der Geschichte nicht vorkam. Ich habe schließlich soviel anderes in Deutschland gefunden, was mir gefallen hat, daß ich mir gewünscht habe, ich hätte keine feste Geschichte. Da habe ich beschlossen, als nächstes einen Reisefilm zu machen, in dem ich ganz nach Belieben das reinnehmen kann, was mir unterwegs gefällt, bei dem ich die Freiheit hätte, während des Films die Geschichte zu erfinden. Ein Film, in dem nach der Hälfte alles noch ganz anders werden kann« (Wim Wenders). *Im Lauf der Zeit* ist die perfekte Illustration eines Satzes von Truffaut: »Wenn man einen Film dreht, dann ist das wie eine Postkutschenfahrt durch den Wilden Westen. Zuerst meint man noch, es werde eine schöne Reise, doch dann fragt man sich schon sehr bald, ob man das Ziel überhaupt noch heil erreichen wird.« Freute sich Wenders vor Beginn der Dreharbeiten also noch auf die schöne Reise, sah die Situation bereits nach kurzer Zeit wie folgt aus: »Wir haben im Schnitt zwanzig Stunden am Tag gearbeitet, wußten oft nicht, was wir am nächsten Tag drehen würden. Ich schrieb das Buch – vor dem Drehbeginn war nur ein Exposé von fünf Seiten vorhanden – im Team, und zwar nachts, vor Drehbeginn. Dann, als das eine zu große Belastung für alle wurde, habe ich das Buch allein weitergeschrieben und wir haben vor Drehbeginn darüber diskutiert« (Wim Wenders in einem *tip*-Interview). Daß diese ungewöhnlichen Bedingungen am Drehort alles andere als chaotische Ergebnisse brachten, verdankt Wenders – was die technische Seite des Films betrifft – seinem hochqualifizierten Stab von Mitarbeitern. Die Kameraleute Robby Müller und Martin Schäfer, die Licht- und Bühnentechniker Hans Dreher und Volker von der Heydt, die Ausstatter Heidi Lüdi und Bernd Hirskorn, die Tonmeister Martin Müller, Bruno Bollhalder (Originalton) und Paul Schöler (Mischung) sowie Komponist Axel Linstädt erfüllten diesen Drei-Stunden-Schwarzweiß-Film mit einer visuellen und akustischen Ästhetik, die Wolf Donner in *Die Zeit* den einzig richtigen Schluß ziehen ließ: »Die handwerkliche Virtuosität von *Im Lauf der Zeit* wird die Cineasten süchtig machen.« Auf den Filmfestspielen in Cannes 1976 vertrat *Im Lauf der Zeit* die Bundesrepublik im offiziellen Wettbewerb und erhielt ex aequo mit Alexander Kluges *Der starke Ferdinand* den Preis der Internationalen Filmkritik. »Im Wettbewerb gab es zwei ›metaphysische‹ road pictures: Scorseses *Taxi Driver*, der auf den nächtlichen Straßen New Yorks spielt, und Wim Wenders *Im Lauf der Zeit* (auch bekannt als *Kings of the Road*). ›Die Amerikaner haben unser Unterbewußtsein kolonialisiert‹, sagt einer der Kings of the Road in Wenders' Film, als ihm ein bestimmter Popsong einfach nicht aus dem Kopf geht. Wenders haben sie aber nicht kolonialisiert. Es gibt zwar viele Ähnlichkeiten zwischen seinem Film und einer Reihe von John-Ford-Filmen (*Two Rode Together* wäre ein passender Titel gewesen, hätte Ford ihn nicht schon benützt), doch der Film bleibt fest in der deutschen Realität verankert, auch in einer Art von realistischen deutschen Tradition, Filme zu machen, für die Fritz Lang das bedeutendste Beispiel ist (der Film zollt ihm an vielen Stellen Tribut). Lang plus Ford gleich Wenders? So in etwa, außer daß Wenders einzigartig ist. ... Mit diesem Film hat sich Wenders endgültig seinen Platz an der Sonne Deutschlands erobert, gleich neben Herzog und Fassbinder« (Richard Roud in *Sight and Sound*, Sommer 1976).

Hanns Zischler

Hanns Zischler, Rüdiger Vogler

Rüdiger Vogler, Hanns Zischler

Nordsee ist Mordsee
1976

Regie Hark Bohm. *Regie-Assistenz* Wolfgang Glattes, Ingrid Fischer. *Buch* Hark Bohm. *Kamera* (Farbe) Wolfgang Treu. *Musik* Udo Lindenberg. *Ausstattung* Jochen Wolfart. *Ton* Gunther Kortwich. *Schnitt* Heidi Genée. *Darsteller* Uwe Enkelmann (Uwe Schiedrowsky), Dschingis Bowakow (Dschingis Ulanow), Marquard Bohm (Walter Schiedrowsky), Herma Koehn (Heike Schiedrowsky), Katja Bowakow (Katja Ulanow), Günter Lohmann (Günter Petersen), Corinna Schmidt (Corinna Hermann), Ingrid Boje (Ingrid Panowsky), Gerhard Stöhr (Gerd Stein), Rolf Becker (Polizist). *Produktion* Hamburger Kino Kompanie (Hark Bohm) / SDR. *Länge* 85 Minuten. *Uraufführung* 28.3.76 (Duisburger Filmtage).

Uwe Schiedrowsky, vierzehn Jahre alt, lebt mit seinen Eltern in einem Mietshaus auf der Elbinsel Hamburg-Wilhelmsburg, im dortigen Jargon »Niggertown« genannt. Sein Vater, ein gescheiterter Seemann, ist mit seinem Beruf als Barkassen-

führer unzufrieden, trinkt und verteilt gewohnheitsmäßig Prügel – hauptsächlich an Uwe. Draußen in der Clique spielt Uwe gern den großen Macker und ahmt unbewußt sogar die Unterdrückungsmethoden seines Vaters gegenüber Schwächeren nach. Besonders dem asiatischen Ausländerjungen Dschingis, dem »Kanacken«, kann man seine vermeintliche Überlegenheit ohne Gefahr von Gegenwehr zeigen. Uwe knackt einen Automaten, kauft sich von der Beute ein Schnappmesser und erklärt Dschingis den Krieg. Das Floß, das dieser sich in einer einsamen Bucht alleine gebaut hat, erregt den Neid der Clique und bietet ein Ziel, gegen das sich die Aggressionen der Jugendlichen richten können. Es wird kurz und klein gehackt. Dschingis hat gegen die Übermacht keine Chance und wird selbst noch fürchterlich verprügelt. Doch da ist es mit Dschingis' Geduld und Gleichmut endgültig vorbei: Er fordert Uwe, den Rädelsführer, zum Zweikampf heraus, und dank seines

Hark Bohm, Uwe Enkelmann

Karate-Trainings kann er ihn tatsächlich besiegen. Als Dschingis ihn auch noch zwingt, ihm dabei zu helfen, das Floß neu aufzubauen, hat Uwe als Anführer der Gruppe verspielt. Er versucht, die Blamage wettzumachen, indem er sich vor den Augen der anderen in ein parkendes Auto setzt, es in Gang setzt und zu einer kleinen Spritztour startet. Das Gefühl der Freiheit, das er dabei erlebt, ist allerdings nur von kurzer Dauer: Bei seiner Rückkehr erwartet ihn schon die Polizei, und zu Hause wird er von seinem Vater vermöbelt. Jetzt steht für Uwe fest, daß er abhauen muß. Ausgerechnet sein Erzfeind Dschingis bringt für Uwes Lage Verständnis auf und bietet ihm an, bis auf weiteres bei ihm zu wohnen. Uwe ist von diesem Angebot beeindruckt, doch die Jungen haben nicht mit Dschingis' Mutter gerechnet, die ängstlich darauf bedacht ist, ja nicht in irgendeiner Weise aufzufallen. Dschingis ist enttäuscht und versteht das abkapselnde Verhalten seiner Mutter nicht. So beschließen die beiden, gemeinsam das Weite zu suchen. Erst probieren sie es mit ihrem Floß. Im Hafen, im Gewimmel von Fährschiffen und Barkassen, sehen sie rasch ein, daß sie mit diesem schwerfälligen Kasten nicht weit kommen würden. Also klauen sie ein Segelboot, wobei sie gegenseitig ihr Gewissen beruhigen. Mit knapper Not manövrieren sie sich zwischen den riesigen Tankern und Frachtschiffen hindurch und segeln die Elbe hinunter. Für die Nacht legen sie irgendwo an und stellen am nächsten Morgen erschrocken fest, daß sie auf Hahnöfersand gelandet sind, Hamburgs Jugendgefängnis-Insel. Sie malen sich die Strafen aus, die sie erwarten würden, und sind sich einig, daß es jetzt kein Zurück mehr geben kann. Sie machen sich wieder auf den Weg. Einem Polizeiboot, das sie offenbar verfolgt, können sie über die Sandbänke entkommen. Um an Nahrung und Geld zu kommen, steuern sie gegen Abend wieder das Ufer an und brechen in einen Kiosk ein. Und dann haben sie endlich die Elbmündung erreicht. Das offene Meer liegt vor ihnen, und obwohl Uwe an den Spruch erinnert, daß Nordsee Mordsee sei, stechen sie in See.

Marquard Bohm

Uwe Enkelmann, Dschingis Bowakow

»Ich bin emotional nicht in der Lage, die Welt als endgültig hinzunehmen, und ich bin emotional nicht in der Lage, einsam zu leben. Aber beides wird von mir verlangt. Man zeigt mir die ›Sachzwänge‹ einer hochindustrialisierten Gesellschaft, und man erklärt mir, daß die Vereinzelung, die Vereinsamung eine notwendige Folge eines materiell gesicherten Lebens sind. Dem widersetze ich mich, weil ich zutiefst davon überzeugt bin, daß das unwahr ist. Alle meine Geschichten erzählen von Menschen, die es wagen, dem, was sie bedrängt, Widerstand entgegenzusetzen, die in dieser Widerstandsarbeit zusammenfinden, die gemeinsam ihre Situation ein bißchen verändern, ihre Einsamkeit ein bißchen aufheben und ein bißchen Glück erfahren. Darum nennt man meine Filme vielleicht Abenteuerfilme. Weil es ein Abenteuer ist, die Welt als etwas anzugehen, was man für sich mit anderen erobern muß« (Hark Bohm). Hark Bohm wurde 1939 in Hamburg geboren und wuchs auf Amrun auf. Nach einem abgeschlossenen Jurastudium ging er nach München, war dort zunächst Gehilfe in einer Kunstgalerie und später Referendar beim Gericht und bei einem Anwalt. Mit dreißig Jahren gab er seine Juristenlaufbahn auf, bekam durch seinen Bruder, den Schauspieler Marquard Bohm, Kontakt zu Regisseuren wie Schlöndorff und Klick und ver-

suchte sich 1970 an ersten eigenen Kurzfilmen. Im selben Jahr traf er auch mit Wenders, Fassbinder, Lilienthal, Thomas Schamoni und anderen zusammen und zählte zu den Gründungsmitgliedern des Filmverlages der Autoren. *Tschetan, der Indianerjunge* (1972), ein bajuwarischer Western, war sein erster Spielfilm und beschrieb die Geschichte einer Adoption: Ein Schäfer rettet einen Indianerjungen vor der Bestrafung durch einen Farmer, nutzt ihn zunächst selbst als willkommene Arbeitskraft aus und lernt ihn erst langsam als Partner zu akzeptieren und als Mensch zu respektieren. *Nordsee ist Mordsee* ist Bohms zweiter Kinofilm (dazwischen drehte er zwei Kinderfilme fürs Fernsehen) und fast die Antithese zu *Tschetan*: Hier geht es um den als notwendig dargestellten Versuch zweier Jugendlicher, sich dem Zugriff der Erwachsenenwelt zu entziehen und ihren eigenen Weg zu gehen. Gemeinsam ist beiden Filmen aber die Beschreibung einer Beziehung, bei der aus Rivalen durch solidarisches Handeln und Überwinden von Vorurteilen die besten Freunde werden. Dieses Motiv, das sich auch in Bohms 1979 entstandenem Film *Im Herzen des Hurrican* (auch: *Nicht mit uns*) wiederfindet, entwickelt sich in *Nordsee ist Mordsee* nun nicht vor zeitlosem Hintergrund und in einem Niemandsland wie in *Tschetan*, sondern in dem realistischen Milieu

einer modernen Großstadtsiedlung. »Was die Schilderung der Jugendlichen, ihres Verhaltens und ihrer Umwelt betrifft, zeichnet sich Bohms Film durch Authentizität und Differenziertheit aus. Das kommt einmal daher, daß Bohm während der Vorbereitungen drei Monate in Wilhelmsburg gewohnt hat und sich in Schulen und Jugendhäusern umgesehen hat. Auf diese Sach- und Milieukenntnis ist die Genauigkeit der Dialoge und die Wirklichkeitsnähe in der Schilderung jugendlichen Verhaltens – die kriminellen Aktionen, die Brutalität untereinander, der unbändige Freiheitsdrang – zurückzuführen. Dann hat Bohm, wie schon bei *Tschetan, der Indianerjunge*, viele eigene Erfahrungen, auch solche seiner Darsteller, in den Film eingebracht. In seinen Filmen spielen fast immer die gleichen Darsteller, meist Verwandte oder Freunde. Schon in *Tschetan* waren sein Bruder Marquard und sein Pflegesohn Dschingis, der Bruder seiner Frau, die Hauptdarsteller. Dschingis' Eltern, russische Emigranten, sind Kalmücken. Der Vater starb zur Zeit von Dschingis' Geburt, seine Mutter verdient ihren Lebensunterhalt als Arbeiterin. Uwe Enkelmann lernte Bohm kennen, als er ihn als Darsteller in *Ich kann auch 'ne Arche bauen* einsetzte. Bohm kümmert sich auch privat um Uwe, der aus einer geschiedenen Ehe stammt, und ermöglichte ihm die

123

Dschingis Bowakow und Uwe Enkelmann beim Karatetraining während der Dreharbeiten

Uwe Enkelmann, Dschingis Bowakow

Uwe Enkelmann

Aufnahme in ein Jugendheim. Auch in Bohms Aufnahme-Team finden sich Verwandte und Freunde. Mit all diesen Personen steht Bohm in einer komplexen seelischen Beziehung, die auf die Entstehung des Films eingewirkt hat. Duch die Verknüpfung von Konflikten und Erlebnissen, die der Regisseur und seine Mitarbeiter eingebracht haben, mit der Geschichte von Uwe und Dschingis hat der Film nicht nur an Wirklichkeitsnähe und Wahrheitsgehalt gewonnen, sondern er wurde auch zu einem Medium der Selbstreflektion« (Franz Ulrich, *Zoom-Filmberater*). Dieser Film, den jedermann unzweifelhaft als Pamphlet der Solidarität ei-

nes Erwachsenen zu den sozial gefährdeten Kindern aus den Wohnsilos unserer Großstädte begriff und anerkannte, erschien der Freiwilligen Selbstkontrolle (FSK) in seinen »möglichen negativen Auswirkungen auf Jugendliche unter 16 Jahren zu bedenklich«, so daß sie ihn für ein jüngeres Publikum verbot. Bohm erhob Einspruch, doch auch der sogenannte Hauptausschuß der FSK warnte vor den »Nachahmungseffekten« und bestätigte die erste Entscheidung. Der Regisseur (»Wenn ein Film so einfach wirken würde, dann hätte *Es herrscht Ruhe im Land* in der Bundesrepublik die Revolution auslösen müssen«) gab immer noch nicht auf und hatte –

mit Presse und Publikum auf seiner Seite – endlich Erfolg: Am 13.5.1976 gab der Rechtsausschuß, die höchste Berufungsinstanz der FSK, den Film für Jugendliche ab 12 Jahren frei. »Ich träume oft davon, ein Segelboot zu klau'n und einfach abzuhau'n. Ich weiß noch nicht, wohin, Hauptsache, daß ich nicht mehr zu Hause bin. Mit den Alten haut das nicht mehr hin. Jetzt wollen wir doch mal seh'n, wie weit die Reise geht und wohin der Wind mich weht. Es muß doch irgendwo 'ne Gegend geben für so'n richtig verschärftes Leben, und da will ich jetzt hin« (Text von Udo Lindenberg und Hark Bohm zum Titellied von *Nordsee ist Mordsee*).

Das Brot des Bäckers
1976

Regie Erwin Keusch. *Regie-Assistenz* Gusti Brünjes-Goldschwend. *Buch* Erwin Keusch, Karl Saurer. *Kamera* (Farbe) Dietrich Lohmann. *Kamera-Assistenz* Michael Zens. *Musik* Axel Linstädt (Gruppe Condor, d.i. Improved Sound Limited). *Ausstattung* Peter Herrmann, Jörg Schmidner. *Ton* Peter Wagner. *Schnitt* Lilo Krüger. *Darsteller* Bernd Tauber (Werner Wild), Günter Lamprecht (Georg Baum), Maria Lucca (Frau Baum), Sylvia Reize (Gisela), Anita Lochner (Margot), Manfred Seipold (Kurt), Gerhard Acktun (Rudi), Krystian Martinek (Georg), Ronald Nitschke (Peter), Alexander Allerson, Mara Hetzel, Franz Mosthav, Robert Naegele, Bruno W. Pantel, Michael Gahr, Horst A. Reichelt, Uli Steigberg, Karl-Heinz Thomas, Carlamaria Heim, Inge Schulz, Margit Weinert, Viola Böhmelt. *Produktion* Artus-Film / ZDF. *Länge* 117 Minuten. *Uraufführung* 30.10.76 (Hofer Filmtage).

Im Herbst 1971 fährt der junge Werner Wild mit der Bahn nach Hersbruck, einer Kleinstadt in Mittelfranken, um hier in einer Bäckerei seine erste Lehrstelle anzutreten. Bäckermeister Georg Baum, ein sympathischer Zeitgenosse, nimmt dem etwas schüchternen Werner rasch die Hemmungen, zeigt ihm Laden und Backstube und macht ihn mit seiner Frau, dem Gesellen Kurt und der Verkäuferin Gisela bekannt. Die Baums haben zwei Söhne, Rudi und Georg, die allerdings kein Interesse daran haben, das väterliche Handwerk zu erlernen; sie gehen aufs Gymnasium und werden studieren. Die Lehre macht Werner zunächst Spaß, und auch an das Kleinstadtleben gewöhnt er sich rasch. Er verliebt sich in das Mädchen Margot. Nach und nach muß Werner aber feststellen, daß die Idylle um ihn herum ernstzunehmende Risse bekommt: Bäcker Baum, der zusehen muß, wie viele seiner Berufsgenossen angesichts einer veränderten wirtschaftlichen Umgebung entweder ihre Läden schließen oder ihre Betriebe erweitern und modernisieren, gerät immer mehr in Zugzwang. Als es zu ersten Schwierigkeiten in seiner Beziehung zu Margot kommt, läßt Werner es zu, daß Gisela sich in ihn verliebt. Erst ein Selbstmordversuch Giselas macht ihm klar, was er da angerichtet hat. Am Marktplatz wird ein neuer Supermarkt eröffnet, und da dieser auch Backwaren verkauft, wird er für Baum zu einer übermächtigen Konkurrenz. Baum bleibt nun nichts übrig, als den Rat der Genossenschaft zu befolgen und in großem Stil umzubauen und zu rationalisieren. Die Schulden, die er dafür machen muß, sind immens, und schon bald steht fest, daß die erhofften Gewinne ausbleiben. Der Geselle Kurt, der zusammen mit Werner dem Meister bisher unermüdlich zur Seite stand, hat die Nase voll und kündigt. Nach seiner Gesellenprüfung stellt Werner fest, daß alle seine Freunde – Margot, Rudi, Georg, Kurt – in der Stadt sind, und so nimmt er eine Stelle in einer Großbäckerei an. Bäcker Baum steht jetzt alleine in seiner Backstube und überwacht zermürbt und verbittert die Arbeitsgänge der modernen Brotmaschinen. Eines Nachts dreht er buchstäblich durch und läuft Amok: Er bricht in den Supermarkt ein und macht aus der Backwarenabteilung Kleinholz. Für die Kleinstadt ist diese verzweifelte Eskapade ein unerhörter Skandal. Baum scheint erledigt. Die beiden Söhne kommen aus der Stadt, und auch Werner erscheint auf dem Plan, um der Familie aus dem gröbsten Dreck herauszuhelfen. Natürlich muß er wieder zurück – in der Stadt warten Margot und seine Arbeit. Er sitzt schon im Zug. Im letzten Augenblick entscheidet er sich, in Hersbruck zu bleiben. Es ist jetzt Frühjahr 1975.

»Was *Moby Dick* für den Walfang ist, ist dieser Film fürs Brotbacken« (Nigel Andrews, *The Financial Times*, 1977). *Das Brot des Bäckers*, der erste Spielfilm des seit 1968 in München lebenden Schweizers Erwin Keusch, erwies sich auf den 10. Internationalen Hofer Filmtagen 1976 als die Entdeckung des Festivals. Publikum und Presse waren gleichermaßen angetan von diesem unverkrampften Debüt, in dem so überzeugend wie nie zuvor bewiesen wurde, daß eine soziale Thematik durchaus nicht auf Kosten des Unterhaltungswertes eines Films gehen muß. »Gewiß wurde diese durch ironisierende Zwischentitel gegliederte Geschichte der Lehr- und Gesellenjahre des Werner Wild, der Bäcker werden will, weil er gern gutes Brot ißt, der aber er-

Dietrich Lohmann, Manfred Seipold, Erwin Keusch, Bernd Tauber

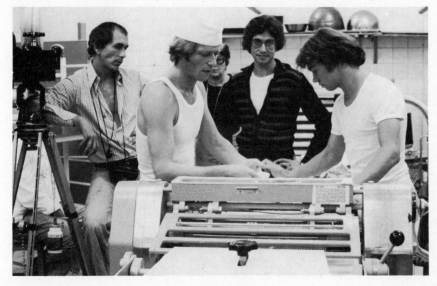

Bernd Tauber, Günter Lamprecht

Sylvia Reize

Bernd Tauber

Bernd Tauber, Anita Lochner

kennen muß, daß der Bäcker zwar immer noch besser, seine industrielle Konkurrenz aber billiger und damit erfolgreicher arbeitet, in ihrer episch-didaktischen Haltung von den Berliner Arbeiterfilmen beeinflußt. Bemerkenswert jedoch, wie es Keusch gelingt, diesen bereits zum Genre erstarrten Stil zu durchbrechen und anzureichern. Dies liegt nicht nur an seiner Affinität zum Kino: Es gibt Slapstick-Szenen, Tortenschlachten, melodramatische Elemente, Liebes- und Selbstmordversuche; die leicht nostalgisch getönte Kleinstadtszene erinnert manchmal gar an Bogdanovichs *The Last Picture Show*. Dies

liegt vor allem daran, daß Keusch auf eigene Erfahrungen zurückgreifen kann: Seine Eltern führen noch heute eine solche Bäckerei, und in den beiden aufs Gymnasium gehenden Söhnen des Bäckers steckt sicher ein Stückchen Selbstporträt« (Wolfgang Ruf, *medium)*. Keusch hatte ursprünglich im Sinn, den Stoff als Satire zu realisieren. Ihm war eine Berufswerbebroschüre des Bäckerhandwerks in die Hände gefallen, die ihm im Vergleich zu seinen Erfahrungen im elterlichen Betrieb doch stark idealisiert erschien. Zusammen mit Karl Saurer entstand dann ein erster Drehbuchentwurf, der einen Zeitraum von 25 Jahren umfaßte und die Geschichten von Werner Wild und Meister Baum anhand einer einzigen Hauptfigur abhandelte. Erwin Keusch: »Ein Redakteur vom WDR reduzierte erst auf 10 Jahre, wegen der Kosten der Ausstattung, dann gefiel ihm die Sache selber nicht mehr und ich kam mit Willi Segler vom ZDF zusammen, eigentlich ein Glücksfall. Wir einigten uns auf vier Jahre und auf zwei Personen, zwei Geschichten, die zusammenlaufen und wieder auseinandergehen. Die historische Dimension als Movens jeglicher Entwicklung blieb damit erhalten. Die Aufteilung auf zwei ihrem Wesen nach verschiedene Figuren stellte mich zwar oftmals vor die Frage, für wen ich mich entscheiden sollte (im Zweifelsfall blieb ich an der Geschichte Werners dran, weil sie eher

mit der Person verbunden ist als mit der Ökonomie), sie schafft aber im allgemeinen mehr Spannung und bietet, vor allem gegen Schluß, die Möglichkeit antithetischer Montage.« Die Hauptrollen besetzte Keusch mit damals relativ unbekannten »Fernsehgesichtern«: Für Bernd Tauber (Werner Wild), kurz vorher in der TV-Serie *Block 7* aufgefallen, war dies die erste Spielfilmarbeit. Seine Leistung wurde mit einem Bundesfilmpreis anerkannt, und Uwe Brandner holte ihn für *halbe-halbe*. In Erwin Keuschs zweitem Spielfilm *So weit das Auge reicht* (1980) hatte er Gelegenheit, auch als Interpret selbstgeschriebener Songs aufzutreten. Günter Lamprecht (Bäcker Baum) spielte vier Jahre später die Rolle seines Lebens, den Franz Biberkopf in Rainer Werner Fassbinders vierzehnteiliger Verfilmung von Döblins *Berlin Alexanderplatz*. »Keusch begegnet seinen Figuren mit viel Zuneigung, läßt ihnen genug Raum, sich zu verwirklichen und zu entwickeln: jenseits der Karikaturen deutscher Provinzfilme von Ulrich Schamonis *Alle Jahre wieder* bis zu Peter Fleischmanns *Das Unheil*. Einfache, klare Einstellungen ohne kunstgewerbliche Ambitionen – das Kino eines jungen Cinéasten, der sich selber als Handwerker versteht. Dazu Schauspieler, die ihren Beruf ernst genug nehmen, um sich nicht in aufwendige Schauspielerei zu flüchten« (Hans C. Blumenberg, *Die Zeit*).

Die Vertreibung aus dem Paradies
1977

Regie Niklaus Schilling. *Regie-Assistenz* Susanna Schimkus. *Buch* Niklaus Schilling. *Kamera* (Farbe) Ingo Hamer. *Kamera-Assistenz* Michael Thiele. *Musik* Gaetano Donizetti, Giuseppe Verdi, Drupi, Suzan Avilés. *Ausstattung* Christa Molitor. *Ton* Francis Quinton. *Schnitt* Niklaus Schilling. *Darsteller* Herb Andress (Anton Paulisch, gen. Andy Pauls), Elke Haltaufderheide (Astrid Paulisch), Ksenija Protić (Isolde Gräfin zu Rosenburg), Jochen Busse (Berens), Andrea Rau (Evi), Herbert Fux (Kameramann), Elisabeth Bertram (Mutter Paulisch), Wolfgang Lukschy (Hehler), Willy Schultes (Mann am Stehausschank), Jean-Pierre Zola (Gerganoff), Werner Abrolat (Regisseur im Lift), Caterina Conti, Rudolf Lenz, Nino Korda, Rudolf Schündler, Herta Staal, Herbert Tiede, Georg Tryphon, Trude Breitschopf, Harry Raymon, Dieter Brammer, Hans-Jürgen Leuthen, Gert Wiedenhofen, Heinz Baues von der Forst, Karl-Heinz Peters, Liliane Welther, Michael Gempart, Tonio von der Meden, Inge Sassen-Haase, Wolf Rommelspacher, Janos Gönczöl, Hermann Messmer, Klaus Münster, Giovanna Runggaldier, Eraldo Buzzoni, Hildegard Busse, Peter Gebhart, Karl Deuringer, Ralf Homrighausen, Karlheinz Thomas, Günther Bauer, Friedrich Graumann, André Eismann, Brigitte Wolf, Werner Schulenberg, Walter Kraus, Will van Deek, Sjörd Doting. *Produktion* Visual (Elke Haltaufderheide). *Länge* 119 Minuten. *Uraufführung* 2.4.77 (Duisburger Filmwoche).

Anton Paulisch lebt seit zwölf Jahren unter dem Künstlernamen Andy Pauls in Rom, wo er in internationalen Filmproduktionen mehr oder weniger große Rollen spielt. Jetzt kommt er erstmals wieder in seine Heimatstadt München, weil seine Mutter im Sterben liegt. Als er zu Hause eintrifft, ist sie aber schon tot. Seine Schwester Astrid hat das verschuldete Fotogeschäft geerbt, und Andy bekommt ein gerahmtes Bild: »Die Vertreibung aus dem Paradies«. Astrid kann ihren Bruder dazu bewegen, in München zu bleiben. Angestrengt versucht er, beim Fernsehen, in der Werbung oder beim Film Rollen zu bekommen, erleidet aber eine Schlappe nach der

heiraten; Andy bekommt einen Vertrag aus Rom und will mit der Gräfin hinfahren. Berens rüstet sich mit Astrid für die Abfahrt in die Flitterwochen nach Italien, weigert sich aber, den Schwager mitzunehmen. Kurzentschlossen setzt sich Astrid ans Steuer und braust mit Andy und der Gräfin ab. Berens, um das unterschlagene Vermögen in seinem Wagen besorgt, holt sie kurz vor den Toren Roms ein. Die Banknoten kommen zum Vorschein, die Gräfin wechselt mit Berens einen Blick, und beide machen sich von dannen. Andy und Astrid aber fahren weiter nach Cinecittà. Kostümierte Schauspieler laufen da herum. Ein Engel weist ihnen den Weg.

Niklaus Schilling, Herb Andress

anderen. Daneben muß er mitansehen, wie sich der unsympathische Bankfilialleiter Berens an Astrid heranmacht, in der er selbst inzwischen mehr die Frau als die Schwester sieht. Erst die Begegnung mit der Gräfin Rosenburg, einer notorischen Heiratsschwindlerin, lenkt ihn von Astrid ab: Andy wird ihr »Sekretär« und spielt diese Rolle mit Erfolg. Allerdings werden die beiden von dem Hehler, dem sie die erbeuteten Juwelen verkaufen wollen, geprellt, und das luxuriöse Leben ist zu Ende. Astrid und Berens

Dies ist einer jener seltenen und seltsamen Filme, die den Zuschauer ständig überraschen und erstaunen, die sich jeglichen Erwartungen widersetzen und kaum kategorial einzuordnen sind. Was wie ein Melodram beginnt, schlägt plötzlich um in eine Komödie, wird dann Kriminalfilm, alsbald wieder Melodram und endet schließlich in einem solchen Superkitsch, daß man glaubt zu träumen. Aber nicht genug damit, daß der Kinogänger Lubitsch-, Sirk- und Hitchcock-Anklänge entdecken kann – auch Freud, die Ge-

Herb Andress, Nino Korda, Ksenija Protić

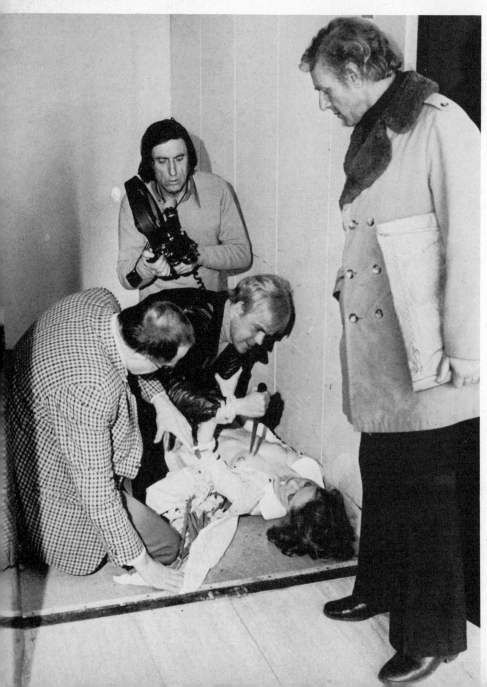

brüder Grimm, die Bibel, Brecht und Simmel werden in buntem Reigen assoziiert. Daß Niklaus Schilling, 1944 in Basel geboren und seit 1965 Wahlmünchner, gern mit Kino- und Kulturmythen jongliert, wußte man schon seit seinem ersten Spielfilm *Nachtschatten* (1971) wo er vornehmlich mit den Topoi deutscher Horror- und Heimatfilme operierte. »In München arbeitete ich anfangs mit Leuten (Lemke, Thome, Zihlmann u.a.), die alle 'kleine Amerikaner' werden wollten; zu ihrer eigenen Tradition, zur deutschen Filmvergangenheit, hatten sie kaum ein Verhältnis. Als Exilschweizer war ich da unbelasteter, vielleicht auch neugieriger. Langsam begann ich zu begreifen, daß die Misere des deutschen Kinos auch mit dieser Identitätskrise zusammenhing, deren Gründe sehr weit zurückreichen. Mein Interesse an eben jenen Filmen wuchs, die offenbar immer noch in tiefsten Kellern langsam vermodern, weil sie nicht einem Kunstbegriff gefallen können, der sich nur auf die Maßstäbe der Klassik, der Literatur und des Theaters stützt. Irgendwann beginnt man, Dinge zu lieben, die unter diesen bildungsbürgerlichen Maßstäben zu leiden haben und vernichtet werden oder schon vernichtet worden sind – als wertlos« (Niklaus Schilling). Während der Zuschauer *Nachtschatten* aus einer Distanz wie ein Gemälde betrachten konnte, findet er in der *Vertreibung aus dem Paradies* die Figur des Anton Paulisch, die es ermöglicht, daß man sich trotz anfänglicher Verwirrung einigermaßen in der künstlich-theatralischen Ambianz des Films zurechtfindet. Für Andy Pauls ist München, das er seit seiner Jugend nicht mehr gesehen hat, ein großes, fremdes Filmstudio, in dem er eine Rolle sucht. Seine Nummer »der mechanische Mann« (großartig dargeboten von Herb Andress) scheint fest mit ihm verwachsen zu sein. Ist sein Alltag seit zwölf Jahren die Scheinwelt, so erscheint ihm der Alltag in München kaum realer. Was ihn bestürzt und beunruhigt, ist das schlimme Ende aller Episoden, in denen er hier, in der fremden Umgebung, »mitspielt«: seine Mutter ist schon tot, als er kommt; das Geschäft ist verschuldet; er be-

Werner Abrolat,
Herbert Fux,
Herb Andress

kommt keine Rolle; das Ding mit der Gräfin endet blutig; Astrid heiratet den Bösewicht. Seine Sehnsucht nach einem Happy-End wächst mit jder Niederlage. Darum ist für ihn die Rückkehr nach Cinecittà, wo der Schein geregelt ist und ihn nicht betrügen kann, gleich einer Rückkehr ins Paradies. »Nahe liegt es, Niklaus Schillings zweiten Spielfilm – bedeutungsvoll nennt er ihn Kinofilm – autobiographisch zu verstehen. Fünf Jahre hat er nach dem schönen Erstling *Nachtschatten* warten müssen, bis ihm und seiner Lebensgefährtin, Produzentin und Hauptdarstellerin Elke Haltaufderheide die Realisierung der *Vertreibung* gelang. Darin mag sein Regisseursschicksal mit dem des Andy-Pauls-Darstellers Andress, der sich praktisch selber spielt, koinzidieren. Um so mehr mag überraschen, wie souverän hier die Wehmut über einen alten Kindertraum, wie genau die Analyse der hiesigen Kinosituation, wie witzig

und scharfsinnig die Vermischung von Realität und (Film-)Mythologie, von niederdrückendem Alltag und kompromißlosem Traum dargestellt ist – ganz so, als hätte nicht von diesem Film sehr viel von der eigenen Zukunft abgehangen« (Peter Buchka, *Süddeutsche Zeitung*). »Die Komplexität seiner inneren und äußeren Bezüge und Dimensionen, der überquellende Reichtum an Ideen, Korrespondenzen und Symmetrien, macht *Die Vertreibung aus dem Paradies* auf der abstrakten Ebene von Innovationsraten allenfalls mit Kluges Erstling *Abschied von gestern* (1966) vergleichbar, der dieses Land ebenfalls in eine Folge von Fluchtstationen auflöste. Was Materialbewußtsein, technisch-handwerkliche Filigranarbeit und ästhetisches Raffinement angeht, sucht dieser Film hierzulande seinesgleichen. Wie die grüne Pflanze in der Wüste: ein Mirakel!« (Andreas Meyer, *medium*).

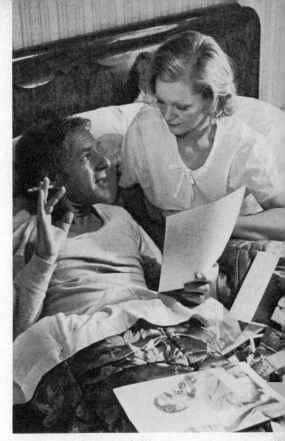

Herb Andress, Elke Haltaufderheide

Der amerikanische Freund
1977

Regie Wim Wenders. *Regie-Assistenz* Fritz Müller-Scherz, Emmanuel Clot, Serge Brodskis. *Buch* Wim Wenders, nach dem Roman *Ripley's Game* von Patricia Highsmith (1974). *Kamera* (Farbe) Robby Müller. *Kamera-Assistenz* Martin Schäfer, Jacques Steyn, Edward Lachmann. *Musik* Jürgen Knieper. *Ausstattung* Heidi und Toni Lüdi. *Ton* Martin Müller, Peter Kaiser. *Schnitt* Peter Przygodda. *Darsteller* Bruno Ganz (Jonathan Zimmermann), Dennis Hopper (Tom Ripley), Lisa Kreuzer (Marianne Zimmermann), Gérard Blain (Raoul Minot), Nicholas Ray (Derwatt), Samuel Fuller (der Amerikaner), Peter Lilienthal (Marcangelo), Daniel Schmid (Igraham), Sandy Whitelaw (Arzt in Paris), Jean Eustache (freundlicher Mann), Lou Castel (Rodolphe), Andreas Dedecke (Daniel), David Blue (Allan Winter), Stefan Lennert (Auktionator), Rudolf Schündler (Gantner), Gerty Molzen (alte Dame), Heinz Joachim Klein (Dr. Gabriel), Rosemarie Heinikel (Mona), Heinrich Marmann (Herr im Zug), Satya de la Manitou (Angie), Axel Schießler (Lippo), Adolf Hansen (Schaffner), Klaus Schichan (alle Stunts). *Produktion* Road Movies (Renée Gundelach) / Les Films du Losange, Paris / Wim Wenders Produktion / WDR. *Länge* 123 Minuten. *Uraufführung* 26. 5. 77 (Cannes).

Der Schweizer Jonathan Zimmermann lebt mit seiner Frau Marianne und seinem kleinen Sohn Daniel in einem alten Mietshaus am Hamburger Hafen. Jonathan ist Bilderrahmenmacher und Restaurateur. In einer ruhigen Straße nicht weit von seiner Wohnung hat er einen kleinen Laden mit einer Werkstatt. Tom Ripley ist Amerikaner, lebt von reichlich undurchsichtigen Geschäften und pendelt ständig zwischen Hamburg und New York hin und her. Denn in New York sitzt der greise, totgesagte Derwatt, dessen

Gemälde Ripley über den Hamburger Kunsthändler Gantner für Unsummen versteigern läßt. Gantner will Ripley auf einer Auktion mit Jonathan bekanntmachen, doch dieser zeigt dem Amerikaner die kalte Schulter. Von Gantner erfährt Ripley, daß Jonathan unheilbar an Leukämie erkrankt ist. Der Franzose Raoul Minot sucht Ripley in dessen feudaler, fast leerstehenden Villa an der Elbe auf und erinnert ihn an eine offene Schuld. Minot sucht für einen Mord in Paris einen Killer, der keinerlei Verbindung zur Unterwelt hat. Ripleys Wahl fällt auf Jonathan. Mit einem fingierten Telegramm setzt er das Gerücht in die Welt, Jonathans Krankheit habe sich akut verschlimmert und lasse ihm nur noch wenig Zeit. Jonathans Zweifel, die auch sein Hausarzt Dr. Gabriel nicht zerstreuen kann, werden verstärkt durch Minot, der Jonathan vor seinem Laden abfängt, ebenfalls von der Verschlimmerung spricht und ihm vorschlägt,

für DM 250000 einen Mafioso zu liquidieren. So wisse er seine Familie nach seinem Ableben wenigstens versorgt. Jonathan lehnt empört ab, doch als Minot ihm später telefonisch anbietet, sich in Paris von Spezialisten untersuchen zu lassen, packt er seinen Koffer und fliegt hin. Die Untersuchung findet statt, aber Minot fälscht die Ergebnisse. Jonathan, verzweifelt und am Ende seiner Kräfte, läßt sich einen Revolver und ein Foto seines Opfers geben, heftet sich in der Métro an dessen Fersen und erschießt den Fremden auf der Rolltreppe des Bahnhofs »La Défense«. In Hamburg erfindet er für Marianne, die mißtrauisch geworden ist und sich hintergangen fühlt, schwache Ausreden. Wieder kommt Minot nach Hamburg. Er übergibt Jonathan nur einen Teil der vereinbarten Summe und will von ihm einen zweiten Mord, diesmal im TEE München–Hamburg. Als Lockmittel sichert er ihm eine zweite Untersuchung in München zu. Ripley macht Minot schwere Vorwürfe: Die Sache im Zug sei für einen Amateur einige Nummern zu groß. Auch mit sich selbst ist Ripley unzufrieden, denn inzwischen hat er den Rahmenmacher näher kennengelernt und sucht dessen Freundschaft. Nach der Untersuchung in München bringt Minot Jonathan zum Zug und zeigt ihm das neue Opfer,

Bruno Ganz, Wim Wenders, Robby Müller

Dennis Hopper, Nicholas Ray, Wim Wenders

Dennis Hopper, Nicholas Ray

Nicholas Ray

einen amerikanischen Mafioso, den drei Männer und eine Frau begleiten. Als Jonathan während der Fahrt einen Fehler macht, taucht plötzlich Tom Ripley auf und greift ein: Er erwürgt den Mafioso mit einer Schlinge in der Zugtoilette. Die Leiche und einen der Leibwächter, der ihnen in die Quere kommt, werfen sie aus dem fahrenden Zug. Zu Hause stellt Marianne ihren Mann abermals zur Rede, und es kommt zum Streit. Minot erscheint verletzt in Jonathans Wohnung und fragt, was schiefgegangen sei und wer ihn verraten habe: Eine Bombe war in seiner Wohnung explodiert. Jonathan ruft Tom an, der ihn kurz darauf mit seinem Straßenkreuzer abholt. In der Villa erwarten sie gemeinsam den Angriff der Mafia-Gangster. Als diese auch tatsächlich in einem Rettungswagen aufkreuzen, kommt es zum Kampf. Minot entkommt, und Jonathan und Ripley haben zum Schluß ein Rotkreuzauto voller Leichen zu beseitigen. Da erscheint auch Marianne auf der Bildfläche. Zusammen fahren sie ans Meer, wo Ripley den Wagen mit den Gangstern in Brand setzt. Bevor er aber zu Jonathan und Marianne in das zweite Auto steigen kann, gibt Jonathan Gas. Doch schon nach kurzer Fahrt wird ihm schwarz vor den Augen. Marianne zieht die Handbremse: Jonathan ist am Steuer gestorben.

131

Satya de la Manitou, Samuel Fuller

»Nach dem letzten Film, *Im Lauf der Zeit*, der fast ohne Drehbuch, vor allem aber ohne ›Geschichte‹ entstanden war, hatte ich Lust, in dem festen Rahmen einer Geschichte zu arbeiten, die jemand anders geschrieben hatte. Und obwohl ich ein großes Vertrauen in die Geschichten von Patricia Highsmith hatte, ist es mir dann aber doch nicht leicht gefallen, mich darin zu bewegen: Alles strebte aus der Geschichte hinaus, vor allem die Figuren, die alle in eine andere Richtung wollten, als in die von der Highsmith vorgezeichnete. Jonathan schien weniger zaghaft sein zu wollen, Marianne weniger kühl, aber selbstbewußter, Ripley empfindlicher und nicht so skrupellos. Es hat sich also doch wieder so ergeben, daß ich jede Nacht am Drehbuch geschrieben und Szenen verändert habe. Wenn man so tief in eine Geschichte von jemandem eindringt, merkt man ihre Schwächen. Und man begegnet den Stärken. Oft genug war deshalb der plötzliche Lichtblick und die Lösung einer Szene das, was sowieso schon in *Ripley's Game* gestanden hatte, und was ich bloß vergessen hatte. Anderes aus dem Roman fiel mir beim Drehen dagegen immer schwerer, zum Beispiel die Hintergrundgeschichte der Mafiosi und die Figur des Minot. Warum mischt er sich da überhaupt ein und worum geht es da überhaupt? Das ist auch das, was ich beim Schneiden dann am meisten zurückgenommen habe. Schon beim allerersten Lesen des Buches hatte ich eine Abneigung gegen die Mafia und habe dann versucht, sie mir verständlicher zu machen, indem ich ihr Geschäft von Spielcasinos in das Pornofilmgewerbe verlegt habe. Das konnte ich mir zumindest vorstellen, und vom Filmemachen und Verleihen weiß ich etwas. Deshalb habe ich die Gangster auch fast alle mit Regisseuren besetzt, weil das die einzigen richtigen Gauner sind, die ich kenne, und die einzigen, die über Leben und Tod ähnlich lässig verfügen wie die Mafia« (Wim Wenders). Die ausgestreckte Hand Ripleys, die Jonathan bei ihrer ersten Begegnung nicht annimmt, löst alles aus. Ripley (»Ich weiß immer weniger, wer ich bin, oder wer überhaupt jemand ist«, vertraut er seinem Cassettenrecorder an, und: »Vor nichts muß man sich fürchten, außer vor der Furcht«) wird durch Jonathans Verachtung so verletzt, daß er den anderen scheinbar bedenkenlos zum Mörder macht. Gleichzeitig kann er aber nicht anders, als diesen einfachen Mann zu beneiden: um dessen Frau, um dessen Kind, um dessen Arbeit, um dessen Augen, die Derwatts verändertes Blau sofort erkennen. Die Intrige, die Ripley um Jonathan spinnt, bringt ihm außer dem Gefallen, den er damit Minot erweist, weiteren Nutzen. Indem Jonathan tatsächlich auf das Mordgeschäft eingeht, verliert er seine moralische Integrität, steigt sozusagen auf Ripleys Niveau hinab, wird ihm ähnlicher: Jonathan wird nicht länger auf ihn, Ripley, herabsehen können, was Tom die Möglichkeit gibt, Jonathan näher kennenzulernen und sich letztlich sogar zaghaft mit ihm anzufreunden. – Drei Städte sieht man in diesem Film: Hamburg, Paris und New York. Derwatts Bilder, Ripleys Cowboyhut, Daniels Spielzeug-Seilbahn und die Songs, die Jonathan und Tom vor sich hin summen, stecken voller Sehnsucht nach ei-

Dennis Hopper

nem Ausbruch aus diesen Groß-
städten, deren Unmenschlichkeit
sie austauschbar macht. Die Kamera Robby Müllers, die aus Roll-
treppen, Tunneln, U-Bahn-Statio-
nen, Hochhäusern und flimmern-
den Monitoren ein einziges urbanes
Labyrinth entstehen läßt, erreicht
trotz Farbfiltern und künstlichem
Licht dokumentarische Exaktheit.
Die Tatsache, daß Jonathan am
Ende das Meer erreicht und in einer
Umgebung stirbt, deren Horizont
nicht verbaut ist, macht seinen Tod
weniger schmerzlich. Auch Ripley,
der allein am Strand zurückbleibt,
ist damit an einem Ziel angekommen: »The river flows, it flows to
the sea, wherever that river goes,
that's where I want to be« – diese
Zeile aus Roger McGuinss *Ballad of
Easy Rider* hatte er mit ausgebreite-
ten Armen auf dem Balkon seiner
Villa an der Elbe gesungen. – Während des ganzen Films werden Anspielungen auf das kinematographische Medium, die Geschichte des
Films und bestimmte Regisseure in
seine Struktur eingeflochten: Jonathans Werkstatt, Laden und Wohnung sind angefüllt mit Guckkästen,
Vexierbildern und Praxinoskopen;
nahezu die Hälfte der Darsteller

Lisa Kreuzer, Bruno Ganz

Bruno Ganz, Dennis Hopper

Gérard Blain

Bruno Ganz

sind selber Filmregisseure; die Künstlichkeit der Farben verweist auch formal auf Nicholas Ray, der den Maler (!) Derwatt spielt; der Einfluß Hitchcocks ist so deutlich und die Anwendung seiner Maximen so kongenial wie in kaum einem anderen europäischen Film. Richard Rouds Gleichung »Lang plus Ford gleich Wenders« anläßlich des Films *Im Lauf der Zeit* ersetzt Hans C. Blumenberg in seiner Besprechung von *Der amerikanische Freund* durch die Formel »Hitchcock plus Ray plus Scorsese gleich Wenders«. »Mit dem *Amerikanischen Freund* ist Wenders eine Synthese gelungen, die das neue deutsche Kino dringender braucht als irgend etwas sonst: die Verbindung einer zwingenden persönlichen Vision mit einem kinematographischen Vokabular, das nicht nur ein kleines Publikum von Spezialisten erreicht. Die große Faszination dieses Films hat direkt mit seiner Vielschichtigkeit zu tun. Man kann ihn als pessimistischen Kommentar zur nachrevolutionären Bewußtseinskrise der späten siebziger Jahre verstehen, aber auch als brillanten Kriminalfilm, man kann ihn als urbanen Alptraum von der Zerstörung der Städte bewundern, aber man kann ihn auch als poetische Ballade einer Freundschaft lieben. Sein Reichtum, der nicht ohne Gefahren ist, erlaubt bei jedem Sehen neue Abenteuer, neue Entdeckungen« (Hans C. Blumenberg, *Die Zeit*).

Dennis Hopper

Hitler, ein Film aus Deutschland

1977

Regie und Buch Hans Jürgen Syberberg. *Regie-Assistenz* Gerhard von Halem, Michael Sedevy. *Kamera* (Farbe) Dietrich Lohmann. *Kamera-Assistenz* Werner Lüring. *Musik* Richard Wagner, Wolfgang Amadeus Mozart, Ludwig van Beethoven, Schlager u. a. *Dekorationen* Hans Gailling. *Kostüme* Barbara Gailling, Brigitte Kühlenthal. *Puppen* Barbara Buchwald, Hans M. Stummer. *Ton* Haymo Henry Heyder. *Schnitt* Jutta Brandstaedter. *Darsteller* André Heller (er selbst), Harry Baer (er selbst, junger Ellerkamp), Heinz Schubert (Zirkusdirektor, Himmler, Himmler-Puppenspieler, Hitler), Peter Kern (Mörder aus *M*, Göring-Puppenspieler, alter Ellerkamp, SS-Mann, Fremden-verkehrsdirektor), Hellmut Lange (Hitlers Kammerdiener, Goebbels-Puppenspieler, SS-Mann), Rainer von Artenfels (Jahrmarkts-Ausrufer, Hitler-Puppenspieler, Junger Goebbels, Schüler des Kosmologen, SS-Mann), Martin Sperr (Himmlers Masseur, Fitzliputzli, Bürgermeister), Peter Moland (Astrologe, Speer-Puppenspieler, SS-Mann), Johannes Buzalski (Hitler als Anstreicher, Eva-Braun-Puppenspieler, Mann der Gesellschaft 1923), Alfred Edel (Stimmen der Leute, Mann der Geschichte 1923), Amelie Syberberg (das kleine Mädchen). *Produktion* TMS (Hans Jürgen Syberberg) / Solaris (Bernd Eichinger) / WDR, Köln / Ina, Paris / BBC, London. *Länge* 7 Stunden. *Uraufführung* 21. und 22. 11. 1977 (London Film Festival).

1. Teil: *Der Gral – Von der Weltesche bis zur Goethe-Eiche von Buchenwald*. Eine Reise aus dem Weltall durch eine Ludwigslandschaft in den Karst zu einer Glaskugel und in das Gebäude in dieser Kugel, die Black Mary, das Filmatelier von Thomas Edison, wo der Film geboren wurde. Ein kleines Mädchen, das mit Puppen spielt, Puppen von Karl-May-Figuren, von Ludwig II., von Hitler, geht in eine Welt aus deutschen Gemälden und Opern, dann in eine Welt aus Elementen des deutschen Stummfilms. Ein Zirkusdirektor übernimmt die Führung: »Meine Damen, meine Herren, es geht heute um den Mann, der an allem schuld ist. Wie Napoleon. Den deutschen Napoleon des 20. Jahrhunderts ... Es geht um einen, der nichts zu verlieren hatte, einen, den macht uns keiner nach ... Und das sind die Spielregeln: Es wird keinen Helden geben, nur uns selbst. Und es wird keine Story geben, nur die von uns, und unser Inneres. Fantasiekatarakte der Blutorgien vor aufgehenden Sonnen am Ende. Keine Menschengeschichte, sondern Menschheitsgeschichte, kein Katastrophenfilm, sondern die Katastrophe als Film.« In der Black Mary Harry Baer, der Titeldarsteller aus Syberbergs Ludwig-Film, mit einer Ludwig-Puppe, meditierend: »Ich habe gewarnt, ich Ludwig II., gewarnt von Anfang an, gewarnt vor Business, Geschäften, Film, Porno, Politik, als Show, als Show der Menge ...« Der Zirkusdirektor erinnert an das unglückliche Ende von Karl Valentin und beschwört Hitler in mancherlei Gestalt. André Hellers Stimme kommentiert Bilder aus Hitlers Leben und Karriere. Das Plädoyer des Mörders aus Fritz Langs *M*, montiert mit Nazi-Aufrufen. Harry Baer meditiert über Hitler, »Hitler like us. Ein Teil von uns, in uns allen?« Das kleine Mädchen sitzt in einer Sternenlandschaft wie von Méliès und hält sich die Ohren zu, um die Stimmen von DeGaulle, Hitler und Churchill nicht hören zu müssen. In der Vorhölle Begegnung mit Goebbels, Göring, Himmler, Speer, Hitler, Eva Braun und Fitzliputzli. Das Mädchen nimmt die Ludwig-Puppe mit auf den weiteren Weg in die Hölle. Der Weg zur Hölle führt vorbei an den repressiven Kräften des amerikanischen, des sowjetischen, des alten deutschen Films, dann führt der Weg in die »Kulturhölle um uns«, wo auch die führenden bundesrepublikanischen Filmkritiker und die Filmbücher aus dem Hanser-Verlag sind, sowie die Hersteller anderer Hitler-Filme. Das Mädchen mit der Ludwigs-Puppe, und eine große, sich entblätternde Puppe, mit dem Etikett »Felix Culpa«. André Hellers Stimme erinnert an die Nazi-Opfer unter den Autoren und Schauspielern. »Und, und. Kein Ende. Nie. Wie erklären, erzählen, begreifen. Nichts tun? Schweigen?« – 2. Teil: *Ein deutscher Traum – ... bis ans Ende der Welt*. Harry Baer mit der Glaskugel, in der Schnee um die Black Mary weht, führt zu Visionen von Karl May, Richard Wagner und Ludwig II. Ein Jahrmarktsausrufer führt Himmlers Masseur Kersten, Hitlers Prophet, Hitlers Astrologen, Hitlers Kammerdiener und etliche lebende und tote Accesoires Hitlers vor. Harry Baer versetzt sich in die Gestalt des SS-Mannes Ellerkamp, Filmvorführer Hitlers und später Produzent und Verleiher: »... Ja, wer den Film hat, hat die Zukunft, hat die Welt, und es gibt nur eine Zukunft, die Zukunft des Films, und das wußte er, den sie Gröfaz nannten, größter Feldherr aller Zeiten, andächtig die einen, ironisch böse die anderen. Von dem ich aber weiß, daß er wirklich der Größte war, der größte Filmemacher aller Zeiten ...« André Heller führt in die deutsche Gesellschaft ein. Alfred

Hans Jürgen Syberberg,
Amelie Syberberg

Edel gibt der Volksmeinung Ausdruck: »... Deutschland, unser Volk, muß Europa erlösen ...« Ein Mann der Gesellschaft von 1923 wehrt sich gegen die Unterstellung, Hitler sei jüdischer Herkunft. Der junge Goebbels berichtet von seiner ersten Begegnung mit Hitler. Der Astrologe disqualifiziert den Rationalismus als moderneuropäischen Lokalwahn. Der Mann der Geschichte 1923 fordert Herrschaft als Leben, als Selbstverwirklichung. André Heller besingt die Liebe zur Gefahr. Hitler taucht in einer Tunika aus dem Grab Wagners auf: »... Ich bin das schlechte Gewissen der demokratischen Systeme.« Um das wieder geschlossene Grab Wagners tanzen 1945 deutsche Mädchen mit farbigen GIs. Ein Kosmologe und sein Schüler verkünden die Welteislehre und einen neuen Traum: »Der deutsche Traum des Todes für ein neues Leben danach ... Es wird Herrenmenschen geben, wütende Propheten voll heiligen Wahnsinns ... mit einer Seele, nordisch, sittlich, als Echo ferner vergangener Welten und goldener Zukunft.« Auf dem Obersalzberg und in der Reichskanzlei erzählt der ehemalige Kammerdiener Hitlers vom Tagesablauf und den Lebensgewohnheiten des Führers. In Projektionen der deutschen Romantik setzt sich André Heller mit der Unendlichkeit

des Alls auseinander. In seiner Hand hat er am Schluß die Schneekugel mit der Black Mary. – 3. Teil: *Das Ende eines Wintermärchens.* In einer Barock-Projektion unterhält sich Himmler während des Massierens mit seinem Masseur über seine Rolle als Großinquisitor des Großdeutschen Reiches. Verschiedene SS-Männer berichten von ihrem harten Schicksal. »... Unsere an den Exekutionen beteiligten Männer haben sehr viel mehr durchgemacht, merkwürdig, als ihre Opfer ...« Der Masseur konspiriert mit dem Astrologen und der Astrologe konspiriert mit Himmler. Der altgewordene Ellerkamp führt durch den zerstörten Obersalzberg und erzählt, wie das damals war mit Hitler, wie er die Musik und die Hunde liebte, und vor allem Weihnachten. Harry Baer wirft einem Puppen-Hitler vor, er habe alles falsch gemacht. »... Was habt ihr nur gemacht aus unserem Land. Die Ufa kaputtgemacht. Zwanzig Jahre haben sie gebraucht, um wieder anständige Filme zu realisieren. Alles hast du falsch gemacht. Alles!« Hitler weist darauf hin, daß doch noch heute überall in der Welt sein Beispiel nachgeahmt wird. »... Der Fortschritt aus Deutschland ... das wahre Modell Deutschland.« – 4. Teil: *Wir Kinder der Hölle.* André Heller erzählt von Hitler, von seiner Wirkung auf Menschen,

von seinem Faible für den Film: »Denn er war ein großer Cineast, ein Mann der Massen, der spürte, was da aufkam im Film, und hatte beschlossen, ein Filmheld zu werden ...« Und über seine Stellung in der Geschichte: »... Und die Geschichte ist weit gekommen, weiter gekommen durch ihn. Er hat sie erfüllt ... Die Entwicklung der Geschichte und die vielen Anläufe der demokratischen Wahlen in Deutschland zum Beispiel beweisen es. Alle führen wieder zu ihm, er war die einzige Lösung, kein Zufall oder Irrtum oder Fehlgriff, ganz logisch bis zum letzten er und wir.« Der Bürgermeister und der Fremdenverkehrsdirektor von Berchtesgaden zelebrieren die »Eröffnung unseres Hitlerlebens in Bayern«, das »deutsche Disneyland auf dem Hl. Berg bei Berchtesgaden«. André Heller rekonstruiert die für 1950 geplante Siegesfeier Hitlers. Das kleine Mädchen geht durch das deutsche Panoptikum, die Trümmer des Zusammenbruchs. André Heller sagt, was wir aus unserer Freiheit und aus uns gemacht haben: »Seelenlose Zwergenmenschen im toten Plastikschoß eines leeren Puppengesichts, als Spiegel unserer Städte und Sprache, und sie schufen sich Götter nach ihrem Bild. Endspiel unserer heutigen Existenz, eine neue Family of Men, im unmenschlichen Fertig-Gesicht unserer verspielten Freiheit. Freiheit ohne menschliches Antlitz. Hitler, hier ist dein Sieg!« Die Geschichte endet wieder mit der Kugel, in der Schnee weht und die Black Mary und dem kleinen Mädchen unter dem Sternenhimmel und dem All.

Douglas Sirk über *Hitler, ein Film aus Deutschland:* »Es ist eine Art visuellen Essays aber auch etwas Surrealistisches. Es ist wirklich etwas Neues, die originelle Annäherung an ein großes Thema. Es gibt da herrliche Momente und Züge – er hat die Augen eines Malers. Es geht ja hier um die uralte Frage des Narrativen gegen das Nicht-Narrative. Syberberg ist nicht wirklich ein Erzähler, er ist ein Kritiker, ein Essayist. Aber zugleich erzählt er durchaus. Er erzählt Geschichte. Viele Leute verlangen natürlich vom Film nichts anderes als ein Ab-

Harry Baer

Heinz Schubert

überhaupt dem deutschen Publikum. Syberberg-Buffs mußten nach London und Paris reisen, um das Werk zu sehen; nachdem der Meister diesen Publicity-Stunt ausgekostet hatte, wurde *Hitler* aber dann sehr schnell dem allgemeinen Vaterland zugänglich gemacht. Der letzte Clou des *Hitler*-Feldzuges war dann das Erscheinen des Büchleins *Syberbergs Hitler-Film* ausgerechnet in dem Hanser-Verlag, dessen Filmbücher im *Hitler*-Film selbst in die Hölle verbannt werden. Es ist allerdings das erste Hanser-Filmbuch, das diese Höllenfahrt wirklich verdient, da so kritisch wie ein Presseheft (aber weniger informativ als die meisten Pressehefte). Das Glanzstück des Buches ist Susan Sonntags Essay *Syberbergs Hitler*, in dem die Autorin unter anderem schreibt »Syberbergs Film ist ein meisterliches Spiel mit dem symbolistischen Potential des Kinos und wohl das ehrgeizigste Kunstwerk unseres Jahrhunderts. Als zugleich sinnliches und reflektiertes Phänomen ist Kino für diesen Filmemacher eine Art idealer Geistestätig-

keit, die dort einsetzt, wo die Realität aussetzt: Kino nicht als Fabrikation von Leben, sondern als ›Fortsetzung des Lebens mit anderen Mitteln‹. In Syberbergs historischen Meditationen in einem Aufnahmestudio werden Ereignisse (mit Hilfe surrealistischer Stilfiguren) visualisiert und bleiben zugleich in tieferem Sinne unsichtbar (das Ideal der Symbolisten). Doch weil dabei auf die für das symbolistische Kunstwerk typische Homogenität des Stils verzichtet wird, besitzt *Hitler, ein Film aus Deutschland* eine pralle Lebendigkeit, die von den Symbolisten als vulgär abgelehnt worden wäre. Gerade seine stilistischen Brüche und Unreinheiten bewahren den Film vor der allzu verstiegenen Subtilität des Symbolismus, ohne den offenen und umfassenden Charakter seiner Aussage im geringsten einzuschränken.« (Der Sonntag-Essay ist zuerst erschienen unter dem Titel *Eye of the Storm* in der *New York Review* vom Februar 1980, hier zitiert nach dem Hanser-Buch in der Übersetzung von Kurt Neff.)

bild des Lebens, also das Kino des Realismus – solche Leute sind wahrscheinlich nicht sehr beeindruckt von dieser Arbeit. Aber Film hat ja so viele andere Möglichkeiten« (aus einem Interview im Syberberg-Sonderheft der *Cahiers du Cinéma* vom Februar 1980, für dieses Buch freundlicherweise von Douglas Sirk selbst übersetzt und gekürzt). Nachdem Syberberg mit *Hitler, ein Film aus Deutschland* ein großer Film gelungen war (auch ein umstrittener großer Film bleibt schließlich ein großer Film), versuchte er ihn auf seine närrische Art noch größer zu machen, indem er ihn als Rammbock seiner bislang wildesten Attacken gegen die deutsche Filmszene einsetzte, die seiner Meinung nach aus »Film-Puff« und »Film-Buff« besteht: Film-Puff ist das Großbordell des allgemeinen Filmhandels, Film-Buff der Inbegriff aller Kultbewegungen, in deren Mittelpunkt *nicht* Hans-Jürgen Syberberg steht. Er verweigerte den Film zuersten den Berliner Filmfestspielen 1977 und dann

André Heller

Das zweite Erwachen der Christa Klages
1978

Regie Margarethe von Trotta. *Regie-Assistenz* Alexander von Eschwege. *Buch* Margarethe von Trotta, Luisa Francia. *Kamera* (Farbe) Franz Rath. *Kamera-Assistenz* Thomas Schwan. *Musik* Klaus Doldinger. *Ausstattung* Toni Lüdi. *Ton* Vladimir Vizner, Stanislav Litera. *Schnitt* Annette Dorn. *Darsteller* Tina Engel (Christa Klages), Sylvia Reize (Ingrid Häkele), Katharina Thalbach (Lena Seidlhofer), Marius Müller-Westernhagen (Werner Wiedemann), Peter Schneider (Hans Grawe), Ulrich von Dobschütz (Heinz, Ingrids Mann), Friedrich Kaiser (Wolfgang), Gertrud Thomele (Mutter von Christa), Erika Wackernagel (Mutter von Hans), Natascha Steuer (Mischa, Christas Kind), Achim Krausz (Bankdirektor), Ingrid Kraus (Kollegin von Lena), Fritz Ley (alter Mann aus Riga), Rosa Sämmer (Hausmeisterin), Sepp Bierbichler (Hausbesitzer), Peter Koj (Erich, Bruder von Hans), Luisa Francia (Freundin von Christa), Margit Czenki (Reingard, Kindergärtnerin), Hildegard Linden (Frau im Zug), Felix Moeller (Junge im Zug). *Produktion* Bioskop (Eberhard Junkersdorf) / WDR. *Länge* 88 Minuten. *Uraufführung* 24. 2. 78 (Internationales Forum des Jungen Films, Berlin).

Die Kindergärtnerin Christa Klages hat mit zwei Freunden, Werner und Wolfgang, eine Bank überfallen. Wolfgang, der Jüngste, wurde dabei gefaßt, während Christa und Werner nun mit der Beute in einem Zug sitzen, der sie von München wegbringt. Ihr Ziel ist eine Kleinstadt, deren junger Pfarrer, Hans Grawe, mit Wolfgang gut bekannt ist. Christa kann Hans überreden, daß er sie und Werner für eine Nacht im Pfarrhaus schlafen läßt. Christa erklärt ihm, daß sie eine größere Summe Geld benötigen, um die Schließung ihres mühsam aufgebauten Kinderladens zu verhindern. Als Hans am Morgen zufällig das erbeutete Geld aus der Bank entdeckt, erfährt er auch den Rest des abenteuerlichen Plans: Hans soll die Summe dem Kinderladen als kirchlich-offizielle Unterstützung überweisen. Der Pfarrer lehnt entsetzt ab, sorgt aber dennoch dafür, daß die beiden Flüchtigen sich die Haare färben und die Kleider wechseln können, ehe sie sich mit der Beute in einem gestohlenen Auto wieder davonmachen. In der Zwischenzeit hat die Polizei auch Werners Identität festgestellt. Man legt nun der Bankangestellten Lena Seidlhofer, Christas Geisel bei dem Überfall, Christas Foto vor, doch Lena will sich nicht festlegen und fragt stattdessen interessiert nach Namen und Beruf der Verdächtigen. Werner macht den Vorschlag, die Beute zu teilen und sich zu trennen, doch Christa besteht darauf, daß sie zusammen versuchen, bei ihrer Schulfreundin Ingrid unterzukommen. Ingrid, die mit einem Bundeswehroffizier verheiratet ist und in ihrer Eigentumswohnung eine Kosmetikpraxis betreibt, ist erschrocken und verstört, als Christa mit Werner bei ihr auftaucht. Da Ingrids Mann aber nur am Wochenende zuhause schläft, können sie bleiben. Allmählich löst sich Ingrid aus ihrer Verspannung, gesteht Christa ihre Unzufriedenheit und kann Werner sogar etwas Liebe geben. Lena Seidlhofer hat sich unterdessen entschlossen, Christa Klages auf eigene Faust zu suchen bzw. mehr über sie zu erfahren: Erst besucht sie Christas Wohngemeinschaft und dann sogar Christas leutselige Mutter, die gerade für ein Ritterspiel der Laienbühne probt. Ingrid erklärt sich bereit, das geraubte Geld in den Kinderladen zu bringen. Christa bleibt vor dem Haus im Auto versteckt und erschrickt, als sie Lena, ihre Geisel, aus dem Kinderladen kommen sieht. Als Ingrid ihr auch noch mitteilt, man hätte das Geld nicht angenommen, ist Christa völlig verzweifelt und sieht alles in Frage gestellt. Heinz, Ingrids Mann, kommt einen Tag früher als erwartet und macht seiner Frau eine Szene. Christa und Werner setzen ihre Flucht mit dem Fahrrad fort. Während Christa in einer Bäckerei einkauft, setzt Werner sich in einen Sportwagen, der im Parkverbot steht. Ein Polizist, der ihn für den Fahrer hält, will seine Papiere sehen. Werner gerät in Panik und will davonlaufen. Eine Pistole, die ihm aus der Tasche fällt, ist für den Beamten Anlaß, auf den Fliehenden zu schießen. Werner sackt tödlich getroffen zusammen. Christa rennt kopflos zu Ingrid zurück und trifft sich später mit Hans, der sie vergeblich zu überre-

Margarethe von Trotta

den versucht, sich endlich zu stellen. Ingrid holt Mischa, Christas Tochter, aus der Stadt, und Mutter und Kind umarmen sich zum ersten Mal seit langer Zeit. Mit Ingrids Paß gelingt es Christa, nach Portugal zu fliegen, wo Erich, Hans' Bruder, ihr Arbeit und Unterkunft in einer Cooperative besorgt. Später trifft auch Ingrid hier ein, und sie verleben eine glückliche Zeit, geprägt von der Arbeit auf den Feldern und dem Leben in der Gemeinschaft. Bis Erich ihnen eröffnet, daß sie nicht mehr bleiben können. Bei der Abfahrt entschließt sich die enttäuschte Christa, die Tasche mit dem Geld aus der Bank in der Cooperative zurückzulassen. Wieder in München, mietet sich Christa mit dem letzten Geld eine leere Wohnung, die sie nicht mehr verläßt. Sie will sich mit Schlaftabletten töten, erwacht aber im letzten Moment aus ihrer Lethargie und kehrt in ihre Wohngemeinschaft, zu Mischa und Ingrid zurück. Ihr ist dabei klar, daß sie bald erkannt und verhaftet wird, doch ehe die Kriminalpolizei wirklich kommt, registriert sie zufrieden, daß Hans ihnen und den Kinder anonym Geld zukommen läßt. Sie ist ebenso verblüfft wie die Beamten, als Lena bei der Gegenüberstellung mit fester Stimme verkündet: »Nein, die ist es bestimmt nicht.«

»Ich habe eigentlich hinter der Kamera begonnen«, sagt Margarethe von Trotta, deren erster Film dies war, »in Paris, mit Freunden, Studenten, die von der Nouvelle Vague herkamen. Als ich nach Deutschland zurückkam, war auf dem Filmsektor noch gar nichts los. Ich studierte, nahm nebenbei Schauspielunterricht und ging zunächst zum Theater, meine wirkliche Liebe aber blieb der Film. Seit 1968 habe ich nur noch im Film gespielt, bei Lemke, Schlöndorff, Fassbinder. Ich fing an, Drehbücher zu schreiben, machte Regieassistenz und bei *Katharina Blum* Co-Regie. Einen eigenen Film zu machen, ist meiner Geschichte nach eine Konsequenz. Jetzt bestimme ich selbst, hingeschaut und mitgedacht habe ich immer schon.« Margarethe von Trotta und Luisa Francia hatten für ihre Geschichte einen authentischen Fall als Vorlage, der sich ein Jahr zuvor in München ereignet hatte. Der Film ist erfüllt von dem ehrlichen Engagement, das die Autorinnen ihren Figuren entgegenbringen. Seit Anita G. und Leni Peickert hat es im Neuen Deutschen Film keine Frauenfigur mehr gegeben, die eine ähnliche Kraft, Stärke und Präsenz ausgestrahlt hätte wie Christa Klages. Selbst die weiblichen Charaktere der Filme ihres Mannes Volker Schlöndorff, zu denen Margarethe von Trotta die Drehbücher geschrieben hat (*Strohfeuer, Der Fangschuß* und *Die verlorene Ehre der Katharina Blum*) und in denen sie in zwei Fällen auch die Darstellerin war, besitzen nicht das Selbstvertrauen und das Bewußtsein Christas, sondern ähneln eher den beiden anderen Frauen des Films, Ingrid und Lena,

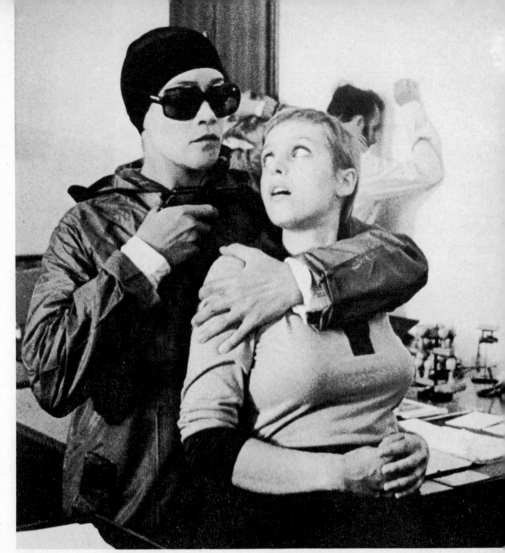

Tina Engel, Katharina Thalbach

Tina Engel, Sylvia Reize

deren Emanzipation sich erst mühsam vollzieht bzw. gerade beginnt. Die plastische Personenzeichnung, die unaufdringliche Problemvermittlung aus einer durchaus kinogerechten, spannenden Fluchtgeschichte sowie die durchweg anerkennenswerte Leistung der Darsteller (darunter Laien wie der Schriftsteller Peter Schneider, Luisa Francias Mutter und Margit Czenki, die »richtige« Christa Klages) brachten dem Film sogar von der bürgerlichen Presse viel Lob. »Margarethe von Trotta hat sich bewußt aller moralischen Wertung enthalten. Sie beschränkt sich mit deutlichem Mitgefühl – und mit sehr viel Humor, der die naheliegende bittere Larmoyanz gar nicht erst aufkommen läßt – auf den Leidensweg dieser Frau, die, um Gutes zu tun, keinen anderen Weg sieht, als kriminell zu werden. Was sie dabei am Rande an deutscher Wirklichkeit zwischen resignierter Utopie, Erfahrungsängsten und, vor allem in ihren Frauenfiguren, trotzigen, sehnsüchtigen Verweigerungen einfängt, hat man selten so einsichtig, so genau gesehen. In den ganz individuellen Ausbrüchen dieser drei Frauen, Christa, die kriminell wird, Ingrid, die sich von ihrem zackig-strengen Mann löst, die Bankangestellte, die überraschend Solidarität entwickelt, äußert sich ein Mut zur Revolte, der seine Energie nicht aus politischer Analyse, sondern aus dem Ende der Indolenz nimmt, mit der sie bisher ihre auferlegten Rollen ertragen haben. Daß Christa einmal meint, sie hätten den Überfall nicht gemacht, wenn sie ihren Freund wirklich geliebt hätte, ist die einzige unnötige, weil zu vordergründige Psychologisierung, die sich Trotta in ihrem ansonsten überraschend sensiblen und mutigen Film erlaubt« (Wolfgang Limmer, *Der Spiegel*).

Peter Schneider, Tina Engel, Marius Müller-Westernhagen

Katharina Thalbach, Tina Engel

Flammende Herzen
1978

Regie Walter Bockmayer und Rolf Bührmann. *Regie-Assistenz* Ila von Hasperg. *Buch* Walter Bockmayer, Rolf Bührmann. *Kamera* (Farbe) Horst Knechtel, Peter Mertin. *Kamera-Assistenz* Reinhard Kofler. *Musik* Michael Rother. *Ton* Gary Steel. *Schnitt* Ila von Hasperg. *Darsteller* Peter Kern (Peter Huber), Barbara Valentin (Karola Faber), Enzi Fuchs (Anna Schlätel), Katja Rupé (Magda Weberscheid), Anneliese und Peter Geisler (Mrs. und Mr. Geisler), Rolf Bührmann (Conferencier), Armin Meier (Fahrer), Ila von Hasperg (Verkäuferin), Evelyn Künneke (Sängerin im Lokal), Bessie, die Kuh. *Produktion* Entenproduktion (Bockmayer und Bührmann) / ZDF. *Länge* 95 Minuten. *Uraufführung* 24. 2. 78 (Filmfestspiele Berlin).

Peter Huber ist Jungggeselle. Er lebt von seinem kleinen Kiosk auf dem Marktplatz, bekommt von der Volkshochschullehrerin Anna Schlätel Privatstunden in Englisch und träumt von einer Amerikareise. Dieser Traum wird wahr, als er eines Tages den ersten Preis in einem Preisausschreiben gewinnt. In New York wird er von den Geislers, seinen Gasteltern, empfangen. In der U-Bahn liest er eine Blondine auf, die offenbar am Ende ihrer nervlichen Kräfte ist. Peter bringt sie schließlich in ihre Wohnung und merkt erst in dieser tristen Umgebung, daß Karola ebenfalls aus Deutschland kommt. Sie arbeitet als Strip-Tänzerin in einem Nachtlokal, und Peter redet ihr zu, sich von diesem Milieu zu befreien. Zusammen mit den Geislers besuchen sie ein »Original-Oktoberfest«, auf dem Peter und Karola zum Kornblumen-Königspaar gekürt werden und als Preis eine ausgewachsene Kuh bekommen. Karola platzt der Kragen. Sie will Peter dazu überreden, die Kuh auf dem Schlachthof zu verkaufen, doch dort interessiert man sich mehr für die Blondine als für das Rindvieh. Niedergeschlagen

wandert Peter mit seiner Kuh durch New York, bis die Polizei die beiden trennt. Als er wieder nach Hause kommt, findet er seinen Kiosk, den er in seiner Abwesenheit der nur nachts arbeitenden Magda Weberscheid anvertraut hatte, zweckentfremdet und halb zerstört vor.

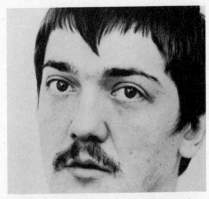

Walter Bockmayer

Wie schon in *Jane bleibt Jane* wird in dieser zweiten großen Produktion der ehemaligen Super-8-Filmer Bockmayer und Bührmann aus Köln eine im Grunde tragische Gestalt in den Mittelpunkt einer scheinrealen Handlung gestellt, die jedoch eher den Gesetzen des Märchens und des Melodrams gehorcht. Denn dem Peter in *Flammende Herzen* ergeht es wie Hans im Glück: Den Kisok tauscht er ein für die Amerikareise, Karola für die Kuh, und am Ende hat er gar nichts mehr. »Walter Bockmayer hat einen schrägen, aber nie bösen Blick auf das Vertraute, das Liebegewordene geworfen, um daraus die Erfahrung des Naiven zurückzugewinnen. *Flammende Herzen* ist nicht nur ein Melodram, sondern auch eine Komödie, die ihren Helden als blutigen Witz in die Straßen stolpern läßt, Genrebildchen in Oberbayern zwischen Friedhof, Kiosk und Kneipe und Wunschbilder in New York, von der Schwebebahn aus gesehen. Der Traum von der Freiheitsstatue wird aufs Stichwort von der Kamera erfüllt, Barbara Valentin versprüht (wie ein le-

Peter Kern,
Barbara Valentin

Peter Kern, Katja Rupé

Peter Kern

bendes Emblem der Filmfirma Columbia – die Lady Liberty, mit brennender Fackel, in Pailletten und Glitzer eingehüllt –) Pathos und Komik. ... Der Regisseur hat mit diesem Film ein großes Maß an inszenatorischer Sicherheit dazugewonnen. Die Dreistigkeit, mit der Bockmayer sich über das prätentiöse Handwerk mancher Kollegen hinwegsetzt, ohne an Publikumsinteresse zu verlieren, kommt aus der Kraft, mit der seine Geschichten der vermeintlich Schwachen sich behaupten« (Karsten Witte, *Frankfurter Rundschau*). Nach dem Erfolg von *Flammende Herzen,* der zu den populärsten Filmen des Neuen Deutschen Films gehört, war es klar, daß für Bockmayer und Bührmann die Zeit der hausgemachten Opern-Travestien auf Super 8, die sie mit den Einnahmen aus ihrer Kölner Kneipe finanziert hatten, endgültig vorbei war. Nach einem Original-Fernsehspiel fürs ZDF, *Viktor* (mit elektronischen Kameras), und der Inszenierung der deutschen Bühnenfassung der *Rocky Horror Show* drehte das Enten-Duo 1980 das Jahrmarkts-Melodram *Looping;* Etat: über drei Millionen; Besetzung international: Shelley Winters, Sydne Rome, Ingrid Caven, Hans Christian Blech; Kamera: Michael Ballhaus.

142

Deutschland im Herbst
1978

Edgar Reitz (links)

Regie Alexander Kluge, Volker Schlöndorff, Rainer Werner Fassbinder, Alf Brustellin, Bernhard Sinkel, Katja Rupé, Hans Peter Cloos, Edgar Reitz, Maximiliane Mainka, Peter Schubert. *Regie-Assistenz* Mulle Goetz-Dickopp, Petra Kiener, Karl Scheydt, Christian Virmond, Daniel Zuta. *Buch* Alexander Kluge, Volker Schlöndorff, Rainer Werner Fassbinder, Alf Brustellin, Bernhard Sinkel, Katja Rupé, Hans Peter Cloos, Maximiliane Mainka, Peter Schubert, Heinrich Böll, Peter Steinbach. *Kamera* (Farbe und Schwarzweiß) Jörg Schmidt-Reitwein, Michael Ballhaus, Werner Lüring, Jürgen Jürges, Bodo Kessler, Dietrich Lohmann, Colin Mounier. *Kamera-Assistenz* Renato Fortunato, Peter Hellmer, Harald Zellner. *Ausstattung* Henning von Gierke, Winfried Hennig, Toni Lüdi. *Ton* Roland Henschke, Martin Müller, Günther Stadelmann. *Schnitt* Heidi Genée, Mulle Goetz-Dickopp, Tanja Schmidbauer, Christine Warnck, Juliane Lorenz. *Gesamt-Schnitt* Beate Mainka-Jellinghaus. *Mitwirkende/Darsteller* Rainer Werner Fassbinder, Armin Meier, Liselotte Eder, Hannelore Hoger (Gabi Teichert), Helmut Griem (Kreon), Wolf Biermann, Horst Mahler, Katja Rupé (Pianistin Branka), Hans Peter Cloos (Fremder), Vadim Glowna (Freiermuth), Angela Winkler (Antigone), Franziska Walser (Ismene), Enno Patalas (Redakteur), Dieter Laser (Abgeordneter), Heinz Bennent (Intendant), Mario Adorf (Kirchenvertreter), Wolfgang Bächler, Joachim Bissemeyer, Joey Buschmann, Caroline Chaniolleau, Otto Friebel, Hildegard Friese, Michael Gahr, Horatius Haeberle, Petra Kiener, Lisi Mangold, Eva Meier, Franz Priegel, Werner Possardt, Leon Rainer, Walter Schmidinger, Gerhard Schneider, Corinna Spies, Eric Vilgertshofer, Manfred Zapatka, Kollektiv »Rote Rübe«, Herbert Wehner, Max Frisch, Manfred Rommel, Christiane Ensslin, Herr und Frau Ensslin. *Produktion* Pro-ject Filmproduktion im Filmverlag der Autoren (Theo Hinz)/Hallelujah-Film (Volker Schlöndorff)/Kairos-Film (Alexander Kluge). *Länge* 134 Minuten, später 124 Minuten. *Uraufführung* 3.3.1978 (Filmfestspiele Berlin).

Franziska Walser, Volker Schlöndorff, Angela Winkler

Inhaltsbeschreibung der beteiligten Filmemacher: »Der Film kommt in seiner musikalischen Leitmotivation immer wieder zurück auf Josef Haydns Kaiser-Hymne, das nachmalige sogenannte ›Deutschland-Lied‹. Der nach rückwärts weisende Aspekt im Akustischen darf jedoch nicht davon ablenken, daß es im optischen Geschehen dieses Films sich ganz und gar um aktuelle, teils sehr spontane Reaktionen auf die politische Wirklichkeit der Bundesrepublik handelt. – Was Hanns-Martin Schleyer aus den bis heute nicht näher bekannten Verstecken seiner Entführer an seinen Sohn Eberhard schreibt, die ›herzlichen Grüße an euch alle‹ und der Hinweis auf drohende Eskalationen der Gewalt, wird optisch unterschnitten von Bildern der Trauerfeier für den toten Industriellen. – Tiefempfundene, persönliche Angst und Sprachlosigkeit kennzeichnen den Dialog, den Fassbinder kurz danach mit seiner Mutter führt. Welchen Stellenwert hat noch der Begriff Demokratie? Die Mutter: ›Mich erinnert das wirklich an die Nazizeit, in der man einfach geschwiegen hat ...‹ Und die Alternative? Bankrotterklärung für unsere demokratischen Bemühungen seit 30 Jahren: ›Ein autoritärer Herrscher, der ganz gut ist, ganz lieb und freundlich ...‹ – Kontrast: Gabi Teichert, Kluges Geschichtslehrerin, die sich auf der Suche nach den Grundlagen der deutschen Geschichte befindet: ›Ich versuche, die Dinge in ihrem Zusammenhang zu sehen.‹ – Beispiel: Generalfeldmarschall Rommel, der

Alf Brustellin, Wolf Biermann

143

Katja Rupé

>auf höchsten Befehl< Selbstmord begeht, aus Gründen der Staatsraison. (Sein Sohn, Stuttgarter Oberbürgermeister, wird derjenige sein, der den Stammheimer Selbstmördern ein menschenwürdiges Begräbnis ermöglicht.) Zweites Beispiel: Arbeitgeber-Präsident Schleyer, bei dem den Forderungen seiner Kidnapper aus Gründen der Staatsraison nicht nachgegeben werden kann. – Sinkel und Brustellin lassen Horst Mahler, den Ex-Anwalt der APO, durch Helmut Griem in Moabit interviewen. Was wird bloß aus unseren Träumen? fragt Biermann. Wir stecken mitten drin in einem Film über das politische Klima in der heutigen Bundesrepublik. Krise der Linken, sagt Mahler. Was heißt das? Er wendet sich ab von seiner politischen Vergangenheit. Biermann spricht ein

sehr anrührendes, schönes Gedicht vom >Mädchen in Stuttgart<. – Was Drehbuchautor Peter Steinbach in der Zeit der Terroristen-Jagd an einem Grenzübergang nach Frankreich erlebte, wird in einer von Reitz inszenierten Episode lebendig. Der gewöhnliche Faschismus. – In einem der Parodie angenäherten Hollywood-Stil skizzieren Katja Rupé und Hans Peter Cloos die Terroristenangst und Verfolgungshysterie: ein Verunglückter sucht Hilfe bei einer jungen Frau. Er stößt nur auf Mißtrauen und Angst – keine Spur von selbstverständlicher Unterstützung. – >Auf, auf zum Kampf< ruft das alte Kampflied der Sozialisten und Kommunisten. Kluge kompiliert Dokumentaraufnahmen vom sozialistischen Widerstand gegen die Reaktion in den zwanziger Jahren: >Es gibt nur eine

Alternative für Deutschland: Sozialismus oder Barbarei< (sagt Rosa Luxemburg vor ihrer Ermordung). Bundeswehrmanöver 77: >Standhafte Chatten< – Chatten = altdeutscher Stamm, bei Tacitus erwähnt. – Heinrich Böll schrieb für Schlöndorff das Kurzbeispiel für die Berührungsangst von Instituten wie den Programmbeiräten des Fernsehens gegenüber dem Thema Gewalt. Kabarett, Satire, Ironie? Nein. Wirklichkeit im Fernsehalltag (und nicht nur dort!). Es geht um Sophokles. Um seine >Antigone<. Der diktatorische Herrscher Kreon verfügt, daß Eteokles feierlich bestattet wird, seinem Bruder, dem Staatsfeind Polyneikes, versagt er jedoch die letzten Ehren. Antigone, das >rebellische Weib< – wie die Mitglieder des x-beliebigen Fernsehprogrammbeirates meinen – sucht sich gegen das Gebot für eine Bestattung des Toten einzusetzen. Der Fernsehregiseur bietet drei unterschiedliche >Distanzierungstexte< in der Art des Griechischen Chorus an. Die Angst der Programmacher vor dem Thema Gewalt ist jedoch so groß, daß die Sendung abgesetzt wird. Die Begründung wird der Fernsehzuschauer vergeblich erwarten. – In Stuttgart werden die Toten von Stammheim beigesetzt. >Das war eigentlich keine Beerdigung, sondern eine Polizeifalle.< – Einsicht nach zwei Stunden Film: (nicht neu!) >Wer aus dem Verbrechen des Terrorismus politisches Kapital schlägt, zieht den Vorwurf auf sich, daß er der Demokratie Schaden zufügen will.<« (*Regie-Schlüssel:* Beerdigung von Hanns Martin Schleyer – Kluge/Schlöndorff; In Fassbinders Wohnung – Fassbinder; Staatsakt für Hanns Martin Schleyer – Kluge in Stuttgart, Schlöndorff bei Mercedes AG; »Was wird bloß aus unseren Träumen?« – Brustellin/Sinkel; Schatten der Angst – Rupé/Cloos; »Das Mädchen von Stuttgart« – Brustellin/Sinkel; Der Grenzposten – Reitz; Gabi Teichert – Kluge; Standhafte Chatten – Mainka/Schubert; Herbstlied von Tschaikowsky – Kluge; Auf dem Parteitag der SPD in Hamburg – Kluge; Die verschobene Antigone – Schlöndorff; Die Beerdigung in Stuttgart – Kluge/Schlöndorff.)

144

Joachim Bissmeier, Heinz Bennent, Mario Adorf (rechts)

Lotte H. Eisner über *Deutschland im Herbst:* »Das Wirtschaftswunder, diese Epoche des tiefverwurzelten Materialismus, hat nur mittelmäßige Filme hervorgebracht. Die deutschen Künstler sind seltsame Leute: Sie brauchen eine gewisse Verzweiflung, eine gewisse fiebrige Exaltation, um wirklich schöpferisch werden zu können. Ein Film wie *Deutschland im Herbst* zeigt das ganz deutlich: erst als die jungen deutschen Cineasten gegen die Mittelmäßigkeit und gegen den kleinbürgerlichen, reaktionären Bürokratismus revoltierten, als sie ihrer tiefen Abscheu vor dem unausrottbaren Nazismus Ausdruck verliehen, wurden sie wirklich schöpferisch« (*Caméra/Stylo*, 1981). Der Film zeigt, daß die Verzweiflung viele Gesichter hat; darin liegt ein großer Teil seiner Qualität. Sein Fehler liegt vor allem in seinem »Mangel an einer integrierenden Vision, die aus all den disparaten Elementen eine (wie auch immer idiosynkratische) Synthese machen

könnte« (John Pym, *Monthly Film Bulletin*). Am tiefsten trifft, bewegt und überzeugt der Film da, wo er uns mit der nackten Verzweiflung konfrontiert, der von Fassbinder; am zwiespältigsten wirkt er in seinen Partien kostümierter und verspielter Verzweiflung, also in den Beiträgen und Einflüssen von Alexander Kluge. Hier bietet auch die dokumentarische Methode die heikelsten Angriffsflächen, weil sie »alle methodischen Ansätze einer romantischen Synthese deutscher Wirklichkeit in sich birgt« (der Dokumentarfilmer Klaus Wildenhahn in *filmfaust*, November 1980). Detaillierter hat diese Kritik Hans-Helmut Prinzler im *Jahrbuch Film 78/79* ausgeführt: »Das Herz der an *Deutschland im Herbst* beteiligten Filmemacher schlägt sicher nicht für die Ordnungsmächte. Aber ihre Irritation reproduziert sich gerade in den dokumentarischen Teilen durch Unentschiedenheit und ein ästhetisches Spiel. Fast peinlich wird dies am Ende des Films. Durch

die formale Zuspitzung des Materials, in der eine Abrundung durch die Autoren sichtbar wird, entfernt sich der Film sehr endgültig von einem dokumentarischen Prinzip. Er synthetisiert durch die Montage und die Musik ein ›Wochenschaumaterial‹ und drängt damit auf eine scheinbare Perspektive. Kostüm und Gestus der Frau, die mit ihrem Kind am Ende die Straße entlang geht, assoziieren: hier ist jemand aus der linken Bewegung, hier kann jemand Sympathien der Intellektuellen mit dem Anarchismus transportieren (ich vereinfache), und darüber legen die Autoren das Lied von Sacco und Vanzetti. Sie fügen damit historisch Unvergleichbares zueinander, sie runden den Film mit einer emotionalen Perspektive ab, aber sie haben in Wirklichkeit nichts anzubieten. Sie führen uns, den Zuschauer, zu nichts anderem, als zu einer geschmacklichen Vereinbarung.«

Die gläserne Zelle
1978

Regie Hans W. Geissendörfer. *Regie-Assistenz* Astrid von Falkenau. *Buch* Hans W. Geissendörfer, Klaus Bädekerl, nach Motiven des Romans *The Glass Cell* von Patricia Highsmith (1964). *Kamera* (Farbe) Robby Müller. *Kamera-Assistenz* Martin Schäfer. *Musik* Niels Walen. *Bauten* Heidi Lüdi. *Ton* Edward Parente. *Schnitt* Peter Przygodda. *Darsteller* Helmut Griem (Phillip Braun), Brigitte Fossey (Lisa Braun), Dieter Laser (David Reinelt), Walter Kohut (Robert Lasky), Bernhard Wicki (Kommissar Österreicher), Claudius Kracht (Timmie Braun), Günter Strack (Direktor Goller), Klaus Münster (Wärter), Hans Günther Martens (Staatsanwalt), Christa-Maria Netsch (Verkäuferin), Gerlinde Eggert (Mädchen), Axel Scholtz (Zeuge). *Produktion* Roxy (Luggi Waldleitner)/Solaris (Bernd Eichinger)/BR. *Länge* 93 Minuten. *Uraufführung* 7. 4. 78.

Der Architekt Phillip Braun wird nach fünfjähriger Haft aus dem Gefängnis entlassen. In der Freiheit erwarten ihn die drei Personen, um die in dieser Zeit unablässig seine Gedanken kreisten: Lisa, seine Frau; David Reinelt, sein Anwalt und Freund, der sich vergeblich um ein Wiederaufnahmeverfahren bemüht hatte; und Lasky, ein Bauunternehmer, der die eigentliche Schuld an dem verhängnisvollen Baufehler trägt, durch den damals ein Schulkind zu Tode gekommen war, und dem man im Prozeß nichts nachweisen konnte. Phillip, der unschuldig Verurteilte und durch die Haft Verbitterte, gerät in der Freiheit unversehens und letztlich doch zwangsläufig in einen Strudel von Mißtrauen, Entfremdung und Zerstörung – er selbst sieht jetzt Schuld, wo keine ist. Lisas persönliche Erfolge bei der Erziehung ihres elfjährigen Sohnes Timmie und in ihrem Beruf als Buchhändlerin interpretiert er fälschlicherweise als Zeichen ihrer emotionellen Unabhängigkeit von ihm, ihrem Mann. Der schmierige Lasky schürt Phillips Verdacht, daß David während der letzten Jahre zu Lisa ein mehr als nur freundschaftliches Verhältnis unterhalten hat. Auf Lisas Geburtstagsfeier in Davids Wohnung fühlt sich Phillip ebenso kompromittiert wie durch Davids Erfolg, ihm eine neue Stelle zu beschaffen. Als er den Anwalt schließlich mit einem Frauenkopf aus Gips erschlägt, ist das für ihn ein Akt der Befreiung. Die Folgen drängen Phillip aber noch mehr in die Isolation: Timmie weint tagelang über den Tod seines väterlichen Freundes und bleibt für seinen richtigen Vater unansprechbar, die Polizei bedrängt Phillip, und Lasky, der die Tat abgehört und auf Band mitgeschnitten hat, erpreßt ihn. Phillip sieht keine andere Lösung, als Lasky auf einem Volksfest zu erstechen. Für den ermittelnden Beamten, Kommissar Österreicher, ist nun klar, daß nur Phillip für die beiden Morde in Frage kommen kann. Bevor die Polizei ihn aber aus der Wohnung abholt, bittet Phillip seine Frau um ein Alibi. Nach endlosen Verhören muß Österreicher aufgeben: Lisa liefert tatsächlich das Alibi, eine Verhaftung ist unmöglich.

Die gläserne Zelle ist die siebte Verfilmung eines Romans der in Frankreich lebenden Amerikanerin Patricia Highsmith. Raymond Chandler adaptierte 1951 für Alfred Hitchcock *Strangers on a Train (Der Fremde im Zug)*, René Clément drehte 1959 *Plein Soleil (Nur die Sonne war Zeuge)* mit Alain Delon als Tom Ripley, 1962 entstand unter Claude Autant-Laras Regie *Le Meurtrier (Der Mörder)*, und 1969 gab es unter dem Titel *Once you kiss a stranger (Wenn dich dein Mörder küßt*, Regie: Robert Sparr) die zweite Filmfassung von *Strangers on a Train*. Mit *Der amerikanische Freund* von Wim Wenders, *Dites-lui que je l'aime (Süßer Wahn)* von Claude Miller (beide 1977) und Hans W. Geissendörfers *Die gläserne Zelle* erschienen in kurzer Folge drei meisterhafte, wenn auch stilistisch recht unterschiedliche Highsmith-Adaptionen junger Regisseure. Trotz des gleichen Kameramannes (Robby Müller), Cutters (Peter Przygodda) und Architekten (Heidi Lüdi) besteht zwischen *Der amerikanische Freund* und *Die gläserne Zelle* formal wenig Ähnlichkeit. Während Wenders die Handlungsführung zugunsten einer Fülle inszenatorischer Details, stilistischer Verweise und persönlicher Kommentare vernachlässigte, bleibt Geissendörfers formale Gestaltung der Thematik des Stoffes gänzlich untergeordnet; sie dient direkt und ungebrochen der Vermittlung der für die Handlung notwendigen Informationen und kommen-

Günter Strack, Hans W. Geissendörfer, Helmut Griem

Helmut Griem, Brigitte Fossey

Walter Kohut, Helmut Griem

tiert die Motive und die Psyche der Personen kaum über das durch Handlung und Dialog gegebene Maß hinaus. Lange Dialogpassagen mit Großaufnahmen der Sprechenden und Zuhörenden sind so keine Seltenheit. Frankfurt als Schauplatz bleibt austauschbare Kulisse, zumal der Großteil der Handlung sich in der Wohnung der Familie Braun und auch der Rest des Films sich vornehmlich in Innenräumen abspielt. Kameraführung, Schnitt und Ton werden in der eindringlich-knappen Exposition (Phillip erinnert sich im Gefängnis an den Verlauf des Prozesses) und in den beiden Mordsequenzen dafür allerdings auf ausgefeilte und souveräne Weise als eigenständige Erzählmittel und sehr kinogerecht eingesetzt. Das Schlußbild des Films strahlt eine faszinierende Ambivalenz aus, die für den gesamten Film typisch ist und die auch den Reiz der Romane von Patricia Highsmith ausmacht: Der Rücken des Kommissars schiebt sich in den Vordergrund, während in der Tiefe des Bildes Phillip und Lisa eng umschlungen auf den Ausgang zugehen. Wir wissen, daß Phillip ein zweifacher Mörder ist, erkennen indes befriedigt, daß seine Frau, für deren Liebe er so weit gegangen ist, ihm das Alibi gegeben hat, auf dem sie nun ihr weiteres Leben aufbauen. Gleichzeitig werden wir aber durch den sie beobachtenden Kommissar an die bleibende Schuld und die fortdauernde Bedrohung durch das Gesetz erinnert. Die gläserne Zelle, in der Phillip bisher allein gefangen war und aus der er sich auch durch die Morde nur scheinbar zu befreien wußte, wird das Paar von nun an gemeinsam umgeben. Phillip ist damit wahrscheinlich geholfen; Lisa hat dafür ihre mühsam errungene Unabhängigkeit in jeder Beziehung verloren. »Mit Helmut Griem und Brigitte Fossey hatte Geissendörfer zwei hervorragende Schauspieler zur Verfügung, und besonders Griem war wohl noch nie derart überzeugend im Kino zu sehen. Seine Wandlung vom gebrochenen, völlig friedfertigen, sich einzig nach Ruhe und Bürgerlichkeit sehnenden Haftentlassenen zur trickreich um sein Spießerglück kämpfenden Bestie wirkt um so glaubhafter, als

sie sich ohne sonderliche Gefühlsausbrüche, sondern fast durchgehend mit der Hartnäckigkeit eines zum Normaldasein um jeden Preis entschlossenen Kleinbürgers vollzieht« (Wilfried Wiegand, *Frankfurter Allgemeine Zeitung*). »Der Film wird zur bedrückenden Vision von jenem sanften Horror, in den ganz leicht, ganz unmerkbar unser Alltag umkippen kann, unsere vertraute Umgebung mit ihren lieben Menschen, mit ihren verführerischen Gewohnheiten, Kämpfen, kleinen Biestigkeiten, mit ihrer Neigung, zum Gefängnis zu werden – zur gläsernen Zelle, in der sich unsere Phantasien, Wünsche und

Ängste wundscheuern. Der Gefangene der ›Gläsernen Zelle‹ ist nicht frei in der Freiheit, er kapselt sich in seine Wahnwelt ein, er selber errichtet die Barrieren und unsichtbaren Wände um sich. Ein Kranker: Er memoriert immer wieder die Briefe, die ihm seine Frau in den Knast schrieb, und klammert sich an seine damaligen Vorstellungen, die mit der anderen, der tatsächlichen Wirklichkeit kollidieren. Wahnideen, Illusionen können tödlich sein: Der Film, wie alle Romane der Highsmith, appelliert an den potentiellen Mörder in jedem von uns« (Wolf Donner, *Die Zeit.*)

Helmut Griem, Bernhard Wicki

Brigitte Fossey

Der kleine Godard an das Kuratorium junger deutscher Film
1978

Ein Film von Hellmuth Costard. *Herstellung des Super-8-Kamerasystems* Herbert Jeschke, Winnie Wolf, Jochen Leydecker, Walter Huntenburg, Hellmuth Costard, Johann Roth. *Kamera* (Farbe) Bernd Upnmoor, Hans-Otto Walter, Hanno Hart, Hellmuth Costard. *Musikberatung* Thomas Wachweger. *Ton* Herbert Jeschke, Marcia Bronstein. *Schnittvorbereitung* Hanno Hart, Connie Lotz. *Schnitt* Susanne Paschen. *Blow-up-Beratung* Helmut Rings, Helmut Herbst. *Darsteller* (in der Reihenfolge ihres Auftretens) Hellmuth Costard (der Antragsteller), Bernhard Kiesel (ein Dreher), Hilka Nordhausen (eine Galeristin), Andy Hertel (der Maler), Jelena Kristl (die Ausländerin), Werner Grassmann (ein Filmproduzent), Herbert Jeschke (der Freund), Marie-Luise Scherer (die Freundin), Hedda Costard (die Ehefrau), Hans-Otto Walter (ein Beleuchter), Curt Costard (der Vater), Uwe M. Schneede/Dieter de la Motte/Jan Hans/Christian Gneuss/Ivan Nagel/Dieter Hoor/Hannes Gösseln (die Jurymitglieder), Holger Norgall (ein Klappenmann), Hark Bohm (erster Regisseur), Peter Kellerhals (der Tonmann), Wolfgang Treu (erster Kameramann), R. W. Fassbinder (zweiter Regisseur), Michael Ballhaus (zweiter Kameramann), Harry Baer (ein Regieassistent), Horst Knechtel (ein Kameraassistent), Andrea Ferréol (eine Filmschauspielerein), Elke Vogt (das Scriptgirl), Olimpia Hruska (die Schwester), Anouchka Nettelbeck (die Tochter), Gisela Stelly (die Mutter), Petra Nettelbeck (die Fotografin), Uwe Nettelbeck (der Kritiker), Klaus Birkholz (der Kuratoriumsvertreter), Dieter Blöcker (der blinde Sekretär), Dieter Meichsner (der NDR-Abteilungsleiter), Rolf Hädrich (der NDR-Autor), Martin Lang-

bein (der Übersetzer), als Gast Jean-Luc Godard. *Produktion* Toulouse-Lautrec-Institut (Hellmuth Costard)/Zweites Deutsches Fernsehen. *Länge* 81 Minuten. *Uraufführung* 8. Juni 1978.

Oberhausener Kurzfilmwoche 1968: Der Zehn-Minuten-Film *Besonders wertvoll* des Hamburger Filmemachers Hellmuth Costard, in dem eine leinwandfüllende Penisöffnung mit der Stimme eines deutschen Parlamentslobbyisten der Filmwirtschaft »spricht«, wird kurzfristig aus dem Programm gestrichen; es kommt zu einem Skandal –

die meisten deutschen Regisseure solidarisieren sich mit Costard und boykottieren das Festival. Costard wird wegen Verbreitung unzüchtiger Abbildungen angeklagt und 1970 von einem Hamburger Amtsgericht freigesprochen. – Zehn Jahre später. Hellmuth Costard, der seit 1965 mit seinen Kurzfilmen und Super-8-Langfilmen landläufige Seh- und Inszenierungsgewohnheiten ebenso geistreich wie konstruktiv untergräbt, zu Beginn seines von Super-8 auf 16 mm aufgeblasenen Filmes *Der kleine Godard:* »1974. Unsere Hamburger Filmemacher Cooperative ist endgültig zusammengebrochen. Der junge deutsche Film erzielt mit viel Überredungskunst und beträchtlichem finanziellen Aufwand seine ersten großen Erfolge. Da entschließe ich mich, ausgerüstet mit einem kleinen Fernsehauftrag, ein eigenes Kamerasystem herzustellen. Irgend etwas zwingt uns immer wieder, unser eigenes Unglück zu buchstabieren. Mein Ziel ist es, Spielfilme vollkommen phantasielos zu drehen: ... den ungestörten Ablauf der Ereignisse als perfekte Inszenierung auszunutzen: ... die Arbeit mit mehreren Kameras, um mit den

Hellmuth Costard

Hellmuth Costard   Jean-Luc Godard, Martin Langbein, Hellmuth Costard

Mitteln der Montage, mit Schnitt und Gegenschnitt den Eindruck einer Inszenierung zu erwecken: dem Zuschauer die durchschaubare Illusion anzubieten, er befinde sich in einer Geschichte. Drei Jahre später, im Mai 1977, muß ich den Versuch, mein Regiekonzept aus eigener Kraft zu verwirklichen, als gescheitert ansehen. Die Anfälligkeit der in unserem Kamerasystem mitverwendeten Konsumgeräte ist uns zum Verhängnis geworden. Ich setze mich hin, um für das ›Kuratorium junger deutscher Film‹ einen Antrag auf Filmförderung auszuarbeiten. So hoffe ich, mit kostspieligerem, professionellem Gerät meine Vorstellungen doch noch verwirklichen zu können.« Was noch vorkommt: Eine Freundin übersetzt Costard einen Brief von Jean-Luc Godard, der sich bereit erklärt, nach Hamburg zu kommen, wenn der NDR eine interessante Arbeit für ihn hat. Costard besucht mit seiner umgebauten Super-8-Kamera die Dreharbeiten von *Moritz, lieber Moritz*, und man erlebt mit, wie es Hark Bohm die Sprache verschlägt. Costard besucht die Dreharbeiten von Fassbinders *De-*

spair und erinnert sich später, als der Postbote ihn aus dem Bett klingelt, um ihm den negativen Bescheid des Kuratoriums auszuhändigen, an Fassbinders schrankenlosen Exhibitionismus. Der echte Jean-Luc Godard kommt für einen Tag nach Hamburg, weil er einen Film mit dem Thema »Ist es möglich, heute in Deutschland Filme zu machen?« zu konzipieren bereit wäre. Ein NDR-Abteilungsleiter, der fließend französisch spricht, verhandelt lieber über einen Dolmetscher mit Jean-Luc Godard, damit es nicht so auffällt, wie wenig er zur Sache zu sagen weiß. Godard findet in Hamburg das »A«, bevor er sich auf dem Flughafen von Costard und dessen Team verabschiedet. Costard ist auffällig still.
Costards Film stellt von der ersten bis zur letzten Minute unaufhörlich die Frage, die auch Godard so beschäftigt: Ist es möglich, heute in Deutschland Filme zu machen? Scheinbar ja: Hark Bohm bei der Arbeit, Fassbinder bei der Arbeit. Ohne daß man ihre Ansicht zu teilen braucht, wird bei diesen »Besuchen bei Dreharbeiten« aber klar, daß Costard und Godard diese Art

Film nicht meinen, daß sie deren Professionalität verabscheuen, daß für sie diese Filme so anfällig sind wie die Konsumgeräte, von denen Costard spricht. Costards *Kleiner Godard,* der den Status Quo des deutschen Films mit Kuratorium, Fernsehen und Abschreibungsfilm abtastet, ist selbst die Alternative dazu. Das Erschreckende, das Beängstigende ist, daß er funktioniert; daß man lacht, wenn ein Brief übersetzt wird, als säße man in einer Komödie, daß man betroffen ist, wenn Costard und Godard, die leisen, vor einem geschwätzigen Fernsehchef sitzen müssen wie dumme Schüler, betroffen, als handle es sich um einen dramatischen Film mit Guten und Bösen. Statt Inszenierung der Eindruck einer Inszenierung, die Wahrhaftigkeit des Super-8-Essays so fesselnd wie die Fiktion der 35 mm-Großproduktionen. Erschreckend ist, daß man wirklich nicht – so gerne man es auch wollte – sagen kann, daß Costard und Godard, die Film-Rebellen, Unrecht haben. Beängstigend ist, daß jeder, der den *Kleinen Godard* gesehen hat, schnell wieder so tut, als hätte er ihn nicht gesehen!

Jean-Luc Godard, Hellmuth Costard

Neapolitanische Geschwister
Regno di Napoli
1978

Werner Schroeter

Regie Werner Schroeter. *Regie-Assistenz* Gerardo d'Andrea. *Buch* Werner Schroeter, Wolf Wondratschek. *Kamera* (Farbe) Thomas Mauch. *Musik* Robert Pregadio. *Ausstattung* Alberte Barsacg, Franco Calabrese. *Ton* Tommaso Quattrini. *Schnitt* Werner Schroeter, Ursula West. *Darsteller* Romeo Giro (Massimo Pagano als Kind), Antonio Orlando (Pagano als Jugendlicher), Tiziana Ambretti (Vittoria Pagano als Kind), Maria Antoniella Riegel (Vittoria als Jugendliche) Cristina Donadio (Vittoria als junge Frau), Dino Melé (Vater Pagano), Renata Zamengo (Mutter Pagano), Liana Trouc (Valeria Cavioli-Simonetti), Laura Sodano (Rosa), Raoul Gimenez (Herr Simonetti), Margareth Clementi (Rosaria à Frances), Gerardi d'Andrea (Rechtsanwalt Palumbo), Ida di Benedetto (Pupetta Ferrante), Perry Hogan (amerikanischer Soldat), Lucia Castellaro, Artemia Tomasini, Francesca Battistella, Anna Segnini, Eduardo Mascia, Raffaella Bruno. *Produktion* Dieter Geissler, München/P.B.C., Rom/ZDF, Mainz. *Länge* 136 Minuten. *Uraufführung* 8.6.1978.

Neapel 1944. Eine Hausgemeinschaft in der Via Marinella, im Armenviertel. Am Tag des Abzugs der Deutschen wird der Familie Pagano eine Tochter geboren, Vittoria. Als Hebamme macht sich Rosaria à Frances nützlich; später wird Rosaria auch behilflich sein, den Pagano-Sohn Massimo zur Welt zu bringen. Valeria Cavioli hat eine halbwüchsige Tochter, Rosa, die sie für einen Sack Mehl an einen amerikanischen Soldaten verkauft. Der dicke Palumbo bricht auf, um in der bürgerlichen Welt Karriere zu machen; die Hausgemeinschaft der Armen will von nun an nichts mehr mit ihm zu tun haben. – Vittoria und Massimo wachsen heran. Vater Pagano ist arbeitslos und verfolgt seine radikalsozialistischen Ziele mit der gleichen Inbrunst wie seine Frau ihre Hingabe an die Kirche. Als Mutter Pagano stirbt, beginnt die Familie auseinanderzubrechen. Vater Pagano versinkt in Resignation. Vittoria klammert sich an ihre Frömmigkeit. Massimo verdingt sich als Zeitungsjunge an die kommunistische Partei. Vittoria findet eine Stellung als Putzhilfe in Pupetta Ferrantes Metallfabrik und verliert sie wieder, als die Chefin sie an ihren Neffen verkuppeln will. Vittoria nimmt sich nun vor, sich nur noch auf sich selbst zu verlassen. Die Hebamme lebt inzwischen in einem Ruinenloch am Hafen als Prostituierte; Massimo besorgt ihr manchmal Kunden und bekommt dafür Prozente. Frau Cavioli heiratet einen Ortsfremden, der sich zum KPI-Funktionär mausert. Als ihre Tochter Rosa stirbt, gibt sie ihrem Mann die Schuld, weil er es nicht geschafft hat, Penicillin zu organisieren; sie erschießt ihn auf offener Straße, dafür kommt sie ins Irrenhaus. Massimo nimmt an einer Vietnam-Demonstration teil, die in blutige Schlägereien ausufert; er wird festgenommen und bekommt zwei Jahre Gefängnis. Vater Pagano verfällt immer mehr, völlig seiner Einsamkeit ausgeliefert. Sein Sohn ist im Gefängnis, seine Tochter macht kühl und strebsam Karriere; nach Hotellehre und Fremdsprachen-Studium wird sie Hostess bei einer Reederei. Als Massimo aus dem Gefängnis entlassen wird, besorgt ihm die KPI, der er treu gedient hat, eine Stelle als Hilfsarbeiter, als ungelernte Kraft ohne Aufstiegs-Chancen. Beim Karneval 1977 trifft er Rosaria wieder, die frühere Hebamme, dann Prostituierte, jetzt völlig verelendet: mitten im Lärm der feiernden Menschen verreckt sie wie ein Tier.

Rainer Werner Fassbinder über Werner Schroeter und *Neapolitanische Geschwister* (eine ungewöhnliche Eloge, ungewöhnlich angemessen ihrem Verfasser und ihrem Objekt, erschienen in der *Frankfurter Rundschau* vom 24. Februar 1979): »Werner Schroeter war über ein Jahrzehnt – sehr lange also, zu lange fast – der wichtigste, spannendste, entscheidendste sowie entschiedendste Regisseur eines alternativen Films, eines Films, der im allgemeinen ›Underground‹-Film genannt wird, was diesen freundlich einengt, verniedlicht und zuletzt in einer zärtlichen Umarmung erstickt ... Dem Regisseur Werner Schroeter, den sie kleiner zu machen versuchen, den sie in winzige, törichte Schubladen zu sperren versuchen und dessen Filme, ich sag's immer wieder, sie ›Underground‹-Filme nennen, und im Untergrund, da sind so Sachen, die gibt's irgendwie, aber unten, und außerdem sind diese Filme gerade denen, die nicht mehr gaben für sie, zu billig, um ihnen wichtig zu sein – diesem Werner Schroeter also ist ein klarerer, umfassenderer Blick auf diese Kugel geschenkt, die wir Erde nennen, als sonst einem, der Kunst macht, welche auch immer. Und ein ganz klein wenig, so scheint mir, offenbaren sich diesem glücklich Privilegierten fremde wunderbare Geheimnisse des Universums ... Zu einer Zeit, als manche, auch Schroeters Freun-

de, langsam aber sicher sich damit
abfanden, daß Schroeter vielleicht
nie einen großen erzählenden Film
machen würde, daß er ihn jetzt,
nach Jahren der Schüchternheit, des
Zögerns, der fehlenden Chancen
vielleicht auch gar nicht mehr zustande bringe, in einer Situation, in
der nicht wenige verzweifelten, einfach aufgaben und andere nach einem gescheiterten Versuch, wie
zum Beispiel Rosa von Praunheim
mit *Berliner Bettwurst,* ungerecht
und traurig wurden – jetzt, in dieser
Situation, machte Werner Schroeter
den Film *Die neapolitanischen Geschwister.* Einen großen, bedeuten-
den Film. Unglaublich, nach den
schrecklichen Jahren des Wartens,
immer am Rand der Gefahr, ganz
einfach auszutrocknen. Einen Film,
der sich ohne weiteres mit Recht
zwischen Filme wie *Ossessione* von
Visconti, *La Strada* von Fellini,
Mamma Roma von Pasolini, *Rocco
und seine Brüder* von Visconti, *Les
Bonnes Femmes* von Chabrol, *Le
Diable Probablement* von Bresson,
Der Würgeengel von Buñuel und
andere mehr reihen kann. Deutschland hat also nicht nur drei oder fünf
oder zehn Filmregisseure, die es
vorzeigen kann, Deutschland hat
jetzt einen dazubekommen, der mit
Sicherheit gefehlt hat. Einen mit einem ganz großen Atem. Einen großen ganz einfach.« In einer Kritik,
in der er *Neapolitanische Geschwister* als ein »ebenso politisches wie
poetisches Drama per Musica«
rühmt, schreibt Wolfram Schütte,
Werner Schroeter sei in Neapel aufgewachsen. Ganz sicher hat ihm
Schroeter das auch erzählt, weil er
die Ordentlichkeit ernsthafter Auskünfte verschmäht und stattdessen
die Lust an der Mystifikation genießt. Sein Herz mag in Neapel geboren sein, aber seine registrierbare
Existenz begann 1945 in Georgen-
thal (Thüringen), und aufgewachsen ist er gar am seelenklimatischen
Antipoden von Neapel, in Biele-
feld. Diese Verirrung konnte aber
nicht verhindern, daß er schon frühzeitig der Callas und Verdi verfiel,
und als er 1967/68 begann, mit seinen 8 mm-Filmen den Untergrund
aufzurühren, hieß dann auch einer
seiner ersten Titel *Maria Callas
singt 1957 Rezitativ und Arie der Elvira aus Ernani 1844 von Guiseppe*

Ida di Benedetto

Margareth Clementi

Verdi. In den Musiken und Mythen Italiens fand er alle Mysterien der Welt und ihrer sehnsüchtigen Seelen, und indem er als Filmemacher mit einem Fluß von Melodien einen Strom der Bilder in Bewegung setzte, schuf er eine schwelgerische Rhetorik der Gefühle und wurde zum buntesten Paradiesvogel des deutschen Films. Dies geschah mit 28 kurzen und längeren Filmen mit Titeln wie *Argila* (1968), *Neurasia* (1969), *Eika Katapa* (1969), *Der Bomberpilot* (1970), *Salome* (1971), *Der Tod der Maria Malibran* (1971), *Willow Springs* (1973), *Der schwarze Engel* (1974) und *Goldflocken* (1976), fast sämtlich ZDF-Produktkionen, die im Kino immer nur einen Zufalls- oder überhaupt keinen Platz fanden. In einem Stegreif-Nachruf auf die Callas hat er 1977 gesagt: »Es wäre absurd zu behaupten, daß der Wunsch nach Schönheit und Wahrheit eine bloße Illusion romantisch-kapitalistischer Gesellschaftsreform ist. Zweifellos bedeutet der Wunsch nach einer übersteigerten, überlebensgroßen Wunscherfüllung, die wir überall in der traditionellen

Kunst finden, zu der durchaus auch die modernen Trivialmedien wie Kino und Fernsehen zu zählen sind, ein ganz allgemein dem Menschen eigenes Bedürfnis; denn seine allzustarke Bestimmung im Tod, dem einzig objektiven Faktum unserer Existenz, verwirkt von vornherein die Aussicht auf konkretes Glück«; daher der Ehrgeiz, »die wenigen grundsätzlichen menschlichen Ausdrucksmomente bis in den musikalischen und gestischen Exzeß auszuleben – diese wenigen total vertretbaren Gefühle: Leben, Liebe, Freude, Haß, Eifersucht und Todesangst in ihrer Totalität und ohne psychologische Analyse vorzutragen.« Mit seinem ersten großen Kinofilm *Neapolitanische Geschwister* gelang ihm seine zweite Entdeckung Italiens: Von den Mythen und Melodien fand er zu den historischen, politischen und sozialen Realitäten, ein Zugang, wie er nur den »glücklich Privilegierten« eröffnet wird; der intime, zum Entzücken disponierte Umgang mit den gereinigten und verklärten Abbildern des Wirklichen verleiht die höheren Weihen der Weisheit und

Sensibilität, die dem, der auf dem dokumentarischen Weg zum Wesen der Dinge vorzudringen versucht, versagt bleiben. Das bedeutet nicht, daß dem Schroeter der *Neapolitanischen Geschwister* die Genauigkeit in der politisch-historischen Analyse abgeht, die man von einem reinen Dokumentaristen verlangen würde: Der Film beschreibt peinlich genau das Versagen der PCI wie der katholischen Kirche und der Christdemokraten bei der Auseinandersetzung mit den Problemen, die diese Neapolitaner heimsuchen. Mit *Palermo oder Wolfsburg* setzte Schroeter 1980 den Weg der *Neapolitanischen Geschwister* fort, und als er sich dann sein deutsches Publikum ansah, konnte er sich sagen, daß ihm etwas gelungen war: »Ich glaube, daß in den letzten zwei bis drei Jahren die Öffentlichkeit der Maßlosigkeit von Gefühlen gegenüber toleranter geworden ist. Das kommt daher, weil unsere zivilisatorische Umgebung immer unmenschlicher geworden ist und daher Gefühle anders bewertet werden. Mitte der 70er Jahre hatte ich schon manchmal Angst, daß sämtliche Gefühle unter einem Sargdeckel verschwunden sind. Jetzt hebt sich der Deckel ganz langsam wieder. Ich breche mit meinen Filmen etwas auf, das sowieso schon brüchig geworden ist, bin also nur Sprecher für das, was andere sich nicht zu sagen trauen« (Schroeter-Interview von Carola Hembus, *tip*, 1980). Und so wird er sicher weitermachen, mit Lust und Entschiedenheit, mit Menschen und ohne Stars, und wenn es sein muß, auch unter den abenteuerlichsten Umständen: »Wenn das Kino als Trivialkunst sich auch selber von den Trägern dieser Kunst her als trivial versteht, dann interessierts mich überhaupt nicht. Es muß was Kostbares haben. Mit einer Mitchel 35 mm-Breitwandkamera in das letzte Scheißklo reinsteigen, und da von Darstellern, die nicht wissen, was überhaupt Kino ist oder ein Fernsehen, die perfektesten Dialoge improvisieren lassen, mit der raffiniertesen Lichtwirkung, ein Glück, was sonst nur Frau Ava Gardner und Frau Taylor angedeiht ...« (Daniel Schmid u.a.: *Werner Schroeter*, 1980).

Ida di Benedetto und Maria Antonietta Riegel

Messer im Kopf
1978

Regie Reinhard Hauff. *Regie-Assistenz* Peter Fratzscher. *Buch* Peter Schneider. *Kamera* (Farbe) Frank Brühne. *Kamera-Assistenz* Harry Zellner. *Musik* Irmin Schmidt. *Ausstattung* Heidi Lüdi. *Ton* Vladimir Vizner, Stanislav Litera. *Schnitt* Peter Przygodda. *Darsteller* Bruno Ganz (Berthold Hoffmann), Angela Winkler (Ann), Hans Christian Blech (Anleitner), Heinz Hönig (Volker Köhler), Hans Brenner (Scholz), Udo Samel (Schurig), Eike Gallwitz (Dr. Gröske), Carla Egerer (Angelika Müller, Krankenschwester), Gabriele Dossi (Emmilie, Krankenschwester), Hans Fuchs (Chefarzt), Gerd Burkhard (Dr. Ahrens, Direktor des Traut-Instituts), Erich Kleiber (Herr Arnold, Pförtner im Traut-Institut), Karl Heinz Merz (Patient), Christa Lessoing (Frau Schurig), Herbert Kerz (Hausmeister), Heinz Hürländer (Kommissar), Karl Scheydt (Kommissar), Alois Mayer (Kommissar), Roland Teubner (Bauarbeiter), Hans Noever (TV-Journalist), Michael Zens (TV-Kameramann), Lothar Schlessmann (Kulle), Stephan Hörtensteiner (Stevie), Robert Kaiser (Brille), Michael Wiedemann (Mann im Lift). *Produktion* Bioskop (Eberhard Junkersdorf)/ Hallelujah/WDR. *Länge* 108 Minuten. *Uraufführung* 27.10.78 (Hofer Filmtage).

Als der Biogenetiker Dr. Berthold Hoffmann eines Abends seine Frau Ann von einem Münchner Jugendzentrum abholen will, um mit ihr über die Krise in ihrem Verhältnis zu reden, gerät er mitten in eine Polizeirazzia. Während Ann und ihr Freund Volker draußen in ein Einsatzfahrzeug gedrängt werden, fällt im Innern des Gebäudes ein Schuß. Hoffmann wird mit einer Kugel im Kopf in eine Klinik eingeliefert und operiert. Er überlebt zwar, ist aber halb gelähmt, und sein motorisches Sprechzentrum ist zum Teil zerstört. Mit Hilfe geduldiger Krankenschwestern lernt er von neuem sprechen, essen und gehen. Die Erinnerung an sein früheres Leben

und konkret an den verhängnisvollen Abend der Razzia wird beeinflußt, in verschiedene Richtungen gesteuert und gefährdet durch zwei Pole: Auf der einen Seite sind da Ann und Volker, die jetzt zusammenleben und für die Hoffmann ein Opfer des Polizeiterrors ist. Auf der anderen Seite steht eben diese Poli-

Reinhard Hauff

zei in Gestalt des Ermittlungsbeamten Scholz, der glaubt, der Terrorist Hoffmann habe einen seiner Beamten mit dem Messer bedroht, woraufhin dieser in Notwehr geschossen habe. Scholz hält den nur langsam genesenden Patienten bald für einen Simulanten und versucht, ein Geständnis aus ihm herauszupressen. Hoffmann gelingt es, aus dem Hospital zu fliehen. Ein Besuch seiner Arbeitsstätte im Traut-Institut bringt ihn nicht weiter. Ann holt ihn von dort ab und bringt ihn in das Landhäuschen von Anleitner, einem Anwalt und Freund Hoffmanns. Scholz umstellt mit seinen Leuten das Haus, doch Anleitner hat Hoffmann schon vorher überredet, freiwillig ins Krankenhaus zurückzukehren. Wenig später wird der Haftbefehl aufgehoben. Hoffmann kann das Krankenhaus verlassen – die Polizei hat das Interesse

an ihm verloren. Aber Hoffmann ist noch nicht am Ende: Er macht die Privatadresse des Polizisten Schurig ausfindig, sucht ihn auf und zwingt ihn, ihre erste Begegnung mit vertauschten Rollen noch einmal durchzuspielen. Dabei erweist es sich, daß Hoffmann damals, bevor der Schuß fiel, eines der am Boden liegenden Werkzeuge aufgehoben hatte. Jetzt, in Schurigs Wohnung, hat Hoffmann die Pistole in der Hand ...

Mit *Messer im Kopf* schien Reinhard Hauff seine quasi noch ausstehende Episode zu *Deutschland im Herbst* nachzuliefern – in Spielfilmlänge. Doch Hauff und sein Autor Peter Schneider gehen nicht direkt, d.h. explizit in Thema und Darstellung, auf Schleyer-Entführung und Mogadischu-Drama ein, sondern greifen das politische Klima dieser Zeit auf und stellen es gleichwertig mit dem Drama der Hauptfigur in den Brennpunkt ihrer Geschichte. Im Biogenetiker Hoffmann spiegeln sich die allgemeine Verunsicherung, Gefährdung, Verletzbarkeit und Verletzung in der Bundesrepublik Ende der siebziger Jahre. Indem Hoffmann plötzlich seine Identität, sein Ich verliert und sich unvermittelt als Spielball gegensätzlicher ideologischer Positionen sieht, entsteht eine thematische Dialektik, die den Zuschauer zum Überdenken seines persönlichen Standpunktes anhält. die unmißverständliche Aufforderung des Films – lernt noch einmal Sprechen, Hören, Fühlen und Denken, ehe ihr Position bezieht! – wirkt so beklemmend, weil sie, simpel wie sie ist, tatsächlich nötig scheint. »Peter Schneiders (Drehbuch) und Reinhard Hauffs Film ist ein Versuch, ein heikles Stück bundesdeutscher Gegenwart aufzuarbeiten. Das geschieht nicht in Form eines dogmatischen Lehrstückes, sondern mit den Mitteln des Spannungskinos, das Unterhaltungselement bewußt einbezieht. In dieser Hinsicht geht *Messer im Kopf* weiter als *Die verlorene Ehre der Katharina Blum* und *Deutschland im Herbst,* die eine ähnliche Thematik behandeln. Vielleicht hat sich Hauff um publikumswirksamer Effekte willen hie und da auf Ab- und Seitenwege locken lassen, und Schneiders geistrei-

Angela Winkler

Angela Winkler, Heinz Hönig, Bruno Ganz

che Sprüche und Sprachspielereien gehen einem angesichts des todernsten, politisch hochbrisanten Themas vielleicht allzu genüßlich ins Ohr. Aber ich kann den beiden daraus keinen Strick drehen, weil ich diesen Film auch als eine Art Gegenreaktion auf Filme mit politischen Themen sehe, die zu oft filmischen Leitartikeln oder gesellschaftspolitischen Abhandlungen gleichen, in denen die Inhalte formal verfremdet werden, bis sie nur noch Eingeweihten zugänglich sind, und die allesamt fast ausschließlich an den Intellekt appellieren. *Messer im Kopf* ist vor allem auch ein physisches und psychisches Erlebnis, die Geschichte des Mannes mit der Kugel im Kopf (wer an Rudi Dutschke denkt, liegt wohl nicht ganz falsch) geht einem an die Nieren und weckt neben Nachdenken auch Emotionen. Hauffs Film gibt dem Kino, was des Kinos ist, ohne das Engagement der Autoren und das wichtige Thema zu verraten. ... *Messer im Kopf* ist nicht zuletzt der Film eines überragenden Darstellers: Bruno Ganz spielt den Hoffmann mit einer ungeheuren Präsenz. Schwebend zwischen Bewußtheit und Verstörtheit, Verstellung und Offenheit, Intelligenz und Instinkt, Verzweiflung und Überlebenswillen macht er die Entwicklung vom lallenden, an lebenserhaltenden Schläuchen angeschlossenen Wrack zum bewußt handelnden Menschen, der sein Schicksal selber in die Hand nimmt, mit unerhörter Intensität glaubhaft und nachvollziehbar« (Franz Ulrich, *Zoom-Filmberater*).

Bruno Ganz,   Bruno Ganz ▷
Angela Winkler

Albert – warum?
1978

Regie Josef Rödl. *Regie-Assistenz* Angela Kiffmann. *Buch* Josef Rödl. *Kamera* Karlheinz Gschwind. *Ton* Hans Rödl. *Schnitt* Josef Rödl. *Darsteller* Fritz Binner (Albert), Michael Eichenseer (sein Vater), Georg Schießl (Hans), Elfriede Bleisteiner (Eva), *Produktion* Hochschule für Fernsehen und Film, München. *Länge* 105 Minuten. *Uraufführung* 28. 10. 78 (Hofer Filmtage).

Albert, der einzige Sohn eines Großbauern, wird aus der Nervenheilanstalt entlassen. Sein Vater, der den Hof inzwischen Alberts Vetter Hans übergeben hat, holt ihn vom Bahnhof ab. Albert kann sich an die neue Situation nicht gewöhnen, fühlt sich nur noch geduldet und zieht in einen verfallenen Altbau neben dem neuen Bauernhof. Erst als Hans im Krankenhaus ist, hat Albert die Möglichkeit zu beweisen, daß auch er die Arbeit eines Bauern bewältigen kann. Nach Hans' Rückkehr wird Albert jedoch wieder ausgestoßen. Die Dorfbewohner betrachten ihn als »Deppen«, weil er stottert und im »Narrenhaus« war. Überall, im Gasthof, in der Diskothek und auf der Straße, wird er lächerlich gemacht, verhöhnt und beleidigt. Seine zaghaften Versuche, Kontakte mit Frauen aufzunehmen, werden abrupt abgewiesen. Alkohol, Landschaft und Tiere sind sein einziger Trost. Mit Gesten der Verweigerung versucht er, sich zu wehren, und er geht dazu über, das zu tun, was man schlechthin von einem Deppen erwartet: Er tötet Tiere, stiehlt Hasen, setzt eine Hütte in Brand. Alberts exzentrische Ausbrüche steigern sich, er badet ein Ferkel im Bach und malträtiert einen Jungen mit dem Lastenaufzug. Die Dorfbewohner beunruhigen sich zunehmend und sprechen davon, ihn erneut einweisen zu lassen. Doch da erhängt sich Albert in der Kirche.

Josef Rödl

Wenige Monate nach seinem Überraschungserfolg auf den Hofer Filmtagen im Oktober 1978 brachte ein Verleih *Albert – warum?*, den Abschlußfilm des jungen Josef Rödl für die Münchner Hochschule für Fernsehen und Film, bereits in die Kinos. Dieser nicht risikolose Sprung eines Hochschulfilms in die kommerzielle Auswertung ist nicht ohne Beispiel. Nie zuvor jedoch waren die Hoffnungen auf ein breiteres Publikum für einen Abschlußfilm so berechtigt wie in diesem Fall. Josef Rödls Film variiert ein Thema, das Trivialautoren und Künstler in langer Tradition gleichermaßen fasziniert: das unaufhaltsame Zugrundegehen des Außenseiters innerhalb einer Gruppe oder Gesellschaft. Die Beispiele im Bereich der Literatur reichen von *Frankenstein* von Mary Shelley bis Bölls *Die verlorene Ehre der Katharina Blum*. Bei Rödl ist Albert, der geistig und sprachlich unbeholfene Riese, der

Außenseiter. Die Bewohner des niederbayerischen Dorfes, in dem er leben muß, bilden eine geschlossene, in ihren Normen erstarrte, inflexible Gemeinschaft, die ihre Wertvorstellungen in geistiger Inzucht ständig ungebrochen an die jüngste Generation weitergibt. Weil Albert eine Position in der Dorfgemeinschaft verweigert wird und er allenfalls als »Arbeitstier« geduldet würde, setzt er sich zur Wehr. Dabei verwundert es nicht, daß sich im Verlauf dieses ungleichen Kampfes der »kranke« Albert als außergewöhnlich starke und sensitive Persönlichkeit erweist, die sich mit vollem Recht dagegen sträubt, sich dem Diktat der Mitmenschen widerspruchslos zu beugen. Alberts Handlungsweise ist, selbst wenn sie einmal ungewollt oder zufällig erscheint, von erstaunlicher Konsequenz und Logik. Deshalb kann es auch nicht Reue oder gar Schuldgefühl sein, das diesen armen Menschen schließlich in den Selbstmord treibt. Denn neben dem Kämpfen und Sich-Wehren ist Albert in erster Linie auf der Suche nach Liebe und Geborgenheit, und nur weil er nicht einmal einen Ersatz dafür findet, gibt er auf. Doch indem er sich

Fritz Binner

Fritz Binner

am Glockenstrang der Dorfkirche erhängt, vermischt sich selbst diese Geste der endgültigen Resignation noch mit Stolz und Anklage. – Gedreht wurde ausschließlich mit Laiendarstellern und mit den Bewohnern des Dorfes. Besonders für die Rolle des Albert könnte man sich keinen Profi-Schauspieler vorstellen: Fritz Binner gibt dem »Narren« durch seine mächtige Körperstatur und sein trotzig-sanftes Gesicht eine physische Präsenz, die der Zuschauer als absolut authentisch empfinden muß. Dem Realismus in der Darstellung der Personen und ihrem Lebensraum stellt Josef Rödl ganz bewußt formale Poesie gegenüber. Die Schwarzweiß-Kamera fängt immer wieder Bilder von großer Suggestionskraft und Schönheit ein. Zuweilen untermalt von sanfter Klassikmusik, verleihen sie dem scheinbar hilflosen Albert archaische Würde und selbstbewußten Stolz. Vor allem in diesen Momenten erinnert der Film an das auch in Thema und Milieu verwandte Werk *Mouchette* von Robert Bresson. Josef Rödl hat seinen Film dem Hauptdarsteller Fritz Binner gewidmet, der im Oktober 1977 verstorben ist, und »all jenen, die nicht die Möglichkeit besitzen, sich zu wehren«.

159

Die Ehe der Maria Braun

1979

Regie Rainer Werner Fassbinder. *Regie-Assistenz* Rolf Bührmann. *Buch* Peter Märthesheimer, Pea Fröhlich, Rainer Werner Fassbinder, nach einer Idee von Rainer Werner Fassbinder. *Kamera* (Farbe) Michael Ballhaus. *Kamera-Assistenz* Horst Knechtel. *Musik* Peer Raben. *Architekt* Norbert Scherer. *Kostüme* Barbara Baum. *Ausstattung* Helga Ballhaus. *Maske* Anni Nöbauer. *Ton* Jim Willis. *Schnitt* Juliane Lorenz, Franz Walsch [= Rainer Werner Fassbinder]. *Darsteller* Hanna Schygulla (Maria), Klaus Löwitsch (Hermann), Ivan Desny (Oswald), Gottfried John (Willi), Gisela Uhlen (Mutter), Günter Lamprecht (Wetzel), George Byrd (Bill), Elisabeth Trissenaar (Betti), Isolde Barth (Vevi), Peter Berling (Bronski), Sonja Neudorfer (Rotkreuzschwester), Liselotte Eder (Frau Ehmcke), Volker Spengler (Schaffner), Michael Ballhaus (Anwalt), Christine Hopf-de Loup (Notarin), Hark Bohm (Senkenberg), Dr. Horst Dieter Klock (Mann mit Auto), Günther Kaufmann (Ami im Zug), Bruce Low (Ami auf der Konferenz), Rainer Werner Fassbinder (Händler), Claus Holm (Arzt), Anton Schirsner (Opa Berger), Hannes Kaetner (Standesbeamter), Martin Häussler (Reporter), Norbert Scherer (Wärter I), Rolf Bührmann (Wärter II), Arthur Glogau (Wärter III). *Produktion* Albatros (Michael Fengler) / Trio (Hanns Eckelkamp) / WDR. *Länge* 120 Minuten. *Uraufführung* 20. 2. 1979 (Filmfestspiele Berlin).

Hanna Schygulla, Rainer Werner Fassbinder

Hanna Schygulla

Ein Kriegstag im Jahre 1943. Während draußen Bomben fallen, heiraten in einem provisorisch eingerichteten Standesamt der Frontsoldat Hermann Braun und das Mädchen Maria. Einen halben Tag und eine Nacht sind sie zusammen, dann muß Hermann zurück an die Ostfront. Zusammen mit ihrer verwitweten Mutter und dem alten Opa Berger, der nicht einmal mehr für den Volkssturm taugt, bleibt Maria im Deutschland des Bombenkriegs, der bevorstehenden Invasion und der baldigen Besetzung durch die Alliierten zurück. Sie organisiert ihr Leben, weil es ja eines Tages auch das von Hermann sein wird. Sie ist fest davon überzeugt, daß er zurückkehrt. Wenn Züge mit Heimkehrern aus dem Osten kommen, steht sie am Bahnhof und fragt Soldaten, ob sie etwas über Hermanns Schicksal wüßten. Auf dem Schwarzmarkt tätigt sie Tauschgeschäfte für den täglichen Bedarf. In der Chance, Bedienung in einem Club für amerikanische Soldaten zu werden, sieht sie eine Möglichkeit zu einem regelmäßigen Einkommen. Sie paßt auf sich auf. Als sie eines Tages nach Hause kommt, findet sie die Mutter, ihre Freundin Betti und Bettis heimgekehrten Mann Willi stumm in der Wohnung:

Willi will gehört haben, daß Hermann gefallen ist. In der Ami-Bar hat Maria den Neger Bill kennengelernt. Sie fühlt sich zu ihm hingezogen. Später wird sie einmal sagen: »Meinen Mann liebe ich. Bill habe ich lieb gehabt.« Sie lernt Englisch, er lernt Deutsch. Man unternimmt gemeinsame Ausflüge. Die Mutter kommt mit: amerikanische Zigaretten und Nylonstrümpfe stehen hoch im Kurs. Maria wird schwanger. Eines Abends, als sie und Bill zu Bett gehen wollen, steht Hermann vor der Tür. Er ist zurückgekommen – so, wie Maria es immer geglaubt hat. Nun ohrfeigt er sie. Bill fällt ihm in den Arm. Maria ist Hermanns Situation unerträglich; sie schlägt Bill eine Flasche über den Kopf. Vor Gericht nimmt Hermann die Schuld am Tod des US-Soldaten auf sich und wird zu mehreren Jahren Gefängnis verurteilt. Maria will für Hermann und für sich selbst eine Zukunft aufbauen. Als sie das Kind von Bill verliert und von der Nachbehandlung durch einen befreundeten Arzt aus dem Schwarzwald nachhause reist, lernt sie im Zug den Industriellen Oswald kennen. Er ist aus der Emigration als kranker Mann zurückgekehrt, um die während der Nazizeit enteignete Fabrik wieder zu übernehmen. Ma-

ria wird seine Assistentin. Und weil sie manchmal auch jemanden braucht, mit dem sie schlafen kann, macht sie Oswald für die Dauer von Hermanns Haft zu ihrem Geliebten. So erfährt Oswald beiläufig von Hermanns Existenz und stattet ihm mehrere Besuche ab, die er vor Maria geheimhält. Maria hat Erfolg. Sie schafft es, daß amerikanische Unternehmer in Oswalds Betrieb investieren. Sie kauft sich ein kleines Haus. Mit Hilfe eines Rechtsanwalts betreibt sie Hermanns vorzeitige Entlassung. Sie kommt knapp zu spät, um ihn abzuholen. Er hat einen Brief hinterlassen: »Weil ich dich liebe, brauche ich ein eigenes Leben. Wenn ich es habe, werde ich wiederkommen und dich fragen, ob du meine Frau sein willst.« Oswald stirbt 1954 im Ausland, wohin er sich geflüchtet hat, um seine Krankheit vor Maria zu verbergen. Hermann kommt zurück. Eine Notarin verliest Maria und Hermann das Testament von Oswald und enthüllt damit einen merkwürdigen Pakt zwischen zwei Männern. Hermann will Maria. Sie zögert. Mit Hermann in ihrem eigenen Haus will sie Kaffee kochen. Sie zündet eine Zigarette an, das ausströmende Gas explodiert, das Haus fliegt in die Luft.

Hanna Schygulla

Hanna Schygulla, George Byrd   Klaus Löwitsch

François Truffaut über Fassbinder und *Die Ehe der Maria Braun:* »Mit *Die Ehe der Maria Braun* ist Fassbinder aus dem Elfenbeinturm der Cinéphilen ausgebrochen. Der Film verrät viele Einflüsse, von Godards *Mépris* über Brecht und Wedekind bis zu Douglas Sirk, aber zugleich ist er ein originales Werk von episch-poetischer Qualität, das alle Personen, die in seine Konflikte verwickelt werden, mit Noblesse behandelt. Eine besondere Stärke, die den Film auszeichnet und ihn der *Sandra* von Visconti und selbst den Filmen von Murnau vergleichbar macht, ist die Gleichheit des Blicks, mit der er auf seine männlichen wie seine weiblichen Helden sieht; so etwas findet man nur sehr selten.

Fassbinder liebt die Männer *und* die Frauen, und er hält sich fern von der Diskriminierung des Körperlichen: Die Nacktheit des nicht gerade schwammigen, aber auch wirklich nicht schlanken schwarzen G.I. hat die gleiche Schönheit wie die der dicken alten Hexe in Dreyers *Tag des Zorns*« (*Cahiers du Cinéma,* 1980). Wie Truffaut war schon den Kritikern der triumphalen *Maria Braun*-Uraufführung bei den Berliner Filmfestspielen 1979 sofort klar, daß man es hier mit einem großen, populären Film zu tun hatte, »dem zugänglichsten (und damit wohl auch kommerziellsten) und reifsten Werk dieses Regisseurs« (Hans C. Blumenberg, *Die Zeit*): »Das ist ein richtig charmanter und

sogar witziger Kinofilm und zugleich ungemein kunstvoll, künstlich und mit Falltüren noch und noch für die, die unruhig leidend auf ihrem Sessel rutschen, können sie sich nicht in eine Tiefe, möglichst in mehrere, stürzen« (Karena Niehoff, *Süddeutsche Zeitung*). Als Kinofilm war dies, ähnlich wie zur gleichen Zeit Schlöndorffs *Blechtrommel* und Herzogs *Nosferatu,* nun nicht mehr nur ein von der internationalen Intelligenz enthusiastisch aufgenommenes Kult-Produkt einer deutschen Welle, sondern auch ein hochdotiertes Produkt des Weltkinomarktes, eingebettet in die vielfältigen Marketing-Strategien der United Artists, das Ganze überglänzt von einer zur Kultfigur gebo-

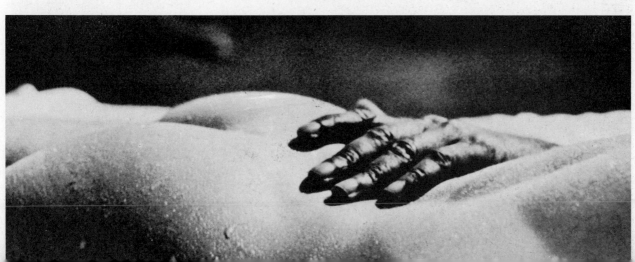

Hanna Schygulla, Elisabeth Trissenaar

renen Heldin, die schon in ihrem Schwarzweiß-Debüt *Liebe ist kälter als der Tod* so geleuchtet hatte, »daß man meint, sie in Farbe zu sehen« (Wim Wenders, 1969) und deren Glanz nun ausreichte, um einige Kontinente zu bestrahlen: »Hanna Schygulla – that's pronounced Sh-GOO-la – is in life larger than any of her heroines; that's saying a lot because under Fassbinder's direction her screen presence is formidable« (Kevin Thomas, *Los Angeles Times*, 1979). In den USA spielte *Maria Braun* in den ersten sechs Monaten Laufzeit über 1,3 Millionen Dollar ein. Dieses Filmwunder handelt von dem Fräulein aus dem Wirtschaftswunder: Maria Braun, eine volksmythische Figur in einem emblematischen Film über die deutsche Nachkriegszeit, in der der Wiederaufbau bezahlt wurde mit dem anhaltenden Abbau der Gefühle, die aufblühende Prosperität angeheizt wurde mit verdorrten Seelen, und in der eine Frau, die ihrem großen Gefühl und ihren kleinen Gefühlen, ih-

rer großen Liebe wie ihren kleinen Liebschaften treu bleibt, ihre Kraft vergeudet an die Errichtung einer Gesellschaft, die Verträge zur Vernichtung von Liebe und Würde gesellschaftsfähig und gang und gäbe macht. Hanna Schygulla, die 1971 die Schwester von Hans Epp, dem *Händler der vier Jahreszeiten* war, ist als Maria Braun nun in einem tieferen Sinn die Schwester dieses Fassbinder'schen Wirtschaftswunder-Opfers, und wie der Obsthändler beendet sie ihr Leben mit einem feierlichen Knalleffekt, weil die unendliche Tüchtigkeit zwar zum Erfolg geführt hat, aber auch zum schlimmsten Unglück. Daß sie ihr Ende nicht etwa erleidet, sondern wirklich herbeiführt, erklärt, nebst anderen interessanten Details über Maria Braun, Fassbinders Co-Drehbuchautor Peter Märthesheimer: »Die Maria ist sicherlich keine realistische Figur, sondern etwas, was man gemeinhin eine Kinofigur nennt. Darunter verstehe ich eine Figur, die in sich sehr komprimiert

Wünsche, Eigenschaften und Sehnsüchte von Zuschauern verkörpert. Man kann sagen, sie ist mutig und zielstrebig, sie ist eine, die sich voll auf ihre Gefühle verläßt, und die dabei keine Transuse ist, sondern eine hochhandlungsfähige, schlaue, geschickte und realitätsbewußte Person, die trotz alledem an ihren Gefühlen festhält. Am Schluß kehrt die Kinofigur sozusagen auf den Boden dieser Erde zurück. Und da mekt sie, daß am Himmel nicht nur Schäfchenwolken sind, daß die Sonne ebenfalls trübe verhangen scheint, daß die Erde ziemlich krumm und bucklig ist. Da sagt sie sich: Wenn das so ist, dann mache ich Schluß mit dieser Welt. Sie sagt das sehr pathetisch. Was hat sie sonst an Möglichkeiten, nachdem sie so hoch balanciert hat? Im Drehbuch hat sie einen realistischen Autounfall selbst herbeigeführt, im Film einen Gasunfall. Das Pathos, in dem Maria neunzig Minuten lang gelebt hat, wird in diesem Augenblick den realen Umständen konfrontiert. Nun finde ich wichtig, daß die Person Maria trotz alledem Recht hat; daß sie auch noch Recht hat, wenn sie sich auf diese Weise von der Welt verabschiedet. Aber sie hat auch Recht mit der Art und Weise gehabt, wie sie ihr Leben geführt hat. Sie verweigert es, leicht zu leben« (Presseheft). Damit kein Zweifel bleibt, daß hier nicht nur Privates verhandelt wird, und um zu zeigen, wer den deutschen Zeitläufen vorstand, sind im Nachspann die Köpfe der bundesrepublikanischen Kanzler zu einer Montage gefügt. Daß Willi Brandt dabei fehlt, ist Fassbinder von aufmerksamen Zuschauern angekreidet worden, die Brandt gerne als Kanzler der Berufsverbote und der Antiterrorgesetze denunziert gesehen hätten. Fassbinder: »Wir haben da schon lange drüber diskutiert. In dem Fall haben sich faschistische Technokraten quasi gegen ihn durchgesetzt. Er war aber doch mal eine Identifikationsfigur für Reformwillen, und trotz seines Scheiterns – das ist ja noch 'ne Story für sich – unterscheidet er sich doch noch von den anderen Kanzlern« (*zitty*, 1979). Hanna Schygulla bekam den silbernen Bären als beste Darstellerin der Berlinale-Filme 1978.

Ivan Desny, Günther Kaufmann

Die Blechtrommel
1979

Regie Volker Schlöndorff. *Regie-Assistenz* Alexander von Richthofen, Branco Lustig. *Buch* Jean-Claude Carrière, Franz Seitz, Volker Schlöndorff, nach dem Roman von Günter Grass (1959). *Dialog-Mitarbeit* Günter Grass. *Kamera* (Farbe) Igor Luther. *Kamera-Assistenz* Peter Arnold, Nikolaus Starkmeth. *Musik* Maurice Jarre, Friedrich Meyer. *Ausstattung* Nicos Perakis. *Schnitt* Suzanne Baron. *Darsteller* David Bennent (Oskar), Mario Adorf (Matzerath), Angela Winkler (Agnes), Daniel Olbrychski (Jan Bronski), Katharina Thalbach (Maria), Tina Engel (Anna Bronski, jung), Berta Drews (Anna Bronski, später Koljaiczek, alt), Charles Aznavour (Sigismund Markus), Heinz Bennent (Greff), Andrea Ferreol (Lina Greff), Fritz Hakl (Bebra), Mariella Oliveri (Roswitha), Roland Teubner (Joseph Koljaiczek), Ernst Jacobi (Löbsack), Werner Rehm (Scheffler), Ilse Pagé (Gretchen Scheffler), Käte Jaenicke (Mutter Truczinski), Wigand Wittig (Herbert Truczinski), Marek Walczewski (Schugger-Leo), Wojciech Pszoniak (Fajngold), Otto Sander (Musiker Meyn), Karl-Heinz Tittelbach (Felix), Emil Feist und Herbert Behrent (Zirkusartisten), Bruno Thost (Obergefreiter Lankes), Gerda Blisse (Frl. Spollenhauer), Joachim Hackethal (Hochwürden Wiehnke), Zygmunt Huebner (Dr. Michon), Mieczyslaw Czechowicz (Kobyella), Helmut Brasch (der alte Heilandt), Henning Schlüter (Dr. Hollatz), Dschingis Bowakow und Roland Nitschke (russische Soldaten). *Produktion* Franz Seitz Film / Bioskop (Eberhard Junkersdorf) / Halleluja / Artemis / Argos (Anatole Dauman), Paris / HR, in Zusammenarbeit mit Jadran-Film, Zagreb, und Film Polski, Warschau. *Länge* 144 Minuten. *Uraufführung* 4.5.79.

1899, im Herzen der Kaschubei. Die Bäuerin Anna Bronski sitzt auf einem Feld an ihrem Kartoffelfeuer und bietet dem Brandstifter Joseph Koljaiczek, der vor Gendarmen auf der Flucht ist, unter ihren vier Röcken Zuflucht. Neun Monate später ist eine Tochter, Agnes, da. Joseph wird immer noch gejagt, verschwindet auf Nimmerwiedersehen in einem Fluß und soll später in Chicago mit Feuerversicherungen ein Vermögen gemacht haben. Nach dem Ersten Weltkrieg heiratet Agnes in Danzig den Kolonialwarenhändler Alfred Matzerath, einen Rheinländer. Da sie auch weiterhin ihr enges Verhältnis zu Vetter Jan Bronski aufrechterhält, ist nicht ganz sicher, wer der Vater ihres Sohnes Oskar

Günter Grass, David Bennent, Volker Schlöndorff

ist, der 1924 das Licht der Welt erblickt. Eigentlich möchte Oskar am liebsten zurück in den Mutterleib; nur das Versprechen, ihm an seinem dritten Geburtstag eine Blechtrommel zu schenken, stimmt ihn um. Während der Geburtstagsfeier drei Jahre später, mit der Blechtrommel um den Hals, faßt Oskar den Entschluß, nie der verrückten Welt der Erwachsenen beizutreten: Er stürzt sich die Kellertreppe hinunter, die Wirbelsäule wird verletzt, und Oskar wird nicht mehr wachsen. Als man einmal versucht, ihm seine geliebte Trommel wegzunehmen, entdeckt Oskar, daß der durchdringende Schrei, den er ausstößt, Glas zum Zerspringen bringt. Der Liliputaner Bebra, ein Zirkusartist, gratuliert ihm zu dieser seltenen Fähigkeit. Argwöhnisch beobachtet Oskar in seiner Nachbarschaft, daß die Faschisten immer mehr Anhänger finden. Bei einer Großkundgebung auf der Danziger Maiwiese hockt er mit seiner Trommel unter der Tribüne und schlägt so lange einen Dreivierteltakt gegen die Marschmusik, bis die ganze Versammlung sich im Walzer wiegt. Alfred Matzerath hat auch schon eine braune Uniform im Schrank, während Jan Bronski weiterhin in der polnischen Post arbeitet. Agnes, die sich jeden Donnerstag mit Jan in einer Pension trifft, wird unversehens wieder schwanger. Diesmal ist sie entschlossen, das Kind nicht zu bekommen, und sie stopft sich so mit Fisch voll, daß sie daran stirbt. Der jüdische Spielzeughändler Sigismund Markus, ein Freund seiner Mutter und Oskars

David Bennent

Trommellieferant, begeht Selbstmord. Am 1. September 1939 versuchen die Polen verzweifelt, ihre Post gegen die SS zu verteidigen – vergeblich. Zusammen mit den anderen wird Jan erschossen. Alfred Matzerath bringt ein neues Dienstmädchen ins Haus; Maria heißt sie und ist sechzehn, genauso alt wie Oskar. Maria wird Oskars erste große Liebe, und als sie schwanger wird, heiratet Alfred sie, obwohl auch Oskar der Vater von Kurtchen sein könnte, der kurz darauf geboren wird. Oskar trifft seinen Freund Bebra wieder, der mit seinem Fronttheater durch die Weltgeschichte reist, und kommt dessen Aufforderung nach, sich der Truppe anzuschließen. In Paris ist er bereits Hals über Kopf in die Liliputanerin Roswitha verliebt. Nach schönen Tagen in der Normandie treten sie in einem Schloß auf, wo die Amerikaner sie am nächsten Morgen unsanft aus dem Schlaf reißen. Oskar und Bebra können getrennt fliehen, Roswitha aber stirbt im Artilleriefeuer. Oskar kehrt zurück nach Danzig. Als die Russen einmar- schieren, drückt Oskar dem Matzerath sein Parteiabzeichen in die Hand. Alfred steckt es hastig in den Mund, verschluckt sich und wäre dran erstickt, wenn die sowjetischen Soldaten sein Fuchteln nicht mißverstanden und ihn erschossen hätten. So muß er wenigstens nicht miterleben, wie ein fremder Mensch namens Fajngold den Kolonialwarenladen übernimmt. Bei der Beerdigung schleudert Kurtchen Oskar einen Stein an den Kopf, was Oskar kopfüber in die Grube befördert. Schugger-Leo, lebendes Inventar des Friedhofs, ist überzeugt, daß Oskar von nun an wieder wächst. Oskar, Maria und Kurtchen klettern in einen Flüchtlingszug, der sie in den Westen bringen wird. Nur Großmutter Anna Koljaiczek bleibt zurück: »Denn mit de Kaschuben kann man keine nich Umzüge machen, die missen immer dableiben und Koppchen hinhalten, damit de anderen drauftäppern können, weil unsereins nich richtich polnisch is und nich richtich deitsch jenug. Und die müssen immer alles jenau haben.«

Tina Engel, Roland Teubner

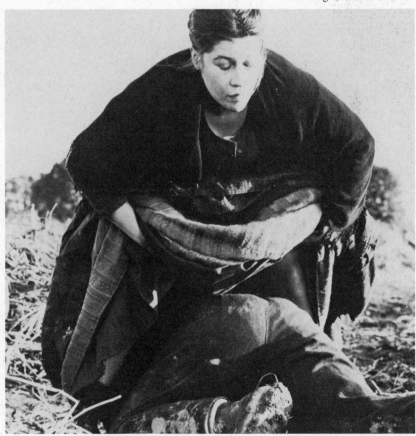

Charles Aznavour, Angela Winkler

Mario Adorf

»Volker Schlöndorffs *Die Blechtrommel* wagt das optisch fixierende Äquivalent zu einer exaltierten, aber faszinierenden literarischen Idee: deutsche Vergangenheit mit den Augen eines mit Weisheit wie Bosheit gleichermaßen begabten Kindes zu fassen, das mit geradezu prophetischem Scharfblick in der beschränkten Umwelt des Danziger Kleinbürgertums die Bewegungen der Zeit registriert und sich ihnen verweigert. Schlöndorff setzt sich – es ist fast müßig, das zu erwähnen – über den Chor professionaler Unkenrufe, der im voraus verkündete, daß das Buch allemal besser sei, souverän hinweg. Weit mehr noch, er scheint das relative Scheitern an der spekulativen, sich der optischen Konkretisierung letztlich entziehenden Grundidee des Romans sehr bewußt mit einkalkuliert zu haben. Unbekümmert ließ er den von Grass so meisterhaft zelebrierten Perspektiven-Wechsel zwischen erlebendem Ich und satirisch kommentierendem Oskar der dritten Person fahren, was die Literaturwissenschaftler mit Sicherheit ganz besonders fuchsen wird« (Hubert Haslberger in: *Jahrbuch Film 79/80*). Der Roman von Günter Grass erschien 1959. Fast zwanzig Jahre lang galt *Die Blechtrommel* als unverfilmbar, nicht zuletzt wegen der kleinwüchsigen Hauptfigur. Der Münchner Produzent Franz Seitz – eher der Altbranche zuzurechnen als dem Neuen Deutschen Film, obwohl er 1966 Schlöndorffs *Törless* koproduziert hatte – erwarb 1975 aufgrund eines von ihm erarbeiteten Treatments die Filmrechte. Ein Jahr später erhielt sein Drehbuch eine Prämie der Projektkommission. Nachdem Seitz »der Versuchung widerstanden hatte, diesen so deutschen Stoff einem ausländischen Regisseur in die Hand zu geben«, wandte er sich an Volker Schlöndorff. Dessen Interesse war augenblicklich geweckt: »Das könnte eine sehr deutsche Freske werden, Weltgeschichte von unten gesehen und erlebt: riesige, spektakuläre Bilder, zusammengehalten von dem winzigen Oskar. Eine Ausgeburt des zwanzigsten Jahrhunderts hat man ihn genannt. Für mich hat er zwei zeittypische Eigenschaften: Die Verweigerung und den Protest« (Volker Schlöndorff, *Die Blechtrommel – Tagebuch einer Verfilmung*). Im September 1977, nachdem der Gedanke, die Hauptrolle mit einem Zwerg zu besetzen, endgültig verworfen worden war, wurde Schlöndorff auf David Bennent, den Sohn des Schauspielers Heinz Bennent, aufmerksam gemacht. David, zur Zeit der Dreharbeiten zwölf Jahre alt, leidet unter Wachstumsstörungen. »Wichtig war, daß der Hauptdarsteller nicht ein Schauspieler ist, der ein Kind spielt, sondern daß es tatsächlich ein Kind ist, das selbst womöglich Probleme hat, die ähnlich sind wie die des Oskar Matzerath. Nur so konnte der Film authentisch werden. David Bennent spielt nicht Oskar Matzerath, sondern der Film ist ein Dokument über ihn, der die Rolle spielt. David ist ein Medium« (Schlöndorff). Die Dreharbeiten im Sommer und Herbst 1978 führten das Team nach Jugoslawien, Danzig, Westberlin und Frankreich und verschlangen sieben Millionen Mark. Kurz nach der deutschen Erstaufführung vertrat *Die Blechtrommel* im Mai 1979 die Bundesrepublik im Wettbewerb der Filmfestspiele in Cannes und teilte sich die Goldene Palme mit Coppolas *Apocalypse Now*. Im Juni erhielt er vom Bundesministerium des Innern die Goldene Schale. Als erster bun-

desdeutscher Spielfilm schließlich wurde er im April 1980 mit einem Hollywood-Oscar (bester ausländischer Film des Jahres) ausgezeichnet. Zu dieser Zeit hatten die Einspielergebnisse in der Bundesrepublik ihn schon längst zum erfolgreichsten deutschen Nachkriegsfilm gemacht. Doch soviel Aufwand bei der Herstellung und soviel Erfolg des fertigen Produktes lösten bei einem Teil der Kritik Mißtrauen aus. Stellvertretend für die negativen Stimmen zur *Blechtrommel* sei hier die Meinung von Klaus Eder zitiert, die sich im selben *Jahrbuch Film 79/80* findet wie Hubert Haslbergers positive Einschätzung des Films (s.o.): »In den Details steckt immense Arbeit: die Rekonstruktion der Schauplätze von Günter Grass' Jugend. Nachdem Schlöndorff sich für eine Adaption, eine Umsetzung des Romans entschieden hatte, mußte er zwangsläufig viel Arbeit in diese Rekonstruktion investieren. Der Stolz über diese perfekt geleistete Arbeit ist dem Film denn auch in jeder Szene anzumerken. Jedes Bild belegt einen Reichtum der Produktion und zeugt von Schöndorffs Lust, mit diesem Reichtum umzugehen. Jede Szene gibt einen eigenen Film ab. Überall in den Arrangements spürt man die ordnende Hand des Regisseurs; als hätte er jede einzelne Fensterscheibe, jedes beiläufige Requisit eigenhändig auf seine Verwendbarkeit hin geprüft. Dieses Arrangement jedoch schiebt sich in den Vordergrund, die Kunst der Inszenierung. Nahezu verdrängt wird dabei die Frage, was eigentlich Schlöndorff an dem Roman von Günter Grass gereizt haben mag, womit er die Zuschauer zu faszinieren gedenkt. Das hehre Gefühl, auf der Leinwand einem Klassiker der deutschen Nachkriegs-Literatur zu begegnen, mag als Erklärung wohl kaum hinreichen. Was aber dann? Wo liegt da eine Gegenwärtigkeit der literarischen Vorlage, wenn sie denn eine hat? Immerhin hat Grass ja das frühe Beispiel einer rigorosen Verweigerung gegeben. Solch einen Aspekt herauszuarbeiten, hätte freilich eine *Bearbeitung* des Romans vorausgesetzt, die Schlöndorff offensichtlich nicht leisten wollte; er beließ es bei der Zurichtung.«

Daniel Olbrychski

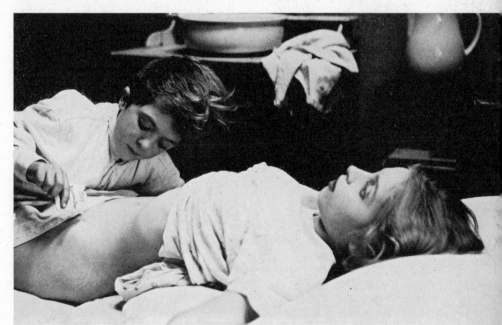

David Bennent, Katharina Thalbach

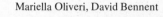

Mariella Oliveri, David Bennent

Das Ende des Regenbogens

1979

Regie Uwe Frießner. *Regie-Assistenz* Wolfgang Kroke. *Buch* Uwe Frießner. *Kamera* (Farbe) Frank Brühne. *Kamera-Assistenz* Simon Kleebauer. *Musik* Alexander Kraut, Klaus Krüger, Michael Nuschke, Matthias Kaebs. *Ausstattung* Edwin Wengoborski, Martin Mohr. *Ton* Karl-Heinz Laabs. *Schnitt* Stefanie Wilke. *Darsteller* Thomas Kufahl (Jimmi), Slavica Ranković (Gabi), Henry Lutze (Bernie), Udo Samel (Dieter), Heinz Hönig (Jörg), Sabine Baruth (Monika), Andrew Bergmann (Hansi), Johanna Karl-Lory (Gabis Oma), Volker Kude (Achim, Jimmis Vater), Elisabeth Walinski (Helga, Jimmis Mutter), Maic Kufahl (Mario, Jimmis Bruder), Andrea Zimmer (Sabine, Jimmis Schwester), Michael Köppner (Kripobeamter), Ronald Riedel (arbeitsloser Jugendlicher), Adrian Kubitzki (Junge mit Fahrrad), Dieter Kude (Meister Kanter), Ursula Wachnowski (Oma in U-Bahn), Manfred Müller (Firmenchef), Gudula Lorez (Sekretärin), Klaus Jaschkowski (Expedient), Aksunger Dogan (Mehmet), Michael Brennicke (Angestellter Meldestelle). *Produktion* Basis-Film (Clara Burckner)/WDR. *Länge* 107 Minuten. *Uraufführung* 21. 9. 79 (Hamburger Filmfest).

Westberlin im Winter. Der siebzehnjährige Jürgen Lehmann, genannt Jimmi, lebt von kleinen Diebstählen und als Stricher am Bahnhof Zoo. Vor Jahren schon ist er von zu Hause abgehauen, mit dreizehn wurde er beim Warenhausdiebstahl erwischt und in ein Erziehungsheim gesteckt. Zwar redet Jimmi immer wieder davon, sich Arbeit suchen zu wollen, doch selbst wenn er die nötigen Papiere hätte, würde ihn die Angst vor den Behörden immer noch vom ersten Schritt abhalten. Zufällig trifft er eine alte Bekannte, Monika, eine Studentin, die in einer Wohngemeinschaft lebt. Sie nimmt Jimmi mit in die Wohnung, und die beiden anderen Bewohner, Jörg und Dieter, sind damit einverstanden, daß Jimmi erst einmal bei ihnen wohnen kann. Jimmi freut sich: Jetzt kann er zur Meldestelle. Dort bedauert man aber, denn es fehlt die Geburtsurkunde. Die kann er nur bei seinen Eltern bekommen, und so faßt er sich den Mut, sie und seine beiden Geschwister in ihrer engen Hochhauswohnung aufzusuchen. Innerhalb kürzester Zeit bricht Streit aus: Der Vater glotzt in den Fernsehapparat und versucht, Jimmi zu ignorieren, was dieser sich aber nicht gefallen läßt. Der Vater wird handgreiflich, und Jimmi ist froh, als er wieder auf der Straße steht; die Geburtsurkunde hat er freilich nicht bekommen. Aus der Haushaltskasse der Wohngemeinschaft leiht er sich einen Geldschein, mit dem er sich eigentlich nur Zigaretten kaufen will. Dann lernt er Gabi kennen, ein nettes Mädchen, das bei seiner Oma lebt, und so geht der Schein doch ganz drauf. Jörg und Monika wollen Jimmi wegen des »Diebstahls« aus der Wohnung werfen, nur Dieter setzt sich noch für ihn ein und verspricht, ihm bei der Suche nach einem Arbeitsplatz zu helfen. Zusammen gehen sie am nächsten Morgen die Stellenanzeigen durch, und Dieter bringt Jimmi bei, wie man telefoniert. Bei den Vorstellungsgesprächen muß Jimmi natürlich allein antreten. Einmal soll er einen Lebenslauf schreiben. Wieder wird es nichts mit der Stelle. Er trifft sich mit Gabi, sie lieben sich auf dem Dachboden oder auf der Außentoilette, und Jimmi weiß, daß Gabi drogenabhängig ist. Mit dem Erlös aus einem neuerlichen Einbruch spendiert er der Wohngemeinschaft ein Essen. Als er eines Tages als erster bei einer Firma erscheint, die eine Hilfskraft im Lager sucht, wird er zu seiner eigenen Verwunderung wirklich eingestellt.

Am ersten Tag geht er noch mit einem unbändigen Eifer an die Sache heran, doch bereits am zweiten Tag saust er verspielt mit dem Verladefahrzeug durch die Gänge, führt Aufträge falsch aus und ist rasch erschöpft. Die Kündigung bleibt nicht aus, und der magere Lohn, den er erhält, ist im Nu in Pizza umgesetzt und in Spielautomaten verschwunden. Dieses letzte Scheitern nach dem vermeintlichen Sieg läßt Jimmi den Entschluß fassen, aus der Wohngemeinschaft auszuziehen: Er ist zu stolz, um weiter von den Studenten abhängig zu sein. Mit seinem Kumpel Bernie will er Gabi besuchen. Als niemand da ist, nehmen sie das Geld, das die Oma in der Wohnung versteckt hat. Die alte Frau kommt zurück, Bernie schlägt sie vor Schreck nieder, und die beiden fliehen mit dem Geld. Ein kleiner Junge hat sie gesehen. »Dieser Film ist Andy gewidmet. Nach jahrelangem vergeblichem Versuch, Herr seines Lebens zu werden, beschloß er, 18jährig, wenigstens Herr seines Todes zu sein. Mit einer Planmäßigkeit, die ihm zum erstenmal Erfolg versprach, setzte er nach wochenlanger Vorbereitung zwischen dem 15. und 18. 2. 76 seinem Leben ein Ende« (Titel am Ende des Films).

Uwe Frießner

Thomas Kufahl ▷

Thomas Kufahl, Maic Kufahl, Volker Kude, Elisabeth Walinski

Uwe Frießner, Jahrgang 1942, der Germanistik und Philosophie studiert und als Hochseefischer und Dachdecker gearbeitet hatte, absolvierte zwischen 1972 und 1975 ein Studium an der Deutschen Film- und Fernsehakademie in Berlin. Unter den gleichen Umständen wie die Studenten im Film bekam er Kontakt zu einem jugendlichen Trebegänger, Andy, dem der Film gewidmet ist. Die Figur, hinter der sich der Autor des Films verbirgt, ist wohl der Student Dieter, der sich als einziger bereitwillig mit Jimmi auseinandersetzt, der ihm konkret hilft, was die Stellungssuche betrifft, im affektiven Bereich aber mit einer fatalen Hilflosigkeit geschlagen ist. Sollte sich Frießner gegenüber Andy auch so verhalten haben, so ist in seinem Film von einer emotionalen Zurückhaltung nichts mehr zu spüren: Aus jeder Einstellung spricht Zuneigung und Zärtlichkeit für seine Hauptfigur, und selbst in entwürdigenden Situationen läßt er Jimmi niemals seinen Stolz verlieren. Vor allem die Entschlossenheit und Konsequenz der Parteinahme für Jimmi, den Dieb und Stricher, und deren Umsetzung in klare, konkrete Filmbilder erweckten bei diesem Debütfilm Respekt und Aufmerksamkeit. Ein Vergleich zwischen Frießners Film und Norbert Kückelmanns zur gleichen Zeit entstandenem und thematisch verwandtem *Die letzten Jahre der Kindheit* bietet sich an: Kückelmann rekonstruiert einen authenti-schen Fall, zum Reden kommen bei ihm hauptsächlich Eltern, Erzieher und Beamte; das Schweigen seines jugendlichen Protagonisten klagt das System an, seine Fluchtbewegung ist eine Verweigerung, deren letzte Konsequenz der Selbstmord ist. Kein Zweifel, daß Kückelmann dabei vehement die bestehenden juristischen und pädagogischen Mechanismen angreift und verurteilt – das, so scheint es, ist für ihn der Hauptzweck seines Films; über den Jungen, um den es in seinem Beispiel geht, erfahren wir aber nur beiläufig etwas. Bei Frießner ist nicht der Fall authentisch, sondern der Mensch: Jimmi beherrscht den Film, Jimmi mit seiner Sprache, Jimmi mit seinem Körper, Jimmi mit seinen Ansichten, Ansprüchen und Problemen und Jimmi mit seiner Liebesbedürftigkeit. Die Ungerechtigkeiten seitens der Behörden, das Unverständnis der Erwachsenen (einschließlich der Studenten), die tagtäglichen Dämpfer und Erniedrigungen erfährt der Zuschauer subjektiv *durch* ihn, nicht objektiv *an* ihm. Die darstellerische Leistung des Laien Thomas Kufahl, der dafür mit dem Filmband in Gold ausgezeichnet wurde, ist in diesem Zusammenhang gar nicht hoch genug zu bewerten. Uwe Frießner: »Jimmi entscheidet sich am Schluß des Films so zu leben, daß es seiner speziellen Würde zu leben entspricht. Er entscheidet sich für seine kriminelle Freiheit. Das ist auch das Positive, wozu man halten muß. Es gibt ja viele Filme, in denen auch solche Themen angeschnitten werden. Ich glaube, daß es aber nur wenige gibt, die den Mut haben, in einem Kriminellen auch die wirkliche Würde aufrecht zu erhalten, den Stolz, den er hat, zu beschreiben. Das habe ich halt versucht« (aus einem *tip*-Interview). Jimmi sagt im Film einmal zu Dieter: »Ick wees, du willst'n anstänjen Menschen aus mir machen. Find ick dufte, aber dit jeht nich.« Aus einem anständigen Menschen kann man eben keinen anständigen Menschen mehr machen. Die Ambivalenz des Begriffes »anständig« verdeutlichte aber nicht nur der Film, sondern auch und wieder einmal die Freiwillige Selbstkontrolle, die *Das Ende des Regenbogens* zunächst ab 18 Jahren freigab, damit ausgerechnet das Zielpublikum des Films vom Besuch ausschloß und die Schnittauflage für eine mögliche Freigabe ab 12 oder 16 Jahren wie folgt formulierte: »Aus der Koitalszene auf dem Speicher sind alle näheren Aufnahmen mit der Koitalposition *a tergo* zu entfernen, einschließlich der Bilder, wo nur der Kopf des Mädchens mit stöhnenden Geräuschen gezeigt wird.« Die Art und Weise dieser Szenenbeschreibung, die nur als Eigentor angesehen werden kann, stieß zusammen mit der Freigabeentscheidung auf schärfsten Protest von seiten des Verleihs, des Publikums und der Presse. Kurze Zeit später wurde der Film doch noch ab 12 Jahren freigegeben.

Theo gegen den Rest der Welt
1980

Regie Peter F. Bringmann. *Regie-Assistenz* Barbara Riek. *Buch* Matthias Seelig. *Kamera* (Farbe) Helge Weindler. *Musik* Lothar Meid. *Ausstattung* Götz Heymann. *Ton* Jan van der Eerden. *Schnitt* Annette Dorn. *Darsteller* Marius Müller-Westernhagen (Theo Gromberg), Guido Gagliardi (Enno Goldini), Claudia Demarmels (Ines Röggeli), Peter Berling (Maurice Moreau = Doppel-Dieter), Carlheinz Heitmann (Kredithai), Horst Bergmann (Vater Camper), Ursula Strätz (Mutter Camper), Anette Woll (Tochter Camper), Trudi Roth (Mutter Ines), Inigo Gallo (Vater Ines), Elmar Brunner (Rüdiger), Oskar Hoby (Onkel Robert), Udo Weinberger (Helmut), Axel Schießler (Siggi), Marquard Bohm (Pilot). *Produktion* turafilm (Michael Wiedemann)/Popular-Film (Hans H. Kaden)/Trio-Film (Hanns Eckelkamp)/WDR. *Länge* 109 Minuten. *Uraufführung* 23. 9. 1980.

Theo Gromberg hat in dem nagelneuen 38-Tonner-LKW, für den er und sein Partner Enno Goldini sich hoch verschuldet haben, schwarze Fracht geladen. Kurz vor Herne, seinem Standort, schläft er trotz des Nescafé-Pulvers, das er dauernd schluckt, am Steuer ein, schlägt mit dem Kopf auf die Hupe, wacht wieder auf und bringt den Volvo an der Raststätte Stuckenbrock zum Stehen. Auf der Toilette legt er sich mit zwei Kollegen an. Als er zurückkommt, ist die Stelle, wo eben noch sein LKW geparkt war, leer. Jetzt ist Theo hellwach. Die Polizei zu verständigen, kommt wegen der illegalen Fracht nicht in Frage; also muß er auf eigene Faust etwas unternehmen. Er drängt Ines Röggeli, eine Schweizer Medizinstudentin, die mit ihrem Fiat 500 nach Hause unterwegs ist, auf den Beifahrersitz und nimmt ungeachtet ihres Protestes die Verfolgung auf. Tatsächlich holt er die Diebe auf der Autobahn auch ein, muß aber schnell einsehen, daß man mit einem Fiat keinen LKW abdrängen kann. Ines' Auto, den Anstrengungen nicht gewachsen, gibt bald seinen Geist auf. Der alarmierte Enno kommt und lädt die beiden in einen mit Zuchthühnern beladenen Wagen, den er sich von einem Freund ausgeliehen hat. Es scheint klar, daß die Diebe versuchen wollen, den Volvo in Lüt-

tich, einem LKW-Schieberplatz, abzusetzen, und so rasen die drei Richtung Aachen, um ihn womöglich noch vor der Grenze abzufangen. Es gelingt ihnen tatsächlich. Doch als Theo den Fahrer ihres Volvo angreift, behält er nur ein Toupet in der Hand und landet hart auf dem Pflaster. Während Enno und Ines sich um Theo kümmern, entschwindet der Laster über die belgische Grenze. In Lüttich dringt Theo unerschrocken bis in das Büro von Schieber-König Doppel-Dieter vor, dem er aber als einzigen Hinweis nur einen Städtenamen entlokken kann: Marseille. Da taucht zu allem Überfluß auch noch der Kredithai auf, der bis zum anderen Tag, 12 Uhr, von Gromberg & Goldoni zehntausend Mark zu bekommen

Peter F. Bringmann, Helge Weindler

hat. Als Theo frech wird, vertrimmt ihn der Hüne, aber dafür rächen sich die Partner am Sportwagen ihres Widersachers. Enno hat die Nase voll und will zurück nach Herne, ebenso wie Ines. Die beiden schlafen ein, und Theo, der am Steuer sitzt, fährt nach Frankreich: Er will nach Marseille. Da er immer noch nicht geschlafen hat, fallen ihm aber irgendwann die Augen zu, und er rast mitten durch eine Reklametafel. Das Auto von Ennos Freund ist fast schrottreif, und da spielt es auch keine Rolle mehr, wenn man am nächsten Morgen aus Ermangelung irgendwelcher Lebensmittel die Zuchthühner grillt. Der rote Mustang des Kredithais scheucht die Drei wieder auf. Die Schweiz ist nicht weit, und deshalb wird beschlossen, Ines zu Hause abzuliefern. In der elterlichen Villa des Mädchens gibt es endlich eine Entspannungspause für die verfolgten Verfolger. Ines' Eltern haben in der Annahme, daß ihre Tochter das

Physikum bestanden hat, eine Party organisiert. Auch der schnieke Verlobte ist da. Theo, der nebenbei noch die Gäste am Spieltisch um ihr Kleingeld erleichtert, klärt die Röggelis darüber auf, daß Ines durchgefallen ist. Die hat sich inzwischen so an die »Scheißfirma« Gromberg & Goldini gewöhnt, daß sie beschließt, das Abenteuer bis zum Ende mit durchzustehen. Enno hat etwas über LKW-Schieber in Mailand erfahren, aber Theo will nach wie vor nach Marseille. Also trennt man sich. Theo, dem der Kredithai den kleinen Finger gebrochen hat, will als blinder Passagier in dem Wohnwagen einer deutschen Camper-Familie nach Marseille kommen, landet zu seiner Verblüffung aber doch in Mailand. Mit Unterstützung von Ennos Bruder, der hier Busfahrer ist, stöbert das wiedervereinte Trio die Brüder Baffo auf, die den Volvo haben könnten oder zumindest wissen müßten, wo er ist. Theo kann sich nicht lange

genug beherrschen und provoziert die bärenstarken Italiener. Ausgerechnet der Kredithai verhindert das Schlimmste, und so geht die Jagd weiter nach Genua, wo der LKW angeblich verschifft werden soll. Durch ein Fernrohr erblicken sie wirklich ein auslaufendes Frachtschiff – und den Volvo an Deck! Der Frachter ist auf dem Weg nach Neapel. Ines kann einen etwas zwielichtigen Geschäftsmann überreden, sie in seinem Flugzeug mitzunehmen. Der Pilot ist sturzbetrunken, und die Maschine scheint kaum flugtüchtig, aber schließlich erreichen sie den Hafen von Neapel und finden den Frachter. Theo und Enno fallen sich vor Freude um den Hals. Ines klettert auf das Trittbrett des Volvo und stellt fest, daß dieser das Steuerrad auf der rechten Seite hat – es ist gar nicht ihrer! Der Kredithai wird ein letztes Mal abgehängt, und mit einem Boot tuckert das standhafte Trio aufs Meer hinaus, Richtung Marseille.

Claudia Demarmels, Marius Müller-Westernhagen

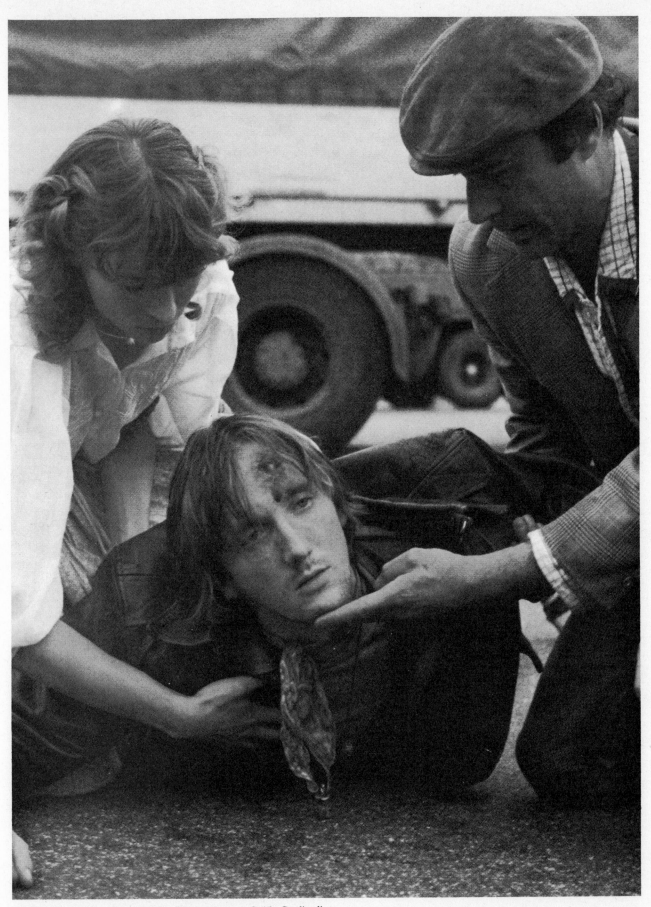

Claudia Demarmels, Marius Müller-Westernhagen, Guido Gagliardi

Claudia Demarmels, Guido Gagliardi, Marius Müller-Westernhagen

»Aus einer unseligen wirtschaftlichen Entwicklung heraus wird immer noch ein Unterschied gemacht zwischen wichtigen Filmen und Filmen, die man gerne sehen möchte, die aber nicht als wichtige Filme gelten.« Mit seinem Film *Theo gegen den Rest der Welt* hat Peter F. Bringmann dazu beigetragen, daß mit diesem von ihm beschriebenen Mißverständnis endlich aufgeräumt wird. Sein Film – oder besser: die Hauptfigur seines Films – traf beim Publikum einen Nerv; der Typ Theo kam an, und sein Vehikel wurde zum erfolgreichsten deutschen Film des Jahres 1980. Und daß er wichtig ist, zeigt der Vergleich mit anderen deutschen Filmkomödien, die etwa zur selben Zeit herauskamen (neben den modischen Teenager-Klamotten Klaus Lemkes *Flitterwochen* und Udo Lindenbergs *Panische Zeiten*): Hier war endlich etwas, was weder mit dem Lümmelfilm-»Humor« der sechziger noch mit dem *Klimbim*-(TV-)Klamauk der siebziger Jahre etwas zu tun hatte, dafür aber hemmungslos in Actionkino- und Hollywoodmustern schwelgte. The hero (Theo), the girl (Ines), the sidekick (Enno), the villain (der Kredithai, anonym, allgegenwärtig und eiskalt wie Joe Don Baker in Don Siegels *Charley Varrick*), the chase (die Jagd nach dem geklauten LKW), the flight (die Flucht vor dem roten Triumph) – diese Zutaten sind so alt wie das Kino selbst. Sich auf sie besonnen zu haben und aus ihnen einen unverbraucht wirkenden Film mit unvergeßlichen Typen und herrlich haarsträubenden Situationen geschaffen zu haben, ist das große Verdienst von Regisseur Bringmann und Drehbuchautor Matthias Seelig. Seelig hatte die Figur des Theo Gromberg bereits 1975 für sein Drehbuch *Aufforderung zum Tanz* entwickelt, das mit finanzieller Unterstützung des Kuratoriums junger deutscher Film entstanden war und vom Westdeutschen Rundfunk angekauft wurde. Für den Absolventen der Hochschule für Fernsehen und Film Peter F. Bringmann, der zuvor einen TV-Film und ein paar Kurzfilme inszeniert hatte und dem man die Regie zu *Aufforderung zum Tanz* anbot, bedeutete das die große Chance. Dem Fernsehfilm, der davon handelt, wie das Ruhrpottkind Theo und sein italienischer Freund Enno mühsam auf einen LKW sparen, Theo beim Zocken aber doch nicht so gut ist wie er glaubt und sich außerdem noch mit der gesamten Unterwelt zwischen Herne und Düsseldorf anlegt, wurde nach seiner Erstsendung im Februar 1977 einhellig Kinoqualität bescheinigt. Nach zwei weiteren Fernsehspielen und Mitarbeit an mehreren Vorabendserien machten sich Seelig und Bringmann daran, die weiteren Abenteuer von Gromberg & Goldini zu entwickeln – und diesmal von vornherein mit der großen Leinwand im Auge. Marius Müller-Westernhagen, der für *Theo gegen den Rest der Welt* mit dem Ernst-Lubitsch-Preis dekoriert wurde, über seine Rolle: »Beim Kino muß die Persönlichkeit rüberkommen, der Mensch, der das spielt, den muß man spüren. Vielleicht machen es sich bei uns die Schauspieler zu einfach und fügen sich zu sehr. In diesem Zusammenhang muß man über die Tradition der deutschen Schauspielerei reden, zu 80% leben die Leute von ihrer Artistik ... Im Kino läuft das nicht, Kino geht auf die Fresse, da checkt man sofort, wenn du lügst. Die Kamera ist nicht zu bestechen. Kino ist eine Volkskunst.«

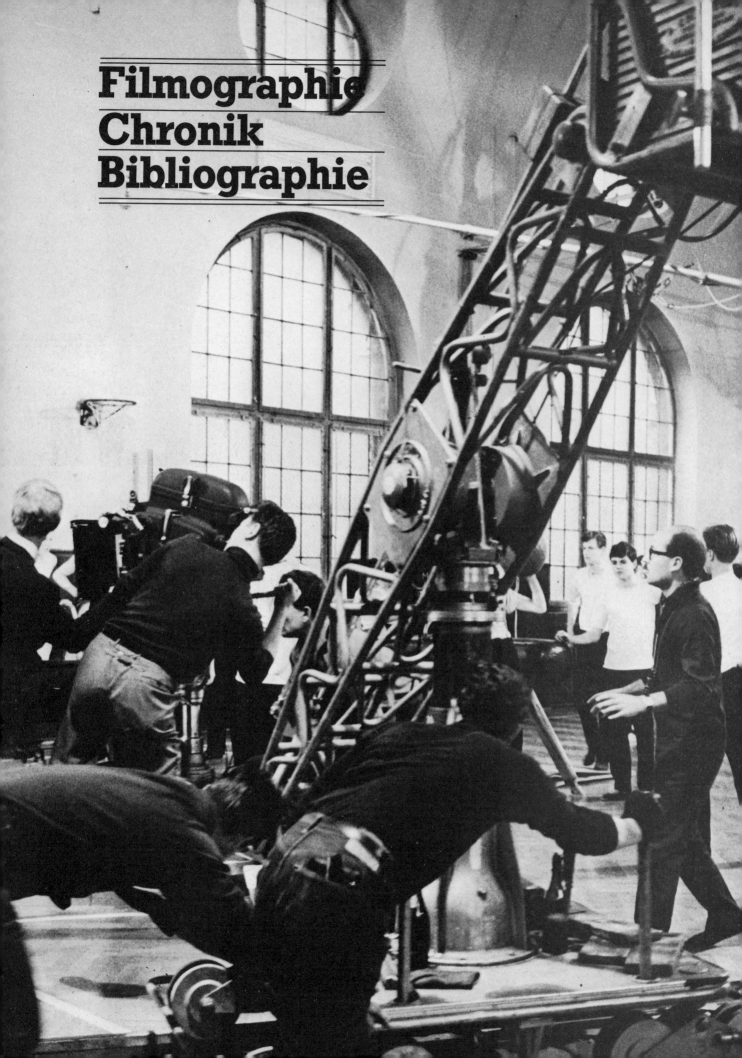

Filmographie
Chronik
Bibliographie

Sechshundertsiebenundsiebzig weitere deutsche Filme

Um von der Vielfalt des Neuen Deutschen Films, über die im Hauptteil behandelten Hauptwerke hinaus, einen Eindruck zu vermitteln und auch die markantesten Strömungen des »Altfilms« zwischen 1960 und 1980 nicht zu übergehen, folgen hier sechshundertsiebenundsiebzig weitere deutsche Filme aus dieser Zeit. Die Abkürzungen bedeuten: R = Regie; B = Drehbuch; K = Kamera; M = Musik; A = Ausstattung; T = Ton; S = Schnitt; D = Darsteller; P = Produktion.

Die Abfahrer. *R* Adolf Winkelmann. *B* Adolf Winkelmann, Gerd Weiss. *K* (Farbe) David Slama. *M* Die Schmetterlinge. *A* Gerlinde Feddeler, Bernd Twardy. *T* Thees Klahn, Hans Peter Kuhn. *S* Helga Schnurre. *D* Detlev Quandt (Atze), Ludger Schnieder (Lutz), Anastasios Avgeris (Sulli), Beate Brockstedt (Svea), Hermann Lause, Tana Schanzara, Gerd Weiss. *P* Adolf Winkelmann/WDR. 97 Minuten. 1978.
Dortmund 1978. Atze, Lutz und Sulli sind arbeitslos. Tag für Tag treffen sie sich im Hinterhof und versuchen, mit Kartenspielen und dummen Sprüchen die Zeit totzuschlagen. Lutz hat es nicht übers Herz gebracht, seiner Mutter zu gestehen, daß er nach Abschluß seiner Lehre nicht übernommen worden ist, und so teilt er die Butterbrote, die sie ihm jeden Morgen schmiert, mit seinen Freunden. Eines Tages entdekken sie einen Möbelwagen, den man wegen defekter Bremsen in ihrer Nähe abgestellt hat. Eigentlich wollen sie damit nur einmal um den Block fahren, aber weil alles so schön funktioniert, tuckern sie ausgelassen Richtung Autobahn. An einer Raststätte laden sie noch Svea, eine Anhalterin, ein und fahren einfach immer weiter. Natürlich wird bald eine Fahndung eingeleitet, doch ehe sich die Nachbarn noch richtig das Maul zerreißen können, steht der Möbelwagen wieder an seinem Platz. Und für Atze, Lutz und Sulli beginnt wieder der graue Alltag.
»Filme muß man dann machen, wenn die Sache heiß ist, die Leute am Ort sind und es losgehen kann. Als Filmemacher in Dortmund kann man auf Gremien verzichten. Die sind zu weit weg, alles dauert zu lange.« Nach diesem Motto drehte Adolf Winkelmann, Jahrgang 1946, der sich vorher durch zehn Kurz- und Dokumentarfilme bereits einen Namen gemacht hatte, in seiner Heimat und mit Freunden seinen ersten Spielfilm. Ganze 200 000 Mark Fernsehgeld hatte er dafür zur Verfügung, und herausgekommen ist nicht nur eine urige Komödie mit herrlichen Kohlenpott-Typen, sondern ein Film, der ein plastischeres Bild der aktuellen Jugendarbeitslosigkeit zeich-

nete als etwa der zur gleichen Zeit entstandene *Die Faust in der Tasche* von Max Willutzki. Aufgrund des Riesenerfolges seiner *Abfahrer* konnte sich Winkelmann bei seinem zweiten Film jeden (technischen) Luxus leisten: *Jede Menge Kohle* (1981) entstand in Cinemascope und Dolby-Stereo.

48 Stunden bis Acapulco. *R* Klaus Lemke. *B* Max Zihlmann. *K* Hubs Hagen, Niklaus Schilling. *M* Roland Kovac. *D* Christiane Krüger (Laura), Dieter Geissler (Frank), Monika Zinnenberg (Monika), Rod Carter (Cameron), Charly Kommer, Alexander Kerst, Ilse Pagé, Michael Maien, Teddy Stauffer. *P* Seven Star (Joseph Kommer). 81 Minuten. 1967.
Inhaltsbeschreibung der Produktion, wahrscheinlich verfaßt von Max Zihlmann: »Frank erlebt ein Abenteuer in einer Welt, in der es keine Abenteuer mehr gibt. Diese Erkenntnis bezahlt er mit seinem Leben. – Er könnte ein leichtes Leben führen. Die Tochter eines reichen Fabrikanten liebt ihn. Doch als sich ihm die Gelegenheit bietet, das Vertrauen ihres Vaters zu gewinnen, entscheidet sich Frank anders: für eine Frau, die er liebt, und durch sie für die Unabhängigkeit, deren Verlust er befürchtet – dafür, ein eigenes Leben zu leben. Die Situation wächst ihm über den Kopf, weil er sich von dem, was er vorher war, nicht freimachen kann – weil er das, was er vorher war, noch einmal braucht, um sich freimachen zu können. Die Möglichkeit zur Rückkehr, die er sich zu lange offen hält, verspielt er sich, als er zum falschen Zeitpunkt falsch handelt. Er tötet einen Menschen, als er das Spiel bereits verloren hat. Das Ende ist zwangsläufig, wenig ändert da die Tatsache, daß die Liebe, für die er sich entschieden hat, Illusion ist. Daß er die Konsequenz annimmt, darin mag Resignation liegen, aber sicher auch eine Ahnung von Größe. Franks Abenteuer mußte scheitern, weil die Initiative zum Handeln nie bei ihm lag – der Tod jedes Abenteurers.«
Kaum hatten die Schlöndorffs, Schamonis, Kluges und Straubs 1966 die ersten Lorbeeren für den Jungen

Die Abfahrer: Regisseur Adolf Winkelmann

Die Abfahrer: Anastasios Avgeris, Detlev Quandt, Ludger Schnieder

48 Stunden bis Acapulco: Dieter Geißler, Christiane Krüger

◁ Volker Schlöndorff dreht *Der junge Törless,* 1966

Deutschen Film gepflückt, da trat 1967 eine neue Mannschaft auf die Szene, die die Hervorbringungen dieser ersten Neuerer-Generation ungeniert als »Väter-Filme« verlachte. »Mein Film ist ein junger Film, kein Väter-Film; der Unterschied zu den Filmen der anderen – außer denen von Straub und Kluge – ist einfach, daß er 50 Jahre jünger ist«, sagte Klaus Lemke, 27, Regisseur von einigen Kurzfilmen wie *Kleine Front* (1965), *Henker Tom* (1966) und *Das Haus am Meer* (1966) und neben den von der Kritik kommenden Rudolf Thome, Eckhart Schmidt und Max Zihlmann Wortführer dieser neuen Welle, zwischen Drehschluß und Premiere seines ersten Langfilms *48 Stunden bis Acapulco*. Die Väter waren im Lande geblieben, Lemke drehte außer in München in Rom und Mexiko, und überhaupt ging er alles mit ungeheurem Elan an: »Wir haben alle Rekorde gebrochen. Am 10. April um 5 Uhr haben wir die Idee gehabt, um 11 Uhr hatten wir die Produzenten (den Münchner Gastronomen Joseph ›Peps‹ Kommer, A. d. A.). Am 5. Mai war erster Drehtag, am 2. August alles fertig, im September ist Start, und wenn der Film nicht in Venedig läuft, dann läuft er eben im Kino.« In Venedig lief allerdings nicht *48 Stunden bis Acapulco*, sondern von Edgar Reitz *Mahlzeiten*, ein Film, der Lemke nur Übelkeit bereitete: »Wer von *Mahlzeiten* überzeugt ist, für den muß *Acapulco* Scheiße sein. Ich mag das nicht, wenn da Selbstmord begangen wird, und die Kamera beobachtet es durch die Zweige durch.« Ganz besonders schlimm fand der John Rivers- und Sonny and Cher-Fan Lemke auch die Musik in den »Väter-Filmen«: »Die Musik in den Jungfilmen ist ja noch schlimmer als die in den Altfilmen, das ist ja wie Musik in schlechten Nachtbars. Wie schön dagegen die Musik in den Winnetou-Filmen!« Die Kritik fand in *Acapulco* den ganzen Autorenfilmer Lemke wieder. Klaus Eder in *Film* über Lemkes Helden: »Ihre Handlungen, ihre Bewegungen folgen nicht mehr einer eigenen Logik, sondern der des Regisseurs. Sie genießen zwar das Gangstersein wie Lemke das Filmemachen, etwa in jener Sequenz, als Geissler im Wagen durch Acapulco fährt, zur Radiomusik singend, sein Gefühl muß etwa dem entsprechen, das Lemke beim Drehen dieser Sequenz hatte: Endlich einmal die Schauplätze filmen, die man sonst nur von der Leinwand her kennt . . . aber dieses Gefühl ist weniger in der Geschichte begründet als vielmehr in Lemkes Reflektionen über sie. Diese Geschichte ist nur vollständig mit diesen Reflektionen des Regisseurs.«

Adam II. *R* Jan Lenica. *K* (Farbe) Renate Rühr. *M* Josef Anton Riedl. *S* Barbara Mondry. *P* Lux (Boris von Borisholm). 79 Minuten. 1968/1970.
Farbiger Zeichentrickfilm mit Schwarz-weiß-Realteilen: Adam flüchtet sich aus der langweiligen, deprimierenden Wirklichkeit in Kindheitserinnerun-

gen voller Hexen und Engel und die Zeit, da er als Superman seinen Kameraden zur Hilfe eilte.

Adele Spitzeder. *R* Peer Raben. *B* Martin Sperr, Peer Raben. *K* (Farbe) Michael Ballhaus. *M* Peer Raben. *D* Ruth Drexel (Adele Spitzeder), Ursula Strätz (Emilie), Peter Kern (Wirt), Monika Bleibtreu (Elfie), Rosemarie Fendel (Frau Fleck). *P* Filmverlag der Autoren/WDR. 92 Minuten. 1972.
München 1870. Die aus ärmlichen Verhältnissen stammende Adele Spitzeder macht Geldgeschäfte, und da sie hohe Zinsen zahlt, steigt der Kapitalzustrom rasch. Ebenso ihr Ansehen beim Volk, das in ihr eine Kämpferin für ein besseres Dasein sieht. Sie lebt bald in Saus und Braus und gründet eine eigene Bank. Doch ihre Konkurrenten, die bayrischen Bankiers, bringen sie zu Fall. Sie wird wegen Betruges zu einer hohen Gefängnisstrafe verurteilt.
Die Geschichte der authentischen Volksfigur Adele Spitzeder (Drehbuchautor Sperr hatte zuvor bereits Mathias Kneissls Leben für die Filmvorlage benutzt) stellt die erste Regiearbeit des Komponisten und ständigen Fassbinder-Mitarbeiters Peer Raben dar. Ruth Drexel, eine Idealbesetzung, beherrscht den Film von der ersten bis zur letzten Minute.

Adolf und Marlene. *R* und *B* Ulli Lommel. *K* (Farbe) Michael Ballhaus. *M* Richard Wagner, Franz Liszt und deutsches Liedgut. *D* Kurt Raab (Adolf), Margit Carstensen (Marlene), Ila von Hasberg (Eva Braun), Ulli Lommel (Joseph Goebbels), Harry Baer (Luminsky), Rainer Werner Faßbinder (Hermann). *P* Albatros/Trio (Michael Fengler). 88 Minuten. 1977.
Adolf Hitler sieht einen Marlene-Dietrich-Film und schickt daraufhin Joseph Goebbels nach London, um die Diva heimzuholen. Zwei Begegnungen bringen Adolf und Marlene einander näher. Adolf reist Marlene sogar ins Ausland nach, aber auch das führt zu nichts. Adolf heiratet Eva Braun. Beim Untergang des Dritten Reiches begehen Adolf und Eva Selbstmord und lassen sich verbrennen. Marlene fährt mit ihrem jüdischen Agenten Luminsky von dannen.
Laut Untertitel »eine phantastische Reise in die Abgründe einer germanischen Horrorseele«. Ulli Lommels Vater war der seinerzeit sehr populäre Humorist Manfred Lommel, der eine denkwürdige Begegnung mit Hitler hatte; diese persönliche Beziehung zum Stoff hat Lommel in den Film eingebracht. Tiefergehende Absichten hatte er mit der Hitler-Farce nicht: »Vor knapp 33 Jahren bin ich zwar mitten hinein geboren worden. Das ist aber auch alles. Ich will nicht bewältigen, zensieren, aufklären. Für mich ist das ein kinowerter Stoff, den ich gewälzt habe und geprüft, der mich schließlich einfach so gereizt hat, daß ich daraus einen Film machen wollte.«

Alle Jahre wieder. *R* Ulrich Schamoni. *B* Michael Lentz, Ulrich Schamoni. *K* Wolfgang Treu. *S* Heidi Genée. *D* Hans-Dieter Schwarze (Hannes Lükke), Ulla Jacobsson (Lore Lücke), Sabine Sinjen (Inge Deitert), Johannes Schaaf (Spezie), Hans Possega, Hertha Burmeister, Andreas Lentz, Marina Lappe, Hermann-Josef Küper. *P* Peter Schamoni. 85 Minuten. 1967.
Alle Jahre wieder zur Weihnachtszeit besucht Hannes Lücke in Münster seine Frau Lore und seine Kinder, von denen er schon seit Jahren getrennt lebt. Im Hotel seines Freundes Spezie wartet derweil seine Freundin Inge.
Der Münster-Film der Münsteraner Lentz und Schamoni wurde als deutscher Beitrag der Berlinale 1967 uraufgeführt und von einem Teil des Publikums und der Kritik mit Hohn und Spott übergossen (Münsteraner Enno Patalas: ». . . diese hämische Überheblichkeit, die sich mit miesen Gags wichtig tut und sich über Menschen lustig macht, die ein besseres Schicksal verdient haben als das, ausgerechnet in Münster zu wohnen«). Die Schamoni & Lentz-Mafia schlug so erbittert zurück, als ginge es um Ulli gegen den Rest der Welt. Peter Schamoni: »Ohne diesen Film wäre der junge deutsche Film tot, kaputt, Schluß!« (Beide Zitate aus *Filmreport – Berlinale '67*).

Die allseitig reduzierte Persönlichkeit – Redupers. *R* und *B* Helke Sander. *K* Katia Forbert. *T* Gunther Kortwich. *S* Ursula Höf. *D* Helke Sander (Edda Chiemnyjewski), Joachim Baumann, Frank Burckner, Eva Gagel, Ulrich Gressieker, Beate Kopp, Helga Storck, Gesine Strempel, Abisag Tüllmann, Ulla Ziemann. *P* Basis (Clara Burckner)/ZDF. 98 Minuten. 1978.
Berlin, März 1977. Edda Chiemnyjewski, freie Pressefotografin, muß mit dem Verkaufserlös ihrer Fotos sich und ihre Tochter ernähren. Für ihre eigentlichen Bedürfnisse und private Interessen bleibt ihr kaum Zeit. Sie arbeitet mit einer Frauengruppe an dem Projekt, Berlin zu fotografieren und diese Fotos an den Werbeflächen anzubringen. Es werden nicht die Fotos, die ihre Geldgeber aus dem Stadtrat sehen wollen. Die Frauen müssen sich etwas einfallen lassen, ihre Absichten dennoch durchzusetzen.
Helke Sanders erster Langfilm lief mit großem Erfolg auf dem Internationalen Forum des Jungen Films 1978 in Berlin. »Was die *Allseitig reduzierte Persönlichkeit* Helke Sanders, der Herausgeberin der einzigen feministischen Filmzeitschrift der Welt (*Frauen und Film*) von allen diesen bundesdeutschen Filmen radikal unterscheidet, ist der offene, experimentelle, fragmentarische Charakter ihres ersten Spielfilms. Weniger anarchistisch, weniger explosiv als Alexander Kluges Filme, teilt Helke Sander doch mit ihm die ironisch-trockene Haltung zu ihrer Hauptfigur, die sie selbst spielt: Eine Berliner Lokalfotografin, deren Leben, wie das der Stadt, zerstückelt ist, parzelliert zerfasert. Ein Berlin-Film und ein Film über eine Frau unter dem

Einfluß des Lebens in dieser Stadt: spröde auf den ersten Blick, aber auf den zweiten von einem erstaunlichen Reichtum des Details, der Phantasie, der Ironie. Große Konzentrationskraft und spielerische Offenheit, die Vielfalt filmischer, essayistischer Mittel, vor allem die Konsequenz und Stringenz, mit denen hier das Mosaik eines Doppelporträts (Berlins und der Frau, die ›mit den Füßen auf der Erde und mit dem Kopf in den Wolken‹ lebt) sich bewußt lückenhaft zusammensetzt, machen ihn (für mich) zum schönsten, wichtigsten, erfahrungsreichsten Film des bisherigen Festivals« (Wolfram Schütte, *Frankfurter Rundschau*).

. . . als Diesel geboren. *R* und *B* Peter Przygodda und Braulio Tavares Neto. *K* (Farbe) Martin Schäfer. *M* Raimondo Sodre, Irmin Schmidt. *T* Martin Müller. *S* Peter Przygodda. *P* Road Movies (Renée Gundelach)/Wim Wenders. 117 Minuten. 1979.
Die zweite Heimat von Peter Przygodda, dem Cutter von Wenders, Geissendörfer und Hauff, ist seit 1977 Bahia/Brasilien. Er liebt das Land und lebt dort, soviel er kann. In Zusammenarbeit mit dem brasilianischen Filmemacher Braulio Tavares Neto entstand auf sechs Fernstraßen Südamerikas dieser Film. Der Zuschauer fährt zwei Stunden lang mit riesigen, oft exotisch bemalten Fernlastwagen kreuz und quer durch Brasilien. Im Zuge der Truckerfilm-Welle Ende der siebziger Jahre kam diesem Werk ohne Zweifel besondere Bedeutung zu, denn Przygodda und Neto stellen Informationen aus erster Hand (durch Interviews mit den Lkw-Fahrern) oder mittels eines Kommentars (von Ulf Miehe und Wolfgang Längsfeld) sowie die Vermittlung von visuellen Eindrücken von Fahrten auf den Schwertransportern auf den Highways Brasiliens über die genreübliche Mythologisierung des »Cowboys der Landstraße« oder des »King of the Road«. Das Truckerleben wird vielmehr als soziales Phänomen präsentiert und eindeutig als einer der härtesten und dabei unterbezahlten Berufe ausgewiesen. Einer Verherrlichung und Romantisierung werden hier Fakten entgegengesetzt, die ziemlich ernüchtern. Mit dem Untertitel des Films, *Ich lebe in der Welt und manchmal komme ich zu Hause vorbei*, identifizieren sich übrigens nicht nur die Fernfahrer, sondern auch die Filmemacher.

Die Ameisen kommen. *R* Jochen Richter. *B* Jochen Richter, Eike Barmeyer. *K* (Farbe) Hermann Reichmann. *M* Mike Lewis. *S* Luti Rüth. *D* Belinda Mayne (Marlène), Ferdy Mayne (Michel), Marc Porel (Alain), André Rouyer, Rolf Illig, Walter Sedlmayr. *P* Jochen Richter. 99 Minuten. 1974.
Ein alternder Gangster, der mit seiner Tochter friedlich lebt, wird dazu erpreßt, wieder ins »Geschäft« einzusteigen. Er wird von einem jungen Gangster umgebracht, der wiederum von der Polizei erschossen wird. Die Tochter, die den jungen Gangster lieb-

te, verliert beide: Vater und Liebhaber.

Erster Spielfilm von Jochen Richter, der zuvor bereits siebzehn Dokumentarfilme gedreht hatte. Mit *Die Ameisen kommen* setzte er auf populäres Kino nach amerikanischem und französischem Vorbild, erreichte aber fatalerweise allenfalls Groschenroman-Niveau.

Der amerikanische Soldat. *R* und *B* Rainer Werner Fassbinder. *K* Dietrich Lohmann. *M* Peer Raben. *L* »So much tenderness« von Peer Raben *(M)* und Rainer Werner Fassbinder *(M)*, gesungen von Günther Kaufmann. *A* Kurt Raab, Rainer Werner Fassbinder. *S* Thea Eymèsz. *D* Karl Scheydt (Ricky), Elga Sorbas (Rosa), Jan George (Jan), Margarethe von Trotta (Zimmermädchen), Hark Bohm (Doc), Ingrid Caven (Sängerin), Marius Aicher (Polizist), Eva Ingeborg Scholz (Rickys Mutter), Kurt Raab (Rickys Bruder), Gustl Datz (Polizeipräsident), Marquard Bohm (Privatdetektiv), Rainer Werner Fassbinder (Franz), Katrin Schaake (Magdalena Fuller), Ulli Lommel (Zigeuner), Irm Hermann (Hure). *P* antiteater (Peer Raben). 80 Minuten. 1970.

Weil die Münchner Polizei mit einigen Unterweltsfällen nicht mehr auf amtliche Weise fertig wird, heuert sie einen Killer: Ricky, einen aus München stammenden Amerikaner, der in Vietnam im Einsatz war. Ricky pflegt die Beziehungen zu den Menschen in München, denen er verbunden ist: zu seiner Mutter, seinem Bruder und seinem Freund Franz. Auftragsgemäß legt Ricky einen Zigeuner und das Mädchen Magdalena Fuller um, das mit Pornoheften und Informationen handelt; da es sich so ergibt, tötet er auch gleich einen Freund der Fuller. Dann wird er auf Rosa angesetzt, ein Mädchen, mit dem er schläft, das aber auch mit einem seiner Auftraggeber liiert ist. Bei der Erfüllung dieses Auftrages kommt es zu einer Verwirrung, weil unvermutet Rickys Mutter und Bruder auftauchen: Ricky und Franz werden von Polizisten erschossen.

»Wie Godard, Melville und andere, begann Fassbinder mit der Imitation amerikanischer Filme, besonders der Gangsterfilme *(Liebe ist kälter als der Tod, Götter der Pest, Der amerikanische Soldat)*. Ähnlich wie bei Godard zehn Jahre früher, ist Imitation kaum das richtige Wort. Was in beiden Fällen hinzukommt, ist ein unglückliches Bewußtsein, eine Mixtur aus der Liebe zum Film und dem akuten Gespür für eine historische Position, die sich sehr unterscheidet vom Hollywood der vierziger und fünfziger Jahre, und eine gleichermaßen problematische Diskrepanz zwischen dem Film-Fan und dem Filmemacher. Wie auch immer: die Hollywood-Epigonen in Frankreich wie in Deutschland scheinen in der Egozentrik des Außenseiters, dem zum Selbstmitleid neigenden Pessimismus und der latenten Misogynie einen gemeinsamen Bezugspunkt für die schmerzhafte Auseinandersetzung mit einer Welt der falschen Images und echten Emotionen, der öffentlichen Fehlschläge und privaten Phantasien gefunden zu haben« (Thomas Elsaesser: *A Cinema of Vicious Circles*, in Tony Rayns: *Fassbinder*, 1980).

Das Andechser Gefühl. *R* und *B* Herbert Achternbusch. *K* (Farbe) Jörg Schmidt-Reitwein. *S* Karin Fischer. *D* Herbert Achternbusch, Margarethe von Trotta, Barbara Gass, Walter Sedlmayr, Reinhard Hauff. *P* Herbert Achternbusch/Bioskop. 68 Minuten. 1974.

»Der Lehrer des Dorfes Andechs träumt den Traum von der ›Filmschauspielerin‹, die ihn aus seiner Berufsmisere befreit. Bis sie aber erscheint, triezt er sein Eheweib und säuft sich den Kopf voll. Da macht sich das ungeliebte Weib Luft für die zerstörten Jahre und ersticht ihn. Herbert Achternbuschs Erstling hat seine Ecken und Kanten und wirkt wie ein unbehauener Stein, erhält aber gerade dadurch – und seine klobigen Holzschnittsätze – seine eigene Dimension, die eines mit groteskem, bitterem Humor durchsetzten bayrischen Moritatenstücks« *(Zoom-Filmberater)*.

Das andere Lächeln. *R* Robert Van Ackeren. *B* Robert Van Ackeren, Joy Markert, Peter Stripp. *K* (Farbe) Jürgen Jürges. *M* Peer Raben. *A* O. Jochen Schmidt. *T* Manfred Thust. *S* Johannes Nikel. *D* Katja Rupé (Irma), Elisabeth Trissenaar (Ellen), Heinz Ehrenfreund (Paul), Anja Müßiggang (Carola), Sigrid Hausmann, Kurt Zips, Gernot Möhner, Maria Lucca, Leopold Gmeinwieser. *P* Bavaria (Peter Märthesheimer)/WDR. 122 Minuten. 1978.

Paul und Irma führen eine scheinbar harmonische Ehe. Pauls Getränkegroßhandel floriert, Irma hilft ihm im Geschäft und erfüllt gleichzeitig ihre Aufgaben im Haushalt. Doch irgendwann beginnt sie, sich zurückzuziehen wie eine Schnecke in ihr Haus. Zum Glück gibt es Ellen, Irmas Freundin, die helfend einspringt. Weil sie von keiner Seite Widerstand spürt, nimmt Ellen immer mehr Irmas Stelle ein, bis der Rollentausch schließlich perfekt ist: Irma stirbt, und Ellen wird Pauls neue Frau.

»In der Beziehung der Frauen zu dem Mann versuche ich, etwas über die Austauschbarkeit solcher Liebesverhältnisse zu erzählen, die in Wahrheit nur Unterwerfungsverhältnisse sind. Gegenüber dem Mann ist keine der beiden Frauen imstande, sich selbst zu verwirklichen, verhält sich also unfrei, weil sie sich getreu den herrschenden Bedingungen immer nur auf seine Prämissen einlassen, eigene erst gar nicht entwickeln« (Robert Van Ackeren). Bezeichnend für den Ton dieser Karikatur eines Spießer-Melodrams ist die Haltung des Kindes gegenüber den Erwachsenen: Carola nimmt die Posen ihrer Eltern keinen Moment ernst, sondern hat im Gegenteil einen Mordsspaß, das Treiben dieser komischen Figuren zu beobachten.

Die Angst ist ein zweiter Schatten. *R* und *B* Norbert Kückelmann. *K* (Farbe) Jürgen Jürges. *A* Michael Gir-

Alle Jahre wieder: Ulrich Schamoni, Michael Lentz, Wolfgang Treu

Als Diesel geboren

Die allseitig reduzierte Persönlichkeit: Helke Sander

scheck. T Vladimir Vizner. S Gerd Berner. D Astrid Fournell (Anna), Günther Maria Halmer (Fred), Dieter Hasselblatt (Roland), Anita Mally (Toni), Sabine Reinelt, Gertrud Kükelmann, Wolfgang Baechler, Matthias Eysen, Walter Buschoff, Alexandra Becker, Martin Ripkens, Margit Weinert. P FFAT (Norbert Kückelmann)/SWF. 101 Minuten. 1975.

Anna, frisch geschieden und in die Großstadt gezogen, begegnet in ihrem Beruf als Fotoreporterin nur angstvollen Menschen in beängstigenden Situationen. Sie ist zur Abstumpfung nicht fähig und entwickelt selbst eine Angstpsychose. Jemand scheint sie zu bedrohen, und schließlich will Anna ihren Freund töten. Erst in diesem Moment erkennt sie, daß der Unbekannte sie selbst ist.

Nach dem gelungenen, engagierten Thesenfilm *Die Sachverständigen* (1973) begab sich Kückelmann in seinem zweiten Kinofilm auf die Suche nach Angst-Indikatoren im Alltag und fand nur Klischees: Von der schwachen Frau im Männerberuf bis zum melodramatischen Ende ist kaum etwas mit dem soziologischen Anspruch des Films vereinbar.

Anschi und Michael. R und B Rüdiger Nüchtern. K (Farbe) Hans Osterrieder. M Jörg Evers. T Manfred Plötz, Wolf Panchyrsch, Peter Decker. S Vera Grund. D Gaby Rubner (Anschi), Michael Bentele (Michael), Jörg Hube (Meister), Helga Endler, Peter Gebhardt, Edith Kunze-Krüger, Klaus Krüger, Anna Kotulla. P BR. 121 Minuten. 1977.

In acht Episoden zu je fünfzehn Minuten erzählt der Film von Michael, dem Werkzeugmacherlehrling, und seiner Freundschaft zu Anschi (= Angelika), die aufs Gymnasium geht. Sie lernen sich kennen, als Anschi einen Ferienjob in dem Betrieb annimmt, in dem Michael arbeitet. Der verliebt sich, kaum daß er sie gesehen hat, Hals über Kopf in die hübsche Anschi. Von nun an reißen die Schwierigkeiten der beiden nicht ab. Zwar gelingt es dem etwas unbeholfenen, aber doch selbstbewußten Michael, Anschi zu erobern (er fährt zu diesem Zweck sogar an einem Wochenende per Anhalter nach Italien, wo sie mit ihren Eltern den Rest der Ferien verbringt), doch wird den beiden bald bewußt, daß durch die grundverschiedenen sozialen Milieus, denen sie entstammen und in denen sie ausgebildet werden, unaufhörlich schier unüberwindbare Probleme entstehen.

Rüdiger Nüchtern hatte die acht Episoden für das Jugendmagazin *Szene 76* des Bayerischen Rundfunks konzipiert, und das Fernsehen hatte sie im Abstand von jeweils einem Monat auch ausgestrahlt. Auf der Duisburger Film-Woche '77 stellte Nüchtern, Absolvent der Münchner Hochschule für Fernsehen und Film, die hintereinandergeschnittenen Folgen als seinen ersten Langfilm außerhalb der HFF vor. Das Experiment funktionierte: Der Film gelangte bald in die Kinos, und für die Kritik war er einer der bemer-

kenswertesten Jugendfilme seit langem.

Ansichten eines Clowns. R Vojtěch Jasný. B Heinrich Böll, Vojtěch Jasný, nach dem Roman von Böll. K (Farbe) Walter Lassally. M Eberhard Schoener. A Georg von Kieseritzky. T Peter Kellerhals. S Dagmar Hirtz. D Helmut Griem (Hans), Hanna Schygulla (Marie), Eva-Maria Meineke (Mutter), Gustav Rudolf Sellner (Vater), Hans Christian Blech (Derkum), Alexander May (Sommerwild), Jan Niklas (Leo), Rainer Basedow, Helga Anders, Claudia Butenuth, Ben Hecker. P Independent (Heinz Angermeyer)/MFG (Maximilian Schell)/Filmaufbau. 111 Minuten. 1976.

Er ist Clown und sammelt Augenblicke: Hans Schnier, 1960, der Zeitpunkt der Handlung, 30 Jahre alt. Ein Besuch in seinem Elternhaus am Rhein läßt ihn erkennen, daß der opportunistische Geist, der vor dem Krieg dort herrschte, noch immer nicht verschwunden ist. Marie, mit der er in wilder Ehe zusammenlebte, hat ihn verlassen, in seinem Beruf als Pantomime ist er gescheitert – ihm bleibt nichts als Verbitterung angesichts des Wirtschaftswunders um ihn herum.

Das Interesse des Exil-Tschechen und Wahl-Österreichers Jasný an Böll führte bereits 1970 zur TV-Adaption der Satire *Nicht nur zur Weihnachtszeit* (Buch: Böll, Regie: Jasný). Seit dieser Zeit fertigten die beiden sieben Drehbuchfassungen für *Ansichten eines Clowns* an, ehe die achte 1975 realisiert und ein Vierteljahr nach dem Erfolg von *Die verlorene Ehre der Katharina Blum* ins Kino gebracht werden konnte. »Jasný hält sich so sklavisch an die literarische Vorlage Heinrich Bölls, daß er nurmehr dem Buchstaben, nicht aber dem Geist des Romans gerecht wird. Die deutsche Bürgerschaft der sechziger Jahre, die von einem desillusionierten und verkrachten Clown den Spiegel vorgehalten bekommt, erfährt so nicht jene brisante Demaskierung, die Bölls Roman noch heute aktuell erscheinen läßt. Der Film erweckt vielmehr den Eindruck einer zwar mit formaler Könnerschaft gestalteten, aber reichlich verspäteten Abrechnung mit den Wunderkindern von damals« *(Zoom-Filmberater)*.

Die Anstalt. R und B Hans-Rüdiger Minow. K Bernd Fiedler. M Andi Brauer. A Annette Ganders, Will Kley. T Heiko von Swieykowski. S Hanne Huxoll. D Susanne Granzer (Anna Theyn), Wolfgang Preiss (Dr. Reincke), Gerd Baltus (Dr. Steinhausen), Wolfgang Ransmayr, Ursula Roche, Hans-Peter Korff, Dieter Prochnow, Christiane Bruhn, Carin Braun, Walter Ladengast, Peter Petran, Til Kiwe. P Common (Helmut Wietz). 90 Minuten. 1978.

Die junge Psychologin Anna Theyn beginnt sich als Pseudo-Patientin in eine Nervenklinik. Als mutmaßliche Schizophrene beobachtet und selbst beobachtend, lernt sie Patientenschicksale kennen, erfährt fragwürdige Behandlungsmethoden und erlebt die mensch-

liche Entwürdigung, der die Kranken im Irrenhaus ausgesetzt sind. Anna Theyn wird zur handelnden Person und bringt damit die bisher latent gebliebenen Konflikte zwischen Patienten, Pflegepersonal und Klinikleitung zu einem für sie selbst unerwarteten Ausbruch.

»Der Film verzichtet bewußt auf die Darstellung eines sensationellen Horrorszenariums (was auch bei dem vorliegenden dokumentarischen Material durchaus zu zeigen gewesen wäre). Dieser Verzicht geschieht zugunsten des Versuchs, den Kern der gesellschaftlichen Kritik zu präzisieren und in den Vordergrund zu stellen: das Irrenhaus als soziales Abbild wahnwitziger alltäglicher Verhältnisse zu zeigen, in denen es fragwürdig geworden ist, zwischen geistiger Gesundheit und ihrem Gegenteil zu unterscheiden, ›Wahnsinn‹ ausgebrochen und ›Normalität‹ eingesperrt scheint« (Hans-Rüdiger Minow). Minow, Absolvent der Deutschen Film- und Fernsehakademie Berlin, hatte zuvor zwei Dokumentarfilme gedreht und beabsichtigt, in Zusammenarbeit mit dem Dramatiker Rolf Hochhuth unter dem Titel *Der Verurteilte erklärte nichts . . .* die Filbinger-Affäre auf die Leinwand zu bringen.

Arabische Nächte. R und B Klaus Lemke. K (Farbe) Rüdiger Meichsner. M Jürgen Knieper. A Brummbär, Laszlo Les Olvedi, Rolf Albrecht, Freddy Zimmermann, Boutique Sweetheart. T Simon Buchner, Harald Henkel. S Inez Regnier. D Cleo Kretschmer (Karin), Wolfgang Fierek (Wolfgang), Dolly Dollar (Christl), Michael Lampert (Mischa), Horatius Häberle (Manager), Zachi Noy (Chauffeur), Jonny Badr (Scheich), Zora Z., King Herbert, Freddy Zimmermann, Gert Wegessel. P Albatros/Popular/Trio (Michael Fengler, Hans H. Kaden). 94 Minuten. 1979.

Klaus Lemke: »Das ist ein Remake von *Das verflixte siebte Jahr* insofern, als ein Mädchen sieben Jahre mit einem Typ zusammengelebt hat, und in den sieben Jahren hat der Typ sie dreizehnmal betrogen. Und sie hat das dreizehnmal geschluckt. Das Mädchen ist die Cleo, und der Typ ist Wolfgang Fierek. Und beim vierzehntenmal läßt sich dieses Mädchen, das eine kleine Tankstelle hat, das nicht mehr gefallen, sondern sagt, daß jetzt Schluß sei. Sie hat im Kopf, einen Ölscheich aufzureißen – mit Brillanten und allem, was ihr der Typ nicht bieten konnte, nur um ihn eifersüchtig zu machen, nur um ihn zu locken, nur um ihn zu kriegen. Der Film endet damit, daß dieser Typ, der sie jetzt das vierzehntemal betrogen hat, sie den Arabern abjagen muß. Und das hat sie alles nur gemacht, um ihn dahinzubringen, daß er ihr eine glaubhafte Liebeserklärung macht und sie heiratet« (Kino 80/81).

Argila. R und B Werner Schroeter. K (Farbe und Schwarzweiß, 16 mm) Werner Schroeter. M Gaetano Donizetti, Giacomo Meyerbeer, Max Bruch, Ludwig van Beethoven, Gi-

seppe Verdi, Franz Liszt, Antonio Vivaldi und Caterina Valente-Schlager. D Gisela Trowe, Magdalena Montezuma, Carla Aulaulu, Sigurd Salto. S Werner Schroeter. P Werner Schroeter. 36 Minuten. 1969.

In zwei parallel laufenden, sich in der Mitte der Projektionsfläche minimal überschneidenden Filmen treten zwei Frauen in vieldeutige Beziehungen zu einem Mann; eine dritte Frau singt und kommentiert.

Einer der ersten größeren Arbeiten, die den damals 23jährigen Werner Schroeter bekannt machten; zu einem seiner ersten Propheten wurde der gleichaltrige Wenders, 1969 ebenfalls bereits ein erfolgreicher Kurzfilmmacher; in der Mai-Nummer 1969 der *Filmkritik* schrieb Wenders: »Die Filme von Werner Schroeter sind so, wie man sich Filme mit Marilyn Monroe wünscht, so, wie man sich eigentlich alles wünscht, vor allem im Kino. In Werner Schroeters Filmen kommen Sätze vor, bei denen man, wenn man sie das erste Mal hört, möchte, daß man sie behält. Wenn der Film aus ist, hat man sie so oft gehört, daß man sie auswendig hersagen kann. ›Wie blaß du bist. Bevor dieser Abend zu Ende geht, wird ein Unglück uns alle drei in den See der Verzweiflung stürzen.‹ ›Du willst, daß ich sterbe. Du hast kein Mitleid mit mir, kein Mitleid für mich, die ich dich anbetete. Sag, was soll ich noch tun?‹ ›Dann fielen die ersten Tropfen des Abendregens nieder, ein dumpfes Donnergrollen folgte. Ein wenig später fand ich ihn hier und fand ihn, wie immer.‹ *Argila* ist eine Doppelprojektion. Auf der linken Seite der Leinwand läuft eine stumme Schwarzweißkopie mit etwa einer halben Minute Vorsprung vor der farbigen Tonkopie desselben Films auf der rechten Seite der Leinwand. So ist der Film, den man gerade sieht, gleich schon eine Erinnerung an sich selbst, und wenn er zu Ende ist, hat man einen Film gesehen, den man sich in den letzten Jahren jedesmal angesehen hat, wenn man die Gelegenheit hatte, ihn zu sehen . . . In den Filmen von Warhol haben faszinierende Sachen zwar lange gedauert, aber sie waren überhaupt nicht konzentriert, eben weil sie von Warhol waren. Die Filme von Werner Schroeter sind unglaublich konzentriert.«

Armee der Liebenden oder Aufstand der Perversen. R, B, S und P Rosa von Praunheim, unter Mitarbeit von Mike Shepard. K (16 mm, Farbe) Rosa von Praunheim, Ben van Meter, Michael Oblovitz, John Rome, Werner Schroeter, Bob Schub, Nikolai Ursin, Juliana Wang, Lloyd Williams. 107 Minuten. 1979.

In siebenjähriger Arbeit entstandener Dokumentarfilm über die amerikanische Homosexuellen-Bewegung.

Rosa von Praunheim: »Wer sich immer noch vor meinem 1. Schwulenfilm *Nicht der Homosexuelle ist pervers, sondern die Situation, in der er lebt* verschreckt fühlt, dem sei beruhigend gesagt, daß ich in meinem neuen Film versucht habe, konstruktive, positive Beispiele zu zeigen. Damals gab es ja noch keine Schwulenbewegung, wir konnten nur dazu auffordern. Inzwischen hat sich ja viel getan, auch in Deutschland. Ich glaube, daß jetzt der richtige Zeitpunkt da ist, daß wieder mal frischer Wind in die verschreckten Tuntenwohnungen streicht *(Kino 79/80)*.

Die Atlantikschwimmer. *R* und *B* Herbert Achternbusch. *K* (Farbe) Jörg Schmidt-Reitwein. *T* Peter van Anft. *S* Karin Fischer. *D* Heinz Braun, Herbert Achternbusch, Alois Hitzenbichler, Sepp Bierbichler, Ingrid Gailhofer, Barbara Gass, Gunter Freyse, Margarethe von Trotta. *P* Herbert Achternbusch. 81 Minuten. 1975.
Zwei verhinderte Selbstmörder wollen den 100 000-Mark-Preis des Kaufhauses Mixwix für das Durchqueren des Atlantiks kassieren.
»Die Schwimmlehrerin sagt: ›Zieh’ dich aus! Ausziehen!‹ Herbert wendet ein: ›Ich bin noch nicht ganz fertig. Ich sehe immer noch das zerfetzte Gesicht meiner Mutter. Eine Viertelstunde brauche ich noch, dann habe ich den Verlust meiner Mutter überwunden.‹ Die Handlung ist nichts, die Sprüche sind alles im zweiten Film des bayrischen Roman-Autors Herbert Achternbusch *(Das Andechser Gefühl)*, der neuerdings seine Bücher gern mit der Kamera schreibt. Seine vom Komiker Karl Valentin inspirierte Farce von zwei scheiternden Atlantikschwimmern empfiehlt sich Kennern als Filmkunst, die jeden gängigen Maßstab ignoriert und unter dem Motto ›Du hast keine Chance, aber nutze sie!‹ dennoch Publikum verdient« *(stern)*.

Auch Zwerge haben klein angefangen. *R* und *B* Werner Herzog. *K* Thomas Mauch (Assistent Jörg Schmidt-Reitwein). *ML* Werner Herzog. *T* Herbert Prasch. *S* Beate Mainka-Jellinghaus. *D* Helmut Döring (Hombre), Paul Glauer (Erzieher), Gisela Hertwig (Pobrecita), Hertel Minkner (Chicklets), Gertraud Piccini (Piccini), Marianne Saar (Theresa), Brigitte Saar (Cochina), Lajos Zsarnoczay (Chapparo), Gerd Gickel (Pepe), Erna Gschwendtner (Azúcar), Gerhard März (Territory), Alfredo Piccini (Anselmo), Erna Smollarz (Schweppes). *P* Werner Herzog. 96 Minuten. 1970.
Eine Erziehungsanstalt mit Zwergen in einer abgelegenen, kargen Landschaft. Der Direktor und die meisten Zöglinge sind auf einem Ausflug. Die aus disziplinarischen Gründen zurückgelassenen Zwerge machen einen Aufstand mit wüsten Vernichtungsaktionen und brutalem Vorgehen auch untereinander. Der aufsichtsführende Erzieher nimmt einen der Rädelsführer in seinen Gewahrsam und verschanzt sich mit ihm in einem der Gebäude. Seine Drohung, dem Gefangenen etwas anzutun, reizt die Zwerge nur noch zu weiteren vandalistischen Ausschreitungen. Der Erzieher macht seine Drohung wahr. Die Revolte, die ohnehin ziellos im Kreise läuft, bricht zusammen.

Im November/Dezember 1969 ging Werner Herzog mit einem sehr eigentümlichen Ensemble auf die kanarische Insel Lanzarote und drehte einen Film, von dem er sich eine besondere Wirkung erhoffte: »Der Film muß einen anschreien« und deshalb sollte er »so radikal« werden, »so nackt im Rausschreien«. Dieser Film ist *Auch Zwerge haben klein angefangen*, ein Film, der bis heute nicht müde geworden ist zu schreien. »Das Liliputanische an sich ist zugleich Gegenstand des Films und auch bloßes Material für eine Parabel, die wie alle guten Parabeln eine zweite mögliche Bedeutung außerhalb der eigentlichen Ebene fast nicht nötig hätte. Es ist der erste lange Film, in dem nur Liliputaner spielen und auch sprechen, mit allen Mühseligkeiten und Zerrungen in der Artikulation, die den Mühen und Verzerrungen in den Bewegungen entsprechen . . . Am Ende des Films steht als eine Art Koda außerhalb der Handlung eine wichtige Szene: Der kleinste der Zwerge steht vor einem Kamel, das einzig dieser Szene wegen da ist und sonst nicht vorkommt. Er lacht und lacht, endlos, höhnisch – allein dieses Lachen wäre das Eintrittsgeld wert – er lacht offenbar über die groteske Erscheinungsform Kamel. Das Tier ist im Begriff, sich hinzulegen, richtet sich aber bei jedem neuen Lachanfall irritiert wieder auf. Das Bild ist deutlich, die Tiere sind in gewisser Weise die Zwerge der Zwerge« (Egon Netenjakob, *Film*, 1970). Herzog: »Das Gelächter in dem Film, von dem kleinsten Zwerg am Schluß – das minutenlange Gelächter – das ist eben das Gelächter überhaupt, es gibt kein Gelächter drüber raus. So wie’s Essig gibt und Essigessenz, so sind diese Zwerge Menschenessenz, eine Konzentrationsform. An der Schärfe dieser Essenz sehen wir auf einmal deutlicher die Umrisse von dem, was wir sind« (alle Herzog-Zitate aus einem Gespräch mit Kraft Wetzel in: *Herzog/Kluge/Straub*, 1976).

Auf Biegen oder Brechen. *R* Hartmut Bitomsky. *B* Hartmut Bitomsky, Harun Farocki. *K* (Farbe) Bernd Fiedler. *M* Jürgen Knieper. *T* Hans Beringer. *S* Sybille Windt. *D* Jo Bolling (Charly Zerbel), Christine Kaufmann (Sarah), Lisa Kreuzer (Monika), Harry Baer (Michael), Charly Wierczejewski, Martin Rosen, Käte Jaenicke, Marie Bardischewski, Peter Schlesinger, Ralf Gregan, Manfred Lehmann, Herbert Chwoika, Hanns Zischler, Gert Haukke, Walter Adler, Inge Blau, Heinz Meier. *P* City/Maran/Big Sky/SDR. 94 Minuten. 1976.
»Charly Zerbel macht den Zoff nicht mit. Er ist Automechaniker und hat seine Schnauze voll. Der neue Chef kriegt sie voll. Von Charly Zerbel. Logisch, daß er fliegt. Charly fängt an zu studieren. Aber das Geld reicht nicht. Charly schiebt Autos nach Schweden. Dicke Daimler gegen große Volvos. Es bleibt nicht bei den Autos: Charly bedient auch die Freundin seines Bosses und fällt wieder bös’ auf die Schnauze. Sein zweiter Bildungsweg ist nun Autoschieben auf eigene Faust. Sein

Ansichten eines Clowns: Helmut Griem

Auch Zwerge haben klein angefangen

Anschi und Michael: Gabi Rubner, Michael Bentele

Freund kommt dabei zu Tode. In dessen Taschen findet er, was er selbst nicht schaffte: Ingenieurspapiere. Von da an geht's bergauf: Karriere, Frauen, Autos, Geld und Schöner Wohnen. Bis man dahinterkommt, daß er nicht Michael und Ingenieur, sondern einfach Charly Zerbel ist. Und von der Wand, durch die er mit Gewalt marschierte, ist nur ein großes Loch geblieben« (Plakattext).

Hartmut Bitomsky, Absolvent der Deutschen Film- und Fernsehakademie und seit 1974 Redaktionsmitglied der Zeitschrift *Filmkritik,* ist Autor und Herausrerer mehrerer filmtheoretischer Schriften und drehte für den Westdeutschen Rundfunk einige medienkritische Filme (1974: *Kino/Kritik: Über die Wörter, den Sinn und das Geld von Filmen*). Sein erster Kinofilm, *Auf Biegen oder Brechen,* mußte allzu hoch gesteckte Erwartungen enttäuschen: Thematisch wie formal blieb es ein eher konventioneller Film, der den inhaltlichen Realismus eines Roland Klick mit der kinematographischen Sensibilität eines Wim Wenders verband. Weitaus persönlicher und seine theoretischen Bekenntnisse überzeugender in die Praxis umsetzend dagegen sein zweiter Spielfilm, *Karawane der Wörter,* 1977 als zweiteiliger Fernsehfilm für das Westdeutsche Fernsehen entstanden (Kamera Axel Block, mit Walter Adler, Jo Bolling und Inge Blau).

Der aufrechte Gang. *R* und *B* Christian Ziewer. *K* (Farbe) Ulli Heiser. *M* Erhard Großkopf. *A* Will Kley. *T* Michael Karchow, Klaus Vogler. *S* Stefanie Wilke. *D* Claus Eberth (Dieter), Antje Hagen (Hanna), Wolfgang Liere (Georg Pioch), Walter Prüssing (Opa), Rainer Pigulla, Matthias Eberth, Martina Hennig, Heinz Giese, Horst Pinnow, Rudi Unger, Randolf Kronberg. *P* Basis/WDR. 115 Minuten. 1976.

Christian Ziewers dritter Spielfilm schildert die privaten Konflikte einer westfälischen Arbeiterfamilie vor dem Hintergrund eines viertägigen Streiks an der Arbeitsstätte des Vaters. Überraschend bei Ziewer: Der Streik ist tatsächlich kaum mehr als bloßer Hintergrund für eine glaubwürdig dargestellte menschliche Krise. Dieter Wittkowski (Claus Eberth) wird in seinem vermeintlich aufrechten Gang zum Stolpern gebracht: Seine Frau will gegen seinen Willen ganztägig arbeiten; die Presse stellt ihn fälschlicherweise als Streikgegner hin; an Lohnforderungen scheitern. Höhepunkt von Wittkowskis Krise und zugleich des Films ist die Geburtstagsfeier seines Vaters im Haus seiner Eltern, wo er aber auch zugleich lernt, wieder auf die Beine zu kommen: Der Schlüssel zum aufrechten Gang ist die aufrichtige Selbstverwirklichung.

Der Aufstand. *R* Peter Lilienthal. *B* Peter Lilienthal, Antonio Skarmeta. *K* (Farbe) Michael Ballhaus. *M* Claus Bantzer. *A* Fernando Castro. *T* Mario Jacob. *S* Siegrun Jäger. *D* Agustin Pereira (Agustin), Carlos Catania (Vater), Maria Lourdes Centano de Ze-

laya (Mutter), Oscar Castillo (Hauptmann Flores), Guido Saenz (Onkel), Vicky Montero (Schwester), Saida Mendieta Ruiz (Miriam). *P* Independent (Heinz Angermeyer)/Joachim von Vietinghoff/Provobis/Istmo, Costa Rica/ZDF. 96 Minuten. 1980.

»Am 19. Juli 1979 endet die Diktatur Somozas in Nicaragua durch den Sieg der Nationalen Befreiungsfront (FSLN). Einen Monat davor wird das Kommando in León – einer der letzten Festungen des Tyrannen – durch den Volksaufstand erobert. Im November 1979 beginnt der Regisseur Peter Lilienthal, zusammen mit Filmemachern aus Zentral- und Südamerika, mit den Dreharbeiten an einem Spielfilm, der Höhepunkte des Volksaufstandes in León zum Mittelpunkt hat. Bürger, die ehemalige Stadtguerilla und Einheiten der Befreiungsarmee beteiligten sich an dieser Arbeit. Im Mittelpunkt der Ereignisse steht eine Familiengeschichte, die zum Symbol des Kampfes um die Wiederherstellung von Würde und Freiheit der Menschen in Nicaragua wird« (Verleihmitteilung). Peter Lilienthals dritte Zusammenarbeit mit Antonio Skarmeta nach *La Victoria* und *Es herrscht Ruhe im Land.* »Das hätte spannend werden können, aber der Regisseur beschränkt sich darauf, am Beispiel eines klassischen Vater/Sohn-Konflikts (der Alte im Revolutionslager, der Junge in der Somoza-Armee) allzu bekannte Vorgänge zu illustrieren. Die Bösen tragen grüne Uniformen, die Guten bunte Hemden, und da wohl niemand im Publikum auch nur die geringsten Sympathien für den Somoza-Terror hegt, wird das holzschnittartige Revolutions-Fresko bald langweilig. Und zum Hohen Lied der Solidarität fehlt Lilienthal die inszenatorische Kraft« (Hans C. Blumenberg, *Die Zeit*).

Aus der Ferne sehe ich dieses Land. *R* Christian Ziewer. *B* Antonio Skarmeta, Christian Ziewer, nach der Erzählung *Nixpassiert* von Antonio Skarmeta. *K* (Farbe) Gerard Vandenberg. *M* Andariegos, Omero Caro. *A* Jürgen Henze. *T* Gerhard Birkholz. *S* Stefanie Wilke. *D* Pablo Lira (Lucho), Anibal Reyna (Araya), Valeria Villarroel (Beatriz), Raul Becerra (Großvater), Angela Krain, Wolfgang Liere, Dimitrios Kalaitsidis, Jako Benz, Ellen Esser, Peter Lilienthal, Alf Bold, Uschi Menzel, Horst Pinnow. *P* Basis (Clara Burckner)/WDR. 98 Minuten. 1978.

Eine chilenische Emigranten-Familie in Westberlin: Der sechzehnjährige Lucho, ältester Sohn, verliebt sich in eine junge deutsche Schallplattenverkäuferin. Aber Sophie, das Mädchen, ist bereits verlobt, und so wird daraus nicht mehr als ein kurzes, schmerzhaftes Abenteuer. Der Vater, einst Koch in einer Fabrikkantine und Gewerkschafter in Chile, arbeitet als Beifahrer für Bordverpflegungstransporte auf dem Tegeler Flughafen und hofft, bald wieder an den Kochtöpfen zu stehen. Doch bei einer Personaluntersuchung wird er als Sicherheitsrisiko eingestuft und entlassen. Seine deutschen Freunde vom Chile-Komitee können

ihm nicht helfen. Erst aus der Zuwendung zu seinem Sohn, den er bedrängt von eigenen Sorgen vernachlässigt hat, schöpft er wieder Mut.

»Christian Ziewer, dessen Arbeiterfilme *Liebe Mutter, mir geht es gut, Schneeglöckchen blühn im September* und *Der aufrechte Gang* unvergessen sind, hat einen Schritt nach vorne getan. Er verzichtet in seinem neuen Film auf jegliche Form der Beweis-Dramaturgie, noch nie hat er Personen so offen und zugleich genau geschildert. Besonders aufregend das System der Spiegelung, mit dem Ziewer diesmal arbeitet: Wir sehen uns selbst mit den Augen der Chilenen, wir erkennen unsere Erstarrung am Beispiel ihrer Aktivität« (Wilhelm Roth, *Spandauer Volksblatt*). Der Exil-Chilene Antonio Skarmeta, Autor des Films, verfaßte für Peter Lilienthal bereits die Drehbücher zu *La Victoria* und *Es herrscht Ruhe im Land.*

Aus einem deutschen Leben. *R* Theodor Kotulla. *B* Theodor Kotulla, nach dem Roman *La mort est mon métier* von Robert Merle. *K* (Farbe) Dieter Naujeck. *M* Eberhard Weber. *A* Wolfgang Schünke. *T* Manfred Oelschlegel, Hans Pampuch. *S* Wolfgang Richter. *D* Götz George (Franz Lang), Elisabeth Schwarz (Else Lang), Hans Korte (Heinrich Himmler), Kai Taschner (der junge Franz Lang), Kurt Hübner, Matthias Fuchs, Walter Czaschke, Sigurd Fitzek, Elisabeth Stepanek, Yaak Karsunke, Werner Eichhorn, Martin Ripkens, Peter Moland, Werner Schwuchow. *P* Iduna (Nils C. Nilson)/WDR. 145 Minuten. 1977.

Der Film beschreibt die Biographie des ersten Kommandanten des Konzentrationslagers Auschwitz, Rudolf Höss alias Franz Lang, der dort zwischen 1941 und 1944 nach eigenem Geständnis Millionen von Menschen umbringen ließ. Regisseur Theodor Kotulla hatte sich jahrelang mit dem Leben des Rudolf Höss beschäftigt, bevor er das Drehbuch nach dem Roman *Der Tod ist mein Beruf* von Robert Merle, nach Höss' autobiographischen Notizen sowie aufgrund eigener Recherchen schrieb. Folgende Stationen im Leben dieses dem Dienst für Volk und Vaterland treu ergebenen Mannes schildert der Film: die strenge Erziehung durch den Vater, Erfahrungen im Ersten Weltkrieg als Siebzehnjähriger, Arbeitslosigkeit und Freikorpskämpfe in den Nachkriegsjahren, Kontakte mit der NSDAP über einen ehemaligen Kriegskameraden, Zuchthausstrafe nach einem Femermord an einem KPD-Mann; anschließend Aufbau einer Existenz als Landwirt in Pommern, erste Begegnung mit Himmler, Heirat; nach der Machtergreifung: Lang nimmt das Angebot, als Adjutant ins KZ Dachau zu gehen, zögernd an; schließlich der »historische Auftrag«, von Himmler persönlich übermittelt, »zur Endlösung der Judenfrage« ins KZ Auschwitz zu errichten; Durchführung dieses Auftrages, den er in erster Linie als »organisatorisches Problem« sieht; nach dem Krieg Verhaftung, Prozeß und 1947 die Hinrichtung.

Aus einem deutschen Leben ist der dritte Spielfilm des ehemaligen Filmkritikers Theodor Kotulla und der erste, mit dem er sich internationales Ansehen verschaffte. Im Inland schnitt sein Film besonders im Vergleich zu Joachim C. Fests gleichzeitig aufgeführtem Dokumentarfilm *Hitler – Eine Karriere* ausgesprochen positiv ab: »Dieser Kotulla bringt Geschichtsunterricht überzeugender als der Hitler-Film von Fest« *(Münchner Merkur).* »Kotullas Film zeigt die ›Nebensächlichkeit‹ der Gewalt ebenso wie die zwanghafte Psyche des Protagonisten. Ein wichtiger Film, wohl der wichtigste des gesamten Festivals (Berlin 1977, A. d. A.) überhaupt« (André J. Simonoviescz, *tip*). »Kotulla zeichnet diesen Franz nicht als Dämon, nicht als eine Art düstere Mabuse-Figur, auch nicht als einen widerlichen Karrieristen, sondern als einen gut deutschen Bürger, der Pflichterfüllung immer und bedingungslos über das eigene Gewissen stellt« (Urs Jaeggi, *Zoom-Filmberater*).

Beiß mich, Liebling. *R* Helmut Förnbacher. *B* Helmut Förnbacher, Martin Roda-Becher. *K* (Farbe) Igor Luther. *M* Charly Niessen. *A* Gerda Köhler. *S* Peter Przygodda, Heidi Genée. *D* Eva Renzi (Sabrina von der Wies), Patrick Jordan (Hartlieb von der Wies), Ralf Wolter (Christian Wagner), Herbert Fux (Engelmann), Dieter Augustin (Verkäufer), Rainer Basedow, Hannsi Linder, Brigitte Skay, Barbara Valentin, Amadeus Agust, Vera Frydtberg, Toni Netzle, Peter W. Engelmeier. *P* New Art Film (Helmut Förnbacher). 85 Minuten. 1970.

Der Lebens- und Sexualberater Hartlieb von der Wies wird von seiner Nichte und deren Freund Peter als Vampir entlarvt.

Bekenntnisse eines möblierten Herrn. *R* Franz Peter Wirth. *B* Oliver Hassencamp, nach seinem Roman. *K* Günther Senftleben. *M* Bert Grund. *A* Rolf Zehetbauer, Herbert Strabel. *D* Karl Michael Vogler (Lukas), Maria Sebaldt (Daniela), Françoise Prevost (Lilli), Cordula Trantow (Renate), Alexandra Stewart (Prinzessin), Herbert Hübner, Wolfgang Lukschy, Kurt Pratsch-Kaufmann, Blandine Ebinger, Hans Reiser, Olga von Togni, Monika John, Adrienne Gessner, Nora Minor. *P* Neue Deutsche Filmgesellschaft (Wolf Schwarz). 103 Minuten. 1963.

Grafiker Lukas lernt als möblierter Herr einige Quartiere und einige Damen kennen; er landet bei einer, die als Wirtin, Geliebte und Ehefrau gleichermaßen tauglich ist.

Franz Peter Wirth ersetzt das übliche Personal solcher Filmkomödien durch schöne und intelligente Menschen; so ist die Sache nicht ganz so fad.

Belcanto oder Darf eine Nutte schluchzen? *R* Robert Van Ackeren. *B* Robert Van Ackeren, nach dem Roman *Empfang bei der Welt* von Heinrich Mann. *K* Jürgen Wagner, Ulrich Meier. *M* Wolfgang Wölfer, C.A.M. *A* Janken Janssen. *T*

Evgeni Gantchev, Gerhard Jensen, Christian Moldt. *D* Nikolaus Dutsch (Nolus), Romy Haag (Nutte), Udo Kier (Poulailler), Helga Krauss, Gabi LaFari, Kurt Raab, Ellen Umlauf, Jule Hammer, Erwin Kneihsl, Y Sa Lo, Roland von Schulze. *P* Literarisches Colloquium (Ursula Ludwig)/Robert Van Ackeren/Pik 7. 95 Minuten. 1977.

»Heinrich Manns Roman *Empfang bei der Welt,* aufgelöst in choreographisch stilisierte Schwarzweiß-Tableaus, mit einem langen, gesungenen Mittelteil. Leider kostet Van Ackeren die morbide Faszination seiner szenischen Arrangements bis zum Überdruß aus, verliert sich in einem eitlen Ästhetizismus, doch immerhin merkt man seinem Film die Anstrengung an, die ausufernde Fernsehödnis zu überwinden« (Hans C. Blumenberg, *Die Zeit*).

Bengelchen liebt kreuz und quer. *R* und *B* Marran Gosov. *K* (Farbe) Hubs Hagen, Niklaus Schilling. *M* Martin Böttcher. *D* Harald Leipnitz, Sybille Maar, Renate Roland, Isolde Barth, Marianne Wischmann. *P* Rob Houwer. 88 Minuten. 1968.

Bengelchen liebt kreuz und quer, bis er von einer braven Cellistin gezähmt wird.

»Engelchen hat sich ausgezahlt, also probier ich's mal mit Bengelchen, mochte sich Marran Gosov gesagt haben. Hier stock ich schon. Wer weiß, wer sich etwas sagt. *Bengelchen liebt kreuz und quer* ist gewiß unverwechselbar ein Film des Regisseurs Marran Gosov, genauso unverwechselbar ist er aber auch ein Film von Rob Houwer, dem Produzenten. Houwer hat auf Gosov gesetzt, hat ihn unter Vertrag genommen für achttausend Mark Monatsgage. Wenn die Filme laufen, verdient Houwer sich dumm und dämlich, wenn ein Film danebengeht, hat Houwer das Nachsehen und Gosov muß seinen Jaguar trotzdem nicht verkaufen . . . Die Regieprobleme, die dabei auftauchen könnten, sind, gemessen an Besetzung, Dekor und Buch, zweitrangig, werden von Gosov aber durchaus gemeistert. Den verbrauchten Harald Leipnitz hat er doch tatsächlich in Schwung gekriegt; die Fotografie von Hubs Hagen und Niklaus Schilling ist wirklich delikat; vor allem versteht Gosov sich auf Frauen, *Bengelchen* ist schon deshalb nicht langweilig, weil immer neue Mädchen auftreten, die Gosov auch individuell einzusetzen versteht« (Werner Kliess, *Film*, 1969).

Berlin Chamissoplatz. *R* Rudolf Thome. *B* Jochen Brunow, Rudolf Thome. *K* (Farbe) Martin Schäfer. *M* »Ohpsst«. *L* »Travelling«, »Transparent Messages« von Renate Horlemann (*T*), Hanns Zischler (*M*). Titelmusik Evi und die Evidrins. *T* Margit Eschenbach. *S* Ursula West. *D* Sabine Bach (Anna), Hanns Zischler (Martin), Wolfgang Kinder (Jörg), Gisela Freudenberg (Claudia), Alexander Malkowsky (Axel), Ulrich Ströhle (Anwalt), Bela Brauckmann, Anna Klasse, Ralf Lotzin, Hildegard Bach, Hans Lechner, Jochen Brunow. *P* Anthea Moana Rudolf Thome Polytel

(Hans Brockmann, Isolde Jovine). 112 Minuten. 1980.

Am Berliner Chamissoplatz begegnen sich Martin, 43, Architekt und mit dem Sanierungsprogramm für dieses Wohngebiet beauftragt, und Anna, 24, aktiv in der Mietergruppe, die in dieses Programm eingreift. Martin und Anna verlieben sich. Sie fahren nach Italien. Anna erwartet ein Kind. Martin ist verunsichert. Seine vertraulichen Informationen zu dem Sanierungsprogramm werden mißbraucht. Martin verläßt Anna. Anna folgt Martin.

Wenn Rudolf Thome den Mut aufbringt, einen so ehrlichen Film zu machen, darf man sich auch zu der Rührung bekennen, mit der man ihn genießt. Thome: »Ich hab noch nie eine richtige Liebesgeschichte gemacht (in den früheren Filmen waren die von vorn herein gebrochen) und also wollte ich das wirklich mal tun. Kurz vor dem Schreiben des Drehbuchs habe ich im Arsenal *Viaggio in Italia* gesehen, von Rosselini *(Reise in Italien)*. Das ist ein absolut wahnsinniger Film. Das war kein großes Kino, keine große Kino-Idee. Die fahren zu ihrem Haus in Neapel, gehen zu Freunden, essen irgendwo, unternehmen dieses und jenes. Es gibt so ein paar kleine Episödchen – er schaut nach anderen Frauen, sie blickt anderen Männern etwas tiefer in die Augen – aber es war nichts, ein Nichts an Geschichte. Das hat mich ungeheuer beeindruckt, und ich hatte das Gefühl, ich würde gerne eine Liebesgeschichte machen in einer ganz präzisen Umgebung, in einer ganz präzisen Situation, wo aber letzten Endes nichts anderes wichtig ist als die Liebesgeschichte. Es war für mich von Anfang an klar, daß die beiden zwei verschiedenen Generationen angehören würden – da ist bei mir natürlich eigene Erfahrung dabei. Es ist sehr reizvoll, als Vierzigjähriger mit einer Zwanzigjährigen zu tun zu haben, es ist aber vor allem auch schwierig – da sind ganz andere Erfahrungen und Vorstellungen. Und wenn der Film weitergehen würde? – Ich weiß schon, warum ich da aufgehört habe . . .« *(Presseheft)*.

Berlinger – Ein deutsches Abenteuer. *R* und *B* Bernhard Sinkel und Alf Brustellin. *K* (Farbe) Dietrich Lohmann. *M* Joe Haider. *A* Nicos Perakis. *T* Heiko Hinderks. *S* Heidi Genée. *D* Martin Benrath (Berlinger), Hannelore Elsner (Maria/Marlit), Peter Ehrlich (Roeder), Tilo Prückner (Laski), Martin Lüttge (Pfeiffer), Elisabeth Volkmann (Halm), Max Mairich (Vinzenz), Lina Carstens, Benno Hoffmann, Walter Ladengast, Hugo Lindinger, Helmut Brasch, Evelyn Künneke, Dan van Husen. *P* ABS (Alf Brustellin/Bernhard Sinkel)/Independent (Heinz Angermeyer). 115 Minuten. 1975.

In mehreren ineinander verschachtelten Zeitebenen erzählt der Film das Leben des – fiktiven – deutschen Wissenschaftlers, Abenteurers und Industriellen Lukas Berlinger: Geboren wird er 1914, sein Vater besitzt eine chemische Fabrik. Sein Freund im Internat ist Johannes Roeder, der die Fe-

Aus einem deutschen Leben: Elisabeth Schwarz, Götz George

Belcanto: Nikolaus Dutsch, Romy Haag, Kurt Raab

Berlin Chamissoplatz: Martin Schäfer, Rudolf Thome

Aus der Ferne sehe ich dieses Land: Pablo Lira, Christian Ziewer

Berlin Chamissoplatz: Sabine Bach, Hanns Zischler

Berlinger: Martin Benrath, Hannelore Elsner, Peter Ehrlich

rien meistens mit Berlinger bei dessen Eltern verbringt. 1933 beginnen beide ein Chemiestudium. Berlinger verliebt sich in Marlit, für die sich auch Roeder interessiert – bis Berlinger und Marlit heiraten. 1936 tritt Roeder in die NSDAP ein. Berlinger kauft sich ein Flugzeug und lernt fliegen. Vom Militärdienst wird er als »kriegswichtiger Wissenschaftler« freigestellt. Trotzdem arbeitet er weiter für sich, experimentiert herum und läßt die Fabrik seines Vaters im Stich. Ein Sohn wird geboren. Roeder versucht, den Freund zu zähmen – umsonst. Nachts bringt Berlinger gefährdete Persönlichkeiten mit seiner Privatmaschine über die Grenze in die Schweiz. 1941 verstärkt sich der Druck auf Berlinger. Weil die Gestapo an ihn nicht herankommt, verhaftet man Marlit. Sie nimmt sich das Leben. Berlinger gelingt es, über Frankreich nach Südamerika zu fliehen. Roeder wird aus der Partei ausgeschlossen. Nach dem Kriege hält sich Berlinger einige Jahre in Schweden auf, eh er 1968 endgültig in die Bundesrepublik zurückkehrt. Er richtet sich in der halb zerfallenen Fabrik abenteuerlich ein und macht sich daran, ein Luftschiff zu bauen. Um ihn herum wird das Land aufgekauft – von dem Baulöwen Senator Roeder. Berlinger legt sich öffentlich mit ihm an und weigert sich, Roeder das Fabrikgelände für ein geplantes Freizeitzentrum zu verkaufen. Er lernt die um dreißig Jahre jüngere Maria kennen, eine Lehrerin, die Marlit verblüffend ähnlich sieht. Anfang der siebziger Jahre wird das Luftschiff tatsächlich fertig. Roeder steht das Wasser bis zum Halse. Da passiert ein Unglück: Die Werft fliegt in die Luft. Zum zweiten Mal setzt sich Berlinger in sein Flugzeug und läßt alles hinter sich – Maria, die in Gedanken bei ihm ist, und Roeder, dessen Wechsel platzen. Aber diesmal endet Berlingers Flug in einem Baum, tödlich.

»Es scheint, als sei *Lina Braake,* das eher betuliche Spielfilm-Debüt von Bernhard Sinkel (Regie) und Alf Brustellin (Kamera), ein Vorspiel gewesen, eine vorsichtige Einübung in die Kunst des Filmemachens. *Berlinger,* Sinkel/Brustellins zweiter Film, für den beide als Autoren und Regisseure gemeinsam zeichnen, hat weit mehr intellektuelles Kapital, eine größere Kraft der Gedanken, ein tieferes Verständnis der Figuren; und hat ein unvergleichbar größeres Maß an filmischer Phantasie, geht souveräner und experimentierfreudiger mit den Mitteln des Films um« (Klaus Eder, *Deutsche Volkszeitung).*

Beschreibung einer Insel. *R* Rudolf Thome, Cynthia Beatt. *K* (Farbe) Matthew Flannagan, Sebastian Schroeder. *T* Max Hensser. *S* Clarissa Ambach. *D* Gabriele Baur, Brian Beatt, Cynthia Beatt, Susanne Christmann, Otto Kayser, Edda Köchl und die Einwohner von Ureparapara. *P* Moana. 192 Minuten. 1979.
Eine kleine Gruppe Mitteleuropäer unterzieht sich und die Einwohner von Ureparapara dem Experiment, ein halbes Jahr auf dieser Insel (Neue He-

briden) zu leben; Rudolf Thome und Cynthia Beatt verarbeiteten diese sorgfältig vorbereitete Erfahrung zu einem »ethnographischen Spielfilm aus der Südsee«.
Rudolf Thome ist ein Meisterschüler der *Cahiers du Cinéma,* die uns die Filmhochschulen, die Filmliteratur, die Programmkinos und selbst die Filme ersetzt haben, als es alles das um 1960 herum noch gar nicht gab. Eine große Rolle spielte in den *Cahiers* damals der ethnographische Film, hauptsächlich verkörpert von Jean Rouch. Auf diese Erfahrung geht wahrscheinlich *Beschreibung einer Insel* zurück. »Als Gegenstand bestimmen sich sich: zum einen die Besucher und das, was in ihnen vorgeht; zum anderen die Insel und das, was sie für ihre Besucher bereithält. Als Darstellungshaltung konkretisiert sich: einerseits die Distanz, die der feste unbewegliche Standort der Kamera suggeriert; andererseits die Ruhe, die sich durch die Dauer einstellt« (Jochen Brunow u.a.: *Chaos in die Ordnung,* in *Filme,* 1980).

Der Bettenstudent oder: was mach' ich mit den Mädchen? *R* Michael Verhoeven. *B* Volker Vogeler, nach dem Roman *Und so was lebt* von Finn Soeborg. *K* (Farbe) Heinz Hölscher. *M* Axel Linstädt/Improved Sound Ltd. *A* Heinz Eyckmeyer. *T* Haymo Heyder. *S* Jane Sperr. *D* Stella-Maria Adorf (Fee), Christof Wackernagel (Bernie), Gila von Weitershausen (Nicci), Hannelore Elsner (Brigitte), Karl Dall, Henry van Lyck. *P* Rob Houwer. 83 Minuten. 1969.
Bernie kommt aus der Provinz nach München und wird von mancherlei Damen vom Studium abgehalten.
Oder: Ich war ein männliches Engelchen. Michael Verhoeven: »Ich habe die Uni gezeigt, wie sie vor vielen Jahren war. Es sollte ein bißchen satirisch werden. Wenn überhaupt etwas Kritik darin ist, dann auf der komödiantischen Ebene« *(Fernsehen und Film).*

Bettwurst. *R* und *B* Rosa von Praunheim. *K* (Farbe) Rosa von Praunheim. *M* Rosa von Praunheim. *T* Bernd Upnmoor. *S* Rosa von Praunheim. *D* Dietmar Kracht (Dietmar), Luzi Kryn (Luzi), Steven Adamschewski (der Entführer). *P* Rosa von Praunheim. 81 Minuten. 1971.
Luzi, die unter ihrer Einsamkeit leidet, trifft am Kieler Hafen den Hilfsarbeiter Dietmar aus Berlin. Sie zeigt ihm ihr Fotoalbum und ihr Schlafzimmer; am nächsten Tag beschließen sie zusammenzubleiben. Sie schenkt ihm eine Nackenrolle (Bettwurst), er schenkt ihr das Ölgemälde einer Zigeunerin. Luzi und Dietmar verloben sich. Dann schlägt das Schicksal zu: Dietmars ehemalige Freunde entführen Luzi, um Dietmar zu kriminellen Handlungen zu erpressen. Dietmar erschießt einen der Gauner. Dann fliegt er mit Luzi in ein anderes Land, um mit dem Glück noch einmal ganz von vorn anzufangen.
Rosa von Praunheims liebenswertem *odd couple* begegnet man auch in der Fortsetzung *Berliner Bettwurst* (1973).

Dietmar Kracht ertrank 1976 im Grunewaldsee.

Bierkampf. *R* und *B* Herbert Achternbusch. *K* (Farbe) Jörg Schmidt-Reitwein. *T* Peter van Anft. *S* Christl Leyrer. *D* Herbert Achternbusch (Polizist), Annamirl Bierbichler (seine Frau), Sepp Bierbichler (ihr Bruder), Heinz Braun und Alois Hitzenbichler (Neger), Gerda Achternbusch, Barbara Gass, Gusti Mell, Karolina Herbig, Gunter Freyse, Heinrich Koll, Hans Beer, Siege Reindl. *P* Herbert Achternbusch/ZDF. 85 Minuten. 1977.
Herbert will endlich einmal jemand anderes sein als nur einer aus der Bevölkerung, stiehlt eine Polizeiuniform und treibt auf dem Münchner Oktoberfest sein Unwesen. Zum Schluß glaubt er schon selbst, Polizist zu sein, kann sich das aber nicht verzeihen und erschießt sich mit der Dienstpistole.
»Achternbuschs Kino ist auch ein Hinweis darauf, was der Neue Deutsche Film in den letzten Jahren, seit er um Weltgeltung kämpft, an subversiven Kräften verloren hat. In den späten sechziger Jahren sprach man so gerne vom Untergrundfilm. Heute ist der Untergrund entvölkert, Achternbusch der einzige Maulwurf« (Benjamin Henrichs, *Die Zeit).*

Bildnis einer Trinkerin. *R, B* und *K* (Farbe) Ulrike Ottinger. *M* Peer Raben. *T* Margit Eschenbach. *S* Ila von Hasperg. *D* Tabea Blumenschein (Sie), Lutze (Trinkerin vom Zoo), Magdalena Montezuma, Orpha Termin, Monika von Cube, Paul Glauer, Nina Hagen, Günter Meisner, Kurt Raab, Volker Spengler, Eddie Constantine. *P* Autorenfilm (Marianne Gassner). 108 Minuten. 1979.
»Ulrike Ottinger, die 1977 den außergewöhnlichen Frauen-Piratenfilm *Madame X* gedreht hat, befaßt sich in *Bildnis einer Trinkerin,* den sie auch geschrieben und photographiert hat, auf ihre feministisch originelle Weise mit dem Trinken. Die Ausgangsidee ist erstaunlich einfach. Eine elegante, gebildete, schöne Frau (Tabea Blumenschein) fliegt ohne Rückfahrkarte nach Berlin, um sich hier ganz ihrer einzigen großen Leidenschaft zu widmen – dem Trinken. Sie entwirft einen Trinkplan und macht sich daran, sich zu Tode zu trinken, doch ihr Vorhaben scheitert« (Ken Wlaschin, *NFT).*

Bis zum Ende aller Tage. *R* Franz Peter Wirth. *B* Kurt Heuser, Oliver Hassencamp, nach dem Roman *Brackwasser* von Heinrich Hauser. *K* (Farbe) Klaus von Rautenfeld. *M* Michel Michelet. *A* Hans Berthel. *T* Hans Ebel. *S* Lilian Seng. *D* Helmut Griem (Glen Dierks), Akiko (Anna Suh), Hanns Lothar (Kuddel Bratt), Carl Lange, Peter Carsten, Carla Hagen, Ursula Lillig, Klaus Kindler. *P* Nero-NDF (Seymour Nebenzal, Wolf Schwarz). 107 Minuten. 1961.
Der Matrose Glen Dierks lernt in Hongkong das Tanzmädchen Anna Suh kennen und nimmt sie mit auf seine heimatliche Hallig. Die Halligmenschen sind gegen diese Verbin-

dung, und nur riesengroße Liebe kann verhindern, daß Anna auf St. Pauli endet.
In Heinrich Hausers Roman, 1928 erschienen und mit dem Gerhart-Hauptmann-Preis ausgezeichnet, lernt der Held in Tampico die 15jährige Prostituierte Chiquita kennen; der Versuch, mit ihr auf seiner Insel glücklich zu werden, scheitert an beider offenbaren Bestimmung, nur im (sozialen wie geographisch-ethnologischen) Brackwasser existieren zu können. Nichts davon in dieser Verfilmung im gehobenen Schnulzen-Stil. Eine sehr traurige, enttäuschende Heimkehr von Produzent Seymour Nebenzal zum deutschen Film; bevor Nebenzal 1933 zuerst nach Frankreich, dann nach USA emigrieren mußte, war er neben Erich Pommer der beste deutsche Filmproduzent *(Dreigroschenoper, Kameradschaft).*

Bis zum Happy End. *R* Theodor Kotulla. *B* Hans Stempel, Martin Ripkens. *K* Peter Sickert. *M* Ludwig van Beethoven, Wolfgang Amadeus Mozart. *D* Klaus Löwitsch (Arnold), Beatrix Ost (Frieda), Christof Hege (Peter), Helga Sommerfeld (Vera), Roger Fritz (Paul). *P* Iduna. 94 Minuten. 1968.
Ein Unglücksfall bringt ein scheinbar harmonisches Familienleben durcheinander.
Das trübsinnige Langfilm-Debüt von Theo Kotulla, Jahrgang 1928 aus Oberschlesien, zehn Jahre lang ein der Säulen der *Filmkritik,* 1964 – 67 vier kurze Dokumentar- und Spielfilme, der 1971 noch einen weiteren Katzenjammerfilm drehte, *Ohne Nachsicht,* bis er mit *Aus einem deutschen Leben* (1976) zu seiner wahren Form auflief.

Ein bißchen Liebe. *R* Veith von Fürstenberg. *B* Veith von Fürstenberg, Max Zihlmann. *K* Robby Müller. *D* Burkhard Schlicht (Nick), Brigitte Berger, Eva Maria Herzig. *P* Wim Wenders/Veith von Fürstenberg. 81 Minuten. 1974.
Der junge Nick wird von seiner Frau Betty noch in der Hochzeitsnacht verlassen, weil er einen Posten in der Firma seines Vaters annimmt, anstatt in Rio die Stelle eines Korrespondenten anzutreten. Für eine Weile gehen beide getrennte Wege, um dann zum Happy-End wieder zusammenzufinden.
Erste Solo-Regie von Veith von Fürstenberg, der 1971 zusammen mit Martin Müller *Furchtlose Flieger* gedreht hatte und später nur noch als Produzent auftrat. »Ein vergnüglicher, gut gemachter Film mit Humor, durchgängiger Eleganz und einem Schuß Melancholie« (Eckhart Schmidt, *Deutsche Zeitung).*

Blondie's Number One. *R* Robert Van Ackeren. *B* Blondie. *K* (Farbe) Jürgen Jürges. *T* Christoph Busse. *S* Gisela Bienert. *D* Gabi Larifari (Gabi), Barny O'Brian (Barny), Tom Snigger, Dolores Makonda, Chris Little, H.P. von Sinnen. *P* Manfred Martin Schwarz. 98 Minuten. 1971.

Gabi lebt als Ausländerin in Berlin, muß aber, um ihre Aufenthaltsgenehmigung verlängert zu bekommen, schnellstens einen Ehemann auftreiben. Ihr Freund Barny gibt vor, ihr bei der Suche nach einem Heiratswilligen zu helfen, doch sie hat seine Zuhältermethoden bald satt und macht sich auf eigene Faust an die Arbeit. An den fünftausend Mark Belohnung, die sie zahlen will, sind viele interessiert, doch nach einer Odyssee durch den Underground landet Gabi wieder bei Barny. Erster Spielfilm des Kameramannes Robert Van Ackeren. »Hätte Van Ackeren sein Negativ-Porträt der einheimischen Subkultur nach einem perfekten Drehbuch arrangiert – es wäre degoutant ausgefallen. Doch der Regisseur blieb redlich: *Blondie's Number One,* diese traurige und erschreckende Dokumentation, ist an den Wohnplätzen so authentisch (mit improvisierten Dialogen) und schlicht aufgenommen worden, daß sich eine Film-Kritik allenfalls gegen die passive Lebensweise der Mitspieler richten könnte. Sogar die lockere Spielhandlung, lediglich Vorwand für die Selbstcharakterisierung der Akteure, ist belegt: Eine Teefabrikantentochter (Pseudonym Blondie), 19, hat aus ihrem Leben ›ein paar Sachen, die so sind, wie sie sind‹, als Filmvorlage geschrieben« *(Der Spiegel).*

Bomber und Paganini. R Nicos Perakis. B Nicos Perakis, Joe Hembus, Uli Greiwe. K (Farbe) Dietrich Lohmann. M Nicos Mamangakis. A Winfried Hennig. T Karl Schliefelner. S Susi Jäger. D Mario Adorf (Bomber), Tilo Prückner (Paganini), Barbara Valentin (Mona), Margot Werner (Mina), Hannelore Schroth, Heinrich Schweiger, Otto Tausig, Rainer Artenfels, Otto Ambros, Hark Bohm, Hannelore Elsner. P Joachim von Vietinghoff, Nicos Perakis/Sascha, Wien/ZDF. 114 Minuten. 1976.
Bomber und Paganini, zwei Typen aus der Unterwelt, haben Pech: Bei dem Versuch, einen Geldschrank zu knacken, explodiert die Sauerstoffflasche. Bomber verliert sein Augenlicht, und Paganini kann nicht mehr laufen. Nach ihrer Entlassung aus dem Gefängniskrankenhaus sind sie aufeinander angewiesen, denn das Gaunersyndikat hat sie ausgestoßen. Mit schäbigen Gaunereien, die den beiden Invaliden niemand zutrauen würde, halten sie sich mühsam über Wasser. Zufällig erfahren sie vom nächsten Coup des Syndikats. Sie beschließen, ihren ehemaligen Kumpeln die Beute abzujagen und besorgen sich einen Karabiner, den sie zu zweit in Anschlag bringen. Der geraubte Geldtransport mit den Gangstern am Steuer stürzt einen Abhang hinunter und explodiert, wodurch Bomber plötzlich wieder sehen kann. Paganini segelt mit seinem Rollstuhl ebenfalls über die Böschung und kann mit einem Male wieder gehen. Bomber, der Paganini für den Tod der Kumpel verantwortlich macht, stürzt sich auf ihn, und beide liefern sich ein wildes Gefecht, bis sie wieder Krüppel sind. Reich, aber behindert kehren sie in ihre Wunder-Bar zurück und feiern die Wiedereröffnung mit einer Revue.

Der Grieche Nicos Perakis, seit 1963 in München ansässig, war 1971 einer der Co-Autoren und -Regisseure des Films *Das goldene Ding* (neben Stöckl, Reitz und Brustellin). Außerdem besorgte er für diesen Film – wie auch später für *Strohfeuer, Die Verrohung des Franz Blum, Lina Braake, Berlinger* und *Die Blechtrommel* – die Ausstattung. Für seinen Erstling *Bomber und Paganini* bekam er 1976 eine Bundesfilmprämie und drei der fünf Hauptpreise auf dem Filmkomödien-Festival in La Coruna 1977 (bester Film, bester Gag, bester Darsteller). »Nicos Perakis baut seinen Einfall von den tückischen Ganoven-Krüppeln zu einem Lustspiel aus, in dem er mit viel Liebe und erstaunlicher Souveränität Beispiele visueller Komik aneinanderreiht. *Bomber und Paganini* ist fast so etwas wie eine Anthologie der überlieferten Jux-Formen: Die deftige Klamotte hat hier ebenso ihren Platz wie die Slapstickpointe, die Parodie oder der schwarze Humor. Der Film hat Schwächen. Er hängt im Mittelteil durch, wiederholt gewisse Gags, kippt zuweilen von der schiefen Ebene in eine für dieses Thema nicht brauchbare Realität. Es lohnt sich, dies zu übersehen und auf Qualitäten aufmerksam zu machen (herrlich das Tandem Mario Adorf und Tilo Prückner), wie sie ein deutscher Unterhaltungsfilm schon lange nicht mehr zu bieten hatte« (Michael Lentz, *Westdeutsche Allgemeine Zeitung*).

Brücke des Schicksals. R Michael Kehlmann. B Fritz Böttger, Joachim Wedekind. K Karl Schröder. D Hannes Messemer (Klaus Urban), Sabina Sesselmann (Ingo), Günter Pfitzmann (Frank Mossdorf), Elisabeth Flickenschildt (Frau Kossitzki), Carl Lange, Hans Dieter Zeidler, Bobby Todd, Eva Maria Meineke. P Filmaufbau (Heinz Angermeyer, Gottfried Wegeleben). 100 Minuten. 1960.
Ehrgeiziger Fotoreporter inszeniert Unfälle, um zu sensationellen Bildern zu kommen.
Das Filmdebüt des verdienten Fernsehregisseurs Kehlmann, der aber auch mit seinen weiteren Kinowerken *Das Leben beginnt um acht* (1961) und *Kurzer Prozeß* (1967) nicht zur Belebung der Szene beitrug. Die TV-Regie-Asse, die im Kino Gastspiele gaben, waren durchweg keine Autorenfilmer, sondern brave Regie-Angestellte.

Der Brief. R und B Vlado Kristl. K Wolf Wirth. M Gerhard Bommersheim. S Eva Zeyn. D Vlado Kristl, Mechtild Engel, Eva Hofmeister, Horst Manfred Adloff, Peter Berling, Otmar Engel, Walter Krüttner, Klaus Lemke, George Moorse, Karsten Peters, Hans Posegga, Christian Rischert, Eckhart Schmidt, Franz Josef Spieker, Hans Rolf Strobel, Gerard Vandenberg, Max Zihlmann und Maria, Peter, Ulrich, Thomas und Victor Schamoni. P Peter Genée mit Unterstützung des Kuratoriums Junger Deutscher Film. 82 Minuten. 1966.

Der Brief: Ulrich Schamoni

Der Brief: Vlado Kristl

Bomber und Paganini: Tilo Prückner, Mario Adorf

Bildnis einer Trinkerin: Lutze, Tabea Blumenschein

Inhalt laut Kristls Vorbemerkung im Drehbuch: »T. findet einen Brief. Anstatt ihn einfach in den Postkasten zu werfen, entschließt er sich, pflichtbewußt, wie er ist, ihn persönlich zu übergeben. Er wandert darum durch die ganze Welt, findet erstaunliche Formen der Existenz, läßt sich aber nicht aufhalten und sucht so lange weiter, bis er endlich die Adresse findet. Dort erfährt er, daß er sein eigenes Urteil mitgebracht hat. Er war hingerichtet. Man fühlt Sympathie für einen Menschen, der eine ideale Sache vertritt. Aber natürlich ist niemand bereit, ihm auf diesem Weg zu folgen. Auf seiner Wanderung gerät er auch in eine Revolution. Alles was ihm widerfährt, wirft ein Licht auf die Widersprüchlichkeit der Welt von heute.«

Mit seinem ersten Langfilm *Der Damm* (1964) hat Vlado Kristl sich die Kinos nicht erobert, teils weil er gar nicht zum Sturm auf sie antrat (»Wenn ein Verleiher nach dem Film greift, müßte ich mich fragen, welchen entscheidenden Fehler ich gemacht habe«), teils weil der Regisseur darauf beharrte, daß sein Film nur bei vollem Saallicht und offenen Türen gespielt werden dürfte. Trotzdem kam Kristl relativ schnell in die Lage, seinen zweiten Film drehen zu können. Sein Drehbuch *Der Brief* gewann einen Wettbewerb des Clubs der Münchner Filmkritik um das beste noch nicht realisierte Filmscript, den Carl Mayer-Preis, dotiert mit 5000 Mark ausgerechnet von dem Atlas-Verleihchef Hanns Eckelkamp, den Kristl beim *Damm* das Fürchten gelehrt hatte (siehe dort). Es war ein leichtverständliches Drehbuch voll groteskem Witz und tiefem Sinn. Das Kuratorium Junger Deutscher Film finanzierte die Produktion mit DM 300000. Wütend darüber, daß die Leute den noch gar nicht gedrehten Film schon fertig vor sich sahen, und angeekelt von den verderblichen Wirkungen von Finanzmitteln (»Wenn man dann so einen Film dreht, wird der Film mit Geld gedreht und nicht mehr mit Geist«), inszenierte Kristl das Drehbuch mit der ganzen Wucht seines destruktiven Genies kaputt. Helmut Färber in *Filmkritik*: »Alle diese Szenenkomplexe enthalten reichlich parabolischen Sinn, der sich jenem etwa von Polanskis Kurzfilmen vergleichen ließe – mit deren Individuen die Kristl-Leute entfernt verwandt sind –, wenn nicht Kristls Szenen ständig über ihren eigenen Gehalt herfielen und ihn beschimpften und verprügelten, genau wie die Leute im Film sich beschimpfen und verprügeln. Durch den Befehl an den Kameramann, seine Maschine nie ruhig und nie auf Wichtiges zu halten, und durch seinen Staccato-Schnitt bringt Kristl seine Szenen zu einem aktiven Eigenleben, wie wenn die Striche einer Zeichnung anfingen sich zu regen und vom Blatt zu lösen.« Aus dem Originaldrehbuch könnte jederzeit jeder talentierte Regie-Assistent einen saukomischen, sinnvollen, sehr erfolgversprechenden Film drehen; das wäre dann die erste wirkliche Realisierung dieses Buches. Kristls *Brief* ist etwas ganz anderes: »Die verschlüsselte Geschichte vom Don Quijote, der durch die Wirren einer Revolution taumelt: vom Vlado K., der die Verpflichtung fühlt, den Brief an die ihm bestimmte Instanz zu befördern; vom Filmemacher Kristl, der sich, Sisyphos gleich, bemüht, der Welt immer neue Bilder abzugewinnen, und dabei doch weiß: sie birgt so viel noch nicht Gesehenes, daß einer im Vergleich zu den Möglichkeiten immer >blind< bleiben muß – alle diese Verschlüsselungen werden zerstückelt und als Motiv-Fragmente, wiederkehrend, auf Wiederkehr insistierend, über den Film verteilt« (Ernst Wendt, *Film*, 1967).

Die Brüder. R Wolf Gremm. B Wolf Gremm, unter Mitverwendung der Kurzgeschichte *The Little Girl Eater* von Septimus Dale. K (Farbe) Jost Vacano. M Guido und Maurizio de Angelis. A Willy Kley, Rolf Kaden, Bernhard Frey. T Gunther Kortwich. S Siegrun Jäger. D Klaus Löwitsch (Frank Fachmin), Doris Kunstmann (Sandra Fachmin), Erika Pluhar (Rachel Fachmin), Georges Wilson (Rudolf Fachmin), Peter Sattmann (Roman Fachmin, 22 Jahre), Christian Bzik (Roman Fachmin, 9 Jahre), Peter Fitz, Ignaz Kircher, Günter Meisner. P Regina Ziegler. 99 Minuten. 1977.
1963. Rachel, zweite Frau des alternden Landarztes Dr. Rudolf Fachmin, hat ein Verhältnis mit ihrem Stiefsohn Frank. Ihr eigener Sprößling Roman kommt dahinter, setzt für Frank die Badewanne unter Strom und ist entsetzt, als unerwartet seine Mutter in die Falle tappt. Von nun an ist sie an den Rollstuhl gefesselt. – 1976. Rachel übergibt kurz vor ihrem Tode ihrem Stiefsohn und dem nun zweiundzwanzigjährigen Roman einen Brief, der sie darüber aufklärt, daß sie in Wahrheit Vater und Sohn sind. Aus dem erfolgreichen Rechtsanwalt Frank ist aber inzwischen ein heruntergekommener Rauschgiftsüchtiger geworden, dem auch seine junge Frau Sandra nicht helfen kann. Nachdem er einen Polizisten getötet hat, läßt er sich absichtlich von seinem Morphium-Arzt erschießen. Roman hat sich derweil in seine Stiefmutter Sandra verliebt.
Die Brüder, Wolf Gremms dritter Kinofilm, machte 1976/77 als der erste vollkommen unabhängig produzierte Film des Neuen Deutschen Films von sich reden. Regina Ziegler, deren sechste Produktion dies war, hatte die Kosten von 1,5 Millionen Mark ohne Fernsehbeteiligung, Verleihgarantie oder Subventionierung durch Prämien oder Darlehen der Filmförderungsanstalt auftreiben können und dafür sogar ihr Haus verpfändet. Sie stand hinter dem ihrer Ansicht nach publikumswirksamen Stoff (und natürlich hinter ihrem Lebensgefährten Wolf Gremm) und vertraute darauf, daß *Die Brüder* ebenso erfolgreich sein würde wie *Lina Braake* und *Katharina Blum*. Regina Zieglers Mut und Risikobereitschaft verdienen wirklich Respekt; Gremms Filme werden dadurch indes nicht besser. »Wolf Gremm hat sich da einen Familien-Alptraum von der Seele gefilmt, ohne mit seinem privaten Melodrama allzuoft in allgemein-

gültigere Gefilde vorzustoßen. Amüsiert folgt man den abstrusen gegenseitigen Verstrickungen der fünf Protagonisten und bestaunt die naiv absolvierten Haßtiraden, breit ausgespielte Leidenschaften und abrupte Gefühlsschwankungen. Obwohl Gremm eine Handvoll passabler Schauspieler zur Verfügung standen – selten sah man Klaus Löwitsch, Erika Pluhar oder Georges Wilson so platt, so undifferenziert, so lachhaft agieren« (Eckhart Schmidt, *Deutsche Zeitung*). Doch weder Ziegler noch Gremm ließen sich von dem nur mäßigen Erfolg ihres Lieblingsprojektes entmutigen.

Brummer-Filme: *Graf Porno und seine Mädchen* (R Günter Hendel, mit Rinaldo Talamonti, Doris Arden, Ellen Umlauf, Januar 1969). *Graf Porno und die liebesdurstigen Töchter* (R Günter Hendel, mit Rinaldo Talamonti, Carola Höhn, Ingeborg Piontek, Dezember 1969). *Eros-Center Hamburg* (R Günter Hendel, mit Christine Lange, Regina Jorn, Achim Hammer, Oktober 1969). *Dr. Fummel und seine Gespielinnen* (R Atze Glanert, mit Michael Cramer, Veronika Faber, Robert Fackler, April 1970). *Graf Porno bläst zum Zapfenstreich* (R Alois Brummer, mit Rinaldo Talamonti, Doris Arden, Michael Cromes, Oktober 1970). *Beichte einer Liebestollen* (R Alois Brummer, mit Rinaldo Talamonti, Gertrud Bald, Eva Karinka, Februar 1971). *Gestatten . . . Vögelein im Dienst* (R Albert Trennalg, mit Eva Karinka, Robert Fackler, Annemarie Fendl, April 1971). *Pornografie illegal* (R Alois Brummer, Oktober 1971). *Obszönitäten* (R Alois Brummer, mit Stefan Grey, Myriam Moor, Kurt Großkurth, September 1971). *Gefährlicher Sex frühreifer Mädchen* (R Alois Brummer, mit Elke Hagen, Jutta Dorn, Eva Karinka, Januar 1972). *Gefährlicher Sex frühreifer Mädchen II* (R Alois Brummer, mit Eva Karinka, Elke Hagen, Eleonore Leipert, 1972). *Geilermanns Töchter – Wenn Mädchen mündig werden* (R Alois Brummer, mit Ulrike Butz, Logena Marks, Viktor Lange, April 1973). *Unterm Dirndl wird gejodelt* (R Alois Brummer, mit Gisela Schwarz, Annemarie Wendl, Franz Muxeneder, November 1973). *Liebesmarkt* (R Hubert Frank, mit Monika Mark, Carmen Jaeckel, Michael Maien, August 1973). *Beim Jodeln juckt die Lederhose* (R Alois Brummer, mit Franz Muxeneder, Judith Fritsch, Rosl Mayr, Juli 1974). *Hey Marie, ich brauch mehr Schlaf, auf ins blaukarierte Himmelbett* (R Alois Brummer, mit Franz Muxeneder, Josef Moosholzer, Herbert Fux, Dezember 1974). *Zwei Kumpel in Tirol* (R Alois Brummer, mit Ingrid Steeger, Franz Muxeneder, Rinaldo Talamonti, 1978).
Alois Brummer war ursprünglich Speditionsunternehmer und Kinobesitzer. Nach dem Verkauf seiner Spedition warf er sich in den sechziger Jahren ganz auf das Kinogeschäft. Zu den Filmtheatern kamen bald eine Produktion und ein Verleih, deren berüchtigte Spezialität die »Brummer-Filme« wurden, Sex-Filme, die der un-

ternehmende Bayer zuerst nur produzierte und verlieh, dann auch selbst inszenierte, zum Schluß sogar selbst schrieb. Die Filme machten ihn schnell zum vielfachen Millionär, der sich aber immer die Schlichtheit seines humorigen Gemüts erhielt. »In einer Statistik des geschäftlichen Erfolgs lag im ersten Vierteljahr 1969 an dritter Stelle aller in der Bundesrepublik ausgewerteten Filme *Graf Porno und seine Mädchen* von Günter Hendel aus der Produktion des Münchner Kleinverleihers und Produzenten Alois Brummer. Der *Graf Porno*-Film hat nach Angaben von Brummer 350000 DM gekostet, wahrscheinlich weniger. Er hat bis jetzt über zweieinhalb Millionen Besucher gehabt. Da Alois Brummer den Film im eigenen Verleih herausbringt, also 41% der Bruttoeinnahmen kassiert, hat er bis jetzt schon über 2 Millionen Gewinn gebracht . . . Die (FSK-freigegebenen) Filme haben mit Pornografie nichts zu tun. Im *Graf Porno* stolpert ein alberner Detektiv durch ein Mädchenpensionat, was Vorwände für Nacktszenen gibt. Story und darstellerische Leistungen sind dürftig, die Mädchen eher unansehlich« *(Film*, 1969). Hans Jürgen Syberberg drehte 1969, also noch zu Anfang des Brummer-Booms, den Dokumentarfilm *Sex Business made in Pasing*, in dem Brummer mit sympathischer Offenheit von seinem Metier plaudert, so zum Beispiel über kleine Differenzen mit seinem Regisseur Hendel: »Er wollt' zum Beispiel im *Eros-Center*, da wollt' er mir die Geigenmoni net reinmachen. Die Geigen-Moni und der Baron von Schlekker, wo er fremd geht, das sind die beiden schönsten Stellen vom ganzen Film, weil sie lustig sind, vor allem die Schadenfreude der Frauen, wenn sie sehen, ha, der is fremd 'gangen, kriegt eine drauf undsoweiter. Dann auch im Dialog, s' sehr schöne Dialoge drin, von einem, der is so warm, daß er sich mit der Hand die Hosen bügeln kann, des is doch'n schöner Dialog, gell, der G'saufer Strammsackel, haha . . .« Wie in allen billig gemachten Filmserien werden die späteren Filme oft teilweise aus Szenen und Sequenzen früherer Filme zusammengeflickt. Dieses Verfahren nennt man Umproduktion.

Bruno – der Schwarze, es blies ein Jäger wohl in sein Horn. R und B Lutz Eisholz. K (Farbe) Joseph Dayan. D Bruno S., Roland Neumann, Lotte Pause, Elisabeth Sauer, Rolf Sauer, Anja Schwerk. P Deutsche Film- und Fernsehakademie. 81 Minuten. 1970.
»Ein beklemmender Film, sprunghaft assoziativ in seinem Aufbau. Monologe von drei Männern, die – durch Schuld ihrer Familien, abstrakter: der Gesellschaft, auch durch Krankheit, oder manchmal: was man so >Krankheit< nennt – zu Außenseitern geworden sind, die kaum mehr Kontakt zu anderen Menschen finden. Hauptperson: ein Berliner Straßensänger, Bruno, knapp vierzig Jahre alt, unehelich geboren, von seiner Mutter einst in eine >Irrenanstalt< gesteckt, später

herumgeschubst von Heim zu Heim, 1958, nachdem seine Kontaktfähigkeit völlig zerbrochen war, als ›geheilt‹ entlassen. Froh, in Kamera und Mikrofon einen Partner gefunden zu haben, reden Bruno und die beiden anderen, erzählen ihr Schicksal, meditieren darüber, suchen einen Schuldigen. Bruno hat eine poetische Phantasie, die dem Wahnsinn verwandt ist. Manchmal denkt man an Büchners *Woyzeck,* bei einzelnen Sätzen auch an Ernst Jandl. Flüchtet Bruno in die Phantasie oder ist er von ihr geschlagen?« (Wilhelm Roth, *Filmkritik*). Vier Jahre später steht Bruno S. als Hauptdarsteller in Werner Herzogs *Jeder für sich und Gott gegen alle* (Kaspar Hauser) vor der Kamera, und 1977 fährt er als Herzogs *Stroszek* nach Amerika.

Bübchen (später: *Der kleine Vampir*). *R* und *B* Roland Klick. *K* (Farbe) Robert Van Ackeren. *M* Roland Klick *S* Jane Seitz. *D* Sascha Urchs (Achim), Sieghardt Rupp (Vater), Renate Roland (Monika), Edith Volkmann (Mutter), Jürgen Jung (Otto), Elisabeth Ackermann, Hubert Suschka, Ulrich Beiger, Hans Kahlert, Gerda-Maria Jürgens. *P* Rob Houwer/BR. 85 Minuten. 1969.
Achims Eltern fahren an einem Samstagnachmittag zu einem Richtfest. Monika soll auf die Kinder aufpassen. Doch als Monika von ihrem Freund Otto zu einer Spazierfahrt eingeladen wird, läßt sie Achim und seine kleine Schwester allein zu Hause. Beim Spielen stülpt Achim dem Mädchen eine Plastikhülle über den Kopf, wird abgelenkt und findet das Kind wenig später erstickt. In einem Handwagen fährt er die kleine Leiche auf den Schrottplatz und versteckt sie dort. Die Eltern kommen zurück, die Suche nach dem Kind beginnt. Der Verdacht fällt zunächst auf Monikas Freund, doch schließlich rückt Achim mit der Wahrheit heraus. Inzwischen hatte sein Vater aber die Zusammenhänge bereits erkannt, hat die Leiche seiner Tochter im Autowrack aufgespürt und sie weggeschafft.
»Das Motiv wird indirekt mitgeteilt: Vorstadt, enger bedrückender Spießermuff, brutale leere Gesichter, Salzstangen, Bier und kalt gewordener Nudelauflauf – eine Atmosphäre lähmender Trostlosigkeit und schwelenden Unglücks. Zuerst verrissen, nach zwei Jahren neu gestartet als *Der kleine Vampir* und da hochgelobt, erscheint dieser Film heute ganz frisch; seine raffinierten dramaturgischen Spannungsbögen seine Spannung, seine Klarheit Erschrecken« (Wolf Donner, *Die Zeit*). Roland Klicks Spielfilmdebüt nach drei Kurzfilmen und dem mittellangen *Jimmy Orpheus* (1966).

Cardillac. *R* Edgar Reitz. *B* Edgar Reitz, nach der Erzählung *Das Fräulein von Scudéri* von E. T. A. Hoffmann. *K* (Farbe mit Schwarzweiß-Teilen) Dietrich Lohmann. *M* Johann Sebastian Bach. *T* Peter Beil. *S* Maximiliane Mainka, Jessy von Sternberg. *D* Urs Jenny (Erzähler), Hans Christian

Blech (Cardillac), Catana Cayetano (Madelon), Rolf Becker (Olivier), Liane Hielscher, Werner Leschhorn, Gunter Sachs, Heidi Stroh. *P* Edgar Reitz. 97 Minuten. 1968/1970.
Der Goldschmied Cardillac schließt sich von der Welt ab und widmet sich ganz seiner Arbeit. Die einzigen Menschen, mit denen er verkehrt, sind sein Gehilfe Olivier und seine dunkelhäutige Tochter Madelon, die aus seiner gescheiterten Ehe mit einer Lateinamerikanerin stammt. Die schöne Madelon muß ihrem Vater in einem eigens dafür hergerichteten Raum die von ihm gefertigten Schmuckstücke vorführen. Cardillac liebt seine Werke dermaßen, daß er sie nur ungern verkauft. Zwingen ihn die Umstände, eines seiner Schmuckstücke zu verkaufen, so tötet er später den Kunden und holt sich die Stücke zurück. Immer tiefer in die Welt seines Wahns versunken, bringt er sich schließlich mit einem selbstkonstruierten elektrischen Stuhl um.
In einem Gespräch mit Ulrich Gregor hat Alexander Kluge erzählt, wie die Autorenfilmer nach ihren ersten Erfolgen durch die Begegnung mit der Protestbewegung in Verlegenheit gerieten, »weil einer solchen Konfrontation mit der vehementen, aber auch sehr abstrakten Linie der Studenten die Autorenfilmer nicht gewachsen waren, die ja noch nicht richtig gelernt hatten, was Kino überhaupt sein sollte . . . Das hat dann zunächst dazu geführt, daß ich *Die Artisten in der Zirkuskuppel: ratlos* gemacht habe, Reitz den *Cardillac,* einen Film zum gleichen Thema« (Gregor u. a.: *Herzog, Kluge, Straub,* 1976). Es war aber, wie Reitz ergänzt, nicht nur der Zusammenstoß mit einer politischen Bewegung, die zum *Cardillac* geführt hat, sondern auch die Konfrontation mit einer Industrie: »Ich habe mir bei meinem ersten Spielfilm eingebildet, absolut frei zu sein. Und ich habe gedacht, daß das Geld eine Chance ist, das zu machen, was ich will. Heute weiß ich: wenn ich in einem Land gelebt hätte, in dem eine blühende Filmwirtschaft verbunden mit einer blühenden Filmkultur herrschte, dann wäre ich mit meinem Drehbuch zu einer wirklich florierenden Produktion gekommen. Die hätten kalkuliert und gesagt, der Film kostet zweieinhalb Millionen. Und es wäre ein völlig anderer Film geworden. Bei meinem zweiten Film, *Cardillac,* waren mir die Zusammenhänge schon klargeworden, und da habe ich sie ja regelrecht zum Thema genommen. Ich habe versucht, den Künstler als Einzelexistenz in seiner ganzen Absurdität zu porträtieren, also daraus ein Thema zu machen. Aber das Ergebnis ist natürlich auch hier: Man sieht diesem Film an, daß er von einem deutschen Filmemacher in seiner spezifischen Klemme handelt« (Barbara Bronnen, Corinna Brocher: *Die Filmemacher,* 1973).

Carlos. *R* Hans W. Geissendörfer. *B* Hans W. Geissendörfer, nach dem Bühnenstück *Don Carlos* von Friedrich Schiller. *K* (Farbe) Robby Müller. *M* Ernst Brandner. *A* Uta Wilhelm,

Die Brüder: Klaus Löwitsch, Erika Pluhar

Bruno der Schwarze: Bruno S.

Hans Gailling. *S* Wolfgang Hedinger. *D* Gottfried John (Carlos), Bernhard Wicki (Philipp), Geraldine Chaplin (Lisa), Anna Karina (Clara), Thomas Hunter (Pedro), Horst Frank (Ligo), Shaike Ophir, Lorenza Colville, Ruven Steffer, Mona Silberstein. *P* Iduna/WDR (Ernst Liesenhoff). 102 Minuten. 1971.

Südamerika, um 1915. Der Großgrundbesitzer Philipp terrorisiert die armen Bauern und beutet sie als Arbeiter in seinen Steinbrüchen aus. Sein Sohn Carlos und der Wunderarzt Pedro verstricken sich in Intrigen und verhindern dadurch den von ihnen selbst initiierten Aufstand. Erfolg- und wehrlos tritt Carlos seinem Vater zum letzten Showdown gegenüber.

Nach *Jonathan* Geissendörfers zweite Übung im Genre-Film, ein in Israel aufwendig gedrehter Quasi-Western. Manche Kritiker mochten den Film überhaupt nicht, andere waren fast besinnungslos vor Begeisterung: »Mit *Carlos* ist Geissendörfer ein beispielhafter Trivialfilm gelungen: ein europäischer Western, der in der wirksamen Anordnung der längst zu Klischees gewordenen Westernelemente Sergio Leones *Spiel mir das Lied vom Tod* zumindest ebenbürtig ist« (Wolfgang Ruf, *Die Zeit*, 1971).

Car-Napping. *R* und *B* Wigbert Wikker. *K* (Farbe) Gernot Roll. *M* Sam Spence. *A* Harry Freude, Barbara Schnaase. *T* Walter Kellerhals. *S* Ursula Eplinius. *D* Bernd Stephan (Robert Mehring), Anny Duperey (Claudia Klessing), Ivan Desny (Konsul Barnet), Günter Tabor, Adrian Hoven, Eddie Constantine, Adolfo Celi, Michel Galabru, Dieter Augustin, Götz Kaufmann, Hans Beerhenke, Alexis von Hagemeister, Franz Marischka, Peter Schiff. *P* Terra (Lothar H. Krischer) /Dieter Geissler/HR. 89 Minuten. 1980.

Ein hereingelegter Designer rächt sich an seinem Boß. Er baut seine zerstörte Existenz neu auf – als König der Autoschieber. Motto: bestellt – geklaut – geliefert.

Wigbert Wicker, einer der dienstältesten Regieassistenten des deutschen Films (u. a. bei Rainer Erler, Franz Peter Wirth, Alfred Vohrer), drehte seinen ersten Spielfilm mit deutlichem Blick auf Philippe de Broca. Bernd Stephan ist zwar nicht Jean-Paul Belmondo, aber für eine deutsche Action-Komödie ist der Film gar nicht mal übel.

Caterina Valente & Conny & Peter & Peter Alexander-Schlagerfilme: *Laß' die Sonne wieder scheinen* (R Hubert Marischka, mit Conny Froboess, 1955). *Liebe, Tanz und 1000 Schlager* (R Paul Martin, mit Caterina Valente, Peter Alexander, Silvio Francesco, den Sunshines, dem Comedian-Quartett, dem Lucas Trio, Bill Ramsey, den 3 Hill Billys und den Kapellen Kurt Edelhagen und Hazy Osterwald, 1955). *Bonjour Kathrin* (R Karl Anton, mit Caterina Valente, Peter Alexander, Silvio Francesco, dem Comedian-Quartett, dem Sunshine-Quartett, dem Cornel-Trio und den Kapel-

len Kurt Edelhagen und Adalbert Luczowski, 1955). *Du bist Musik* (R Paul Martin, mit Caterina Valente, 1956). *Musikparade* (R Géza von Cziffra, mit Peter Alexander, Bibi Johns, Georg Thomalla, 1956). *Münchhausen in Afrika* (R Werner Jacobs, mit Peter Alexander, dem Comedian-Quartett, dem Lucas-Trio, den Moonlights und dem Orchester Kurt Edelhagen, 1957). *Das haut hin* (R Géza von Cziffra, mit Peter Alexander, 1957). *Liebe, Jazz und Übermut* (R Erik Ode, mit Peter Alexander, Bibi Johns, 1957). *Und abends in die Scala* (R Erik Ode, mit Caterina Valente, Silvio Francesco, 1957). *Wehe wenn sie losgelassen* (R Géza von Cziffra, mit Peter Alexander, Bibi Johns, 1958). *So ein Millionär hat's schwer* (R Géza von Cziffra, mit Peter Alexander, Germaine Damar, Dezember 1958). *Wenn die Conny mit dem Peter* (R Fritz Umgelter, mit Conny Froboess, Peter Kraus, Alexander Gildo = Rex Gildo, Dezember 1958). *Hier bin ich, hier bleib ich* (R Werner Jacobs, mit Caterina Valente, Januar 1959). *Schlag auf Schlag* (R Géza von Cziffra, mit Peter Alexander, Januar 1959). *Hula-Hopp, Conny* (R Heinz Paul, mit Conny Froboess, März 1959). *Peter schießt den Vogel ab* (R Géza von Cziffra, mit Peter Alexander, Germaine Damar, Mai 1959). *Alle lieben Peter* (R Wolfgang Becker, mit Peter Kraus, Juni 1959). *Wenn das mein großer Bruder wüßte* (R Erik Ode, mit Conny Froboess, Fred Bertelmann, August 1959). *Melodie und Rhythmus* (R John Olden, mit Peter Kraus, September 1959). *Ich bin kein Casanova* (R Géza von Cziffra, mit Peter Alexander, September 1959). *Du bist wunderbar* (R Paul Martin, mit Caterina Valente, Oktober 1959). *Ja so ein Mädchen mit 16* (R Hans Grimm, mit Conny Froboess, Rex Gildo, Oktober 1959). *Salem Aleikum* (R Géza von Cziffra, mit Peter Alexander, Germaine Damar, Dezember 1959). *Ich zähle täglich meine Sorgen* (R Paul Martin, mit Peter Alexander, Mai 1960). *Meine Nichte tut das nicht* (R F. J. Gottlieb, mit Conny Froboess, Fred Bertelmann, Juni 1960). *Kriminaltango* (R Géza von Cziffra, mit Peter Alexander, Vivi Bach, August 1960). *Conny und Peter machen Musik* (R Werner Jacobs, mit Conny Froboess, Peter Kraus, August 1960). *Im Weißen Rößl* (R Werner Jacobs, mit Peter Alexander, Waltraut Haas, Dezember 1960). *Mein Mann, das Wirtschaftswunder* (R Ulrich Erfurth, mit Conny Froboess, Marika Rökk, Heinz Erhardt, Januar 1961). *Die Abenteuer des Grafen Bobby* (R Géza von Cziffra, mit Peter Alexander, Bill Ramsey, April 1961). *Junge Leute brauchen Liebe* (R Géza von Cziffra, mit Conny Froboess, Johannes Heesters, Mai 1961). *Mariandl* (R Werner Jacobs, mit Conny Froboess, August 1961). *Was macht Papa denn in Italien?* (R Hans Dieter Schwarze, mit Peter Kraus, September 1961). *Saison in Salzburg* (R F. J. Gottlieb, mit Peter Alexander, Waltraut Haas, Oktober 1961). *Die Fledermaus* (R Géza von Cziffra, mit Peter Alexander, Marika Rökk, Februar 1962). *Das*

süße Leben des Grafen Bobby (R Géza von Cziffra, mit Peter Alexander, Bill Ramsey, April 1962). *Ist Geraldine ein Engel?* (R Steve Previn, mit Conny Froboess, August 1963). *Der Vogelhändler* (R Géza von Cziffra, mit Conny Froboess, Peter Weck, August 1962). *Hochzeitsnacht im Paradies* (R Paul Martin, mit Peter Alexander, Marika Rökk, Waltraut Haas, Alice und Ellen Kessler, August 1962). *Mariandls Heimkehr* (R Werner Jacobs, mit Conny Froboess, Oktober 1962). *Das haben die Mädchen gern* (R Kurt Nachmann, mit Peter Kraus, Lil Babs, Gus Backus, Januar 1963). *Der Musterknabe* (R Werner Jacobs, mit Peter Alexander, Conny Froboess, Mai 1963). *Charley's Tante* (R Géza von Cziffra, mit Peter Alexander, September 1963). *Schwejks Flegeljahre* (R Wolfgang Liebeneiner, mit Peter Alexander, Januar 1964). *Hilfe, meine Braut klaut* (R Werner Jacobs, mit Peter Alexander, Conny Froboess, August 1964). *Wenn man baden geht auf Teneriffa* (R Helmut M. Backhaus, mit Peter Kraus, September 1964). *Und sowas muß um acht ins Bett* (R Werner Jacobs, mit Peter Alexander, Gitte, Januar 1965). *Graf Bobby, der Schrecken des Wilden Westens* (R Paul Martin, mit Peter Alexander, Januar 1966). *Bel Ami 2000 oder: Wie verführt man einen Playboy?* (R Michael Pfleghar, mit Peter Alexander, November 1966). *Hurra, die Schule brennt!* (R Werner Jacobs, mit Peter Alexander, Heintje, Dezember 1969). *Hauptsache Ferien* (R Peter Weck, mit Peter Alexander, September 1972).

Die Ansichten des Neuen Deutschen Films über die Helden des deutschen Schlagers und Schlagerfilms gehen weit auseinander. Werner Herzog: »Ich glaube eben, daß wir von solchen Leuten umgeben sind, die wirklich geisteskrank sind. Also so jemand wie der Peter Alexander, da meint ja jeder, der wäre das Normale; er hat ja auch so hohe Einschaltquoten im Fernsehen, daß man meint, er bediene das Normale, und die Normalität, die bürgerliche, könne sich mit ihm identifizieren. Da identifiziert sich nur ein bestimmter Wahnsinn an einem Geisteskranken. Das heißt, kollektiver Wahnsinn orientiert sich dort am Chef der Geisteskranken. So muß man das sehen« (Hans Günther Pflaum u. a.: *Werner Herzog*). Oder ein Lyrical-Editorial aus der Elite-Magazin *Filme:* »Eines Abends hörten wir aus dem Radio eine Stimme, ein bißchen angestrengt, ein bißchen heiser und bemüht unterkühlt. Wir hörten, daß ein Mann immer wie ein Tiger sein müsse; auf diese Weise werde er immer Sieger sein. Da haben wir uns wieder an Conny und Peter erinnert. Und daran, daß sie einige Filme gemacht hatten. Und wie diese Filme einmal zu unserem Leben gehört hatten. Manchmal jedoch hat die Erinnerung an Filme nichts mehr mit den Filmen zu tun. So wenig, wie diese Filme mit Film zu tun hatten.« So wenig wie die Erinnerung an die Vergangenheit nichts zu tun hat. So bringt man sich um die schönste Nostalgie. Dem empfindsameren Rudolf Thome kann das nicht

passieren. Im Presseheft zu *Berlin-Chamissoplatz*, in dem Liebeslieder gesungen werden, schreibt er: »Das hat mit meiner Kino-Erfahrung aus der Kindheit zu tun, als ich so mit zehn, fünfzehn Jahren ins Kino ging und diese deutschen Schlagerfilme sah – die hab ich natürlich alle gesehen – da dachte ich mir immer, wie wird dich je eine Frau lieben können – du kannst doch nicht singen, du mußt doch singen können in der entscheidenden Phase.« Gar nicht zu reden von Walter Bockmayer, dessen *Flammende Herzen* in solchem Maße eine Hommage an den Jungen ist, der mit Conny Musik macht, daß man ihn mit Fug als den letzten Peter Kraus-Film betrachten darf. – Quantitativ war der deutsche Schlagerfilm der fünfziger und sechziger Jahre eine starke Leistung. Die obige Filmographie vermittelt ja nur einen Eindruck von dem Schaffen einiger wichtigen Repräsentanten dieses Geschäfts, deren Oeuvre ineinander übergreift: Peter Alexander fing an als Partner von Caterina Valente, und Conny, die als Partnerin von Peter Kraus angefangen hatte, endete als Partnerin von Peter Alexander (um dann eine der besten deutschen Bühnenschauspielerinnen zu werden). Dazu kamen noch die Filme der Vico Torriani, Rex Gildo, Heidi Brühl, Trude Herr, Freddy Quinn (siehe dort) und vielen anderen: Um 1960 herum machte der Schlagerfilm oft fast ein Viertel der gesamten deutschen Produktion aus. Das bedingte natürlich eine ungeheuere Produktivität der relativ wenigen Regisseure, die ihr Pensum leisteten. Von den 51 Filmen der obigen Liste wurden 6 von dem Veteranen Paul Martin *(Ein blonder Traum)*, 10 von Werner Jacobs und 15 von Géza von Cziffra bewältigt. Es ist aber nicht so, daß es trotz der Fließbandarbeit keine qualitativen Unterschiede zwischen diesen Regisseuren gegeben hätte: Man sieht deutlich, daß Werner Jacobs immer auf eine saubere professionelle Arbeit aus war, während es Géza von Cziffra eingestandenermaßen nichts ausmachte, zwischendurch mal das Atelier seinen fähigen Darstellern zu überlassen und in die Kantine zu gehen. – Als populäre Konsumware, die ihren eigenen Reizen nicht traut, paßt der Schlagerfilm sich allen Neu- und Umorientierungen eines hysterisch gewordenen Marktes chamäleongleich an: So verläßt er sein angestammtes Show-Milieu *(Und abends in die Scala)* und geht wilde Verhältnisse ein mit dem Heimatfilm *(Übermut im Salzkammergut)*, Tourismus-Badehosen-Film *(Holiday in St. Tropez)*, Krimi *(Ohne Krimi geht die Mimi nie ins Bett)*, Western *(Graf Bobby, der Schrecken des Wilden Westens)*, Sexfilm *(Das süße Leben des Grafen Bobby)* und Lümmel-Film *(Hurra – die Schule brennt)*.

C'est la vie rrose. *R* Hans-Christof Stenzel. *B* Hans-Christof Stenzel, Jörg Fauser. *K* (Farbe) Lothar E. Stickelbrucks. *M* Uwe Czybulka, Charles Yves, Janet Maillard, Mary Jane Collins. *T* und *S* Rosemarie Stenzel-Quast. *D* I Sa Lo (Rroby Sélavy, alias

Rrosy Sélavy, alias Claire, alias Fischerle), Kurt Kalb (Brady), Jean Halbert (Belle Haleine, alias Renée), John Cage (Schachspieler), Hannah Wilke, Hal James, Janet Maillard, Mary Jane Collins, Lothar E. Stickelbrucks, Hans-Christof Stenzel, Margie Dussek, Michael Donn, Jörg Fauser. *P* Distelfilm (Rosemarie Stenzel-Quast) / ZDF. 82 Minuten. 1977.

Rroby Sélavy – Beruf: German chesswhore. Im Paß steht zwar nicht »deutsche Schachhure«, aber als solche schlägt sich Rroby durch die 200jährigen USA, spielt Schach in Trucks und Cadillacs, auf Mississippi-Dampfern, Ölfeldern und in der Wüste, mit Hippies, Baptisten, Cowboys, Strichgängern, Künstlern. Am Rande des Death-Valley in Nevada trifft er auf einen trinkfesten Asketen und in Downtown-Manhattan auf eine exhibitionistisch-feministische Kaugummikünstlerin. Dann liegt Rrobys Leiche am Strand.

Ursprünglich sollte der Film *Befragung der Freiheitsstatue* heißen. »Es ist ein Reisefilm. Ich reise gern und schaue den Leuten ins Gesicht. Ich begreife den Film als eine Reise durch das absurde Bicentennial-Jahr der USA, wobei im Hinterhirn Duchamp im Kopfe war..., wie jemand, der eine Reise macht und als Bettlektüre sein Lieblingsbuch mitnimmt«, sagt Hans-Christof Stenzel zu seinem mit Versatzstücken aus Leben und Werk des Surrealisten Marcel Duchamp gespickten ersten Kinofilm. Stenzel, der seit 1955 experimentelle Kurzfilme dreht, galt als enfant terrible des deutschen Fernsehens. Drei seiner Filme, *Die Blumen des Bösen* (1967/68), *Gruß Attersee* (1969) und *Das Abendmahl* (1971), wurden verboten oder gar vernichtet. Das Österreichische Filmmuseum in Wien widmete ihm bereits 1973 eine Retrospektive. Seit dem Erfolg von *C'est la vie rrose* (vier Bundesfilmpreise) arbeitet Stenzel gezielt fürs Kino.

Chapeau Claque. *R* und *B* Ulrich Schamoni. *K* (Farbe) Igor Luther. *A* Gyorgy Janoschka. *S* Regine Heuser. *D* Ulrich Schamoni (Hanno Giessen), Anna Henkel, Jürgen Barz, Alix Buchen, Karl Dall, Peter Ehlebracht, Ingo Insterburg, Wolfgang Neuss, Rolf Zacher. *P* Bärenfilm (Regina Ziegler). 94 Minuten. 1974.

Hanno Giessen, 33, zieht sich mit dem, was er aus der Pleite des Familienunternehmens (Produktion von Chapeau Claques) gerettet hat, in sein Haus zurück und frönt seinen Hobbys.

Autorenfilm von der satten, rigoros antisozialen Lust der Resignation.

Chinesisches Roulette. *R* und *B* Rainer Werner Fassbinder. *K* (Farbe) Michael Ballhaus. *M* Peer Raben. *A* Curd Melber. *T* Roland Henschke. *S* Ila von Hasperg, Juliane Lorenz. *D* Margit Carstensen (Ariane), Anna Karina (Irene), Alexander Allerson (Gerhard), Ulli Lommel (Kolbe), Andrea Schober (Angela), Macha Méril (Trainitz), Brigitte Mira, Volker Spengler, Armin Meier, Roland Henschke. *P* Albatros (Michael Fengler) / Les

Films du Solange, Paris. 86 Minuten. 1976.

Angela richtet es so ein, daß ihre Eltern auf dem Landsitz der Familie ein unvermutetes, peinliches Rencontre erleben: Vater Gerhard kommt mit seiner Geliebten Anna, Mutter Ariane mit ihrem Liebhaber Kolbe. Übers Wochenende liefern diese Menschen sich einem grausamen Wahrheitsspiel aus, dem »Chinesischen Roulette«.

Fassbinder: »In meinen Filmen und in all dem, was ich mache, geht's darum, daß die Leute mit ihren Beziehungsschwierigkeiten haben. Schuld an diesen Schwierigkeiten ist die Gesellschaft, die die Keimzelle der Ehe braucht, um sich zu erhalten« (Wolfgang Limmer: *Rainer Werner Fassbinder Filmemacher,* 1981). Fassbinder versteht *Chinesisches Roulette* als einen Film zur Verteidigung der Ehe, der aber präziser als alle Filme, die gegen die Ehe sind, das beschreibt, was falsch und destruktiv an dieser Institution ist.

Chronik der Anna Magdalena Bach. *R* Jean-Marie Straub. *B* Jean-Marie Straub, Danièle Huillet. *K* Ugo Piccone, Saverio Diamanti, Giovanni Canfarelli, Hans Kracht, Uwe Radon, Thomas Hartwig. *M* Johann Sebastian Bach, Leo Leonius. *A* Casa d'arte Firenze, Vera Poggioni, Renata Morroni. *T* Louis Hochet, Lucien Moreau, Paul Schöler. *S* Danièle Huillet. *D* Gustav Leonhardt (Johann Sebastian Bach), Christiane Lang (Anna Magdalena Bach), Paolo Carlini (Hölzel), Ernst Castelli (1. Ratsherr), Hans-Peter Boye (Born), Eckart Brüntjen (Präfekt Kittler), Walter Peters (Präfekt Krause), Kathrien Leonhardt (Catharina Dorothea Bach), Anja Fährmann (Regine Susanna Bach), Andreas Pangritz (Wilhelm Friedemann Bach), Katja Drewanz (Christiane Sophie Henrietta Bach), Bob van Asperen (Johann Elias Bach), Bernd Weikl (Bassist in Kantate 205), Wolfgang Schöne (Bassist in Kantate 82), Karl-Heinz Lampe (Tenor in Kantate 42), Nikolaus d'Harnoncourt (Fürst Leopold von Anhalt-Cöthen). *Orchester* Contentus musicus, Ensemble für alte Musik, Wien, Leitung Nikolaus d'Harnoncourt; Konzertgruppe der Schola Cantorum Basiliensis, Leitung August Wenzinger. *Chor* Knabenchor Hannover, Leitung Heinz Hennig, Sopranstimme von Bernhard Wehle aus den Regensburger Domspatzen. *P* Franz Seitz, München / RAI, Rom / IDI Cinematografica, Rom / Straub-Huillet, München / Filmfonds e. V., München / HR, Frankfurt / Telepool, München. 94 Minuten. 1968.

Das Leben von Johann Sebastian Bach, mit den Augen seiner zweiten Frau Anna Magdalena Bach gesehen: seine Musik, seine Konflikte mit den Auftraggebern und Dienstherren, sein Ehe- und Familienleben, sein Tod.

Rainer Werner Fassbinder: »Ein Film über die Musik von Bach, so wie Straub sie hört« (Tony Rayns, *Fassbinder*). »Dieser Film *ist* Musik« (Richard Roud, *Sight and Sound*). Vor *Chronik der Anna Magdalena Bach* hat Straub *Machorka-Muff* und *Nicht*

C'est la vie rrose: I Sa Lo, Hannah Wilke

Chinesisches Roulette: Macha Meril

Car Napping: Bernd Stephan

versöhnt gedreht, aber *Bach* war sein erstes Filmprojekt. Er entwickelte es 1954, als er noch Film-Klub-Leiter im heimischen Metz war, und bot es seinem Vorbild Robert Bresson an, der ihn aber ermutigte, den Film selbst zu drehen. 1958 ging er nach Deutschland und versuchte, die Produktion auf die Beine zu stellen, was erst nach jahrelangen Schwierigkeiten gelang, da ihm die übliche Förderung versagt blieb; selbst das Kuratorium Junger Deutscher Film revidierte eine erste Absage erst, als Alexander Kluge, Volker Schlöndorff und Enno Patalas einen Filmfonds e.V. gründeten, um mit dem Verkauf von Anteilscheinen unter Filmfreunden die Finanzierung voranzutreiben, eine einmalige Initiative, die damals viel Aufsehen erregte. Die komplizierte und schmerzensreiche Produktionsgeschichte des Films läßt sich unschwer an der langen Liste seiner Produzenten ablesen. Straub beschrieb den Film damals so: »Der Reiz des Films wird darin bestehen, daß wir Leute musizierend zeigen. Leute zeigen, die wirklich vor der Kamera eine Arbeit leisten. Das ist im Film selten der Fall; dabei ist, was auf den Gesichtern von Menschen vorgeht, die weiter nichts tun als eine Arbeit zu verrichten, sicher etwas, was mit dem Kinematografen zu tun hat. Darin besteht gerade die – ich hasse das Wort, aber sagen wir in Anführungsstrichen: ›Spannung‹ des Films. Jedes Musikstück, das wir zeigen, wird wirklich vor der Kamera aufgeführt, mit Originalton aufgenommen und – mit einer Ausnahme – in einer einzigen Einstellung gefilmt . . . Jedes Kind weiß, daß Bach längst tot ist, und ich habe nicht die Absicht, zu versuchen, die Illusion zu wecken, daß ich Bach vom Tode erweckt habe. Deswegen nehme ich jemand, der Gustav Leonhardt heißt (ein holländischer Cembalist und Organist, A. d. A.) und der nicht unbedingt aussieht, wie Bach aussah, und gar nicht, wie die meisten Leute sich Bach vorstellen, ein bißchen dick und so; das ist ein ganz schmaler Mensch . . . Der Film geht chronologisch vor. Die ersten Bilder, die man sieht, betreffen die Zeit, in der Bach etwa fünfunddreißig war, also etwa in dem Alter unseres Herrn Leonhardt. Was mich reizt, ist, einen Film zu drehen über einen Mann, den man nicht altern sieht . . . Und er wird am Schluß, wenn er da vor einem Fenster steht und man hört, wie er starb, ›sanft und selig verschied‹, wie der Kommentar sagt, genau so aussehen wie als Fünfunddreißigjähriger . . . Einfach, wie es in dem Text einer Kantate heißt: Dein Alter sei wie deine Jugend . . .« *(Filmreport).* Was schon im Drehbuch gewirkt hatte »ein Text, dessen fanatische Exaktheit, dessen Präzisionsmechanik, dessen Einbildungskraft und Idee ganz außerordentlich sind und nicht nur Straubianer verblüffen« (Helmuth de Haas, *Die Welt*), erfüllte sich im fertigen Film als Musterbeispiel dessen, was Richard Roud anhand der *Chronik* als *minimal cinema* definierte und analysierte, die radikale Askese, betrieben nach der Straub'schen Devise, »immer wieder

zu räumen, immer weiter, immer mehr« (im Interview mit Karsten Witte: *Herzog Kluge Straub,* 1976). Der Film hat kaum mehr als hundert Einstellungen (üblich sind rund zehnmal so viel), es gibt kaum Bewegungen der Kamera oder Bewegung im Bild, und im wesentlichen sieht man tatsächlich nur musizierende Musiker. Die üblicherweise als »filmisch« geltenden Formen und Mittel erscheinen angesichts der Konzentration, die die Minimalform der *Chronik* beim Zuschauer-Hörer erzwingt, als pure Ablenkungsstrategien. Genau so, wie die übliche Künstler-Biographie mit ihren Tarn- und Ablenkungs-Effekten arbeitet. »Straubs Film ist eine Absage an die romantische Künstler-Mythologie und setzt an ihre Stelle eine viel reichere Dialektik, die auf den Film selbst und Straub ebenso anwendbar ist wie auf Bach. Bachs mangelnde Kompromißbereitschaft und seine Forderung nach Freiheit findet ihre Entsprechung in der jeden Kompromiß verweigernden Strenge von Straubs Regie und in der Reinheit seines Stils. Ein italienischer Kritiker hat von Anna Magdalena Bach gesagt, es sei ein ›terroristischer Film‹. Der Film demonstriert, wie der Genius eines Regisseurs instrumentalisiert werden kann, um den perfekten Film zu konzipieren und zu verwirklichen, ohne Zuflucht zu Gimmicks, durch die Rückkehr zu den grundlegenden Ausdrucksformen des Films und durch die totale Hingabe an den Film« (Rosalind Delmar, *Monthly Film Bulletin,* 1970).

Der Damm. *R* und *B* Vlado Kristl. *K* Gerard Vandenberg. *D* Petra Krause (SIE), Vlado Kristl (ER), Felix Potisk (DER MANN), Erich Glöckler. *P* Detten Schleiermacher. 80 Minuten. 1964.
ER liebt SIE, die gelähmt ist und sich nur in einem Rollstuhl fortbewegen kann. ER tut alles, um ihre Liebe zu erringen und verkrüppelt sich sogar, weil ER glaubt, daß SIE ihn eher lieben wird, wenn ER sich ihrer hilflosen Kondition anpaßt. Doch es ist vergeblich, denn SIE liebt DEN MANN, der groß und stark ist, während ER klein und schmächtig ist.
Im Oktober 1962 wurde in Ulm unter der Leitung von Alexander Kluge, Edgar Reitz und Detten Schleiermacher das »Institut für Filmgestaltung« eröffnet. Zwei Jahre später war dort zum ersten und einzigen Mal wirklich etwas los: Detten Schleiermacher (»Es ist gar nicht wahr, daß wir in Ulm Filme wie Braun-Radios entwerfen wollen!«)produzierte den ersten langen Spielfilm von Vlado Kristl, *Der Damm.* Kristl, geboren 1923 in Zagreb, begann in Jugoslawien mit Trickfilmen, von denen der 10-Minuten-Film *Don Quijote* (1960) der bekannteste ist. 1963 ging er nach Deutschland, wo er mit seinen Real-Kurzfilmen *Arme Leute* und *Madeleine-Madeleine* (beide 1963) schnell Aufsehen erregte und etliche Preise gewann. Mit diesen, aber mehr noch mit den folgenden längeren Filmen stürzte er die Kritik und die Kollegen in ungeheure

Verwirrung als ein Mann, der brillante, leichtverständliche Drehbücher voll groteskem Humor schrieb und beim Drehen und Schneiden dann diese Bücher und alles, was sie enthielten, und alle Bilder und Zusammenhänge und Pointen völlig zerstörte und gelegentlich sogar, wenn die Filme im Sinne der völligen Destruktion nicht ganz gelungen waren, die Filmrollen selbst buchstäblich vernichtete (so geschehen mit dem Film *Maulwürfe,* 1964, nach dessen erster Vorführung, als Happening). Das im konventionellen Sinn Gelungene stimmt ihn traurig, denn »es findet ein furchtbares Zerbrechen eigener Einbildungen statt« (zitiert in *Filmkritik,* 1967). In einem 1965 verfaßten Manifest sagt Kristl: »Ein Film, der durch seine Materie gestaltet ist, kann nur gesehen werden. Er kann nicht ›erzählt‹ oder ›verstanden‹ werden. Dieser Film entdeckt uns die Verhältnisse, die wir mit der Welt eingehen, die Verhältnisse also, die wir mit allen Sinnen erfassen können, die wir kennenlernen können, die wir unser Bewußtsein nennen. Die Wirklichkeit abzubilden, wie es der Tonfilm von jeher tut, ist reine Falschmünzerei. Es sei denn, es gelänge uns einzureden, das originalgetreue Gipsmodell eines Menschen sei dieser Mensch selbst.« In Ulm also drehte Vlado Kristl seinen ersten langen Spielfilm, und wie es dabei und danach zuging, hat er später den Autorinnen des Buches *Die Filmemacher,* Barbara Bronnen und Corinna Brocher, erzählt: »Der Film war für uns beide der Ruin, denn Schleiermacher hatte sich vorgestellt, daß der Film Preise machen würde. Er ist sehr lieb als Mensch, hat sich aber verkalkuliert. Der Film war fertig, der Atlas Filmverleih hat das Geld zurückgelangt, und dann kam der damalige Produktionsleiter Liesenhoff und hat geschrien: ›wenn das Film ist, wenn das Kino ist, dann ist es besser, nie wieder Filme zu machen‹, hat die eiserne Tür vom Tonstudio zugeknallt und ist verschwunden. Schleiermacher hinter ihm her! Und ich sagte: Was rennst du dem Arschloch nach? Erst nachher habe ich erfahren, daß Schleiermacher bei Atlas riesige Schulden gemacht hatte. Der Film liegt immer noch beschlagnahmt bei Atlas, und Schleiermacher kam in echte Not (zwei Kinder) und ist nach Kanada ausgewandert. Alle haben gesagt, ich hätte sie alle kaputtgemacht. Ich habe gesagt: Okay, ich bin nämlich auch kaputtgemacht . . . Der Schock war so groß, daß man fast sagen kann, daß *Der Damm* die reaktionäre Welle beschleunigt hat. Alle sind mit Angst auf die kommerzielle Welle zurückgeflüchtet. Wenn einer nichts hat und noch weniger als ich, so ist das ein normales Schicksal der Armen. Aber einer, der etwas hat und Professor war in Ulm und der alles verloren hat und den der Kluge dann aus der Hochschule rausgeschmissen hat – mich hat Kluge als Dieb bei der Polizei verdächtigt, und wir alle hatten Hausarrest bekommen. Ich erwähne dieses Beispiel nur, um zu zeigen, wie die Machtergreifung im Filmgeschäft zu veralteten Mitteln zurückführt.« Mit der »re-

aktionären Welle« meint Kristl die Erfolgsfilme des Jungen Deutschen Films; ich (J. H.) habe selbst erlebt, wie Kristl den Kollegen Schlöndorff im Sommer 1966 in Schwabing mitten auf der Straße fürchterlich beschimpft hat: mit seinem *Törless*-Erfolg in Cannes habe er »alles kaputtgemacht«. Eine wichtige Erkenntnis im Zusammenhang mit Kristls *Damm* war, daß die einheimischen Filmtheoretiker auch solchen extremen Herausforderungen spielend gewachsen waren. Unter der Überschrift »Destruktion des Vorhandenen« schrieb Otmar Engel in *Filmstudio* über den Film unter anderem: »Der fertige Film erweist die noch im Drehbuch vorausgesetzte Geschichte als geschickte Fiktion: Hilfskonstruktion, um aktions- und reaktionsgeladene Bilder, um volldimensioniertes Material zu gewinnen. Dasselbe gilt für die Personen (oder ›Rollen‹): Vlado Kristl oder Petra Krause Interpreten zu nennen, wäre Unfug. Die Geschichte, die Rollen, die Handlungen und ihre Antwort – all dies ist jetzt nicht mehr im Ernst gemeint, nicht Aufgabe, Sinn, Aussage des Films, sondern spielt mit, wirkt mit an der Strukturierung und dichten Ordnung des Ablaufs. Die Bilder, statt im Ensemble ein Ganzes zu bezeichnen, haben ihren ganzen Sinn an Ort und Stelle im Ablauf. Sie verweisen auf ihren eigenen Zusammenhang. Sie fordern das genaue Hinsehen. Ihr Verständnis ergibt sich einzig und allein im Nachvollzug. Nachvollzogen wird ihr subjektiv-gestisch strukturierter Ablauf.« Darin, daß Kluge und Kristl sich nicht vertragen konnten, liegt eine tragische Ironie: Sie sind ja dermaßen verwandte Geister, selbst äußerlich nicht unähnlich, sensible Naturen von rabiater Durchsetzungskraft, zwei Windmühlen auf der Suche nach Don Quijote, zwei große Poeten und Filmstückerfinder, jederzeit bereit, ihre herrlichen Geschichten und Szenarios aufzuopfern, weil ihnen das zum Auffinden neuer Formen (und Un-Formen) wesentlich erscheint. Kluges listiges Diktum, die Realität sei ein Papiertiger, ist nur eine Variation dessen, was Kristls Manifest meint, und seine Fußnote, ein Papiertiger sei auch ein Tiger, könnte gar von Kristl selbst stammen. (Der Eindruck, daß in Ulm seit dem *Damm* nichts mehr Nennenswertes passiert ist, erwächst hauptsächlich aus der Lektüre der von Kluge mitverfaßten Schrift *Ulmer Dramaturgien* von 1980, eine auch Bio- und Filmografien umfassende Bilanz, aus der wirklich hervorgeht, daß Ulm nichts Wesentliches zum Neuen Deutschen Film beigetragen hat, außer Kluge und Reitz natürlich, die aber nicht die Produkte des Instituts sind, sondern ihre Gründer.)

Dark Spring. *R* und *B* Ingemo Engström. *K* (Farbe) Bernd Fiedler. *D* Edda Köchl, Ilona Schult, Irene Wittek, Klara Zet, Stefan Agathos, Ingemo Engström, Lorraine Fernandez, Gerhard Theuring. *P* Hochschule für Fernsehen und Film. 92 Minuten. 1971.
Eine Frau gibt ihren Beruf auf, läßt

sich scheiden und flüchtet sofort wieder in die Arme eines anderen Mannes; eine Frauenkommune: Statement einer Kommunardin; eine Fotografin, eine Boutiquebesitzerin versuchen sich mitzuteilen. Fazit des Films: »Alles ist längst besetzt, alle Bilder, Töne, Worte, Gesten, Empfindungen: die Herrschaft des Mannes total. Daß *Dark Spring* dies vorführt mit äußerster Radikalität und sonst nichts, sich jeder Andeutung einer Lösung enthält, macht ihn so unwiderstehlich; daß dieser Film so empört und auch beschämt, macht deutlich, wie intakt allem Emanzipationsgerede zum Trotz das Tabu ist, mit dem die traditionellen Rollen der Geschlechter bedacht sind« (Joachim von Mengershausen, *Filmkritik*). *Dark Spring* war der Abschlußfilm der gebürtigen Finnin Ingemo Engström für die Münchner Hochschule für Fernsehen und Film.

David. *R* Peter Lilienthal. *B* Peter Lilienthal, Jurek Becker, Ulla Ziemann, nach Motiven des Buches *Den Netzen entronnen* von Joel König. *K* (Farbe) Al Ruban. *M* Wojciech Kilar. *A* Hans Gailling. *T* Neidhardt Willerding. *S* Siegrun Jäger. *D* Mario Fischel (David), Valter Taub (Rabbi Singer), Irena Vrkljan (Frau Singer), Eva Mattes (Toni), Dominique Horwitz (Leo), Torsten Henties, Rudolf Sellner, Erik Jelde, Franciszek Pieczka, Nikolaus Dutsch, Sabine Andreas, Buddy Elias, Hanns Zischler, Ulrike Radhöfer, Erika Runge, Sebastian Bleisch, Rudi Unger. *P* Joachim von Vietinghoff/Pro-ject/FFAT (Peter Lilienthal)/ZDF. 125 Minuten. 1979.
Das Aufziehen des Nazismus aus der Sicht des jungen David Singer, Sohn eines Rabbiners: erst antisemitische Demonstrationen, dann brennende Synagogen, schließlich die Deportation von Davids Eltern. Unter falschem Namen arbeitet David in einer Berliner Fabrik. Er wagt es, sich seinem Chef anzuvertrauen, bekommt von ihm falsche Papiere und kann 1943 aus Deutschland entkommen.
»Der Film weiß nicht mehr als der David. Er zeigt das langsame Verschwinden seiner Familie und zeigt die schmerzliche Erfahrung von jemandem, der im Dunkeln bleiben muß, obwohl er dieselbe Lebenslust hat wie alle anderen Gleichaltrigen. Die Familie gab ihm einen Halt, Wärme, Zutrauen, und man kann dann ermessen, was es bedeutet, wenn man plötzlich niemanden mehr hat« (Peter Lilienthal im Gespräch mit Jeanine Meerapfel). Diese auf eine Person beschränkte Erzählhaltung des Films (die, da er auf Tagebuchaufzeichnungen basiert, durchaus zwingend war), wurde Lilienthal von vielen Kritikern als Verharmlosung des Sujets angekreidet. Dennoch gewann David auf den 29. Internationalen Filmfestspielen Berlin als erster deutscher Film seit 1956 den Goldenen Bären.

Deadlock. *R* und *B* Roland Klick. *K* (Farbe) Robert Van Ackeren. *M* The Can. *A* Sender Kuli. *T* Hans Dieter Schwarz, Jürgen Koppers. *S* Jane Sperr. *D* Mario Adorf (Charles

Dump), Anthony Dawson (Sunshine), Mascha Elm Rabben (Jessy), Marquard Bohm (Kid), Sigurd Fitzek, Betty Segal. *P* Roland Klick. 94 Minuten. 1970.
Die Banditen Sunshine und Kid flüchten nach einem Bankraub in die Geisterstadt Deadlock in der mexikanischen Sierra. Die einzigen Einwohner der verlassenen Minenstadt sind der Prospektor Charles Dump und seine Tochter Jessy. Dump versucht, den Banditen ihre Beute abzujagen, kommt aber dabei ums Leben. Dann treten Sunshine und Kid zum letzten Showdown an.
»Ein Quasi-Western, ein Reißer und ein lyrisches Gespinst aus Farben, flirrendem Licht, Wüstensand und schemenhaften Figuren. Im Grunde war es ein Drogenfilm, ein Trip für das Team und den Regisseur. Die Kamera Robert Van Ackerens und die berühmte Musik der Can vergegenwärtigen das Lebensgefühl der Drogenszene, des genußvollen Ausflippens« (Wolf Donner, *Die Zeit*).

Detektive. *R* Rudolf Thome. *B* Max Zihlmann. *K* Hubs Hagen, Niklaus Schilling. *M* Kristian Schultze. *D* Iris Berben (Annabella), Marquard Bohm (Andy), Ulli Lommel (Sebastian), Chrissie Mahlberg (Micky), Elke Hart (Christa), Walter Rilla (Krüger), Peter Moland (Busse). *P* Eichberg (Carol Hellman). 91 Minuten. 1969.
Andy und Sebastian, zwei junge Männer, die nichts zu tun haben, machen eine Detektei auf. Sie retten ein junges Mädchen vor ihrem kriminellen Verehrer und werden von einem reichen Industriellen angeheuert, der seiner ehemaligen Geliebten eine teuflische Falle stellen will: Diese Unternehmung nimmt für die Detektive wie für ihren Auftraggeber ein böses Ende.
Der erste Langfilm von Rudolf Thome. Der 1939 in Wallau (Lahn) geborene Thome begann 1962 in Bonn als Filmkritiker und ging noch im selben Jahr nach München, wo er für die *Süddeutsche Zeitung*, *Filmkritik* und *Film* schrieb und sich mit den Kritikern Eckhart Schmidt und Max Zihlmann und dem Theater-Regieassistenten Klaus Lemke anfreundete; sie wollten alle Filme machen und wurden später als Gruppe auch die »Münchner Sensibilisten« genannt; ihre Bibel waren die *Cahiers de Cinéma*, ihr Vorbild der amerikanische Film, vor allem Howard Hawks. 1964 drehte Thome seinen ersten Kurzfilm, *Die Versöhnung*, den er als erstem Jean-Marie Straub vorführte. »Straub sagte: ›C'est un film tres bon.‹ Wir wußten das damals noch nicht zu schätzen. Aber von da an war Straub unser Freund und Berater in all den vielen kritischen Situationen, die noch kommen sollten« (Thome in *Filme*, 1980). 1966–68 folgten drei weitere Kurzfilme, *Stella*, *Galaxis* und *Jane erschießt John, weil er sie mit Ann betrügt*; in dieser Zeit verdiente sich Thome sein Geld als Kreditsachbearbeiter einer Bausparkasse. Der Alt-Produzent Carol Hellman finanzierte ihm dann sein Langfilm-Debüt, obwohl es Thome abgelehnt hatte, statt des Max-Zihl-

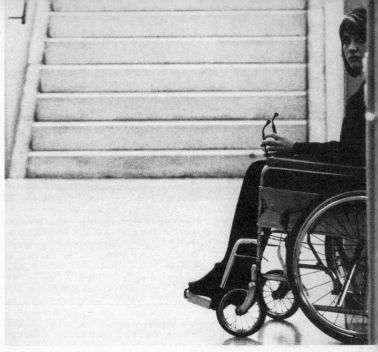

Der Damm: Petra Krause

David: Mario Fischel

mann-Stoffes von den Detektiven den Film *Das Go-Go-Girl vom Blow-Up* zu drehen, den Hellman der Columbia schuldig war. Als *Detektive* fertig war, meinte Thome, er interessiere sich zwar überhaupt nicht für Gesellschaftskritik, aber er glaube doch, daß es ein gesellschaftskritisch sehr engagierter Film geworden sei, der zudem sehr provozierend wirke, und zwar »in der Rücksichtslosigkeit, mit der diese jungen Leute einfach alles in Besitz nehmen, wo sie hinkommen, und sich überall aufführen, als gehöre ihnen einfach alles. Sie halten sich nicht an das, was man eben so tut. Der Lommel kommt rein zum Rilla und sagt, was machen Sie denn da Feines, und geht zum Kühlschrank und holt sich kurzerhand eine Flasche Bier raus. Das ist für ihn das Selbstverständlichste der Welt . . . Ich merke jetzt, daß dieser Film wahrscheinlich ohne die ganzen Ereignisse im April und Mai, die Studentenrevolution und diese Sachen, daß er so, wie er jetzt ist, gar nicht gedreht worden wäre« (*Filmkritik*, 1969). Alf Brustellin, der in der *Süddeutschen Zeitung* in *Film* einer der Nachfolger Thomes als Kritiker war und ihm dann bald ins Filmemachen nachfolgte, schrieb zum Ruhm des neuen Regisseurs und seiner Mitarbeiter: »Gemeinsam ist den ziemlich heilen Mädchen und den ziemlich gebrochenen Jungdetektiven, daß es keinen Unterschied gibt zwischen dem, was sie sind und was sie darstellen, ob sie etwas tun oder nichts tun, was sie tun und wie sie's tun. Sie sind alles zugleich und bestehen auf nichts: Sie sind böse und lieb, freundlich und feindlich, brutal und zärtlich, komisch und traurig; sie sind immer ganz da, auch wenn sie gleichgültig sind oder ›weggetreten‹; sie sind lässig in einer Weise, wie es nur Leute sein können, deren Selbstverständnis gar nicht zur Diskussion steht – auch dann nicht, wenn sie Filmfiguren sind. Diese eine Welt, das ist auch: der Regisseur Rudolf Thome, der Drehbuchautor Max Zihlmann, das Kamerateam Hubs Hagen/Niklaus Schilling – für sie ist das Filmen erweitertes Selbstverständnis, die Projektion einer Lebensweise, einer Lebensempfindung und einer ›Lebenserwartung‹ in ein Medium. Man kann das im Film *Detektive* sehen und spüren: hier treten nicht Leute an, um einen Film zu machen, um sich auszutoben, um mitzuteilen, zu reflektieren, um zu ›verfilmen‹, was an gedanklichem und dramaturgischem Material vorhanden ist, sondern hier bewegen sich im Medium und in paar Leute aufeinander zu – das bringt Begegnungen mit sich, die überraschend schön sind und immer auch ein bißchen traurig und zerbrechlich; wahrscheinlich hat das eine Menge mit Liebe (zum Kino) zu tun und fast gar nichts mit Benutzung (des Films) zu irgendeinem Zwecke« (*Film*, 1969). Aus dem Kameramann Niklaus Schilling wurde 1971 mit *Nachtschatten* der Regisseur Schilling, dessen Partnerin, Hauptdarstellerin und Produzentin Elke Haltaufderheide in *Detektive* unter dem Namen Elke Hart mitspielt. Auch die *Detektive*-Hauptdarstellerin Chrissie

Mahlberg machte bald mehr unter ihrem richtigen Namen, Uschi Obermeier, von sich reden, unter anderem durch Thomes zweiten Film *Rote Sonne*.

Deutschland bleiche Mutter. *R* und *B* Helma Sanders-Brahms. *K* (Farbe) Jürgen Jürges. *M* Jürgen Knieper. *A* Götz Heymann. *T* Gunther Kortwich. *S* Elfi Tillack, Uta Periginelli. *D* Eva Mattes (Helene), Ernst Jacobi (Hans), Elisabeth Stepanek (Hanne), Angelika Thomas (Lydia), Rainer Friedrichsen (Ulrich), Gisela Stein (Tante Ihmchen), Fritz Lichtenhahn (Onkel Bertrand). *P* Helma Sanders-Brahms/Literarisches Colloquium Berlin (Ursula Ludwig)/WDR. 145 und 120 Minuten. 1980.
Ausgehend von ihren eigenen bzw. den Erfahrungen ihrer Mutter beschreibt Helma Sanders-Brahms die »verschüttete Geschichte der Frauen, die im Deutschland der Kriegsjahre jung waren«: Während der Ehemann in Polen, Frankreich und Rußland für Hitler kämpft, werden Helene und ihr Kind ausgebombt, ziehen nach Berlin in die Luxuswohnung eines Onkels, flüchten nach Schlesien und bleiben dort auf einem Hof, bis die Russen kommen. Auf dem Puffer eines Zuges fährt Helene mit ihrer Tochter zurück nach Berlin und arbeitet als »Trümmerfrau«. Hans, der Ehemann, kommt zurück, doch Helene war zu lange auf sich gestellt, als daß sie jetzt die treusorgende Frau und Mutter spielen könnte. Sie bekommt eine Gesichtslähmung und macht einen Selbstmordversuch, den sie nur wegen ihres Kindes nicht zu Ende führt.
»Eine private Geschichte, in vielen Großaufnahmen und oft aus der Perspektive des Kindes gefilmt, verbindet sich hier mit dem Unglück, das über Deutschland kam. Vieles ist überzeugend durch die direkte Ehrlichkeit und Subjektivität, mit der die Sanders vorgeht; manches allerdings, wie die überflüssigen Kommentare aus dem Off, die geradezu gewaltsam immer wieder den Bezug zur Person der Regisseurin herstellen sollen, gerade durch die Intimität und Privatheit eher peinlich, und es fällt dann schwer, hinter dem Einzelschicksal etwas Allgemeines zu entdecken« (Carla Rhode, *Zitty*).

Deutschland privat. *Konzept* Robert Van Ackeren und Erwin Kneihsl. *Präsentiert von* Reinald Nohal. *P* Robert Van Ackeren. 86 Minuten. 1980.
Robert Van Ackeren und Erwin Kneihsl zu ihrem Film: »Der private Film, das gesamte Spektrum des Amateurfilms, ist bis heute ein wenig beachtetes und völlig unterbewertetes Genre. Im ästhetischen Sinne, wie auch in der Bewertung der Inhalte. Seit mehreren Jahren haben wir uns mit dieser vernachlässigten Filmform beschäftigt. Wir haben systematisch etwa 200 Stunden Super-8-Material gesichtet und sie schrittweise eine umfassende Kollektion des Privatfilms zusammengetragen und die Rechte zur Veröffentlichung der Filme erworben. Dabei interessierten uns nicht so sehr

die gehobenen Super-8-Amateure, die sich meistens in Clubs organisiert haben und mit ihren Filmen nur den professionellen Kino- und Fernsehfilm imitieren. Viel charakteristischer für das Wesen des Amateurfilms ist die private Sehweise des Amateurs, der seine Welt nach ganz eigenen Gesichtspunkten filmt. Die schönsten Augenblicke, die wichtigsten Ereignisse, heimlichsten Wünsche: vom Kinderfilm bis zum Urlaubsfilm, vom Familienfilm bis zum erotischen Film. Unser Ziel war die möglichst unverfälschte Wiedergabe unserer Wirklichkeit aus privater Perspektive.«
Van Ackeren und Kneihsl mußten sich trotz der erklärten guten Absicht den Vorwurf gefallen lassen, ihre mehr oder minder freiwilligen »Mitarbeiter« zur Schau zu stellen. Ihre einzige Autorenschaft besteht in der Auswahl der Filme und der Aufteilung in diverse Kategorien, wobei das »heimliche Deutschland« (hausgemachte Strip-, Sex- und Pornofilme) gut die Hälfte des gesamten Programms ausmacht. Die einzelnen Filme lassen sie von den Amateuren, die sie gedreht haben, auch kommentieren. Der Titel ist irreführend: Ein Deutschland-Bild, geschweige denn ein neues, privates oder heimliches, entsteht hier sicher nicht.

Dorotheas Rache. *R* Peter Fleischmann. *B* Peter Fleischmann, Jean-Claude Carrière. *K* (Farbe) Jean-Jacques Flori, Klaus Müller-Laue. *M* Philippe Sarde. *D* Anna Henkel (Dorothea), Gunther Thiedicke, Regis Genger. *P* Halleluja, München/Belmont, Paris. 92 Minuten. 1974.
»*Dorothea* ist ein Pornofilm. Er beutet die dem Film generell mögliche Unmittelbarkeit aus. Daß die Sexualszene ein hohes Maß an ausbeutbarer Unmittelbarkeit hat, scheint sicher zu sein. Und je mehr ein Pornofilm auf die Unmittelbarkeit eines Stoffs spekuliert, desto langweiliger muß er werden. Das wußten die Hersteller der Pornos, die ich vor *Dorothea* gesehen hatte, auch. Sie bemühten sich deshalb, ihre Sexualszenen zu schönen. Fleischmann hat ganz selbstverständlich, das heißt ganz unwillkürlich, eine häßliche Szene nach der anderen produziert. Manche dieser Szenen sind nur häßlich. Dadurch werden sie dem Zuschauer mehr oder weniger widerlich. Beispiel: Drei fette Männer um vierzig schlafen mit der Heldin, und dadurch geschieht an Erlösung oder Befriedigung viel weniger, als wenn es einem gelingt, einen Spreißel aus der Fußsohle zu ziehen; sichtbar wird nur der Zwang zum kollektiven Sexual-Amok. Ein Zwang zur Beleidigung. Zur Verletzung. Manche dieser Szenen sind in ihrer Häßlichkeit sehr komisch. Beispiel: Die in den Film eingebauten Parodien eines Aufklärungsfilms. Der Aufklärungsfilm als gesellschaftliches Pädagogikunternehmen ist leicht parodierbar. Aber Fleischmann hat durch Masken und Maschinen eine Parodieschärfe erreicht, die an Sternheim und Buñuel erinnert. Oder an George Grosz und an Tomi Ungerer. Manche dieser Szenen sind in ihrer

Häßlichkeit auf eine sozusagen religiöse Art schön. Beispiel: Ein schwachsinniger Exhibitionist, der schon gejagt wird, wird von Dorothea in einer dunklen Ecke befriedigt; sein Stoßatem regt eine verhärmte Passantin an, stehenzubleiben und sich ihrerseits mit dem Kinderwagengriff um Befriedigung zu bemühen. Später jagt der Schwachsinnige wieder durchs nasse Schneetreiben, die Erlöserin ist weg. Diese drei Arten von Häßlichkeit erzeugen eine Dosto-sado-masojewski-Atmosphäre. Und eine Aufhebung der Stoffausbeutung, der Spekulation auf die Unmittelbarkeit des Sexuellen. Aber eine andere Unmittelbarkeit ist weniger im Mittel aufgehoben, glaube ich. Die Unmittelbarkeit, mit der Peter Fleischmann auf die Sexualszene antwortet. Auf die wirkliche. Auf seine. Auf unsere. Sein Ekel, seine Freude an seinem Ekel, sein Kampf gegen die Freude an seinem Ekel, seine Lust am Kampf gegen die Freude an seinem Ekel . . .« (Martin Walser, *Die Zeit*, 1974).

Die Dreigroschenoper. *R* Wolfgang Staudte. *B* Wolfgang Staudte, Günter Weisenborn, nach dem Bühnenstück von Bertolt Brecht und Kurt Weill. *K* (Farbe) Roger Fellous. *M* Kurt Weill. *ML* Peter Sandloff. *A* Hein Heckroth, Friedhelm Boehm, Gerd Krauss. *D* Curd Jürgens (Mackie Messer), Hildegard Knef (Jenny), Gert Fröbe (J. J. Peachum), Hilde Hildebrand (Celia Peachum), June Ritchie (Polly Peachum), Lino Ventura (Tiger Brown), Marlene Warrlich, Walter Giller, Siegfried Wischneswki, Stanislav Ledinek, Martin Berliner, Max Strassberg, Stefan Wigger, Sammy Davis jr. *P* Kurt Ulrich, Berlin/C. E. C., Paris. 124 Minuten. 1963.
Die Geschichte von Macheath, genannt Mackie Messer, seinen Bräuten Jenny und Polly, dem Bettlerkönig Peachum und dem Polizeichef Tiger Brown.
Frühere Verfilmung 1931, Regie G. W. Pabst, mit Rudolf Forster, Carola Neher, Lotte Lenya, Fritz Rasp und Reinhold Schünzel. Das Thema wird ausführlich behandelt im Band *Klassiker des deutschen Tonfilms*.

Die dritte Generation. *R* und *B* Rainer Werner Fassbinder. *K* (Farbe) Rainer Werner Fassbinder. *M* Peer Raben. *A* Raul Gimenez, Volker Spengler. *T* Milan Bor, Jean-Luc Marié. *S* Juliane Lorenz. *D* Harry Baer (Rudolf Mann), Hark Bohm (Gerhard Gast), Margit Carstensen (Petra Vielhaber), Eddie Constantine (Peter Lenz), Jürgen Draeger (Hans Vielhaber), Raul Gimenez (Paul), Claus Holm (Opa Gast), Günther Kaufmann (Franz Walsch), Udo Kier (Edgar Gast), Bulle Ogier (Hilde Krieger), Lilo Pempeit (Mutter Gast), Hanna Schygulla (Susanne Gast), Volker Spengler (August), Y Sa Lo (Ilse Hoffmann), Vitus Zeplichal (Bernhard von Stein). *P* Tango/Project (Harry Baer). 111 Minuten. 1979.
Westberlin, Winter 1978/79. Aktivitäten einer Gruppe junger Terroristen, gipfelnd in der Entführung des ameri-

kanischen Computer-Managers Peter Lenz am Karnevalsdienstag.

Ähnlich wie in seinen anderen kleinen, frivol-radikalen, Freund und Feind jäh aufschreckenden Filmen *Mutter Küsters' Fahrt zum Himmel* (1975) und *Satansbraten* (1976) betrachtet Fassbinder in *Die dritte Generation* die Ruinen einer politischen Szene mit dem kalten Hohn dessen, dem nichts heilig sein kann, weil den Akteuren dieser Szene nichts ernst ist, nichts jedenfalls im Sinne des heiligen Ernstes. Fassbinder: »Eine Komödie in 6 Teilen um Gesellschaftsspiele voll Spannung, Erregung und Logik, Grausamkeit und Wahnsinn, ähnlich den Märchen, die man Kindern erzählt, ihr Leben ertragen zu helfen. – Die DRITTE GENERATION könnte meinen das deutsche Bürgertum von 1848–1933, unsere Großväter und wie sie das dritte Reich erlebten und wie sie sich daran erinnern, unsere Väter, die nach Ende des Krieges die Chance gehabt haben, einen Staat zu errichten, der so hätte sein können, wie es humaner und freier vorher keinen gegeben hat, und zu was diese Chancen letztlich verkommen sind. DIE DRITTE GENERATION könnte aber auch die jetzige Generation von Terroristen meinen, wenn man dem Gedanken zustimmt, daß es eine erste und eine zweite davor gegeben hat. Die erste, das wäre dann die, die aus Idealismus, gepaart mit übergroßer Sensibilität und fast krankhafter Verzweiflung über die eigene Ohnmacht gegenüber dem System und dessen Vertreter, so etwas wie ›wahnsinnig‹ wurden. Die zweite Generation, das wäre dann die, die aus dem Verständnis für die Motive der ersten Generation heraus deren Vertreter meist verteidigt, häufig genug im Sinne des Wortes, viele von ihnen waren ›echte‹ Rechtsanwälte: Dieses Verteidigen wurde jedoch so lang und derart intensiv als im Grunde kriminelles Handeln diffamiert, daß der Schritt dieser Generation ins praktisch Kriminelle und somit in den Untergrund eher nachvollzogen denn vollzogen wurde. Wie auch immer jeder einzelne Bürger den Handlungen und Motiven der ersten sowie der zweiten Generation der Terroristen irgendwo in der Lage ist, etwas wie Verstehen entgegenzubringen – oder auch nicht, versteht sich –, fällt ein Verstehen der Motive der dritten Generation mehr als schwer, ist vielleicht von den beiden vorangegangenen Generationen aus betrachtet fast unmöglich, denn die dritte Generation der Terroristen hat, so scheint mir, mit ihren Vorgängern weniger gemein als vielmehr mit dieser Gesellschaft und der Gewalt, die diese, zu wessen Nutzen auch immer, ausübt. Ich bin überzeugt, sie wissen nicht, was sie tun, und was sie tun, hat Sinn in nichts weiter als im Tun selbst, der scheinbar erregenden Gefahr, dem Scheinabenteuer in diesem – zugegeben – immer beängstigend perfekter verwalteten System. Handeln in Gefahr, aber ganz ohne Perspektive, wie im Rausch erlebte Abenteuer zum Selbstzweck, das sind die Motivationen der DRITTEN GENERATION. Dennoch, daß es dieses Phänomen ausschließlich in diesem Land gibt, das hat natürlich mit diesem Land zu tun, hat tatsächlich erschreckend viel zu tun mit diesem Land, seinen Fehlern, seinen Versäumnissen, seiner zum Geschenk erhaltenen Demokratie, der man wie dem geschenkten Gaul nicht ins Maul schaut, einer Demokratie, deren Grundwerte, auf denen sie basiert, man immer entschiedener zu Tabus verkommen läßt, die der Staat gegen seine Bürger blind verteidigt, und das zudem – versteht sich – im wiederum blinden Einverständnis mit eben diesem Bürger, der unaufgeklärt (das Beschäftigen mit den verschiedensten Lehrplänen der verschiedensten Schulen kann einem ›bei Gott‹ das Fürchten lehren) gar nicht in der Lage ist, aufmerksam zu werden darauf, daß das Gebilde um ihn herum, daß dieser Staat von Tag zu Tag ein ganz kleines bißchen totalitärer wird.«

Der Durchdreher. *R* und *B* Helmut Dietl. *K* (Farbe) Fred Tammes, Hermann Fahr, Lothar E. Stickelbrucks. *A* O. Jochen Schmidt. *T* Ed Parente. *S* Thea Eymèsz. *D* Towje Kleiner (Maximilian Glanz), Mo Schwarz (Gloria Schimpf), Helmut Fischer (Lino), Ilse Neubauer (Henni Finkenzeller), Herb Andress, Dieter Augustin, Toni Berger, Lambert Hamel, Kurt Hübner, Christine Kaufmann, Karl Lieffen, Alexander May, Richard Münch, Rolf Olsen, Barbara Valentin, Kurt Raab, Helen Vita. *P* Balance/BR. 95 Minuten. 1979.

Stadtneurotiker Maximilian Glanz findet keinen Verleger für sein Buch, betreut den Kummerkasten einer Boulevardzeitung und hat eine Krise mit seiner neuen Freundin durchzustehen.

Das Ding schmeckt nach mißverstandenem Woody Allen und aufgewärmtem Werner Enke und riecht nicht von ungefähr nach Pantoffelkino: Dietls Filmchen (allen Ernstes mit einem Bundesfilmpreis ausgezeichnet) ist eine Digest-Version seiner TV-Vorabend-Serie *Der ganz normale Wahnsinn*, die wenige Monate später ausgestrahlt wurde.

Edgar Wallace-Filme: *Der Frosch mit der Maske (R* Harald Reinl, mit Joachim Fuchsberger, Siegfried Lowitz, Fritz Rasp, Eddi Arent, September 1959). *Der rote Kreis (R* Jürgen Roland, mit Klausjürgen Wussow, Karl Saebisch, Renate Ewert, Eddi Arent, Fritz Rasp, März 1960). *Die Bande des Schreckens (R* Harald Reinl, mit Joachim Fuchsberger, Karin Dor, Elisabeth Flickenschildt, Eddi Arent, August 1960). *Der grüne Bogenschütze (R* Jürgen Roland, mit Gert Fröbe, Karin Dor, Klausjürgen Wussow, Eddi Arent, Februar 1961). *Die toten Augen von London (R* Alfred Vohrer, mit Joachim Fuchsberger, Karin Baal, Dieter Borsche, Klaus Kinski, Eddi Arent, März 1961). *Das Geheimnis der gelben Narzissen (R* Akos von Rathony, mit Joachim Fuchsberger, Sabina Sesselmann, Klaus Kinski, Christopher Lee, Albert Lieven, Juli 1961). *Der Fälscher von London (R* Harald Reinl, mit Karin Dor, Hellmut Lange,

Der Durchdreher: Towje Kleiner

Die dritte Generation: Hanna Schygulla

Deutschland, bleiche Mutter: Eva Mattes

Siegfried Lowitz, Walter Rilla, Eddi Arent, Viktor de Kowa, August 1961). *Die seltsame Gräfin* (R Josef von Baky, mit Joachim Fuchsberger, Brigitte Grothum, Marianne Hoppe, Klaus Kinski, Eddi Arent, Fritz Rasp, Lil Dagover, November 1961). *Das Rätsel der roten Orchidee* (R Helmuth Ashley, mit Marisa Mell, Adrian Hoven, Christopher Lee, Klaus Kinski, Fritz Rasp, Eddi Arent, März 1962). *Die Tür mit den sieben Schlössern* (R Alfred Vohrer, mit Heinz Drache, Sabina Sesselmann, Klaus Kinski, Siegfried Schürenberg, Eddi Arent, Juni 1962). *Das Gasthaus an der Themse* (R Alfred Vohrer, mit Joachim Fuchsberger, Brigitte Grothum, Klaus Kinski, Eddi Arent, Siegfried Schürenberg, Elisabeth Flickenschildt, September 1962). *Der Zinker* (R Alfred Vohrer, mit Heinz Drache, Barbara Rütting, Eddi Arent, Siegfried Schürenberg, Klaus Kinski, April 1963). *Der schwarze Abt* (R F. J. Gottlieb, mit Joachim Fuchsberger, Dieter Borsche, Grit Böttcher, Klaus Kinski, Eddi Arent, Juli 1963). *Das indische Tuch* (R Alfred Vohrer, mit Heinz Drache, Corny Collins, Klaus Kinski, Siegfried Schürenberg, Eddi Arent, Elisabeth Flickenschildt, September 1963). *Zimmer 13* (R Harald Reinl, mit Joachim Fuchsberger, Karin Dor, Walter Rilla, Siegfried Schürenberg, Eddi Arent, Februar 1964). *Die Gruft mit dem Rätselschloß* (R F. J. Gottlieb, mit Harald Leipnitz, Judith Dornys, Rudolf Forster, Vera Tschechowa, Klaus Kinski, Eddi Arent, April 1964). *Der Hexer* (R Alfred Vohrer, mit Joachim Fuchsberger, Heinz Drache, Sophie Hardy, Siegfried Schürenberg, Siegfried Lowitz, Eddi Arent, August 1964). *Das Verrätertor* (R Freddie Francis, mit Albert Lieven, Margot Trooger, Klaus Kinski, Eddi Arent, Dezember 1964). *Neues vom Hexer* (R Alfred Vohrer, mit Heinz Drache, Barbara Rütting, Brigitte Horney, René Deltgen, Siegfried Schürenberg, Klaus Kinski, Eddi Arent, Juni 1965). *Der unheimliche Mönch* (R Harald Reinl, mit Harald Leipnitz, Karin Dor, Eddi Arent, Siegfried Lowitz, Uschi Glas, Dezember 1965). Alle folgenden Titel in Farbe: *Der Bucklige von Soho* (R Alfred Vohrer, mit Günther Stoll, Pinkas Braun, Eddi Arent, Siegfried Schürenberg, Monika Peitsch, September 1966). *Das Geheimnis der weißen Nonne* (R Cyril Frankel, mit Stewart Granger, Susan Hampshire, Sophie Hardy, Brigitte Horney, Siegfried Schürenberg, Robert Morley, Eddi Arent, Dezember 1966). *Die blaue Hand* (R Alfred Vohrer, mit Harald Leipnitz, Klaus Kinski, Siegfried Schürenberg, April 1967). *Der Mönch mit der Peitsche* (R Alfred Vohrer, mit Joachim Fuchsberger, Uschi Glas, Grit Böttcher, Rudolf Schündler, August 1967). *Der Hund von Blackwood Castle* (R Alfred Vohrer, mit Heinz Drache, Karin Baal, Siegfried Schürenberg, Horst Tappert, Hans Söhnker, Januar 1968). *Im Banne des Unheimlichen* (R Alfred Vohrer, mit Joachim Fuchsberger, Siv Mattson, Wolfgang Kieling, April 1968). *Der Gorilla von Soho* (R Alfred Vohrer, mit Horst Tappert, Uschi Glas, Uwe Friedrichsen, September 1968). *Der Mann mit dem Glasauge* (R Alfred Vohrer, mit Horst Tappert, Karin Hübner, Hubert von Meyerinck, Februar 1969). *Das Gesicht im Dunkel* (R Riccardo Freda, mit Klaus Kinski, Christiane Krüger, Günther Stoll, Juli 1969). *Die Tote aus der Themse* (R Harald Philipp, mit Uschi Glas, Hansjörg Felmy, Werner Peters, April 1971). *Das Geheimnis der grünen Stecknadel* (R Massimo Dallamano, mit Joachim Fuchsberger, Karin Baal, Fabio Testi, März 1972). *Das Rätsel des silbernen Halbmonds* (R Umberto Lenzi, mit Uschi Glas, Antonio Sabato, Pier Paolo Capponi, Juni 1972).

»In Ermangelung eigener Ideen und eigener Polizisten« *(Cahiers du Cinéma)* griff der um Krimi-Konfektion verlegene deutsche Film auf den immer zuverlässigen und beliebig strapazierbaren Edgar Wallace zurück und startete damit eine seiner stärksten Erfolgswellen. Eigentlich war das Ganze mehr ein dänischer als ein deutscher Einfall. In Dänemark gab es einen großen Film-Mogul, Preben Philipsen, der dadurch, daß er zur Gründerfigur des Constantin-Verleihs (»Constantin« war der Name eines Philipsen-Sohnes) und der Rialto-Produktion wurde, eine große Bedeutung für den deutschen Filmmarkt erlangte. Die ersten Wallace-Krimis wurden von ihm in Kopenhagen produziert, aber faktisch als deutsche Filme für den deutschen Markt. Später wurde Berlin der Hauptsitz der Rialto und der Produktionsort der Wallace-Krimis, und der neue deutsche Statthalter Philipsens, Horst Wendlandt (der zur Drehzeit der ersten Wallace-Filme noch Produktionsleiter bei Artur Brauners CCC war), gab der Serie ihr endgültiges Gesicht. Die Filme nahmen für sich ein durch ihren launigen Umgang mit dem Thrill- und Horrormaterial des Subgenres; das ganze wurde mit dem selbstironischen Stolz serviert, dem es gelungen ist, in seinem preußischen Schrebergarten Bananen zu züchten, die man auch tatsächlich zu sich nehmen kann, ohne daß es einem schlecht wird. Nach den ersten ein Dutzend Produktionen schwand allerdings der Elan, und nachdem schon Dreharbeiten im richtigen London unter der Regie richtiger englischer Fachkräfte ironischerweise dem spezifischen Reiz der Serie eher Abbruch getan hatten, waren die letzten Filme der Serie nur noch beliebige deutsch-italienische Coproduktions-Krimis, denen der alte Rialto-»Hier spricht Edgar Wallace!«-Flair vollständig ausgetrieben war. Wendlandts alter Arbeitgeber Artur Brauner, um eigene Ideen von jeher noch verlegener als irgendjemand sonst im deutschen Altfilm, hängte sich in die Zeit der Hochkonjunktur der Welle an diese an, indem er Krimis drehte, die angeblich oder wirklich auf Werken des Wallace-Sohnes Bryan Edgar Wallace beruhten: *Das Geheimnis der schwarzen Koffer* (R Werner Klingler, mit Joachim Hansen, Senta Berger, 1962). *Der Henker von London* (R Edwin Zbonek, mit Hansjörg Felmy, Dieter Borsche, 1963). *Der Würger von Schloß Blackmoor* (R Harald Reinl, mit Karin Dor, Ingmar Zeisberg, Harry Riebauer, 1963). *Das Phantom von Soho* (R F. J. Gottlieb, mit Dieter Borsche, Barbara Rütting, 1964). *Das siebte Opfer* (R F. J. Gottlieb, mit Hansjörg Felmy, Ann Smyrner, 1964). *Das Ungeheuer von London City* (R Edwin Zbonek, mit Hansjörg Felmy, Marianne Koch, Dietmar Schönherr, 1964).

Eine Ehe. R und B Hans Rolf Strobel, Heinrich Tichawsky. K Heinrich Tichawsky. *Mitarbeit* Horst Becker, Susanne Beyerle, Waltraut Hopp, Werner Sörgel, Walter Schacht, Ula Stöckl, Rosemarie Weigand, Alfred Tichawsky. D Heidi Stroh (Heidi), Peter Graaf (Peter), Annalenah Edberg, Mischa Gallé, Susanna und Wolfgang Kindt. P Strobel-Tichawsky. 120 Minuten. 1969.

Nach sechs Jahren scheitert die Ehe von Peter, der als Städtplaner gewohnt ist, in »großen Hoffnungsbögen« zu denken, zuhause aber als Eheherrscher alten Stils auftritt, und Heidi, die völlig unselbständig ist und sich völlig auf ihren Mann einzustellen versucht, bis sie kapiert, daß sie sich auf andere Weise selbst verwirklichen muß.

Das Spielfilmdebüt des seinerzeit führenden Dokumentaristen-Teams, der gescheiterte Versuch, eine streng dokumentarisch geführte Recherche spielfilmhaft aufzubereiten.

Die Ehe des Herrn Mississippi. R Kurt Hoffmann. B Friedrich Dürrenmatt, nach seinem Bühnenstück. K Sven Nykvist. M Hans-Martin Majewski. A Otto Pischinger, Hertha Hareiter, Charlotte Flemming. D O. E. Hasse (Mississippi), Johanna von Koczian (Anastasia), Hansjörg Felmy (Graf Bodo von Uebelohe-Zabernsee), Martin Held (Saint-Claude), Charles Regnier (Justizminister), Max Haufler (Van Bosch), Ruedi Walter, Karl Liefen, Hanns Ernst Jäger, Edith Hanke, Kurt Buecheler, Herbert Weissbach. P CCC, Berlin Praesens, Zürich (Max Dora). 93 Minuten. 1961.

Generalstaatsanwalt Mississippi, der seine Frau umgebracht hat, heiratet Anastasia, die ihren Mann umgebracht hat. Mississippi ist für die Wiedereinführung alttestamentarischer Gesetze und erwirkt binnen kurzem 350 Todesurteile. Ein Widersacher erwächst ihm in einem alten Freund und Geschäftspartner, Saint-Claude, der die kommunistische Weltrevolution durchzusetzen wird. Er trifft sich mit seinen Revoluzzern im Boudoir von Anastasia, wo eines Tages auch Anastasias alter Geliebter Graf Bodo wieder auftaucht. Nach schweren Unruhen wird Mississippi ins Irrenhaus verbannt, Saint-Claude von seinen eigenen Leuten liquidiert; Graf Bodo sucht das Weite. Anastasia heiratet den Ministerpräsidenten.

Nachdem er fast zwanzig Jahre lang erfolgreiche und zumeist erquickliche Komödien gedreht hatte, forcierte Kurt Hoffmann ab *Bekenntnisse des Hochstaplers Felix Krull* (1957) unablässig seine thematischen und formalen Ambitionen. Der Höhepunkt dieser Entwicklung war die Dürrenmatt-Verfilmung *Die Ehe des Herrn Mississippi.* »Allerdings, wie schon im *Krull,* hatte der literarische Ehrgeiz den Regisseur auch hier zu einem Stoff greifen lassen, dessen Geist ihm letztlich fremd blieb. Die Doppelbödigkeit und das Grausig-Komische der Dürrenmatt'schen Späße fanden in Hoffmanns Regie, bei aller optischen Eleganz und eleganten Schauspielerführung, keine Entsprechung« (Walther Schmieding, *Kunst oder Kasse,* 1961). Nach so schwindelerregenden Höhenflügen klang dann Hoffmanns Karriere Ende der sechziger Jahre mit so sanften Sachen wie *Morgens um sieben ist die Welt noch in Ordnung* und *Ein Tag ist schöner als der andere* aus.

Eierdiebe. R Michael Fengler. B Burghard Schlicht, Michael Fengler. K (Farbe) Jürgen Jürges. M Jürgen Knieper. A Reinhard Donga. S Christa Reeh. D Marquard Bohm (Charly), Charly Wierzejewski (Sonny), Gerhard Olschewski (Klaus), Rolf Zacher (Franz), Rita Scaturati, Gabi Klier, Adrian Hoven, Helmut Alimonta, Dietrich Kerky, Dan van Husen, Kurt Raab, Paul Lys, Hannes Gromball, Klaus Münster. P Albatros (Michael Fengler). 83 Minuten. 1976.

Charly und Sonny lernen sich in einer Frankfurter Kneipe kennen. Sie lassen sich auf einen Heroin-Transport ein. Als man sie hereinlegen will, halten sie den Daumen auf dem Stoff und geraten dadurch ins Schußfeld einer organisierten Profi-Bande. Zwischendurch versuchen sie es mit Kunstdiebstahl, stecken aber auch dabei nur Niederlagen ein. Die Profis stellen ihnen eine Falle. Ihr Freund Franz, gerade aus einem Sanatorium entflohen, kommt hinzu. Charly und Sonny gelingt es zu entkommen, Franz verbrennt durch unglückliche Umstände in seinem Auto.

Michael Fenglers zweite Solo-Regiearbeit.

Eika Katappa. R und B Werner Schroeter. K (Farbe und Schwarzweiß) Werner Schroeter, Robert Van Ackeren. M Giuseppe Verdi, Krystof Penderecki, Ludwig van Beethoven, Gaspare Spontini, Vincenzo Bellini, Johann Strauß, Wolfgang Amadeus Mozart, Ambroise Thomas, Giacomo Puccini, Richard Strauss, Conchita Supervia, ein Tango aus der deutschen Fassung von Buñuels *Un chien andalou,* ein von Elisabeth Flickenschildt gesungenes Lied aus *Das Gasthaus an der Themse* und ein Caterina-Valente-Schlager. S Werner Schroeter. D Gisela Trowe, Carla Aulaulu, Magdalena Montezuma, Alix von Buchen, Rosy-Rosy, Rita und Joachim Bauer, René Schönberg, Ingo und Sigurd Salto, Stefan von Haugk, Camille Calabrese, Marlene Koch, Rosa von Praunheim. P Werner Schroeter. 144 Minuten. 1969.

»Verstreute Bilder« soll *Eika Katappa* bedeuten: der Film ist eine in 8 Teile gegliederte Bild-, Musik- und Text-Collage von Elementen aus Geschichte, Mythologie, Religion, Oper und

Showbusiness des deutschen und italienischen Bereichs. »Ein Film, den man Schroeters Triumphschrei nennen könnte, einen ekstatischen und exzessiven Temperamentsausbruch nach Zeiten kaum beachteten Künstlerdaseins. Vor allem aber ist mit *Eika Katappa* Schroeter der lang ersehnte Ausbruch ins Mediterrane geglückt ... Zwischen dem nibelungischen Xanten, zwischen Konnersreuth einerseits und der Engelsburg, Neapel, Capri andererseits sucht er sich in *Eika Katappa* seine Schauplätze. Obwohl der Tod in diesem Film als Drohung und Drama in allen seinen Formen gegenwärtig ist, erscheint er doch unter südlichen Himmeln weniger ernst, dafür theatralischer: Das Kreuz des Südens ist allemal leichter zu (er)tragen als das des Nordens. *Eika Katappa*, eine Art Pandaemonium christlich-abendländischer Kultur, läßt sich von Nord willig nach Süden treiben und findet dort immerhin eine Art vorläufigen Ziels. Dieser Eindruck wird entschieden gestützt durch die den Film tragende Musik: Es sind die Musiken der großen italienischen Oper (aber auch der fernwehsüchtigen Valente-Schlager), zu denen Pathos und Gestus der Tragödien des Südens inniger korrespondieren als jene des Nordens« (Sebastian Feldmann u. a.: *Werner Schroeter*, 1980).

Einer von uns beiden. *R* Wolfgang Petersen. *B* Manfred Purzer, nach dem Roman von -ky. *K* (Farbe) Charly Steinberger. *M* Klaus Doldinger. *D* Klaus Schwarzkopf (Kolczyk), Jürgen Prochnow (Ziegenhals), Elke Sommer, Ulla Jacobsson, Kristina Nel, Walter Gross, Otto Sander, Berta Drews, Ortrud Beginnen, Fritz Tillmann. *P* Roxy (Luggi Waldleitner)/Divina. 105 Minuten. 1974.
Der verkrachte Student Ziegenhals kommt dahinter, daß ein Dozent der Freien Universität Berlin, Kolczyk, seine Dissertation Wort für Wort aus einer in den USA veröffentlichten Arbeit abgeschrieben hat. Ziegenhals beginnt, den Soziologieprofessor zu erpressen. Zunächst zahlt Kolczyk auch, doch dann geht er zum Gegenangriff über: Er versucht auf jede erdenkliche Weise, sich den lästigen, seine gesicherte bürgerliche Existenz bedrohenden Erpresser vom Halse zu schaffen. Die Eskalierung des tödlichen Hasses zwischen den beiden Männern kann nicht gut ausgehen – für keinen.
Erster Spielfilm von Wolfgang Petersen. Der Absolvent der Deutschen Film- und Fernsehakademie Berlin hatte sich Anfang der siebziger Jahre mit einer Reihe ausgezeichneter Fernsehkrimis für die *Tatort*-Serie und vor allem mit dem Umwelt-Thriller *Smog* – ebenfalls eine TV-Arbeit – einen Namen gemacht. »Eine funktionale ökonomische Inszenierung, die ihre Mittel ohne Schlenker den Erfordernissen der Geschichte anpaßt, eine beiläufige Sicherheit im Umgang mit Schauspielern, die selbst so verbrauchte Chargen wie Berta Drews, Fritz Tillmann und Walter Gross zu überaus eindringlichen Leistungen inspiriert: All das ist so selten im deutschen Film, im ganz jungen wie im ganz alten, daß Petersens Kinodebüt Aufmerksamkeit und Respekt verdient. Hier war ein Profi am Werk, der sein Handwerk perfekt versteht; kein Neuerer, der ästhetische Maßstäbe zu setzen sucht, sondern einfach jemand, der spannende Geschichten spannend erzählen kann, ohne in provinzielle Biederkeit zu verfallen. Einen ›Glücksfall‹ nennt man dergleichen wohl« (Hans C. Blumenberg, *Die Zeit*).

Das Einhorn. *R* Peter Patzak. *B* Dorothee Dhan, Martin Walser, nach dem Roman von Martin Walser. *K* (Farbe) Ulrich Burtin. *M* Peter Zwetkoff. *A* Jörg Höhn. *T* Wilhelm Dusil. *S* Bernd Lorbiecki, Jacqueline Elder. *D* Peter Vogel (Anselm Kristlein), Gila von Weitershausen (Birga Kristlein), Miriam Spoerri (Melanie Sugg), Christiane Rücker (Barbara Salzer), Lucie Visser, Anton Diffring, Lilian Rack, Isolde Barth, Hans Helmut Dickow, Helmut Fischer, Hannes Kaetner, Elma Karlowa. *P* Artus (Harald Müller)/SWF. 111 Minuten. 1978.
Der Schriftsteller Anselm Kristlein, ein ehemaliger Werbetexter, bekommt von der Schweizer Verlegerin Melanie Sugg den Auftrag, einen Sachroman über die Liebe zu schreiben. Anselm macht sich gewissenhaft an die Arbeit, besser gesagt an die Vorarbeit. Das Buch soll *Liebe* heißen; nach einer Reihe amouröser Abenteuer macht seine verständnisvolle Ehefrau ihm den Vorschlag, es lieber *Anstatt Liebe* zu nennen. Am Bodensee begegnet Anselm dann doch noch einem jungen Mädchen, das ihn die Frauen der vergangenen dreißig Jahre vergessen macht. Zum Schluß kehrt Anselm in die Wirklichkeit und zu seiner Frau zurück, und das Buch braucht er inzwischen gar nicht mehr zu schreiben – niemand ist ihm böse.
Im selben Jahr entstanden wie Alf Brustellins Walser-Verfilmung *Der Sturz*, stieß *Das Einhorn* des österreichischen Regisseurs Peter Patzak auf Lob und Ablehnung zugleich: »Der Inbegriff des Seltsamen, des Gefühle provozierenden eigenartigen Menschen: das ist Anselm Kristlein aus Martin Walsers Roman *Das Einhorn*. Die Filmversion liegt jetzt vor. Das Wagnis, dies vorab, ist gelungen; Regisseur Peter Patzak hat die Gedankensplitterwelt Walsers in ein optisch vorzeigbares Bild-Kaleidoskop verwandelt, dem der Text konsequent zugeordnet wurde. (...) Peter Vogel in der Hauptrolle scheint zum Schluß Anselm selbst zu sein« *(Esquire Deutschland)*. »Mit dieser Fehlbesetzung (Peter Vogel) im Zentrum nimmt sich die ganze Handlung aus wie ein einziges absurdes Mißverständnis« *(Die Zeit)*.

Eins. *R* und *B* Ulrich Schamoni. *K* (Farbe) Igor Luther. *M* Django Reinhardt, Stephane Grapelli, Ludwig van Beethoven, Carl Maria von Weber. *T* Rainer Lorenz. *S* Heidi Genée. *D* Ulrich Schamoni (Kapitalist), Andrea Rau (Freundin), Herbert Hamm (Herbert), Wolf Fuchs (Wolf), Pit

Das Einhorn: Lucie Visser, Peter Vogel

Eierdiebe: Marquard Bohm, Charly Wierzejewski

Schröder (Chauffeur). P Peter Schamoni. 94 Minuten. 1971.

Ein schrulliger junger Kapitalist nimmt zwei junge Drifter, Wolf und Herbert, mit an die Côte d'Azur. Dort dienen sie ihm als Helfershelfer bei seinem System, in Spielkasinos große Gewinne zu machen. Nach einiger Zeit fühlen die beiden sich ausgebeutet und wollen ihn verlassen. Bevor es dazu kommt, dreht Wolf das Gewinn-System eigenmächtig um, verdient dadurch noch viel mehr und zahlt seinen Chef aus, bevor er sich von ihm trennt.

Ulrich Schamoni ist der geborene Autoren-Filmer; alle seine Filme handeln hauptsächlich von ihm selbst, von seinen Neigungen, seinen Schrullen, seiner Lust am Zocken, von seiner Lust überhaupt und auch von seinen Schmerzen, von den Prozessen seines Alterns und seiner Erinnerung, von seinem verrückten Haus in der Furtwängler-Straße 19, Berlin 33, und von seinen Freunden und Freundinnen. Je mehr er sich in seinen Filmen von sich selbst entfernt, um so weniger interessant werden sie: In diesem hier bleibt er ganz dicht an sich dran.

1 Berlin-Harlem. R und B Lothar Lambert, Wolfram Zobus. K Reza Dabui, Skip Norman. M Bob Burrows, Jan Berger. D Conrad Jennings, Claudia Barry, Ortrud Beginnen, Rainer Werner Fassbinder, Brigitte Mira, Evelyn Künneke, Ingrid Caven, Günther Kaufmann, Tally Brown, Peter Chatel, Alexander MacDonald. P Lothar Lambert und Wolfram Zobus. 100 Minuten. 1975.

Ein farbiger US-Soldat wird aus der Armee entlassen und beschließt, in Berlin zu bleiben. Doch die Vorurteile der Bevölkerung und die zum Teil unverhohlene Diskriminierung machen es ihm unmöglich, eine Existenz aufzubauen.

»Berlin als Stadt, in der dies alles möglich ist – Beschränktheit und Geilheit, Gutmütigkeit und Gemeinheit, Singen und Keifen –, kommt anheimelnd dubios vor die Kamera. Bekannte Schauspieler sieht zuhauf in den Streifen zu sehen, bei dessen Ende wir hoffen, der sympathische Schwarze möge sicher über die Grenze kommen, nachdem er seinem schwulen Rechtsanwalt aus Versehen die Kehle zugedrückt hat« (Annemarie Weber, Die Presse). Dritter No-Budget-Film von Lothar Lambert und Wolfram Zobus nach Ex und hopp (1972), für den sie mit dem Berliner Kunstpreis ausgezeichnet wurden, und Ein Schuß Sehnsucht – Sein Kampf (1973). Buchstäblich im Alleingang drehte der hauptberufliche Journalist Lambert danach Faux Pas de Deux (1976), Nachtvorstellungen (1977), Now or Never (1979), Tiergarten (1980) und Die Alptraumfrau (1981). »Szenisch üppige Moritaten voller Harmonie und Wirklichkeitsgefühl spiegeln die vitale Berliner Subkultur«, schrieb der Stern über Lamberts Werke, und Variety's Mann in Berlin, Ron Holloway, jubelte: »Lamberts Gespür für den dekadenten Stil eines Sternheim oder Stroheim hebt ihn in eine Klasse mit Fassbinder, Van

Ackeren oder von Praunheim, die bunten Flügel des neuen deutschen Films.«

1 + 1 = 3. R und B Heidi Genée. K (Farbe) Gernot Roll. M Andreas Koebner. A Peter Grenz. T Ed Parente. S Helga Beyer. D Adelheid Arndt (Katarina), Dominik Graf (Bernhard), Christoph Quest (Jürgen), Dietrich Leiding, Helga Storck, Charlotte Witthauer, Kelle Riedl, Hark Bohm. P Genée & Von Fürstenberg. 85 Minuten. 1979.

»1 + 1 = 3, einer der sympathischsten Filme des Neuen Deutschen Films der letzten Jahre und auf vielen internationalen Festivals wie Montreal und Chicago präsent, erzählt die witzige Geschichte einer jungen, schwangeren Schauspielerin, die beschließt, ihr Kind ohne Ehemann auf die Welt zu bringen und die Heiratsanträge ihrer beiden Freunde (von denen einer der Vater ist) ablehnt. Regisseurin und Autorin Heidi Genée, die vorher Grete Minde gemacht hat, inszeniert mit beneidenswert leichter Hand, und Hauptdarstellerin Adelheid Arndt bietet eine erstklassige schauspielerische Leistung« (Ken Wlaschin, NFT).

Eiszeit. R Peter Zadek. B Tankred Dorst, Peter Zadek. K Gerard Vandenberg. M Peer Raben. D O. E. Hasse, Ullrich Wildgruber, Hannelore Hoger, Walter Schmidinger, Helmut Qualtinger, Heinz Bennent, Hans Mahnke. P Polyphon/WDR. 115 Minuten. 1975.

Ein ehemaliger Widerstandskämpfer will einen in einem Altersheim internierten 90jährigen Literatur-Nobelpreisträger und ehemaligen Nazi-Kollaborateur umbringen, erliegt aber der Faszination des greisen Dichters und tötet sich selbst.

»Die Wahrheit von heute ist nicht die Wahrheit von gestern«, sagt der Mann, der hier Knut Hamsun sein soll. Ein anregendes Ideenspiel und eine letzte große Kinorolle für O. E. Hasse.

Die Elixiere des Teufels. R Manfred Purzer. B Manfred Purzer, nach E. T. A. Hoffmann. K (Farbe) Charly Steinberger. M Hans Martin Majewski. A Peter Rothe. T Peter Beil. S Wolfgang Schacht. D Dieter Laser (Medardus), Sylvia Manas (Aurelie), Christine Buchegger (Euphemie), Peter Broglé (Peter Schönfeld), Heinrich Schweiger (Papst), Rudolf Fernau, Karl Maria Schley, Martin Rosen, Horst Frank, Michael Kröcher, Henning Schlüter, Christof Wackernagel, Walter Ullrich, Peter Kuiper, Ellen Umlauf, Herbert Fux. P Roxy (Luggi Waldleitner)/Divina/BR. 113 Minuten. 1976.

Der Kapuzinerpater Medardus kostet von den Elixieren des Teufels und muß sich fortan nicht nur mit einem Doppelgänger, sondern auch noch mit seinem bösen anderen Ich herumschlagen.

»In den späten fünfziger und frühen sechziger Jahren hätte dieser deutsche Film nicht besser gemacht werden können. Eine Rolle für Peter Alexander hätte sich schon noch einbauen las-

sen. Heute aber darf man glücklicherweise auch hierzulande von einem Lichtspiel, das sich mit einem berühmten Titel aus der Literaturgeschichte schmückt, mehr erwarten als die platte Umsetzung von inneren Vorgängen in äußere Spukerscheinungen, die Ausbeutung von willkürlich zusammengesetzten Kinoeffekten für einen lächerlichen Gespenster-Naturalismus« (Siegfried Diehl, Frankfurter Allgemeine Zeitung).

Die endlose Nacht. R und B Will Tremper. K Hans Jura. M Peter Thomas. D Louise Martini (Ehefrau), Harald Leipnitz (Geschäftsmann), Karin Hübner (Mannequin), Alexandra Stewart (Hostess), Bruce Low (Farmer), Hannelore Elsner (Starlet), Fritz Rémond (Schauspieler), Paul Esser, Werner Peters, Wolfgang Spier. P Will Tremper/Interwest. 90 Minuten. 1963.

Wegen dichten Nebels fällt der Flugverkehr auf Berlin-Tempelhof aus. Zahlreiche Passagiere müssen sich auf dem Flughafen und in der Stadt die Nacht vertreiben.

»Die Treffsicherheit, mit der Tremper im Beiläufigsten Typisches festhält, hat oft etwas Erheiterndes. So, wenn zu später Stunde doch noch eine Maschine landet und die Wartenden bemerken, daß sie ausschließlich Farbige an Bord hatte: Das erstaunte ›Lauter Neger!‹ und das säuerliche ›Jetzt winkt der auch noch, wat sachse dazu!‹ streifen den Bereich der absurden Komik, ohne im mindesten künstlich zu wirken. Oder wenn in einem Gespräch zweier Düsseldorfer Kaufleute (der eine mit modischer Persianermütze) der Satz fällt: ›Sagen Sie mal, Sie haben doch vor zwei Jahren auch noch in Leipzig ausgestellt . . .‹ Oder wenn das Starlet am Telefon mault: ›Berlin ist sauer, kann ich dir sagen, ich bin froh, wenn ich wieder in München bin.‹ Nie spricht sich in solchen Sätzen das ›Wesen‹ des Sprechenden aus oder gar die Meinung des Autors. Widersprüche unserer sozialen und politischen Existenz stoßen hier momentweise mit leisem Klirren aufeinander . . . Wann haben wir das zuletzt erlebt: daß man aus dem Film eines deutschen Regisseurs herauskam und Lust verspürte, bald seinen nächsten zu sehen?« (Enno Patalas, Filmkritik, 1963).

Endstation Freiheit. R Reinhard Hauff. B Burkhard Driest. K (Farbe) Frank Brühne. M Irmin Schmidt. A Heidi Lüdi, Toni Lüdi. T Vladimir Vizner. S Peter Przygodda. D Burkhard Driest (Nik Dellmann), Rolf Zacher (Henry), Katja Rupé (Eva), Carla Egerer (Leila), Kurt Raab (Beekenbrandt), Eckehard Ahrens, Veit Relin, Werner Eichhorn, Hans Noever, Hark Bohm, Irm Hermann, Marquard Bohm, Horst Hesslein, Heinz Hürländer, Peter Genée. P Bioskop (Eberhard Junkersdorf)/Planet/ZDF. 112 Minuten. 1980.

Nik Dellmann wird nach acht Jahren Gefängnis wieder in die Freiheit entlassen. Das Angebot seiner früheren Freundin Eva, bei ihr und ihrem Mann zu wohnen, lehnt er ab und meldet sich

statt dessen bei der Brieffreundin seines Zellenkumpanen Henry. Nik schreibt ein Buch über seine Erfahrungen mit dem Titel Der Mann ohne Schatten. Eva macht ihn auf einer Dichterlesung mit einem Verlagslektor bekannt, doch Nik ist von dieser Kulturschickeria wenig begeistert. Inzwischen befindet sich auch Henry in Freiheit – er ist aus dem Gefängnis ausgebrochen und wurde dabei am Bein von einer Kugel getroffen. Henry ermuntert Nik, den Entführungsplan, den er in seinem Roman detailliert beschreibt, in die Tat umzusetzen. Nik sträubt sich erst, macht sich aber dann doch mit Henry an die Vorbereitung zu dem Coup. Da teilt Eva ihm mit, daß der Verlag sein Buch veröffentlichen werde. Nik will daraufhin die Entführung abblasen, doch Henry ist entschlossen, das Ding auch alleine zu drehen. Während der Verlag und die Medien Nik und sein Buch nach ihren Vorstellungen zurechtbiegen, läßt der geschwächte Henry den entführten Industriellen entkommen und wird von der Polizei erschossen.

Bereits 1974 arbeiteten Regisseur Reinhard Hauff und Drehbuchautor Burkhard Driest zusammen: Die Verrohung des Franz Blum schilderte die Anpassung eines intellektuellen Straftäters an die primitiven Überlebensregeln innerhalb einer Strafvollzugsanstalt. (Danach verfilmte Hauff noch zwei Drehbücher von Driest, Zündschnüre nach F. J. Degenhardt und Paule Pauländer.) Endstation Freiheit schließt mit der Entlassung seines Helden aus dem Gefängnis direkt an den ersten Film an und ist wie dieser voll von autobiographischen Details aus dem Leben des ehemaligen Jura-Studenten, Straffälligen und jetzigen Schriftstellers und Schauspielers Burkhard Driest. In einer Szene dieses drastischen, packenden Films hängt ein großes Foto von Jean-Paul-Belmondo an der Wand, der unter der Regie von Godard und Melville in den sechziger Jahren Typen verkörpert hat, die diesem Nik Dellmann sehr ähnlich waren. Nun besitzt Burkhard Driest aber nicht annähernd die schauspielerischen Fähigkeiten und die physische Präsenz Belmondos (sein darstellerisches Unvermögen springt besonders in den Szenen ins Auge, in denen er neben dem großartigen Rolf Zacher spielt). Driests Drehbuch dagegen verdient uneingeschränkte Bewunderung. Wie sich hier autobiographische Ehrlichkeit und milieugerechter Realismus mit einer literarischen Qualität verbinden, durch die der Film bis in Dekor und Maske hinein gespickt ist mit Motiven der Duplizität und Dualität, der Austauschbarkeit und Entscheidungsangst – das gab es selten im Neuen Deutschen Film.

Engelchen macht weiter – hoppe, hoppe Reiter. R Michael Verhoeven. B Franz Geiger. K (Farbe) Werner Kurz. M Axel Linstädt/»Improved Sound Ltd.«. A Heinz Eickmeyer. D Mario Adorf (Gustl), Gila von Weitershausen (Helene), Uli Koch (Walter), Christof Wackernagel (Wimpie), Gert Wiedenhofen, Dieter Augustin, Ilse Pagé, Elisabeth Volkmann. *P* Rob Houwer. 87 Minuten. 1968.

Unter dem Eindruck der Aufklärungswelle beschließt Gustl, obwohl eigentlich glücklich verheiratet mit Helene, ein »Titan der Erotik« mitten im Gewühle gewaltiger Orgien zu werden. Seine zunächst nicht von solchem Ehrgeiz geplagte Frau schafft dieses Ziel fast noch schneller als er selbst.

Mit seinem zweiten Spielfilm übernimmt Michael Verhoeven von Marran Gosov die nicht unbedingt dankbare Aufgabe, die mit dem Reizwort »Engelchen« verbundenen Erwartungen zu erfüllen. Als Persiflage auf den Aufklärungs-Sexwahn der Zeit hätte das etwas ruchloser ausfallen können; Franz Geigers Drehbucheinfälle sind eher altväterlich.

Engelchen oder Die Jungfrau von Bamberg. *R* Marran Gosov. *B* Franz Geiger, Marran Gosov. *K* (Farbe) Werner Kurz. *M* Jacques Loussier. *A* Peter J. Scharff. *T* Klaus Eckelt. *S* Monica Wilde, Renate Schlösser. *D* Gila von Weitershausen (Katja), Ulrich Koch (Tim), Dieter Augustin (Gustl), Hans Clarin (Graf), Christof Wackernagel (Franz), Rita Buser (Doris), Michael Luther (Ulrich), Peter Wortmann (Christian), Roland Astor, Veronika Mehringer, Hartmut Neugebauer, Helmut Markwort. *P* Rob Houwer. 81 Minuten. 1968.

Katja kommt aus Bamberg nach München, um endlich ihre Unschuld zu verlieren. Sie begegnet einigen Herren, die sich auf eine derartige Aufgabe partout nicht einlassen wollen, schließlich aber doch sehr gierig werden; inzwischen hat ein anderer Verehrer das Problem gelöst.

Rob Houwer 1967: »Es gibt eine Art, Filme mit dem Geschlechtsteil zu drehen – so wie es eine Art gibt, sich Filme mit dem Geschlechtsteil anzusehen. Das sind 80 Prozent aller Kinogänger. Und ich finde, daß die Leute ein Recht darauf haben.« Marran Gosov 1967: »Jungfilmer sind Männer, die mit Mädchen Schwierigkeiten haben.« In dem Holländer Rob Houwer, geboren 1937 in Groningen, erster Kurzfilm als Regisseur *Hundstage* 1959, später hauptsächlich Produzent, und in dem Bulgaren Tzvetan Marangosoff, genannt Marran Gosov, geboren 1933 in Sofia, erster Kurzfilm *Antiquitäten* 1965, waren dem Jungen Deutschen Film die Filmemacher entstanden, deren manifestes Schicksal es war, die Lüste des Publikums auf eine Weise zu bedienen, deren der Altfilm nie fähig war: mit Intelligenz, Witz, Geschmack und der unerschütterlichen Gewißheit, daß der Film die Kunst ist, mit schönen Mädchen schöne Sachen anzufangen. Mit *Engelchen* ist ihnen das schon ganz gut gelungen. Nach dem großen Erfolg des Films hätte kein Mensch geahnt, daß beider gemeinsame Karriere nach drei Filmen *(Engelchen, Zuckerbrot und Peitsche, Bengelchen liebt kreuz und quer)* bereits zu Ende war, noch schlimmer: daß Marran Gosov danach nur noch zwei Filme drehte *(Der Kerl liebt mich, Wonnekloß)* und sich Houwer in den frühen siebziger Jahren

von der deutschen Filmszene verabschiedete, um dann nur noch in den heimischen Niederlanden weiterzuproduzieren.

Erdbeben in Chili. *R* Helma Sanders. *B* Helma Sanders, nach der Novelle von Heinrich von Kleist. *K* Dietrich Lohmann. *D* Julia Pena (Josephe Asteron), Victor Alcazar (Jeronimo Rugera), Juan Amigo (Fernando Ormez), Maria Jesus Hoyos (Elvira Ormez), Maria Vico (Elisabeth Ormez). *P* Filmverlag der Autoren/ZDF. 87 Minuten. 1974.

Weil die Adelige Josephe Asteron als Novize eines Karmeliterklosters ein Kind zur Welt bringt, das aus einer Liebschaft mit ihrem früheren Hauslehrer rührt, wird sie zum Tode verurteilt, während man ihren Liebhaber in den Kerker wirft. Allein die höhere Gewalt eines Erdbebens sorgt wie durch ein Wunder gerade noch zur rechten Zeit für die Errettung und Befreiung der beiden Liebenden, die sich mit anderen Flüchtlingen und Überlebenden der heimgesuchten Stadt in arkadischen Gefilden wiederbegegnen. Alles scheint sich schon zum besten zu wenden, als anläßlich eines Dankgottesdienstes ein Dominikanermönch den Haß der Menge auf das junge Paar lenkt, das durch seinen sündigen Lebenswandel die Naturkatastrophe herbeigeführt haben soll.

Helma Sanders selbstbewußt über ihren Film: »Zum Glück hatte ich vorsorglich ein Buch über Dreyer und eins über Dowschenko zu mir gesteckt, als ich von Deutschland abfuhr. Solche Bilder wie in diesen beiden Büchern habe ich dann versucht zu machen, gespannt, wie sich das mit Kleist vertragen würde. Nun ist ein Film entstanden, den vielleicht auch Kinder verstehen werden, mit einem Kinoerdbeben – eher befreiend als entsetzlich.«

Die Eroberung der Zitadelle. *R* Bernhard Wicki. *B* Gunther Witte, Bernhard Wicki, nach der Novelle von Günter Herburger. *K* (Farbe) Igor Luther. *M* George Gruntz. *A* Jörg Neumann, Bernd Müller. *S* Jane Sperr. *D* Andras Fricsay (Brucker), Antonia Reininghaus (Alessandra), Armando Brancia (Rodolfo), Dieter Kirchlechner (Niccolo), Ivan Desny (Faconi), Costas Papanastasiou, Kurt Mergenthal, Vittoria di Silverio, Assunta und Elena de Maggi. *P* Scorpion (Jürgen Dohme)/WDR. 137 Minuten. 1977.

Nach einem Autounfall bleibt Brukker, ein junger Deutscher, irgendwo in Italien hängen und schlägt sich als Schwarzarbeiter durch. Er läßt sich ein auf das fremde Land, die gänzlich andere Mentalität und die für ihn neue Erfahrung harter körperlicher Arbeit. Allmählich lernt er, was Solidarität unter Rechtlosen ist, und nimmt teil an einem vitalen, explosiven Akt der Auflehnung gegen eine versnobte Partygesellschaft.

»Bernhard Wicki, der Regisseur, drehte auf der Insel Elba einen Film, dessen ursprüngliche Länge drei Stunden dauerte. Wickis Erfahrung und Zähigkeit, sein Wille zur Gestaltung

Endstation Freiheit: Burkhard Driest

1 + 1 = 3: Adelheid Arndt

Engelchen: Marran Gosov

Die Eroberung der Zitadelle: Andras Fricsay, Antonia Reininghaus

Die endlose Nacht: Harald Leipnitz, Will Tremper

und seine geduldig reiche Ausdrucks-fähigkeit beinhalten, was dazukom-men muß, wenn Kunst dem Leben bei-stehen soll. Er hat auch nicht gescheut, beispielhaft für einen Mann seines Al-ters, alles auf eine Karte zu setzen; hat sein Haus verpfändet, hat heillose Schulden gemacht und verwandelte al-les Geld in Filmstreifen voll Pracht. Vielleicht geht er damit unter, aber die Bereitschaft, sich rücksichts zu offen-baren an der Schwelle zu einem neuen Zeitalter in Europa, verspricht Mut, ohne den Kunst vergeblich wäre, hoff-nungsvollen Sinn mit der widersprüch-lichen Gegenwart zu vereinigen« (Günter Herburger).

Die erste Polka. *R* Klaus Emmerich. *B* Helmut Krapp, nach dem Roman von Horst Bienek. *K* (Farbe) Michael Ballhaus. *M* Edward Aniol. *A* Rolf Zehetbauer, Herbert Strabel. *S* Han-nes Nikel. *D* Maria Schell (Valeska), Erland Josephson (Leo Maria), Guido Wieland (Montag), Ernst Stankovski (Wondrak), Claus Theo Gärtner (Metzmacher), René Schell, Marco Kröger, Miriam Geissler, Eva Maria Bauer, Marie Bardischewski, Regine Lamster, Jessica Früh, Markus Stol-berg, Ursula Strätz. *P* NDF/Bavaria (Helmut Krapp). 105 Minuten. 1979.
Gleiwitz/Oberschlesien, der 31. Au-gust 1939 – der Tag vor dem Ausbruch des Zweiten Weltkrieges. Valeska, Oberhaupt der Familie Piontek, seit sich ihr Mann Leo Maria ins Bett legte, um nicht mehr aufzustehen, ist mit den Vorbereitungen zur Hochzeitsfeier ih-rer Tochter Irma beschäftigt. Für die Probleme ihres Sohnes Josel, fünfzehn Jahre, hat sie deshalb wenig Zeit. Josel gibt vor seinem gleichaltrigen Cousin Andreas aus Berlin mächtig an und merkt nicht, wie sich seine Freundin Ulla in Andreas verliebt. Ulla und Andreas werden unfreiwillige Zeugen des fingierten Überfalls auf den Sen-der Gleiwitz, der zum Anlaß der deut-schen Kriegserklärung gegen Polen wurde. Auf dem pompösen Hochzeits-fest mit vielen geladenen Ehrengästen tanzen Josel und Ulla ihre erste Polka. Auf dem Heimweg erschlägt Josel den betrunkenen Feldwebel Metzmacher, der Ulla vergewaltigen wollte. Leo Maria stirbt. Josel verschwindet nach Berlin. Seit 5.45 Uhr wird zurückge-schossen.
Von der Originalität der Kinoge-schichte *Kreutzer* war in Klaus Emme-richs zweitem Kinofilm, einer Roman-verfilmung, nichts zu spüren. Natürlich ist in einem »Zeitstoff« wie diesem wenig Platz für Action und Ironie, doch mit seiner allzu biederen Regie erreicht Emmerich kaum das nötige Interesse für seine Figuren.

Der erste Walzer. *R* Doris Dörrie. *B* Doris Dörrie, Wulf Reimann. *K* (Far-be) Peter Gauhe. *T* Jan-Christian Martens. *S* Raimund Barthelmes. *D* Christopher Thomas (Max), Katha-rina Hembus (Sandy), Sepp Bierbich-ler (Sandys Vater), Louise Francia (Sandys Mutter). *P* HFF/BR. 58 Mi-nuten. 1978. TV-Titel *Max und San-dy.*

Max läßt seine Automechaniker-Lehre sausen und lernt Sandy kennen, die als Friseur-Lehrling auch nicht glücklich ist.
»Einer von verschiedenen westdeut-schen Filmen, die für das junge Publi-kum bestimmt sind und sich mit Ju-gendproblemen beschäftigen, vor al-lem mit dem Problem, einen Job zu finden und mit einem Freund oder ei-ner Freundin zurechtzukommen. *Der erste Walzer* ist der beste Film dieses Genres, vor allem, weil er keine du-biose soziale Botschaft der ›Solidari-tät‹ oder des Protestes gegen eine in-differente Gesellschaft predigt« (Ron Holloway, *Variety*, 1978).

Fabian. *R* Wolf Gremm. *B* Hans Bor-gelt, Wolf Gremm, nach dem Roman von Erich Kästner. *K* (Farbe) Jürgen Wagner. *M* Charles Kalman. *A* Rainer Schaper, Jan Schlubach. *T* Gunther Kortwich. *S* Siegrun Jäger. *D* Hans Pe-ter Hallwachs (Fabian), Hermann Lause (Labude), Silvia Janisch (Cor-nelia), Mijanou van Baarzel, Brigitte Mira, Ivan Desny, Charles Regnier, Ruth Niehaus, Carola Regnier, Helma Seitz, Edgar Wenzel, Hans Wyprächt-tiger, Hans-Jürgen Schatz, Andreas Mannkopf, Dieter Kursawe, Manfred Günther, Bernd Riedel, Julie Felix, Helma Fehrmann. *P* Regina Ziegler. 140 Minuten. 1980.
Berlin 1931. Fabian arbeitet in einem kleinen Werbebüro. Er macht Zigaret-tenreklame. Geld und Karriere küm-mern ihn wenig, sind ihm einfach egal. Die Nächte verbringt er mit seinem be-sten Freund, dem Studiosus Labude, in allerlei Vergnügungsetablissements. Fabian hat Glück bei den Frauen und selten einen Pfennig in der Tasche. Ei-nes Tages verliebt er sich in Cornelia, die neu ist in Berlin und weiß, was sie will. Er verliert seinen Job. Sie macht Karriere beim Film und verläßt ihn. Labudes Selbstmord bringt Fabian endgültig aus dem Tritt. Er kehrt der Großstadt für einige Zeit den Rücken und fährt aufs Land zu seiner Mutter. Als er gerade eine Stellung bei der Provinzzeitung abgelehnt hat, sieht er, wie ein Junge von einer Brücke in den Fluß fällt, und springt hinterher. Wäh-rend der Junge unversehrt ans Ufer krabbelt, ertrinkt Fabian – er konnte nicht schwimmen.
»Gremm begleitet Fabian auf seinen Streifzügen durch Berlin, er umstellt ihn mit teuren Kulissen (jeder Einstel-lung sieht man die vier Millionen Mark Produktionskosten an) und sorgfältig kostümierten Statisten, aber er verliert ihn, vor lauter Verliebtheit in seinen kinematographischen Luxus, nie aus den Augen. Nach den vielverspre-chend mißglückten *Brüdern,* nach dem ziemlich katastrophalen *Tod oder Freiheit* erweist sich Gremm endlich als ein Regisseur, der sein Handwerk mit so unangestrengter Sicherheit be-herrscht wie Fabian sein moralisches Gleichgewicht in unmoralischen Ver-hältnissen« (Hans C. Blumenberg, *Die Zeit*). Vierzehn Tage nach Start des Films konnte Regina Ziegler bereits stolz vermelden, daß ihr Film an der Kinokasse eine Million DM über-schritten hatte.

Das falsche Gewicht. *R* Bernhard Wicki. *B* Bernhard Wicki, nach dem Roman von Joseph Roth. *K* (Farbe) Jerzy Lipman. *M* George Gruntz. *A* Otto Pischinger. *D* Helmut Qualtinger (Anselm Eibenschütz), Agnes Fink, Johannes Schaaf, Evelyne Opela, Ist-van Iglody. *P* Intertel. 145 Minuten. 1971.
Anselm Eibenschütz, Unteroffizier der k. u. k. Armee, quittiert seiner Frau zuliebe den Militärdienst und wacht nun als Eichmeister in einem ga-lizischen Grenzdorf mit soldatischer Strenge über die Ehrlichkeit der klei-nen Händler.
»Der Film bezieht seine Überzeu-gungskraft nicht aus der Geschichte, auch nicht aus dem, was die Figuren sprechen, sondern aus der Kraft seiner Bilder. Die Bilder, sehr plastisch, sehr expressiv, sprechen die Sprache, die die Figuren nicht gelernt haben, wor-unter sie leiden, unter ihrer Stumm-heit« (Ulrike Czybulka, *Zoom-Film-berater*).

Familienglück. *R* und *B* Marianne Lüdcke und Ingo Kratisch. *K* (Farbe) Ingo Kratisch, Wolfgang Knigge. *M* Peter Fischer. *A* Eberhard Mathies. *D* Tilo Prückner (Manfred), Dagmar Biener (Manuela), Ursula Diestel, Otto Mächtlinger, Hildegard Wensch, Werner Eichhorn, Werner Rehm, Hil-degard Schmahl, Claus-Theo Gärtner, Eberhard Feik, Günter Meisner. *P* Regina Ziegler/WDR. 107 Minuten. 1975.
Juni 1969: Manfred und Manuela, er Dreher, sie Näherin, heiraten. Die Ehe wird – wie die meisten Ehen – unter der Voraussetzung geschlossen, mög-lichst glücklich zu werden. Doch dann kommen in relativ kurzer Abfolge zwei Kinder, Manuela muß mit der Arbeit aussetzen, und Manfred ver-schlechtert sich in seinem Betrieb zu-sehends. Die Atmosphäre wird ge-reizt. Ein Emanzipationskampf be-ginnt, als Manuela Schreibmaschine lernt, einen neuen Arbeitsplatz findet und sich einen eigenen Lebensbereich aufbaut. Von Manfred immer mehr mißverstanden und ignoriert, schläft sie mit einem anderen Mann, den sie von früher kennt. Der Familienskan-dal ist perfekt. Aber bei Manfred hat inzwischen ein Lernprozeß eingesetzt. Beim Begräbnis von Manuelas Vater Ende 1974 finden die beiden Partner wieder zusammen.
»Für die Gewerkschaft war der Film eher zu emanzipatorisch, zu wenig fa-milienserienhaft und zu desillusionie-rend in bezug auf die Ehe. Ein solcher Film, so hieß es, könnte jungen Men-schen den Glauben an die Ehe nehmen und zu falscher Liberalisierung führen. Das Ergebnis war, daß der Film im Rahmen der Gewerkschaftsarbeit nicht gezeigt werden durfte« (Renate Möhrmann, *Die Frau mit der Kamera*). Nach dieser dritten gemeinsamen Re-giearbeit arbeiteten Marianne Lüdcke und Ingo Kratisch noch an dem Fern-sehfilm *Die Tannerhütte* (1976) zu-sammen. Marianne Lüdckes erster Film im Alleingang war der zweiteilige Fernsehfilm *Die große Flatter* (1979),

und Ingo Kratisch drehte 1979 *Henry Angst.*

Der Fangschuß. *R* Volker Schlöndorff. *B* Geneviève Dormann, Margarethe von Trotta, Jutta Brückner, nach dem Roman von Marguerite Yourcenar. *K* Igor Luther. *M* Stanley Myers. *A* Jür-gen Kiebach. *T* Gerhard Birkholz. *S* Jane Sperr, Henri Colpi. *D* Marga-rethe von Trotta (Sophie von Reval), Matthias Habich (Erich von Lho-mond), Rüdiger Kirschstein (Konrad von Reval), Mathieu Carrière (Volk-mar von Plessen), Valeska Gert (Tante Praskovia), Friedrich Zichy, Bruno Thost, Marc Eyraud, Alexander von Eschwege, Henry van Lyck, Franz Morak, Hannes Kaetner, Karl Heinz Merz, Maria Guttenbrunner. *P* Bio-skop (Eberhard Junkersdorf)/Argos (Anatole Dauman), Neuilly/HR. 95 Minuten. 1976.
Baltikum 1919. Im Land herrscht – zwei Jahre nach der russischen Revo-lution – Bürgerkrieg: Freiwilligen-Korps versuchen, die alte Ordnung zu retten. Konrad von Reval kehrt mit seiner Truppe aufs elterliche Schloß Kratovice zurück, wo seine Schwester Sophie und die Tante Praskovia leben. Obwohl Sophie freundschaftliche Kontakte zu dem jungen Kommuni-sten Gregori Loew pflegt und im Grunde dessen Ansichten längst teilt, verliebt sie sich in Konrads Freund und Kameraden Erich von Lhomond. Als sie erkennen muß, daß Erich unfähig ist, ihre Liebe zu erwidern, und sie statt dessen erniedrigt, verläßt sie das Schloß und läuft zu den Aufständi-schen über. Sie gerät mit anderen Ge-nossen schon bald Erichs Trupp in die Hände und verlangt, daß ihre Exeku-tion von Erich vorgenommen wird.
Schlöndorff: »Ich kannte und schätzte das Buch schon zu den Zeiten von *Tör-less* und zögerte damals, welchen Stoff ich zuerst machen sollte. Das Dreh-buch zu *Der Fangschuß* ist noch vor dem zu *Katharina Blum* entstanden, und für mich war es nur konsequent, diesen Film zu machen. Er ist keine Auseinandersetzung mit unserer Ge-genwart, sondern er handelt von dem problematischen Verhältnis zwischen Männern und Frauen, das uns über-kommen ist und mit dem wir uns heute ebenso beschäftigen müssen wie mit Polizei, Springer-Presse, Fragen der Justiz oder der Strafrechtsreform.« In Frankreich kam der Film besser an als in Deutschland.
»Zu unserer großen Freude begegnen wir dem Volker Schlöndorff des *Jun-gen Törless* wieder. Er bezeugt eben dieselbe kluge Hochachtung gegen-über Yourcenar, die er bereits gegen-über Musil gezeigt hat, eben dieselbe Empfindsamkeit, deren Schwingun-gen nicht von Schamgefühl und Strenge verdrängt werden im Einsatz aller Schattierungen von Schwarz und Weiß. Schwarz und Weiß, vielmehr alle Grautöne drängen sich geradezu auf, um eine Tragödie, die sich in Ne-belschwaden und Schneegestöber ver-hüllt, ein Drama im Winter in Bilder umzusetzen, in dessen Verlauf sich drei Menschen, zwei Männer und eine Frau, mehr im Tiefsten ihres Herzens

als in aller Öffentlichkeit kämpferisch gegenüberstehen« (Jean-Louis Bory, *Le Nouvel Observateur*). Der großen Schauspielerin und Tänzerin Valeska Gert (unvergeßlich als Frau Peachum in Pabsts *Dreigroschenoper* von 1931), die hier die Rolle der alten Tante spielt, widmete Schlöndorff 1977 ein einstündiges Porträt: *Nur zum Spaß, nur zum Spiel – Kaleidoskop Valeska Gert*. Die Künstlerin starb im Frühjahr 1978.

Fast ein Held (auch: *Die Abenteuer des braven Kommandanten Küppes*). *R* Rainer Erler. *B* Werner P. Zibaso. *K* (Farbe) Werner Kurz. *M* Eugen Thomass. *S* Jane Seitz. *D* Martin Held (Küppes), Pascale Petit (Hélène), Alma, Vladimir Leib, Ernst Ronnekker, Hans Terofal, Rudolf Schündler, Fred Siebeck. *P* Franz Seitz/Jadran. 94 Minuten. 1967.
Karl Küppes kommt als Tourist in das französische Städtchen Les Molinettes und erinnert sich: 1944 war er hier Besatzungssoldat, Obergefreiter in der Schreibstube seiner Kompanie. Durch ein Schlafmittel, daß ihm die Kellnerin Hélène am Vorabend in den Wein gibt, verpaßt er den Abmarsch seiner Truppe an die Ostfront. Anstatt sich jedoch zu verstecken, macht er sich mit Einverständnis der Bevölkerung zum Besatzungskommandanten, zieht ins »beschlagnahmte« Schloß ein und kann mit Hilfe seiner Schreibstubenkiste mit Stempeln, Vollmachten und Formularen den Dorfbewohnern allerhand Erleichterung verschaffen. Er ist ein angesehener Mann. Nach der Landung der Alliierten allerdings ziehen sich die Franzosen von ihm zurück. Er wird doch noch von der Feldgendarmerie verhaftet, hat aber letztlich Glück: Bevor er hingerichtet werden kann, ist der Krieg zu Ende.
Regisseur Rainer Erler, der im Fernsehen vor allem mit dem nachträglich auch in einigen Kinos gezeigten Film *Seelenwanderung* (1962) auf sich aufmerksam gemacht hatte, gab mit diesem Film sein Spielfilmdebüt. Die gefällig inszenierte moderne Fabel mit verhaltener kritischer Aussage wird zum Markenzeichen von Rainer Erler, heute einer der produktivsten TV-Regisseure, dessen Filme sich nur sporadisch ins Kino trauen.

Fata Morgana. *R* und *B* Werner Herzog. *K* (Farbe) Jörg Schmidt-Reitwein. *M* Georg Friedrich Händel, Wolfgang Amadeus Mozart, François Couperin, »Blind Faith«, Leonard Cohen. *T* Werner Herzog. *S* Beate Mainka-Jellinghaus. *D* Wolfgang von Ungern-Sternberg, James William Gledhill, Eugen des Montagnes. *Sprecher* Lotte H. Eisner, Wolfgang Bächler, Manfred Eigendorf. *P* Werner Herzog. 79 Minuten. 1971.
»Hier ist nun zu berichten, wie einst die Schöpfung in tiefem Schweigen schwebte, in tiefer Ruhe schwebte, in Stille verharrte, sanft sich wiegte, einsam dalag und öde war.« Mit dem Bericht *Die Schöpfung* beginnt ein dreiteiliger mythopoetischer Film, dessen Bilder Herzog und sein Kameramann Schmidt-Reitwein 1968–69 in Kenia,

Tansania, der algerischen Sahara, Niger Obervolta, Mali, der Elfenbeinküste und auf Lanzarote drehten. Die weiteren Teile heißen *Das Paradies* (»Im Paradies durchquert man den Sand, ohne seinen Schatten zu sehen – dort gibt es Landschaft auch ohne tieferen Sinn«) und *Das Goldene Zeitalter* (»Im Goldenen Zeitalter leben Mann und Frau in Harmonie – jetzt zum Beispiel erscheinen sie vor der Linse der Kamera, den Tod im Auge, ein Lächeln auf der Stirn, die Hand im Spiel«). *Fata Morgana* spielt »in einer Wüste, die trotz all der wunderbaren Fahrtaufnahmen, dem Erfühlen der physischen Texturen und dem *National Geographic*-Vor-Ort-Effekt eine Landschaft des Geistes ist, ein zu kolossalen Proportionen ausgeweitetes Godotsches Sandloch« (Raymond Durgnat, *Film Comment,* 1980) oder »auf dem Planeten Uxmal, den Wesen vom Andromedanebel entdecken und über den sie einen Filmbericht anfertigen« (Werner Herzog, *Kino*, 1973). In Amerika wurde *Fata Morgana* schon sehr früh zu einem Kultwerk ersten Ranges erhoben; bereits 1971 schrieb Amos Vogel im *Village Voice*: »Im Bannkreis des Genius zu sein ist immer etwas Erschreckendes; man wird plötzlich an einer tieferen Ebene des Bewußtseins berührt. Mit *Fata Morgana* erfüllt der junge deutsche Regisseur Werner Herzog das Versprechen des Genialen, das in seinen früheren Werken *Lebenszeichen* und *Auch Zwerge haben klein angefangen* liegt; er gelangt hier zu einer Kunst, die zugleich subversiver und schwerer zugänglich ist, denn in der Arbeit mit den Materialien der Realität (einer kosmischen Polemik gegen ›dokumentarische Wahrheit‹ und Cinéma Vérité) entdecken er und sein meisterhafter Kameramann Jörg Schmidt-Reitwein das Metaphysische unter dem Gewöhnlichen und fassonieren eine sardonische Metapher des Schöpfungs-Mythos in einem Afrika, das eine surrealistische Landschaft des Geistes ist, einem Afrika, das niemals war, einer Welt, die immer ist. Herrliche, sinnliche 360-Grad-Schwenks von Dünen und Wüste, endlose Fahrtaufnahmen von Tier-Kadavern, Stacheldraht, Industriemüll, verrottenden Trucks, ausgetrockneten Ölquellen – all das eingebettet in tragisch entfremdete Sandlandschaften, und dissoziierte Eingeborene schaffen eine besessene, hypnotische Aussage, deren anti-technologischer, anti-totalitärer, auf grausame Weise anti-sentimentaler Humanismus subtil, überwältigend und unerklärlich ist für die schale Linke wie für die unwissende Rechte.«

Die Faust in der Tasche. *R* Max Willutzki. *B* Martin Buchholz, Max Willutzki. *K* (Farbe) Mario Masini. *M* Satin Whale. *A* Götz Heymann. *T* Christian Moldt. *S* Olla Höf. *D* Ernst Hannawald (Wolle), Ursela Monn (Elke), Manfred Krug (Bruder Lukas), Jako Benz (Eddie), Thomas Piper (Archie), Inge Wolffberg, Albert Venohr, Horst Pinnow, Rudi Unger, Friedhelm Lehmann, Walter Tschernich. *P* Basis

Der Fangschuß: Matthias Habich, Margarethe von Trotta

Der erste Walzer: Christopher Thomas, Katharina Hembus

Fast ein Held: Martin Held

Fabian: Hans Peter Hallwachs

Fata Morgana: Werner Herzog (2. v. l.)

(Max Willutzki) / Pro-ject / ZDF. 106 Minuten. 1978.

»Berlin Kreuzberg: Eine Gruppe von Jugendlichen mit ihren Vorlieben für Rockmusik und Motorräder, mit ihren Sehnsüchten nach Unabhängigkeit und Abenteuer, aber auch ihren Gefährdungen durch Kriminalität, Alkohol- und Drogenkonsum. Es ist die Geschichte von Wolfgang Körner, genannt ›Wolle‹, und seinen Freunden, die man auf die Straße gesetzt hat und die dort wieder wegkommen wollen. Es ist auch die Geschichte von Lukas Rügner, genannt ›Bruder Lukas‹, einem katholischen Laienpfarrer, der die Jungen von der Straße holen will und der schließlich selbst auf dem Pflaster liegt« *(Presseheft).*

Für seinen dritten Spielfilm holte sich Max Willutzki den italienischen Kameramann Mario Masini *(Padre Padrone).* »Ganz bewußt die Mittel des amerikanischen Action-Films einsetzend, inszeniert Willutzki Schlägereien, Saufgelage, Motorradfahrten mit der Kamera, Polizisten im Nahkampfdress - und einmal wird der Club stil- und wirkungsvoll demoliert, daß es nur so scheppert. Willutzki will unterhalten, und das sollte man ihm wirklich nicht zum Vorwurf machen - noch dazu wo es ihm gelingt, die Geschichte flott und durchsichtig zu erzählen. Aber im Bemühen, sein Publikum nicht zu überfordern, scheint er einer anderen Gefahr erlegen zu sein: Er bleibt häufig in simplen schwarz-weiß Klischees stecken. Manfred Krugs Darstellung von Bruder Lukas ist einfach zu edel, und Tommi Pipers Schnapshehler Archie zu schmierig, um glaubhaft zu wirken. Und die Rokker-Clique, Laiendarsteller zum Großteil, bleibt oft nur exotische Dekoration für die Profis« (Hans Pfitzinger, *Jugend Film Fernsehen).*

Faustrecht der Freiheit. *R* und *B* Rainer Werner Fassbinder. *K* (Farbe) Michael Ballhaus. *M* Peer Raben, Archiv. *A* Kurt Raab. *S* Thea Eymèsz. *D* Rainer Werner Fassbinder (Franz), Peter Chatel (Eugen), Karlheinz Böhm (Max), Rudolf Lenz (Rechtsanwalt), Karl Scheydt (Klaus), Hans Zander (Springer), Kurt Raab (Wodka-Peter), Adrian Hoven (Vater), Ulla Jacobsen (Mutter), Irm Hermann, Kitty Buchhammer, Ursula Strätz, Christiane Maybach, Elma Karlowa, Harry Baer, Peter Kern, Barbara Valentin, Bruce Low, Walter Sedlmayr. *P* Tango/City. 123 Minuten. 1975.

Der schwule Franz Biberkopf, der auf Jahrmärkten als »Fox, der sprechende Kopf« gearbeitet hat, gewinnt im Lotto eine halbe Million; er wird nun von besseren Schwulenkreisen akzeptiert, aber auch so rigoros ausgebeutet und verraten, daß er schließlich Selbstmord begeht.

Eine männliche Version der *Petra von Kant-Story.* »*Faustrecht der Freiheit* ist in einem direkten, plakathaften Stil gedreht. Aus seinen überzeichneten Kontrasten entsteht eine neue Wirklichkeit, die verblüfft. Seine stärksten Effekte bezieht der Film aus diesem Franz Biberkopf Fassbinderscher Prägung, der in den stummen Momenten

des zweiten Teils erschüttert« (Brigitte Jeremias, *FAZ*).

Fegefeuer. *R* und *B* Haro Senft. *K* (Farbe) Klaus Müller-Laue. *M* David Llywellyn und »Supertramp«. *A* Jochen Schmidt. *T* Hans Endrulat. *S* Jane Hempel. *D* Jost Vobeck (Daniel Hartmann), Ingeborg Schöner (Anna Richter), Paul Albert Krumm (Martin Kamitz), Andras Gönczöl (Aref), Valeria Ciangottini, Max Buchsbaum, Julio Pinheiro. *P* Haro Senft. 91 Minuten. 1969/1971.

Aus mangelndem Vertrauen in die Behörden ergreift Daniel Hartmann selbst die Initiative, als er Augenzeuge eines politischen Kidnapping wird. Es gelingt ihm, den Entführten zu befreien und vor seinen Feinden in einem Landhaus zu verstecken. Als seinem Schützling ein zweiter Anschlag droht, bringt Daniel den Attentäter um. Dann stellt er sich der Polizei.

Ein schrecklich bemühtes, verzweifelt naives Nachdenken über »Fragen nach dem Standort der Menschlichkeit, nach der politischen Relevanz des Tuns, nach den Fehlerquellen einer dem Held krank erscheinenden, bequemen, passiven Gesellschaft« (*Inhaltsangabe).* Nach *Der sanfte Lauf* (1966) der zweite Spielfilm des Ur-Oberhauseners Haro Senft, eine konsequente Entwicklung, die Senft dann später zu fernöstlichen Weisheiten und meditativen Kinderfilmen führte.

Fehlschuß. *R* Rainer Boldt. *B* Herbert Brödl. *K* (Farbe) Xaver Schwarzenberger. *M* Alexander Steffen. *A* Roger von Möllendorf. *T* Johannes Paiha. *S* Marie Homolkova. *D* Wolfgang Ambros (Jacob Ceron), Jan Kickert (Franziskus Ceron), Franz Buchrieser (Arthur Zemky), Pola Kinski (Marina Loring), Walter Ladengast (Flurwächter Stepan). *P* Schönbrunn (Wien)/SFB/ORF. 105 Minuten. 1977.

Die Aussiedlerfamilie Ceron kommt gegen Ende der fünfziger Jahre in einen kleinen Industrieort bei Wien, in dessen Mittelpunkt eine einzige metallverarbeitende Fabrik steht. Hier werden Baruch Ceron und sein Sohn Jacob arbeiten und sich integrieren müssen. In jeder freien Minute übt sich Jacob mit Hilfe seines kleinen Bruders im Fußballspielen, während das Dorfjugend in der Turnhalle Rock 'n' Roll tanzt. Sein Erfolg in der Provinzmannschaft ermutigt ihn, die heimische Umgebung zu verlassen und nach Wien zu gehen. Dort findet er durch die Beziehungen eines Freundes Aufnahme in einen Proficlub. Bei seinem ersten Länderspiel schießt er den Ball über das Tor hinaus.

Drehbuchautor Herbert Brödl kennt Gegend und Milieu seiner Geschichte; zum großen Teil sind es konkrete Erinnerungen, die er hier niedergeschrieben hat. Erstaunlich ist, wie überzeugend der aus Norddeutschland stammende Regisseur Boldt diese Erinnerungen in Bilder umgesetzt hat und wie es ihm gelingt, diese Menschen und ihren Alltag (aber auch ihre Sonntage!) plastisch zu schildern. Einige Sequenzen – wie etwa Jacobs Fit-

ness-Training, die Party im Schrebergarten oder die Autopanne jenseits der Grenze – machten das Talent Rainer Boldts in konzentrierter Form deutlich. Daß diese Momente voller Sinnlichkeit und emotionaler Stimmung dennoch nur isoliert und ohne deutlichen Bezug zueinander bleiben, ändern weder die unverbrauchten Gesichter der Schauspieler (Liedermacher Ambros und Schriftsteller Buchrieser gaben hier ihr Filmdebüt) noch Xaver Schwarzenbergers großartige Kameraarbeit. Die gelungenen Momente des Films hinterließen jedoch einen so starken Eindruck, daß man auf die weiteren Arbeiten von Rainer Boldt (s. *Ich hatte einen Traum)* gespannt sein durfte.

Feuer um Mitternacht. *R* Gustav Ehmck. *B* Gustav Ehmck, Boy Lornsen, Hans Schmid, Andrea Wagner, nach dem Roman von Boy Lornsen. *K* (Farbe) Hubertus Hagen. *M* Gunter Hampel. *A* Michael Fackelmann. *T* Rainer Wiehr. *S* K. H. Fugunt, Monika Gussner. *D* Andreas Nutzhorn (Markus Unschlitt), Ina Trautmann (Sylvie Tackert), Joachim Richert (Willi Takkert), Horst Gnekow (Peter Sönderup), Heinz Joachim Klein, Gerhard Olschewski, Carsta Löck. *P* Gustav Ehmck. 100 Minuten. 1978.

Der Vater eines Sechzehnjährigen begeht Selbstmord. Der Sohn gibt einem alten Bankier die Schuld und macht diesem Angst, bis seine Rachegedanken vom Zufall in die Tat umgesetzt werden.

Mißglückter Versuch von *Hotzenplotz*-Regisseur Gustav Ehmck, sich an künstlerische Erfolge von Hark Bohm und Reinhard Hauff anzuhängen: Sein Film läßt psychologisches Feingefühl ebenso vermissen wie Humor und Spannung.

Die Feuerzangenbowle. *R* Helmut Käutner. *B* Helmut Käutner, nach dem Roman von Heinrich Spoerl. *K* (Farbe) Igor Oberberg. *M* Bernhard Eichhorn. *A* Michael Girschek, Ingrid Zoré. *D* Walter Giller (Dr. Hans Pfeiffer), Uschi Glas (Eva Knauer), Theo Lingen (Professor Grey), Willy Reichert (Professor Bömmel), Fritz Tillmann (Direktor Knauer), Nadja Tiller (Marion Xylander), Hans Richter, Wolfgang Condrus, Helen Vita, Alice Treff, Rudolf Schündler, Wolfgang Lukschy, Albert Lieven. *P* Rialto (Horst Wendlandt). 100 Minuten. 1970.

Der erfolgreiche Autor Dr. Hans Pfeiffer geht noch einmal als Oberprimaner aufs Gymnasium und bringt dort alles durcheinander.

Die letzte Kinofilm-Inszenierung von Helmut Käutner. Frühere Verfilmungen des Stoffes: *So ein Flegel,* 1934, Regie R. A. Stemmle, und *Die Feuerzangenbowle,* 1944, Regie Helmut Weiss, beide mit Heinz Rühmann. Das Thema ist ausführlich behandelt im Band *Klassiker des deutschen Tonfilms.*

Film oder Macht. *R, B* und *K* Vlado Kristl. *D* (in der Beschreibung von Kristl:) »Christine Maier und Marlene

Zargos als Boxeusen, Sylvia Kekulé als schöner Busen, Heinz Badewitz als Radfahrer und seine zwei Gegner als Antifahrradleute – Rajo Böhm und Christian Schleuning, eine Bauernfamilie aus Unterbiberg, die Frau aus Kreuz Pulla, John Andrews mit dem Bus aus England, Wolf Wondratschek (nur im Bild. Hat nichts mit Texten oder Ton zu tun. So viel, weil er als Schriftsteller als Textmacher den Leuten vorgekommen ist und mir in dieser Richtung mehrere Male die Frage gestellt wurde. Sicher hätte er sich sehr geweigert, für den Autor dieser Texte gehalten zu werden) und Frau Denyse Noever, ein Hund und ein Bub, der mit dem Hund ins Bild kam, dann die High Fish Kommune aus München, Giselastraße 12, und zuletzt die Kristls (Jelena, Madeleine, Vlado und Pepe Stephan). Sprecher des Films wie auch der meist im Bild befindliche Hjalmar Pretorius – (genannt) Ringo«. *P* Vlado Kristl, Karl Schedereit, Pitt Brockner. 100 Minuten. 1970.

Vlado Kristl: »Der Film ist gedreht gegen die Olympiade und für die Anarchie. Personen und Gruppen hatten Anweisungen, etwas zu tun, und das wurde so lange gedreht, bis es nichts mehr bedeutete.« Ein Beitrag zum Olympiajahr 1972, gedreht wie eine Hommage an Alexander Kluge: Wild wuchernde Bilder, sinnlich montiert, die Frage des Zusammenhangs gelöst durch große Assoziationslyrik: »In diesem Film sollen die Nerven auch auf die Nerven gehen / Was Du bist ist ein Arsch mehr, Sportler! / Was Du tust ist verkäuflich / Wir überarbeiten Ihre Analyse / Anneliese mit irrsinnigen Linsenbüslein / Nach dem Geschlecht kommt nichts mehr / Der Geschehnisse können Sie uns auslassen / Die Quartaltritte in den Hintern mit Preisverteilung und Medaillen / Die Sau macht in der Au wau-wau! / Die Leberwurstolympiade / Die Folgen der 20.ten Urinprobe / Er wird lang und länger / Film-In / Marsch-In / Applausinstitute / Die Queropulenten / Minigehirnmeistertage / Nurwert, Nährwert, Narrwert, Mehrwert, Wiewert, Perwert und e wert / Film oder Felm / Fulm / Folm / Hinausgeschmissener Film / Hinausgeschmissene Antiolympier / Hinausgeschossene Begrüßung / Hinausgehaltene Bestürzung / Faktenschneiderei / Eier, Zweier, Dreier / 3000 Eier des dreitausendmetereierndes Filmes / Begrüßung / Ein gesungenes und zugleich ein gefangenes Pefängnis / Leiernde Hochbelastung / Die Vorbereitung zum Ochachich / Die Blechmusik ick ick ick / Fäulnishymne / Wie spricht man Olympiade aus, Du Schwein! / Maxi und Miezi / Nazi und Bazi / Film oder Macht.« Wolfgang Limmer in *Film:* »Der Film spricht für sich, weil er von sich spricht.«

Der Findling. *R* George Moorse. *B* George Moorse, nach der Novelle von Heinrich von Kleist. *K* Gerard Vandenberg. *M* Wilfried Schröpfer. *D* Rudolf Fernau (Antonio Piachi), Julie Felix (Elvire), Titus Gerhardt (Nicolo), Ashkhen Kaprielian (Xaviera),

Elke Kummer (Constanze). P Bayerisches Fernsehen (Hellmut Haffner) / Literarisches Colloquium (Walter Höllerer). 74 Minuten. 1967.

Der Industrielle Piachi hat seinen kleinen Sohn durch eine Seuche verloren. Er adoptiert einen elfjährigen elternlosen Jungen, Nicolo. Als junger Mann stürzt der intelligente, aber charakterschwache Nicolo seine humanen Adoptiveltern ins Unglück.

»Ich habe ein paar Artikel für *Film Culture* geschrieben, über Oberhausen zum Beispiel. Und vor zwei Jahren habe ich Stan Brakhage getroffen. Francis Ford Coppola habe ich übrigens auch gekannt. Er hat meine Spalte in der Schulzeitung der Hofstra University übernommen. Er war Roger Cormanns Assistent. Er hat sich wirklich eingegliedert und will nur noch einen Swimming Pool und schöne kommerzielle Filme machen« *(Filmkritik*, 1967). So fing es an mit George Moorse, geboren 1936 in Bellmore, New York, der sich als Maler, Poet, Romancier und Filmregie-Assistent in Griechenland, Italien und Holland umsah, bis er in Hellmut Haffner vom Bayerischen Rundfunk und Walter Höllerer vom Literarischen Kolloquium in Berlin die Leute fand, die ihm seinen ersten eigenen Kurzfilm ermöglichten, *Inside Out*, 1964. Sein erster Langfilm, *Zero in the Universe* (1965) entstand als holländische Produktion. Sein erster deutscher Langfilm *Der Findling* erstaunte die Kritiker, die seine ersten, weithin von einem Improvisations- und Assoziationscharakter bestimmten Filme kannten, durch seine strenge, offensichtlich vom Autor seiner literarischen Vorlage beeinflußten Form. Günter Herburger im Jahrbuch *Film 1968*: »Für mich ist *Der Findling* einer der schönsten Filme, die ich je sah. Moorse hat Kleists trockene und schicksalsbedeutsame Novelle in die achtziger oder neunziger Jahre unseres Jahrhunderts transportiert. Damit vermied er die Kalenderspruchdidaktik, die in der Geschichte steckt, verließ sich nur auf ihre Aktionen, die bis zum angezielten Ende nie abreißen, und konzentrierte sich auf die Photographie. Seine Sensibilität brachte vorgegebene Inhalte und persönlich ästhetisches Programm zur Deckung. Mir fallen, an die Schönheit und Reinheit dieses Films denkend, nur noch Pasolinis *Große und kleine Vögel* und sein Jesus-Film als Mitbeispiele ein.«

Das gemeinsame Thema seiner folgenden (rund 40) Arbeiten für Kino und Fernsehen sieht Moorse »in der Unmöglichkeit, in einer indifferenten Welt Träume zu erfüllen« *(Kino*, 1980). *Der Findling* ist die erste von den vielen Kleist-Verfilmungen des Neuen Deutschen Films. Außerdem ist Moorse der Mann, der Gerard Vandenberg in die Bundesrepublik gebracht hat, den »nicht nur mit den Augen sehenden Holländer« (Peter Lilienthal), der mit Michael Ballhaus, Dietrich Lohmann, Jörg Schmidt-Reitwein, Jürgen Jürges und Robby Müller das halbe Dutzend Kameraleute ausmacht, deren Anteil am Ge-

lingen der Operation Neuer Deutscher Film nie genug gewürdigt wird.

First Love (auch: *Erste Liebe*). R Maximilian Schell. B Maximilian Schell, John Gould, nach der Erzählung von Iwan Turgenjew. K (Farbe) Sven Nykvist. M Mark London. A Otto Pischinger. T Paul Schöler. S Dagmar Hirtz. D John Moulder-Brown (Alexander), Dominique Sanda (Sinaida), Maximilian Schell (Alexanders Vater), Valentina Cortese, Marius Goring, Dandy Nichols, Richard Warwick, Keith Bell, Johannes Schaaf, John Osborne, Thomas Margulies. P Franz Seitz/Alfa. 89 Minuten. 1971.
Erste Filmregie des Schauspielers Maximilian Schell, dessen Produktionsfirma Alfa bereits Rudolf Noeltes Film *Das Schloß* finanziert hatte. »Turgenjews Geschichte von der ersten Liebe eines Jungen zu einem nymphomanischen Mädchen aus der Nachbarschaft, eine von pubertärer Romantik und falscher Gefühlsseligkeit grundierte Beziehung, wird von Schell immer dann, wenn er schon fast auf dem richtigen Weg zu ironisch genauer Distanz ist, übermäßig mit Bedeutung aufgeladen. Da kreisen dann unentwegt die Krähen drohend am Himmel, aufständische Bauern ziehen mordend durch die Idylle – Schell hat die Handlung in die Revolutionszeit vorverlegt –, und eine sich in ständig unmotivierten Bewegungen verbrauchende Kamera versucht den Theaterrequisiten schicksalhafte Bedeutung abzutrotzen« (Wolfgang Ruf, *Fernsehen + Film*).

Fleisch. R und B Rainer Erler. K (Farbe) Wolfgang Grasshoff. M Eugen Thomass. A Paul Kinslow. T Thomas Hohenacker. S Hilwa von Boro. D Jutta Speidel (Monica), Herbert Herrmann (Mike), Wolf Roth (Bill), Charlotte Kerr, Christoph Lindert, Ronnie Lee Williams. P pentagramma/ZDF. 114 Minuten. 1979.
New Mexico. Monica und Mike haben gerade geheiratet und verbringen in Las Cruces ihre Flitterwochen. Mike wird von einer Menschenfänger-Organisation entführt. Mit Hilfe des Truckers Bill dringt Monica bis ins Zentrum des Syndikats vor, wo gekidnappten jungen Menschen die gesunden Organe herausgenommen werden, mit denen ein profitabler Handel getrieben wird. Im letzten Moment gelingt es, Mike vor den »Mördern im weißen Kittel« zu retten.
Zuerst im Fernsehen aufgeführt, gelangte der Film – eine deutsche Version des US-Thrillers *Coma* – kurze Zeit später auch in die Kinos.

Flitterwochen. R und B Klaus Lemke. K (Farbe) Rüdiger Meichsner. M Lothar Meid. A Les Oelvedy, Freddy Zimmermann. T Simon Buchner, Harald Henkel. S Inez Regnier. D Cleo Kretschmer (Katti), Wolfgang Fierek (Wolfgang), Dolly Dollar (Dolly), Anton Zeidler (Zollchef), Guntram Vogl (Tourist Vogel), Michael Cromer (Herr), Friedrich Steinhauer (Reiseleiter), Trille Jörgensen (Dame), Renate Langer (1. Kollegin, Trauzeu-

Faustrecht der Freiheit: Karlheinz Böhm, Rainer Werner Fassbinder, Peter Chatel

Die Faust in der Tasche: Ernst Hannawald

Flitterwochen: Cleo Kretschmer, Wolfgang Fierek

gin), Helmut Kirmaier (1. Kollege, Trauzeuge), Herr und Frau Kienberger (Eltern von Katti). P Albatros/Planet/Peter Schamoni/ZDF (Michael Fengler). 91 Minuten. 1980.
Katti und Wolfgang heiraten, zerstreiten sich auf der Hochzeitsreise nach Rio de Janeiro, versöhnen sich wieder vor dem Scheidungsrichter in München.
Nach *Ein komischer Heiliger* und *Arabische Nächte* das abschließende Werk in Lemkes Münchner Trilogie der Leidenschaften – aus der aber jederzeit noch eine Tetralogie und endlos mehr werden kann. Mit der Reise nach Rio schließt sich für Lemke ein Kreis. Zu seinem Erstlingsfilm *48 Stunden bis Acapulco* hatte er 1967 gesagt: »In gewisser Weise hätten wir auch alles in München spielen lassen können, in einem einzigen Hotelzimmer, und die Leute wären immer reingekommen und rausgegangen«, eine verblüffende Auskunft in einem *Filmkritik*-Interview, die der Lemke-Autor Max Zihlmann noch ergänzte mit »Lemke hat Rom und Mexiko gezeigt, als ob es die Leopoldstraße wäre«. Es war also nur folgerichtig, daß nach seinen ersten Große-weite-Welt-Filmen sein wahres Revier auf der Leopoldstraße fand, und folgerichtig wiederum für seine Verrückten von der Leopoldstraße, daß sie zu Flitterwochen auf die Route gehen, die die Lemke-Helden der ersten Stunde aus ganz unbürgerlichen Motiven eingeschlagen hatten. Die autobiographischen Aspekte von *Flitterwochen* legt Lemke launig wie immer offen: »Drei Monate nachdem wir uns kennengelernt hatten, sind Cleo und ich in die Flitterwochen nach Haiti gefahren. Cleo dachte übrigens immer, wir würden nach Tahiti fahren. Das war aber schon die erste Pleite. Später wollte sie mich auf einem Boot abstechen und den Haien vorwerfen. Wahrscheinlich zu recht. Diese Flitterwochen endeten damit, daß Cleo auf einem Highway in Florida einfach aus meinem Wagen ausstieg, und das war's dann. Cleos und meine Flitterwochen waren so schlimm, weil wir uns als Jungverliebte einfach was ganz anderes vorstellten als was dann passierte. Schon damals war ich sicher, daß daraus eines Tages ein Film würde.«

Die Fluchtlinie. R und B Klaus Müller-Laue, Herbert Rimbach. K (Farbe) Wolfgang Knigge. T Herbert Prasch. S Susanne Hartmann. D Matthias Ponnier (Bruno), Michaela May (Carola), Martina de Graaf (Candy), Dikeos Soumpasis (Elias), Theo Kotulla (Polizist), Kosta Foustanaikis, Emilios Konitsiotis. P Zodiak (Elena Rimbach). 88 Minuten. 1979.
Bruno, 34, entflieht seiner gesicherten Existenz in Deutschland und fängt auf einer griechischen Insel ein neues Leben an. Die Ehefrau, die er zurückgelassen hat, und ein deutscher Polizeibeamter auf Terroristensuche stören die Idylle.
Das Regiedebüt von zwei ehemaligen Schlöndorff-Assistenten, eine Aussteiger-Geschichte, die für alle ihre Figuren Interesse zu wecken versteht – außer für ihren Helden. (Am besten ist

Theo Kotulla als touristenmäßiger Terroristen-Jäger.)

Fluchtversuch. R Vojtěch Jasný. B W. J. M. Wippersberg, Vojtěch Jasný, nach einer Erzählung von Wippersberg. K (Farbe) Walter Lassally. M Eberhard Schoener. A Georg von Kieseritzky. T Rolf Schmidt-Gentner. S Inez Regnier. D Tomislav Savić (Ivo), Hansjörg Felmy (Lkw-Fahrer), Jane Tilden, Heinz Ehrenfreund, Gertraud Jesserer, Klaus Löwitsch, Otto Tausig, Stephan Paryla. P Tatiana (Pia A. Arnold). 98 Minuten. 1976.
Sympathischer, selten aufgeführter Film von Vojtěch Jasný über einen jugoslawischen Gastarbeiterjungen, der einen verzweifelten Versuch unternimmt, den permanenten Diskriminierungen durch eine Flucht in sein Heimatland zu entgehen. Nach den »Erwachsenen-Filmen« *Angst essen Seele auf* und *In der Fremde* der erste Film, der dasselbe Problem aus der Sicht der Kinder angeht.

Fluchtweg nach Marseille. R und B Ingemo Engström, Gerhard Theuring. K (Farbe) Axel Block. T Karlheinz Roesch. S Heidi Murero, Elke Hager. D Katharina Thalbach, Rüdiger Vogler, François Mouren-Provensal. P Ingemo Engström und Gerhard Theuring/WDR. 92 Minuten (Teil 1) / 115 Minuten (Teil 2). 1977.
Ein Film über den deutschen Exodus. Thema: der Fluchtweg der deutschen Emigration in Frankreich 1940/41. Er beschreibt eine Recherche vor dem Hintergrund von Landschaften und Städten, die einmal Schauplatz der Verfolgung gewesen sind. Leitmotiv der Reise ist der Roman *Transit* von Anna Seghers. »Die ungewöhnlichste, poetischste und zugleich eindringlich-schmerzlichste Geschichtsbewältigung, die seit Kriegsende über die Leinwand ging« (*ZOOM-Filmberater*).

Fontane Effi Briest oder Viele, die eine Ahnung haben von ihren Möglichkeiten und ihren Bedürfnissen und dennoch das herrschende System in ihrem Kopf akzeptieren durch ihre Taten und es somit festigen und durchaus bestätigen. R Rainer Werner Fassbinder. B Rainer Werner Fassbinder, nach dem Roman von Theodor Fontane. K Dietrich Lohmann, Jürgen Jürges. M Camille Saint-Saëns u. a. A Kurt Raab. S Thea Eymèsz. D Hanna Schygulla (Effi), Wolfgang Schenck (Baron von Instetten), Karlheinz Böhm (Geheimrat Wüllersdorf), Ulli Lommel (Major Crampas), Ursula Strätz (Roswitha), Hark Bohm (Gieshübler), Irm Hermann (Johanna), Lilo Pempeit, Herbert Steinmetz, Rudolf Lenz, Barbara Valentin, Karl Scheydt, Barbara Lass, Eva Mattes. *Erzählerstimme* Rainer Werner Fassbinder. P Tango. 141 Minuten. 1974.
Die junge Effi verkümmert in ihrer Ehe mit dem älteren Baron Instetten; eine kurze Affäre mit Major Crampas wird erst nach Jahren von Instetten entdeckt. Er tötet Crampas im Duell und verstößt Effi, die an gebrochenem Herzen stirbt.

Frühere Verfilmungen: 1939, Regie Gustaf Gründgens, mit Marianne Hoppe, Karl Ludwig Diehl, Paul Hartmann; 1955, Regie Rudolf Jugert, mit Ruth Leuwerik, Bernhard Wicki, Carl Raddatz. Das Thema wird ausführlich behandelt im Band *Klassiker des deutschen Tonfilms*.

Das Fräulein von Stradonitz in memoriam. R Wolfgang Urchs. K (Farbe) Gerard Vandenberg. M Archiv. T David Slama. S Ursula Götz. D Giulia Follina (Johanna von Stradonitz), René Schönberg (Daniel), Herbert Herrmann (Thierry), Dagmar Kekulé-Urchs (Sonja), Johanna König (Lisa), Richard Tomaselli, Hildegard Busse, Karl-Heinz Peters, Rolf Simmen, Theresia Braun. P Iduna (Ernst Liesenhoff). 83 Minuten. 1971.
Die junge Johanna von Stradonitz verschwindet auf mysteriöse Weise. Die Verwandten sind an den Nachforschungen der Polizei uninteressiert. Johannas Halbbruder Daniel und ihr Freund Thierry machen einen verdächtigen Eindruck. Wie es scheint, ist es zu einer Katastrophe gekommen, als ein Fremder in die Idylle, die Johanna, Daniel und Thierry verband, eindrang.
Dagmar Kekulé-Urchs: »Die surreale Geschichte eines Burgfräuleins im 20. Jahrhundert in Form eines Romantik-Thrillers. Ein Mädchen, eine Art moderner Hexe, lebt nach eigenen Spielregeln in einer selbstgeschaffenen archaischen Welt . . . Der Stoff soll Anregung dafür geben, sich mehr Gedanken über die Mitmenschen zu machen, solange sie da sind« (*Fernsehen und Film*).

Die Frau gegenüber. R und B Hans Noever. K Walter Lassally. M Robert Eliscu, Munich Factory. A Harold Waistnage, Edgar Hinz. T Gunther Kortwich. S Christa Wernicke. D Franciszek Pieczka (Simon Schmidt), Petra Maria Grühn (Gesine Schmidt), Jody Buchmann (Janos Kaminski), Agnes Dünneisen, Brigitte Mira, Herbert Weißbach, Horst Nowack, Jiri Menzel. P DNS (Kerstin Dobbertin, Denyse Noever, Elvira Senft) / BR. 103 Minuten. 1978.
Simon Schmidt, ein stiller, unauffälliger Mann, lebt mit seiner jungen Frau Gesine in Berlin. Seine krankhafte Eifersucht läßt seine Gesine vollkommen von der Außenwelt abkapseln. Als trotz aller Vorsichtsmaßnahmen sein Mißtrauen nicht schwindet, provoziert er den Ehebruch: Er lädt seinen Arbeitskollegen Kaminski zum Essen ein, fährt zu seiner Mutter aufs Land, kehrt nach Berlin zurück und mietet sich eine leere Wohnung, die der seinen genau gegenüber liegt. Mit Fernglas und Abhöranlage ausgestattet, bespitzelt er seine Frau. Gesine beginnt, ihre plötzliche Unabhängigkeit zu genießen. Als sie wirklich mit Kaminski eine Nacht verbringt, erschießt Simon, der immer noch in der Wohnung gegenüber hockt, den Nebenbuhler mit einem Jagdgewehr. Befriedigt und wie von einer Last befreit, wartet er auf die Polizei.

Hans Noevers zweiter Spielfilm (nach dem 1972 entstandenen *Zahltag*) lief als Eröffnungsbeitrag der Semaine de la Critique in Cannes 1978 und fand bei der internationalen Kritik einhellig begeisterte Aufnahme. »Eine Fabel über das allgemeine Mißtrauen, über die Angst, über das Unbehagen in diesem bequemen, materiellen, aber geschlossenen Universum, in sich zurückgezogen, kurzatmig und angespannt, mitten in einem Wertsystem ohne kritische Provokation. Hans Noevers Regie zeichnet sich durch perfekte Sicherheit aus« (Albert Cervoni, *L'Humanité*). »Walter Lassallys ruhige, bewußt schmucklose Schwarzweißbilder konzentrieren sich auf eine Dreiergruppe von Schauspielern (Franciszek Pieczka, Petra Maria Grühn, Jody Buchmann), die das unaufdringliche Stilprinzip Hans Noevers genau begriffen haben. Keine Posen, nicht die Spur von mimischer Eitelkeit. Für die schwierige Rolle des Simon Schmidt ist der Pole Pieczka die Idealbesetzung. Wie er sich verkriecht, leidet, lauert und beinahe selbstvergessen die Zerstörung seiner Existenz vorantreibt – das ist von einer Vollkommenheit, wie sie kein deutscher Filmschauspieler von Gert Fröbe bis zu Heinz Bennent erreicht hätte« (Michael Lentz, *Westdeutsche Allgemeine Zeitung*).

Frau-Wirtin-Filme: *Die Wirtin von der Lahn* (R Franz Antel, mit Terry Torday, Pascale Petit, Harald Leipnitz, Januar 1968). *Frau Wirtin hat auch einen Grafen* (R Franz Antel, mit Terry Torday, Pascale Petit, Jeffrey Hunter, November 1968). *Frau Wirtin hat auch eine Nichte* (R Franz Antel, mit Terry Torday, Claudio Brook, Karl Michael Vogler, April 1969). *Frau Wirtin bläst auch gern Trompete* (R Franz Antel, mit Terry Torday, Harald Leipnitz, Glenn Saxson, Februar 1970). *Frau Wirtin treibt es jetzt noch toller* (R Franz Antel, mit Terry Torday, Glenn Saxson, Gunther Philipp, September 1970). *Frau Wirtins tolle Töchterlein* (R Franz Antel, mit Terry Torday, Gabriele Tinti, Femy Benussi, April 1973).
Neben den Wirtinnen-Filmen gab es noch einen *Donnerwetter! Donnerwetter! Bonifazius Kiesewetter!* (R Helmut Weiss, mit Robert Christian, 1969) und einen *Ein dreifach Hoch dem Sanitätsgefreiten Neumann* (R Franz Marischka, mit Siegfried Rauch, 1969); die Sexwelle brachte es mit sich, daß binnen kurzem die Hauptschlager des obszönen deutschen Volksliedgutes auf die Leinwand gebracht wurden. Die Chance, das stilistisch wie ethnologisch als eine interessante Herausforderung zu betrachten, wurde natürlich überhaupt nicht begriffen; der Volkshumor war wie die Pseudo-Soziologie und -Aufklärung der anderen Sexfilme nur ein Vorwand, beliebige Schweinereien abzulichten. Antels Wirtinnen-Filme, sämtlich verfaßt von Kurt Nachmann und in österreichisch-deutsch-italienischer Kollaboration entstanden, haben wenigstens den Vorzug einer sehr schönen und komödiantischen Haupt-

darstellerin, der Ungarin Terry Torday, für die man sich sogar Partner aus der Schule von John Ford (Jeffrey Hunter) und Buñuel (Claudio Brook) geleistet hat; und als ganz nett ausgestattete Kostümfilme erwecken sie sogar gelegentlich die Illusion von ein bißchen Charme und Flair. Als »Sexy Susan« wurde Frau Wirtin auch ein Exportschlager.

Freddy-Quinn-Filme: *Heimatlos* (*R* Herbert B. Fredersdorf, mit Marianne Hold, Rudolf Lenz, Schauplatz München, 1958). *Freddy, die Gitarre und das Meer* (*R* Wolfgang Schleif, mit Corny Collins, Sabina Sesselmann, Schauplatz Hamburg, 1959). *Freddy unter fremden Sternen* (*R* Wolfgang Schleif, mit Vera Tschechowa, Gustav Knuth, Schauplatz Kanada, 1959). *Freddy und die Melodie der Nacht* (*R* Wolfgang Schleif, mit Heidi Brühl, Peter Carsten, Schauplatz Berlin, 1960). *Weit ist der Weg* (*R* Wolfgang Schleif, mit Ingeborg Schöner, Ann Savo, Schauplatz Brasilien, 1960). *Nur der Wind* (*R* Fritz Umgelter, mit Cordula Trantow, Gustav Knuth, Schauplatz Irland, 1961). *Freddy und der Millionär* (*R* Paul May, mit Heinz Erhardt, Grit Böttcher, Schauplatz Ischia, 1961). *Freddy und das Lied der Südsee* (*R* Werner Jacobs, mit Jacqueline Sassard, Albert Lieven, Schauplatz Südsee, 1962). *Heimweh nach St. Pauli* (*R* Werner Jacobs, mit Erna Sellmer, Ulrich Haupt, Schauplatz Hamburg, 1963). *Freddy, Tiere, Sensationen* (*R* Karl Vibach, mit Josef Albrecht, Erna Sellmer, Schauplatz Zirkus, 1964). *Freddy – Die Fahrt ins Abenteuer,* Alternativ-Titel *Haie an Bord* (*R* Arthur Maria Rabenalt, mit Karin Dor, Werner Pochath, Schauplatz Sardinien, 1971).
Freddy, heimatlos, mit der Gitarre unter fremden Sternen das Heimwehlied singend – das hatte manchmal wenigstens andeutungsweise den mythologischen Hauch um sich, der dem kleinbürgerlichen Schlager-Schluchzen seiner Kollegen so kläglich abging.

Fremde Stadt. *R* Rudolf Thome. *B* Max Zihlmann. *K* Martin Schäfer. *M* John Andrews. *D* Roger Fritz (Philipp), Karin Thome (Sybille), Peter Moland, Werner Umberg, Eva Kinsky, Georg Marischka, Martin Sperr, Christian Friedel, Stefan Abendroth, Hans Noever. *P* Carina. 106 Minuten. 1972.
Philipp hat aus einer Düsseldorfer Bank zwei Millionen gestohlen und kommt bei dem Versuch, die Beute zu seiner geschiedenen Frau Sybille nach München zu schaffen, in die größten Schwierigkeiten . . .
». . . Doch auch die Verfolger plaudern so gern von großen Seefahrten, Autorennen und Psychoanalyse, daß sie vor lauter Beschwörung großer Kinovorbilder nicht recht zur Sache kommen. Darum endet die Geschichte vom Coup, der für alle Beteiligten eine Nummer zu groß ist, remis: Räuber und Gendarmen teilen sich den Ramsch. Für Thome (›Fiktion ist Wahrheit‹), der das vergnügliche Palaver ganz realistisch inszeniert hat – so-

gar die zwei Millionen Mark sind echt –, springt womöglich mehr dabei heraus: Ein Kassenerfolg liegt in der Luft« (*Der Spiegel*, 1972).

Fünf Flaschen für Angelika. *R* Werner Possardt, Frank Döhmann. *B* Ernst Richard Köper, Claudia Nolte. *K* (Farbe) Jakob Eger. *M* Lalo Schifrin (Archiv). *T* Volker Wittler. *D* Claudia Nolte (Schiela), Hans Beerhenke (Heinz), Detlev Redinger (Dollar), Mathias Scheuring (Bernhard), Ernst Richard Köper (Henninger). *P* Dr. Muschnik. 87 Minuten. 1980.
»Dr. Muschnik« ist nicht nur eine Figur aus dem alten Roger-Corman-Film *The Little Shop of Horrors* (der mit der fleischfressenden Pflanze), sondern auch der Name eines vierköpfigen Theater- und Filmkollektivs aus Essen. Dr. Muschniks zweiter frei produzierter Spielfilm, *Fünf Flaschen für Angelika,* hob sich auf dem Filmfest der Filmemacher 1980 in Düsseldorf / Duisburg / Oberhausen als einer der wenigen wirklich originellen Beiträge wohltuend von anderen Filmversuchen aus Nordrhein-Westfalen ab, die irgendwo zwischen Amateurgefilme und »Kunscht« krepierten. Natürlich ist auch *Fünf Flaschen für Angelika* alles andere als Profi-Kino; die Handlung des Films trägt dieser Tatsache aber geschickt Rechnung, indem sie das Abenteuer von fünf ausgemachten Amateuren erzählt: Da findet einer ein Drehbuch, in dem es um eine Kindesentführung geht, hält es für den perfekten Coup und macht sich mit vier Freunden daran, die Sache »Szene für Szene« in die Tat umzusetzen. Der Witz dabei ist, daß man jede Phase erst wie in dem gefundenen Drehbuch beschrieben, ablaufen sieht (was dann immer als Parodie auf gängige TV-Serienkrimis inszeniert ist) und anschließend den fünf Amateur-Gangstern bei der Nachahmung dieser Szenen folgt, bei denen natürlich kaum etwas so klappt, wie es sollte. Besonders bemerkenswert an diesem deutschen B-Picture ist die Spielfreude aller Mitwirkenden, die sich augenblicklich auf den Zuschauer überträgt. Da fällt es nicht schwer, über formale Mängel hinwegzusehen.

Das fünfte Gebot. *R* Duccio Tessari. *B* Michael Lentz, Duccio Tessari. *K* (Farbe) Jost Vacano. *M* Armando Trovaioli. *A* Bernhard Sauter. *T* Klaus Eckelt. *S* Eugenio Alabiso. *D* Helmut Berger (Bernhard Redder), Peter Hooten (Leo Redder), Evelyne Kraft (Wilma), Umberto Orsini (Vater Redder / Sturmführer Hannacker), Udo Kier (Peter Dümmel), Kurt Zips, Heinrich Giskes, Rainer Will, Michael Weidelt, Gerhard Theisen, Wolff Lindner. *P* Oase (Jelka Naber-Lentz). 113 Minuten. 1978.
Wie schon Ottokar Runze mit seinem *Lord von Barmbeck* greift auch Michael Lentz – Filmjournalist und Drehbuchautor der Filme *Alle Jahre wieder* und *Zoff* – in seiner Filmstory *Das fünfte Gebot* auf authentische Kriminalfälle und kriminalhistorische Figuren zurück. Hier ist es die Redder-

Die Frau gegenüber: Franciszek Pieczka

Fontane Effi Briest: Hanna Schygulla

Das fünfte Gebot: Helmut Berger, Udo Kier

Fünf Flaschen für Angelika: C. Nolte, D. Redinger

(eigentlich Heidger-)Bande, die in den zwanziger Jahren das Ruhrgebiet unsicher machte und sich auf Raubüberfälle spezialisiert hatte. Der Film zeigt die Brüder Bernhard und Leo Redder zunächst als Sechzehnjährige, die unter der autoritären Erziehung ihres Vaters zu leiden haben und schließlich von ihm aus dem Haus gesetzt werden. Erst Jahre später, als ihr Vater stirbt, kehren Bernhard und Leo in ihre alte Umgebung zurück. Anfangs lassen sie sich von ihrem ehemaligen Klassenkameraden Linnemann, einem SA-Mann, anheuern, Antifaschisten zu verprügeln, und bald bilden sie zusammen mit Linnemann und dem kleinen Ganoven Atsche Kummer die »Redder-Bande«. Heimlicher Drahtzieher hinter den Verbrechen der Bande ist SA-Sturmführer Hannakker, dem die Furcht, die die Verbrechen der Redders der Bevölkerung einflößen, für seine Zwecke sehr gelegen kommt. Als sich das Netz der Polizei immer enger um die beiden Brüder zusammenzieht und Linnemann ihr Versteck im Auftrag Hannackers Inspektor Dümmel, ebenfalls ehemaliger Schulkamerad, verrät, beginnt eine Verfolgungsjagd, die mit dem Tod von Leo und Bernhard Redder endet.

Schon Lentz' erste beiden Drehbücher handelten von einer Gegend und deren Mentalität: von Münster/Westf. bzw. dem Ruhrgebiet. Wie kommt es, daß alles, was von landschaftsbezogenem Realismus im *Fünften Gebot* übrig bleibt, lediglich an Fördertürme am Horizont, einige authentische Straßenzüge und der Anflug von Dialektsprache in einer Wirtshausszene sind? Lentz hatte viele Jahre dafür gebraucht, um einen Produktionsetat, Vertragspartner, Garantien und einen Stab für sein Projekt, das ihm sehr am Herzen gelegen haben muß, zusammenzubekommen. Zu bezweifeln ist, daß er sich von Anfang an einen italienischen Regisseur und eine internationale Besetzung gewünscht hatte, obwohl er versicherte, schon beim Schreiben an Helmut Berger für die Hauptrolle gedacht zu haben. So jedenfalls, wie sich das Endprodukt dem Zuschauer bietet, hat es mit dem, was man sich unter einem deutschen Film über das Ruhrgebiet der zwanziger Jahre vorstellt, nicht mehr viel zu tun.

Furchtlose Flieger. *R* Veith von Fürstenberg und Martin Müller. *B* Veith von Fürstenberg, Martin Müller, Max Zihlmann. *K* (Farbe) Frank Fiedler. *M* »Daddy Longlegs«. *S* Peter Przygodda. *D* Ferdinand Attems (Eff), Eike Gallwitz (Ike), Christian Friedel (Christian), Renate Zimmermann (Renate), Barbara Valentin. *P* Filmverlag der Autoren / WDR. 80 Minuten. 1971.
Ferdinand, genannt Eff, hat die Stadt satt und kehrt ihr den Rücken. Irgendwo auf dem Land stößt er auf ein altes, schrottreifes, offenbar verlassenes Flugzeug. Der Doppeldecker, der wirklich niemandem gehört, kann nicht mehr fliegen. Eff mietet sich bei Christian und Renate ein, die lustlos eine kleine Tankstelle betreiben, läßt

seinen Freund Ike, ein Fliegeras, kommen, und gemeinsam werkeln sie so lange an der Maschine herum, bis das Ding wieder fliegen kann.
Erste Produktion des gerade gegründeten *Filmverlags der Autoren.* »Der Film ist nicht kommerziell: Er macht und befriedigt keine Lust auf Abenteuer, er macht höchstens Lust darauf, mit einem Fußball herumzukicken, morgens früh auf einem Balkon zu stehen und in den Himmel zu schauen oder hinten auf einem Lastwagen zu sitzen und mit einem Mädchen zu reden, während die Sonne untergeht. Auch Barbara Valentin, die als Blondine mitspielt, muß sich nicht anstrengen, etwas anderes darzustellen als das, was sie ist. Einmal sitzt sie im gelben Sportwagen und lächelt nur« (Wim Wenders, *Filmkritik*).

Der Fußgänger. *R* und *B* Maximilian Schell. *K* (Farbe) Wolfgang Treu, Klaus König. *M* Manos Hadjidakis. *A* Hertha Pischinger. *T* Klaus Eckelt, Paul Schöler. *S* Dagmar Hirtz. *D* Gustav Rudolf Sellner (Heinz Alfred Giese), Peter Hall (Rudolf Hartmann), Gila von Weitershausen (Karin), Alexander May, Elsa Wagner, Maximilian Schell, Ruth Hausmeister, Dagmar Hirtz, Herbert Mensching, Walter Kohut, Walter Schmidinger, Franz Seitz, Christian Kohlund, Peter Moland, Christine Buchegger, Margarethe Schell von Noé, Sigfrit Steiner, Norbert Schiller, Angela Salloker, Peggy Ashcroft, Elisabeth Bergner, Lil Dagover, Käthe Haack, Johanna Hofer, Françoise Rosay. *P* Franz Seitz / Alfa (Maximilian Schell) / MFG / Zev Braun. 98 Minuten. 1973.
Der westdeutsche Großindustrielle Heinz Alfred Giese verschuldet einen Autounfall, bei dem sein ältester Sohn den Tod findet. Er verliert seinen Führerschein und wird Fußgänger. Eine Zeitung bringt ans Licht, daß Giese im Zweiten Weltkrieg bei der Liquidation eines Dorfes in Griechenland mitgewirkt hat. Das hat Ausschreitungen in Gieses Fabrik zur Folge. Durch die Ereignisse in der Gegenwart und in der Vergangenheit sieht Giese sich mit seinem Gewissen konfrontiert.
Maximilian Schells zweiter Spielfilm als Regisseur wurde 1974 unverständlicherweise mit der Goldenen Schale, dem höchsten Bundesfilmpreis, ausgezeichnet. Ein Teil der Kritik feierte den Film (»Dies ist seit dem Verschwinden Wolfgang Staudtes von der Filmszene der wichtigste und wesentlichste politische Film, den ein [wahl-] deutscher Regisseur gedreht hat«, *Kölnische Rundschau*), ohne sich anscheinend daran zu stören, daß hier ein Ex-Nazi und Industrieboß als Opfer der Umstände und Gehetzter der Presse präsentiert wurde. Schell hatte den Film bereits für 1967 als sein Regiedebüt eingeplant.

Ganovenehre. *R* Wolfgang Staudte. *B* Curt Flatow, Hans Wilhelm, nach einem Bühnenstück von Charles Rudolph. *K* (Farbe) Friedl Behn-Grund. *M* Hans-Martin Majewski. *A* Werner und Isabella Schlichting, Paul Seltenhammer. *D* Gert Fröbe (Paul), Mario

Adorf (Georg), Karin Baal (Nelly), Helen Vita (Olga), Gretl Schörg (die rote Erna), Ilse Pagé, Curt Bois, Robert Rober, Jürgen Feindt, Martin Hirthe, Gert Haucke. *P* Inter West (Wenzel Lüdecke). 94 Minuten. 1966.
Staudte: »Eine Gauner- und Hurenkomödie, geschrieben in der Zeit und für die Zeit der ›goldenen zwanziger Jahre‹, ist das Fundament, auf dem das reine Vergnügen montiert werden soll . . . Wir wollen nicht den Schlaf des Bürgers stören, wir wollen, daß er lacht. Lacht über die Probleme der leichten Damen und schweren Jungens im Massage-Salon ›Venus von Milo‹ zu Berlin, anno 1925. Daß er seinen Spaß hat an Artisten-Orje, dem die Wandlung vom Geldschrankknacker zum Zuhälter nicht so recht gelingen will, an Importen-Paul, dem Vorsitzenden des Sparvereins ›Biene‹, der über den Markt der käuflichen Liebe herrscht, also auch über Olga, die Pariserin, und Nelly, die fleißigsten ›Bienen‹ zwischen Tauentzien und Potsdamer Platz« *(Atlas-Filmheft).*

Ein ganz und gar verwahrlostes Mädchen. *R* und *B* Jutta Brückner. *K* (s/w und Farbe) Eduard Windhager. *T* Hayo von Zündt. *S* Eva Schlensag. *D* Rita Rischak, Manfred Fischer, Leo Bardischewski. *P* Jutta Brückner / ZDF. 80 Minuten. 1978.
Der Film behandelt einen authentischen »Fall«: Rita Rischak, ledig, Mutter eines fünfjährigen Sohnes, abgebrochene Realschulausbildung, stellt sich selbst in Spielszenen und Interviews dar.
Dr. phil. Jutta Brückner machte zum ersten Mal als Co-Autorin des Schlöndorff-Films *Der Fangschuß* (mit Margarethe von Trotta) auf sich aufmerksam. Auf dem 8. Internationalen Forum des Jungen Films 1978 in Berlin stellte sie ihre ersten eigenen Filme vor: *Tue recht und scheue niemand* (1975) ist ein einstündiger Film, der nur aus Fotos besteht und den »symptomatischen Lebenslauf einer Frau im Deutschland des 20. Jahrhunderts« behandelt. *Ein ganz und gar verwahrlostes Mädchen* stellt die Frage: Wer ist wem etwas schuldig – Rita Rischak der »Gesellschaft« oder die »Gesellschaft« ihr?

Gefundenes Fressen. *R* Michael Verhoeven. *B* Elke Heidenreich, Bernd Schröder, Michael Verhoeven. *K* (Farbe) Heinz Hoelscher. *M* Stefan Helbinger. *A* Heinz Eickmeyer. *T* Adolf Kredatus. *S* Helga Borsche. *D* Heinz Rühmann (Alfred), Mario Adorf (Erwin), Elisabeth Volkmann (Maria), René Deltgen (Schiller), Karin Baal (Gisela), Spomenca Petrović (Milena), Patrick Kreuzer, Joachim Fuchsberger, Barbara Valentin, Hans-Jürgen Bäumler, Andrea L'Arronge, Rudolf Schündler, George Moorse, Barbara Gallauner, Maria Singer. *P* Sentana (Senta Berger / Michael Verhoeven) / BR. 95 Minuten. 1977.
Alfred Eisenhardt, 70, ehemaliger Eisenbahner, konnte nach dem Krieg nicht mehr richtig Fuß fassen. Heute ist

er das, was man einen Penner nennt. Er spart mühsam für eine Reise in den Süden, wo man überwintern kann. Erwin Kolozeczik ist Streifenpolizist und möchte gerne zur Kripo. Doch als er mit Blaulicht Brotzeit holen fährt und einen Unfall baut, wird er erst einmal in die Schreibstube versetzt. Die beruflichen Schwierigkeiten belasten seine Ehe. Die beiden Männer lernen sich in einer Kneipe zufällig kennen, und trotz ihrer unterschiedlichen Lebensumstände entsteht so etwas wie eine Freundschaft. Alfred macht in der U-Bahn auch noch die Bekanntschaft der jugoslawischen Gastarbeiterin Milena. Zusammen gehen sie aufs Oktoberfest. Milena muß nach Jugoslawien zurück. Alfred kommt mit einer Magenblutung ins Krankenhaus, wo ihn Erwin besucht. Er überredet den alten Mann, nach seiner Entlassung seinen Traum zu verwirklichen und nach Mallorca zu fliegen. Alfred löst auch das Ticket, auf dem Rollfeld aber macht er im letzten Moment kehrt und geht zurück in sein armseliges Leben.
»Wir haben *Gefundenes Fressen* im März 1977 in den Kinos gestartet; der Film war in der Sommersaison 1977 der publikumsstärkste ›nicht-internationale‹ deutsche Film. Außerhalb der Bundesrepublik ist er in erster Linie von den Fernsehanstalten übernommen worden. In Moskau lief der Film in einem 3000-Plätze-Theater. Es war aufregend für mich, die dunklen Menschenmassen auf das hellerleuchtete Kino zuströmen zu sehen. Es besteht dort offenbar großes Interesse für das Leben im Westen. Das russische Publikum hat den Film genau verstanden, obwohl ihm ein obdachloser Penner ebenso unbekannt sein muß wie ein aufmüpfiger Polizist, weil das sowjetische Gesellschaftssystem beide nicht duldet. Damit soll aber nicht gesagt werden, daß hierzulande Verständnis für das Verhalten eines Penners und eines ungefügigen Ordnungsbeamten besteht« (Michael Verhoeven in: *ARD Fernsehspiel Januar Februar März 1980*).

Gelegenheitsarbeit einer Sklavin. *R* Alexander Kluge. *B* Alexander Kluge, Hans Drawe, Alexandra Kluge. *K* Thomas Mauch. *T* Gunther Kortwich. *S* Beate Mainka-Jellinghaus. *D* Alexandra Kluge (Roswitha Bronski), Franz Bronski (Franz Bronski), Sylvia Gartmann (Sylvia), Traugott Buhre (Dr. Genée), Ursula Dirichs (A. Willek), Walter Flamme (Juniorchef von Beauchamp & Co.), Ulrike Laurenzen (Chefsekretärin), Ortrud Teichart, Alfred Edel (Werkschutzchef), Arno Roggenbuck, Christine Müller, Roland H. Wiegenstein, Bion Steinborn. *P* Kairos (Alexander Kluge). 91 Minuten. 1973.
»Roswitha fühlt in sich eine ungeheure Kraft, aber sie weiß aus Filmen, daß es diese Kraft auch wirklich gibt.« Roswitha Bronski, 29, verheiratet, drei Kinder, unterhält eine Abtreibungspraxis, »um sich selbst mehr Kinder leisten zu können.« Als sie dadurch immer mehr Schwierigkeiten bekommt, wendet sie sich anderen Tätigkeiten zu, haupt-

sächlich der Erforschung von gesellschafts- und wirtschaftspolitischen Zusammenhängen. Das führt sie zu Aktivitäten, die ihren Mann die Stellung kosten. »Einen Platz an der Sonne erlangen? / Nicht leicht. / Denn wenn er erreicht, / ist sie untergegangen.« Keinem anderen Filmemacher der ganzen Welt fiele je eine so wunderbare Film-Ouvertüre ein wie der Satz, daß die Heldin eine ungeheure Kraft in sich fühlt und daß sie *aus Filmen* weiß, daß es diese Kraft auch wirklich gibt. Auch Fassbinder fiele so ein Satz nie ein; aber wenn, dann wüßte er sofort, welchen Film er als Belegstück zitiert: *All that Heaven Allows* von Douglas Sirk. Kluge, der von Douglas Sirk wahrscheinlich noch nie gehört hat, zeigt nach dem Satz von der ungeheuren Kraft einen Ausschnitt aus dem 1933 entstandenen Film *Tschapajew* von Sergej und Georgi Wassiljew, von dem Roswitha Bronski wahrscheinlich noch nie etwas gehört hat. Die Wahl dieses Films ist für Kluge, der so wie manche andere Filmemacher sich selbst eher in seine weiblichen Figuren als in seine Helden projiziert, sehr sinnvoll; es ist einer der frühen Sowjetfilme, aus denen der Filmautor Kluge seine Filmkraft zieht, von Dowschenko, auf dessen Montage-Prinzipien er sich besonders häufig beruft, gerühmt als der Film, »der mich – wie das ganze Land – tief erschüttert hat.« Wie Roswitha Bronski weiß Alexander Kluge *aus Filmen,* welche ungeheure Kraft es wirklich gibt, fürs Leben und fürs Filmemachen. »Anita G. hatte keinen festen Plan und schlitterte von einer Malaise in die andere; Leni Peickert hatte einen Plan, bewegte sich aber in der dünnen Höhenluft artistischer Bereiche; Roswitha Bronski dagegen hat einen Plan und versucht, ihn in der Alltagswelt zu verwirklichen. Letzten Endes scheitert sie, wie ihre beiden Vorgängerinnen. Aber dieses Scheitern hat keine Tragik, noch versucht Kluge, es von oben herunter lächerlich zu machen, wie einige Feministinnen kritisiert haben ... Der Film handelt vor allem von der Familie, speziell von der Rolle der Frau in einer Gesellschaft, die auf der hermetischen Familien-Einheit beruht. Diese Rolle, sagt der Filmtitel, ist die einer Sklavin, einer ausgehaltenen, unbezahlten Arbeiterin. Roswithas Fehler liegt darin, daß sie die Probleme ihrer eigenen Kondition auf die Außenwelt projiziert« (John Sandford: *The New German Cinema,* 1980).

Genosse Münchhausen. *R* und *B* Wolfgang Neuss. *K* Hugo Schott. *M* Rudolf Maluck, Johannes Rediske. *D* Wolfgang Neuss (Bauer Puste), Corny Collins, Peer Schmidt, Ingrid van Bergen, Wolfgang Wahl, Balduin Baas, Peter Frankenfeld, Helga Schlack, Rainer Brandt, K. H. Zeitler. *P* Satir-Film (Wolfgang Neuss). 89 Minuten. 1962.
»Wenn die monologisierende Improvisation des Kabarettisten ausmacht, und sie macht gewiß den Berliner Kabarettisten Wolfgang Neuss aus, so ergibt sich daraus, daß die Begabung dieses Mannes im Film ihre gemäße Form

nicht finden kann. Statt einer dramaturgisch aufgebauten Erzählung, die der konventionelle Film verlangt, gibt Neuss hier eine an der Münchhausen-Mär vage orientierte Folge von Sketchen, in deren Verlauf ein Bauer von der westlichen Seite der Zonengrenze als Aufklärungspilot über der Sowjetunion abstürzt, nach merkwürdigen Erlebnissen mittels einer Venusrakete auf die Insel Sylt zurückfährt und letzten Endes auf der anderen Seite des Stacheldrahtes wiederum den Boden bestellt, weil ›einige schließlich auch drüben bleiben müssen‹. Neussens hintersinniger Witz weist seinen Autor als einen wachen, kritischen Kopf aus. Aber mit dem Amoklauf, mit dem er durch die Probleme der Gegenwart rast, zeigt diesmal nur eine geringe Wirkung, weil ihm die filmische Verarbeitung fehlt« (Hans-Dieter Roos, *Film*).

Geschichten aus dem Wiener Wald. *R* Maximilian Schell. *B* Christopher Hampton, Maximilian Schell, nach dem Volksstück von Ödön von Horváth. *K* (Farbe) Klaus König. *M* Toni Stricker. *A* Ernst Wurzer. *T* Peter Kellerhals. *S* Dagmar Hirtz. *D* Birgit Doll (Marianne), Hanno Pöschl (Alfred), Helmut Qualtinger (Zauberkönig), Jane Tilden (Valerie), Adrienne Gessner, Götz Kauffmann, André Heller, Norbert Schiller, Eric Pohlmann, Robert Meyer, Martha Wallner, Walter Schmidinger, Elisabeth Epp, Lil Dagover, Vadim Glowna, Vera Borek. *P* MFG (Maximilian Schell) / Arabella, Wien / Solaris (Bernd Eichinger) / BR. 95 Minuten. 1979.
»Maximilian Schells adäquate Verfilmung des Bühnenstücks von Ödön von Horváth nutzt dessen *Geschichten aus dem Wiener Wald* zu einer tragikomischen ›Revue‹ eines politisch wie moralisch verkommenen Kleinbürgertums. In ruhigen, stimmig eingefangenen Bildern, ganz auf das ›Innere‹ hin inszeniert und von einem bis in die kleinste Nebenrolle sicher geführten und hervorragend interpretierenden Schauspielerensemble gespielt, ist der Film ein sehenswertes Kino-Ereignis« (Rolf-Rüdiger Hamacher, *Filmbeobachter*).

Geschichtsunterricht. *R* Jean-Marie Straub, Danièle Huillet. *B* Straub / Huillet, nach dem Romanfragment *Die Geschäfte des Herrn Julius Caesar* von Bertolt Brecht. *K* (Farbe) Renato Berta. *M* Johann Sebastian Bach. *T* Jeti Grigioni. *S* Straub / Huillet. *D* Gottfried Bold (Bankier), Johann Unterpertinger (Bauer), Henri Ludwig (Anwalt), Carl Vaillant (Dichter), Benedikt Zulauf (Junger Mann). *P* Straub-Huillet, Rom/Janus, Frankfurt. 88 Minuten. 1972.
Der Erzähler von Brechts Romanfragment, der 20 Jahre nach dem Tod von Caesar dessen offizielle Biographie recherchiert und zu dem Resultat kommen muß, daß der glorreiche Imperator ein politischer Opportunist war, wird bei Straub-Huillet zu einem jungen Deutschen unserer Tage, der auf seinen Wegen durch Rom vier

Geschichten aus dem Wiener Wald: Götz Kauffmann, Birgit Doll

Genosse Münchhausen: Wolfgang Neuss

Gefundenes Fressen: Heinz Rühmann

Zeitgenossen Caesars im Kostüm ihrer Zeit trifft, die Aussagen zur Person Caesars und zu seinen »Geschäften« machen: einem Bankier, einem Bauer und Ex-Legionär, einem Anwalt und einem Dichter.

»Straubs neuer Film besteht teils aus Fast-Monologen, in denen einige der Fakten über Caesars Aufstieg zur Macht im Eiltempo berichtet werden, teils aus Sequenzen, in denen der junge Mann, der die Fragen stellt, durch den erstickenden Verkehr von Rom fährt. Der Gesamteindruck läßt sich als faszinierend langweilig beschreiben; faszinierend und zugleich immens mühsam ist es nämlich in der Tat, sich drei Sequenzen von je ungefähr acht Minuten anzusehen, in denen ein Mann einfach nur sehr langsam durch sehr enge Straßen fährt. Sollte es Straubs Absicht sein, die Kontinuität (oder Diskontinuität) römischen Lebens zu suggerieren, dann scheint mir diese Technik für den Exponenten des *minimal cinema* auf perverse Art unökonomisch zu sein« (Penelope Houston, *Sight and Sound,* 1973).

Gibbi Westgermany. *R* und *B* Christel Buschmann. *K* (Farbe) Frank Brühne. *M* Paul Millns. *A* Winfried Hennig. *T* Vladimir Vizner. *S* Jane Sperr. *D* Jörg Pfennigwerth (Gibbi), Eva-Maria Hagen (Gibbis Mutter), Kiev Stingl (Freund der Mutter), Eric Burdon (Hotelportier), Rosalia di Kulessa, Angelika Kulessa, Martin Kippenberger, Soma Weissenseel, Hans Noever, Günter Meisner, Claus-Dieter Reents, Barbara Ossenkopp, Martha Sievers. *P* Bioskop (Eberhard Junkersdorf) / WDR. 90 Minuten. 1980.
Nach langer Zeit auf See kehrt Gibbi wieder nach Hamburg zurück. Seine Mutter betreibt auf St. Pauli eine Imbißstube. Gibbis Ziel ist es, die Liebe seiner Mutter zu spüren. Nichts ist ihm so wichtig wie eine Beziehung zu seiner Mutter, nicht einmal seine eigene Tochter, deren Mutter inzwischen verheiratet und etabliert ist. Auf Betreiben der Mutter wird Gibbi kurzzeitig in eine psychiatrische Anstalt eingeliefert. Zum Schluß sieht Gibbi nur noch eine, die letzte Möglichkeit: Er erschießt zuerst seine Mutter und dann sich selbst.
Erster Spielfilm Christel Buschmanns, der Lebensgefährtin Reinhard Hauffs, zu dessen Film *Der Hauptdarsteller* sie bereits das Drehbuch geschrieben hatte.
»Gibbi handelt im Film, wie er handeln muß, nicht wie es einen hierzulande akzeptablen Sinn ergibt. Ich habe mich in allen Phasen der Entstehung dieses Films bemüht, beim Schreiben, Drehen und Schneiden, den Film sozusagen auch identisch zu *machen* mit der Situation des Helden im Film, d. h., nicht ›Sinn zu machen‹, sondern ihn im Gegenteil zu suspendieren; nicht Sinnstrukturen zu konstruieren, sondern sie nicht exakt auszufüllen« (Christel Buschmann).

Die glücklichen Jahre der Thorwalds. *R* Wolfgang Staudte, John Olden. *B* Maria Matray, Answald Krüger, nach dem Bühnenstück *Die Zeit und die Conways* von John B. Priestley. *K*

Siegfried Hold. *M* Siegfried Franz. *A* Mathias Matthies, Ellen Schmidt, Anneliese Ludwig. *D* Elisabeth Bergner (Frau Thorwald), Hansjörg Felmy (Peter), Johanna Matz (Maria), Dietmar Schönherr (Martin), Brigitte Grothum (Helga), Elfriede Irral (Erika), Loni von Friedl (Brigitte von Tienitz), Robert Graf (Ernst Bieber), Dieter Borsche (Dr. Schaub). *P* Allgemeine Film Produktion. 90 Minuten. 1962.
Deutschland, von der Kaiserzeit bis ins Dritte Reich. Frau Thorwald, Oberhaupt einer reichen und angesehenen Familie, versucht mit den falschen Mitteln, ihren Kindern eine glänzende Zukunft zu sichern.
Staudte: »Gegen die *Glücklichen Jahre der Thorwalds* habe ich mich ziemlich gewehrt. Ich fand das Thema überflüssig. Zuerst hat John Olden da Regie geführt, der wurde dann krank, und ich habe den Film zu Ende gemacht« (Eva Orbanz u. a.: *Wolfgang Staudte,* 1977).

Götter der Pest. *R* Rainer Werner Fassbinder, unter Mitarbeit von Michael Fengler. *B* Rainer Werner Fassbinder. *K* Dietrich Lohmann. *M* Peer Raben. *A* Kurt Raab. *T* Gottfried Hüngsberg. *S* Franz Walsch. *D* Harry Baer (Franz), Hanna Schygulla (Joanna), Margarethe von Trotta (Margarethe), Günther Kaufmann (Günther), Carla Aullaulu (Carla), Ingrid Caven (Magdalena Fuller), Jan George (Polizist), Marian Seydowski (Marian), Yaak Karsunke (Kommissar), Micha Cochina (Joe), Hannes Gromball (Supermarkt-Chef), Lilith Ungerer (Mädchen im ersten Café), Katrin Schaake (Wirtin im zweiten Café), Lilo Pempeit (Mutter), Rainer Werner Fassbinder (Pornokunde), Irm Hermann, Peter Moland, Doris Mattes. *P* Antiteater. 91 Minuten. 1970.
Franz wird aus dem Gefängnis entlassen. Bei seiner alten Freundin, der Nachtklubsängerin Joanna, fühlt er sich wegen ihrer Besitzansprüche bald nicht mehr wohl. Dagegen freut ihn sehr das Wiedersehen mit seinem Freund Günther – obwohl dieser Franzens Bruder Marian erschossen hat, »auf Befehl«. Eine neue Freundin findet Franz in Margarethe. Franz, Günther und der alte Gangster Joe verüben einen Überfall auf einen Supermarkt. Die Sache geht schief, und Margarethe und Joanna haben die Polizei informiert, die eine aus Liebe, die andere aus enttäuschter Liebe. Franz wird erschossen. Günther entkommt und erschießt die Pornohändlerin Carla, die Joanna auf den Gedanken gebracht hatte, den Überfall zu verraten. An Franzens Grab sagt Joanna weinend: »Ich habe ihn so geliebt.«
»Ein gerade aus dem Gefängnis entlassener Gangster kommt in den Lola-Montez-Nachtklub. Hinter der Bühne ist ein Roulette-Spiel im Gang, der Tisch wird durch ein Spotlight aus den umgebenden Schatten herausgehoben. Es könnte eine Szene aus einem archetypischen amerikanischen Gangsterfilm der vierziger Jahre sein, und das ist auch genau der konditionierte Reflex, den Fassbinder von seinem Publikum will. Nachdem er sich

das Publikum so hergerichtet hat, verwirrt er es wieder bei jeder Gelegenheit und parodiert die Hollywood-Konventionen der Vierziger mit einer Geschichte von Verrat und Inkompetenz, wie nur die Sechziger sie hervorbringen konnten. Der Held ist irritierenderweise ein Farbiger, in einer Münchner Unterwelt, die eine besondere Vorliebe für weiße Mäntel zu haben scheint; seine frühere Freundin schläft jetzt mit einem korrupten Detektiv, und nachdem jede Figur des Films ununterbrochen über Geld und den Preis des Verrats geredet hat, findet der finale Shoot-Out zwischen den Kaffeebüchsen und der Konserven-Uniformität eines Supermarktes statt – der Nonkonformist sitzt gefangen zwischen den Symbolen der Konsum-Konformität« (David Wilson, *Sight and Sound,* 1972). Kameramann Dietrich Lohmann und das Ensemble bekamen 1970 Bundesfilmpreise.

Das goldene Ding. *R* und *B* Ula Stöckl, Edgar Reitz, Alf Brustellin, Nicos Perakis. *K* (Farbe) Edgar Reitz. *M* Nikos Mamangakis. *A* Nicos Perakis. *T* Hans Walter Kramsky. *S* Hannelore von Sternberg. *D* Christian Reitz (Jason), Oliver Jovine (Orpheus), Konstantin Sautier (Tiphis), Alf Brustellin, Reinhard Hauff, Katrin Seybold, Oscar von Schab, Wolfgang Bächler. *P* Edgar Reitz/WDR. 118 Minuten. 1971.
Die Geschichte von den Argonauten und dem goldenen Vlies.
Ein mit großer Liebe und großem Spaß gebastelter Film, in dem die Helden der griechischen Sage von Kindern gespielt werden, und der in jedem Augenblick verrät, mit welcher Haltung er gedreht wurde: »Eine richtige schöne Offenheit beim *Goldenen Ding,* in den wir unsere Liebe zum Kino, zu einer bestimmten Form des Abenteuerfilms darzustellen versucht haben – und gleichzeitig dazu zu zeigen, daß wir dafür eigentlich das Geld nicht haben. Deswegen die ›kindliche Form‹: daß wir die Rollen mit Kindern besetzten, alles in einer mehr embryonalen Form beließen. Der Film ist ein ökonomisches Embryo, ganz bewußt« (Edgar Reitz im Gespräch mit Barbara Bronnen und Corinna Brocher, in: *Die Filmemacher,* 1973).

Die goldene Pille. *R* Horst Manfred Adloff. *B* Horst Manfred Adloff, Peter Laregh. *K* (Farbe) Michael Marszalek. *M* Erich Ferstl. *D* Petra Pauly, Inge Marschall, Horst Naumann. *P* Horst Manfred Adloff. 94 Minuten. 1968.
Primanerinnen kämpfen um ihr Recht auf die Pille, weil ihr junger Studienrat schon leicht zuviel für Kinder und es darum nicht leicht im Leben hat.
Im Gegensatz zu den meisten Künstlern, die zu ihrer Hochform auflaufen, wenn es um persönlichste Anliegen geht, wird der vielseitige und im Normalzustand cool und geschickt operierende Horst Manfred Adloff (Bildhauer, Fabrikant, Filmproduzent) zum schlimmsten Konfektionär, wenn ihm etwas zum Objekt heiligsten Eifers wird.

Grandison. *R* Achim Kurz. *B* Michail Krausnick. *K* (Farbe) Jürgen Haigis.

M Wolfgang Dauner. *A* Dieter Hoepker, Günther Traeger. *T* Joachim Pohl. *S* Kirsten Jørgensen. *D* Marlène Jobert (Rose Grandison), Jean Rochefort (Carl Grandison), Helmut Qualtinger (Pfister), Jean-Pierre Cassel (Oppenheimer), Evelyn Künneke, Edward Meeks, Jacques Marin, Dora Doll, Eckhard Heise, Ilse Künkele, Bernard Musson, Vera Borek, Günter Spörrle. *P* Grandison (Achim Kurz). 146 Minuten. 1979.
Heidelberg, 1814. Carl Grandison, der es durch Raub und Hochstapelei zu Reichtum und Ansehen gebracht hat, lebt mit seiner Frau Rose und drei Kindern in einem schönen Haus – bis das Glück sich wendet. Grandison wird verhaftet und begeht in seiner Zelle Selbstmord. Nun beginnt der Leidensweg der Rose Grandison, die in unmenschlicher Weise von dem Richter Dr. Pfister verhört wird, bis sie schließlich ihrem geliebten Mann in den Tod folgt.
Fernsehregisseur Achim Kurz wagte mit diesem Film ein ungewöhnliches Experiment: Nach einem ausgeklügelten Finanzierungsmodell (ohne Förderungs- oder Fernsehgelder) stellte er mit *Grandison* einen 4-Millionen-Mark-Ausstattungsfilm auf die Beine, der mit seinen sorgfältig arrangierten Licht- und Farbkompositionen deutlich – überdeutlich – von Stanley Kubriks *Barry Lyndon* beeinflußt ist. Mit riesigem Werbeaufwand im Eigenverleih gestartet, brachte *Grandison* seinen Machern zwar einen Achtungserfolg seitens der Feuilleton-Kritik ein, verschwand aber, ohne nachhaltigen Eindruck hinterlassen zu haben, schon nach kürzester Zeit wieder in der Versenkung.

Grete Minde. *R* Heidi Genée. *B* Heidi Genée, nach der Novelle von Theodor Fontane. *K* (Farbe) Jürgen Jürges. *M* Niels Janette Walen. *A* Hansjürgen Kiebach. *T* Ed Parente. *S* Heidi Genée, Helga Beyer. *D* Katerina Jacob (Grete Minde), Siemen Rühaak (Valtin Zernitz), Hannelore Elsner (Trud Minde), Tilo Prückner (Gerd Minde), Hans Christian Blech (Gigas), Brigitte Grothum (Emerentz Zernitz), Käte Haack, Hilde Sessak, Martin Flörchinger, Horst Niendorf, Alexander May. *P* Solaris (Peter Genée, Bernd Eichinger) / Sascha / ZDF. 102 Minuten. 1977.
Nachdem Heidi Genée lange Jahre als Cutterin für Ulrich Schamoni, Peter Lilienthal, Uwe Brandner, Sinkel/Brustellin, Ulf Miehe, Hark Bohm und Alexander Kluge gearbeitet hatte, setzte sie sich 1976/77 für *Grete Minde* (Untertitel: *Der Wald ist voller Wölfe*) zum ersten Mal selbst in den Regiessel. Die Kritik lobte im allgemeinen die professionelle Machart des Films (Kraft Wetzel: »Kein anderer unter den neueren deutschen Filmen macht den Eindruck solch ausgereifter technischer Perfektion«), doch der Verdruß über die Schwemme mehr oder weniger unverbindlicher Literaturverfilmungen dieser Zeit richtete sich augenblicklich auch auf die Fontane-Adaption *Grete Minde.* »Ein lebenslustiges Mädchen versucht ver-

geblich, aus der puritanischen Gemeinschaft einer deutschen Kleinstadt des frühen 17. Jahrhunderts auszubrechen. Nachdem es um das väterliche Erbe betrogen worden ist, zündet es aus Verzweiflung die Stadt an und kommt in den Flammen um. Die eindrücklichen, den historischen Rahmen allerdings kaum sprengenden Bilder und eine ideale Besetzung der Titelrolle machen aus dem Erstlingswerk der bekannten deutschen Cutterin eine brillante, wenn auch thematisch eher unverbindliche bleibende Literaturverfilmung« (Zoom-Filmberater).

Grieche sucht Griechin. *R* Rolf Thiele. *B* Georg Laforet (= Franz Seitz) nach der Erzählung von Friedrich Dürrenmatt. *K* (Farbe) Wolf Wirth. *M* Rolf Wilhelm. *A* Wolf Englert. *D* Heinz Rühmann (Archilochos), Irina Demick (Chloe), Hannes Messemer (Fahrcks), Hanne Wieder (Georgette), Charles Regnier (Petit-Payson), Walter Rilla (Präsident). *P* Franz Seitz. 91 Minuten. 1966.
Buchhalter Archilochos, der das Land seiner griechischen Vorfahren nie gesehen hat, sucht und findet eine griechische Gattin und entdeckt zu spät, daß seine Chloe eine notorische Prostituierte ist.
Der Film hat mit Dürrenmatt so viel gemein wie eine Münchner Weißwurst mit Sprüngli-Pralinen.

Der Griller. *R* George Moorse. *B* George Moorse, Klaus Lea. *K* Gerard Vandenberg. *M* David Llywellyn. *D* Rolf Zacher, Franziska Oehme, Angelika Bender. *P* BR / HR. 87 Minuten. 1968.
Aus dem Leben eines Schwabinger Würstchen-Grillers.
Moorse: »Ein fast dokumentarisch-naturalistischer Film über Leute, die Jobs haben, die für Geld arbeiten, kein Engagement zu ihrer Arbeit haben. Sie leben auch wie sie arbeiten, haben kein tieferes Interesse für einander, lieben sich so wie sie ihre Jobs nehmen, aus Spaß oder aus Notwendigkeit. Ich sehe das gar nicht negativ. Ich glaube, die Zeit ist vorbei, wo die Menschen wirklich Rollen finden können in der Gesellschaft« (Filmkritik, 1967).

Der große Verhau. *R* Alexander Kluge. *B* Alexander Kluge, Wolfgang Mai. *K* (s/w und Farbe) Thomas Mauch, Alfred Tichawsky, Günter Hörmann, Hannelore Hoger, Joachim Heimbucher. *I* Bernd Hoeltz. *S* Maximiliane Mainka, Beate Mainka Jellinghaus. *D* Maria Sterr (Raumakkumulateurin), Vinzenz Sterr (Raumakkumulator), Siegfried Graue (Raumpilot Clark Douglas), Silvia Forsthofer (Silvie Szeliga), Henrike Fürst (Ida Fürst), Hannelore Hoger (Chefinspektorin Schröder-Mahnke), Hark Bohm (Oberst von Schaake, Chefadmiral der 6. Flotte), Hajo von Zündt, Horst Sachtleben, Bernd Hoeltz. *P* Kairos. 86 Minuten. 1971.
Milchstraße, im Jahr 2034. Die beherrschende Macht ist die Suez-Kanal-Gesellschaft, ihre stärkste Streitmacht die von Chefadmiral von Schaake kommandierte 6. Raumflotte. Freibeuter des Alls sind die Raum-

akkumulateure Maria und Vinzenz Sterr, die Raumschiffe unter ihre Kontrolle bringen und ausplündern, und die Joint Galactical Transport, die mit alten Schiffen riskante Strecken zu Schleuderpreisen befliegt. Bei dieser Gesellschaft taucht Raumpilot Clark Douglas unter, der einzige Überlebende einer von Admiral Haake niedergeschlagenen Meuterei der 186. Kreuzerdivision. Die Akkumulateure Sterr werden von der Chefinspektorin Schröder-Mahnke von der Raumpolizei vorübergehend als Piraten festgesetzt. Im Verlauf von sieben Revolutionen und sechs galaktischen Kriegen erweitert die Suez-Kanal-Gesellschaft ihren Herrschaftsbereich und kauft schließlich die in Schwierigkeiten befindliche Joint Galactical Transport auf. Die Hauptstadt der Milchstraße, Krüger 60, die seit 30 Jahren täglich zweimal von Raumbombern angegriffen wird, erhält Besuch von dem letzten Amerikaner, Mr. Hunter. Obwohl er in friedlicher Absicht kommt, wird er abgeschossen.
Der erste von mehreren Science-Fiction-Filmen Alexander Kluges. Es folgen 1971 der Kurzfilm *Wir verbauen 3 × 27 Milla. Dollar in einen Angriffsschlachter,* ebenfalls 1971 der Langfilm *Willi Tobler und der Untergang der 6. Flotte* und 1977 eine Neufassung des Tobler-Films, *Zu böser Schlacht schleich ich heute nacht so bang* (siehe dort).

Ein großer grau-blauer Vogel. *R* Thomas Schamoni. *B* Thomas Schamoni, Uwe Brandner, Hans Noever, Max Zihlmann, nach einer Story von Thomas Schamoni. *K* (Farbe) Dietrich Lohmann, Bernd Fiedler. *M* Irmin Schmidt, »The Can«. *A* Peter Eickmeyer, Alice Blank. *T* Veronika Meyerhofer. *S* Elisabeth Orlov, Peter Przygodda. *D* Klaus Lemke (Tom-X), Sylvie Winter (Luba), Umberto Orsini (Morelli), Rolf Becker (Lunette), Walter Ladengast (Belotti), Bernd Fiedler (Knokke), Sigi Graue (O'Brian), Mario Novelli (Herbert), Olivera Vuco (Diana), Lukas Amann (Cinque), Thomas Braut (G. O. Gio), Marquard Bohm (Bill) Hans K. Friedrich, Klaus W. Krause, Camillo Kühles, und als Gast Robert Siodmak. *P* Thomas Schamoni, München / Prodi, Rom. 1969/1971.
Der Landstreicher Belotti erzählt dem Dichter Tom-X, er sei früher Wissenschaftler gewesen und habe mit vier Kollegen eine Weltbeherrschungs-Formel entwickelt; diese habe man aber zwecks Verhütung von Unheil in ein Gedicht verschlüsselt, von dem er, Belotti, aber nur einen einzigen Vers kenne. Bald darauf kommt Belotti bei einem Entführungsversuch ums Leben. Zusammen mit dem Journalisten Gio versucht Tom-X, die anderen vier Wissenschaftler aufzuspüren. Dem gleichen Ziel widmet sich ein gewisser Cinque, der ein Heer von Agenten auf die Suche nach der Formel ansetzt. Auch Gio läßt sich schließlich von Cinque anheuern. Aber mehr und mehr scheint es so, als seien alle diese Vorgänge nur der Phantasie von Tom-X entsprungen.

12

Grete Minde: Jürgen Jürges, Heidi Genée

Grandison

Götter der Pest: Harry Baer, Ingrid Caven

Gibbi Westgermany: Eva-Maria Hagen, Jörg Pfennigwerth

Die goldene Pille: Petra Pauly, Horst Manfred Adloff

Thomas Schamoni ist das Filmemachen von Anfang an so umständlich und aufwendig angegangen, daß der unglückliche Verlauf seiner Karriere (ein Film pro Jahrzehnt!) vorausehbar war. »Der Thomas Schamoni hat für die Vorbereitung vom *Großen, grau-blauen Vogel* mindestens so viel ausgegeben, wie unser Film (*Liebe ist kälter als der Tod*, A. d. A.) ganz gekostet hat, nur für die Vorbereitung, fürs Telefonieren und fürs Rumfliegen und fürs Schauspielerengagieren« (Rainer Werner Fassbinder in seinem ersten *Filmkritik*-Inverview, 1969). Aufwendiges und großenteils zielloses *Herumfliegen* leistete Schamoni aber auch bei der geistigen Vorbereitung seines Films: zuviele Ideen, zuviel Bedeutung, zuviel Unergiebig-Kompliziertes. Das Resultat ist ein Rätselfilm, reizvoll wie alle grau-blauen Rätsel, aber ebenso unergiebig.

Groß und klein. *R* Peter Stein. *B* Botho Strauß. *K* (Farbe) Michael Ballhaus. *A* Fred Berndt, Jürgen Henze. *T* Gunther Kortwich, Vladimir Vizner. *S* Clarissa Ambach. *D* Edith Clever (Lotte), Tina Engel, Udo Samel, Hildegard Wensch, Elke Petri, Johanna Hofer, Jutta Lampe, Willem Menne, Hans Madin, Gunter Berger, Gerhard Bienert, Meray Ülgen. *P* Regina Ziegler / SFB / WDR / HR. 265 Minuten. 1980.
Szenen aus dem Leben der Lotte Kotte aus Remscheid-Lennep, die kreuz und quer durch Deutschland fährt, auf der Suche nach ihrem Mann, nach Freunden, nach einem Halt, nach Verständigung.
Nach *Sommergäste* und *Trilogie des Wiedersehens* ist dies die dritte filmische Umsetzung eines Stückes von Botho Strauß durch das Ensemble der Schaubühne am Halleschen Ufer, Berlin. »Peter Stein folgte treu dem Strauß-Text und vernachlässigte sträflich die filmischen Mittel. Die Kamera (Michael Ballhaus) wirkt starr und unbeweglich: Totalen und Großaufnahmen, dazwischen gibt es kaum etwas. Die Großaufnahmen, die eigentlich Akzente setzen müßten, gehen voll daneben: So ist die Intensität des Spiels bei Edith Clever bühnenmäßig überdeutlich – sie spielt sich voll aus, aber es berührt kaum, denn die lebendige (Theater-)Begegnung fehlt« (Manfred Hobsch, *Filmbeobachter*).

Gruppenbild mit Dame. *R* Aleksandar Petrović. *B* Aleksandar Petrović, Jürgen Kolbe, Heinrich Böll, nach dem Roman von Heinrich Böll. *K* (Farbe) Pierre William Glenn. *M* W. A. Mozart, Franz Schubert. *A* Reinhard Sigmund. *T* Gerhard Birkholz. *S* Agape Dorstewitz, Helga Borsche. *D* Romy Schneider (Leni Gruyten), Brad Dourif (Boris), Michel Galabru (Pelzer), Vadim Glowna (Erhard), Richard Münch (Hubert Gruyten), Vitus Zeplichal, Rüdiger Vogler, Fritz Lichtenhahn, Rudolf Schündler, Isolde Barth, Peter Kern, Dieter Schidor, Hannes Kaetner, Kurt Raab, Witta Pohl, Dorothea Moritz, Evelyn Meyka. *P* Stella / Cinema 77 / Artistes Associés, Paris / ZDF. 1977.

Der Krieg hat Leni Gruyten, die Tochter eines reichen Bauunternehmers, aus ihrer Welt gerissen. Die schöne Leni wird Hilfsarbeiterin in einer Friedhofsgärtnerei – es wird die glücklichste Zeit ihres Lebens. So wie das Nazideutschland sie nicht daran hindern konnte, ihre jüdische Freundin und Lehrerin zu besuchen, so kann es sie auch nicht darin beirren, ihre Liebe dem russischen Gefangenen Boris zu schenken. Mitten in den Wirren des Krieges empfängt sie ein Kind von ihm. Als der Krieg schon zu Ende ist, verliert sie Boris. In den Jahren des Wiederaufbaus und des Wohlstandes lebt Leni bescheiden und zurückgezogen. Sie ist um ihren Besitz betrogen worden, sie hat geliebte Menschen verloren, aber sie hat nicht verlernt, nach ihrem Gefühl zu leben: Mechmed, den Türken, von dem sie schwanger ist, wird sie heiraten.
Der Jugoslawe Aleksandar Petrović – Regisseur von preisgekrönten Filmen wie *Ich traf noch glückliche Zigeuner* (1967) und *Der Meister und Margarita* (1972) – war wohl noch nie mit einem Werk auf so einhellige Ablehnung gestoßen wie mit dieser Böll-Verfilmung. »Bölls Erzählstrukturen sind durch und durch literarisch. Sie lassen sich nicht einfach ins Medium Film umsetzen. Um Böll gerecht zu werden, bedarf es einer Umsetzung, einer Verfremdung, wie dies bei Straubs *Machorka-Muff* und *Nicht versöhnt* und – in vermindertem Maße – auch bei Schlöndorffs *Katharina Blum* zu finden ist. Daß Petrović darauf verzichtet hat, verurteilt *Gruppenbild mit Dame* von vornherein zum Scheitern. Erschwerend kommt dazu, daß sich Petrović auch filmisch auf recht seichter Ebene bewegt. Sein Werk, eine fast endlose Folge von Halbnah-, Nah- und Großeinstellungen, erschwert die räumliche Orientierung. Dadurch wird der Gang der Geschichte zähflüssig. Die gepflegten Bilder vermögen darüber nicht hinwegzutäuschen« (Urs Jaeggi, *Zoom-Filmberater*). Für Romy Schneider war die Leni Gruyten die erste Rolle in einem deutschen Film nach sechzehn Jahren. Für ihre routinierte Leistung heimste sie prompt ein Filmband in Gold ein.

halbe-halbe. *R* und *B* Uwe Brandner. *K* Jürgen Jürges. *M* Peer Raben, Munich Factory, J. J. Cale. *A* Günther Rischkopf. *T* Frank Jahn. *S* Helga Beyer. *D* Hans Peter Hallwachs (Bertold Maschkara), Bernd Tauber (Thomas Berger), Agnes Dünneisen (Katrin Adams), Mascha Gonska (Eva Hauff), Kai Fischer, Gerhard Olschewski, Nikolaus Dutsch, Joachim Regelien, Jan Groth, Alexander Allerson, Adrian Hoven, Ivan Desny. *P* DNS (Kerstin Dobbertin, Denyse Noever, Elvira Senft) / NDR. 105 Minuten. 1977.
München, im Sommer 1977. Bert Maschkara, 36, verliert seinen gut bezahlten Job und steht plötzlich auf der Straße. Eine Abfindungssumme von 30 000 DM tröstet ihn nur wenig. Neben seinem Appartement zieht ein neuer Mieter ein, Thomas Berger, 26,

der soeben eine siebenjährige Tätigkeit als Fluglotse bei der Bundeswehr beendet hat. Seine Ablösung für die Dienstzeit: ebenfalls 30 000 DM. Beide wollen irgendwie neu anfangen. Bert sitzt einem Schwindler auf, landet selbst im Knast, und Thomas hinterlegt sein Geld als Kaution. Während Thomas seine Prüfung als ziviler Fluglotse mit Müh und Not besteht, sackt Bert immer weiter ab und gesellt sich zu den Pennern am Stachus.
Uwe Brandner: »Ich zeige in dem Film das Bild von einem Klima, einem ganz konkreten, Deutschland im Sommer 1977. Und in diesem Klima leben Leute, die ein Schicksal, eine Krise haben, keine Allensbacher Durchschnittsmenschen, sondern Menschen mit einer sehr persönlichen Geschichte, denen das alltägliche Leben zur Überlebensfrage wird. – Mit meinem ersten Film, *Ich liebe dich – ich töte dich*, bin ich sehr zufrieden, weil er stimmt und genau ist. Aber er ist ein Ideenfilm, ein Film, bei dem die Bilder Illustrationen zu Gedanken sind. Mein zweiter Film, *Kopf oder Zahl,* ist ziemlich in die Hose gegangen, weil ich die Schauspieler zu Figurinen degradierte. In *halbe-halbe* mache ich das nicht.«

Die Hamburger Krankheit. *R* Peter Fleischmann. *B* Peter Fleischmann, Roland Topor, Otto Jägersberg. *K* (Farbe) Colin Mounier. *M* Jean-Michel Jarre, die Gaichinger Pfeiffer. *A* Luigi de Luca. *T* Yves Zlotnika, Karl Heinz Frank. *S* Susan Zinowsky. *D* Helmut Griem (Sebastian), Fernando Arrabal (Ottokar), Carline Seiser (Ulrike), Tilo Prückner (Fritz), Ulrich Wildgruber (Heribert), Rainer Langhans (Alexander), Rosl Zech (Dr. Hamm), Leopold Hainisch (Professor Placek), Romy Haag (Carola), Evelyn Künneke (Wirtin), Peter von Zahn (Senator). *P* Halleluja/Bioskop/Michel Gast SND, Paris/ZDF. 117 Minuten. 1979.
»*Die Hamburger Krankheit* von Peter Fleischmann ist ein chaotischer Film über chaotische Zustände, erheblich reizvoller, ungewöhnlicher und intelligenter, als die vielen Verrisse vermuten lassen. Fleischmann, der einzige Surrealist mit hessischem Akzent, erwies sich schon mit Filmen wie *Das Unheil* und *Dorotheas Rache* als wütender Gegner des angepaßten Gremienkinos. Hier veranstaltet er eine Deutschlandreise, in deren Verlauf sich die brave Republik des Kanzlers Schmidt in ein Tollhaus verwandelt. Die Pest bricht aus in Hamburg und kommt zum Stillstand in Bayerns Bergen, wo der Notstand natürlich perfekt organisiert ist. So exzentrisch wie das Personal dieser apokalyptischen Farce zwischen Reeperbahn und Almhütte ist auch Fleischmanns Inszenierung: eine Folge von gewaltsamen Stilbrüchen, ohne Rücksichten auf ästhetische Verluste« (Hans C. Blumenberg, *Die Zeit*). Fleischmann hatte mit der *Hamburger Krankheit* nicht viel Erfolg, aber dafür hat er Freunde, die wissen, woran das liegt, und wieso es sich noch ändern könnte. Volker Schlöndorff: »Ich beneide Peter Fleischmann um die Kontinuität der

Themen in allen seinen Filmen. Ich bewundere die Hartnäckigkeit, mit der er immer wieder das darstellt, was von uns niemand wahrhaben will und was doch in den Augen der Ausländer unsere Eigenart ausmacht: die Angst vor der Zukunft, die panische Reaktion auf Außenseiter, die Flucht in die Gemütlichkeit, das Klammern ans jodelnde und singende Volkstum, die barbarischen Eß- und die verklemmten Sexbräuche. Er hat das Pech und den Verdienst, oft gegen den Strom zu schwimmen, sich keiner Tendenz oder Gruppe anzupassen und meist erst nachträglich von eben dem Zeitgeist recht zu bekommen, dem er erst nicht in die Linie paßte.«

Hau drauf, Kleiner. *R* May Spils. *B* Werner Enke, Peter Schlieper. *K* (Farbe) Gernot Roll. *M* Kristian Schultze. *D* Werner Enke, Mascha Gonska, Henry van Lyck. *P* Cinenova. 82 Minuten. 1974.
»Werner Enke und May Spils, der dösende Bastel-Chaote und seine wache Antreiberin, haben ein Monopol im deutschen Lustspielfilm: Außer ihnen gibt es da nämlich weit und breit nichts ... Als Querdenker und arbeitsscheuer Heimgarten-Diogenes, als Bundeswehrschwänzer und vor bösen Bunkern flüchtender Flatterbold pflügt er sich durch seinen ›philosophischen Kack‹, nährt sich ›abgelumpt und ausgelabbert‹ von Schnorrertricks und Haarwuchsreklame. Wie gut er sein kann, zeigt vor allem eine TV-Szene, in der er als Reporter einen Friseur interviewt: Im Haarspalter-Nonsens ist er unschlagbar. Der Film wirkt wie ein Gagskizzenbuch: Grübelklamotte mit Sprach-Kack« (Ponkie, *Abendzeitung*).

Der Hauptdarsteller. *R* Reinhard Hauff. *B* Christel Buschmann, Reinhard Hauff. *K* (Farbe) Frank Brühne. *M* Klaus Doldinger. *A* Winfried Hennig. *T* Gerhard Birkholz. *S* Stefanie Wilke. *D* Mario Adorf (der Alte), Vadim Glowna (Max, Regisseur), Michael Schweiger (Pepe), Hans Brenner (Reporter), Rolf Zacher (Willy), Akim Ahrens (Tommi), Karl Obermayr, Carola Wittmann, Eberhard Hauff, Angelika Kulessa, Doris Dörrie, Karl Heinz Merz, Claus Dieter Reents, Johannes Buzalski. *P* Bioskop (Eberhard Junkersdorf) / WDR. 88 Minuten. 1977.
Letzter Drehtag zu dem Spielfilm *Pepes Leben*. Pepe, 15, der Hauptdarsteller, für die Zeit des Drehens aus den Fängen seines brutalen Vaters befreit, muß nach Hause zurück. Für Max, den Regisseur, ist die Filmarbeit beendet. Für Pepe fängt der Film erst an. Er spielt nach, was er beim Drehen gelernt hat, haut von zu Hause ab, folgt dem Regisseur in die Stadt, begreift schließlich, daß Max mehr an seinem Film als an ihm interessiert ist und fängt an, ihn zu terrorisieren. Bei der Premiere legt er im Kino Feuer.
Der Film basiert auf Erfahrungen, die Reinhard Hauff und Christel Buschmann während der Arbeit an dem Film *Paule Pauländer* gemacht haben. *Der Hauptdarsteller* erhielt den Haupt-

preis, eine Goldene Nofretete, auf dem 30. Internationalen Filmfestival in Kairo 1978. »Der Film endet offen, Hauff bietet keine Lösung an. Die Frage, ob er das Publikum, nachdem er ihm miese Verhältnisse zeigte, der Resignation überläßt, kann vermutlich nur jeder für sich beantworten. Für mich zählt *Der Hauptdarsteller* zum besten, was ich in letzter Zeit im Kino sah. Schon deshalb, weil hier ein realistischer Regisseur seine reale Erfahrung reflektiert und verarbeitet hat« (*Stuttgarter Nachrichten*).

Hauptlehrer Hofer. *R* Peter Lilienthal. *B* Peter Lilienthal, Herbert Brödl, Günter Herburger, nach einer Erzählung von Günter Herburger. *K* (Farbe) Kurt Weber, Ulrich Heiser. *M* Robert Eliscu. *A* Ernst Herrmann. *S* Heidi Genée. *D* André Watt (Joachim Hofer), Sebastian Bleisch, Kim Parnass, Gerhard Sprunkel, Bernhard Jenn, Reinhard Pütz, Tilo Prückner, Eva Pampuch, Hanna von Rezzori, Pierre Pasquay. *P* FFAT (Peter Lilienthal) / WDR. 105 Minuten. 1975.
Der junge Lehrer Joachim Hofer wird zu Beginn dieses Jahrhunderts in ein kleines elsässisches Dorf versetzt. Das Schulgebäude ist nicht mehr als ein Stall, und die Lebensbedingungen seiner Schüler sind haarsträubend: Viele müssen tagsüber in einer nahegelegenen Wollfabrik arbeiten oder werden auf dem Feld eingesetzt, so daß sie nur abends den Unterricht besuchen können. Hofer will Reformen durchsetzen – eine neue Schule bauen, die Kinderarbeit beenden, sich gegen die Obrigkeit behaupten. Als man ihm die neue Schule einreißt und ihn des Landes verweist, greifen seine Schüler zur Selbsthilfe.
»Diese Geschichte aus dem Elsaß der Jahrhundertwende gewinnt ihre besondere Wirkung aus der Behutsamkeit, mit der hier, unter völligem Verzicht auf Agitation und Plakatmalerei, die Veränderbarkeit des überkommenen Schlechten als nötig (und möglich) demonstriert wird. Obwohl der Held des Geschehens scheinbar scheitert, hinterläßt der Film beim Betrachter die Gewißheit, daß gerade erst jene ›kleine Spuren‹ (Lilienthal), die Männer wie Hofer hinterlassen, größere Veränderungen möglich machen. Weit entfernt davon, ihn abzuschwächen oder zur unverbindlichen Nostalgie umzufälschen, vertieft die poetische Grundstimmung des Films diesen Eindruck gesellschaftspolitischer Brisanz und Akutalität« (Begründung der Jury der Evangelischen Filmarbeit – Film des Monats April 1975).

Das Haus in der Karpfengasse. *R* Kurt Hoffmann. *B* Gerd Angermann, nach dem Roman von M. Y. Ben-Gavriêl. *K* Josef Illik. *M* Zdenek Liska. *D* Jana Brejchova (Bozena), Edith Schultze-Westrum (Die alte Kauders), Wolfgang Kieling (Karl Marek), Rosl Schäfer (Olga Marek), Vaclav Voska (Leo Mautner), Berno von Cramm (Behrend), Ivan Mistrik (Milan Schramek), Valter Taub, Martin Gregor, Walter Buschhoff. *P* Independent. 109 Minuten. 1965.

Die Schicksale einiger Bewohner eines Hauses im Prager Judenviertel unmittelbar vor und nach dem deutschen Überfall auf die Tschechoslowakei. Nachdem Kurt Hoffmann jahrzehntelang den Kinomarkt mit Erfolgswerken versorgt hatte, ließ dieser Markt ihn völlig im Stich, als es dem Regisseur ein ehrliches, persönliches Anliegen wurde, den Roman von Ben-Gavriêl zu verfilmen; das Thema galt als unangenehm, auf jeden Fall als unkommerziell, und daß Hoffmann den Film in Prag unter Mitarbeit von Tschechen drehte, langte aus, ihn als Kommunistensympathisant anzugreifen. Mit Fernsehgeldern und eigenen Mitteln produzierten Kurt Hoffmann und Heinz Angermeyer den Stoff; *Das Haus in der Karpfengasse* wurde der einzige Hoffmann-Film, der nicht von einem der marktbeherrschenden Großverleiher herausgebracht wurde, sondern von dem mutigen Heiner Braun (neue filmform). Der Film blieb bis zum Schluß für Hoffmann eine bittere Erfahrung: die Filmfestspiele Cannes wollten die als deutschen Beitrag nominierte *Karpfengasse* nicht haben, wegen *noirceur*, wie die französische Fachpresse munkelte: er sei zu finster für das Festival. Die deutschen Kritiker waren hochachtungsvoll, manchmal auch mehr: »Das Haus in der Karpfengasse wird zur Stätte des Martyriums und das nächtliche Prag zur Katakombe. Wir haben Grund, Hoffmann für dieses Werk dankbar zu sein: Es ist nicht allein ein episches Dokument von ungeheurer Intensität, sondern auch ein Filmkunstwerk, das uns für den deutschen Film hoffen läßt« (Rolf Dörlamm, *Christ und Welt*) Ein Jahrzehnt später drehten Sinkel/Brustellin in Prag den Film *Mädchenkrieg*, den der Kritiker Felix Unruh einmal *Die Villa in der Karpfengasse* genannt hat.

Heinrich. *R* Helma Sanders-Brahms. *B* Helma Sanders-Brahms, nach Dokumenten, Briefen und Schriften Heinrich von Kleists. *K* (Farbe) Thomas Mauch. *M* Mozart, Bach, Beethoven. *A* Götz Heymann, Günther Naumann. *T* Gunther Kortwich. *S* Margot Löhlein. *D* Heinrich Giskes (Heinrich), Grischa Huber (Ulrike), Hannelore Hoger (Henriette Vogel), Heinz Hönig (Pfuel), Stefan Ostertag, Sabine Ihmels, Sigfrit Steiner, Lina Carstens, Elisabeth Stepanek, Henning Schlüter, Rainer Friedrichsen, Günter Meisner, Hilde Sessak, Fritz Lichtenhahn, das Théâtre du Soleil. *P* Regina Ziegler / WDR. 124 Minuten. 1977.
Der Film beschreibt Stationen aus dem Leben des Dichters Heinrich von Kleist. Ausgangspunkt ist der Freitod Kleists zusammen mit Henriette Vogel am Kleinen Wannsee in Berlin am 21. November 1811. In assoziativer Rückblendentechnik werden die großen Konflikte aus Kleists Leben gezeigt: die gescheiterte Laufbahn als preußischer Offizier; die verschiedenen, komplizierten und nie realisierten erotischen Beziehungen zu seiner Verlobten Wilhelmine, zu seiner Schwester Ulrike, zu seinem Freund Pfuel, schließlich zu Henriette Vogel; das

Der Hauptdarsteller: Michael Schweiger

halbe-halbe: Hans Peter Hallwachs

Die Hamburger Krankheit: Carline Seiser

Gruppenbild mit Dame: Romy Schneider

Heinrich: Heinrich Giskes

Ringen um den poetischen Ausdruck seiner großen Visionen; sein Versuch, sich in die Idylle des Bauernlebens zurückzuziehen; das utopische Streben nach einem freieren Zusammenleben der Völker und der Menschen – zugleich sein glühender Haß auf die napoleonische Unterdrückung; schließlich jene Lebensuntüchtigkeit, die er mit dem Satz seines Abschiedsbriefes umschrieb: »Die Wahrheit ist, daß mir auf Erden nicht zu helfen war.«

Helma Sanders-Brahms erhielt für *Heinrich* 1977 die Goldene Schale (Produktion) und ein Filmband in Gold (Drehbuch). Während der Großteil der deutschsprachigen Kritik den Film als den Zenit kopflastiger Literaturverfilmungen ansah (wenngleich es sich eigentlich um die verfilmte Lebensgeschichte eines Schriftstellers handelte), äußerte sich die Presse in Frankreich nach der Uraufführung in Cannes begeistert: »Ein Film, der eine Sensibilität wiedererweckt, die uns heute fremd geworden ist, und damit in Vollendung ein Klima wiedererschafft, das jener Epoche, in der das von Kriegen zerrissene Europa seinen neuen geschichtlichen Weg suchte . . . Alles dies ist außergewöhnlich komponiert. Nicht eine Geste, nicht ein Licht . . ., nicht ein Bildausschnitt, nicht eine Kamerabewegung, nicht ein Detail des Dekors, die nicht an ihrem genauen Platz wären, die nicht ihrer Funktion entsprächen. Diese Perfektion ruft nicht nur Bewunderung hervor, sie löst Emotion aus und läßt doch dem Denken Platz . . . Dieser Film, einer der bedeutungsvollsten und zugleich einer der bewegendsten, die ich bisher habe sehen dürfen, erweckt in starker Weise Leiden und Hoffnungen jenes preußischen Dichters wieder, der die literarische Zukunft des 19. Jahrhunderts mitgestaltet hat« (Paul Paret, *La Marseillaise*).

Heiß und kalt. *R* Gustav Ehmck. *B* Gustav Ehmck, Peter Slavik. *K* (Farbe) Franz Rath. *M* Eugen Thomass. *A* Helge Brauch. *T* C. H. Aussem. *S* Ina Berlet. *D* Gerhild Berktold (Gaby), Christian Marquard (Christian), Rainer Basedow (Vater), Angela Hillebrecht (Mutter), Eva Ingeborg Scholz, Axel Schiessler, Rita Rubin, Jochen Mann, Katharina Seyferth. *P* action 1 (Gustav Ehmck). 84 Minuten. 1972.
Gaby und Christian, die sich lieben, geraten in die Maschinerie der Ordnungshüter und dann in Anstalten, die angeblich der Besserung von Jugendlichen dienen. Vergeblich versuchen beide auszubrechen und wieder zueinander zu finden. Doch die Katastrophe läßt sich nicht aufhalten. Gaby wird von sadistischen Heimgenossinnen gequält und geschunden, und Christian wird zum Mörder, als sich sein aufgestauter Haß plötzlich entlädt.
Der Film war in den Kinos auch unter dem Titel *Kalt und heiß* zu sehen. »Attacke gegen Fürsorgewesen und Heimerziehung, vordergründig, vereinfachend, unrealistisch; ein Zerrbild, das Auseinandersetzung eher verhindert als bewirkt« *(Filme 1971–76)*.

Henry Angst. *R* Ingo Kratisch. *B* Ingo Kratisch, Jutta Sartory. *K* (Farbe) Martin Streit, Mike Fallert. *M* Chuck Berry, John Cage, W. A. Mozart. *A* Antje Krüger. *T* Jochen Hergersberg. *S* Ingo Kratisch, Jutta Sartory. *D* Klaus Hoffmann (Henry), Daphne Moore (Rita), Heidrun Polack (Sabine), Rüdiger Vogler (Ritas Mann), Geoffrey Layton (Dichter), Hanns Zischler (Henrys Freund), Harun Farocki, Remo Remotti. *P* Regina Ziegler / Ingo Kratisch. 100 Minuten. 1980.
Ein Mann verläßt eines Tages seine Frau und kehrt auch nicht mehr an seinen Arbeitsplatz zurück. Kopf und Zahl weisen ihm einen zufälligen Weg. In einem Kaufhaus begegnet er einer Frau. Sie verläßt ihren Mann und fährt mit dem Aussteiger ans Meer.
Ingo Kratischs erster Spielfilm im Alleingang (1972 bis 1976 arbeitete er mit Marianne Lüdcke zusammen) war eine radikale Abkehr vom Arbeiterfilm der Berliner Schule und ein Bekenntnis zur neuen Innerlichkeit. Einmal gehen Henry und Rita über ein totes Gleis im Wald spazieren. Ob sich das Symbol auf die Figuren oder ihre Autoren bezieht, kann nur eine nähere Analyse erbringen.

Herrenpartie. *R* Wolfgang Staudte. *B* Werner Jörg Lüddecke, Arsen Diklić, Wolfgang Staudte. *K* Nenad Jovicić. *M* Zoran Hristić. *A* Dusco Jericević, Mira Cohadzić. *D* Hans Nielsen (Baurat Friedrich Hackländer, Major a. D.), Götz George (Herbert Hackländer), Gerlach Fiedler (Otmar Wengel), Friedrich Maurer (Karl Samuth), Reinhold Bernt (Willi Wirth), Mira Stupića (Miroslawa), Olivera Marković (Lia), Rudolf Platte, Herbert Tiede, Gerhard Hartig, Milana Dvacić, Ljubica Janicijević. *P* Neue Emelka, München/Avala, Belgrad (Rüdiger Freiherr von Hirschberg). 92 Minuten. 1964.
Bei einer Jugoslawien-Urlaubsreise stranden die acht Herren des Gesangvereins »Liedertafel« aus Neustadt mit leerem Benzintank in einem abgelegenen jugoslawischen Ort, wo nur Frauen leben, seit alle Männer im Krieg von den Deutschen als Geisel erschossen wurden. Die Frauen verweigern jegliche Hilfe und wollen die Deutschen einen lebensgefährlichen Weg im Gebirge nehmen lassen. Durch eine junge Jugoslawin und den Sohn des militanten Sänger-Anführers kommt schließlich doch eine Aussöhnung zustande.
»Es handelt sich weder um wirklich verfangende Zeitkritik noch um einen bemerkenswerten Film. Staudtes Mittel sind zu grob, bei aller Mühe macht er es sich zu leicht . . . So wie er sie zeigt, gebärden sich alte Nazis heute nicht mehr, so schnell kommen ihnen die alten Sachen nicht mehr über die Lippen. Sie haben sich getarnt, so gut, wie man sieht, daß Staudte sie nicht aufspüren konnte« (Uwe Nettelbeck, *Die Zeit*).

Herrin der Welt – 1. und 2. Teil. *R* William Dieterle. *B* Jo Eisinger, H. G. Petersson. *K* (Farbe) Richard Angst. *M* Roman Vlad. *A* Willi Schatz, Helmut Nentwig, Claudia Herberg. *S* Ira Oberberg. *D* Martha Hyer (Karin Johanson), Gino Cervi (Professor Johan-son), Carlos Thompson (Peter Lundström), Micheline Presle (Madame Latour), Wolfgang Preiss, Sabu, Leon Askin, Carl Lange, Inkijinoff. *P* CCC, Berlin/Franco-London, Paris/Continental, Rom (Horst Wendlandt). 1. Teil 96 Minuten, 2. Teil 86 Minuten. 1960.
Professor Johanson hat eine Formel entwickelt, die ihrem Besitzer die Herrschaft über die ganze Erde ermöglicht. Madame Latour, Chefin eines internationalen Geheimdienstes, versucht die Formel an sich zu bringen. Karin Johanson, die Tochter des Professors, bringt das Dokument in Sicherheit und übergibt es dem greisen Abt des Buddhatempels in Angkor-Vat.
Mit viel Aufwand und wenig Enthusiasmus gedrehtes Remake des achtteiligen gleichnamigen Stummfilms von 1920, Regie Joe May, Hauptrolle Mia May.

Herz aus Glas. *R* Werner Herzog. *B* Herbert Achternbusch, Werner Herzog. *K* (Farbe) Jörg Schmidt-Reitwein. *M* »Popol Vuh«, Studio der frühen Musik. *A* Henning von Gierke, Cornelius Siegel. *T* Haymo Henry Heyder, Peter van Anft. *S* Beate Mainka-Jellinghaus. *D* Josef Bierbichler (Hias), Stefan Güttler (Hüttenbesitzer), Clemens Scheitz (Adalbert), Volker Prechtel (Wudy), Sonja Skiba (Ludmilla), Brunhilde Klöckner (Paulin), Wolf Albrecht (Sam), Thomas Binkley, Janos Fischer, Wilhelm Friedrich, Edith Gratz, Alois Hruschka, Egmont Hugel, Sterling Jones. *P* Werner Herzog. 94 Minuten. 1976.
Der Erfinder des Rubinglases ist mit seinem Geheimnis gestorben. Nachdem sich ein Schmelzer in der Rubinherstellung vergeblich versucht hat und der Hüttenherr weder in Büchern noch in dem zerstörten Haus des Erfinders eine Spur stößt, schickt er nach dem Hüterjungen Hias, der für seine hellseherische Gabe bekannt ist, ohne etwas von ihm zu erfahren. Als der Hüttenherr doch bekannt gibt, im Besitz des wertvollen Wissens zu sein, spricht er im Wahn. Man glaubt ihm aber, denn unter den Hüttenleuten ist der Irrsinn ausgebrochen. Der Hüttenherr meint, das Blut einer Jungfrau müsse in die Schmelzmasse: Er ersticht die Freundin des Hias. Im Wirtshaus wird gefeiert. Den Hias überkommt eine Zukunftsvision: Er verkündet seine Prophetien, wobei ihn weder der Brand der Glashütte, die der Hüttenherr selbst angesteckt hat, noch die Nachricht vom Tod seiner Freundin unterbrechen kann. Die Hüttenleute suchen einen Schuldigen und verwechseln die Voraussage der Übel mit ihrer Urheberschaft. Sie übergeben Hias der Justiz.
Werner Herzog: »Der Film soll eine Atmosphäre von Halluzination, Prophetie, Visionärem und kollektivem Wahnsinn haben, die sich gegen Ende zu noch etwas verdichtet« (Vorwort zum Drehbuch). Die Darsteller wurden von Herzog in Hypnose versetzt, ein im Resultat sehr umstrittener Versuch. »*Herz aus Glas* ist Herzogs am wenigsten gelungener Film, gerecht-fertigt allein durch seine visuellen Schönheiten. Da sind packende Genre-Szenen, in Brauntönen gehaltene Bilder vom Alltagsleben der Landleute; vor allem aber sind da die gewaltigsten Landschaftsaufnahmen, die Herzog je gemacht hat« (John Sandford: *The New German Cinema*).

Heubodengeflüster. *R* und *B* Rolf Olsen. *K* (Farbe) Hanns Matula. *M* Erwin Halletz. *D* Peter Carsten, Elfie Pertramer, Renate von Holt, Gunther Philipp. *P* Lisa. 95 Minuten. 1967.
Unerwartete Besucher auf einem Bauernhof verursachen gewaltige Verwicklungen.
Der Neue Deutsche Film brachte auch eine neue Art mit sich, Filme zu sehen, Filme zu verstehen und Filme zu beschreiben. Peter Handke in dem von der Zeitschrift *Film* (November 1968) veröffentlichten Aufsatz *Vorläufige Bemerkungen zu Landkinos und Heimatfilmen*: »Mit dem Satz ›Mich selber möcht' ich los sein‹ ist sicher nicht viel Staat zu machen, aber wenn ihn Gunther Philipp sagt, noch dazu in dem Film *Heubodengeflüster,* dann ist dieser Satz so schön wie in dem Nestroy-Stück *Der Zerrissene* der Satz: ›Ich bin so erschrocken, daß man mich hätt' aufschneiden können und kein Tropfen Blut wär' herauskommen‹.«

Hitler – eine Karriere. *Gestaltung* Christian Herrendoerfer, Joachim C. Fest. *B* Joachim C. Fest. *T* Willi Schwadorf. *S* Fritz Schwaiger, Elisabeth Imholte, Karin Haban. *M* Hans Posegga. *Sprecher* Gerd Westphal. *P* Interart (Werner Rieb). 155 Minuten. 1977.
Dokumentarfilm nach dem »Weltbestseller« von Joachim C. Fest.
»Dieser Film über die ›Karriere‹ geht auf Kosten aller, die unter dieser Karriere gelitten haben, ermordet oder vertrieben worden sind. Sie kommen deshalb alle auch nur am Rand vor. Dieser Film ist so fasziniert von seinem Objekt, von dessen Wichtigkeit, an der er partizipiert (›An ihm bewahrheitete sich das Wort, daß die *Geschichte* es bisweilen liebe, sich in *einem* Menschen zu verdichten‹), daß dieses Objekt den Film immer wieder übernimmt, zu seinem heimlichen Erzähler wird. Da hat einer, hochmütig und in frevelhaftem Leichtsinn, seine Sprache, in einem Bestseller erfolgreich erprobt, der Sprache demagogischer Bilder für überlegen gehalten, hat geglaubt, er könne mit einem überlegenen Kommentar alles in seine Schranken verweisen, wie ein Herrgott, vom Himmel her« (Wim Wenders, *Die Zeit*).

H-Moll Messe. *R* und *B* Klaus Kirschner. *K* Dietrich Lohmann. *M* Johann Sebastian Bach. *T* Richard Hauck. *S* Klaus Kirschner. *D* Anna Torrent (das Mädchen), Arleen Augér (Sopran), Julia Hamari (Alt), Adalbert Kraus (Tenor), Siegmund Nimsgern (Baß), Wolfgang Schöne (Bariton), Helmuth Rilling (Dirigent). *P* Artfilm (Pitt Koch) / ZDF. 144 Minuten. 1978.
In einer alten burgundischen Kathe-

drale wird Bachs H-Moll-Messe aufgeführt. Die Choristen schreiten in stilisierten Gewändern pausenlos durch die Ruine, während ein kleines Mädchen (die Spanierin Ana Torrent, Darstellerin bei Saura und Erice) das ganze Treiben müden Auges beobachtet. Nach *Mozart-Aufzeichnungen einer Jugend* das zweite Musikfilm-Kuriosum von Klaus Kirschner.

Hokuspokus – oder: Wie lasse ich meinen Mann verschwinden? *R* Kurt Hoffmann. *B* Eberhard Keindorff, nach dem Bühnenstück von Curt Goetz. *K* (Farbe) Richard Angst. *M* Franz Grothe. *A* Otto Pischinger. *D* Heinz Rühmann (Peer Bille), Liselotte Pulver (Agda), Richard Münch (Gerichtspräsident), Fritz Tillmann (Staatsanwalt), Klaus Miedel, Stefan Wigger, Joachim Teege, Käthe Braun, Edith Elsholtz. *P* Hans Domnick/Independent. 100 Minuten. 1966.
Ein Mordprozeß wird zur Farce, denn weder die Angeklagte noch ihr Mann, der alles auf sich nimmt, kann der Täter sein, weil es überhaupt kein Opfer gibt.
Kurt Hoffmann, der den Stoff schon einmal verfilmt hat (1953 mit Curt Goetz und Valerie von Martens), läßt das Stück diesmal in stilisierten Pop Art-Dekorationen spielen, was kaum der richtige Rahmen für sein betagtes Protagonisten-Paar und seine altmodischen Inszenierungskünste ist. Weitere Verfilmung: 1930, Regie Gustav Ucicky, mit Lilian Harvey und Willy Fritsch.

Hütet Eure Töchter! Episodenfilm: *Inge. R* und *B* Wolf Hart. *K* Wolfgang Treu. *M* Hans Martin Majewski. *D* Gerd André (Fred), Angelika Thieme (Inge), Enja Rüggeberg (Gigi), Christine Mylius (Mutter), Joachim Rake (Vater). *P* Wolf Hart. *Der Soldat. R* Karl Schedereit. *B* Eberhard Hauff. *K* Mario Deghenghi. *M* Helmut Schmidt-Hagen. *D* Ulli Philipp (Barbara), Andreas Blum (Soldat). *P* GKS. *Ferien. R* Rob Houwer. *B* Rob Houwer, Franz-Josef Spieker. *K* Klaus König. *M* Hans Posegga. *D* Heidi Pawellek (Lydia), Hellmut Reuße (Vater). *P* Rob Houwer. *Geld. R* Michael Blackwood. *B* Christoph Veiel. *K* Robert Ziller. *M* Hans Posegga. *D* Leopold Biberti (Herr von Grodno), Alexander Braumüller (Axel), Renate Kasché (Christa). *P* GBF. *Der gelbe Wagen. R* und *B* Franz-Josef Spieker. *K* Fritz Schwennicke. *M* Erich Ferstl. *D* Klaus Kusterer (Mautz), Veronika Pröbstl (Bibi), Petra von Oelffen. *P* Rob Houwer. *Die Party. R* und *B* Eberhard Hauff. *K* Werner Kurz. *M* Erich Ferstl. *D* Gila von Weitershausen (Ingrid), Monika Feldenau (Gabriele), *P* GKS. 81 Minuten. 1964.
Als zwei Jahre nach dem Oberhausener Manifest noch immer nichts Entscheidendes passiert war, ließen einige Oberhausener samt Mitläufern sich von Walter Koppel, dem Chef des Europa-Verleihs, zu diesem Fehlstart verleiten. Ironischerweise stellte sich noch während der Produktion heraus, daß Papas Kino wirklich so krank war, wie die Oberhausener behauptet hatten: Der Europa-Verleih stellte seine

Zahlungen ein und brach zusammen. *Hütet Eure Töchter!* kam dann bei verschiedenen Kleinverleihern heraus. Inhaltlich ging der Film zurück auf eine Illustrierten-Serie (Autor Heinz von Nouhuys!) von der Art, die später das Material zu den *Schulmädchenreports* hergaben. Ganz so vulgär sind die hier versammelten Jungfilmer-Kurzfilme nicht, aber nur zwei der Episoden zeigen, daß man selbst aus solchen Zeigefinger-Geschichten etwas machen kann, womöglich etwas Witziges: die Spieker-Episode *Der gelbe Wagen,* in der Kinder Bordell spielen, und die Houwer-Episode *Ferien,* an der Spieker als Autor Anteil hat und die darauf hinausläuft, daß eher die Männer vor den Töchtern (und ihren Müttern!) gehütet werden müssen als umgekehrt. Spieker hat später mit *Wilder Reiter GmbH* einen der ersten auch geschäftlich erfolgreichen Filme des Jungkinos inszeniert. Houwer war dann nur noch als Produzent aktiv: daß hier dem Jungen Deutschen Film ein brillanter Regisseur verlorengegangen ist, verraten seine *Töchter*-Episode und manche seiner anderen Kurzfilme: diese Mischung von Unverfrorenheit, Charme, Ironie und Sinnlichkeit findet sich bei keinem anderen der frühen Jungfilmer (und bei allen späteren eigentlich auch nicht). Aus der 12jährigen Petra von Oelffen, die sich im *Gelben Wagen* kichernd in die Geheimnisse der Prostitution einweisen läßt, ist eine international geschätzte Cutterin geworden, die die deutschen Ingmar-Bergman-Filme geschnitten hat und jetzt beim Aufbau der neuseeländischen Filmproduktion mitarbeitet.

Hungerjahre. *R* und *B* Jutta Brückner. *K* Jörg Jeshel. *M* Johannes Schmölling. *A* Edwin Wengoborski. *T* Michael Loy. *S* Anneliese Krigar. *D* Britta Pohland (Ursula), Sylvia Ulrich (Mutter), Claus Jurichs (Vater), Tobias Meister, Heidi Joschko, Helga Lehner-Madin. *P* Jutta Brückner / ZDF. 114 Minuten. 1980.
Die Bundesrepublik Deutschland in den fünfziger Jahren. Ursula ist das einzige Kind kleinbürgerlicher Eltern, die ihrer Tochter durch Bildung und Aufstieg ein besseres Leben verschaffen wollen. Doch je älter Ursula wird, desto mehr beginnt sie, die Wertmaßstäbe und Ansprüche der Eltern anzuzweifeln und ihre eigenen Bedürfnisse – Liebe, Sinnlichkeit, Selbständigkeit – zu erkennen. Doch als sich nach ihrem ersten Liebeserlebnis in ihrem Leben nichts ändert, greift sie zu Tabletten.
Jutta Brückners dritter Spielfilm. »Es gelingt der Regisseurin hervorragend, den Zuschauer in die Zeit des Wirtschaftswunders, in der Offenheit und Toleranz oft fehlten, in der viel verdeckt und verdrängt wurde, zurückzuversetzen und den Rückzug des Mädchens, das an der Zeit leidet, einsichtig und nachvollziehbar zu machen« (Anne Frederiksen, *Filmbeobachter*).

Ich bin ein Elefant, Madame. *R* Peter Zadek. *B* Robert Muller, Peter Zadek,

Herz aus Glas: Josef Bierbichler

Wolfgang Menge, nach dem Roman *Die Unberatenen* von Thomas Valentin. *K* (Farbe) Gerard Vandenberg. *M* »The Velvet Underground«, Andy Warhol. *S* Herbert Taschner. *D* Wolfgang Schneider (Rull), Günther Lüders (Hartmann), Tankred Dorst (Violat), Heinz Baumann (Nemitz), Peter Palitzsch (Fliege), Robert Dietl (Müller-Frank), Werner Dahms, Ernst Rottluff, Ingrid Resch, Margot Trooger, Rolf Becker. *P* Iduna. 100 Minuten. 1969.
Bremen 1968. Die studentische Protestbewegung erfaßt ein Bremer Gymnasium. Ein irritierendes Element wird in die Konfrontationen zwischen Lehrern und Schülern durch die verrückten Aktionen des Primaners Rull gebracht. Auf dem Höhepunkt seiner Narreteien erscheint er bei einer öffentlichen Schüler-Demonstration als Indianer verkleidet; später malt er ein riesiges Hakenkreuz an die Schule und düpiert einen berühmten Führer der Studentenrevolte. Seine Weigerung, die Hakenkreuz-Schmiererei als einen Protest gegen den faschistischen Geist der Schule zu interpretieren, verwirrt die rebellischen Mitschüler vollends: Sie beschließen, weiteres Aufbegehren bis nach dem Abitur zu verschieben.
1969 hat Peter Zadek *Ich bin ein Elefant, Madame* gedreht, 1974 *Eiszeit*, sonst nichts fürs Kino. Daß der Theatermann Zadek, der schon in seinen Bühnenarbeiten soviel Filmsinn verrät, der mit *Der Pott* und *Rotmord* die Pionierwerke des Bluebox-TV-Films geschaffen hat und der von seinen Filmkollegen womöglich noch mehr geschätzt wird als von seinen Bühnenkollegen (Fassbinders *Maria Braun* ist Zadek gewidmet), daß dieser Mann nicht dauerhaft in Film und Fernsehen heimisch wurde, ist für beide Medien ein Verlust. An dem mangelnden Erfolg seines Debütfilms kann es nicht liegen, daß Zadek sich dann fast nur noch aufs Theater konzentrierte. »Zadeks Film gelingt es, ebenso witzig, ungestüm und auf provozierende Art unparteiisch zu sein wie sein Held … Obwohl seine Sympathien manifest bei den Studenten liegen, macht Zadek es sich zum Anliegen, sie zu demythologisieren; und die zentrale Antithese des Films zwischen der impotenten liberalen Meditation des Lehrers Nemitz und der elefantösen apolitischen Effektivität von Rull macht die Vergeblichkeit des Unterfangens deutlich, Politik nach dem Lehrbuch zu treiben« (Nigel Andrews, *MFB*, 1971). Bundesfilmpreise 1969 für beste Regie und besten Nachwuchsschauspieler (Wolfgang Schneider).

Ich dachte, ich wäre tot. *R* und *B* Wolf Gremm. *K* (Farbe) David Slama. *M* Peter Schirrmann. *S* Dorothee Gerlach. *D* Y Sa Lo, Alexander Bzik, Reinhard Bock, Ingrid Bzik, Vera Müller, Ulf Weidner, Achim Schmahl, Peter Schlesinger, Gisela Müller, Erika Fuhrmann, Alix Buchen. *P* Regina Ziegler. 80 Minuten. 1973.
Eine Siebzehnjährige, die sich den Anforderungen der Eltern, des Chefs und der Freunde nicht gewachsen glaubt,

nimmt eine Überdosis Schlaftabletten. Sie wird gerettet und begreift Schritt für Schritt, daß nicht Flucht, sondern Auseinandersetzung zum Leben führen. Sie findet eine für sie akzeptable Lösung, und sie lernt auch wieder lachen. Es bahnt sich eine offenere und ehrlichere Beziehung zwischen ihr und ihrer Umwelt an.
»Wolf Gremm, der sich mit seinem Debütfilm als ein die Wirklichkeit scharf beobachtender und die Psyche behutsam deutender Regisseur erweist, ging das Wagnis ein, zugleich mit Schauspielern und Laiendarstellern zu arbeiten. Dieses Experiment ist ihm durchaus gelungen« *(Der Tagesspiegel)*.

Ich hatte einen Traum. *R* Rainer Boldt. *B* Karlhans Frank, Herbert Günther, Rainer Boldt. *K* (Farbe) Ingo Hamer. *M* Graziano Mandozzi. *S* Heidi Handorf. *D* Hans Peter Korff (Onkel Heini), Hildegard Wensch (Tante Appelboom), Jochen Angerstein, Marion Berndt, Jacob Bilabel, Ute Koska, Jan Aust. *P* Common / ZDF. 97 Minuten. 1980.
»Drei Folgen der TV-Reihe *Neues aus Uhlenbusch,* die noch nicht im Fernsehen ausgestrahlt wurden, hat Rainer Boldt zu einem 97minütigen Spielfilm kombiniert. Erfahrungen und Vorzüge der Fernsehreihe wurden auf die Leinwand übertragen: Ohne großen Handlungsbogen erzählt der Film Episoden aus dem Alltag der (Land-)Kinder in Uhlenbusch, vom Kirmestag im Nachbarort Rehstedt, vom Traum des Postboten Onkel Heini, von der großen Hochzeitsfeier in Uhlenbusch und von den Noten, die der blinde Klavierspieler verloren hatte« (Manfred Hobsch, *Filmbeobachter*).

Ich liebe dich, ich töte dich. *R* und *B* Uwe Brandner. *K* (Farbe) André Dubreuil. *M* Uwe Brandner, Wolfgang Amadeus Mozart, Hötter, Olanf, »Spieldose«. *T* Manfred Angermeyer, Helmut Prasch. *S* Heidi Genée. *D* Rolf Becker (der Jäger), Hannes Fuchs (der Lehrer), Helmut Brasch (der Bürgermeister), Marianne Blomquist (Rita), Nikolaus Dutsch, Thomas Eckelmann (Polizisten), Wolfgang Ebert (Pfarrer), Stefan Moses (Apotheker), Monika Hansen, Walter Ladengast, Michael Krüger, Rudolf Thome. *P* Uwe Brandner. 95 Minuten. 1971.
Der Lehrer kommt mit der Eisenbahn zu seinem neuen Arbeitsplatz, einem Dorf am Rande einer romantischen Wildnis. Die Wildnis ist das Revier der hohen Herren, die jährlich einmal mit Hubschraubern zur Jagd einfliegen. Im Dorf geht alles seinen idyllischen Gang; an die Einwohner werden Happy-Pillen verteilt, die sie friedlich und zufrieden halten. Zwei Polizisten wachen über die Einhaltung der Ordnung; sie drillen sich gegenseitig mit strapaziösen und sehr albernen Manöver-Übungen. Der neue Lehrer freundet sich mit dem Jäger an, der die Wölfe und wildernde Hunde abschießt, damit die alljährliche Jagdpartie der hohen Herren nicht gefährdet wird. Der Jäger und der Lehrer lieben sich. Der Lehrer bekommt vom Jäger ein Ge-

wehr und darf auf Wolfsjagd gehen. Er beginnt aber bald, auch edles Wild zu schießen. Der Jäger verfolgt ihn, stellt ihn und liefert ihn den Polizisten aus. Auf dem Dorfplatz und vor den Augen der Dorfbewohner erschießen die Polizisten den Lehrer. Dann erschießt der Jäger die Polizisten.
»Eine Bildergeschichte aus der Heimat« nennt Uwe Brandner seinen Film, also einen Heimatfilm. Auf seine Bilder kann der Film mit Berechtigung Stolz hinweisen, denn noch nie und schon gar nicht in einem Heimatfilm wurde diese deutsche Heimat (Altmühltal) so romantisch-dramatisch fotografiert, in einem an Kirchner und Schmidt-Rottluff gemahnenden, betäubend expressiven Stil. Aber fast noch besser ist das, was Brandner aus dem alten Heimatfilm-Thema der Wilderei gemacht hat. Wie Volker Vogeler *(Jaider)* weiß Brandner, was die meisten Heimatfilmer vergessen hatten oder nie wissen wollten, daß nämlich Wildern im Selbstverständnis der Wilderer hieß: sich nehmen, was dem anderen zu Unrecht gehört. Die Jagd ist in Deutschland (anders als in Nachbarländern) an den Besitz geknüpft, die Frage des Jagdrechts ist zugleich die Frage des Besitzrechtes. Brandner hat es geschafft, dieses alte Thema in seinem heimtückischen Utopiefilm voll aufgehen zu lassen, ohne sein eigentliches Thema aus dem Auge zu verlieren. Brandner: »Der Wilderer ist der unbewußte Außenseiter, der kaputtgeht an seinem unbewußten Ausbruchsversuch. Also ein bißchen der bürgerliche Abenteurer.«

Im Herzen des Hurrican (auch: *Nicht mit uns*). *R* und *B* Hark Bohm. *K* (Farbe) Jaroslav Kucera. *M* Irmin Schmidt. *A* Heidi Lüdi. *T* Gerard Rueff, Enzio Edschmidt. *S* Susanne Paschen. *D* Uwe Bohm (Christoph Schiederowsky), Dschingis Bowakow (Indianer), Brigitte Strohbauer, Jelka Bouwy, Dieter Thomas, Ulrich von Bock, Edgar Bessen, Marquard Bohm, Uwe Dallmeier, Herta Fahrenkrog. *P* Hamburger Kino Kompanie (Hark Bohm) / ZDF. 105, später 90 Minuten. 1980.
Ein Elch ist durch die Elbe geschwommen und sorgt in der Boulevard-Presse für Schlagzeilen. Auf seinem Weg durch Deutschland heften sich zwei Jugendliche an die Fersen des nordischen Tieres: Chris soll ihn im Auftrag eines Hehlers erschießen, der »Indianer« will ihn fotografieren. Aus den Rivalen werden Freunde, als sie erkennen, daß der Elch in dieser Welt zwischen Industrie, Autobahnen und Flughäfen keine Überlebenschancen hat. Bei Frankfurt geben sie ihm den Gnadenschuß.
Mit seinem vierten Langfilm kehrte Hark Bohm zur Freundschafts- und Abenteuer-Thematik von *Nordsee ist Mordsee* zurück. Uwe Enkelmann (inzwischen von den Bohms adoptiert) und Dschingis Bowakow sind vier Jahre älter geworden und spielen wieder die Hauptrollen. Der Aufhänger mit dem Elch basierte zwar auf einer wahren Begebenheit, wollte aber nicht

so recht zünden: Die Presse reagierte ironisch (Hark Bohm als Tierfilmer), das Publikum blieb fern. Ein halbes Jahr nach der Erstaufführung wurde der Film unter dem Titel *Nicht mit uns* und um eine Viertelstunde »gestrafft« erneut gestartet, blieb aber ein Mißerfolg.

Im Namen des Volkes. *R* und *Konzept* Ottokar Runze. *K* (Farbe) Michael Epp, Paul Ellmerer. *D* Insassen der Strafanstalt Hamburg-Fuhlsbüttel. *P* Ottokar Runze. 128 Minuten. 1974.
In einem fiktiven Prozeß versuchen Insassen der Strafanstalt Hamburg-Fuhlsbüttel, zum großen Teil Lebenslängliche, einen Mord aufzuklären, für den drei ihrer Mitgefangenen zu lebenslänglicher Haft verurteilt wurden. Die drei Täter stellen sich selbst dar. Die anderen übernehmen die Funktion der Richter, Schöffen, Staatsanwälte und Verteidiger.
Auf den Filmfestspielen in Berlin 1974 erhielt der Film von der internationalen Jury einen Silbernen Bären. In der Begründung heißt es: »Eine außergewöhnliche dokumentarische Präsentation. Die Akteure des Films sind verurteilte Mörder, die sich freiwillig dem Experiment unterziehen, drei Gefängniskameraden erneut den Prozeß zu machen. Für die Originalität des Konzepts und für den herausragenden Einsatz von Kamera und Montage wird der Preis dem Regisseur zuerkannt.«

In der Fremde. *R* Sohrab Shahid Saless. *B* Sohrab Shahid Saless, Helga Houzer. *K* (Farbe) Ramin Reza Molai. *T* Frank Schreiner. *D* Parviz Sayyad (Hesseyin), Anasal Cihan (Student), Muhammet Temizkan (Kasim), Ursula Kessler, Ute Bokelmann. *P* Provobis, Hamburg / Neue Filmgruppe, Teheran. 91 Minuten. 1975.
Der iranische Regisseur Sohrab Shahid Saless war 1974 erster Regisseur, dem es bei der Berlinale gelang, die Grenzen zwischen dem offiziellen A-Festival und dem Internationalen Forum des Jungen Films unmittelbar zu überwinden. *Ein einfaches Ereignis,* sein erster Spielfilm lief im Forum, *Stilles Leben,* sein zweiter, im Wettbewerb. Während seines Berlin-Aufenthaltes ist ihm die Idee zu einem Film über das Leben eines türkischen Gastarbeiters in dieser Stadt gekommen: *In der Fremde.* Saless hat nach drei Monaten Planung zusammen mit seiner deutschen Co-Autorin Helga Houzer innerhalb von zwei Tagen das Drehbuch geschrieben. Die Dreharbeiten dauerten elf Tage, gedreht wurde mit einem Verhältnis von 1:2. Der Film hat so rund 260 000 DM gekostet. Neben dem persischen Hauptdarsteller, der seine Dialoge auf türkisch sprechen mußte, spielen fast ausschließlich Laien, Türken, die der Regisseur in einer Kreuzberger Kneipe entdeckt hat. »Saless' erster Film in Deutschland machte ziemlich überraschend klar, daß seine Technik und sein Stil auch in einer anderen Sprache, in einem anderen Land und selbst mit einem neuen Kameramann nichts von ihrer Intensität, Schönheit und Wirkung einzubü-

ßen hatten. . . . Es ist ein sehr trauriger und ruhiger Film mit Momenten voller Schönheit und mit bemerkenswertem Humor. Die Kameraarbeit von Ramin Reza Molai (dessen erster Spielfilm dies ist) ist hervorragend und trifft exakt Saless' Stil. Parviz Sayyad als der türkische Arbeiter spielt außergewöhnlich gut« (Ken Wlaschin, *NFT*).

In der Hölle ist noch Platz. *R* Ernst Ritter von Theumer. *B* Theo Gallehr. *K* Ali Ismir. *D* Barbara Valentin (Janet), Hermann Nehlsen (Ismail), Paul Glawion (Dexter), Maria Vincent (Maria), Fikret Hakan, Sadri Alisik. *P* Ernst Ritter von Theumer. 83 Minuten. 1961.
Am Bosporus raufen sich zwei Gaunerbanden um ein Rauschgift-Monopol und um die blonde Amerikanerin Janet.
Ein Super-Kultfilm für Barbara-Valentin-Fans.

In einem Jahr mit 13 Monden. *R, B, K* und *S* Rainer Werner Fassbinder, unter Mitarbeit von Isolde Barth, Walter Bockmayer, Milan Bor, Jo Braun, Juliane Lorenz, Werner Lüring, Wolfgang Mund, Peer Raben, Karl Scheydt, Volker Spengler, Alexander Witt, Frantisek Vašek. *D* Volker Spengler (Elvira Weishaupt), Ingrid Caven (Rote Zora), Gottfried John (Anton Saitz), Elisabeth Trissenaar (Irene), Eva Mattes (Marie-Ann), Günther Kaufmann (Chauffeur), Lilo Pempeit (Schwester Gudrun), Isolde Barth (Sybille), Karl Scheydt, Walter Bockmayer, Bob Dorsey, Ursula Lillig, Günther Holzapfel, Janoz Bermez (Oskar Pleitgen), Gerhard Zwerenz. *P* Tango/Pro-ject (Rainer Werner Fassbinder, Isolde Barth). 124 Minuten. 1978.
Frankfurt am Main, Sommer 1978. Elvira (früher Ernst) Weishaupt, die sich vor Jahren aus Liebe zu dem Schieber und späteren Unternehmer Anton Saitz zur Frau hat umwandeln lassen, wird von ihrem Liebhaber Christoph Hacker verlassen, von ihrer Freundin, der Roten Zora, verraten, von ihrem alten Freund Anton Saitz abgewiesen. Auch die Frau Irene, mit der Elvira vor ihrer Geschlechtsumwandlung verheiratet war und mit der sie eine jetzt schon halberwachsene Tochter hat, will nichts mehr von ihr wissen. Elvira bringt sich um.
Fassbinder: »Der Film *In einem Jahr mit dreizehn Monden* erzählt von den Begegnungen eines Menschen während der letzten fünf Tage seines Lebens und versucht, anhand dieser Begegnungen herauszufinden, ob die Entscheidung dieses einen Menschen, dem letzten dieser Tage, dem fünften also, keinen weiteren folgen zu lassen, abzulehnen, zu verstehen wenigstens, oder vielleicht gar akzeptierbar ist. Der Film spielt in Frankfurt, einer Stadt, deren spezifische Struktur Biographien wie die geschilderte fast herausfordert, zumindest aber nicht als besonders ungewöhnlich erscheinen läßt. Frankfurt ist kein Ort des freundlichen Mittelmaßes, der Egalisierung von Gegensätzen, nicht friedlich, nicht

modisch, nett, Frankfurt ist eine Stadt, wo man an jeder Straßenecke überall und ständig den allgemeinen gesellschaftlichen Widersprüchen begegnet, zumindest wenn man nicht gleich über sie stolpert, den Widersprüchen, an deren Verschleierung sonst allerorten recht erfolgreich gearbeitet worden ist. – Jedes 7. Jahr ist ein Jahr des Mondes. Besonders Menschen, deren Dasein hauptsächlich von ihren Gefühlen bestimmt ist, haben in diesen Mondjahren verstärkt unter Depressionen zu leiden, was gleichermaßen, nur etwas weniger ausgeprägt, auch für Jahre mit 13 Neumonden gilt. Und wenn ein Mondjahr gleichzeitig ein Jahr mit 13 Neumonden ist, kommt es oft zu persönlichen Katastrophen. Im 20. Jahrhundert sind es 6 Jahre, die von dieser gefährlichen Konstellation bestimmt sind – eines davon ist das Jahr 1978. Davor waren es die Jahre 1908, 1929, 1943 und 1957. Nach 1978 wird das Jahr 1992 noch einmal das Leben Vieler gefährden« (Produktionsmitteilungen).

In Gefahr und größter Not bringt der Mittelweg den Tod. *R* und *B* Alexander Kluge, Edgar Reitz. *K* Edgar Reitz, Alfred Hürmer, Günter Hörmann. *M* Richard Wagner, Giuseppe Verdi u. a. *S* Beate Mainka-Jellinghaus. *D* Dagmar Bödderich (Inge Maier), Jutta Winkelmann (Rita Müller-Eisert), Norbert Kentrup (Max Endrich), Kurt Jürgens (Polizei-Vizepräsident v. B.), Alfred Edel (Bieringer), Jutta Thomasius (Abgeordnete Thomasius), André Mozart (Rusche), Hans Drawe (Dietzlaff). *P* RK (Edgar Reitz, Alexander Kluge). 90 Minuten. 1976.
Der Titel erscheint als Graffito auf einer Tür: »In Gefahr und grosser Noth bringt der Mittelweg den Tod (Friedrich v. Logau).« Ein weiterer Titel bietet eine Inhaltsübersicht des Films: »1. Die Geschichte der Inge Maier 2. Die Geheimagentin Rita Müller-Eisert 3. Die Sprechweise öffentlicher Ereignisse 4. Häuserräumung Schumannstraße 69/71, Bockenheimer Landstraße 111, 113«. Inge Maier ist eine Beischlafsdiebin: »Das, was die Männer versprechen, erweist sich nachträglich immer als zu wenig. Für dieses Defizit nehme ich ihre Brieftaschen an mich.« Sie bedient und bestiehlt verschiedene Kunden, darunter den Polizei-Vizepräsident. Auf ihren Wegen durch Frankfurt wird sie Augenzeuge einer Häuserräumung. Rita Müller-Eisert ist eine Ostblock-Agentin, die die Staatsgeheimnisse der Bundesrepublik ausforschen soll: »Auf Grund der Ratschläge meines Gefährten, der Marx im Original liest, habe ich jedoch den Schwerpunkt meiner Arbeit verlagert und untersuche mit meinen Mikrofonen und Kameras die konkrete Wirklichkeit der Bundesrepublik. Ich bin der festen Überzeugung, daß hier die wirklichen Geheimnisse liegen und nicht auf dem Gebiet der Ausspähung von Staatsgeheimnissen.« Auf ihren Wegen durch Frankfurt erlebt Rita ebenfalls eine Häuserräumung. Die beiden Frauen und andere Personen des Films, bzw.

Im Herzen des Hurrican (Nicht mit uns): Uwe Bohm, Hark Bohm, Dschingis Bowakow

In einem Jahr mit 13 Monden: Volker Spengler, Karl Scheydt

In Gefahr und größter Not bringt der Mittelweg den Tod: Jutta Winkelmann

deren Hersteller, werden konfrontiert mit dem »Sprechweise öffentlicher Ereignisse«, solche Ereignisse sind zum Beispiel der Karneval, Kanzler Schmidt an der Orgel und bei einer Truppenparade, eine Astrophysiker-Tagung und Streiks bei den Städtischen Bühnen.

In Gefahr und größter Not bringt der Mittelweg den Tod (der Titel ist einem Aphorismus des schlesischen Lyrikers Friedrich von Logau entlehnt) besteht wie die meisten Kluge-Filme aus einer Vielzahl wunderbarer kleiner Filme (Sekundenfilme, würde Vlado Kristl sagen), die von sich behaupten, einen Zusammenhang zu haben, welcher aber kaum sichtbar und erlebbar wird; dieser Eindruck, daß die Teilfilme in nur behaupteter Verwandtschaft einander anbiedern, ist das einzige störende Element des Films. In kulinarischer Hinsicht. Die linken Aktivisten der politischen Ereignisse, deren sich der Film bedient, schmähten ihn als *Mittelwegfilm* mit negativen Auswirkungen: »*In Gefahr und größter Not* läuft im Effekt auf Verdoppelung und Bestätigung alltäglicher, vorrangig resignativer Erfahrung des Zuschauers hinaus. Eine offenbar nur noch zersplittert wahrnehmbare Wirklichkeit erscheint filmisch reproduziert. Das grausige Informationspotpourri der Tageszeitungen und der Nachrichtensendungen wird ästhetisch modifiziert, aber strukturell entsprechend vorgeführt. Angstregendes steht neben Belustigendem, Rätselhaftes neben Trivialem, Wichtiges neben Unwichtigem; alles scheinbar ohne Eingriff des Regisseurs, wie vom Leben selbst gedreht . . . (Kluge) bescheidet sich damit, kontroverse Bilder und Töne nach ästhetischen Kriterien zu einer Art Geheimschrift zu organisieren, die sich weder im Sinne irgendeiner politischen Richtung eindeutig entziffern, noch weniger in eingreifende Praxis übersetzen läßt« (Arbeitskreis linker Germanisten: *Operativität bei Alexander Kluge*, 1975). Zur Abwehr von Kritik hat die Kluge die ein wenig terroristisch-diffamierende Methode entwickelt, die ihn zum Beispiel den *Mittelweg*-film ein »Konzentrat von Verstößen gegen den angeblichen Realismus des Gewohnheitsblicks« nennen läßt. Die unbehaust mit dem Köfferchen in der Hand durch Frankfurt irrenden Heldinnen rufen wehmütige Erinnerungen wach an Anita G., die Heldin von *Abschied von gestern*, die auch schon fasziniert war von Haus-Demolierungen.

Jaider – der einsame Jäger. *R* Volker Vogeler. *B* Volker Vogeler, Ulf Miehe. *K* (Farbe) Gerard Vandenberg. *M* Eugen Illin. *A* Günther Naumann. *T* Alfons Klagermeier. *S* Henri Sokal. *D* Gottfried John (Jaider), Rolf Zacher (Baptist Meyer), Sigi Graue (Georg), Louis Waldon (der Invalide), Johannes Schaaf, Arthur Brauss, Joachim Regelien, Fred Stillkrauth, Claus-Theo Gärtner, Anfried Krämer, Katharina Lopinski, Grischa Huber, Erich Ude. *P* Bavaria (Helmut Krapp)/Triglav. 94 Minuten. 1971.
Der deutsch-französische Krieg

1870/71 ist vorbei. Wie viele andere kommt Jaider in seine bayerische Heimat zurück und findet keine Arbeit. So geht er in die Wälder und wird zum Wilddieb. Der Graf des Dorfes fordert Militär an, da seine Jäger mit dem mittlerweile berüchtigten Wilddieb und seiner Bande nicht fertig werden. Denn Jaider genießt die Sympathie und den Schutz der Bevölkerung. Schließlich gelingt es dem in gräflichen Diensten stehenden Jäger Baptist Meyer, Jaider aus dem Hinterhalt heraus anzuschießen. Der verwundete Wilderer entkommt dennoch. Als Jaider wiederhergestellt ist, lockt Meyer ihn wieder in einen Hinterhalt. Diesmal entkommt Jaider unverletzt, doch seine Geliebte Agnes stirbt, hinterrücks erschossen von Meyer. Auf Rache sinnend, begibt sich Jaider in das Dorf. Er gelangt unerkannt in die Kirche, in der die Leiche von Agnes aufgebahrt ist. Und wieder gelingt ihm die Flucht, obwohl mittlerweile die Kirche von Soldaten umstellt ist. Dann kommt für ihn der Tag der Rache: Er überrascht Meyer bei der barbarischen Exekution seines Bruders Georg. Er sperrt seinen Feind in eine Scheune und setzt sie in Brand. Mit seiner taubstummen Tochter fährt Jaider auf einem Karren davon.
Volker Vogelers erster Kinofilm löste 1971 zusammen mit Hauffs *Mathias Kneissl*, Schlöndorffs *Der plötzliche Reichtum der armen Leute von Kombach* und Uwe Brandners *Ich liebe dich – ich töte dich* die Diskussion um den »neuen Heimatfilm« aus. Im Gegensatz zu Schlöndorffs Chronik und Hauffs Bilderbogen erzählt Vogeler die Geschichte seines Räubers geradlinig, emotional und actionbeladen. »Es ist richtig, daß gewisse Einflüsse des Italo-Western in unserem Film zu finden sind, etwa in den Ritualisierungen der Bilder, manchmal auch im Szenenaufbau. Sie hatten, als wir die Geschichte erfanden, den Vorteil, daß sie gewisse Erlebnisgewohnheiten, die man im Kino angenommen hatte, entgegenkamen. Aber ich muß sagen, daß ich spätestens während der Dreharbeiten über das, was ich etwa von Corbucci hätte übernehmen können, hinausgekommen bin« (Volker Vogeler in: *Fernsehspiele Westdeutscher Rundfunk, Juli – Dezember 1972*).

Jane bleibt Jane. *R* Walter Bockmayer und Rolf Bührmann. *B* Walter Bockmeyer. *K* (Farbe) Peter Mertin. *A* Norbert Schaub. *T* Elke Lilja. *S* Inge Gielow. *D* Johanna König (Jane), Peter Chatel (Reporter Eugen), Karl Blömer (Tarzan), Evelyn Hall, Hannelore Lübeck, Anita Riotte, Brigitte Gonsior. *P* Entenproduktion/ZDF. 83 Minuten. 1977.
Jane, die in einem Altersheim lebt, bildet sich ein, sie sei mit Tarzan verheiratet und lebe in Afrika. Sie verwandelt ihr Zimmer in einen Dschungel, trägt heimlich einen Tiger-Bikini und lernt mit ihrem Lieblingspapageien die Affensprache. Am Ende sitzt sie wirklich in einem Flugzeug nach Afrika.
Dieser erste große Film der Kölner Super-8-Filmer – Bockmayer und

Bührmann gewann in Locarno 1977 den FIPRESCI-(Kritiker-)Preis und stellt mit dem Düsseldorfer Body-Building-Institut-Inhaber Karl Blömer den ersten deutschen Tarzan-Darsteller vor. Rainer Werner Fassbinder war der Film eine Anzeige im *berlinaletip* Nr. 9/77 wert: »Heute um 20.00 Uhr in der Lupe 1 kann man einen der schönsten und wichtigsten neuen deutschen Filme sehen. Er heißt *Jane bleibt Jane*, ist von Walter Bockmeyer (sic) und verweigert sich der beschämenden Mittelmäßigkeit, zu der viele deutsche Filmemacher sich, ohne zu merken, zwingen müssen.« Und Regiekollege Werner Schroeter meinte: »Ein einziges schlimmes Zeichen gibt es an Bockmayers und Bührmanns Film festzustellen: daß schon hier in ihrem ersten Großformatfilm (16 mm) die Kamera viel zu glatt und wenig aufmerksam ist. Wenn das bereits auf den Ehrgeiz des Arrivierten hinweist, der sich an den verdächtigen Kulturapparat anschmiegen möchte, dann wünschte man sich, daß das ZDF-Nachtprogramm nie erfunden worden wäre.«

Jeder stirbt für sich allein. *R* Alfred Vohrer. *B* Miodrag Cubelic, Anton Czerwik, nach dem Roman von Hans Fallada. *K* (Farbe) Heinz Hoelscher. *M* Gerhard Heinz. *A* Herta Hareiter. *T* Ronny Würden. *S* Jutta Hering. *D* Hildegard Knef (Anna Quangel), Carl Raddatz (Otto Quangel), Martin Hirthe (Kommissar Escherich), Gerd Böckmann (Kriminal-Assistent Schröder), Sylvia Manas, Brigitte Mira, Hans Korte, Heinz Ehrenfreund, Peter Matic, Pinkas Braun, Heinz Reincke, Rudolf Fernau, F. G. Beckhaus, Jacques Breuer, Beate Hasenau, Edith Heerdegen. *P* Lisa/Constantin/Terra. 107 Minuten. 1976.
Berlin 1941. Werkmeister Otto Quangel und seine Frau sind anständige Leute, die nicht auffallen wollen. Doch da stirbt ihr einziger Sohn an der Westfront, und in Anna Quangel geht eine Veränderung vor sich. Sie kommt nicht zur Ruhe: Es muß etwas geschehen. So schreibt sie anonyme Postkarten (»Der Führer hat meinen Sohn ermordet«), auch Otto macht mit. Nicht lange, und sie werden von der Gestapo verhaftet.
»Fallada ist da kaum mehr zu finden. Nur die Knef spielt Kleinleute-Schicksal. In ihrer sauberen Kinoküche meint es, weil sie darin hantiert, doch kräftig. Alfred Vohrer aber, dem Routinier für mittlere Kinoware, ist wieder eine Art Simmel-Film aus dem Fallada-Stoff geraten. Spannung wird nach Regel hergestellt. Wenn's rührend werden soll, Achtung, rauscht prompt Blubbermusik auf« (Friedrich Luft, *Die Welt*).

Jerry-Cotton-Filme: *Schüsse aus dem Geigenkasten* (R Fritz Umgelter, mit George Nader, Heinz Weiss, Richard Münch, Mai 1965). *Mordnacht in Manhattan* (R Harald Philipp, mit George Nader, Heinz Weiss, Monika Grimm, November 1965. *Um null Uhr schnappt die Falle zu* (R Harald Philipp, mit George Nader, Horst Frank,

Richard Münch, März 1966). *Die Rechnung – eiskalt serviert* (R Helmuth Ashley, mit George Nader, Richard Münch, Yvonne Monlaur, Horst Tappert, August 1966). *Der Mörderclub von Brooklyn* (R Werner Jacobs, mit George Nader, Heinz Weiss, Helga Anders, Richard Münch, März 1967). *Dynamit in grüner Seide* (R Harald Reinl, mit George Nader, Heinz Weiss, Sylvie Solar, Februar 1968). *Der Tod im roten Jaguar* (R Harald Reinl, mit George Nader, Heinz Weiss, Grit Böttcher, August 1968). *Todesschüsse am Broadway* (R Harald Reinl, mit George Nader, Heinz Weiss, Heidi Bohlen, März 1969).
Als Mitte der sechziger Jahre im internationalen Film das James Bond-Fieber ausbrach, war der deutsche Film in der günstigen Situation, einen Groschenheft-Agentenhelden von großer Popularität, wenn auch natürlich sehr viel geringerer Statur als Flemings 007 anhand zu haben: Umgehend wurde FBI-Agent Jerry Cotton als Filmheld auf Serie gelegt. Die deutsche Kritik war wie üblich von unerbittlicher Strenge und erquicklichem Humor: »George Nader gibt einen tölpelhaften Jerry Cotton ab, der den bereits durch das grandiose Buch Georg Hurdaleks total imbezilen Handlungsablauf noch dusseliger gestaltet, als es die Gauner müssen. Wo bei James Bond 007 die nackte Gewalt um die Gunst des Publikums scharwenzelt, da sitzt bei Barthels (dem Chef des Constantin-Verleihs, der die Serie herausbrachte, A. d. A.) einfältigem Nader-Cotton – aus dem renommierten Groschenheft-Bastei-Verlag zu Köln entsprungen – nur der nackte Schwachsinn hinter der gewölbten Stirn. Die Kamera hat ein Blinder vor nutzlos strapazierten *stock shots* dirigiert, das Drehbuch ein sprachlich zurückgebliebener, tolldreister Mensch gefertigt, und die Regie schließlich hat Umgelter, der *Wenn die Connie mit dem Peter*-Regisseur, mit der ihm eigenen Dreistigkeit an sich gerissen« (Peter H. Schröder, *Filmkritik*, 1965).

Jet Generation. *R* Eckhart Schmidt. *B* Eckhart Schmidt, Roger Fritz. *K* (Farbe) Gernot Roll. *M* David Llewellyn. *A* Marianna Prinz. *D* Dginn Moeller (Caroll), Roger Fritz (Raoul), Isi Ter Jung (Hella), Jürgen Draeger (Chris), Yella Bleyler (Dorit), Lukas Amann, Uta Levka, Margot Trooger, Werner Schwier, Rainer Basedow, Elke Hart. *P* Roger Fritz. 94 Minuten. 1968.
Die reiche junge Amerikanerin Caroll kommt nach München, um ihren vermißten Bruder zu suchen. Sie verliebt sich in einen Fotografen und bleibt auch dann noch bei ihm, als sie erkennen muß, daß er am Tod ihres Bruders schuldig ist.
Der Debütfilm des Filmkritikers Eckhart Schmidt, der nach zwei weiteren Filminszenierungen (Episode in *Erotik auf der Schulbank*, 1968, und *Männer sind zum Lieben da*, 1969) zur Publizistik zurückkehrte, als Film- und Fernseh-Rezensent und als Verleger des Schwabinger Underground-Papers *S. A. U.* Schmidt über *Jet Generation*: »In allem das genaue Gegenteil zu den

bisherigen Produkten des Jungen Deutschen Films: kein häßlicher Film über häßliche Menschen in häßlichen Milieus, sondern ein attraktiver Film mit attraktiven Menschen in attraktiven Milieus; kein Film für die für mich und 200 Millionen andere vollkommen uninteressanten Problemchen von Nachkriegsdeutschland, keine langweilige Analyse langweiliger bundesdeutscher Spießer-Psychen, sondern ein Film über Leute und mit Leuten, die heute das Gesicht der Welt mit ihren Einfällen prägen: mit neuen Looks, neuen Sounds, neuen Images.«

Jodel-Filme: *Das Glöcklein unterm Himmelbett* (R Hans Heinrich, mit Hansi Kraus, Christine Schuberth, 1970). *Gejodelt wird zuhause* (R Erwin Strahl, mit Waltraut Haas, Erwin Strahl, 1970). *Liebesgrüße aus der Lederhose* (R Franz Marischka, mit Julia Thomas, Rinaldo Talamonti, Peter Steiner, 1973). *Die bumsfidelen Mädchen vom Birkenhof* (R Michael Thomas, mit Nadine de Rangot, Monika Rhode, Helga Blabst, 1974). *Geh, zieh dein Dirndl aus* (R Siggi Götz, mit Elisabeth Volkmann, Alexander Grill, Marie Ekorre, 1973). *Urlaubsgrüße aus dem Unterhöschen* (R Walter Boos, mit Franz Muxeneder, Josef Moosholzer, Gernot Möhner, 1973). *Unterm Dirndl wird gejodelt* (R Alois Brummer, mit Gisela Schwarz, Annemarie Wendel, Franz Muxeneder, 1973). *Gejodelt wird im Unterhöschen* (R Ernst Hofbauer, mit Ulrike Butz, Judith Frisch, Günther Kieslich, 1974). *Alpenglühn im Dirndlrock* (R Siggi Götz, mit Elisabeth Volkmann, Rinaldo Talamonti, Caterina Conti, 1974). *Ob Dirndl oder Lederhos', gejodelt wird ganz wild drauflos* (R John Weeran, mit Monique Lundi, Michael Bütner, Horst Fürstenberg, 1974). *Oktoberfest – da kann man fest . . .* (R Christian Kessler, mit Ulrike Butz, Josef Moosholzer, Dorothea Rau, 1974). *Jodeln is ka Sünd* (R Ulli Lommel, mit Katharina Herberg, Juliane Rom, Rosl Mayr, 1974). *Muschi Maus mag's grad heraus* (mit dem Slogan ». . . die fröhlichen Abenteuer eines neugierigen Mädchens, dem keine Lederhose verschlossen bleibt«, R Hubert Frank, mit Ulrike Butz, Josef Moosholzer, 1974). *Unterm Röckchen stößt das Böckchen* (R Dieter Assmann, Eva Gross, Michael Maien, 1974). *Beim Jodeln juckt die Lederhose* (R Alois Brummer, mit Franz Muxeneder, Judith Frisch, Rosl Mayr, 1974). *Ach jodel mir noch einen – Stoßtrupp Venus bläst zum Angriff* (R Hans Georg Keil alias Georg Tressler, mit Nina Frederic, Heidrun Hankammer, Caterina Conti, 1974). *Zwei Kumpel auf der Alm – Liebesgrüße aus der Lederhose II. Teil* (R Franz Marischka, mit Johannes Buzalski, Peter Steiner, Ulrike Butz, 1974). *Wo der Wildbach durch das Höschen rauscht*, auch *Witwenreport* (R Jürgen Enz, mit Mascha Sieger, Josef Moosholzer, Eva Gross, 1974). *Auf der Alm, da gibt's koa Sünd* (R F. J. Gottlieb, mit Alena Penz, Alexander Miller, Sissy Löwinger, 1974). *Mei Hos' ist in Heidelberg*

geblieben (R Hubert Frank, mit Josef Moosholzer, Franz Muxeneder, Rosl Mayr, 1975). *Liebesgrüße aus der Lederhose III. Teil* (R Gunter Otto, mit Peter Steiner, Franz Muxeneder, Rosl Mayr, 1977). *Liebesgrüße aus der Lederhose IV. und V. Teil* (R Gunter Otto, mit Peter Steiner, Franz Muxeneder, Rosl Mayr, 1978). *Drei Schwedinnen in Oberbayern* (R Siggi Götz, mit Gianni Garko, Beate Hasenau, Inge Fock, 1978). *Zwei Däninnen in Lederhosen* (R Franz Marischka, mit Franz Muxeneder, Peter Steiner, Rinaldo Talamonti, Herbert Fux, Margot Mahler, 1979).

Die Tradition des deutschen Heimatfilms ist auch in den siebziger Jahren ungebrochen (mit einer ganzen Serie von Ganghofer-Verfilmungen wie *Schloß Hubertus*, *Edelweißkönig* und *Waldrausch*), am vitalsten aber lebt das alte Genre fort als Sex-Mutant, im Jodeln-in-der-Lederhose-Film, eine Entwicklung, die einfach fällig war, denn Heimat ist gleich Folklore ist gleich derbsinnliches Brauchtum plus Gaudi, also genug Gelegenheit, die Sexwelle ein bißchen heimatlicher und heimelig zu gestalten. Nachdem Franz Seitz dem Subgenre mit *Das Glöcklein unterm Himmelbett* (einer Vulgarisierung von Oskar Maria Grafs *Das Bayerische Dekameron*!) die Richtung gewiesen hatte, entfaltete sich hier eine immense Phantasie (noch selten wurden aus so wenig Reizworten so viele Titel kombiniert) und kreative Energie: Auf dem Höhepunkt der Welle, 1974, machten die Jodel-Filme fast ein Viertel der gesamten deutschen Produktion aus.

John Glückstadt. R Ulf Miehe. B Ulf Miehe, Walter Fritzsche, nach der Novelle *Ein Doppelgänger* von Theodor Storm. K Jürgen Jürges. M Eberhard Schoener. A Georg von Kieseritzky. S Heidi Genée. D Dieter Laser (John Hansen), Marie-Christine Barrault (Hanna Hansen), Johannes Schaaf (Bürgermeister), Dan van Husen (Wenzel), Tilo Prückner (Michel), Juliette Wendelken, Tilli Breidenbach, Uwe Dallmeier, Rudolf Beiswanger, Fritz Hollenbeck, Renate Schubert, Heinz Dohes, Heinz Lück, Marianne Kehlau. P Independent (Heinz Angermeyer)/Maran/SDR. 94 Minuten. 1975.

Die sechziger Jahre des vergangenen Jahrhunderts. Nach sechsjähriger Haft im Zuchthaus Glückstadt wegen eines Einbruchs, zu dem ihn der Ganove Wenzel verführt hatte, kehrt John Hansen in seine Heimatstadt an der deutschen Nordseeküste zurück. Trotz der Hilfe des liberalen Bürgermeisters, der ihm Gelegenheitsarbeiten verschafft, spürt er allerorten Mißtrauen, Ablehnung und Diskriminierung. John, der nun spöttisch Glückstadt genannt wird, lernt die Arbeiterin Hanna kennen und heiratet sie. Bald wird eine Tochter geboren. Doch die Familie macht es John nicht leichter. Wegen immer häufigerer Arbeitslosigkeit beginnt er zu trinken. Bei einem Streit schlägt er seine Frau und trifft sie so unglücklich, daß sie stirbt. Es gelingt, die Umstände des Todes zu vertu-

Jaider – der einsame Jäger: Gottfried John

John Glückstadt: Dieter Laser, Marie-Christine Barrault

schen, doch nach einiger Zeit wird seine Tochter ins Waisenhaus eingewiesen. Da beschließt John Hansen, sein Kind zu befreien und mit ihm nach Amerika zu fliehen.

»Ein spröder, herber Film, sehr sparsam in Dekor und Dialog, fast holzschnittartig, in Schwarzweiß; er hat etwas von der demonstrativen Schlichtheit eines Brechtschen Parabelspiels. Sein sinnlicher, filmischer Reiz entsteht durch die unaufdringliche Kameraführung und die ungewöhnlich sorgfältig ausgeleuchtete Schwarzweißphotographie von Jürgen Jürges. Trotz der deprimierenden Vorgänge, der Armut, der Grausamkeit der vorgeführten Umwelt hat *John Glückstadt* nichts Bedrückendes, und der optimistische Schluß wirkt nicht aufgesetzt« (Wolf Donner, *Die Zeit*). Ulf Miehe, Jahrgang 1940, war nach einer Buchhändlerlehre zunächst Verlagsvolontär und Lektor, ehe er begann, Gedichte und Prosa zu schreiben. Nachdem er für zwei Filme von Volker Vogeler – *Jaider – der einsame Jäger* und *Verflucht dies Amerika* – das Drehbuch geschrieben hatte, gab er mit *John Glückstadt* eines der vielversprechendsten Spielfilmdebüts des Neuen Deutschen Films und erhielt dafür 1975 auch einen Bundesfilmpreis als bester Nachwuchsregisseur. Er kündigte an, seinen 1976 erschienenen Roman *Puma* selber zu verfilmen, hat diesen Plan aber bis heute (1980) noch nicht verwirklicht.

Johnny West. *R* und *B* Roald Koller. *K* (Farbe) Bahram Manocherie. *M* Winfred Lovett, »The Manhattans«, »Missus Beastly«, »The Platters«. *A* Harold Waistnage. *T* Garth Marshall. *S* Gerti Kühle. *D* Rio Reiser (Johnny), Kristina van Eyck (Monika), Melwin »Candy« Canady (Jimmy), Jess Hahn (Manager), Karl Maslo (Max), Rainer Westerfeld (Rainer), Birgit Bergen (Linda), »The Manhattans«, »Missus Beastly«, »The Platters«. *P* Multimedia/Sunny Point/Faust/Terra/HR. 103 Minuten. 1977.
Hans-Michael Westerfeld, der sich Johnny West nennt, ist neunzehn Jahre. Sein Traum: Rock-Musik machen. Deshalb ist er von zu Hause abgehauen. Als Roadie – jemand, der für das Installieren der komplizierten, tonnenschweren Sound-Anlagen bei Konzert-Tourneen von Pop-Stars verantwortlich ist – reist er mit der berühmten amerikanischen Gesangsgruppe »The Manhattans« quer durch Deutschland. Johnny West hofft, auf diesem Wege seinem Ziel, eine Karriere im Show-Business zu machen, näherzukommen. Monika, eine hübsche Arzttochter, verliebt sich in ihn. Weil Johnny seinen Job vernachlässigt, beschließen beide, sich vorläufig zu trennen. In München kommt es zum Streit mit dem Manager, und Johnny wird gefeuert. Mit seinem Freund Max fährt er nach Frankfurt, wo sie irgendwie ins Musikgeschäft kommen wollen. Monika, die alle Brücken hinter sich abgebrochen hat, fährt ihnen entgegen. In einem amerikanischen Club hat Johnny schließlich seinen ersten Auftritt als Gitarrist der Gruppe »Mis-

sus Beastly«. Die Nacht verbringt Johnny mit einer anderen Frau. Am Tag darauf kehrt er zu Monika zurück.
Roald Koller, der für das Fernsehen Filme über Eric Rohmer und John Ford gedreht hatte und dessen erster Spielfilm dies war, veröffentlichte im April 1978 einen beunruhigenden Erfahrungsbericht über die Entstehung, Auswertung und Rezeption von *Johnny West* in der Zeitschrift *Filmkritik*. »Ich wollte keiner Gruppe angehören (und tat es auch nicht) und wollte einen Film machen, der weder Kunst noch kommerziell war, der zwar mit vielen Zetteln behängt wurde (von Film für Jugendliche, Musikfilm, Rockfilm, Love Story, Film über die bundesrepublikanische Wirklichkeit bis zur Hintergrundstory), dem aber kein Kästchen so recht paßte, wie sich herausstellen sollte.« Die alte Constantin, die den Film mit 20 Kopien startete, machte kurz darauf bankrott. *Johnny West* verschwand schon nach wenigen Tagen aus den Kinos, bevor ihn überhaupt jemand hätte sehen können. Roald Koller – enttäuscht und verzweifelt – nahm sich im Juni 1978 durch einen Fenstersturz das Leben. Die Presse sprach von einem »Verlust für den jungen Film«; die Bereicherung, die *Johnny West* dargestellt hatte, war vorher kaum jemandem aufgefallen.

Jonathan. *R* und *B* Hans W. Geissendörfer. *K* (Farbe) Robby Müller. *M* Roland Kovac. *A* Hans Gailling. *T* Ludwig Probst. *S* Wolfgang Hedinger. *D* Jürgen Jung (Jonathan), Ilse Künkele (Lenas Mutter), Oskar von Schab (Professor), Hans-Dieter Jendreyko (Joseph), Paul Albert Krumm (Graf), Eleonore Schminke (Lena), Thomas Astan, Ilona Grübel, Hertha von Walter, Alexander May, Arthur Brauss. *P* Iduna. 97 Minuten. 1970.
»Ein Professor der Vampirologie will die grausame Herrschaft des blutsaugerischen Grafen brechen, der mit seinen Konkubinen, Untergebenen und Gefangenen in einem Barockschloß wohnt. Der Knecht Jonathan dringt nach einer beschwerlichen Reise ins Schloß ein. Er wird erkannt und gefangengenommen. Freunde kommen ihm rechtzeitig zu Hilfe. Es gelingt ihnen, die Gefangenen zu bewaffnen und mit ihrer Hilfe die Vampire ins nahe gelegene Meer zu treiben, wo sie elend untergehen« (Info-Schau '79).
Es ist bezeichnend für Hans W. Geissendörfer, daß sein Debüt-Film *Jonathan* (ein Jahr zuvor hatte er *Der Fall Lena Christ* fürs Fernsehen gedreht) ein Genre-Film ist. So wie er sich in späteren Jahren am Western (*Carlos*), Gangsterfilm (*Eine Rose für Jane, Perahim – die zweite Chance*), Gespensterfilm (*Die Eltern*) und Heimatfilm (*Der Sternsteinhof*) erprobt hat, stellte er hier einen echten Horrorfilm auf die Beine. William K. Everson widmet dem Film in seinem Buch *Klassiker des Horrorfilms* fast eine ganze Seite und bescheinigt ihm trotz arger Verstümmelungen durch den Produzenten beachtliche Qualitäten.

Der junge Mönch. *R* und *B* Herbert Achternbusch. *K* (Farbe) Jörg Jeshel. *T* Peter van Anft. *S* Christl Leyrer. *D* Herbert Achternbusch (Herbert), Heinz Braun (Heinz), Branko Samarovski (Branko), Karolina Herbig (Karolina), Barbara Gass, Luisa Francia, Sepp Bierbichler, Gerda Achternbusch. *P* Herbert Achternbusch. 84 Minuten. 1978.
»Die Welt ist nur noch eine große, eisige Wüste. Wo einst München stand, ist jetzt ein riesiger Geysir. Nur das Dörfchen Buchendorf, wo Herbert Achternbusch lebt, ist unbeschädigt geblieben.« Das ist die Ausgangsidee für Achternbuschs fünften Filmversuch. (Zehn Jahre zuvor hatte Richard Lester aus dem gleichen Gedanken und machte daraus *The Bed Sitting Room.*) Was folgt, ist eine mehr oder weniger bunte Folge ungeordneter Geistesblitze (Achternbusch als seine eigene Mutter; die Montage von Aufnahmen in Island und München im Schuß/Gegenschuß-Verfahren) und arrangierter, d.h. konstruiert und erzwungen wirkender Subversivitäten (Gott als Kaufhausosterhase; die Galerie der Fehlgeburten; Achternbusch als Papst). Alles ist auf solche Weise bis zum Irrsinn verfremdet und so gewollt und absichtlich »absurd«, daß absolut nichts mehr schockiert, ausgesprochen wenig amüsiert und das meiste ungeheuer langweilt. Für die Freunde Achternbuschs gibt es, wie gehabt, eine Menge eitler Aphorismen zum Mitschreiben.

Kalte Heimat. *R* W. Werner Schaefer. *B* Peter Steinbach, W. Werner Schaefer. *K* Gerard Vandenberg. *M* Jürgen Knieper. *A* Edwin Wengoborski, Norbert Scherer. *T* Rainer Wiehr. *S* Liesgret Schmitt-Klink. *D* Nikolaus Cohen (Helmut), Dietlinde Turban (Julia), Nikolas Lansky (Robert Zeitler), Barbara Adolph (Hilde Zeitler), Rudolph Schündlen, Margit Carstensen, Brigitte Böttrich. *P* Triangel (Klaus F. Bischoff)/W. Werner Schaefer/ WDR. 106 Minuten. 1979.
Im Zuge der Ost-West-Flucht in den frühen fünfziger Jahren findet eine bunt zusammengewürfelte Gruppe von Flüchtlingsfamilien in einer Kölner Villa wieder, die als Zwischenquartier dient.
W. Werner Schaefers Spielfilmerstling stellt in einer zeitgeschichtlichen Momentaufnahme die Hoffnungen, Träume und Ansprüche der Familien aus dem Osten der Wirklichkeit gegenüber, die sie in der jungen Bundesrepublik der Adenauer-Ära vorfinden. Es gibt zu wenig Drehbuchautoren wie Peter Steinbach, die Originalstoffe für die Leinwand schreiben können, in denen sich historische Sachkenntnis mit literarischem Talent und psychologischem Feingefühl verbindet; diese drei Merkmale, die bereits sein erstes Drehbuch *Stunde Null* (Regie Edgar Reitz) auszeichneten, bestimmen auch in *Kalte Heimat* den Gesamteindruck. Die Darsteller (größtenteils unbekannte, unverbrauchte Gesichter) liefern eine großartige Ensembleleistung.

Kaltgestellt. *R* Bernhard Sinkel. *B* Alf Brustellin, Bernhard Sinkel. *K* (Farbe) Dietrich Lohmann. *M* Charly Mariano, Jasper van t'Hoft, Mike Thatcher. *A* Winfried Hennig. *T* Christian Moldt. *S* Annette Dorn. *D* Helmut Griem (Brasch), Angela Molina (Franziska), Martin Benrath (Körner), Friedhelm Ptok (Sokolowski), Hans Günter Martens (Roeder), Meret Becker (Anna), Helga Köhler, Frank Schendler, Thomas Kufahl, Hermann Steza, Rudolf Unger, Peter Lustig, Gerhard von Halem, Jürgen Bieske. *P* ABS (Alf Brustellin/Bernhard Sinkel)/Joachim von Vietinghoff. 91 Minuten. 1980.
Ein Schüler bringt sich um. Er hat für einen V-Mann des Verfassungsschutzes seine Mitschüler bespitzelt. Sein Lehrer Brasch wird von dem V-Mann, er heißt Körner, angesprochen. Wütend lehnt Brasch ab, ebenfalls Spitzeldienste zu leisten. Statt dessen geht er zu einer Zeitung, entfacht einen Skandal. Kurz darauf wird er aus dem Schuldienst entlassen. Körner wird wegen seines Versagens »abgeschaltet«. Aber Körner nimmt doppelte Rache: an Brasch, indem er ihm die Basis seiner bürgerlichen Existenz zerstört; an seinen ehemaligen Auftraggebern, indem er Brasch, im Augenblick seines größten Hasses, das Material über die Machenschaften des Verfassungsschutzes übergibt. Brasch erzwingt ein Treffen mit dem politisch Verantwortlichen. Der Staat jedoch weiß sich zu wehren.
Zwei Jahre nach *Deutschland im Herbst* drehte Bernhard Sinkel *Kaltgestellt* im winterlichen Berlin. Ein fröstelnd kaltes politisches Klima dient dem Film als Hintergrund für eine weitgehend auf zwei Personen beschränkte Auseinandersetzung zwischen dem absolut Korrupten und dem absolut Integren. Der Anfang des Films – der Verfassungsschutz fotografiert auf einer Demonstration – erinnert an guten Costa-Gavras, der Schluß – die unvermeidliche Polizeikugel – an schlechten. Sinkels unzureichendes analytisches Konzept läßt den Film auf halbem Wege zwischen Polit-Thriller und Psycho-Krimi verhungern.

Kampf um Rom. 1. Teil: *Kampf um Rom*; 2. Teil: *Der Verrat*. *R* Robert Siodmak. *B* Ladislas Fodor, nach dem Roman von Felix Dahn. *K* (Scope, Farbe) Richard Angst. *M* Riz Ortolani. *A* Ernst Schomer, Sandor Kuli, Costel Simionescu. *S* Alfred Srp. *D* Orson Welles (Justinian), Laurence Harvey (Cethegus), Sylva Koscina (Theodora), Honor Blackman (Amalaswintha), Harriet Andersson (Mathaswintha), Robert Hoffmann (Totila), Michael Dunn (Narses), Ingrid Brett, Lang Jeffries, Friedrich von Ledebur. *P* CCC, Berlin/Pegaso, Rom/Studiol Cinematografic, Bukarest. 1. Teil 103 Minuten, 2. Teil 84 Minuten. 1968/69.
Machtkämpfe zwischen Römern, Ost-Römern, Byzantinern und Ostgoten führen zum Untergang des Ostgoten-Reichs in Italien.

Der letzte Film von Robert Siodmak, eine monumentale Arbeit für einen 68jährigen Mann. 1973 stirbt Siodmak. »Wenn ich einmal sterbe, stelle ich mir vor, daß meine Freunde beim Essen sitzen. Jemand sagt dann: ›Habt Ihr gehört, daß Siodmak gestorben ist?‹ Dann sind sie alle erschreckt, bis einer sagt: ›Kann ich mal das Salz haben?‹ Zwei Monate später könnte jemand sagen: ›Erinnerst du dich? Robert hat mal eine sehr komische Geschichte erzählt. Was war denn das? Ich kann mich nicht mehr erinnern!‹ Damit ist alles vergessen, und ich bin auch gedanklich begraben« (Robert Siodmak: *Zwischen Berlin und Hollywood*). Seine komischen Geschichten werden nie vergessen werden. Seine Filme schon gar nicht.

Der Kandidat. Ein Film von Stefan Aust, Alexander von Eschwege, Alexander Kluge und Volker Schlöndorff. *K* (Farbe und Schwarzweiß) Igor Luther, Werner Lüring, Jörg Schmidt-Reitwein, Thomas Mauch, Bodo Kessler. *T* Manfred Meyer, Vladimir Vizner, Anke Apelt, Martin Müller. *S* Inge Behrens, Beate Mainka-Jellinghaus, Jane Sperr, Mulle Goetz-Dikkopp. *P* Pro-ject / Bioskop / Kairos (Theo Hinz, Volker Schlöndorff, Alexander Kluge). 129 Minuten. 1980.
Ein Dokumentarfilm über Franz Josef Strauß, dem Kanzler-Kandidaten der CDU-CSU im Bundestagswahlkampf 1980. Die Wahlen waren am 5. Oktober 1980, der dann siegreiche Gegenkandidat von Strauß war Helmut Schmidt, SPD. Der Film wurde vom Filmverlag der Autoren (deren Produktionsarm die Pro-ject Filmproduktion ist) verliehen und am 18. April in die Kinos gebracht. Es ist in der an Agitationsfilmen nicht armen deutschen Filmgeschichte der erste Wahlkampffilm, der nicht von einer Partei hergestellt oder finanziert wurde. Zur Entstehungsgeschichte, Art und Absicht des Films sagte Volker Schlöndorff vor Start des Films in einem von Carola Hembus geführten Interview: »Der erste Anstoß zu diesem Projekt kam von Theo Hinz (Geschäftsführer des Filmverlags der Autoren, Verleih und Mitproduzent des Films), der im September vergangenen Jahres die Idee hatte, im Kontext zu *Deutschland im Herbst* einen weiteren aktuellen Deutschland-Film zu machen. Mit einigen Regisseuren hatte er bereits das Thema ›Deutschland in Angst‹ diskutiert. Ich habe ihm gesagt, daß ich dafür nicht der richtige Mann bin, weil ich überhaupt nie Angst habe, und ich habe ihm dann vorgeschlagen, daß, wenn er einen Film über Deutschland machen will, er einen Film über Strauß machen soll. Strauß war zu der Zeit gerade unter parteiinternem Gerangel zum Kanzlerkandidaten der CDU/CSU für die Bundestagswahlen 1980 gekürt worden. So kam der Titel *Der Kandidat* zustande. Während der Hamburger Filmtage konkretisierte sich die Sache, als der Regisseur Alexander von Eschwege und der Hamburger Journalist Stefan Aust (ARD/*Panorama*) einstiegen. Eschwege und Aust sind Spezialisten

in der Auffindung und Bearbeitung dokumentarischen Filmmaterials. Weil der Film aber nicht nur den Lebenslauf von Franz Josef Strauß in Bild und Ton belegen sollte, auch nicht nur die dreißig Jahre Bundesrepublik, die dieser Mann als Politiker mitgemacht hat, aufarbeiten sollte, sondern weil die deutsche Geschichte in ihrer ganzen Zerrissenheit miteinbezogen werden sollte, plus einem aktuellen Deutschland-Bild, war der Einstieg von Alexander Kluge, der sich in seinen Filmen mit der deutschen Geschichte intensiv auseinandergesetzt hat, ein weiterer Gewinn. Als dieses Team stand, fand ich es für mich richtig und wichtig mitzumachen. Das Thema des Films ist der Kandidat, aber wir waren uns von Anfang an einig, daß wir nicht einen Pro- oder Anti-Strauß-Film drehen wollten. Sondern wir wollten nachfragen, was ist das für ein Land, in dem ein Mann wie Strauß, der schon mit 30 Jahren Bundeskanzler werden wollte, also praktisch 30 Jahre lang Kandidat gewesen ist, der sich seine Chancen immer im letzten Moment durch Skandale verdorben hat, heute im Alter von 65 Jahren behaupten kann, er sei der geeignete Mann für das wichtigste politische Amt in dieser Republik ... Ich halte ihn (Strauß) für eine unzeitgemäße Person, eigentlich beeindruckend, aber als Kanzler eine totale Fehlbesetzung. Ich sehe das, wie ein Spielfilmregisseur einen Hauptdarsteller sieht. Fehlbesetzt, weil die Eigenschaften, die er hat, von einem Kanzler gar nicht verlangt werden ... Der Film ist eine Collage. Rein technisch besteht er aus Video, 16 mm und 35 mm, Wochenschaumaterial, sonstiges Dokumentarmaterial, Farbe und Schwarzweiß. Das Team ist ein Kollektiv von vier verschiedenen künstlerischen Temperamenten. Darüber hinaus ist das Thema des Films nicht dazu angetan, den Film zu glätten. Ich finde es gut, daß der Film keine Einheit hat, nicht formschön ist. Er ist ein Dokument, das das Fernsehen nicht liefern will, und als solches ein wichtiger Diskussionsbeitrag zum Wahljahr.«

Karl May. *R* und *B* Hans Jürgen Syberberg. *K* (Farbe) Dietrich Lohmann. *M* Frédéric Chopin, Franz Liszt, Gustav Mahler und andere. *A* Nino Borghi. *S* Ingrid Broszat. *D* Helmut Käutner (Karl May), Kristina Söderbaum (Emma May), Käthe Gold (Klara May), Willy Trenk-Trebitsch (Lebius), Attila Hörbiger, Mady Rahl, Lil Dagover, Rudolf Prack, Rainer von Artenfels, Leon Askin, André Heller, Heinz Moog. *P* TMS (Hans Jürgen Syberberg)/ZDF. 187 Minuten. 1974.
Hans Jürgen Syberberg kreierte »das Requiem als Film-System« (*Syberbergs Filmbuch*). Dieses System realisierte er in seiner »deutschen Trilogie«, deren beide erste Teile *Ludwig – Requiem für einen jungfräulichen König* und *Karl May* »als positive Mythologisierung der Geschichte verstanden werden können« (Syberberg: *Hitler, ein Film aus Deutschland*); der abschließende Teil ist *Hitler, ein Film aus Deutschland*. Bazon Brock im *Spiegel*

Johnny West: Rio Reiser

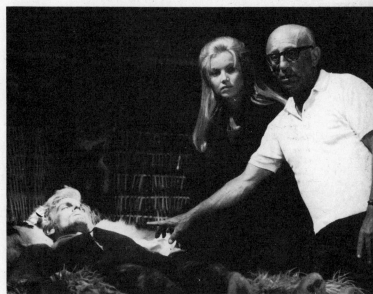

Kampf um Rom: Florian Piersic, Ewa Strömberg, Robert Siodmak

Der Kandidat: Alexander Kluge, Volker Schlöndorff, Alexander von Eschwege, Stefan Aust

über *Karl May:* »Mich hielt es nicht auf dem Kinositz; ich mußte hoch und ran an die Leinwand, so nah wie möglich. Bevor ich den alten Käutner umarmen konnte wie Nietzsche den Turiner Droschkengaul, trieb mir das Maysche Ende von Sehnsucht und Heimweh die Tränen in solchen Stürzen aus den Augen, daß ich stehenbleiben mußte, weil ich nichts mehr sah. Natürlich weinte ich über mich selbst, denn wenn da Käthe Gold und Helmut Käutner als Klara und Karl May den türkischen Kaffee in einem Indianerzelt zu Radebeul bereiten und heiter, versöhnt und friedfertig miteinander umgehen; wenn beide um den abendlichen Waldsee spazieren (›Auch Tolstoi ist nun tot‹); wenn gar Käutner von der Gold im Wintergarten zum letzten Wort (›Rosenrot‹) aufgebahrt wird und der stiebende Schnee die Distanz zwischen den Körpern im Raum zusammendrückt, dann wird einer wie ich geschüttelt von der Anschauung erfüllter Utopie des guten Lebens ... Von fast Mannscher Eindeutigkeit (*Tod in Venedig*) wird Syberberg, wenn er Karl May auf einem Luxusdampfer sein schwieriges Identitätsproblem in der Tradition bürgerlichen Künstlerselbstverständnisses lösen läßt: May berichtet freudig, man habe ihn bevorzugt behandelt; aber nicht, weil er einen Namen als Autor habe und auch nicht, weil er der berühmte Old Shatterhand sei, sondern ›weil ich einen Eindruck als Persönlichkeit mache‹. Auch Syberberg macht mit diesem Film Eindruck als Künstlerpersönlichkeit. Einen Namen als Filmer hat er eh schon. Und er ist ein typischer Intellektueller. Darin liegt seine Schwäche. Habe ich geweint darüber, daß ich auch einer bin?«

Karl May-Western: *Der Schatz im Silbersee* (R Harald Reinl, mit Lex Barker, Pierre Brice, Herbert Lom, Götz George, Dezember 1962). *Winnetou I* (R Harald Reinl, mit Lex Barker, Pierre Brice, Mario Adorf, Marie Versini, Dezember 1963). *Old Shatterhand* (R Hugo Fregonese, mit Lex Barker, Pierre Brice, Daliah Lavi, Guy Madison, April 1964). *Winnetou II* (R Harald Reinl, mit Lex Barker, Pierre Brice, Anthony Steele, Karin Dor, Klaus Kinski, September 1964). *Unter Geiern* (R Alfred Vohrer, mit Stewart Granger, Pierre Brice, Götz George, Elke Sommer, Dezember 1964). *Der Ölprinz* (R Harald Philipp, mit Stewart Granger, Pierre Brice, Macha Meril, Harald Leipnitz, August 1965). *Winnetou III* (R Harald Reinl, mit Lex Barker, Pierre Brice, Rik Battaglia, Oktober 1965). *Old Surehand* (R Alfred Vohrer, mit Stewart Granger, Pierre Brice, Letitia Roman, Mario Girotti, Dezember 1965). *Winnetou und das Halbblut Apanatschi* (R Harald Philipp, mit Lex Barker, Pierre Brice, Uschi Glas, Götz George, August 1966). *Winnetou und sein Freund Old Firehand* (R Alfred Vohrer, mit Pierre Brice, Rod Cameron, Marie Versini, Harald Leipnitz, Dezember 1966). *Winnetou und Old Shatterhand im Tal der Toten* (R Harald Reinl, mit

Lex Barker, Pierre Brice, Karin Dor, Rik Battaglia, Dezember 1968).
»Wir mußten auf die Deutschen warten, um endlich wieder einen gradlinigen Western zu bekommen, ungeschmälert durch kleine Budgets, mit der Betonung auf Action und nicht auf psychologischen Untertönen. In dieser Produktion gibt es keine halben Sachen, und mein Enthusiasmus für den Film ist nicht halbherzig. Man badet in einem wahren Jungbrunnen. In einer weniger selbstgefälligen und pedantischen Weise hat der Film eine DeMille-Grandeur.« Die gute Meinung über die Karl May-Western – hier formuliert von Allan Eyles, Autor des Lexikons *The Western* in der englischen Zeitschrift *Films and Filming* – war im Ausland weit verbreitet; in der inländischen Kritik wurde die Serie eher unterschätzt. Zumindest *Der Schatz im Silbersee* und die *Winnetou*-Trilogie gehören zu den ganz wenigen gelungenen und erfreulichen Unternehmungen des deutschen Kommerzfilms der sechziger Jahre. Deutsche Western hatte es schon seit den Stummfilmzeiten gegeben, Adaptionen von nicht im Wilden Westen spielenden Karl May-Romanen ebenfalls. Erst Horst Wendlandt, der schon mit seinen Edgar Wallace-Filmen eine annehmbare und erfolgreiche Serie kreiert hatte, kam auf den naheliegenden Gedanken, den im deutschen Bewußtsein so tief verankerten Shatterhand- und Winnetou-Mythos mit der weltweit populären Filmform des Western zu vermählen, das alles günstigerweise in einer Zeit, da sich ohnehin ganz Film-Europa auf die Westernproduktion stürzte. In dem altgedienten Drehbuchautor Harald G. Petersson fand er den Mann, der richtige Western schreiben konnte, ohne Karl May zu verraten, in Lex Barker (Old Shatterhand), Stewart Granger (Old Surehand) und Pierre Brice (Winnetou) Action-Darsteller, die als May-Figuren akzeptabel waren, in Harald Reinl einen Regisseur, der es auch in Hollywood jederzeit zu einem kleinen König des B-Films gebracht hätte. Schon der erste Versuch, *Der Schatz im Silbersee*, geriet zum Paradefall eines professionell und liebevoll gemachten Action-Märchenfilms. Der Erfolg war gewaltig und führte zur Serie, die freilich nach den ersten Höhepunkten schlimme Qualitätseinbußen erlitt. Auch hierin waren die May-Western der Wallace-Serie vergleichbar. Zum einen wurden der ursprüngliche Enthusiasmus bald durch müde Routine und die Elite-Mannschaft der ersten Stunde durch weniger inspirierte Kräfte abgelöst (wenn eine Serie Harald Philipp in die Hand fällt, ist das immer ein Alarmzeichen). Zum anderen trat auch hier wieder Artur Brauner, der CCC-Produzent und Bryan-Edgar-Wallace-Verfilmer, in Aktion, um sich mit weniger gut gemachten Winnetou-Filmen an den Boom anzuhängen: die Titel *Old Shatterhand* und der traurige letzte Film der Serie, *Winnetou und Old Shatterhand im Tal der Toten*, sind Brauner-Produktionen. Als Brauner die vormals

strahlenden Helden ins Tal der Toten schaffen ließ, hatte sich aber auch Wendlandt bereits mit Rod Cameron als Old Firehand eine Fehlbesetzung geleistet, die keinen Zweifel darüber ließ, daß der alte Schwung völlig hin war. Der Erfolg der May-Western löste eine kleine Welle von Adaptionen der nicht im Westen spielenden Karl-May-Romanen aus, bis auf den letzten, *Das Vermächtnis des Inka*, der von Franz Marischka produziert wurde, sämtlich von der CCC hergestellt: *Der Schut* (R Robert Siodmak, 1964, der einzige einigermaßen reizvolle unter diesen Filmen), *Durchs wilde Kurdistan* (R F.J. Gottlieb, 1965), *Im Reich des Silbernen Löwen* (R F.J. Gottlieb, 1965), *Die Pyramide des Sonnengottes* (R Robert Siodmak, 1965), *Der Schatz der Azteken* (R Robert Siodmak, 1965), *Das Vermächtnis des Inka* (R Georg Marischka, 1966).

Katz und Maus. R Hansjürgen Pohland. B Hansjürgen Pohland, nach der Novelle von Günter Grass. K Wolf Wirth. M Attila Zoller. S Christa Pohland. D Lars Brandt (Mahlke, der jüngere), Peter Brandt (Mahlke, der ältere), Wolfgang Neuss (Pilenz), Claudia Bremer (Tulla), Herbert Weissbach (Klohse), Ingrid van Bergen (Tante von Mahlke), Michael Hinz (Jagdflieger). P modern art film, Berlin / Zespol Rytm, Warschau. 88 Minuten. 1967.
Der ehemalige Danziger Gymnasiast Pilenz kehrt als Tourist an die Stätten der Jugend zurück und erinnert sich, wie das damals war, 1941, vor allem wie das mit dem Schulfreund Joachim Mahlke war, der unter dem Zwang litt, einen körperlichen Defekt, einen übergroßen Adamsapfel, durch irgendeinen Gegenstand, und sei es ein Ritterkreuz, verdecken zu müssen.
Zwölf Jahre vor der *Blechtrommel* der erste Danziger Grass-Film. Bevor man ihn als Film genießen durfte, mußte man ihn als Skandalfall goutieren. Im Film läßt der Mahlke-Darsteller Lars Brandt, Sohn des damaligen Außenministers und Vizekanzlers Willy Brandt, mal kurz ein Ritterkreuz in seiner Badehose verschwinden. Franz Josef Strauss, Minister der großen Koalition von Kurt Georg Kiesinger, sprach zum Kabinettskollegen Helmut Schmidt: »Tun Sie das Ihre, daß die Darbietung von hohen Orden, getragen von jungen Leuten prominenter Politiker bei der Verfilmung eines Stückes von Günter Grass entweder überhaupt nicht erfolgt oder nicht veröffentlicht wird. Sie wissen, was ich meine.« Auch um Passagen erotischen Inhalts wurde gerungen. Pohland mußte schneiden. Das war schmählich, konnte aber den Film nicht umbringen. »*Katz und Maus* ist eine der getreuesten Literaturverfilmungen, die ich kenne. Nicht etwa, weil am Inhalt der Novelle von Günter Grass so wenig wie möglich verändert wurde, sondern weil die Erzählstruktur des literarischen Werks kinematographische Wirklichkeit geworden ist. So belanglos und irrelevant meist der Vergleich von Literaturvorlage und Verfilmung

ist, so unerheblich für die Filmkritik, deren Gegenstand der Film ist und sonst gar nichts: Hier hat die Literatur nicht nur ein Erzähltes in Gang gesetzt, sondern das Erzählen selbst« (Peter W. Jansen, *Filmkritik,* 1967).

Keiner hat das Pferd geküßt. R und B Martin Müller. K (Farbe) Rüdiger Meichsner. M Lothar Meid. A Laszlo Les Oelvedy. D Wolfgang Fierek (Wolfgang), Dolly Dollar (Marie), Richard Rigan (Richard), Bea Fiedler (Rita), Eddi Arent, Paul Lys, Hanno Schilf, Renate Zimmermann, Pit Schröder. P Albatros (Michael Fengler) / Lisa (Karl Spiehs) / Popular (Hans H. Kaden). 81 Minuten. 1980. Wolfgang, Angestellter eines Roßhändlers, soll ein Pferd in einem Münchner Nachtklub abliefern, wo es für eine Lady-Godiva-Show gebraucht wird. Marie, des Pferdehändlers Töchterlein, ist verliebt in Wolfgang und fährt mit, in der Hoffnung, den schüchternen Jungen aus seiner Reserve zu locken. In der Bar gibt's aber reichlich Zoff mit einer Rockertruppe. Zum Finale darf Marie dann ihrem Wolfgang beglückt in die Arme sinken.
Martin Müller, Regieassistent von Klaus Lemke (und – man glaubt es kaum – Tonmann bei allen Wim-Wenders-Filmen!), durfte nach bewährtem Lemke-Muster und mit bewährten Lemke-»Stars« seinen ersten Spielfilm drehen. Franz Marischka und F.J. Gottlieb brauchen sich um Nachwuchs keine Sorgen mehr zu machen.

Kein Reihenhaus für Robin Hood. R Wolf Gremm. B Wolf Gremm, nach dem Roman von -ky. K (Farbe) Michael Steinke. M Charles Kalman. A Günther Lüdecke. T Wolf-Dietrich Peters. S Siegrun Jäger. D Hermann Lause (Benno), Jutta Speidel (Britta), Rudolf Waldemar Brem (Corzelius), Isolde Kraus (Gunhild), Christel Braak, Brigitte Mira, Manfred Günther, Hans Wyprächtiger, Hans-Jürgen Müller, Hans Mahlau, Bernd Riedel. P Regina Ziegler / ZDF. 90 Minuten. 1980.
Der arbeitslose Politologe Benno Dropsch betreibt in der niedersächsischen Kleinstadt Bramme mit seiner Freundin Britta einen geerbten Zeitungsladen. Gerade ist der Industrielle Greskämper, der sein Brammer Werk stillgelegt hat, gegen Zahlung von einer Million Mark Lösegeld wieder auf freien Fuß gesetzt worden; von den terroristischen Entführern fehlt jede Spur, bis Benno und Britta eines Abends eine Schwerverletzte im Wald finden, die ihnen zuhause unter den Händen wegstirbt. Sie gehörte zu den Entführern, und Benno und Britta sind entschlossen, ihre Aufgabe – nämlich einen Teil des Lösegeldes an die entlassenen Arbeiter zu verteilen – zu übernehmen. Doch die Gegenwart hat kein Verständnis für Robin Hoods.
Wolf Gremm mag sich eng an die Romanvorlage des mysteriösen Berliner Krimi-Autoren -ky gehalten haben, hat aber dabei offenbar nicht berücksichtigt, daß der Kinozuschauer Informationen aus zweiter Hand viel

eher mißtraut als ein Leser. Bei Gremms Film hat man den Eindruck, der eigentlichen Geschichte immer ein Stückchen hinterherzuhinken: Die Kamera zeigt statt der entscheidenden Dinge immer nur irgendwelche Leute, die davon erzählen. So ist es auch kein Wunder, daß sich eine Inhaltsbeschreibung des Films aufregend und vielversprechend anhört, während der Film spätestens nach einer halben Stunde nur noch Konfusion und anschließend Langeweile auslöst. Als Hörspiel könnte man aus dem Stoff sicher etwas machen.

Kelek. *R* und *B* Werner Nekes. *K* Werner Nekes. *S* Werner Nekes. 60 Minuten. 1968.
Stummer Experimentalfilm über Bewußtseinsinhalte und Kommunikationsschwierigkeiten, im Zentrum (wie bei jedem richtigen Film) ein Koitus.
Der erste lange Film von Werner Nekes, geboren 1944 in Thüringen, der von Materialbildern und Objekten zum Film kam und von 1965 bis 1968 zweiundzwanzig Kurzfilme drehte, die Titel haben wie *schwarzhuhnbraunhuhnschwarzhuhnweißhuhnrothuhnweiß* oder *put-putt* oder *Kratz-, Bei-, Licht-, Loch- und Flickerfilme.* »Kelek ist der erste Nekesfilm mit einer Geschichte – der Geschichte eines Bewußtseins. Dieses Bewußtsein hat mit nichts anderem zu tun als mit Sehen. Das Sehen ist der Gegenstand des Films . . . Die Filmkritiker werden arbeitslos. Sie müssen nicht mehr ins Kino gehen. Sie dürfen nur noch in Parks spazieren, sich beim Gehen auf die Schuhspitzen und Kanaldeckel schauen, vögeln, und wenn sie in eine Vorstadtstraße einbiegen, langsam die Augen auf- und zuschlagen« (Wim Wenders, *Filmkritik*, 1969).

Kennwort: Reiher. *R* Rudolf Jugert. *B* Herbert Reinecker, nach dem Roman *The River Line* von Charles Morgan. *K* Wolf Wirth, Hans Jura. *M* Rolf Wilhelm. *A* Wolf Englert. *D* Peter van Eyck (der Reiher), Marie Versini (Marie) Walter Rilla (Pierre), Fritz Wepper (Philip), Werner Lieven (Pfarrer), Elfriede Kuzmany, Max Haufler, Geoffrey Tone. *P* Franz Seitz. 95 Minuten. 1964.
Frankreich unter der deutschen Besatzung. Eine Geheimorganisation, die abgeschossene oder aus der Gefangenschaft ausgebrochene alliierte Soldaten über die spanische Grenze schleust, tötet einen Engländer, da sie ihn für einen deutschen Agenten hält. Zu spät stellt sich heraus, daß der Verdacht unbegründet war.
Der in seiner Stoffwahl für eine deutsche Produktion sehr eigentümliche, in seiner Verarbeitung mit Edelsinn und Schicksalswabern typisch teutonischdiffuse Film entsprach seinerzeit ideal den offiziellen Vorstellungen von hochwertiger Kinoware: Das Werk bekam 1964 vier Bundesfilmpreise (für Produktion, Kamera, Bauten und den Darsteller Fritz Wepper).

Der Kerl liebt mich – und das soll ich glauben? *R* Marran Gosov. *B* Florian Hopf, Klaus Lemke. *K* (Farbe) Werner Kurz. *M* Johnny Harris. *D* Uschi Glas, Harald Leipnitz, Stefan Behrens. *P* Rialto (Horst Wendlandt). 89 Minuten. 1969.
Ein Schätzchen hat ein Kerlchen in Schwabing und dazu noch eines in Berlin.
Marran Gosov: »Ich sagte mir am Anfang, gut, das Buch ist schwach, die Besetzung paßt nicht, aber an Ort und Stelle werden wir improvisieren und versuchen, das Ganze besser zu machen. Dazu kam, daß ich die sehr hohe Gage für den nächsten Film brauchte, den ich in eigener Produktion machen wollte. Der Film wurde ein mittelmäßiges Produkt und enttäuschte die finanziellen Erwartungen« (Barbara Bronnen, Corinna Brocher: *Die Filmemacher*, 1972).

Die Ketzer. *R* Horst Manfred Adloff, unter Benutzung des Films *Galilei* von Liliana Cavani. *B* Horst Manfred Adloff, Gerhard Szesny (Kommentar) Hans Ohly (Interview), Margit Spieker (Dokumentation). *S* Barbara Mondry, Brigitte Brandstaetter. *P* Horst Manfred Adloff. 90 Minuten. 1971.
Der sehr ungewöhnliche und sehr ungehörige Fall, daß ein Filmemacher das Werk eines Kollegen benutzt, malträtiert und ausbeutet, um es mit dokumentarmaterial und Selbstgedrehtem zu vermengen und dieses unheilige Potpourri dann als eine seriöse und notabene von heiligem Eifer getragene Recherche über vergangene und gegenwärtige Verfehlungen der katholischen Kirche zu verkaufen. Mit dieser Todsünde endete die Filmkarriere von Horst Manfred Adloff, die mit der Produktion von *Es* und *Wilder Reiter GmbH* so glänzend begonnen hatte.

Die Kinder aus No. 67. *R* Usch Barthelmeß-Weller und Werner Meyer. *B* Usch Barthelmeß-Weller und Werner Meyer, nach dem Roman von Lisa Tetzner. *K* (Farbe) Jürgen Jürges. *M* Andi Brauer. *A* Mciej Putowski. *T* Gerhard Birkholz. *S* Helga Borsche. *D* Bernd Riedel (Erwin), René Schaaf (Paul), May Buschke (Miriam), Elfrieda Irrall, Tilo Prückner, Martina Krauel, Peter Franke, Udo Samel. *P* Road Movies (Renée Gundelach) / ZDF. 103 Minuten. 1980.
»Einer der größten Erfolge beim Internationalen Forum des Jungen Films während der Berlinale 1980 war *Die Kinder aus No. 67,* der das Aufkommen des Nazismus aus der Sicht einer Gruppe von Kindern schildert, die in Mietshaus No. 67 wohnt. Der Film mit dem Untertitel *Heil Hitler, ich hätt' gern 'n paar Pferdeäppel* basiert auf einer Romanfolge über diese Kinder und zeigt ihre nicht immer spaßigen Abenteuer, wenn Links und Rechts, Juden und Nazis, Arm und Reich aufeinanderstoßen« (Ken Wlaschin, *NFT*).

Der Komantsche. *R* und *B* Herbert Achternbusch. *K* (Farbe) Jörg Schmidt-Reitwein. *S* Heidi Handorf. *D* Herbert Achternbusch (der Ko-

Die Kinder aus No. 67: Bernd Riedel, René Schaaf

Der Komantsche: Herbert Achternbusch

Karl-May-Film *Winnetou I:* Pierre Brice, Marie Versini, Lex Barker

Katz und Maus: Lars Brandt

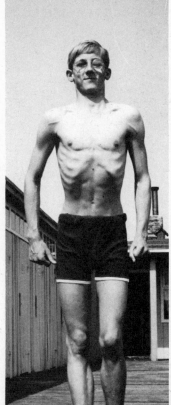

Karl May: Helmut Käutner

mantsche), Alois Hitzenbichler (der vorletzte Patient), Barbara Gass (die Ärztin), Annamirl Bierbichler (die Krankenschwester), Heinz Braun (der Chefarzt), Brigitte Kramer (die Ehefrau), Franz Baumgartner, Sepp Bierbichler, Judith Achternbusch. P Herbert Achternbusch / ZDF. 80 Minuten. 1979.

»Träume sind noch in der Menschen Köpfe. Wer spricht sie an? Wer spricht seine eigenen Träume an? Der Komantsche. Er träumt in seinem langjährigen Koma von seinen Elefanten, von seinen barocken Geliebten. Er hat seine Ärztin, seinen Chefarzt, seine Krankenschwester. Auch seine Polizei. Alles fügt sich seinem Traum für ihn. Seine Träume sind auch seine Filme, die seine Frau ans Fernsehen verkauft. Des Komantschen Träume schweben von Kopf zu Kopf, ohne sie mit fettem Arsch zu besetzen. Der Komantsche hat das Fliegen gelernt. Denn es ist ein Leichtes, beim Gehen den Boden zu berühren« (Herbert Achternbusch).

»Achternbusch hat wieder zugeschlagen. Ein bayerischer Dichter, dessen Prosa und dessen Filme auf den Zuschauer/Leser zukommen wie die Maßkrüge aus den Fäusten seiner aggressiv-melancholischen Helden. Ein Besessener, der im Kampf gegen Abstumpfung und Phantasielosigkeit die Sprache und das Kino bis zur Besinnungslosigkeit treibt . . . ›Ein Komantsche, der nicht träumt, wird wahnsinnig‹. Für seine wilden Träume ist ihm jedes Mittel recht: Stilbruch, Slapstick, Geschmacklosigkeit und auch melancholische Eintönigkeit. Achternbuschs Filme sind wie Bücher, sind wie Theaterstücke. Aber während seine Prosa fortreißt, erscheinen seine Filmideen oft nur wie ein Panoptikum von Skurrilitäten, das vielleicht amüsiert, aber kaltläßt« (Achim Forst, zitty).

Ein komischer Heiliger. R und B Klaus Lemke. K (Farbe) Rüdiger Meichsner. M Lothar Meid. A Elke Etzold, Sabine Gurn. T Simon Buchner. S Inez Regnier. D Ingeborg Maria »Cleo« Kretschmer (Baby Kirchbauer), Wolfgang Fierek (Wolfgang), Luitpold Roever (Rechtsanwalt), Horatius Haeberle (Untersuchungsrichter), Peter Emmer (Geistlicher), Arno Matthes (Protokollführer), Pietro Giardini, Ingo Fischer, Fritz Brinkmann, Erika Lösch, Schwester Tamara, Die Marionettes, Franziska Wörl, Brigitte Hollick, Maria Häubl, Anton Sedlmaier. P Albatros/Popular (Michael Fengler, Hans H. Kaden). 83 Minuten. 1979.
Wolfgang, ein netter, reiner und gläubiger Mensch, kommt in den Sündenpfuhl München, um die Stadt zu missionieren. Wo immer er gegen das Laster zu Felde zieht, erntet er Hohn und Spott und manchmal noch Schlimmeres. In dem Barmädchen Baby findet der sonderbare Heilige eine Beschützerin, die ihn aber auch in immer neue Schwierigkeiten verwickelt. In der Fußgängerzone erregen sie öffentliches Ärgernis, im Kloster werden sie verhaftet, auf der Polizei verhört. Gegen Babys Verführungsversuche zeigt der heiligmäßige Wolfgang sich im-

mun. Fast bis zum Schluß der zehn Tage währenden Missions-Odyssee. Denn »wenn ein Mädchen dich wirklich will, hast du keine Chance.«
Die schönste und erfolgreichste von Lemkes Münchner Skurril-Komödien und der Film, den der Regisseur selbst als sein Hauptwerk ansieht. Lemke: »Es geht darum, daß ein Mädchen, das sich wirklich einen Typ in den Kopf gesetzt hat, diesen Kerl auch kriegt. Eine Liebesgeschichte. Aber in dem Fall handelt es sich bei IHM um einen ganz normalen Jungen vom Land, der nach München kommt, um die Stadt in Gottes Auftrag eigenhändig vom Bösen zu befreien. Und SIE ist so ein Barfrauen-Flitscherl/Nutte gefährlichsten Kalibers. Eine Hexe im Kampf gegen den lieben Gott. Den Typ kriegt sie, wenn auch nach härtesten Kämpfen, weil sie nicht aufgibt. Was den ›lieben Gott‹ angeht, so würde ich eher sagen: Vielleicht wollte der gar nicht so sehr, daß der Junge vom Land die Stadt München von Sex, Drugs und Rock'n Roll befreit. Vielleicht wollte der nur, daß ausgerechnet diese beiden Menschen sich treffen, weil sie offensichtlich füreinander geschaffen sind« (Kino 79/80).

Kommissar-X-Filme: Kommissar X – Jagd auf Unbekannt (R Frank Kramer, mit Tony Kendall, Brad Harris, Maria Perschy, 1966). Kommissar X – Drei gelbe Katzen (R Rudolf Zehetgruber, mit Tony Kendall, Brad Harris, Ann Smyrner, 1966). Kommissar X – In den Klauen des Goldenen Drachen (R Frank Kramer, mit Tony Kendall, Brad Harris, Barbara Frey, 1966). Kommissar X – Drei grüne Hunde (R Rudolf Zehetgruber mit Tony Kendall, Olly Schoberova, Dietmar Schönherr, 1967). Kommissar X – Drei blaue Panther (R Frank Kramer, mit Tony Kendall, Corny Collins, Siegfried Rauch, 1968). Kommissar X – Drei goldene Schlangen (R Roberto Mauri, mit Tony Kendall, Monica Pardo, Loni Heuser, 1969). Kommissar X jagt den roten Tiger (R Harald Reinl, mit Tony Kendall, Brad Harris, Gisela Hahn, 1971).
Am James-Bond-Vorbild orientierte deutsch-italienische Agenten-Serie nach den Kommissar-X-Groschenheftromanen des Pabel-Verlags. »Kommissar X« ist der Deckname eines New Yorker Privatdetektivs, Jo Walker (gespielt von Tony Kendall, was das Pseudonym eines italienischen Darstellers ist), der auf meist fernöstlichen Schauplätzen hinter Rauschgift-Händlern, Geheimwaffen-Erfindern und Mafiosos herjagt. Die besseren Filme der Serie sind in lockerer Comics-Manier heruntergedreht, in einem Stil, der den italienischen Kommissar-X-Regisseuren leichter von der Hand geht (Frank Kramer ist das Pseudonym von Gianfranco Parolini).

Die Konferenz der Tiere. R Curt Linda. B Curt Linda, nach dem Buch von Erich Kästner. K (Farbe) Wolfgang Dietrich, Ivan Masnik, Barbara Linda. M Erich Ferstl. P Linda. 93 Minuten. 1969.
Zeichentrickfilm über die Tiere, die die Menschen zum Frieden zwingen.

Beseelt von der Niedlichkeit des guten Willens, der nur gut ist, aber nicht wirklich willens.

Die Konsequenz. R Wolfgang Petersen. B Alexander Ziegler, Wolfgang Petersen, nach dem Roman von Alexander Ziegler. K Jörg-Michael Baldenius. M Nils Sustrate. A O. Jochen Schmidt. T Ed Parente. S Johannes Nikel. D Jürgen Prochnow (Martin Kurath), Ernst Hannawald (Thomas Manzoni), Walo Lüönd (Vater Manzoni), Edith Volkmann (Mutter Manzoni), Werner Schwuchow, Erwin Kohlund, Hans Michael Rehberg, Hans Irle, Hans Putz jr., Alexis von Hagemeister, Wilfried Klaus, Jan Groth, Alexander Ziegler. P Solaris (Bernd Eichinger) / WDR. 95 Minuten. 1977.
Der Schauspieler Martin Kurath ist wegen »Verführung Minderjähriger« zu zweieinhalb Jahren Gefängnis verurteilt worden. Bei der Probenarbeit zu einem Theaterstück, das die Gefangenen aufführen wollen, nähert sich ihm Thomas Manzoni, der Sohn eines Aufsehers, und gibt ihm zu verstehen, daß auch er homosexuell ist. Es gelingt ihnen, eine gemeinsame Nacht in Martins Zelle zu verbringen, und sie beschließen zusammenzubleiben. Thomas findet bei seinen Eltern nicht das geringste Verständnis; da sie noch über das Sorgerecht für den Sechzehnjährigen verfügen, veranlassen sie eine Einweisung in eine Erziehungsanstalt. Erzieher und Mitzöglinge machen Thomas das Leben zur Hölle. Mit Martins Hilfe gelingt die Flucht, doch alle Versuche, ihr gemeinsames Leben fortzusetzen, scheitern. Mit zwanzig Jahren ist Thomas ein gebrochener Mann: Nach einem Selbstmordversuch wird er in eine psychiatrische Klinik eingeliefert.
Wolfgang Petersens Film sorgte für einen der berühmtesten Eklats in der Geschichte des deutschen Fernsehens: ‹Als Die Konsequenz am 8. November 1977 im Ersten Programm seine Erstaufführung erlebte, schaltete sich der Bayerische Rundfunk aus dem gemeinsamen ARD-Programm aus und löste damit in der Presse und unter den Zuschauern eine Protestwelle ohnegleichen aus. (Dabei war dies bereits die fünfte Zuschauer-Bevormundung des Münchner Senders.) Weniger als einen Monat später brachte ein geschäftstüchtiger Verleih den Film bereits in die Kinos, und selbstverständlich auch in München! »Diskret schirmt der Regisseur die beiden Freunde gegen Gaffer ab. Voyeuren wird nichts geboten. Umso behutsamer kann Petersen, der in diesem (seinem 20.) Film endlich mal wieder von den Knalleffekten seiner Tatort-Routine abläßt, die beiden Protagonisten ruhig herausstellen. Der Film berührt da am unmittelbarsten, wo er am peinlichsten hätte entgleisen können: in der Beziehung Mann-Mann. Im ungekünstelten Spiel von Jürgen Prochnow (Martin) und dem 17jährigen Laien Ernst Hannawald (Thomas) erhält die Geschichte sinnliche Intensität ohne Exhibition« (Klaus Umbach, Der Spiegel).

Kopf oder Zahl. R und B Uwe Brandner. K (Farbe) André Dubreuil. M Antonio Costa Pinheiro, Ludwig van Beethoven. S Heidi Genée. D Wolf Martienzen (Nikolaus), Ingeborg Schöner (Magda), Peter Moland (Wiesel), Henry van Lyck (Bernd). P Uwe Brandner / ZDF. 92 Minuten. 1973.
Nach einer Unterschlagung setzt sich Magda, die Frau des Direktors, mit ihrem Liebhaber Nikolaus ab und fährt ins Grüne. Auf einer saftigen Wiese kampiert man. Da erscheint Wiesel, der Handlanger des geprellten Gatten, und stört die Idylle. Eine Nervenzerreißprobe bahnt sich an.
»Brandners zweiter Spielfilm, mehr manieriert als stilisiert, mehr intellektuell als intelligent, überzeugt nicht bei dem Versuch, durch Zerstörung der Sprache die Bilder zu intensivieren und für sich sprechen zu lassen« (Filme 1971–76).

Kopfstand, Madam! R Christian Rischert. B Christian Geissler, Alfred Neven DuMont, Christian Rischert. K Fritz Schwennicke. M Carlos Diernhammer, Manfred Niehaus, Otto Weiss. S Christian Rischert. D Miriam Spoerri (Karin Hendrich), Herbert Fleischmann (Robert), Heinz Bennent (Ulrich), Helga Toelle, Lutz Berks. P Arcis (Christian Rischert) / Dumont. 82 Minuten. 1967.
Karin Hendrich, verheiratet mit einem sympathischen, tüchtigen Werftingenieur, Mutter einer 7jährigen Tochter, fühlt sich in ihrer Ehe gefangen und vereinsamt; ein Ausbruchsversuch mit einem Bekannten ihres Mannes, Ulrich, löst ihre Probleme nicht.
Der Debüt-Spielfilm von Christian Rischert, geboren 1936 in München, abgebrochene Schlosserlehre, Ausbildung als Graphiker, auf diesem Weg zum Trickfilm, erster Kurzfilm (zusammen mit Friedrich Streich) Pamphylos – der Mann mit dem Autotick.
»Rischerts Film erinnert in seinem Sujet ein bißchen an Jean-Luc Godards Une femme mariée, erscheint aber an dessen extravagantem Kaliber gemessen eher konservativ. Das hat seine Vor- und Nachteile. Die Handlung ist ein ziemlich alter Hut. Aber was getan und gesprochen wird, wirkt sehr authentisch« (Variety).

Krawatten für Olympia. R und B Stefan Lukschy und Hartmann Schmige. K Norbert Bunge. M Wilhelm Dieter Siebert. A Ursula Welter. T Peter Lustig, Michael Gregor. S Stefan Lukschy. D Michael Beermann, Sylvia Dudek, Erika Fuhrmann, Ullrich Gressieker, Hansi Jochmann, Kurt Pratsch-Kaufmann, Peter Schlesinger, Kurt Schmidtchen. P DFFA. 80 Minuten. 1976.
Alexander Herzog ist Eigentümer der Krawattenfirma Seidensiegel. Hausfrauen nähen für ihn in Heimarbeit. Eine der Arbeiterinnen beklagt sich in einem anonymen Brief über zu geringes Entgelt und schickt ihn an einen amtlichen Betriebsprüfer. Der Freund von Herzogs Tochter wird als Detektiv engagiert; er soll die Briefeschreiberin aufspüren, bevor eine zweite Prüfung Unstimmigkeiten aufdecken kann.

Der Unternehmer bangt um den Auftrag, den ihm das Olympische Komitee gegeben hat – seine Firma soll die deutsche Mannschaft mit Krawatten versorgen! Der Fahrer der Firma mobilisiert inzwischen die Hausfrauen, die ihre Forderungen durchsetzen wollen.

Krawatten für Olympia, ein Abschlußfilm der Deutschen Film- und Fernsehakademie Berlin, kann durchaus in der Arbeiterfilm-Tradition der Berliner Schule gesehen werden, obwohl es sich in erster Linie um den seltenen Fall einer im Ansatz originellen und inspirierten deutschen Filmkomödie handelt. Vor allem der Möchtegern-Detektiv (wir sehen ihn zum ersten Mal, als er gerade *Chinatown* im Kino gesehen hat) kann einige komische Situationen für sich verbuchen.

Kreutzer. *R* Klaus Emmerich. *B* Klaus Emmerich, Klaus Voswinkel. *K* (Farbe) Frank Brühne. *M* Franz Hummel. *A* Hans Gailling. *T* Siegmund Buchner. *S* Thea Eymèsz. *D* Rüdiger Vogler (Andreas Kreutzer), Axel Wagner (Ross), Jörg Hube (Schweiger), Vitus Zeplichal (Hauptmann Wandtschneider), Kurt Weinzierl, Claus Dieter Reents, Edith Volkmann, Heidi Forster, Gusti Kreissl, Georg Thomas, Richard Beek. *P* Multimedia / Sunny Point / BR. 91 Minuten. 1977.

Andreas Kreutzer, verheiratet und schon einige Jahre Hauptmann bei der Bundeswehr, hat eines Tages genug, setzt sich in München in einen Zug und fährt Richtung Skandinavien. In Puttgarden erwarten ihn schon zwei Feldjäger. Es geht zurück nach München; Kreutzer hat wenigstens den Versuch gemacht. In der Nähe von Fulda steigen Ross und Schweiger in den Zug. Die beiden Männer haben soeben eine Bank ausgeraubt. Als sie die Feldjäger sehen, glauben sie sich verfolgt und schießen. Das wiederum bringt Kreutzer in die Zwangslage, die beiden Leichen loszuwerden. Der Zug wird gestoppt, und Kreutzer sucht mit den Bankräubern das Weite. Schweiger wird bei der Flucht erschossen, so daß Ross und Kreutzer sich zusammenraufen und gemeinsam die Flucht fortsetzen. Ross kommt eine Idee, wie Kreutzer es schaffen kann, sich aus dieser verfahrenen Situation zu befreien und sein gewohntes Leben fortzusetzen.

Der erste Kinofilm des Theater- und Fernsehregisseurs Klaus Emmerich lief 1977 in der Deutschen Reihe der Berlinale, kam jedoch erst ein Jahr später in die (Programm-)Kinos. *Kreutzer* ist erfrischend unverkrampft und galt lange als Geheimtip unter den neuen deutschen Filmen. »Der ambivalente Umgang mit den Mustern des Gangsterfilms, teils ironisch, teils klassizistisch streng, die erfindungs- und überraschungsreiche Fabel, eine weiche, gleitende Kameraführung, die den irrealen Charakter der Geschichte akzentuiert und einige originelle Action-Sequenzen (eine halsbrecherische Berg- und Tal-Fahrt in einer alten Bergwerkslore) müßten Emmerichs Film auch für ein großes Publikum interessant machen« (Hans C. Blumenberg, *Die Zeit*).

Kuckucksei im Gangsternest. *R* und *B* Franz-Josef Spieker. *K* (Farbe) Petrus Schloemp. *M* Hans Loeper, »The Can«. *D* Hanna Schygulla (Maria), Herbert Fux (Lord Kaputt), Rainer Basedow, Eckart Aschauer [später Phillipp Sonntag]. *P* Cinema 80 / Orion. 89 Minuten. 1969.

»Drei Räuber, durch groteske, aus dem Schutthaufen deutscher Geschichte zusammengeklaubte Maskeraden, durch auffällig blödes Gehabe als Filmfiguren ausgewiesen, haben sich in den Bergen (Kärntens) niedergelassen. Wie sie die Zeit und gelegentlich ahnungslose Zeitgenossen totschlagen, erzählt der Film. So geht es weiter: Eines Tages gerät den dreien ein Callgirl in die Autofalle. Sie überlebt den Sturz von der Straße und gesellt sich hinfort zu dem Trio, bis sie eines Tages die Gesellschaft der Räuber satt hat und sich einen rauschenden Wildbach hinunterstürzen läßt. Ein bißchen plötzlich ist die bunte Ballade mit Musik zu Ende« (Werner Kliess, *Fernsehen + Film*, 1970). Nach *Wilder Reiter GmbH* und *Mit Eichenlaub und Feigenblatt* der dritte und letzte Kinofilm von Franz-Josef Spieker, der dann nur noch Fernsehsachen und Kurzfilme machte. 1978 ist er auf Bali umgekommen.

Kuckucksjahre. *R* George Moorse. *B* George Moorse, Klaus Lea. *K* (Farbe) Gerard Vandenberg. *M* David Llywellyn. *D* Rolf Zacher (Hans), Ardy Strüwer (Ardy), Franziska Oehme (Petra), Julicka Juhle (Diane), Hubert von Meyerinck (Ernst Franken), Magda von Arent (Astrid von Falkenberg), Dunja Rajter (Sybille), Lilo Markgraf (Frau Gregor), Herbert Tobias (Gielow). *P* Literarisches Colloquium (Walter Höllerer) / Telepool / Condor. 93 Minuten. 1967.

Hans läßt sich treiben. In Ardy findet er einen Erfolgsmenschen, den er bewundern kann. Petra verläßt ihn, als er mit dem Nichtstun Schluß machen will. Sybille liebt Hans und Ardy. Auch Diane liebt Hans, aber nicht lange. Ardy liebt Astrid und geht mit ihr davon.

Ein nur halbwegs gelungener Popfilm-Versuch über die jungen Aussteiger der sechziger Jahre. Das Titelwort ist Moorse's eigene Erfindung. »Die Vorstellung vom Kuckuck weckt viele Assoziationen. Die Jungen, die in fremden Nestern aufwachsen. Die Vögel, die frei sind und herumfliegen und ihre Eier in Nester legen, die andere gebaut haben, die kein Heim haben. Sie sind Ausbeuter. Sie beuten die aus, die die Nester gebaut haben . . . Das Wort meint diese Jahre, die Jahre dieser Leute, die ich zeige, der Popgeneration, des ›freudschen Proletariats‹. Sie sind Sprecher einer Revolution« (Moorse im Gespräch mit Frieda Grafe und Enno Patalas, *Filmkritik*, 1967).

Kurzer Prozeß. *R* Michael Kehlmann. *B* Michael Kehlmann, Carl Merz, nach dem Roman von J. Ashford. *K* Karl Schröder. *A* Walter Dörfler, Otto Stich. *D* Helmut Qualtinger (Pokor-

Kreutzer: Axel Wagner, Rüdiger Vogler

Ein komischer Heiliger: Cleo Kretschmer, Wolfgang Fierek

Die Konsequenz: Jürgen Prochnow, Ernst Hannawald

Kopfstand, Madam!: Christian Rischert, Miriam Spoerri, Heinz Bennent

ny), Alexander Kerst (Wolfert), Otto Tausig (Brenner), Walter Breuer (Vogel), Gustl Weishappel, Bruni Löbel, Harry Kalenberg, Kurt Sowinetz, Walter Kohut. *P* U.F.P. (Claus Hardt). 101 Minuten. 1967.

Ein völlig überarbeiteter, bei seinen Vorgesetzten wegen seiner bedenkenlosen Methoden nur wenig geschätzter österreichischer Kriminalbeamter, Pokorny, klärt einen mysteriösen Mordfall, der einem völlig unschuldigen Kollegen bereits eine schwere Kerkerstrafe eingetragen hat.

Der couragierte, halbwegs gelungene, ziemlich erfolglose Versuch, mitten in der Edgar Wallace-Konjunktur das Publikum für einen realistischen, unglamourösen, un-exotischen Kriminalfilm zu erwärmen. Nach *Die Brücke des Schicksals,* 1960, und *Das Leben beginnt um acht,* 1961, der dritte, beste und letzte Kinofilm des Fernsehmannes Kehlmann.

Das Lamm. *R* Wolfgang Staudte. *B* Frank Leberecht, nach der Erzählung von Willy Kramp. *K* Götz Neumann. *M* Peter Thomas. *A* Johannes Ott. *D* Ronald Dehne (Bernd), Elke Aberle (Elli), Dieter Kirchlechner (Heiner), Ulrich von Bock (Conny), Willy Leyrer (Ellis Vater), Hans Schalla (Dalmann), Helga Siemers, Carmen Koeper, Waldemar Schütz. *P* Fono (Hermann Schwerin). 87 Minuten. 1964.

Bernd, 15jähriger Sohn einer Arbeiterfamilie im Ruhrgebiet, reißt von zu Hause aus, um sein Lamm, das einzige Wesen, dem er sich verbunden fühlt, vor dem Schlächter in Sicherheit zu bringen. Unterwegs zum Bauernhof seines Onkels hat er allerlei Erlebnisse, die ihn reifen lassen.

»Ein derart schablonenhafter, formal verkrampfter, wo nicht dilettantischer und in seiner Gesinnung so peinlich konformistischer Film, daß es unmöglich erscheint, den eklatanten Niedergang dieses einstmals belangvollen Regisseurs länger taktvoll zu übergehen« (Hans-Dieter Roos, *Film,* 1965).

Land des Schweigens und der Dunkelheit. *R* und *B* Werner Herzog. *K* (Farbe) Jörg Schmidt-Reitwein. *M* Johann Sebastian Bach, Antonio Vivaldi. *T* Werner Herzog. *S* Beate Mainka-Jellinghaus. *D* Fini Straubinger, Heinrich Fleischmann, Vladimir Kokol, M. Baaske, Resi Mittermeier. *P* Werner Herzog. 85 Minuten. 1971.

Dokumentarfilm über die 56jährige taube und blinde Fini Straubinger, »eine Monographie über die Hände einer taubblinden Frau« (Werner Herzog).

»In *Land des Schweigens und der Dunkelheit* beobachtet Herzog, wie ein Altersheim seinen tauben und blinden Insassen eine Flugreise beschert. Da sie blind und taub sind, muß ihnen gesagt werden, was ihnen da geboten wird; alles, was sie selbst sinnlich erfahren können, sind die Vibrationen. Aus Pflichtbewußtsein oder Höflichkeit geben sie sich aber sehr erfreut, und die bourgeoise oder staatliche Philantropie macht wieder einmal einen sehr albernen Eindruck. Es wäre

vorstellbar, daß es Herzog selbst war, der auf die Idee der Flugreise gekommen ist, um das Gefühl der Unbehaglichkeit, das er sehr bewußt den ganzen Film hindurch schürt, auf die Spitze treiben zu können. Die Kamera ist immer entweder zu kalt oder zu bewegt oder zu weit weg, so daß das, was auf dem Papier als *direct cinema* absolut korrekt ist, nicht gerade zu einer *freak show,* aber doch zu einer ironischen Meditation wird, einer Zurückweisung der angemessenen Emotion, sei das nun Mitleid, Optimismus, Engagement oder das Empfinden von Mitgefühl oder Schmerz. Wir haben es hier zu tun mit der Antithese von Lindsay Andersons *Thursday's Children:* wo Kinder sind, ist auch Hoffnung. Für Herzog ist die Addition des Geriatrischen nicht genug: die kinematographische Unangemessenheit erreicht hier die Anti-Tragödie des Absurden« (Raymond Durgnat, *Film Comment,* 1980).

Der lange Jammer. *R* Max Willutzki. *B* Max Willutzki, Horst Lange, Aribert Weis. *K* (Farbe) Rolf Deppe, René Perraudin. *M* Dieter Siebert, »Lokomotive Kreuzberg«. *D* Günter Kieslich, Heinz Giese, Heinz Meurer, Peter Schlesinger, Walter Clasen, Achim Barlin, Horst Lange, Rudi Unger. *P* Basis (Max Willutzki). 1973.

»Max Willutzki inszenierte, ganz im Stil der neueren Berliner Arbeiten, seinen ersten langen Spielfilm. Er erzählt von den Versuchen einiger Mieter, Solidarität gegen Mietwucher herzustellen und eine Selbstorganisation, einen ›Mieterrat‹, herzustellen. *Der lange Jammer* überzeugt vor allem durch seine auf Recherchen beruhenden, dokumentarisch wirkenden Passagen, aber auch durch seine Versuche, mit einigen Krimieinstellungen bei der Kameraführung den Sehgewohnheiten seiner Zuschauer Rechnung zu tragen, ebenso durch die Musik, die an wichtigen Stellen den Dialog rhythmisiert« (H. G. Pflaum, *Süddeutsche Zeitung*). Der Titel bezieht sich auf den ironischen Beinamen, den der Volksmund dem längsten und monotonsten Wohnblock im Märkischen Viertel gegeben hat. Regisseur Willutzki war vor seinem Studium an der Deutschen Film- und Fernsehakademie Berlin Produktions- und Regieassistent bei Jean-Marie Straub, Theodor Kotulla und anderen.

Lausbubengeschichten-Filme: *Lausbubengeschichten* (*R* Helmut Käutner, mit Hansi Kraus, Michl Lang, Carl Wery, 1964). *Tante Frieda – Neue Lausbubengeschichten* (*R* Werner Jacobs, mit Hansi Kraus, Elisabeth Flickenschildt, Gustav Knuth, 1965). *Onkel Filser – Allerneueste Lausbubengeschichten* (*R* Werner Jacobs, mit Hansi Kraus, Michl Lang, Fritz Tillmann, 1966). *Wenn Ludwig ins Manöver zieht* (*R* Werner Jacobs, mit Hansi Kraus, Heidelinde Weis, Georg Thomalla, 1967). *Ludwig auf Freiersfüßen* (*R* Franz Seitz, mit Hansi Kraus, Harald Juhnke, Kristina Nel, 1969). Sämtliche Filme geschrieben von Georg Laforet (= Franz Seitz) und pro-

duziert von Franz Seitz.

Eine völlig unbayerische Klamauk-Serie als Produkt der regelmäßig auftretenden Fälle von Bewußtseins-Verirrung, in denen der Produzent Franz Seitz den Satiriker Ludwig Thoma für das alter ego des Filmschreibers Georg Laforet hält.

La Victoria. *R* Peter Lilienthal. *B* Peter Lilienthal, Antonio Skarmeta. *K* (Farbe) Silvio Caiozzi. *A* Cecilia Boissier. *T* Hajo v. Zündt. *S* Heidi Genée. *D* Paula Moya (Marcela), Vicente Santa Maria (Onkel), Carmen Lazo (Abgeordnete), Miguel Angel Carrizo, Elba Salazar, Obdelia Munoz, Gilberto Llanos, Alicia Conte. *P* Filmverlag der Autoren / ZDF. 84 Minuten. 1973.

Marcela besteht in einem chilenischen Landstädtchen das Sekretärinnenexamen und fährt nach Santiago, um dort ihr »Glück« zu machen. Ihr Wunsch ist es, in einem Ministerium angestellt zu werden, aber vorerst muß sie sich mit Gelegenheitsarbeiten über Wasser halten. Aufgrund dieser ersten Rückschläge und Erfahrungen entwickelt sie ein klares politisches Bewußtsein und unterstützt die Abgeordnete Carmen Lazo im Frühjahr 1973 im Wahlkampf. Daneben bringt sie den Frauen in der Barackenvorstadt von Santiago Lesen und Schreiben bei. Carmen Lazos Wahlsieg wird gleichzeitig Marcelas persönlicher Sieg.

Peter Lilienthal, der seine Jugend als Emigrant in Uruguay verbrachte, hat *La Victoria* im Frühjahr 1973 in Chile gedreht, ein halbes Jahr vor dem Militärputsch und der Ermordung Allendes. Die Hauptdarstellerin Paula Moya beging Selbstmord. Lilienthals Co-Autor Antonia Skarmeta war – wie viele andere Mitarbeiter auch – gezwungen, das Land zu verlassen. Er lebt seitdem mit seiner Familie im Exil in Berlin. Zusammen mit Lilienthal schrieb er die Filme *Es herrscht Ruhe im Land* (1976) und *Der Aufstand* (1980) und mit Christian Ziewer *Aus der Ferne sehe ich dieses Land* (1978).

Lena Rais. *R* Christian Rischert. *B* Manfred Grunert. *K* (Farbe) Gerard Vandenberg. *M* Eberhard Schoener. *A* Hans Gailling, Elfriede Kurz. *T* Yves Zlonicka. *S* Annette Dorn. *D* Krista Stadler (Lena Rais), Tilo Prückner (Albert Rais), Nikolaus Paryla (Rohlfs), Kai Fischer (Hella), Manfred Lehmann, Rolf Schimpf, Werner Asam, Tana Schanzara, Dan van Husen, Emely Reuer. *P* Multimedia/Christian Rischert / ZDF. 116 Minuten. 1980.

Lena Rais, Postarbeiterin, verheiratet mit Albert Rais, Maurerpolier, drei Kinder, unternimmt einen Ausbruchsversuch, den ihr Mann nicht versteht.

Christian Rischert: »Der Film spielt im proletarischen Milieu, in dem kleinbürgerlicher Geist herrscht. Ich kenne dieses Milieu. Die Sprachlosigkeit der Lena und die des Albert Rais war auch die meine . . . Sprachlosigkeit ist eine Form der Enge, die räumliche eine andere. Es ging darum, eine Form zu finden, wie man die Enge dieser Lebens-

verhältnisse zeigen kann, ohne daß dabei ein Milieu-Naturalismus, der nur ein Abklatsch der Wirklichkeit ist, herauskommt und ohne daß die Betroffenen denunziert oder rührselig verklärt werden.«

Lenz. *R* George Moorse. *B* George Moorse, nach der Novelle von Georg Büchner. *K* (Farbe) Gerard Vandenberg. *M* David Llywellyn. *A* Hans Gailling, »Adler«. *T* Ludwig Probst. *S* Christa Wernicke. *D* Michael König (Lenz), Louis Waldon (Pfarrer Oberlin), Sigurd Bischof, Klaus Lea, Kristin Peterson, Toon Gallée, Julia Heinemann, Grischa Huber, Rolf Zacher, Monica Maurer, Elke Koska, Anne Meier, Peter Adler, Horst Tiessler. *P* Literarisches Colloquium, Berlin / Barbara Moorse Workshop. 130 Minuten. 1969/1971.

Im Winter 1778 reist der junge Dichter Jakob Michael Reinhold Lenz ins Gebirge, um bei dem Landpfarrer Oberlin und seiner Familie Ruhe und Frieden zu suchen. Lenz hat Anfälle von Angst und Depressionen, die zunehmend heftiger werden. Seine intellektuelle Überempfindlichkeit steht im Gegensatz zur naturbezogenen Welt der Bauern und Waldmenschen, die ihn umgeben. Lenz erhofft von Oberlin Hilfe. Aber Oberlin kann die in ihn gesetzten Erwartungen nicht erfüllen. Für ihn ist Lenz' Schizophrenie »eine Fügung Gottes«. Lenz wird nach mehreren Selbstmordversuchen aus dem Dorf weggebracht. Er kehrt zurück in eine Welt, die in sozialer und geistiger Umwälzung begriffen ist, ähnlich wie die seine.

Ein seltener Glücksfall unter den Literaturverfilmungen des Neuen Deutschen Films und eine Produktion, die das oft angestrebte Ziel einer Kollektivarbeit weitgehend erreicht hat; ein ökologischer Film, gediehen in einem Klima des Alternativen (ein Jahrzehnt, bevor solche Begriffe Allgemeingut wurden). Georg Moorse: »Lenz ist ein langsamer Film, aber dieses Tempo ist eines der Ziele des Films, damit wir daran denken, daß unser Zeitgefühl historisch bestimmt ist und daß wir in einen ständig sich beschleunigenden Wirbel der Zeit geraten sind, der uns zerstören könnte. Um uns als menschliche Wesen wiederzufinden, müssen wir die Zeit verlangsamen. Für mich handelt Lenz von der Zeit und der Erde und davon, wie diese bestimmend für die Mittelpunkte menschlicher Beziehungen sind. – Wir erreichten eine fast ideale Art von Team-Arbeit beim Drehen. Es kam dem kollektiven Filmmachen so nahe, wie ich es nie erlebt habe. Wir liebten alle diesen Film und identifizierten uns mit ihm. Die Unterstützung und das Interesse, das uns die Menschen von Untersteinleiter in der Fränkischen Schweiz, dem Drehort des Films, entgegenbrachten, war einzigartig eindrucksvoll« (Presseheft). *Lenz* erhielt 1971 den Bundesfilmpreis als bester Film (zusammen mit *First Love*), weitere Bundesfilmpreise erhielten Gerard Vandenberg als bester Kameramann und Michael König als bester Hauptdarsteller.

Letzte Liebe. *R* und *B* Ingemo Engström. *K* (Farbe) Ingo Kratisch. *M* Johann Sebastian Bach. *T* Michael Breining. *S* Gerhard Theuring. *D* Angela Winkler (Marie Fleury), Rüdiger Vogler (Thomas), Therese Affolter, Rüdiger Hacker, Hildegard Schmahl, Geoffrey Layton, Werner Masten. *P* Ingemo Engström und Gerhard Theuring / ZDF. 125 Minuten. 1979.

Marie Fleury, eine junge Ärztin, kehrt aus Frankreich zurück in die deutsche Rheinlandschaft, woher ihre Familie stammt, um dort in einer psychiatrischen Klinik zu arbeiten. In der Klinik begegnet Marie einer Frau, die im Liebeswahn versucht hat, sich mit ihrem Mann umzubringen. Draußen in der Landschaft, am Rheinufer, wartet auf Marie ein Mann, Thomas, dessen Verzweiflung sie teilt und auf dessen Liebe sie bald nicht mehr verzichten kann. Sie werden gemeinsam sterben.

»Der Weg nach innen erscheint im Film als radikale Konsequenz von Entfremdungserfahrungen« (Uta Berg-Ganschow, *frauen und film*). »Manchmal wirkt Ingemo Engströms Film etwas überanstrengt in seinem asketischen Stilwillen, aber viele Bilder prägen sich ein« (Hans C. Blumenberg, *Die Zeit*).

Die letzten Jahre der Kindheit. *R* Norbert Kückelmann. *B* Norbert Kückelmann, Thomas Petz u. a. *K* (Farbe) Jürgen Jürges. *M* Markus Urchs. *T* Hajo von Zündt. *S* Jane Seitz-Sperr. *D* Gerhard Gundel (Martin Sonntag), Norbert Bauhuber (Django), Dieter Mustafoff (Hans Sonntag), Leopoldine Schwankel (Frau Sonntag), Karl Obermayr (Herr Sonntag), Ernst Hannawald (Capo), Evelyne Hohenwarter, Wilfried Klaus, Jörg Hube, Martin Ripkens, Siegfried Ahr. *P* FFAT (Norbert Kückelmann) / Project / ZDF. 104 Minuten. 1979.

Martin Sonntag lebt in einem Großstadtviertel, das im Volksmund Klein-Chicago heißt. Mit sieben ist er aktenkundig, mit neun bricht er Automaten auf, mit dreizehn wird er bei schwerem Diebstahl erwischt und kommt in ein Erziehungsheim. Aber Martin läßt sich nicht einsperren, er flieht, wird wieder eingewiesen, flieht immer wieder. Das Jugendamt wartet, bis er vierzehn und damit strafmündig ist. Während Martin verzweifelt seine Chance sucht, greift die Justiz wieder zu, er kommt in Untersuchungshaft. Dort erhängt er sich mit seinem Hosengürtel.

Norbert Kückelmanns dritter Spielfilm basiert auf einem tatsächlichen Vorfall aus dem Jahre 1972. »Selbst wenn Martin Sonntag noch lebte, würde kein Gericht der Welt eine Anklage aufnehmen, in der ein Mensch die Gesellschaft wegen mangelnder Fürsorge verklagen will. Kein Richter und kein Anwalt würde diesen Prozeß führen oder führen können«, sagt Rechtsanwalt Kückelmann, und deshalb mache er Filme. Ebenso wie Uwe Frießners *Das Ende des Regenbogens*, der etwa zur gleichen Zeit in die Kinos kam, ist *Die letzten Jahre der Kindheit* eine notwendige und überzeugende Parteinahme für kriminelle Jugendliche, deren Ratlosigkeit und Ausweglosigkeit kein anderes Medium so deutlich und nachvollziehbar machen kann wie der Film.

Die letzten Tage von Gomorrha. *R* und *B* Helma Sanders. *K* (Farbe) Dietrich Lohmann. *M* »The Can«. *A* Hans Gailling. *D* Mascha Rabben (Mary), Matthias Fuchs (Kalle), Ernst Jacobi (Plutonius), Consuela Neal (Lilith), Alfred Edel, Dieter Borsche, Ellen Umlauf, Magdalena Montezuma, Rainer Langhans. *P* Bavaria / WDR. 102 Minuten. 1974.

In einer Welt in der Zukunft gibt es nur noch einen einzigen, riesigen Warenhauskonzern, die »Gomorrha Inc.«. Man hat einen Apparat entwickelt, der der große Verkaufsschlager geworden ist und der sämtliche Bedürfnisse seiner Benutzer — körperliche und psychische, emotionale und sinnliche — auf unwiderstehliche Weise bedient und befriedigt. Auch Marys Freund Kalle hat sich so einen Apparat bestellt und gibt sich hemmungslos dem Konsum von dessen Reizen hin. Mary nimmt den Kampf gegen die »Gomorrha Inc.« auf.

»*Die letzten Tage von Gomorrha* ist eine zu schwierige Science-fiction-Geschichte, als daß man sie mit den hier zur Verfügung stehenden Mitteln hätte adäquat verfilmen können« *(Buchers Enzyklopädie des Films)*.

Der letzte Schrei. *R* Robert Van Ackeren. *B* Robert Van Ackeren, Joy Markert, Iris Wagner. *K* (Farbe) Dietrich Lohmann. *M* C. A. M. *A* Dieter Bartels. *S* Clarissa Ambach. *D* Delphine Seyrig (Simone), Barry Foster (Edward), Peter Hall (Leo), Kirstie Pooley (Jella), Ellen Umlauf, Udo Kier, Henning Schlüter, Jean-Pierre Bonnin, Rolf Zacher, Jean-Pierre Zola, Dietrich Kerky, Charlotte Schellenberg. *P* Inter West (Wenzel Lüdeke) / Robert Van Ackeren. 96 Minuten. 1975.

Leo ist Fabrikant von Strumpf- und Miederwaren. Seine Gattin Simone, eine herzkranke Schönheit, ist für seine Firma das ideale, buchstäbliche Aushängeschild. Anwalt Edward wird angeheuert, um das kriselnde Unternehmen zu sanieren. Edward aber will Leos Firma geschäftlichen Hintermännern in die Arme treiben und unterhält schon bald erotische Beziehungen zu Simone, und zu Jella, der Tochter des Hauses. Es gelingt ihm zwar, sich der lästig gewordenen Simone zu entledigen, indem er sie zu Tode liebt, doch ansonsten ist er am Schluß der Dumme: Jella denkt nicht daran, ihn zu heiraten, und Leo vermacht das Werk den Werktätigen.

»Man kommt aus dem Kino und hat den Kopf voll von einer Sturzflut sehr befremdlicher Bilder, mit den Rudimenten einer bizarren Geschichte,, der vagen Ahnung von einem kruden tieferen Sinn. Komödie, Thriller, Satire, Lehrstück, Melodram, Nummern-Revue, Moritat, Kabarett: Robert Van Ackerens Film *Der letzte Schrei*, das muß man ihm lassen, ist nicht klassifizierbar und kaum zu be-

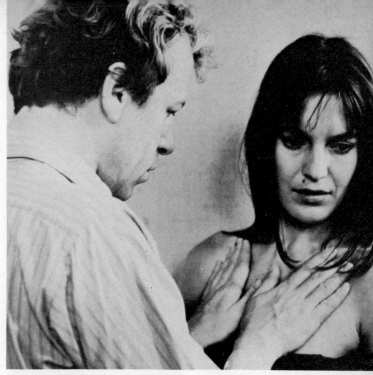

Letzte Liebe: Rüdiger Vogler, Angela Winkler

Lausbubengeschichten: Helmut Käutner, Elisabeth Flickenschildt

Lena Rais: Tilo Prückner, Krista Stadler

Die letzten Jahre der Kindheit: Gerhard Gundel

schreiben, eine seltsame Irritation, ein Unikum« (Wolf Donner, *Die Zeit*).

Lightning over Water (Nick's Film). *R* Nicholas Ray und Wim Wenders. *Konzept* Wim Wenders. *K* (Farbe) Ed Lachman, Martin Schäfer. *M* Ronee Blakley. *T* Martin Müller. *S* Peter Przygodda, Wim Wenders. *D* Nicholas Ray, Wim Wenders, Susan Ray, Tom Farrell, Ronee Blakley. *P* Road Movies (Renée Gundelach) / Wim Wenders / Viking. 90 Minuten. 1980.
Obwohl der Film beschreibt, wie Wim Wenders zu der Zeit, als er in den USA das Drehbuch zu *Hammett* vorbereitete (und bei dieser seiner ersten Arbeit im Hollywood-System nur stokkend vorankommt), Kontakt zu der »living legend« Nicholas Ray aufnimmt, den er bereits für seinen *Amerikanischen Freund* verpflichtet hatte, und ihm mit der unverhohlenen Neugier und Liebe eines Zauberlehrlings beim Sterben zusieht, handelt es sich bei *Lightning over Water* nicht oder nur bedingt um einen Dokumentarfilm: Alle Szenen zwischen Wenders und Ray, zwischen Wenders und Mrs. Ray, zwischen Ray und seiner Tochter etc. wurden einstudiert, inszeniert, vor der Kamera gespielt. Dabei entstand eine Studie über Nick Ray an der Schwelle des Todes, die so eindringlich ist wie kaum ein anderer der wenigen Filme über das Sterben, und gleichzeitig ein Selbstporträt des suchenden, sehnsüchtigen, unsicheren Europäers Wenders. Bei der Welturaufführung des Films am 13. Mai 1980 in Cannes war *Lightning over Water* in einer von Peter Przygodda selbständig geschnittenen, 116 Minuten langen Fassung zu sehen gewesen. Die endgültige, von Wenders neu geschnittene und gekürzte Version stellte der Regisseur auf den Hofer Filmtagen 1980 vor. Wenders hat auch einen Kommentar hinzugefügt, um den Zugang zum Film wesentlich erleichtert, ohne daß er irgendetwas von seiner faszinierenden Intimität und Ehrlichkeit verlieren würde. Gleichzeitig inszenierte Dokumentation und dokumentierte Inszenierung, wird dieser Film über die Freundschaft zwischen dem sterbenden Hollywood-Veteranen Nicholas Ray und dem jungen Hollywood-Neuling Wenders einen ganz besonderen Platz in der Filmgeschichte einnehmen.

Die linkshändige Frau. *R* und *B* Peter Handke. *K* (Farbe) Robby Müller. *T* Ulrich Winkler. *S* Peter Przygodda. *D* Edith Clever (die Frau), Bruno Ganz (Bruno), Markus Mühleisen (Stefan), Bernhard Minetti (der Vater), Bernhard Wicki (der Verleger), Angela Winkler (Franziska), Rüdiger Vogler (der Schauspieler), Michel Lonsdale, Gérard Depardieu, Hanns Zischler. *P* Road Movies (Renée Gundelach) / Wim Wenders. 119 Minuten. 1978.
»Peter Handkes erster Spielfilm *Die linkshändige Frau*, in dem man die Präzision seiner Stücke und Romane wiederfindet, erweist sich als die komplexe Studie einer Frau und ihrer Einsamkeit. Die Geschichte ist einfach: Der Mann kommt von einer Ge-

schäftsreise nach Hause, und seine Frau bittet ihn unvermittelt und ohne Grund, sie zu verlassen, was für sie, den Ehemann und ihren Sohn den Beginn einer Isolierung bedeutet. Der Film besitzt keine Handlung im Sinne eines dramatischen Konfliktes, sondern besteht aus einer Reihe von alltäglichen Ereignissen im Leben einer Frau und ihrem Kind zuhause, wodurch ein Gefühl von Zeitlosigkeit und Schlichtheit entsteht, das an die großen japanischen Regisseure erinnert. Die außergewöhnliche Schönheit der Aufnahmen, zum Teil den Bildern des amerikanischen Malers Andrew Wyeth nachempfunden, zeugt erneut von der Brillanz des Kameramannes Robby Müller, bekannt vor allem durch seine Arbeit für Wim Wenders« (Lynda Myles, *The Scotman*).

Lohn und Liebe. *R* und *B* Marianne Lüdcke und Ingo Kratisch. *K* (Farbe) Marianne Lüdcke, Ingo Kratisch. *M* Peter Fischer. *D* Erika Skrotzki (Roswita), Evelyn Meyka (Bärbel), Nicolas Brieger (Gerhard Markgraf), Hans Peter Hallwachs (Bernd), Gisela Matishent, Elfriede Irrall, Dagmar Biener, Horst Pinnow, Edeltraut Elsner. *P* Filmverlag der Autoren /WDR. 98 Minuten. 1974.
Roswita ist Fließbandarbeiterin. Sie verliebt sich in Gerhard Markgraf, einen leitenden Angestellten, und träumt davon, ihn zu heiraten. Markgraf schläft mit Roswita; für ihn ist das nichts besonderes. Als die Betriebsleitung die Löhne der Frauenabteilung kürzen will, setzen die Arbeiterinnen die Beibehaltung der alten Lohngruppe durch. Im Kampf um die Rechte der Frauen gewinnt Roswita Selbstsicherheit. Während die Betriebsleitung schon nach Wegen sucht, die Zusagen rückgängig zu machen, feiern die Frauen ihren Sieg, den sie nicht zuletzt der Energie der Betriebsrätin Bärbel zu verdanken haben.
Zweiter Film von Marianne Lüdcke und Ingo Kratisch. »Der Zuschauer kann sich mit beiden Figuren identifizieren, einmal mit Roswita, deren Perspektive traditionellen Wunschvorstellungen entspricht, und auf der anderen Seite mit Bärbel, die versucht, aktiv gesellschaftlich verändernd in ihrem Lebensbereich zu handeln. Durch diese Form der Parallelhandlung konnten wir das Thema differenzierter und erfahrbarer für den Zuschauer darstellen als auf der einen Erlebnisebene in den *Wollands*. Durch die ständige Konfrontation beider muß der Zuschauer seine Entscheidung für die eine oder andere Person überprüfen und in Frage stellen« (Marianne Lüdcke und Ingo Kratisch, in: *Fernsehspiele Westdeutscher Rundfunk, Januar bis Juni 1974*).

Der Lord von Barmbeck. *R* Ottokar Runze. *B* Inken Sommer, Ottokar Runze, nach Gerichtsakten, Polizeiprotokollen und den Lebenserinnerungen des Einbrechers Julius Adolf Petersen, als Buch herausgegeben von Helmut Ebeling. *K* (Farbe) Horst Schier, Michael Epp. *M* Hans Martin Majewski. *A* Maleen Pacha, Günter

von Wyhl. *T* Manfred Maenicke, Dieter Sander. *S* Stefanie Möbius, Marlies Dux. *D* Martin Lüttge (Julius Adolf Petersen), Judy Winter (Helmi), Inken Sommer (Komtesse Elli), Simone Rethel (Liesbeth), Peter Schütte, Heinz Reincke, Käthe Haack, Gerd Haucke, Benno Hoffmann, Lutz Mackensy. *P* Ottokar Runze. 107 Minuten. 1974.
Die Spielfilmprämie, die Ottokar Runze für sein Erstlingswerk *Viola und Sebastian* erhielt, der sich als eklatanter Flop erwies, bildete die finanzielle Grundlage für die Realisation seines zweiten Films, der ihm zwei Bundesfilmpreise (Produktion und Musik) sowie die Anerkennung der Kritik einbrachte. Wolf Donner in *Die Zeit*: »Julius Adolf Petersen war ein legendärer Einbrecher in Hamburg der zwanziger Jahre; seine Gefängnis-Aufzeichnungen, erst vor kurzem wiedergefunden, sind bei Rowohlt erschienen. Runzes Film ist eine komisch-ironisch-nostalgische Räuber-Moritat, und Martin Lüttge, bewundernswert wandlungsfähig, ist nacheinander geprellter Bauerntölpel, schmieriger kleiner Gauner und charmant-galanter Ganove im Frack. Seine Betrachtungen und Beteuerungen, direkt in die Kamera gesprochen: zerknirscht moralisierend und erbaulich philosophierend, sind eine herrliche Mischung aus schnörkeliger Amtssprache und unverblümten Jargon. Und die Dekors sind exakt und stimmungsvoll und gar nicht synthetisch: ein gelungener Clou aus der deutschen Provinz.«

Lümmel-Filme: *Die Lümmel von der ersten Bank – Zur Hölle mit den Paukern* (R Werner Jacobs, mit Hansi Kraus, Theo Lingen, Gila von Weitershausen, April 1968). *Pepe, der Paukerschreck* (R Harald Reinl, mit Hansi Kraus, Uschi Glas, Gustav Knuth, August 1968). *Immer Ärger mit den Paukern* (R Harald Vock, mit Roy Black, Uschi Glas, Georg Thomalla, Oktober 1968). *Zum Teufel mit der Penne* (R Werner Jacobs, mit Peter Alexander, Hansi Kraus, Hannelore Elsner, Dezember 1968). *Klassenkeile* (R F. J. Gottlieb, mit Uschi Glas, Walter Giller, Anita Kupsch, März 1969). *Hurra, die Schule brennt!* (R Werner Jacobs, mit Peter Alexander, Heintje, Hansi Kraus, Dezember 1969). *Wir hau'n die Pauker in die Pfanne* (R Harald Reinl, mit Uschi Glas, Hansi Kraus, Fritz Wepper, Juli 1970). *Unsere Pauker gehen in die Luft* (R Harald Vock, mit Wencke Myhre, Georg Thomalla, Peter Weck, September 1970). *Zwanzig Mädchen und ein Pauker: Heute steht die Penne Kopf* (R Werner Jacobs, mit Mascha Gonska, Heidi Kabel, Rudolf Schündler, Februar 1971). *Musik, Musik – da wakkelt die Penne* (R Franz Antel, mit Hansi Kraus, Chris Roberts, Mascha Gonska, Oktober 1970). *Morgen fällt die Schule aus* (R Werner Jacobs, mit Hansi Kraus, Heintje, Fritz Tillmann, Mai 1971). *Betragen ungenügend!* (R F. J. Gottlieb, mit Hansi Kraus, Renate Roland, Theo Lingen, Juli 1972).

Strategisch brillantes Rückzugsmanöver des Altfilms, organisatorisch und ideologisch geleitet von Franz Seitz, der die meisten dieser Filme produziert und geschrieben hat: Die Stars von abgetakelten Erfolgsserien wie den Schlager- und Lausbubenfilmen vereint mit Komiker-Veteranen und Uschi Glas von frischem Schätzchen-Ruhm im ewig wirksamen Schul-Klamauk-Milieu nach Drehbüchern, die den revolutionären Geist von 1968 auffangen, domestizieren und zur Genugtuung der Kleinbürger diffamieren – aus der Parole »Ho-Ho-Ho-Tschi-Minh« wird in *Zum Teufel mit der Penne* »Ho-Ho-Hosen runter!« Franz Seitz: »Ich finde, wenn deutsche Studenten ›Ho-Tschi-Minh‹ rufen, dann stellt das lediglich einen Schauwert dar. Das hat doch mit der Person Ho-Tschi-Minhs nur wenig zu tun. Das ist einfach Schaumschlägerei. Man kann nicht ›Ho-Tschi-Minh!‹ rufen« (In einem Interview mit Mischa Gallé, *Film*, 1969).

Lulu. *R* Rolf Thiele. *B* Rolf Thiele, nach den Bühnenstücken *Erdgeist* und *Die Büchse der Pandora* von Frank Wedekind. *K* Michel Kelber. *M* Carl de Groof. *A* Fritz Mögle, Heinz Ockermüller. *S* Eleonore Kunze. *D* Nadja Tiller (Lulu), O. E. Hasse, Hildegard Knef, Mario Adorf, Charles Regnier, Rudolf Forster, Sieghardt Rupp, Leon Askin. *P* Vienna, Wien (Otto Dürer). 100 Minuten. 1962.

Lulu. *R* Walerian Borowczyk. *B* Walerian Borowczyk, nach den Bühnenstücken *Erdgeist* und *Die Büchse der Pandora* von Frank Wedekind. *K* (Farbe) Michael Steinke. *M* Giancarlo Chiaramello. *D* Anne Bennent (Lulu), Michele Placido, Udo Kier, Jean-Jacques Delbo, Bruno Hübner, Heinz Bennent, Hans Jürgen Schatz, Beate Kopp. *P* TV 13, München/Elephant, Paris/Capital, Rom. 86 Minuten. 1980.
Lulu ruiniert mehrere Männer und wird von Jack the Ripper ermordet.
Frühere Verfilmungen *Lulu, die Löwentänzerin oder die Dame mit der Maske*, 1914; *Lulu*, 1917; *Erdgeist*, 1932; *Die Büchse der Pandora*, R G. W. Pabst, mit Louise Brooks, 1930. Das Thema wird ausführlich behandelt im Band *Klassiker des deutschen Stummfilms*.

Mabuse-Filme: *Die 1000 Augen des Dr. Mabuse* (R Fritz Lang, mit Peter van Eyck, Wolfgang Preiss, Dawn Adams, 1960). *Im Stahlnetz des Dr. Mabuse* (R Harald Reinl, mit Gert Fröbe, Lex Barker, Daliah Lavi, 1961). *Die unsichtbaren Krallen des Dr. Mabuse* (R Harald Reinl, mit Lex Barker, Karin Dor, Siegfried Lowitz, 1962). *Das Testament des Dr. Mabuse* (R Werner Klingler, mit Gert Fröbe, Senta Berger, Walter Rilla, 1962). *Scotland Yard jagt Dr. Mabuse* (R Paul May, mit Peter van Eyck, Dieter Borsche, Sabine Bethmann, 1963). *Die Todesstrahlen des Dr. Mabuse* (R Hugo Fregonese, mit Peter van Eyck, O. E. Hasse, Yvonne Furneaux, 1964).

Ausverkauf der Tradition; der deutsche Film bringt sein Erbgut unter den Hammer. Die Mabuse-Filme werden ausführlich behandelt im Band *Klassiker des deutschen Stummfilms.*

Made in Germany und USA. *R* und *B* Rudolf Thome. *K* Martin Schäfer, Michael Ballhaus. *M* Christoph Buchwald. *D* Karin Thome, Eberhard Klasse, Alf Bold, Michael L. von Butler, Victoria Evans. *P* Rudolf Thome. 145 Minuten. 1975.
Junge Ehefrau fängt ein Verhältnis mit einem anderen Mann an. Der betrogene Ehemann geht nach Amerika. Die Frau reist ihm nach. Sie versuchen, miteinander zurechtzukommen.
Die Hauptrollen spielen Karin Thome, selbst Regisseurin einiger Filme und damals mit Rudolf Thome verheiratet, und ein Freund der Thomes, Eberhard Klasse. »Beide identifizierten sich so sehr mit ihrer Rolle, daß sie während des Drehens ineinander verliebten. Das machte das Drehen schwierig. Ein paar mal war ich nahe daran, sie oder ihn umzubringen. Den Film machte es intensiv und realistisch« (Rudolf Thome, *Überleben in den Niederlagen,* in: *Filme,* 1980).

Der Mädchenkrieg. *R* Alf Brustellin und Bernhard Sinkel. *B* Alf Brustellin, Bernhard Sinkel, nach dem Roman von Manfred Bieler. *K* (Farbe) Dietrich Lohmann. *M* Nicos Mamangakis, Lieder gesungen von Lena Valaitis. *A* Hans Gailling, Karl Vacek. *T* Miloslav Hurka. *S* Dagmar Hirtz. *D* Adelheid Arndt (Sophie), Katherine Hunter (Katharina), Antonia Reininghaus (Christine), Matthias Habich (Jan Amery), Hans Christian Blech (Sellmann), Dominik Graf, Christian Berkel, Eva Maria Meineke, Valter Taub, Svatopluk Benesch, Jan Triska, Jana Medricka, Vaclav Postranecky, Karl Hermanek. *P* Independent (Heinz Angermeyer)/ABS (Alf Brustellin/Bernhard Sinkel)/Maran/Terra. 143 Minuten. 1977.
Im Jahre 1936 zieht die Dessauer Familie Sellmann nach Prag. Dr. Sellmann wird dort Direktor der Böhmischen Landesbank. In Prag beginnt für alle, besonders aber für die in Wesen und Charakter unterschiedlichen Töchter, ein anderes, neues Leben. Die drei Mädchen versuchen, ihr privates Glück zu verwirklichen, doch die Umstände der Zeit, die Begebenheiten der Geschichte – der Film verfolgt das Schicksal der Sellmanns über zehn Jahre hinweg – hindern sie daran. Christine, die Älteste, hat früh aufgehört, Kind zu sein, da sie nach dem Tod der Mutter deren Stelle einnehmen mußte. Äußerlich eine perfekte Dame, ist sie kalt und narzißtisch und steht sich mit all ihren Eigenschaften selbst im Wege. Nach einer gescheiterten Ehe mit einem Glasfabrikanten bleibt ihr nur noch der Ehrgeiz, eine erfolgreiche Geschäftsfrau zu sein. Sophie, die Zweitälteste, sehnt sich nach einem einzigartigen Schicksal. Ihrer unglücklichen Liebe zu ihrem Schwager versucht sie durch den Eintritt in ein Kloster zu entfliehen. Als sie die Vergeblichkeit dieses Versuches begreift, ist

es auch für die Liebe, die sie einem jungen Musiker entgegenbringt, zu spät. Katharina, die jüngste der drei Schwestern, ist ebenso temperamentvoll wie hemmungslos. Sie verliebt sich in einen jungen Kommunisten, dem sie bedingungslos in den tschechischen Untergrund folgt.
»Daß die drei Töchter des reichsdeutschen, antinazistischen, aber doch kollaborationswilligen Bankkaufmanns Sellmann (Hans Christian Blech) noch eindeutiger als die anderen Figuren eine geistige oder politische Strömung jener aufgewühlten Zeit von 1936 bis 1946 verkörpern, mag literarisch noch hingehen – obwohl eine solche reißbretthafte Figurenkonstellation eigentlich dem Gesellschaftsroman des 19. Jahrhunderts angehört. Im Film, wo nicht die sprachliche Abstraktion, sondern die optische Sinnlichkeit den Sinn machen soll, wird er gerade durch solche plane Stellvertreterschaft der Körper für den Geist durchlöchert. Zu schnell merkt man die Absicht – und ist dann eben doch verstimmt. Dieser Film ohne wesentliche ›Durchhänger‹ ist kaum zufällig auch ohne bemerkenswerte Höhepunkte« (Peter Buchka, *Süddeutsche Zeitung*).

Mädchen, Mädchen. *R* Roger Fritz. *B* Roger Fritz, Eckhart Schmidt. *K* Klaus König. *M* »The Safebreakers«, Fatty George, nach Motiven von Wilson Pickett und David Llywellyn. *S* Heidi Genée. *D* Helga Anders (Angela), Jürgen Jung (Junior), Hellmut Lange (Senior), Renate Grosser (Anna), Monika Zinnenberg (Monika), Klaus Löwitsch, Christian Doermer, Ernst Ronnecker, Werner Schwier. *P* Roger Fritz. 104 Minuten. 1966.
Angela hat ein Verhältnis mit »Senior«, dem Chef eines Zementwerks gehabt; das hat sie in die Erziehungsanstalt und ihn ins Gefängnis gebracht. Als sie entlassen wird, geht sie zurück zu dem Werk und erlebt die Liebe mit »Junior«, dem Sohn des Chefs. Auch dieser kommt wieder frei und kehrt heim; er will das Verhältnis mit Angela fortsetzen, aber sie entscheidet sich weder für ihn noch für den Junior, sondern geht fort und überläßt die beiden der Haushälterin Anna, welche weiß, was die beiden brauchen.
Der Debütfilm des 30jährigen Fotografen und gelegentlichen Visconti-Assistenten Roger Fritz. »Der Film beginnt vielversprechend mit einer scharf beobachteten visuellen Metapher für die verlorene Generation. Die organisierte Gesellschaft schließt ihre Türen hinter dem Mädchen, als es die Erziehungsanstalt verläßt und sich auf den Weg nach Hause macht. Ähnlich wie Anita G. in Kluges Film *Abschied von gestern* scheint es an einem Kreuzweg zu sein, und das Gefühl der Isolation in diesen frühen Szenen wird wirkungsvoll unterstrichen durch die Ausblicke auf die neue industrielle Wildnis aus den Fenstern der Lorry, die Angela zurück zur Zementfabrik und den Steinbrüchen bringt, die wie eine große, häßliche Narbe in die Landschaft einschneiden. Leider wird diese visuelle Einfallskraft nicht

Der Mädchenkrieg: Antonia Reininghaus, Adelheid Arndt, Katherine Hunter

Die linkshändige Frau: Edith Clever

Lulu: Nadja Tiller

Lightning Over Water: Martin Schäfer, Ed Lachmann, Wim Wenders

Mädchen, Mädchen: Jürgen Jung, Helga Anders

durchgehalten, dafür wird der Film mit einer Masse von Klischees über die Frust der Heranwachsenden beladen« (*Monthly Film Bulletin*, 1968). Immerhin steht Roger Fritz seiner Sache so gelassen gegenüber, daß die Geschichte nie in dem Mief endet, der hier im Altfilm fällig gewesen wäre, noch in der Larmoyanz, in der sie bei prätentiöseren Jungfilmern wegzuschwimmen pflegte.

Das Mädchen mit den schmalen Hüften. *R* Johannes Kai. *B* Gerd Christoph, Johannes Kai. *K* Georg Krause. *M* Karl Bette. *T* Günther Bloch. *S* Friedl Buckow-Schier. *D* Barbara Valentin (Marina), Hannelore Elsner (Yusha), Claus Wilcke (Robert), Dimitrij Bitenc, Dorothee Glöcklen, Katharina Williams. *P* Rapid (Wolf C. Hartwig). 87 Minuten. 1960.
Industriellensohn Robert lernt auf einer Mittelmeerinsel die schmalhüftige Yusha kennen und nimmt sie mit auf die väterliche Jacht, wo sich alles um die breithüftige Marina dreht.
Gala-Programm für Barbara Valentin- und Hannelore Elsner-Fanclubs.

Mädchen mit Gewalt. *R* Roger Fritz. *B* Jürgen Knop, nach einer Idee von Friedel Schnitzler. *K* (Farbe) Egon Mann. *M* Irmin Schmidt/»The Can«. *A* Barbara Grupp. *T* Rainer Lorenz. *S* Jutta Brandstaetter. *D* Helga Anders (Alice), Klaus Löwitsch (Werner), Arthur Brauss (Mike), Monika Zinnenberg, Astrid Boner, Elga Sorbas, Rolf Zacher, Renate Grosser. *P* Roger Fritz/Smart (Arthur Cohn). 98 Minuten. 1970.
Werner und Mike reißen Alice auf und schleppen sie mit in eine Kiesgrube, wo sie weder mit dem Mädchen noch miteinander zurechtkommen.
Nach *Mädchen, Mädchen* (1966), *Erotik auf der Schulbank* (Episode, 1968) und *Häschen in der Grube* (1968) die vierte und letzte Filmregie von Roger Fritz.

Männer sind zum Lieben da. *R* und *B* Eckhart Schmidt. *K* Uwe-Peter Wilm. *M* Jack Grunsky, Wolfgang Amadeus Mozart. *A* Eckhart Schmidt. *S* Eckhart Schmidt. *D* Isi Ter Jung (das Mädchen Atlantis), Horst Letten (Raoul), Marianne Sock (Ferrara), Barbara Capell (Karon), Les Oelvedi (Georg), Friedrich Graumann (Bürgermeister), Arthur Brauss (Priester), Klaus Dierig, Lita Kaehler, Inga Seyrig, Regine Jorn, Diana Nisbeth. *P* Eckhart Schmidt. 86 Minuten. 1970.
Im Wald träumt einem Mann die Geschichte von Atlantis, dem Mädchen von einem versunkenen Kontinent ohne Männer, das mit seinen Freundinnen auf die Erde kommt, um Männer zu kapern, sie auf Daumengröße zu verkleinern und in ihre Heimat zu schaffen, wo sie, wieder auf Normalgröße gebracht, als Sexsklaven dienen sollen.
Eckhart Schmidt: »Eine Reflexion über Liebe und Sex in unserer Zeit im Gewand eines Science-Fiction-Märchens« *(Fernsehen + Film)*.

Malatesta. *R* Peter Lilienthal. *B* Peter Lilienthal, Heathcote Williams, Michael Koser. *K* (Farbe mit Schwarzweiß-Teilen) Willy Pankau. *M* George Gruntz. *A* Roger von Möllendorf. *T* Hartmut Kunz. *S* Annemarie Weigand. *D* Eddie Constantine (Malatesta), Christine Noonan (Nina Vassileva), Vladimir Pucholt (Gardstein), Diana Senior, Heathcote Williams, Siegfried Graue, Sheila Gill, Peter Hirche, Wallace Eaton. *P* Manfred Durniok/SFB. 80 Minuten. 1970.
London 1910. Der Italiener Enrico Malatesta ist der führende Kopf einer Anarchistengruppe, die sich aus Emigranten, hauptsächlich Letten, zusammensetzt. Durch Agitation und ohne Gewaltanwendung kämpft er für Gerechtigkeit am Arbeitsplatz und die Gleichberechtigung der Frau. Sein Gegenspieler unter den Anarchisten, der junge Gardstein, ist für radikalere Mittel beim Kampf gegen den Kapitalismus. Er ist der Anführer bei einem Einbruch in ein Juweliergeschäft, der mit einem Fiasko endet und zur totalen Mobilmachung von Polizei und Armee gegen Malatestas Gruppe führt: Sie wird in der Sydney Street belagert und schließlich völlig aufgerieben. Malatesta kann entkommen. Er wird in einem anderen Land seinen Kampf fortsetzen.
Erster Kinofilm Peter Lilienthals nach zehnjähriger Fernsehtätigkeit; allerdings erlebte auch *Malatesta* seine Erstaufführung im Fernsehen. »Ein sympathischer Film, nicht so aufdringlich geschmäckelig wie die letzten Sachen von Lilienthal, ruhiger, nicht an den Kameraeffekten interessiert, sondern an den Personen, Anarchisten in London 1910, die von der Zukunft träumen. Eine Frage: Warum hat Lilienthal, der so liebevoll inszeniert hat, so unpräzise und dünn synchronisiert? Eine Feststellung: Technik kann nicht nur vertuschen helfen, sie kann auch bloßlegen. Der Film wurde auf Ampex überspielt, ein Ampexschnitt ist, im Gegensatz zum Filmschnitt, eine komplizierte Sache. So sieht man genau, wo SFB-Intendant Barsig sich entrüstet hat, das Bild kippt einmal durch« (Wilhelm Roth, *Filmkritik*). Gleich fünf Bundesfilmpreise gab es 1970 für dieses Debüt: beste Produktion, beste Regie, beste männliche Nebenrolle (Vladimir Pucholt), beste Kamera, beste Ausstattung.

Der Mann im Schilf. *R* Manfred Purzer. *B* Manfred Purzer, nach dem Roman von George Saiko. *K* (Farbe) Charly Steinberger. *M* Erich Ferstl. *A* Peter Rothe. *T* Peter Beil. *S* Bettina Lewertoff. *D* Jean Sorel (Robert), Erika Pluhar (Hannah), Nathalie Delon (Lorraine), Bernhard Wicki (Sir Gerald), Heinrich Schweiger, Kurt Weinzierl, Karl Renar, Heinz Bennent, Tilo Prückner, Rudolf Schündler, Erik Frey, Elisabeth Stepanek. *P* Roxy (Luggi Waldleitner)/BR. 114 Minuten. 1978.
Österreich 1934. Der Archäologe Robert kehrt nach dreijährigem Aufenthalt auf Kreta in seine Heimat zurück, um wegen der Frau seines Arbeitgebers die Trennung von seiner Verlob-

ten Hannah zu vollziehen. In einem kleinen Dorf auf dem Lande geraten er und Hannah unversehens zwischen die Fronten von Heimwehrtrupps und Putschisten. Um einen taubstummen Sündenbock vor der Schlinge der Heimwehr zu bewahren, erfindet Robert einen ominösen Mann im Schilf. Am Ende wird auch Hannah ein Opfer der Unruhen.
Dritter Film von Manfred Purzer, der auch Saikos Roman nach seinem Simmel-Rezept bearbeitet hat: eine Handvoll Menschen in schicksalhafter Verstrickung, ein bißchen zeitgeschichtlicher Hintergrund und – als überflüssiger formaler Kniff – ein paar kurze Rückblenden nach Kreta.

Die Marquise von O . . . *R* Eric Rohmer. *B* Eric Rohmer, Peter Iden, nach der Novelle von Heinrich von Kleist. *K* (Farbe) Nestor Almendros. *A* Rolf Kaden. *T* Jean-Pierre Ruh. *S* Cécile Decugis *D* Edith Clever (Marquise von O.), Bruno Ganz (Graf), Peter Lühr (Obrist), Edda Seippel (Obristin), Otto Sander, Bernhard Frey, Ruth Drexel, Eduard Linkers. *P* Janus (Klaus Hellwig)/Films du Losange, Paris/HR. 102 Minuten. 1976.
1799. Die Marquise von O., Tochter eines Obristen, wird in bewußtlosem Zustand von einem russischen Grafen geschwängert. Als sie den Vater ihres Kindes nicht nennen kann, muß sie das Haus ihrer Eltern verlassen. Erst jetzt erkennt sie in dem Grafen, der schon zuvor um ihre Hand angehalten hatte, den Übeltäter.
Nach seinen sechs »moralischen Geschichten« stellte sich der französische Nouvelle-Vague-Regisseur Eric Rohmer die schwierige Aufgabe, einen Zyklus von Klassiker-Verfilmungen in Angriff zu nehmen. *Die Marquise von O . . .*, der erste Film dieses Projekts, entstand 1975 mit deutschen Schauspielern auf Schloß Obernzenn bei Ansbach (Oberfranken). »Die Zusammenarbeit mit den Schauspielern war für mich nicht schwierig. Ich habe selten mit Schauspielern gearbeitet, die in erster Linie Theaterschauspieler waren. In allen anderen meiner Filme waren die Schauspieler Filmschauspieler. Und die Arbeit im Theater war bei ihnen nicht so wichtig wie im Film. Aber diese Schauspieler, die Schauspieler der Schaubühne, waren vor allem Theaterschauspieler. Das hat mich nicht gestört, und die Schauspieler haben sich ganz leicht angepaßt. Hier gibt es keine kurzen Abschnitte. Die Einstellungen sind ziemlich lang. Es gibt eben sehr lange Einstellungen, z.B. zwischen der Mutter und der Marquise. Wir haben diese Szenen gespielt wie im Theater« (Eric Rohmer in einem Interview mit Werner Berthel). Edith Clever, Bruno Ganz sowie das Ausstattungsteam des Films wurden mit Bundesfilmpreisen ausgezeichnet, und der Film bekam 1976 in Cannes den Sonderpreis der Jury.

Mathias Kneißl. *R* Reinhard Hauff. *B* Martin Sperr, Reinhard Hauff. *K* (Farbe) W. P. Hassenstein. *M* Peer Raben. *A* Max Ott jr. *T* Adolf Kreda-

tus. *S* Jean-Claude Piroué. *D* Hans Brenner (Mathias Kneißl), Frank Frey (Alois Kneißl), Eva Mattes (Katharina Kneißl), Alfons Scharf (Vater Kneißl), Ruth Drexel (Res, Mutter Kneißl), Peter Müller, Andrea Stary, Hanna Schygulla, Franziska Stömmer, Kelle Riedl, Karl Obermayr, Volker Schlöndorff, Kurt Raab, Mathias Hell, Irm Hermann, Gustl Bayrhammer, Franz Peter Wirth, Dora Altmann, Rainer Werner Fassbinder, Ursula Strätz, Annemarie Wendl, Martin Sperr, Werner Kließ. *P* Bavaria (Philippe Pilliod)/WDR. 94 Minuten. 1971.
Der Film zeigt Stationen aus dem Leben des letzten »großen Räubers« im Königreich Bayern um die Jahrhundertwende. Der Vater stirbt an den Folgen von Mißhandlungen durch die Polizei. Armut, eine zu Unrecht erlittene Haft und anschließende Arbeitslosigkeit lassen den zweiundzwanzigjährigen Mathias zum Räuber werden. Er ist der Schrecken der Gutsherren und Großbauern, der Held der Armen und der Knechte. Erst in einer generalstabsmäßigen Aktion gelingt es der bayerischen Polizei, ihn zu fassen. Am 21. Februar 1902 wird er in Augsburg hingerichtet.
Wenngleich im Fernsehen uraufgeführt, war dies der erste Kinofilm von Reinhard Hauff, der in den sechziger Jahren rund zwanzig TV-Unterhaltungssendungen inszeniert hatte und 1969 mit dem Fernsehfilm *Die Revolte* (mit Hans Brenner und Hanna Schygulla) auf sich aufmerksam machte. Autor Martin Sperr, der in *Jagdszenen aus Niederbayern* eigene Erfahrungen verarbeitet hatte, griff hier – ähnlich wie Volker Schlöndorff in *Der plötzliche Reichtum der armen Leute von Kombach* – auf historisches Material zurück und half damit, das kurzlebige Genre des neuen deutschen Heimatfilms zu kreieren. Auf den Hofer Filmtagen 1980 wurde *Das stolze und traurige Leben des Mathias Kneißl* uraufgeführt, den der damals neunzehnjährige Oliver Herbrich gedreht hatte, ohne Hauffs Film je gesehen zu haben.

Meine Sorgen möcht' ich haben. *R* und *B* Wolf Gremm. *K* (Farbe) Jürgen Wagner. *M* Roderick Melvin, Franz Hummel, Robert Schumann. *D* Angelika Milster, Y Sa Lo, Franz Hummel, Otto Sander, Roderick Melvin, Evelyn Künneke, Gisela Dreyer, Muriel Altinok. *P* Regina Ziegler. 87 Minuten. 1975.
Zweites Kind aus der Verbindung Wolf Gremm/Regina Ziegler. »Mit tückischer Clownerie inszenierte Gremm eine opulente Nonsens-Revue, ganz ohne tiefere Bedeutung. Da findet, von einem hervorragenden Ensemble lustvoll zelebriert, eine musikalische Nostalgie-Schau statt, die auch vor grellen Geschmacklosigkeiten nicht zurückschreckt: ein Cabaret schräger Schmachtfetzen. Gremms exquisite Farbregie erinnert mitunter an Hollywoods Color-Orgien der fünfziger Jahre. *Meine Sorgen möcht' ich haben* ist ein Film wie eine verführerisch dekorierte Sahnetorte: Wer nicht

aufpaßt, kann sich leicht den Magen verderben« *(Die Zeit)*. Hauptdarstellerin Angelika Milster bekam 1975 den Ernst-Lubitsch-Preis.

Mein Onkel Theodor. *R* Gustav Ehmck. *B* Günter Spang, Gustav Ehmck, nach dem Buch von Günter Spang. *K* (Farbe) Hubs Hagen. *M* Eugen Thomass. *A* Gernot Köhler. *S* Wolfgang Schacht. *D* Gert Fröbe (Vater Wurster/Onkel Theodor), Barbara Rütting (Mutter Wurster), Wera Frydtberg (Tante Erika), David Bennent, Josef Moosholzer, Axel Schiessler, Werner Schwier, Rolf Patzer, Alfred Edel, Henry Gregor. *P* Gustav Ehmck/NDR/HR. 105 Minuten. 1975.

Bei den Wursters funktioniert's: Sie geht arbeiten, und Vater versorgt zu Hause die sechs Kinder. Eines Tages verfällt er in einen rätselhaften Dauerschlaf. Die Mutter schlägt Kapital aus dem Phänomen und verkauft es als Sensation ans schaulustige Volk. Derweil muß sich Herr Wursters Bruder Theodor, ein ausgesprochener Kinderfeind, an den Gedanken gewöhnen, daß seine Frau bald ein Kind bekommt. Zum Schluß gelingt es einem Masseur, den Schläfer wieder aufzuwecken, und mit der Geburt einer Tochter beginnt für Onkel Theodor die pädagogische Praxis.

Gustav Ehmcks zweiter Kinderfilm – nach dem Erfolg vom *Räuber Hotzenplotz* – präsentierte zwar Gert Fröbe in seiner ersten Doppelrolle, erwies sich aber in der vorgeblich satirischen Gegenüberstellung von Spießer und Leistungsverweigerer als nur mäßig unterhaltsam. Laut Produktionsinformationen soll Jacques Tati »einige seiner Ideen« zur Verfügung gestellt haben. Blechtrommler David Bennent ist – vier Jahre vor der Rolle seines Lebens – als eines der sechs Wurster-Kinder zu sehen.

Das Messer im Rücken. *R* und *B* Ottokar Runze. *K* (Farbe) Michael Epp. *M* Hans Martin Majewski. *A* Peter Scharff. *T* H.-J. Dietrich. *S* Tamara Epp. *D* Hans Brenner (Erich E.), Hellmut Lange (Untersuchungsrichter), Barbara Valentin (Prostituierte), Lutz Mackensy, Gert Haucke, Gottfried Kramer, Günther Lamprecht, Isolde Barth, Karl-Heinz Vosgerau, Matthias Ponnier. *P* Ottokar Runze. 96 Minuten. 1975.

Erich E., Kaufmann aus Wien, gerät auf St. Pauli in eine Auseinandersetzung, in deren Verlauf er einen Griechen mit einem Messer tödlich trifft. Für ein Schöffengericht geht es um die Frage: Mord, Körperverletzung mit Todesfolge oder Notwehr?

Ottokar Runze: »Ich gebe zu, daß *Messer im Rücken* wie *Der Lord von Barmbeck* und *Im Namen des Volkes* als ein Versuch anzusehen ist, das Thema der Schuldfrage, der Sühne und der Sündenbockfunktion zu bewältigen. Das ist sicher ein persönliches Problem.«

Michael Kohlhaas – der Rebell. *R* Volker Schlöndorff. *B* Volker Schlöndorff, Edward Bond, Clement Biddle Wood, nach der Novelle von Heinrich von Kleist. *K* (Farbe) Willy Kurant. *M* Stanley Myers. *A* Ivan Vanicek, Rudi Kovacs. *T* Günther Stadelmann. *S* Claus von Boro. *D* David Warner (Michael Kohlhaas), Anna Karina (Elisabeth), Relja Basic (Nagel), Anita Pallenberg (Katrina), Inigo Jackson (Junker von Tronka), Michael Gothard (John), Anton Diffring, Thomas Holtzmann, Kurt Meisel, Gregor von Rezzori, Peter Weiss, Hanna Axmann von Rezzori, Erich Aberle. *P* Oceanic/Rob Houwer/Columbia. 99 Minuten. 1969.

»An den Ufern der Havel lebte, um die Mitte des sechzehnten Jahrhunderts, ein Roßhändler, namens Michael Kohlhaas, Sohn eines Schulmeisters, einer der rechtschaffensten und zugleich entsetzlichsten Menschen seiner Zeit.« So beginnen Kleists Novelle und Schlöndorffs Film über Michael Kohlhaas, der wegen zweier Pferde, die ihm der Junker von Tronka als Wegegeldpfand abgenommen hat und hungern ließ, zum Rebellen wird. Denn in dem Prozeß, den er gegen den Junker führt, wird ihm sein offenkundiges Recht nicht zuerkannt. Kohlhaas' Frau Elisabeth will dem Kurfürsten in Dresden den Fall vortragen, gerät aber unter die Hufe eines Pferdes und wird getötet. Der verbitterte Kohlhaas mobilisiert die Bauern und brennt das Schloß des Junkers nieder. Er geht sogar so weit, sich mit dem Räuber Nagel zu verbinden und die Stadt Wittenberg zu belagern, in die sich Junker von Tronka gerettet hat. Als der Bürgermeister sich weigert, Tronka auszuliefern, fallen die Rebellen in die Stadt ein. Kohlhaas sieht, wie Nagels Männer rauben und morden, und erst jetzt erkennt er die Sinnlosigkeit seines gewaltsamen Vorgehens. Er ist zu Verhandlungen mit Martin Luther bereit, entläßt seine Gefolgsleute und wird offiziell begnadigt. Doch da jeder seiner Schritte bewacht wird, verlangt er, in den Kerker geworfen zu werden. Sein Protest löst einen Aufruhr aus, und der Kurfürst verurteilt ihn nunmehr zum Tode.

Michael Kohlhaas – der Rebell war der erste »internationale Großfilm« eines Regisseurs des Jungen Deutschen Films. Die amerikanische Produktions- und Verleihfirma Columbia brachte einen Großteil des enormen Budgets (ca. 3 bis 3,5 Millionen Mark) auf – und diese Tatsache bedeutete für Schlöndorff dramaturgische, künstlerische und thematische Kompromisse. Das beginnt bei der Besetzung, setzt sich fort bei der Sprache (gedreht wurde in Englisch) und endet damit, daß der fertige Film eher an schlechte Italo-Western denn an Kleist erinnert. Schlöndorff, der ganz ohne Argwohn und voll guten Willens sich den Mechanismen einer auf den Weltmarkt ausgerichteten Produktion ausgesetzt hatte, war um eine wichtige Erfahrung reicher: »Das Unternehmen ist gescheitert. Was ich hier sage, ist keine Rechtfertigung. Ich finde den Film nach wie vor sehr schön. Seit dieser Zeit bin ich aber äußerst skeptisch solchen Koproduktionen gegenüber, weil man sich mit dem Geld, das man aus

Der Mann im Schilf: Tilo Prückner, Karl Renar

Mathias Kneißl: Ruth Drexel, Hans Brenner

Mein Onkel Theodor: Gert Fröbe (mitte), David Bennent (vorn)

dem Ausland bekommt, auch gleichzeitig so viele Auflagen einhandelt, daß der angestrebte Film irgendwo unterwegs verloren geht. Ein Film sollte möglichst konkret sein. Das heißt, daß ein deutscher Film, gerade damit er international wettbewerbsfähig ist, besonders deutsch sein muß. Ich glaube nicht, daß man Filme so synthetisch herstellen kann, indem man sich von überall her die besten Elemente zusammensucht und glaubt, daß das dann was ergibt« (aus Barbara Bronnen/Corinna Brocher, *Die Filmemacher*).

Milo Milo. *R* Nicos Perakis. *B* Nicos Perakis, Matthias Seelig, Vassilis Alexakis, Christoph Doherty, Veith von Fürstenberg. *K* (Farbe) Dietrich Lohmann. *M* Nicos Mamangakis. *A* Roland Mabille. *T* Christian Moldt. *S* Susi Jäger. *D* Mario Adorf (Thanassis), Andrea Ferreol (Aphrodite), Julien Guiomar (Louis), Veruschka Lehndorff (Barbara), Andreas Katsulas, Antonio Fargas, Joe Higgins, Peter Lilienthal, Henning Schlüter. *P* Joachim von Vietinghoff/Pro-ject/Art Editions, Athen/ZDF. 103 Minuten. 1979.
Einer Theorie von Professor Schliefeld zufolge ist die Venus von Milo, die im Pariser Louvre steht, falsch. Seine Tochter Barbara fährt auf die griechische Insel Milos, um die echte Statue zu suchen. Innerhalb kürzester Zeit ist die gesamte Insel in Aufruhr, denn außer Barbara schmieden auch noch zwei Amerikaner und ein Franzose finstere Pläne, bei denen es allerdings nicht um Kunst, sondern um Uran geht. Zum Schluß bleibt die Venus zwar auf Milos, aber die Bodenschätze bekommen die Franzosen.
In seinem zweiten Film versuchte Nicos Perakis, mit einer Komödie voller »fröhlichem Chaos« auf kulturpolitische und soziale Mißstände in seiner Heimat Griechenland aufmerksam zu machen. Fünf Drehbuchautoren konnten nicht verhindern, daß sämtliche Ansätze origineller Einfälle in plumpen Slapstick- und Klamaukszenen verpufften und sich nach kürzester Zeit tödliche Langeweile ausbreitete. Eine herbe Enttäuschung nach Perakis' unvergessenem *Bomber und Paganini* (1976).

Mir hat es immer Spaß gemacht. *R* Will Tremper. *B* Will Tremper, nach dem Roman von Lynn Keefe. *K* (Farbe) Richard C. Glouner. *M* Klaus Doldinger. *A* Christoph Hertling, Celia Zentner. *T* Max Galinski, Gerhard Wagener. *S* Jutta Hering. *D* Barbara Benton (Lynn Keefe), Klaus Kinski (Sam), Hampton Fancher (Gino), Clyde Ventura (Nick), Murray Roman, Broderick Crawford, Lionel Stander, Massimo Serato, Claude Farell, José Luis de Villalonga, Bruce Low, Max Nosseck, Robert Morley, Hugh Hefner. *P* Rialto (Horst Wendlandt). 105, später 89 Minuten. 1970. Alternativer Titel Wie kommt ein so reizendes Mädchen zu diesem Gewerbe?
Die Geschichte des Mädchens Lynn, das auf die komische Idee kommt, mit Liebe Geld zu verdienen.

Nach einigen kleinen, erquicklichen, im Handstreichverfahren gedrehten Filmen (*Flucht nach Berlin*, 1960; *Die endlose Nacht*, 1962; *Playgirl*, 1965; *Sperrbezirk*, 1966) verfiel Will Tremper dem Ehrgeiz, einen richtigen großen, teuren, echt professionellen Film zu drehen, in Italien und den USA, ausgestattet mit den unerschöpflichen Mitteln von Horst Wendlandt und Hugh Hefner (dessen damalige, als Schauspielerin völlig ungeeignete Freundin die Hauptrolle spielen durfte). Das Resultat: ein monströs langweiliger, total erfolgloser Film. Tremper kehrte zum Journalismus zurück, der deutsche Film verlor einen seiner verrücktesten Individualisten.

Mit Eichenlaub und Feigenblatt. *R* und *B* Franz-Josef Spieker. *K* (Farbe) Wolfgang Fischer. *M* Erich Ferstl. *S* Barbara Morski. *D* Werner Enke (Jürgen), Birke Bruck (Frau Majorin), Hans Fries (Herr Major), O. E. Fuhrmann (Dr. B.), Eric Pohlmann (alter General), Christian Friedel, Ursula Barlen, Rainer Basedow, Änne Bruck, Ariana Calix. *P* Cineropa (Walter Krüttner)). 93 Minuten. 1968.
Jürgen möchte ein Fallschirmjägerheld werden, fällt aber schon bei der Musterung durch. Heilung und Stärkung sucht er nun im Sanatorium des Dr. Bond, aber die heroische Karriere führt trotzdem nur ins Bett einer Majors-Gattin.
Thema und Helden seines Erstlings *Wilder Reiter GmbH* hatte Franz-Josef Spieker in seiner eigenen Biographie gefunden. Schon bei diesem seinem zweiten Film mußte er sich darauf verlegen, aus zeitgenössischen Pop-Elementen und Kabarett-Ideen mühsam eine Geschichte zurechtzubasteln. Der fatale Titel verrät schon genug, der nächste und letzte Spieker-Film hieß dann *Das Kuckucksei im Gangsternest*. Wie Spieker gehörte sein Produzent Walter Krüttner zu den Unterzeichnern des Oberhausener Manifestes. Auch mit Krüttner nahm es ein klägliches Ende. Das Letzte, was man von ihm gehört hat, ist das Letzte: Unter dem Pseudonym Victor Stuck drehte er 1978 die Sex-Klamotte *Das Lustschloß im Spessart*.

MitGift. *R* und *B* Michael Verhoeven. *K* (Farbe) Igor Luther. *M* Michael Rüggeberg. *A* Walter Gold. *T* Herbert Prasch. *S* Helga Borsche. *D* Senta Berger (Alice), Mario Adorf (Edgar), Ron Ely (Kurt), Helmut Qualtinger (Huck), Elisabeth Flickenschildt (Edgars Mutter), Heidi Stroh, Dietrich Kerky, Friedrich von Thun, Hartmut Becker, Hans Elwenspoek, Nora Minor, Wolfgang Fischer, Michael Gahr, Michael Habeck, Melanie Horeschowsky. *P* Sentana (Senta Berger, Michael Verhoeven)/WDR. 98 Minuten. 1976.
Alice und Edgar sind durch Mord ans große Geld gekommen, leben aber nun in ständiger Furcht, vom anderen seinerseits vergiftet zu werden. Um Edgar zu demoralisieren, legt sich Alice den Wissenschaftler Kurt als Geliebten zu. Edgar präpariert zwar Alices Lebertabletten mit Gift, wird von

seiner Frau aber doch hereingelegt. Die vermeintliche Siegerin des tödlichen Spiels bringt sich zum Schluß aus Versehen selber um.
»Verhoevens Drehbuch und Regie, Igor Luthers Kamera und nicht zuletzt die aus Tango und Vivaldi gemischte Musik von Michael Rüggeberg ergeben einen schön doppelbödigen Spaß, der nur selten und wohldosiert ins grob Komische abgleitet – immer dann etwa, wenn ein Ehepartner dem anderen eine Prise Gift im Morgenkaffee zutraut, oder wenn Mario Adorf mit seiner Holzfäller-Axt friedliche Besucher erschreckt. Die Besetzung gelang bis in die kleinsten Nebenrollen ausgezeichnet – bis auf Helmut Qualtinger, der seinen Kommissar allzu sehr herunterwurstelt« (Peter Steinhart, *Rheinische Post*).

Der Mörder. *R* Ottokar Runze. *B* Ottokar Runze, nach dem Roman von Georges Simenon. *K* (Farbe) Michael Epp. *M* Hans Martin Majewski. *A* Ulrich Schröder. *T* Gerhard Müller. *S* Inge P. Drestler. *D* Gerhard Olschewski (Dr. Kuperus), Johanna Liebeneiner (Neel), Marius Müller-Westernhagen (Karl), Wolfgang Wahl, Uta Hallant, Ernst Jacobi, Gottfried Kramer, Arnold Marquis, Richard Beek, Hans Mahlau. *P* Ottokar Runze/aurora/ZDF. 107 Minuten. 1979.
Ein Arzt in einer friesischen Kleinstadt erschießt seine Frau und deren Liebhaber in flagranti. Man glaubt ihn am Tag der Tat in Amsterdam in einem medizinischen Club, und so wird er nicht gleich verdächtigt. Später wagt niemand, den aufkeimenden Verdacht gegen ihn offen auszusprechen. Doch er gerät immer mehr in Isolation, besonders seit er mit seinem jungen Dienstmädchen offen zusammenlebt. Die Bewohner der Kleinstadt lassen es jedoch nicht zum Skandal kommen, dafür war der Arzt mit zu vielen Honoratioren der Stadt befreundet. Er gerät in totale Vereinsamung, die ihn zugrunde richten wird. Eine härtere Sühne als ein Gerichtsverfahren und eine Verurteilung hätte bewirken können.
»Ottokar Runze hat die Vielschichtigkeit brüchiger Moralvorstellungen kritisch und psychologisch scharfsichtig herausgearbeitet, hat auf großen Aufwand und viele Worte verzichtet (leider aber nicht auch die musikalische Untermalung von Hans Martin Majewski beschnitten). So wurde es ein zurückhaltender Film, der seine Gestalten aus einer gewissen Distanz beobachtet, der die Menschen in ihrer moralischen Unsicherheit und sittlichen Verlogenheit ganz langsam seziert« (Volker Baer, *Der Tagesspiegel*).

Monarch. *R*, *B*, *K* (Farbe), *T* Johannes Flütsch und Manfred Stelzer. *Mitarbeit R.* März. *S* Elisabeth Förster. *D* Diethard Wendlandt (Monarch). *P* Regina Ziegler. 85 Minuten. 1979.
Ein Mann um die Vierzig, unauffälliger Durchschnittstyp, kommt abends in einem goldfarbenen Mercedes vor einem Hotel in der deutschen Provinz

vorgefahren, begibt sich auf sein Einzelzimmer und leert den Inhalt seiner dicken Aktentasche auf die Tischplatte aus: Hunderte von Zweimark- und Fünfmarkstücken quillen hervor, und mit geübten Händen wickelt er sie in Banderolen ein. Das ist keine Szene aus einem Krimi; den Mann, Diethard W., gibt es wirklich, und die runden tausend Mark auf dem Tisch sind seine ehrlich verdienten Tageseinnahmen. Sein Beruf: Mint-Feger. Er hat den Kniff raus, wie man die Spielautomaten mit den rotierenden Scheiben überlisten kann.
In dem Dokumentarfilm *Monarch* begleitet das Berliner Filmergespann Manfred Stelzer und Johannes Flütsch diesen Mann, dessen Route die eines Vertreters sein könnte, quer durch die Bundesrepublik und schaut ihm mit der Kamera bei seinen Beutezügen über die Schulter. Daß dieser Stoff den Atem für eine abendfüllende Dokumentation besitzt (was auch bei dem schier unglaublichen Thema nicht ganz selbstverständlich war), ist der Persönlichkeit des Monarchen Diethard W. zu verdanken. Dieser Mann ist mit einer gehörigen Portion Mutterwitz und Selbstironie gesegnet, und wenn er seine für ihn so selbstverständliche Lebensanschauung darlegt, geschieht dies mit einer entwaffnend-liebenswerten Naivität, die den Film in die Nähe einer Groteske rückt.

Die Moral der Ruth Halbfass. *R* Volker Schlöndorff. *B* Volker Schlöndorff, Peter Hamm. *K* (Farbe) Klaus Müller-Laue, Konrad Kotowski. *M* Friedrich Meyer. *A* Manfred Knöll, Heinz Sottung. *T* Wolfgang Richter. *S* Claus von Boro. *D* Senta Berger (Ruth Halbfass), Helmut Griem (Franz Vogelsang), Peter Ehrlich (Erich Halbfass), Margarethe von Trotta (Doris Vogelsang), Marian Seidowsky, Karl Heinz Merz, Susanne Rettig, Walter Sedlmayr, Wilhelm Grasshoff, Hans Ohly, Maddalena Kerrh, Horst Schäfer. *P* Hallelujah (Volker Schlöndorff)/HR. 89 Minuten. 1972.
Erich Halbfass ist Fabrikant von Miederwaren, seine Frau Ruth sieht glänzend aus, ihr Töchterchen Aglaia drückt noch die Schulbank. Doch während Erich selbstzufrieden in seinem Swimmingpool planscht und Melodien von Joseph Schmidt und Richard Tauber schmettert, trifft sich Ruth mit Franz Vogelsang, Aglaias Zeichenlehrer. Das einzige wirkliche Opfer dieser Affäre, Franz Vogelsangs Frau Doris, wird Erich schließlich gefährlich als die von dem Lehrer auf ihn angesetzten Killer: Sie ist es, die ihn niederschießt. Erich erholt sich wieder; Doris aber erhängt sich im Gefängnis.
»Wenn Straub der Godard des deutschen Films ist (oder war), dann ist Schlöndorff sein Chabrol«, schreibt John Sandford in seinem Buch *The New German Cinema*. In der Tat ist bei diesem Film die thematische Ähnlichkeit zu den Werken der zynischen Franzosen noch augenfälliger als bei *Mord und Totschlag*. *Die Moral der Ruth Halbfass* war nach *Der plötzliche Reichtum der armen Leute von Kom-*

bach der zweite Film, den die von Schlöndorff und Peter Fleischmann gegründete Firma Hallelujah gemeinsam mit dem Hessischen Rundfunk produzierte. Anders als *Kombach* erlebte *Die Moral der Ruth Halbfass* seine Uraufführung aber im Kino, denn nach Besichtigung des fertigen Films war das Interesse des US-Verleihs CIC daran so stark, daß man der Fernsehanstalt einen Großteil der Herstellungskosten anbot, um den Film vor seiner Ausstrahlung herausbringen zu können.

Mord und Totschlag. *R* Volker Schlöndorff. *B* Volker Schlöndorff, Gregor von Rezzori, Niklas Frank, Arne Boyer. *K* (Farbe) Franz Rath. *M* Brian Jones. *A* Wolfgang Hundhammer. *S* Claus von Boro. *D* Anita Pallenberg (Marie), Hans Peter Hallwachs (Günther), Manfred Fischbeck (Fritz), Werner Enke (Hans). *P* Rob Houwer. 86 Minuten. 1967.
Hans, der mit Marie seit gut einem Jahr befreundet ist, will diese verlassen, vorher aber noch einmal mit ihr schlafen. Marie wehrt sich, eine Pistole kommt ihr in die Hände, und plötzlich liegt Hans auch schon tot vor ihr hin. Marie glaubt, alles ungeschehen zu machen, indem sie die Leiche verschwinden läßt. Zu diesem Zweck heuert sie Günther an, der noch seinen Freund Fritz dazuholt, weil Hans so schwer ist. Nach etlichen Komplikationen und langer Autofahrt wird der Tote in einer einsamen Baugrube verscharrt. Marie steht schon bald wieder als Bedienung hinter ihrer Espresso-Maschine und tut, als sei nichts gewesen. Ein Kran zieht Hans aus seinem Grab in die Lüfte . . .
»*Mord und Totschlag* ist ein Film über die Naivität: Marie probiert aus, wie naiv man sich ungestraft verhalten kann, Volker Schlöndorff, ob es möglich ist, so zu filmen, wie Marie handelt; *Mord und Totschlag* ist Einstellung um Einstellung ein Gegenentwurf zu *Der junge Törless*. Törless kam in Schwierigkeiten, weil er zuviel nachdachte, Marie entgeht ihnen, weil sie es läßt; im *Törless* hatte jede Szene ihre Bedeutung für das Ganze, in *Mord und Totschlag* ist jede Szene nur für sich selber da« (Uwe Nettelbeck, *Filmkritik*). »Man sollte, nach *Mord und Totschlag*, aufhören, vom ›Jungen Deutschen Film‹ zu sprechen: Volker Schlöndorff hat sich mit diesem Film etabliert (. . .); er hat erreicht, was die anderen, von den Schamonis über Kluge bis zu Reitz, noch nicht geschafft haben: die Verbindung mit dem Kommerz, das Sich-Einfügen und Zurechtkommen mit dem Apparat der Filmeproduktion« (Klaus Eder, *film*).

Morgens um sieben ist die Welt noch in Ordnung. *R* Kurt Hoffmann. *B* Johanna Sibelius, Eberhard Keindorff, nach dem Roman von Eric Malpass. *K* (Farbe) Heinz Hölscher. *M* James Last. *A* Werner und Isabella Schlichting. *D* Archibald Eser (Gaylord), Gerlinde Locker (May), Peter Arens (Jocelyn), Werner Hinz (Großvater), Agnes Windeck (Tante Marygold), Maria Körber, Diana Körner, Rolf Zacher. *P* Independent (Heinz Angermeyer). 96 Minuten. 1968.
Die Geschichte des 7jährigen Gaylord Pentecost, der in seiner »großen, liebenswerten, manchmal auch etwas skurrilen Familie . . . mit einer Mischung aus Herzlichkeit und charmanter Bosheit den Drahtzieher hinter den Kulissen spielt« (*Illustrierte Filmbühne* Nr. 7952).
Papa ist okay. Mama ist okay. Großvater ist okay. Ich bin okay. Du bist okay. Das Frühstück ist okay. Die Welt ist okay.

Moritz, lieber Moritz. *R* und *B* Hark Bohm. *K* (Farbe) Wolfgang Treu. *M* Klaus Doldinger. *A* Hans Zillmann. *T* Peter Kellerhals. *S* Jane Sperr. *D* Michael Kebschull (Moritz), Kerstin Wehlmann (Barbara), Kyra Mladeck (Mutter), Walter Klosterfelde (Vater), Grete Mosheim (Oma), Elvira Thom (Tante), Uwe Enkelmann, Dschingis Bowakow, Wolf-Dietrich Berg, Uwe Dallmeier, Marquard Bohm. *B* Hamburger Kinokompanie (Hark Bohm). 96 Minuten. 1978.
Moritz wohnt mit seinen Eltern und einer attraktiven Tante in einer feudalen Villa an der Elbchaussee. Das Haus gehört seiner Großmutter; die Firma seines Vaters ist bankrott, und nur mit einer List kann Moritz verhindern, daß auch seine Stereoanlage aus dem Haus geschleppt wird. In der Schule hat er Schwierigkeiten in Mathematik. Wegen der Pleite seines Vaters und seinem Mut, dem Studienrat seine Meinung zu sagen, ist er in der Klasse ein Außenseiter. Moritz ist der einzige in der Familie, der sich um die ins Altersheim abgeschobene Großmutter kümmert. Sie bittet ihn eines Tages allen Ernstes, ihr bei seinem nächsten Besuch ein Röhrchen Schlaftabletten mitzubringen. Mutter und Lehrer, von denen er sich ungerecht behandelt fühlt, bestraft er auf grausame Weise – in seiner Phantasie. Nur als die Nachbarskatze seine zahme Ratte tötet, rächt er sich tatsächlich brutal. Moritz' Beharrlichkeit bei dem Versuch, die Bekanntschaft der gleichaltrigen Barbara zu machen, führt zum Erfolg – sie werden Freunde. Nach anfänglichen milieubedingten Kontaktschwierigkeiten nimmt ihn eine jugendliche Rockband als Saxophonist auf. Als Moritz' Klassenkameraden ihr erstes Konzert zu stören versuchen, gibt es eine Prügelei. Die Gymnasiasten werden hinausgeworfen, Moritz spielt mit den anderen weiter, und Barbara sieht ihm stolz dabei zu. Moritz hat sich in der Musik und der ersten Liebe selbständig Freiräume geschaffen.
Drei grausame Phantasieszenen und die Darstellung eines Autounfalls, in dem die Fahrerin eines offenen Sportwagens vor Moritz' Augen enthauptet wird, entfachte gleich nach der Uraufführung des Films auf der Berlinale 1978 erneut die Diskussion, ob der Film ab 12 oder erst ab 16 Jahren freigegeben werden sollte, ähnlich wie es Bohm schon bei *Nordsee ist Mordsee* erlebt hatte.

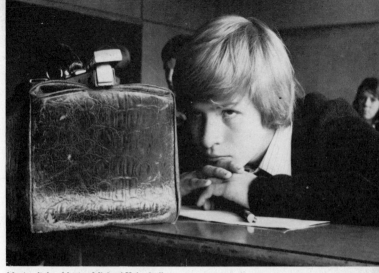

Moritz, lieber Moritz: Michael Kebschull

Monarch: der Monarch *Milo, Milo:* Andreas Katsulas

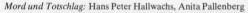

Mord und Totschlag: Hans Peter Hallwachs, Anita Pallenberg

Moses und Aron. Oper in drei Akten von Arnold Schönberg. *R* Jean-Marie Straub, Danièle Huillet. *K* (Farbe) Ugo Piccone, Saverio Diamanti, Gianni Canfarelli, Renato Berta. *T* Louis Hochet, Ernst Neuspiel, Georges Vaglio, Jeti Grigioni. *S* Straub-Huillet. *D* Günter Reich (Moses), Louis Devos (Aron), Eva Csapò (junges Mädchen), Roger Lucas (junger Mann), Richard Salter (anderer Mann), Werner Mann (Priester), Ladislav Illavsky (Ephraimit), Friedl Obrowsky (Kranke). *Musikalische Leitung* Michael Gielen. Symphonie-Orchester und Chor des Österreichischen Rundfunks. *P* ORF, Wien/HR, Frankfurt/Janus, Frankfurt/Straub-Huillet, Rom/RAI, Rom/NEF, Paris. 110 Minuten. 1975.

Eine gänzlich in Außenaufnahmen im Amphitheater Alba Fucese in den Abruzzen gedrehte Filminszenierung der Oper von Schönberg, in der Moses, der Mann der Gesetzestafeln, und Aron, der Mann des Goldenen Kalbes, um die Herrschaft des Volkes rivalisieren.

»Der Straub-Huillet-Film ist meine erste Begegnung mit der Oper von Schönberg, und vom ersten Musik-Einsatz war ich dankbar für diese meine Unschuld. Zum erstenmal in *irgendeinem* Film hatte ich das Gefühl, einem Stück Musik ohne störende Elemente zuzuhören. In dem Bach-Film ist das nicht so, weil man dort gezwungen ist, die Musiker zu betrachten, die in einem allgemeinen Kontext von ›Arbeit‹ musizieren. Hier sehen wir eine live-Darstellung der Sänger und hören dazu aus dem Off die vorwegproduzierte Musik, und die Schwenks oder Schnitte oder die Bewegungen der Schauspieler versuchen in keiner Weise, die Musik zu interpretieren (was nichts damit zu tun hat, daß sie das Libretto sehr wohl interpretieren). Dazu sind gleichzeitig mit der Musik die natürlichen Geräusche von Fußschritten, Atmen und andere Bewegungen so wunderbar mitaufgenommen, daß ich von vornherein weiß, daß mir an der Gielen-Einspielung der Oper immer etwas fehlen wird, jedenfalls als Soundtrack genommen. Dieser Film ist die Anti-Fantasia par excellence, und schon lange bevor der Film zum Goldenen Kalb des 2. Aktes kommt, wird es völlig klar, daß dies auch die Anti-DeMille-Konzeption eines Spektakels ist« (Jonathan Rosenbaum, *Sight and Sound,* in einem Bericht über die Edinburgh-Festspiele 1975, zu deren Höhepunkten *Moses und Aron* gehörte).

Mozart – Aufzeichnungen einer Jugend. *R* und *B* Klaus Kirschner. *K* Pitt Koch. *M* Wolfgang Amadeus Mozart. *T* Klaus Schumann. *S* Klaus Kirschner. *D* Pavlos Bekiaris (der 7jährige Mozart), Diego Crovetti (der 12jährige Mozart), Santiago Ziesmer (der 20jährige Mozart), Karl-Maria Schley (Mozarts Vater), Ingeborg Schroeder, Dietlind Hübner, Marianne Lowitz, Elisabeth Bronfen. *P* Artfilm (Pitt Koch)/BR. 224 Minuten. 1976.

Dokumentarischer Spielfilm über Wolfgang Amadeus Mozarts Jugendzeit in drei Entwicklungsphasen: Mozart als Siebenjähriger, als Zwölfjähriger und als Zwanzigjähriger. Dem Drehbuch liegen vor allem Briefe der Familie Mozart und Tagebuchaufzeichnungen von Wolfgang Amadeus zugrunde.

»... ein vierstündiges Opus, das vorgibt, festgemauerte Klischees wegzuräumen, und das doch nur wieder alte zementiert und neue errichtet« (Sebastian Feldmann, *medium*).

Mutter Küsters' Fahrt zum Himmel. *R* Rainer Werner Fassbinder. *B* Rainer Werner Fassbinder, Kurt Raab. *K* (Farbe) Michael Ballhaus. *M* Peer Raben. *A* Kurt Raab. *S* Thea Eymèsz. *D* Brigitte Mira (Mutter Küsters), Ingrid Caven (Corinna), Karlheinz Böhm (Tillmann), Margit Carstensen (Frau Tillmann), Irm Hermann (Helene), Gottfried John, Armin Meier, Kurt Raab, Peter Kern, Peter Chatel, Vitus Zeplichal, Y Sa Lo, Lilo Pempeit, Matthias Fuchs. *P* Tango. 120 Minuten. 1975.

Emma Küsters, eine arglose, ältere Frau, wird plötzlich Witwe und in einen Skandal verwickelt: Ihr Mann, ein ansonsten friedlicher Fabrikarbeiter, ist angesichts drohender Massenentlassungen durchgedreht und hat erst den Personalchef, dann sich selbst umgebracht. Von der Hysterie der Presse verwirrt, von ihren Kindern im Stich gelassen, ist sie dankbar für die Anteilnahme, die der Herr und Frau Tillmann von der DKP ihr entgegenbringen. Sie tritt in die Partei ein, wird von ihr ausgenutzt und schließlich in eine Terroristen-Aktion verwickelt, was ihr das Leben kostet.

Eine Variation des Piel Jutzi-Films *Mutter Krausens Fahrt ins Glück* von 1929, die Fassbinder dazu dient, die Nachfahren der Kommunisten dieses Films als den *radical chic*-Set der bundesrepublikanischen Gesellschaft zu denunzieren; die erbarmungslose Ehrlichkeit seiner Analyse konnte von den Betroffenen wiederum nur mit der wütenden Denunziation begegnet werden, sei es als unpolitischer Filmemacher, nützlicher Idiot, Reaktionär oder Verräter. Der ganze Fall wiederholte sich ähnlich bei der *Dritten Generation*.

Die Nacht mit Chandler. *R* und *B* Hans Noever. *K* (Farbe) Kurt Lorenz, Martin Schäfer. *M* Ton Steine Scherben. *T* Vladimir Vizner. *S* Helga Beyer. *D* Agnes Dünneisen (Yvonne Burkhardt), Rio Reiser (Rio), Thomas Schücke (Tommy), Vania Vilers (Raymond Chandler), Ray Verhaeghe, Tommy Wiegand, Remy Eyssen. *P* Olga (Elvira Senft)/BR. 87 Minuten. 1979.

Yvonne verspricht in einer Zeitungsannonce demjenigen, der ihr mehr über den Mord an ihrem Bruder mitteilen kann, eine Belohnung von DM 7000. Die Freunde Rio und Tommy lesen die Annonce und fassen – angelockt von der in Aussicht gestellten Summe – den abenteuerlichen Plan, das ahnungslose Mädchen auf eine Reise zu schicken (grobe Richtung: irgendwo an's Meer), sie dabei heimlich zu begleiten und auf Yvonnes Kosten über die Runden zu kommen.

Indem er sich den Spielregeln und Gepflogenheiten des klassischen Erzählkinos verweigert, folgt Noevers Film diesen drei Figuren auf ihrer Reise durch Deutschland, Belgien und Frankreich und liefert sich dabei – so scheint es wenigstens – bedingungslos dem Zufall aus: Dialoge werden improvisiert, authentische Stimmungen und Stimmungswechsel werden eingefangen, Hotelangestellte und andere Randfiguren spielen sich selbst. Die wenigen offensichtlich aus dem Drehbuch vorgegebenen Episoden (Yvonnes Begegnung mit dem freundlichen Arzneimittelvertreter beispielsweise oder ihre Nacht mit dem Vertreter namens Raymond Chandler gegen Ende des Films) fügen sich erstaunlich bruchlos in dieses Konzept ein.

Nachtschatten. *R* und *B* Niklaus Schilling. *K* (Farbe) Ingo Hamer. *M* Edvard Grieg. *T* Wolfgang Schöffel. *S* Niklaus Schilling. *D* Elke Hart (Elena Berg), John van Dreelen (Jan Eckmann), Max Krügel, Ella Timmermann. *P* Visual (Elke Haltaufderheide). 96 Minuten. 1972.

Der Hamburger Musikverleger Jan Eckmann fährt in das kleine Heidedorf Döhle, um dort ein zum Verkauf stehendes Bauernhaus zu besichtigen. In dem abseits gelegenen Haus empfängt ihn die kühle, geheimnisvolle Elena Berg, die ihn seltsam fasziniert. Eckmann spürt allmählich die ständige Gegenwart eines anderen, vor drei Jahren verstorbenen Mannes, dessen Stelle er unbewußt wie ein Doppelgänger einnimmt. Erst zwei Tage später erzählt ihm Elena, daß damals ihr geschiedener Mann Werner nach einem Streit vor ihren Augen im Moor versunken ist. Zu spät merkt Eckmann, daß Elena sich vergiftet hat.

Erster Spielfilm des ehemaligen Kameramannes (für Lemke, Thome, Straub u. a.) Niklaus Schilling. »Die Kamera in *Nachtschatten* hat eine eigentümliche Beweglichkeit. Gleitend, schwenkend scheint sie Raumsinnlichkeit erst zu schaffen, gleichzeitig die Räume auch in sich hineinzusaugen. *Nachtschatten* ist auch ein Film über Film. Film, der physische Reize mit äußerster Sinnlichkeit einfangen kann und der vom Rezipienten äußerstes sinnliches Angespanntsein verlangt. Film aber auch, der auf chemisch-manipulierende Weise entsteht, und der das abgebildete zu etwas anderem macht, als es vorher war, zu einem in verdunkeltem Raum erscheinenden Phantom, wie Edgar Morin sagt« (Ulrich Kurowski, *medium*). Ein Kultfilm.

Negresco** – Eine tödliche Affäre.** *R* Klaus Lemke. *B* Max Zihlmann, Klaus Lemke. *K* (Farbe) Michael Marszalek. *M* Klaus Doldinger. *S* Renate Willeg. *D* Ira von Fürstenberg (Laura), Gérard Blain (Roger), Serge Marquand (Borell), Paul Hubschmid (Parrish), Christa Linder (Anita), Ricky Cooper, Volker Heim, Charly Kommer, Liddia Yadda, Karsten Peters, Halinka Toerek, Werner Bokelberg. *P* FIOR (Peter Berling). 95 Minuten. 1968.

Der Fotograf Roger folgt einer Frau, Laura, die er auf Fotos eines ermordeten Kollegen gesehen hat: Er lernt sie kennen, hat ein Verhältnis mit ihr und verwickelt sie in eine tödliche Affäre, deren Drahtzieher der Ehemann der Frau, Parrish, ist.

Nach *48 Stunden bis Acapulco* Klaus Lemkes zweiter Film und sein letzter aus der großen, weiten ****-Welt; fortan blieb er »festgewachsen in der Leopoldstraße, geliebt von Halbirren« (*Ponkie* in *tip*). Abschied von einem Stil, der Frieda Grafe an Roy Liechtenstein erinnerte: »Wie Liechtensteins Bilder bei aller Ähnlichkeit mit Comics Bilder bleiben, ist Lemkes Film kein Comic-Strip sondern ein Comics-Film. Erst die Beugung der Formen garantiert einen neuen Sinn« (*Filmkritik*).

Das Netz. *R* Manfred Purzer. *B* Manfred Purzer, nach dem Roman von Hans Habe. *K* (Farbe) Charly Steinberger. *M* Klaus Doldinger. *T* Peter Beil. *D* Mel Ferrer (Morelli), Klaus Kinski (Bossi), Heinz Bennent (Canonica), Elke Sommer (Christa Sonntag), Andrea Rau, Susanne Uhlen, Carlo de Mejo, Claudio Gora, Franz Rudnick, Willi Rose, Sabine von Maydell. *P* Roxy (Luggi Waldleitner). 108 Minuten. 1975.

In Rom wird ein österreichisches Callgirl ermordet. Bossi, Reporter einer auflagenstarken Illustrierten, kennt den Mörder: Es ist der resignierte Schriftsteller Morelli. Bossi überredet ihn, für die Illustrierte seine Memoiren zu schreiben. Ehe die Polizei ihm auf die Spur kommt, mordet Morelli weiter und nimmt sich schließlich selbst das Leben.

Unglaublich, aber wahr: Die Projektkommission der Filmförderungsanstalt bewilligte der Filmbearbeitung des Hans-Habe-Romans *Das Netz* die Summe von 600 000 Mark; Vorsitzender der Kommission: Manfred Purzer; Autor des Drehbuchs: Manfred Purzer. Er machte Nägel mit Köpfen und setzte sich für diesen Film auch zum ersten Mal in den Regiestuhl. Die psychologisch verbrämte Geschichte bewegt sich auf demselben Niveau wie der Sensationsjournalismus, den sie zu kritisieren vorgibt.

Neues vom Räuber Hotzenplotz. *R* Gustav Ehmck. *B* Kurt Uwe Nastvogel, Andi T. Hoetzel, nach dem Buch von Otfried Preußler. *K* (Farbe) Hubs Hagen. *M* Peer Raben. *A* Norbert Scherer. *S* K. H. Fugunt. *D* Peter Kern (Hotzenplotz), Peter Traxler (Kasperl), Wolfgang Katzer (Seppel), Barbara Valentin, Carsta Löck, Wal Davis, Hans Richter, Klaus Münster, Kurt Uwe Nastvogel. *P* Gustav Ehmck/ZDF. 103 Minuten. 1979.

Diesmal gibt sich der gefährliche Räuber Hotzenplotz nicht mit der Kaffeemühle zufrieden, sondern raubt gleich die ganze Großmutter. Freilassen will er sie nur gegen ein Lösegeld von 555,55 Mark. Obwohl er zur Tarnung

Wachtmeister Dimpflmosers Uniform trägt, gelingt es Kasperl und Seppel, den Bösewicht nach langer Jagd erneut zu fassen.

»In diesem zweiten *Hotzenplotz*, in dem viel um den Räuber herum, aber wenig mit ihm selber geschieht, macht sich zuviel Idylle breit, wird Situationskomik zuweilen verschenkt, weil der Regisseur seinen kleinen Zuschauern nicht zutraut, daß sie mitdenken und kombinieren können« *(Filmjahr '79)*. Peter-Kern- und Barbara-Valentin-Fans kommen natürlich voll auf ihre Kosten.

Neun Leben hat die Katze. *R* und *B* Ula Stöckl. *K* (Farbe) Dietrich Lohmann. *M* Manfred Eicher. *D* Liane Hielscher (Katharina), Christine de Loup (Ann), Jürgen Arndt (Stefan), Elke Kummer, Alexander Kaempfe, Antje Ellermann, Hartmut Kirste, Heidi Stroh. *P* Ula Stöckl, Thomas Mauch. 91 Minuten. 1968.

Katharina hat ein Verhältnis mit dem verheirateten Stefan, der von Ann, die in Katharina ihre Mutterfigur sieht, getötet wird. Die Versuche von Katharina und Ann, aus ihren Abhängigkeiten auszubrechen, scheitern.

Ula Stöckl: »Nie hatten Frauen so viel Möglichkeiten, ihr Leben so einzurichten, wie sie wollen. Aber jetzt müssen sie überhaupt erst lernen, daß sie etwas wollen können.« *Neun Leben hat die Katze* ist der erste Langfilm von Ula Stöckl, Jahrgang 1938, die nach Sprachstudium in Paris und London in ihre Heimatstadt Ulm zurückkehrte, an das inzwischen dort etablierte Institut für Filmgestaltung. Vor ihrem Regiedebüt war sie Regieassistentin von Edgar Reitz, mit dem sie dann noch bei *Geschichten vom Kübelkind* und *Das goldene Ding* zusammenarbeitete. »*Neun Leben hat die Katze* zerfällt in drei Teile: einen handlungsbetonten, der die Ankunft von Ann in München schildert, der die Personen einführt, das Leben von Katharina beschreibt, einen Überblick über die Verhältnisse verschafft, damit man sich später orientieren kann; er verschränkt sich mit einem essayistischen Teil, der die Verhältnisse der Personen zueinander durchdiskutiert und Handlungselemente nur noch durch eine neue Figur, Gabriele, enthält; es endet mit einem traumhaften Teil, einer falschen Utopie in den Gedanken von Ann, der Figur Kirke, um die sich psychomythologische Tableaus gruppieren, die Motive des zuvor Gezeigten wieder aufnehmen und auf einer neuen Ebene reflektieren. Es sind vor allem dieser dritte Teil und die ihm stilistisch entsprechenden Vorstellungsbilder, die auch den ersten und zweiten Teil immer wieder unterbrechen, wodurch Ula Stöckl nicht in simplen Realismus abrutscht, sondern die Personen über ihre individuelle Psychologie hinaushebt und zu *figurae* einer allgemeineren Konstellation macht« (Peter M. Ladiges, *Filmkritik*, 1968).

Neurasia. *R, B* und *K* Werner Schroeter. *M* Dajos Bela und sein Orchester, Percy Sledge, Jazz und Hawaii-Musik. *D* Carla Aulaulu, Magdalena Monte-

zuma, Rita Bauer, Steven Adamszewski. *P* Werner Schroeter. 41 Minuten. 1969.

Drei Frauen und ein Mann in einem Fluß vieldeutiger Beziehungen.

Der erste längere 16-mm-Film des 23jährigen Werner Schroeter, nach 21 kurzen, meist in N 8 gedrehten Filmen und »Übungen«. »*Neurasia* ist ein Paradies der rasenden Gebärden. Ein Lunapark der Gefühle. In schwarzgrauer Bühnen-Bildfläche stellen sich unendlich wiederholbare Partikel musikalischer und melodramatischer Exaltation, extrem retardierte Gebärden von Anbetung, Liebe, Verzweiflung, Religion, Wahnsinn und Tod dar. Schroeter zeigt hier, trotz allerkargster Bühnen-Mittel, seine einzigartige Fähigkeit, Personen in rituellen Bild-Kompositionen variabel zueinander zu arrangieren – oft im Dreiecks-Aufbau – und den Licht- und Schattenwurf auf der Hinterwand gelegentlich als dämonische Verdopplung der Figuren drohen zu lassen« (Sebastian Feldmann u. a.: *Werner Schroeter*).

Die Nibelungen. 1. Teil: *Siegfried*. 2. Teil: *Kriemhilds Rache*. *R* Harald Reinl. *B* Harald G. Petersson, Harald Reinl, Ladislas Fodor. *K* (Farbe) Ernst W. Kalinke. *M* Rolf Wilhelm. *A* Isabella und Werner Schlichting, Alfred Schulz, Irms Pauli. *D* Uwe Beyer (Siegfried), Rolf Henninger (Gunther), Siegfried Wischnewski (Hagen), Maria Marlow (Kriemhild), Karin Dor (Brunhild), Mario Girotti (Giselher), Fred Williams (Gernot), Herbert Lom (Etzel), Hans von Borsody (Volker), Skip Martin (Alberich), Hilde Weissner (Ute), Dieter Eppler (Rüdiger), Christian Rode (Dietrich von Bern), Barbara Bold (Hildegunt). *P* CCC/Avala, Belgrad (Artur Brauner). 1. Teil 91 Minuten. 2. Teil 88 Minuten. 1966/67.
Die Nibelungen-Sage.
Weitere Verfilmung: 1924, ebenfalls in zwei Teilen, Regie Fritz Lang, mit Paul Richter und Margarete Schön. Das Thema wird ausführlich behandelt im Band *Klassiker des deutschen Stummfilms*.

Nicht der Homosexuelle ist pervers, sondern die Situation, in der er lebt. *R* Rosa von Praunheim. *B* Rosa von Praunheim, Martin Dannecker, Sigurd Wurl. *K* (Farbe) Robert Van Ackeren. *S* Jean-Claude Peroué. *D* Bernd Feuerhelm, Berryt Bohlen, Ernst Kuchling. *P* Bavaria (Werner Kließ)/WDR. 67 Minuten. 1970.

»Der Anfang des Films ist eine Geschichte, die zur Identifikation mit den Handelnden einlädt. Der Schluß ist plakativ. Er fordert nicht Identifikation, er ist ein Aufruf zum Handeln. Er wird plakativ mit dem Bild der nackten, diskutierenden Männer in einer irrealen, zartvioletten Umgebung. Dann verschwindet auch dieses Bild und macht buchstäblich einem Plakat Platz. Es erscheinen die Schriften ›Raus aus den Toiletten, rein in die Straßen‹ und ›Freiheit für die Schwulen‹. Alle Eigentümlichkeiten des Films, die überzogene Sprechweise, die Asynchronität, das steife Herumstehen oder an-

Mutter Küsters' Fahrt zum Himmel: Margit Carstensen, Brigitte Mira, Karlheinz Böhm

Nicht der Homosexuelle ist pervers, sondern die Situation, in der er lebt

Neues vom Räuber Hotzenplotz: Peter Kern

Die Nacht mit Chandler: Thomas Schücke, Rio Reiser

dächtige Schreiten der Laiendarsteller vor der Kamera verstehen sich aus dieser inneren Bewegung des Films: von der Geschichte zur Parole. Der Stil des Aufrufs, der die letzten Bilder beherrscht, wird von der ersten Einstellung an vorbereitet« (Werner Kließ, in: *Fernsehspiele Westdeutscher Rundfunk, Januar – Juni 1973*). Zum ersten Mal wurde hier ein breites Publikum mit einem Film von und mit Homosexuellen konfrontiert. Nachdem die Ausstrahlung im Fernsehen mehrfach verschoben war, schaltete sich, als er endlich gesendet wurde, der Bayerische Rundfunk als einziger ARD-Sender aus Protest aus. So kritisch der Film auch von Homosexuellen selbst beurteilt wurde, steht doch außer Frage, daß mit ihm der erste Schritt zu einer Enttabuisierung dieses Themas getan war.

Nicht fummeln, Liebling. *R* May Spils. *B* May Spils, Werner Enke, Peter Schlieper, nach einer Idee von C. Karich. *K* Hubs Hagen, Niklaus Schilling. *M* Kristian Schulze. *T* Müller-Picard. *S* May Spils, Ulrike Froehner. *D* Werner Enke (Charly), Gila von Weitershausen (Christine), Henry van Lyck (Harry), Benno Hoffmann (Untersuchungsgefangener), Elke Hart (Charlys erste Freundin), Karl Schönböck (Filmschauspieler), Erica Beer (Filmschauspielerin), Jean Launey, Otto Sander, Michael Cramer, Johannes Buzalksi. *P* Cinenova (Hans Fries). 87 Minuten. 1970.
Charly fummelt sich so durch, macht ein katastrophales Statisten-Gastspiel beim Film, kommt in Konflikte mit der Polizei und lernt auf der Flucht vor der Ordnungsmacht das Mädchen Christine kennen, das er mit seinen verrückten Einfällen und einem Besuch in einem nächtlich verlassenen Kaufhaus verwöhnt.

Nosferatu – Phantom der Nacht. *R* Werner Herzog. *B* Werner Herzog, nach dem Roman *Dracula* von Bram Stoker und dem Film *Nosferatu – Eine Symphonie des Grauens* von F. W. Murnau. *K* (Farbe) Jörg Schmidt-Reitwein. *M* Florian Fricke/»Popol Vuh«. *A* Henning von Gierke, Gisela Storch. *T* Harald Maury. *S* Beate Mainka-Jellinghaus. *D* Klaus Kinski (Graf Dracula), Isabelle Adjani (Lucy Harker), Bruno Ganz (Jonathan Harker), Jacques Dufilho (Kapitän), Roland Topor (Renfield), Walter Ladengast (Dr. Van Helsing), Dan Van Husen, Jan Groth, Carsten Bodnus, Martje Grohmann-Herzog, Ryk de Gooyer, Clemens Scheitz, Bo van Hensbergen, Claude Chiarini, John Leddy, Stefan Husar, Margiet van Hartingsveld, Tim Beekman, Beverly Walker. *P* Werner Herzog, München/Gaumont, Paris/ ZDF. 106 Minuten. 1979.
Im Auftrag des Grundstücksmaklers Renfield reist Jonathan Harker von Wismar nach Transsylvanien zum Grafen Dracula, der in Wismar ein Haus kaufen möchte. Dracula ist ein Vampir, und Jonathan wird sein Opfer, noch ehe er es bemerkt. Mit einer ganzen Ladung Särge läßt Dracula sich auf dem Seeweg nach Wismar bringen. An

Bord sind Tausende pestverseuchter Ratten; während der Reise kommt die ganze Besatzung ums Leben. Dracula bringt die Pest nach Wismar. Jonathan Harker kehrt schwer gezeichnet zu seiner Frau Lucy zurück. Inzwischen bemüht sich auch Dracula um Lucys Gunst. Ihr wird klar, daß nur ihr Opfer die Stadt retten kann. Sie behält ihn bis zum Sonnenaufgang bei sich. Dracula stirbt, und Lucy folgt ihm in den Tod. Jonathan Harker reitet als neuer Nosferatu in die Welt hinaus.
Werner Herzogs Remake von F. W. Murnaus *Nosferatu* (1921), seine erste Arbeit für eine amerikanische Major Company (Twentieth Century-Fox). Das Thema wird ausführlich behandelt im Band *Klassiker des deutschen Stummfilms*.

Notabene Mezzogiorno. *R* und *B* Hans Rolf Strobel, Heinz Tichawsky. *K* Heinz Tichawsky. *Kommentar* Hans Rolf Strobel. *P* Strobel-Tichawsky. 55 Minuten. 1962.
»Seit es *Notabene Mezzogirono* gibt, kann man vom bundesdeutschen Nachkriegsfilm sagen, daß er einen Dokumentarfilm von Rang besitzt. Strobels und Tichawskys Methode hat den Vorzug der Redlichkeit. Die beiden Münchner hatten einen Kurzfilm über die unteritalienische Agrarreform gedreht. Sie nannten ihn *Der große Tag des Giovanni Farina*. Von diesem Film erfährt man zu Beginn von *Notabene Mezzogiorno*. ›In unbegründetem Optimismus‹, sagen Strobel und Tichawsky nun, ›haben wir damals angenommen, in Süditalien sei ein soziales Problem gelöst worden.‹ Nach einigen Jahren kehren sie an den Schauplatz des ersten Films zurück und müssen sehen, daß Farina um nichts glücklicher und um nichts wohlhabender geworden ist. Statt drei Kindern hat er nun acht; die Kuh, die ihm gestellt wurde, hat er verkauft; seine Felder hat er nicht bebauen können. Die Agrarreform war ein Schlag ins Wasser, weil sie Stückwerk war. Formal ist der Film eine artistische Recherche. Zwischentitel und Zitate aus dem alten Film, die modifiziert, bestätigt oder dementiert werden, ordnen den Stoff. Kunstvoll beginnt jede Sequenz mit einem ähnlichen Schwenk, vom klaren Detail, einer blanken Mauerwand etwa, hinaus in die Landschaft, in die Dörfer, unter die Menschen, in die Verwirrung, die im Mezzogiorno noch immer herrscht: ein archaisches Verhältnis zur Arbeit, Ausbrüche religiösen Wahns, anachronistische Moral, sinnlose Reform« (Uwe Nettelbeck, *Filmkritik*, 1964). *Notabene Mezzogiorno* war der erste lange Dokumentarfilm des Dokumentaristengespanns Hans Rolf Strobel und Heinz Tichawsky, die seit 1956 mit zahlreichen kurzen und halblangen Filmen bekannt geworden waren. 1967 drehten sie einen Spielfilm, in den ihre dokumentarischen Erfahrungen eingingen: *Eine Ehe*.

Nur zum Spaß – nur zum Spiel (Kaleidoskop Valeska Gert). *R* und *B* Volker Schlöndorff. *K* (Farbe) Michael Ballhaus. *M* Friedrich Meyer. *T* Gerhard

Birkholz. *S* Gisela Haller. *D* Valeska Gert, Pola Kinski, Volker Schlöndorff. *P* Bioskop (Eberhard Junkersdorf) / ZDF. 60 Minuten. 1977.
Valeska Gert, die 1976 in Volker Schlöndorffs Film *Der Fangschuß* die Rolle der Tante Praskovia gespielt hatte, steht ihrem letzten Regisseur (sie starb 1978) in ihrem Lokal »Ziegenstall« auf der Insel Sylt Rede und Antwort. Zwischendurch gibt es Ausschnitte aus den bekanntesten Filmen der Künstlerin: *Die freudlose Gasse* (G. W. Pabst), *Nana* (Jean Renoir), *So ist das Leben* (Carl Junghans), *Die Dreigroschenoper* (G. W. Pabst), *Julia und die Geister* (Federico Fellini) und *Der Fangschuß*.

Ob's stürmt oder schneit. *R* und *B* Doris Dörrie und Wolfgang Berndt. *K* (Farbe) Jörg Schmidt-Reitwein. *M* Rico Moreno. *T* Zoltan Ravazs. *S* Norbert Herzner. *D* Maria Stadler. *P* Hochschule für Fernsehen und Film / Doris Dörrie. 83 Minuten. 1977.
Porträt der Kinobesitzerin Maria Stadler, die in Endorf, einem fränkischen Dorf, ein Kino betreibt. Für zehn bis zwanzig Zuschauer pro Abend rackert sie sich fast zwanzig Stunden am Tag ab.

Ohne Nachsicht. *R* und *B* Theodor Kotulla. *K* (Farbe) Dieter Matzka. *T* Vladimir Vizner. *S* Bettina Lewertoff. *D* Jochen Regelien (Hannes), Henry van Lyck (Henry), Heidi Stroh (Lola), Eva Christian (Louise), Katharina Lopinski (Ingrid), Ingrid Karsunke, Yaak Karsunke, Halinka Drumm. *P* Iduna (Ernst Liesenhoff). 96 Minuten. 1972.
Henry ist bei einer Zeitung angestellt, sein Freund Hannes ist freier Schriftsteller. Beide leiden unter der Einsicht, daß sie ihre Träume nicht verwirklicht haben. Als eine Freundin die kleine Universitätsstadt, in der sie seit fünfzehn Jahren leben, verläßt, raffen sie sich zu Taten auf, scheitern jedoch.
Zweiter Spielfilm von Theodor Kotulla. Drehort war – wie schon bei Ulrich Schamonis *Alle Jahre wieder* – Münster/Westfalen, wo Kotulla in den fünfziger Jahren Publizistik, Germanistik und Philosophie studiert hatte.

Ohrfeigen. *R* Rolf Thiele. *B* Willibald Eser, nach dem Roman *Sieben Ohrfeigen* von Karoly Aszlanyi. *K* (Farbe) Wolf Wirth. *M* Ulrich Roever. *A* Maleen Pacha. *T* Günter Bloch. *S* Alfred Srp. *D* Curd Jürgens (Thomas Nathan Berbanks), Gila von Weitershausen (Eva), Alexandra Stewart (Celestine), Nadja Tiller (Lady Moore), Balduin Baas, Werner Pochath, Hans-Peter Hallwachs, Charles Regnier, René Deltgen, Horst Keitel. *P* Maris (Horst Lockau). 95 Minuten. 1970.
Die linksextreme Studentin Eva ohrfeigt nackt und öffentlich den Bankier Berbanks, verliert aber nach näherer Bekanntschaft mit dem Kapital ihre revolutionäre Integrität und steigt zum Aufsichtsratsvorsitzenden einer Unternehmensgruppe auf.
Die Antwort von Papas Kino auf die 1968er Revolution.

o. k. *R* und *B* Michael Verhoeven. *K* Igor Luther. *M* Improved Sound Ltd. *T* Haymo Heyder. *S* Michael Verhoeven, Monika Pfefferle. *D* Friedrich von Thun (Tony Meserve), Hartmut Bekker (Ralph Clarke), Gustl Bayrhammer (Vorst), Ewald Prechtl, Eva Mattes (Phan Thi Mao), Wolfgang Fischer (Rafe), Michael Verhoeven (Sven), Rolf Castell (Reilly), Hanna Burgwitz (Josephine), Rolf Zacher (Rowan), Vera Rheingold, Peter van Anft. *P* Rob Houwer. 79 Minuten. 1970.
Fünf Darsteller und eine Darstellerin treten in Zivil vor die Kamera, stellen sich vor und erklären ihre Aufgabe in diesem Film. Dann spielen sie die Geschichte der 15jährigen Vietnamesin Mao und der fünf amerikanischen Soldaten, die Mao vergewaltigen und töten. Einer der Soldaten, der von seinen Kameraden zum Mitmachen gezwungen wurde, zeigt die Tat dann an. Die Anzeige wird zunächst unterdrückt, dann kommt es doch noch zum Verfahren. Es endet mit niedrigen Strafen, die dann auch noch erlassen werden.
Eine wahre Geschichte, erzählt in einem Stil, der wie ein bayerisches Passionsspiel (die Ereignisse sind auf einen Ostermontag verlegt) beeinflußt ist. Die Uraufführung war am 30. 6. 1970 im Rahmen der Berliner Filmfestspiele; Proteste aus der amerikanischen Delegation und die Reaktionen auf diese Proteste führten zum vorzeitigen Abbruch des Festivals. Bundesfilmpreise 1971 für das beste Drehbuch (Verhoeven) und die beste Nachwuchsdarstellerin (Eva Mattes).

Operation Ganymed. *R* und *B* Rainer Erler. *K* (Farbe) Wolfgang Grasshoff. *M* Eugen Thomass. *A* Manuel Pilz. *T* Heiko Hinderks. *S* Hilwa von Boro. *D* Horst Frank (Mac), Dieter Laser (Don), Uwe Friedrichsen (Steve), Jürgen Prochnow (Oss), Claus Theo Gärtner (Dug). *P* pentagramma/ZDF. 112 Minuten. 1977.
1991. Fünf Astronauten – von den Raumfahrtbehörden längst abgeschrieben, nachdem ihre Mission im All gescheitert war – landen in einer gottverlassenen Gegend an der mexikanischen Pazifikküste. Verzweifelt durchqueren sie trostlose Wüsten, haben gegen Hunger, Durst und Halluzinationen anzukämpfen und gehen schließlich aufeinander los, als einer von ihnen das Wort Atomkatastrophe ausspricht.
Rainer Erlers Film ist einer der raren Ausflüge des deutschen Films ins Science-Fiction-Genre. In Triest wurde er 1978 als bester SF-Film mit dem Goldenen Asteroiden ausgezeichnet. »Packende, perfekte Bilder vor einem fundierten Hintergrund. Rainer Erler beweist, daß sich Action-Film made in Germany durchaus (an-)sehen lassen kann« *(Playboy)*.

Die Ortliebschen Frauen. *R* Luc Bondy. *B* Luc Bondy, nach Motiven des Romans *Das Grab des Lebendigen* von Franz Nabl. *K* (Farbe) Ricardo Aronovich. *M* Peer Raben. *A* Erich Wonder, Dieter Flimm. *T* Herbert Prasch. *S* Stefan Arnsten. *D* Edith Heerdegen

Nur zum Spaß, nur zum Spiel: Valeska Gert

(die Mutter), Libgart Schwarz (Josefine), Elisabeth Stepanek (Anna), Klaus Pohl (Walter), Sonja Karzau, Leslie Malton, Enzi Fuchs. P Solaris / Joachim von Vietinghoff / Pia Frankenberg / WDR. 106 Minuten. 1980.

In scheinbar untrüblicher Harmonie lebt die Familie Ortlieb für sich, bis ein plötzliches Ereignis sie in ihrem Lebenskern trifft: Der Vater stirbt, die Mutter bleibt mit den drei erwachsenen Kindern in tiefer Verstörung zurück. In dieser Situation überwindet die älteste Tochter, die zierliche, scheue Josefine, den Verlust des Vaters, indem sie sich zum neuen Zentrum, zum neuen Oberhaupt der Familie macht. Die robuste, jüngere Schwester Anna wird mehr und mehr in die Rolle eines Dienstmädchens gedrängt, der verträumte, wegen einer körperlichen Behinderung schon immer übermäßig behütete Bruder Walter wird zum verhätschelten Liebling.

Der erste Film des Theaterregisseurs Luc Bondy. Der Titel der Romanvorlage von Franz Nabl, *Das Grab des Lebendigen,* hätte schon die letzte Szene des Films vorweggenommen, in der die beiden Schwestern ihren Bruder in einem Keller einsperren, damit er keinen Kontakt zu anderen Mädchen mehr unterhalten kann. Bondy hat dieses verstaubt anmutende, abstruse Kammerspiel in die Gegenwart verlegt, was den Zugang zu diesem (immerhin gut besetzten) Film allerdings eher behindert.

Oswalt-Kolle-Filme: *Oswalt Kolle: Das Wunder der Liebe* (R F. J. Gottlieb, mit Regis Vallee, Biggy Freyer, Wilfried Gössler, 1967). *Oswalt Kolle: Das Wunder der Liebe – 2. Teil* (R Alexis Neve, mit Petra Perry, Michael Maien, Solvy Stübing, 1968). *Oswalt Kolle: Deine Frau – das unbekannte Wesen* (R Alexis Neve, mit Heidrun Kussin, Sonja Lindorf, Bert Hochschwartzer, Januar 1969). *Oswalt Kolle – Zum Beispiel: Ehebruch* (R Alexis Neve, mit Heidrun Kussin, Kathrin Kretschmer, Bert Hochschwartzer, September 1969). *Oswalt Kolle: Dein Mann – das unbekannte Wesen* (R Werner M. Lenz, mit Heidi und Michael Maien, Angelika und Volker Frey, Barbara Lankau, März 1970). *Oswalt Kolle: Dein Kind – das unbekannte Wesen* (R Werner M. Lenz, mit Oswalt Kolle und Familie, Oktober 1970). *Oswalt Kolle: Was ist eigentlich Pornographie?* (R Oswalt Kolle, Mai 1971). *Oswalt Kolle – Liebe als Gesellschaftsspiel* (R Werner M. Lenz, mit Joey Klüger, Anne-Marie Löbeau, Angelika Wehbeck, Oktober 1972).

Der Ex-Boulevardjournalist Oswalt Kolle leistet Aufklärung im Illustrierten-Stil: die Erfolgs-Serie, die die deutsche Bett-Szene verändert hat. Auch im Ausland sehr erfolgreich, vor allem als Demonstration humorloser deutscher Gründlichkeit. »Regie, Schnitt, Photographie und Schauspielerei sind gleichermaßen hölzern, und der Film ist weder cinéma-verité noch interessante Fiktion. Der ›aufklärerische‹ Kommentar ist von elefantöser Banalität, was wirklich ärgerlich ist, da es in der Tat um wichtige Probleme

geht. Der Film wird nicht einmal durch die Gnade der Sinnlichkeit gerettet, da seine animierenden Momente ebenso lahm sind wie seine moralische Prätention: Mit all den jungen männlichen und weiblichen Körpern, die er zur Hand hat, bringt Alexis Neve nicht einen einzigen erotischen Moment und noch nicht einmal eine attraktive Komposition zuwege« (Paul Joannides in *Monthly Film Bulletin,* Januar 1971, über *Deine Frau – das unbekannte Wesen).* Der hier angesprochene Regisseur Neve hat ansonsten Filme wie *Die liebestollen Baronessen* und *Stoßzeit* gedreht.

Othon. Die Augen wollen sich nicht zu jeder Zeit schließen oder Vielleicht wird Rom sich eines Tages erlauben seinerseits zu wählen. *R* Jean-Marie Straub. *B* Jean-Marie Straub, Danièle Huillet, nach dem Bühnenstück *Othon* von Pierre Corneille (1664). *K* (Farbe) Ugo Piccone, Renato Berta. *T* Louis Hochet, Lucien Moreau. *S* Jean-Marie Straub, Danièle Huillet. *D* Adriano Apra (Otho), Anne Brumagne (Plautina), Ennio Lauricella (Galba), Olimpia Carlisi (Camilla), Anthony Pensabene (Vinius), Subarite Semaran (= Jean-Marie Straub, Laco), Jean-Claude Biette (Marcianus), Marilù Parolini (Flavia), Leon Mingrone, Gianna Mingrone, Eduardo de Gregorio, Sergio Rossi, Sebastian Schadhauser, Jacques Fillion. *P* Janus, Frankfurt/Straub-Huillet, Rom (Klaus Hellwig). 82 Minuten. 1970.

Nach *Chronik der Anna Magdalena Bach* und dem Kurzfilm *Der Bräutigam, die Komödiantin und der Zuhälter* (beide 1968) verließen Jean-Marie Straub und Danièle Huillet die Bundesrepublik, drehten aber weiterhin Filme in deutscher Produktion. *Othon* ist in Rom in französischer Sprache gedreht, die deutsche Fassung ist das Original mit Untertiteln. »Der Film entwickelt sich auf drei Zeit-Ebenen: dem alten Rom, dem Frankreich des 17. Jahrhunderts und dem modernen Europa. In Rom und Frankreich breitet sich die Zentralgewalt aus. Ähnlich bewegt sich das moderne Europa auf ein föderalistisches Europa zu, dessen Muster das Westdeutschland Adenauers sein könnte: ein prosperierender, geistig verdorrender Staat im Gleichgewicht zwischen einem bürokratisch eingerüsteten Kapitalismus und einer einlullenden, unterinformierten Art von Demokratie. Das entspricht Straubs Untertitel *Die Augen wollen sich nicht zu jeder Zeit schließen oder Vielleicht wird Rom sich eines Tages erlauben seinerseits zu wählen.* Corneilles Herrscher Galba handelt sich Ärger ein, weil er sich eher auf das Gleichgewicht der Kräfte unter seinen Edlen verläßt als es darauf anlegt, ein starker Herrscher zu sein: Es geht um 1) politische Allianzen gegen Liebesheiraten (›das Persönliche ist politisch‹), 2) Ehre gegen Überleben, und 3) die jesuitische-, anti-jansenistische Ansicht, daß der von Intelligenz erleuchtete Wille frei ist (bourgeoiser Individualismus) . . . Obwohl es für Corneille keine Inkongruenz zwischen römischen Togas und französischen

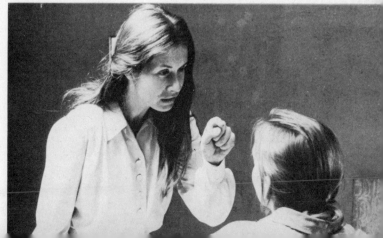

Nosferatu – Phantom der Nacht: Isabelle Adjani, Klaus Kinski

Operation Ganymed: Horst Frank

Die Ortliebschen Frauen: Libgart Schwarz, Elisabeth Stepanek

Pelzen gab (so wie für uns keine darin liegt, wenn Charlton Heston nicht das Hebräisch der Bronzezeit spricht), kann aus die durch zusätzliche Environment-Effekte zu einem Verfremdungseffekt werden, durch moderne Gebäude und Geräusche etwa oder durch die Entstellung höfischer Sprache durch ausländische Akzente. Das Schlimme ist, daß eine so steif wie nur möglich ausgeführte Diktion und Schauspielerei nicht nur den Corneilleschen Text aller Überzeugungskraft beraubt, sondern auch das ganze System seiner Verweisungen unterdrückt. Wenn aber das Stück nicht mehr von Menschen in der Politik handelt, handelt es nicht einmal mehr von sich selbst, denn ›Menschen in der Politik‹ ist das Stück. Der Film wird zum puren Verfremdungs-Effekt, aber es ist eine Verfremdung von Nichts. Und Null-Minus ergibt das mathematisch unvermeidliche Resultat: Ästhetizismus getarnt als Selbst-Reflektion« (Raymond Durgnat, *Film Comment*, 1980).

Output. *R* Michael Fengler. *B* Thomas Schamoni, Volker Vogeler, Michael Fengler, nach dem Roman *Ich hab noch einen Toten in Berlin* von Ulf Miehe. *K* (Farbe) Jürgen Jürges. *M* Jürgen Knieper. *D* Lou Castel (Gorski), Katja Rupé (Anna), Bernd Herberger (Benjamin), Claus Eberth (Sparta), Marquard Bohm (Roland), Hildegard Wensch (Pensionswirtin). *P* Filmverlag der Autoren / ZDF. 96 Minuten. 1974.
Regisseur Gorski und sein Drehbuchautor Benjamin recherchieren für einen Kriminalfilm, den sie drehen wollen. Ihr Plan ist so perfekt, daß sie beschließen, ihn mit Hilfe des einschlägig erfahrenen Sparta real auszuführen. Der Überfall auf den Transport, der wöchentlich den Sold der amerikanischen Soldaten vom Flughafen Tempelhof zur Clay-Allee schafft, gelingt tatsächlich, und die Beteiligten entkommen mit eineinhalb Millionen Dollar per Flugzeug ins Ausland.
»Die beiden im Film – Autor und Regisseur – können nicht glücklich werden, auch wenn sie genug Geld in der Tasche haben, um sich irgendwo in Südamerika vor ihrer weißen Villa an den Strand zu legen und sich von schönen Eingeborenen-Mädchen bedienen zu lassen. Das geht so höchstens ein Vierteljahr. Dann hängt es ihnen zum Hals heraus. Sie werden erkennen, daß das, was sie getan haben, sie nicht weitergebracht hat. Filme werden sie jedenfalls nicht mehr machen können« (Michael Fengler). Fengler war zwischen 1966 und 1970 an mehreren Fassbinder-Produktionen beteiligt (Co-Regie bei *Warum läuft Herr R. Amok?* und dem Fernsehfilm *Die Niklashauser Fart*). Nach vier Jahren als Geschäftsführer des Filmverlags der Autoren gründete er 1975 die Produktionsfirma Albatros, drehte im gleichen Jahr seinen zweiten eigenen Spielfilm *Eierdiebe* und ist seither nur noch als Produzent tätig.

Paarungen. *R* Michael Verhoeven. *B* Michael Verhoeven, nach dem Büh-

nenstück *Totentanz* von August Strindberg. *K* (Farbe) Henning Kristiansen. *M* Hermann Thieme, Josef Berger. *A* Werner Achmann, Ilse Dubois. *T* Willi Schwadorf. *S* Monika Pfefferle. *D* Lilli Palmer (Alice), Paul Verhoeven (Kommandant), Karl Michael Vogler (Kurt), Ilona Grübel (Judith), Michael von Harbach, Dieter Klein, Dietrich Kerky, Inken Sommer, Melanie Horeschovsky. *P* Sentana (Senta Berger). 81 Minuten. 1967.
Auf einer einsamen Insel leben der Kommandant und seine Frau Alice, in haßerfüllten Quälereien miteinander verbunden. Alice fängt ein Verhältnis mit Kurt, einem alten Freund ihres Mannes, an. Aber als Kurt miterlebt, wie ein Herzanfall des Kommandanten zu einem Freudenausbruch Alices führt, sucht er erschreckt das Weite. Der Kommandant und Alice werden zusammenbleiben.
In Stoffwahl, Besetzung und Verarbeitung ein seltsames Regiedebüt 1967. Was später von Verhoeven kam, war mehr als die intelligente Kulturleistung der Strindberg-Verfilmung, bestätigte aber den ersten Eindruck, daß der deutsche Film hier keinen neuen Autorenfilmer gefunden hatte, sondern einen Regisseur, der, ähnlich wie sein Vater Paul Verhoeven, wenn auch auf entschieden höherem Niveau, alles und jedes recht zu richten weiß. Vor seinem Regiedebüt hatte Verhoeven, Berliner vom Jahrgang 1938 und gelernter Mediziner, eine Karriere als Jungdarsteller im Altfilm.

Palermo oder Wolfsburg. *R* Werner Schroeter. *B* Werner Schroeter, Giuseppe Fava. *K* (Farbe) Thomas Mauch. *M* Alban Berg, Folklore. *A* Alberte Barsaq, Magdalena Montezuma, Roberto Lagana, Edwin Wengoborski. *T* Heiko von Swieykowski. *S* Werner Schroeter, Ursula West. *D* Nicola Zarbo (Nicola), Calogero Arancio (Nicolas Vater), Padre Pace (Pfarrer), Cavaliere Comparato (Großgrundbesitzer), Ida di Benedetto (Giovanna), Magdalena Montezuma (Anwältin), Brigitte Tilg (Brigitte Hahn), Antonio Orlando (Antonio), Otto Sander (Staatsanwalt), Gisela Hahn (Brigittes Mutter), Johannes Wacker (Richter), Ula Stoeckl (Schöffin), Tamara Kafka (Zeugin), Harry Baer (Hausbesitzer), Ines Zamurović, Isolde Barth. *P* Thomas Mauch und Eric Franck, Berlin/Artco, Genf/ZDF, Mainz. 175 Minuten. 1980.
Der 18jährige Sizilianer Nicola kommt nach Deutschland, um als Hilfsarbeiter bei VW in Wolfsburg anzufangen und für seine Familie Geld zu verdienen. Er kann nicht Deutsch sprechen und wird selbst von seinen italienischen Kollegen nicht für voll genommen, weil er nur sizilianischen Dialekt spricht. Er lernt die 17jährige Brigitte kennen und nimmt ihre Freundschaft so ernst, daß er seiner Familie von einer bevorstehenden Verlobung schreibt. Aber Brigitte erklärt ihm, sie habe ihn nur benutzt, um ihre beiden deutschen Freunde eifersüchtig zu machen. Nicola scheint nicht zu reagieren. Aber als er die beiden jungen Deutschen nachts angetrunken auf der

Straße trifft, sticht er sie nieder. Er wird vor einem deutschen Gericht des zweifachen Totschlags angeklagt. Während des mehrtägigen Prozesses sagt er kein Wort. Aufgrund der Zeugenaussagen von Nicolas Landsleuten bleibt dem Staatsanwalt nichts anderes übrig, als Freispruch zu beantragen. Während des Plädoyers seines Anwältin öffnet Nicola zum erstenmal den Mund und ruft laut in den Saal »Ich habe sie umgebracht!« Dieser Satz stellt den Prozeß auf den Kopf. Aber Nicolas Würde ist wiederhergestellt.
Nach den ekstatischen Schwelgereien und Schwärmereien seiner frühen Phantasien hatte Werner Schroeter sich in den *Neapolitanischen Geschwistern* von 1978 zum erstenmal vollkommen auf die Realität eingelassen und dabei seine besonderen Stilmittel der riesigen Sehnsuchtsmelodien und gewaltigen Empfindungen auf das Sujet eingerichtet, auf diese Weise zu einem ganz neuen Stil des emotionalen Realismus gelangend. Dieser Film handelte von Neapolitanern im Neapel von 1945–1977, von Italienern zuhause. *Palermo oder Wolfsburg*, mit dem Schroeter den Goldenen Bären der Berlinale 1980 erringen konnte, handelt vom Italiener in Deutschland, dem »Land, in dem es kein Licht gibt, keine Liebe, nur Arbeit«, und das für den Helden dieses Films doppelt kalt ist, weil er sogar für seine Landsleute und Leidensgenossen der verlachte Außenseiter aus dem unterentwickelten Sizilien ist. Dieses Sujet provoziert Schroeter zu der bislang großartigsten und bewegendsten Parade der Reichtümer seines Stil-Arsenals. Als deutscher Filmemacher, der den Passionsweg eines Sizilianers vom ländlichen Süden in den industriellen Norden beschreibt, importiert er zuerst den germanischen Stil in den Süden, dann den mediterranen Stil in den Norden. Die Beschreibung von Nicolas heimischen Milieu ist für einen Schroeter-Film erstaunlich nüchtern, fast dokumentarisch, manchmal fühlt man sich an *Notabene Mezzogiorno* von Strobel-Tichawsky erinnert. Der Verlauf der Wolfsburger Dinge wird dann zunehmend zu der großen Ekstase stilisiert, die in den gewaltigen, artistisch unglaublich durchkomponierten und orchestrierten Tableaux der Gerichtsverhandlung explodiert, zu einem Furioso der bis an die Grenzen des Expressiven getriebenen Gebärden und Wortmelodien. Es ist, als habe der Angeklagte, der zum Ankläger seines »Gast«-Landes wird, zu seiner Verteidigung die ganze Größe und Vielfalt seiner heimischen Kultur mitgebracht und so die Metamorphose eines teutonischen Gerichtssaales in eine italienische Opernbühne erzwungen, was ihn auch der Notwendigkeit der vom Angeklagten erwarteten verbalen Verteidigung enthebt; und so sagt er denn auch kein einziges Wort und verharrt nur in der endlos ausgehaltenen Gebärde der emporgereckten Hand, so als würde er das Schauspiel beschwören, das sich um ihn entfaltet. – Der Reichtum der Mittel ist für Schroeter bedingt durch die Gegebenheiten des Stoffes, in dem es nicht zuletzt darum

geht, daß Wolfsburg und alles, wofür es steht, ein Schauplatz vielfacher Entfremdung ist; nicht nur sind hier die Italiener fremd in einem fremdartigen Land, auch das Dasein der Eingeborenen ist hier heillos entfremdet. Schroeter: »Wichtig ist bei der Darstellung der Vorgänge in diesem Film, daß weder die Diffamierung des jungen Mädchens noch Nicolas eintritt, das heißt dieselbe liebevolle Präzision, mit der eine äußerlich verelendete Armengesellschaft in Sizilien beschrieben wird, muß auch dem in einer reicheren Gesellschaft lebenden, aber innerlich verelendeten Arbeitermädchen zukommen. Für die Beurteilung ihrer Person und Lebenssituation ist nicht ausschlaggebend, daß sie Nicola benutzt, sondern daß sie sich in einem seelisch so unempfindlichen Lebensprozeß befindet, daß ihre Vorstellungskraft nicht so weit gehen kann, einem anderen Menschen mit direkter Zuneigung zu begegnen. Diese Filmerzählung muß mit starken Kontrasten arbeiten, sie muß Poesie gegen Oberflächlichkeit stellen, Liebe gegen Verachtung und die Hoffnung gegen eine Welt, in der sie längst gegen Auto-Industrie und blondierte Haarfrisuren eingetauscht wurde, was aber nicht genug bemerkt wird. Mein Held ist deshalb der Hilfsarbeiter Nicola, der gerne Maurer wäre, für dessen naiven Traum vom Glück ich kämpfe und dessen Scheitern auf jeden Fall nicht ihm anzulasten ist, sondern denen, die ihm kein Vertrauen schenken und seine Sehnsucht nach Leben komisch finden.«

Panische Zeiten. *R* Udo Lindenberg und Peter Fratzscher. *B* Udo Lindenberg, Kalle Freynik, nach einer Idee von Udo Lindenberg, Horst Königstein und Kalle Freynik. *K* (Farbe) Bernd Heinl. *M* Udo Lindenberg, Dave King. *A* Toni Lüdi. *T* Jan van der Eerden. *S* Helga Borsche, Barbara von Weitershausen. *D* Udo Lindenberg (Udo Lindenberg/Detektiv Carl Coolman), Leata Galloway (Vera), Walter Kohut (Doktor K.), Vera Tschechowa (Ärztin), Felix Scholz, Klaus Kauroff, Otto Wanz, Hark Bohm, Beate Jensen, Eddie Constantine (Lemmy Caution), Rudolf Beiswanger, Peter Ahrweiler, Heinz Domez, Karl Dall. *P* Udo Lindenberg / Amazonas / Roba Musik / Regina Ziegler. 101 Minuten. 1980.
Udo Lindenberg wird nach einem Konzert von dem machtbesessenen Dr. K. entführt. Detektiv Carl Coolman – mit Ratschlägen seines alten Freundes Lemmy Caution versehen – kommt den Kidnappern auf die Spur, und Udo wird zum Schluß gar Bundeskanzler.
»Die Idee zu diesem Film kam mir schon vor vielen Jahren. Ich wollte ja immer mal einen Film machen. Film ist die logische Konsequenz von dem, was ich akustisch seit Jahren über die Bühne gezogen habe. Das Medium Film bietet die Möglichkeit, Gedanken etwas ausführlicher zu bringen, im Vergleich zu den zeitlich begrenzten Songs in Live-Konzerten« (Udo Lindenberg).

Die Parallelstraße. *R* Ferdinand Khittl. *B* Bodo Blüthner. *K* (Farbe) Ronald Martini. *M* Hans Posegga. *S* Irmgard Henrici. *D* Friedrich Joloff, Ernst Marbeck, Henry van Lyck, Wilfried Schröpfer, Herbert Tiede, Werner Uschkurat. *P* GBF (Otto Martini, Karl G'schrey). 90 Minuten. 1959–62.

»Von dieser *Parallelstraße* wird sich niemand abwenden, der sich die Gabe der Neugierde bewahrt hat, den Geschmack am Risiko, und, konfrontiert mit der Büchse der Pandora, den unwiderstehlichen Drang zum Ungehorsam. Besser noch: dieser Film fordert seine Mitwirkung, weckt seine imaginativen Kräfte, integriert sein Kalkül und seine Reaktionen. Er beschert uns weniger ein Schauspiel als ein hohes Spiel der Intelligenz, dessen Einsatz unwägbar, dessen Ausgang tragisch, dessen Lösung fraglich sein kann. Fünf Menschen sind in einem dunklen Saal um einen Tisch versammelt. Zwei Nächte lang nehmen sie an einer Enquête teil, unter Anleitung eines Protokollführers, der Dokumente präsentiert und kommentiert. Eine Schrift auf der Leinwand: Ende des zweiten Teils. Der Film beginnt. Das Dossier besteht aus 308 Dokumenten, von denen wir nur einen Teil zu sehen bekommen, die Nummern 268 bis 306. Die Stücke sind verschiedener Natur: Tonaufnahmen, Hotelrechnungen, Belege über konsumierten Whisky, Fotografien. Und Filme. Diese Filme sind in vielen bekannten und geheimen Weltgegenden gedreht: Malakka, Thailand, Curaçao, Ceylon, auf der Insel Mauritius, der Teufelsinsel, der Trinité-Insel. Sie zeigen in einer diskontinuierlichen und fragmentarischen Form den Emigranten Himmelreich im brasilianischen Dschungel, die Tempel und Kanäle von Bangkok, die Nationalstraße No. 1 der USA von Miami nach Key West, den Krater des Kilimandscharo, die Börse von New York, den Fudschijama und Friedhöfe in aller Welt. Der Film spannt mit den Meridianen und den Parallelen ein unzerreißbares Spinnennetz, wo die flüchtigen Erkenntnisse und die unüberwindbaren Widersprüche dicht beieinander wohnen. Die fünf Männer der Jury sind gefangen in der ewigen Falle des Rationalisierens und der Exegese. Die Dokumente stammen von einer rätselhaften, vielleicht fiktiven Figur, der ›fraglichen Persönlichkeit‹. Teils sind es Dokumentationen, teils Erfahrungen mit dem ›cinéma automatique‹, teils kaleidoskopische Variationen über die Allgegenwart des Todes in einer labyrinthischen Geographie. Nach jeder Präsentation versuchen die Kandidaten mit einem völlig vergeblichen guten Willen und sinnlos forcierter Logik, die Puzzeln dieser Fragmente zu einem Bild der Welt zusammenzusetzen. Aber die Partie ist von vornherein verloren. Als Gefangene der Dimensionen von Zeit und Raum und der unzerstörbaren Struktur der Vernunft werden die fünf Männer nie an den Punkt gelangen, wo sich die Widersprüche auflösen und das Schlüsselwort ausgesprochen wird, das alle Türen der Welt öffnet. Diese Niederlage werden sie mit ihrem Tode bezahlen. Wie der Kommentar andeutet, sind diese Fünf nicht die ersten noch die letzten, die dieser tödlichen Probe ausgesetzt werden, dieser nie endenden Erfahrung, der sich kein menschliches Wesen entziehen kann. Auf dieser *Parallelstraße* wird das ganze Abenteuer des Geistes erlebt. Von drei Reisen rund um die Welt, bei denen sie die entferntesten und verborgensten Spuren der menschlichen Karawane gesichert haben, haben Khittl und sein Kameramann Bilder voller Glanz und Mysterium mitgebracht, deren absurde Perspektiven unersättlichen Wissensdurst wecken. Sein Film lädt den Zuschauer ein, sich in Labyrinthen zu verlieren und sich auf einer imaginären Ebene der Surrealität zu bewegen, um dort den Ariadne-Faden zu finden. Man fühlt sich an *Letztes Jahr in Marienbad* erinnert, aber an ein Marienbad, das ein Universum umfaßt. Zum Schluß ein Vorschlag, als Paraphrase von Borges, der in Khittl sein treuestes Pendant im Film gefunden hat: Sind nicht die Filme, alle Filme, deren Bedeutung aufzuspüren wir aufgerufen sind, Fragmente eines einzigen, ewig unvollendeten Films, realisiert von einem universellen und allgegenwärtigen Genie, einem Regisseur voller Rätsel und Fragen, dem Beschwörer der Erscheinungen und der Träume?« (Jean-Paul Török, *Positif*, 1964, anläßlich der Vorführung des Films bei der Woche der Kritik im Rahmen des Cannes-Festivals). *Die Parallelstraße* war der erste große internationale Erfolg des Jungen Deutschen Films. Wie andere Werke später wurde er von der heimischen Kritik verkannt und mußte sich seinen Weltrang im Ausland bestätigen lassen: Während die deutschen Rezensenten dem Film mit Hohn, Arroganz und manchmal auch mit aggressiver Feindseligkeit begegneten, wurde er anderwärts, vor allem in Frankreich, als geniales Pionierwerk gefeiert. »Ein *Monde Cane*, das zu einem kafkaesken Alptraum wird, ein erstaunlicher Film, eine faszinierende Reise in einem parallelen Universum, eine Parabel über das Leben und den Tod und über die Vergeblichkeit des menschlichen Tuns; man ist gefesselt vom Anfang bis zum Ende, in den Kinosessel festgeschmiedet, als wohne man einer magischen Sitzung bei«, schrieb Marcel Martin in *Cinema 64*, und *Positif* kam ein zweitesmal ausführlich auf den Film zurück, weil der große Fachmann des surrealistischen Films, Robert Beanyoun, noch ein Wort dazu zu sagen hatte; als Fazit einer langen Eloge schrieb er: »Es sind Filme wie die *Parallelstraße*, die dem zeitgenössischen Film seine intellektuelle Würde geben und den Adel einer wahren Funktion. *Die Parallelstraße* ist ein philosophischer Thriller, ein Western der Meditation, der uns für ein ganzes Jahr voll unvermeidlicher Manifestationen des Schwachsinns entschädigt.« Der Triumphzug fand seinen Höhepunkt, als die *Parallelstraße* mit dem Großen Preis des Experimentalfilm-Festivals Knokke 1964 ausgezeichnet wurde. Ferdinand

Panische Zeiten: Udo Lindenberg

Palermo oder Wolfsburg: Nicola Zarbo

Die Parallelstraße: Ferdinand Khittl

Khittl, zusammen mit dem Kameramann Martini und dem Textautor Bodo Blüthner der Schöpfer der *Parallelstraße,* war die farbigste Persönlichkeit unter den Unterzeichnern des Oberhausener Manifestes. 1924 in Frantiskovy Lázne (ČSSR) geboren, war er sechs Jahre lang Matrose bei der Handelsmarine und später als Maurer, Bäcker und Hühnerzüchter tätig, bis er 1952 zum Film kam, zuerst als Verleihvertreter, dann als Mädchen für alles bei Dokumentarfilmproduktionen. *Auf geht's,* 1955 mit einem Bundesfilmpreis ausgezeichnet, war der erste von vielen Dokumentar-, vor allem Industriefilmen, ein Genre, in dem sein innovatorisches Wirken und sein Sinn für essayistische Formen viele Spuren hinterlassen hat. Etwas ähnliches wie *Die Parallelstraße* hat er nie mehr unternommen, das einzige vergleichbare Werk des späteren Neuen Deutschen Films ist Herzogs *Fata Morgana,* dem der Khittl-Film aber vor allem in der literarischen und philosophischen Qualität seiner Texte weit überlegen ist. Ferdinand Khittl, der auch ein skurriler Buchautor *(Meine Schuhe)* und einer der besten Köche der Welt war, ist 1978 gestorben. »Auch die Toten sind voller Freude / Wenn sie in die Grube fahren, möchten sie noch rufen: / Ich habe gelebt! / Ich habe ein Haus gebaut! / Ein Kartenhaus. / Die letzte Karte hat einen Augenblick ruhig gelegen, bevor das Haus zusammenbrach / Der Beweis aber war erbracht / Ich habe gelebt!« *(Die Parallelstraße).*

Die Patriotin. *R* und *B* Alexander Kluge. *K* (Farbe und Schwarzweiß) Jörg Schmidt-Reitwein, Petra Hiller, Thomas Mauch, Charlie Scheydt, Werner Lüring, Reinhard Oefele, Günter Hörmann. *T* Peter Dick, Siegfried Moraweck, Kurt Graupner, O. Karla. *S* Beate Mainka-Jellinghaus. *D* Hannelore Hoger (Gabi Teichert), Alfred Edel (Staatsanwalt Mürke), Dieter Mainka (Verfassungsschützer), Kurt Jürgens (Militärattaché Friedrich von Bock), Willi Münch (Bombenentschärfer), Alexander von Eschwege (Fred Tacke), Beate Holle (Frau Takke), Marius Müller-Westernhagen (Fernsehlieferant), Ulrich von Dobschütz (Bundeswehroffizier), Günther Keitel (Totengräber Bischof), Hans Heckel (Märchenforscher), Wolf Hanne (Oberschulrat Wedel). *P* Kairos (Alexander Kluge) / ZDF. 121 Minuten. 1979.
Die Titelrolle des Films ist Gabi Teichert, Geschichtslehrerin in Hessen, eine Figur, die Alexander Kluge in dem Film *Deutschland im Herbst* kreiert hat; ihren Patriotismus definiert der von Kluge gesprochene Kommentar als »Anteilnahme an allen Toten des Reiches«. Die zweite Hauptrolle des Films hat das Knie des 1943 in Stalingrad gefallenen Obergefreiten Wieland. »Ein Knie geht einsam um die Welt. Es ist ein Knie, sonst nichts. Es ist kein Baum, es ist kein Zelt, es ist ein Knie, sonst nichts. Im Krieg ward einmal ein Mann erschossen um und um. Sein Knie allein blieb unverletzt, als

wär's ein Heiligtum.« Das Knie: »So kann man uns nicht abschreiben, die Wünsche, die Beine, die vielen Glieder, Rippen, die Haut, die friert, und eben wenn nichts anderes übrig ist als ich, das Knie, dann muß ich reden, reden, reden. Wenn ich nicht schon im üblichen Sinne lebe, als Stück eines ganzen Mannes, dieser als Stück eines ganzen Volkes, dieses als Stück der Geschichte, der Tiere, der Bäume, der Gärten und so weiter und so fort. Man soll sich daran gewöhnen, daß ich hier rede.« Das Knie erforscht die deutsche Geschichte, ebenso die Geschichtslehrerin Gabi Teichert. Sie gräbt buchstäblich mit dem Spaten bei Regen und Sturm in der deutschen Erde, geht in ihrem Labor den Geschichtsbüchern chemisch-mechanisch zuleibe. »In ihren Forschungen befaßt sie sich mit Bombenangriffen, mit dem Parteitag der SPD, sie forscht nach der Geschichte der Körper, erlebt eine Kaufhausräumung, gerät in Konflikt mit Vorgesetzten, trifft auf Märchen, prüft das Verhältnis einer Liebesgeschichte zur Geschichte usf.; alles das tut sie handgreiflich, praktisch. Sie erprobt Werkzeuge. Wie man Autos oder Holzstücke bearbeitet, das weiß man; wie bearbeitet man die Geschichte unseres schönen Landes?« (Kluge in einem Kommentar zu seinem Film). Kommentar im Film: »Gabi Teichert hat festgestellt, daß das Unterrichtsmaterial an den höheren Schulen Mängel aufweist. Die Mängel liegen in der deutschen Geschichte, das heißt im Rohstoff selber. Es ist nämlich schwer, deutsche Geschichte in eine patriotische Fassung zu bringen.« Und: »Die meiste Zeit ist Gabi Teichert verwirrt. Das ist eine Frage des Zusammenhangs.« Diesen Zusammenhang versucht der Film auf vielen formalen und gedanklichen Ebenen zu ergründen. Auch das Knie des Obergefreiten Wieland, das einst »von einem zänkischen Gehirn, das ja jetzt im Nordkessel liegt und nichts mehr zu sagen hat«, nach Stalingrad dirigiert wurde, ringt um den Zusammenhang. »Die Veränderung aller Verhältnisse, das ist eine Wahrnehmung. Wenn diese Geschichte nicht wäre, wäre bestimmt eine andere. Vom Standpunkt eines toten Knies muß man es negativ sagen. Nicht: Was tun? Sondern: Was tue ich nicht? Wenn mein zänkisches Gehirn sagt: Tue das, so weiß ich, was ich nicht tue, ich laufe nicht, sondern stolpere.« Die Patriotin scheitert auf der Suche nach dem Zusammenhang, aber nicht ohne Hoffnung: »Jedes Jahr zu Sylvester sieht Gabi Teichert 365 neue Tage vor sich. So, daß Hoffnung besteht, das Ausgangsmaterial für den Geschichtsunterricht für die höheren Schulen im kommenden Jahr zu verbessern.«
Die 1980er Kampagne des Dr. K.: Ende 1979 kam der Film *Die Patriotin* in die Kinos. Anfang 1980 erschienen die Texte und Bilder des Films in einem *2001*-Band. Im weiteren Verlauf des Jahres erschienen die Bücher *Die Filme von Alexander Kluge* von Rainer Lewandowski, *Ulmer Dramaturgien / Reibungsverluste* von Klaus Eder und Alexander Kluge und *Sinnlichkeit des Zusammenhangs – Zur Filmarbeit von*

Alexander Kluge von Michael Kötz und Petra Höhne. Vor allem die beiden letzten Bücher kreisen um eine bislang unerklärte, vielleicht für immer unbegreiflich bleibende Idee, die vielleicht aber auch nur als Jux gemeint ist: die Promotion der *Produktionskritik,* die offenbar die Politik des Autorenfilms ablösen soll. »Die Gegenproduktion, oder Produktionskritik ist eine Umproduktion der Realitätsbeziehung« (Kötz & Höhne). Der Film *Die Patriotin,* der, ernst genommen, nach seiner Konzeption und der Qualität seiner Texte der beste deutsche Film hätte werden können, wurde offenbar als Lehrobjekt dieser neuen Richtung fassoniert. In *Sinnlichkeit des Zusammenhangs* wird er wie folgt erklärt: »Zum einen versucht Kluge eine sinnlich-filmpraktische Kritik am Begriff von Geschichte als Folge realisierter (oder nicht realisierter) Ideen der Köpfe, läßt also das Knie (auf seine Weise) ›zu Wort kommen‹, mithin auch das, was noch andernorts ›unten‹ ist, unbeachtet, aber alles auszutragen hat, was die ›zänkische Gehirn‹ verlangt – es schließlich überlebt, weil es anderen, zäheren Gesetzmäßigkeiten unterliegt, ›denn niemand ist einfach nur tot, wenn er stirbt‹. Zum anderen hat dieses Nicht-Reden (weder vom noch) zum Munde des ›zänkischen Gehirns‹ (als organisierendem Zentrum einer Person, der Geschichte, einer Erzählung) eine strukturelle Entsprechung zur Erfahrungssituation im Kino – so wie Guattari sagt: Es spricht statt deiner. Die Ablösung einer ichbezogenen Sicht der Dinge im Kino durch eine körperliche, vielsprachige und kurzfristig-verkettete Umgangsweise mit der Realität als ungeordneter, bildet den Ausgangspunkt für eine Kinoöffentlichkeit in einer kulturellen Umbruchsgesellschaft, die zu realer, nachbürgerlicher Vergesellschaftung möchte.«

Paule Pauländer. *R* Reinhard Hauff. *B* Burkhard Driest. *K* (Farbe) Jürgen Jürges. *M* Richard Palmer-James. *A* Willy Kley. *S* Inez Regnier. *D* Manfred Reiß (Paul), Angelika Kulessa (Elfi), Manfred Gnoth (Vater), Katharina Tüschen (Mutter), Heinz Hürländer, Klaus Hellmold, Wolf Dietrich Berg, Werner Eichhorn, Margret Homeyer, Achim Sauter, Herbert Steinmetz, Hildegard Wensch, Tilo Prückner. *P* Bioskop /WDR. 94 Minuten. 1976.
Der Bauernjunge Paule Pauländer leidet unter der autoritären und aggressiven Behandlung durch seinen Vater. So wie er wird auch das aus einem Heim geholte Mädchen Elfi auf dem kleinen Hof des Vaters als vollwertige Arbeitskraft eingesetzt. Von ihr lernt Paule aber, Unrecht nicht immer nur hinzunehmen, sondern sich zu wehren.
Burkhard Driest: »Meine erste Drehbuchfassung zeigte den Bauernjungen Paule Pauländer als Opfer einer Familienlandwirtschaft, die sich der Revolutionierung der landwirtschaftlichen Produktionsverhältnisse entgegenstellt und daher von der Großindustrie total ausgehöhlt und aufgesogen wird. Während der Arbeit hatte ich das In-

teresse des Zuschauers an dem Stoff mit dem meinen verwechselt. Um wieder näher an die Figuren heranzukommen, zogen Hauff und ich für einige Zeit auf einen Bauernhof. Wir sprachen mit den Bauern, wir machte heimlich Tonbandaufnahmen, wir lebten mit ihnen. Entsprechend der Erkenntnis, daß das Eigentum des Kleinbauern nicht der Boden seiner Unabhängigkeit und seiner Freiheit ist, sondern der Stiefel, der ihn niederdrückt, verläßt unser Held am Schluß des Films den Hof« (aus: *Fernsehspiele Westdeutscher Rundfunk Januar-Juni 1976).* Die Erfahrungen, die Reinhard Hauff während der Dreharbeiten zu *Paule Pauländer* mit dem Darsteller der Titelrolle machte, bildeten die Grundlage für seinen nächsten Film *Der Hauptdarsteller.*

Der Pfingstausflug. *R* Michael Günther. *B* Michael Günther, nach einer Idee von Peter Albrechtsen. *K* (Farbe) Michael Epp. *M* Hans Martin Majewski. *A* Susanne Quendler. *T* Christian Moldt. *S* Inge P. Drestler. *D* Elisabeth Bergner (Margarete), Martin Held (Heinrich), Edda Seipel (Frau Schmidt), Gaby Gasser, Dagmar Biener, Simone Rethel, Ewald Wenck, Otto Czarski, Horst Pönichen, Friedhelm Ptok, Klaus Sonnenschein, Eva Lissa, Edith Elsholtz, Brigitte Grothum, Horst Pinnow, Randolf Kronberg. *P* Ottokar Runze / ZDF / SRG. 90 Minuten. 1979.
Margarete und Heinrich, die ihren Lebensabend in einem Altersheim verbringen, machen sich Pfingsten heimlich auf den Weg, um einer von ihren Verwandten längst vergessenen Einladung zum Feiertagsessen nachzukommen. Eine Polizeistreife greift sie zwar auf, ehe sie ihr Ziel erreicht haben, aber die vergnügliche und abenteuerliche Odyssee quer durch Berlin war für sie das schönste Erlebnis seit Jahren.
Besinnlich-heiterer Unterhaltungsfilm mit Anklängen an *Lina Braake.* Ein Wiedersehen mit der mittlerweile 81jährigen Elisabeth Bergner *(Ariane,* 1931).

Die phantastische Welt des Matthew Madson. *R* Helmut Herbst. *B* Helmut Herbst, Klaus Wyborny. *K* Rolf Deppe, René Perraudin. *D* Dietmar Buchmann, Angelika Düsing, Christoph Hemmerling. *P* Cinegrafik / ZDF. 87 Minuten, Neufassung 70 Minuten. 1974.
Ein Mann namens Mulligan findet sich eines Tages an Bord eines Raumschiffes wieder, dessen Mannschaft einer seltsamen Verwirrung erlegen ist und das führerlos durch das All treibt. Mulligan verliert seine Identität, doch die Erinnerung an eine alte Liebe läßt ihn den Weg zu dem Planeten von Madson finden; dort erlebt er seltsame Abenteuer.
Neben den Science-Fiction-Filmen von Alexander Kluge die einzige nennenswerte Auseinandersetzung des Neuen Deutschen Films mit dem Genre. Herbst: »Wir nähern uns der Science Fiction auf ganz anderen Wegen als Kluge, der, um den traditionel-

len SF-Film in Frage zu stellen, alle Stereotypen der Science Fiction benutzt und sich auch einen Spaß daraus macht, sehr komplizierte Texte von Leuten aufsagen zu lassen, die die typischen Leute von der Straße sind. Unser Versuch ist diesem sehr intellektuellen Prozeß genau entgegengesetzt. Die Technik der *Phantastischen Welt* ist sehr ausgefeilt, aber zugleich will nichts von dem, was man hier zu sehen bekommt, wirklich ernst genommen werden; für uns spielt die Technik, so sophisticated sie auch sein mag, nicht die Hauptrolle, wie sonst im Science-Fiction-Film. Sie gibt dem Zuschauer vielmehr die Möglichkeit, sich vom Fluß der Bilder davontragen zu lassen. In dieser Hinsicht hat der Film eine gewisse Verwandtschaft mit den phantastischen deutschen Filmen der zwanziger Jahre. Beim Machen dieses Films habe ich auch an *Entreacte* von René Clair und die Filme des Tschechen Zeman gedacht . . . Für den Zuschauer soll der Film ein glücklicher Alptraum sein« (Interview der Pariser Zeitschrift *Cinema 75,* 1975). Helmut Herbst und sein Mitautor Klaus Wyborny (Regisseur einiger Experimentalfilme wie *Die Geburt der Nation* und *Der Ort der Handlung*) gehören neben Hellmuth Costard und Werner Nekes zu den Hauptvertretern der »Hamburger Schule«, deren erstes Zentrum das von Herbst 1962 gegründete Trickstudio Cinegrafik war und die 1967 schulemachende Hamburger Filmmacher-Cooperative gründete. Herbst, geboren 1934 im Rheinland, wurde bekannt mit Animationsfilmen wie *Kleine Unterweisung zum glücklichen Leben* und *Schwarz-weiß-rot* (beide 1963). Seine Filmtrick-Lehrtätigkeit (unter anderem als Dozent an der Film- und Fernsehakademie Berlin) hat zu einem der virtuosesten »Lehrfilme« der Filmgeschichte geführt: *Synthetischer Film oder wie das Monster King Kong von Fantasie und Präzision gezeugt wurde* (1975).

Pioniere in Ingolstadt. *R* Rainer Werner Fassbinder. *B* Rainer Werner Fassbinder, nach dem Bühnenstück von Marieluise Fleisser. *K* (Farbe) Dietrich Lohmann. *M* Peer Raben. *A* Kurt Raab. *S* Thea Eymèsz. *D* Hanna Schygulla (Berta), Harry Baer (Karl), Irm Hermann (Alma), Rudolf Waldemar Brem (Fabian), Walter Sedlmayr (Fritz), Klaus Löwitsch (Feldwebel), Günther Kaufmann (Max), Carla Aulaulu (Frieda), Elga Sorbas (Mariel), Burghard Schlicht (Klaus), Günther Krää (Gottfried). *P* Janus-Antiteater. 83 Minuten. 1971.
Das Verhältnis zwischen dem Ingolstädter Dienstmädchen Berta und dem Pionier Karl nimmt ein trauriges Ende, weil Soldaten durch ihren Beruf für die Liebe verdorben werden.
Fassbinder hatte die *Pioniere von Ingolstadt* schon zweimal für die Bühne bearbeitet und inszeniert, 1968 am Münchner antiteater, 1970 in Bremen. Die intensive Beschäftigung mit der Autorin und dem Stück führte aber nicht zu dem Film, den man erwarten durfte. »Komischerweise war Fassbinders früher Film *Katzelmacher* (obwohl

das Fassbinders eigene Geschichte war) viel eher eine Fleisser-Verfilmung als die *Pioniere in Ingolstadt.* Wie die Stücke der Fleisser Außenseiterstücke sind, so war das damals ein Außenseiterfilm: billig produziert, simpel stilisiert – ein stiller, langsamer, ein bißchen amateurhafter Film, der geduldig und nüchtern (wie die Szenen der Fleisser) ein kleines Drama unter kleinen Leuten vorführte. Fassbinders *Pioniere*-Film hat keine der beiden Qualitäten: weder Geduld noch Nüchternheit . . . Hanna Schygulla ist die einzige, die den Schritt aus Marieluise Fleissers Kleinstadt in Fassbinders bunte Kinowelt konsequent vollzieht: Bei ihr haben die kleinen Gesten der Liebe so viel feierliches Gewicht, daß aus der Dienstbotengeschichte das große Melodram einer leidenden Liebenden wird« (Benjamin Henrichs, *Fernsehen + Film,* 1971).

Playgirl. *R* und *B* Will Tremper. *K* Wolfgang Lührse, Benno Bellenbaum. *M* Peter Thomas. *A* Christine Viertel. *T* Naftali Schönberg. *S* Ursula Möhrle. *D* Eva Renzi (Alexandra), Harald Leipnitz (Siegbert Laner), Paul Hubschmid (Joachim Steigenwald), Umberto Orsini (Timo), Elga Stass, Rudolf Schündler, Hans-Joachim Ketzlin. *P* Will Tremper. 91 Minuten. 1966.
Alexandra, Mitte Zwanzig, hochbezahltes Fotomodell der Spitzenklasse, kommt nach Berlin und probiert mit verschiedenen Männern ihren Grundsatz aus, daß es keine unglückliche Liebe gibt, nur die falsche Liebe.
»Große Filme entstehen manchmal aus der Begegnung zwischen einem Regisseur und einem Stoff, oder zwischen einem Regisseur und einem Autor, oder einem Regisseur und einem Darsteller, der eine ihm verwandte Seele ist: in der Eva Renzi hat Tremper sein Medium gefunden, vital, launisch, besitzergreifend, unbekümmert und bekümmert, brutal und zärtlich, unwiderstehlich und unausstehlich, hilfsbereit und zerstörerisch, aber auf jeden Fall – faszinierend. Beabsichtigt war diese autobiographische Note wohl bis zum Schluß nicht; sie ist Tremper unterlaufen, daher die schöne Zwanglosigkeit des Films, seine absolut uneitle Gelassenheit, aber vor allem: seine Ehrlichkeit« (Joe Hembus, Neue Ruhr Zeitung, 1966).

Potato Fritz. *R* Peter Schamoni. *B* Paul Hengge. *K* (Farbe) Wolf Wirth. *M* Udo Jürgens. *A* José Maria Tapiador, Cornejo. *D* Hardy Krüger (Potato Fritz), Stephen Boyd (Bill Addison), Arthur Brauss (James Wesley), Diana Körner (Martha Comstock), Paul Breitner (Sergeant Stark), Friedrich von Ledebur (Martin Ross), Christiane Gött, Anton Diffring, Peter Schamoni, Rainer Basedow, Helmut Brasch, Dan van Husen. *P* Peter Schamoni/Eucent. 90 Minuten. 1976.
US-Army Captain tarnt sich als schrulliger Kartoffelbauer und entlarvt Banditen.
Katastrophale Verkennung aller schönen Möglichkeiten, einen zeitgemäßen

Der Pfingstausflug: Martin Held, Elisabeth Bergner

Die Patriotin: Hannelore Hoger

Playgirl: Eva Renzi, Will Tremper, Paul Hubschmid

Paella-Sauerkraut-Western zu drehen. Zur Vorbereitung auf dieses Unternehmen hat Peter Schamoni den Westen studiert, statt den Western.

Der Preis fürs Überleben. *R* und *B* Hans Noever. *K* (Farbe) Walter Lassally. *M* Joe Haider. *A* Toni Lüdi. *T* Ed Parente. *S* Christa Wernicke. *D* Michel Piccoli (René Winterhalter), Martin West (Joseph C. Randolph), Marilyn Clark (Betty Randolph), Suzie Galler (Kathleen Randolph), Daniel Rosen (Thomas Randolph), Ben Dova (Old Jim), Kurt Weinzierl (Jim Maiello). *P* DNS (Denyse Noever, Elvira Senft, Kerstin Dobbertin) / Popular (Hans H. Kaden) / Les Films 66, Paris / BR. 107 Minuten. 1980.
Ein Prokurist, verheiratet und Vater von zwei Kindern, wird nach zwanzig Jahren im Zuge allgemeiner Rationalisierungsmaßnahmen aus der Firma entlassen, kauft sich daraufhin im Kaufhaus ein Gewehr und erschießt fünf der für seine Entlassung verantwortlichen Chefs in ihren Büros. Ein schweizer Reporter kommt in die Stadt, um herauszufinden, weshalb Firma und Behörden offensichtlich bemüht sind, diesen Fall juristisch zu verdunkeln. Er kommt dahinter, daß man versucht, die Aufdeckung eines Umweltskandals zu verhindern, und es gelingt ihm, den auf ihn angesetzten Killer mattzusetzen.
Noever hat diesen Film von der ersten bis zur letzten Szene in einer Kleinstadt in Missouri, USA, gedreht. Seine quasi europäische Schilderung von Jefferson City ist das Interessanteste am ganzen Film: Da werden Blechschilder und Leuchtreklamen zu Informationsträgern, und der Zuschauer erhält einen Einblick in eine Mentalität, die einen Amoklauf wie den hier beschriebenen tatsächlich eher möglich erscheinen läßt als unsere eigene.

Professor Columbus. *R* Rainer Erler. *B* Rainer Erler, Guido Baumann. *K* Fred Tammes (Farbe). *M* Eugen Thomass. *D* Rudolf Platte, Ankie von Amstel, Jerome Krabbé, Louise Martini, Maria Singer, Robert Meyn, Gérard de Groot. *P* Rob Houwer. 93 Minuten. 1968.
Ein Bibliothekar erbt ein altes Schiff, macht es in Amsterdam mit einer Gruppe Hippies seetüchtig und fährt damit aufs offene Meer.
»Deutsches Jungfilmer-Kino, das alles das feilbietet, was Papas Kino auch schon aufwies: Phantasiemangel, Unfertigkeiten und Langeweile« *(Evangelischer Film-Beobachter).*

Profis. *R* und *B* Christian Weisenborn, Michael Wulfes. *K* (Farbe) Dieter Matzka, Kurt Lorenz, Jörg Schifferer, Wedigo von Schulzendorf. *T* Karl Knäufel. *S* Benno Borgward. *Mit* Paul Breitner und Uli Hoeness. *P* Nanuk (Christian Weisenborn, Erwin Keusch) / ZDF. 96 Minuten. 1979.
Dokumentarfilm über die Profi-Fußballer Paul Breitner und Uli Hoeness. Während der Fußballsaison 1978/79 beobachtete die Kamera die beiden Kameraden nicht nur auf dem Spiel-

feld, sondern auch »hinter den Kulissen«. Paul Breitner: »Wir sind schon länger zusammen als mit unseren Frauen, und wir gehen uns ganz schön auf die Nerven.«
Für das Kleine Fernsehspiel des ZDF hatten Christian Weisenborn und Erwin Keusch von 1974 bis 1977 den Dokumentarfilm *Der Rasen ihrer Träume* gedreht. Beschrieben wurde damals die Entwicklung von vier Spielern aus der Schüler-Nationalmannschaft. Die Fortsetzung, *Unerfüllte Träume*, drehte Weisenborn mit Michael Wulfes (ebenfalls fürs ZDF).

Quartett im Bett. *R* und *B* Ulrich Schamoni. *K* Josef Kaufmann. *M* Ingo Insterburg, Peter Ehlebracht. *D* Die 4 Jacob Sisters und Insterburg & Co., bestehend aus Ingo Insterburg, Jürgen Barz, Karl Dall. Peter Ehlebracht. *P* Peter Schamoni. 92 Minuten. 1968.
Das weibliche Jacob-Quartett und das männliche Insterburg-Quartett in Kreuzberger Kneipen und Betten.
Mit souveräner Wurstigkeit die Zeitläufe ignorierend, geht Ulli Schamoni im unruhigen Berlin 1968 seinen Zerstreuungen nach. »Schamoni zeigt das Berlin unserer Tage und beschwört dabei das Bild einer heimeligen friedlichen Stadt. Politischer Konfliktstoff wird mühelos in dieses Bild integriert. Das gelingt Schamoni, indem er gesellschaftliche Tatbestände ihrer Zusammenhänge beraubt, sie zu bloßen Phänomenen reduziert. Der Ho-Tschi-Minh-Rhythmus garniert den Auftritt der Jacob-Sisters. Ist ihm sein Symbolcharakter genommen, verflacht er zum dekorativen Element, anwendbar auch in Bierkellern und auf Fußballplätzen, und so ungefährlich für Schamonis Berlin-Image. Axel Springer wird als bornierte Privatperson gezeigt, sein Konzern verschwiegen« (Klaus Bädekerl, *Filmkritik*, 1969).

Der Räuber Hotzenplotz. *R* Gustav Ehmck. *B* Gustav Ehmck, nach dem Buch von Otfried Preußler. *K* (Farbe) Hubert Hagen. *M* Eugen Thomass. *A* Helge Brauch. *T* Carl Heinz Aussem. *S* Wolfgang Schacht. *D* Gert Fröbe (Hotzenplotz), Lina Carstens (Großmutter), Josef Meinrad (Petrosilius Zwackelmann), Rainer Basedow, David Friedmann, Gerhard Acktun. *P* Gustav Ehmck. 114 Minuten. 1973.
Der gefürchtete Räuber Hotzenplotz klaut Großmutters Kaffeemühle, nimmt Kasperl und Seppel, die ihm auf den Fersen sind, gefangen und verkauft Kasperl dem bösen Zauberer Petrosilius Zwackelmann. Kasperl trifft aber zum Glück eine Unke, die eigentlich eine schöne Fee ist, und alles wird wieder gut.
Das Kinderbuch *Der Räuber Hotzenplotz* ist der in seiner Sparte erfolgreichste Bestseller der Nachkriegszeit, und die Besetzung der Hauptrollen mit Gert Fröbe (in seinem ersten deutschen Film seit mehr als zehn Jahren), Lina Carstens und Josef Meinrad garantierte, daß die Freunde des Stoffes auch im Kino auf ihre Kosten kamen. Gustav Ehmck versuchte, mit »Bewegungsdynamik« und Slapstick den deutschen Kinderfilm aufzumöbeln,

inszenierte aber dennoch weitgehend uninspiriert und schwerfällig.

Reifezeit. *R* Sohrab Shahid Saless. *B* Sohrab Shahid Saless, Helga Houzer. *K* Ramin Reza Molai. *T* Gunther Kortwich. *S* Christel Orthmann. *D* Eva Manhardt (Mutter), Mike Hennig (Michael), Eva Lissa (Frau Beier), Heinz Lieven (Lehrer), Charles-Hans Vogt (Großvater), Lothar Köster. *P* Provobis / ZDF. 111 Minuten. 1976.
Der zweite Film, den der iranische Regisseur Saless in der Bundesrepublik drehte, stellt einen zehnjährigen Jungen in den Mittelpunkt, dem allmählich bewußt wird, daß seine Mutter ihr Geld als Prostituierte verdient. »Ein Junge lebt mit seiner Mutter zusammen, geht zur Schule, macht Einkäufe für eine blinde Nachbarin. Die Mutter arbeitet nachts in einer Bar; der Junge muß selber sehen, wie er in die Schule kommt. Es gibt nur spärliche Dialoge, denn die beiden haben sich sehr wenig zu erzählen und leben Tag für Tag in gewohnter Gleichförmigkeit. Wie in seinen früheren Filmen fixiert Saless die Kamera einfach in sehr langen Einstellungen auf die Szenerie und seine Figuren, ohne zu erklären, was weshalb geschieht. Dieser Stil ist so ausgefeilt, daß er Gefahr läuft, bedeutungslos zu erscheinen, doch seine kompromißlose Einfachheit hat letztlich eine geradezu hypnotische Wirkung; und bald spricht es Bände darüber, wie Menschen wirklich leben« (David Wilson, *Sight and Sound*).

Die Reinheit des Herzens. *R* und *B* Robert Van Ackeren. *K* (Farbe) Dietrich Lohmann. *M* Peer Raben. *A* O. Jochen Schmidt. *T* Armin Münch. *S* Johannes Nikel. *D* Elisabeth Trissenaar (Lisa), Matthias Habich (Jean), Heinrich Giskes (Karl), Marie Colbin (Bini), Isolde Barth, Herb Andress, Stefan Abendroth, Dietrich Kerky, Reinald Nohal, Mona Schmiedel. *P* Bavaria (Peter Märthesheimer) / Project. 104 Minuten. 1980.
»Lisa und Jean haben das miteinander, was man eine harmonische Beziehung nennt: Sie teilen die Wohnung, die Bekannten und einige Ansichten über den Lauf der Welt miteinander, gelegentlich auch das Schlafzimmer, aber zur Vorsicht haben sie doch zwei davon. In diese durchaus beruhigende Atmosphäre bricht ein Mann namens Karl ein. Lisa, die fortschrittliche Buchhändlerin, verfällt diesem Karl, der mit Büchern nicht mehr zu tun hat, als daß er sie klaut, um sie weiterzuverkaufen. Und Jean, der abgebrühte Intellektuelle, beginnt auf einmal zu spüren, daß er doch eines starken Gefühls fähig ist, nämlich dem Genuß seiner gezielten Zerstörung« (Produktionsmitteilung).
Ähnlich wie in Chabrols *Une Partie de Plaisir* ist es auch in diesem Film ohne Belang, daß das zentrale Paar *nicht* verheiratet ist: Der Verzicht auf den Trauschein erweist sich als pseudo-liberaler Kunstkniff verkrachter Intellektueller, deren Zusammenleben die gleichen faschistischen Symptome aufweist wie die von ihnen verachtete

kleinbürgerliche Normal-Ehe. Van Ackeren läßt wie gewohnt einen Fremden in die Zweierbeziehung einbrechen und beendet auch diesen Film wieder in »greller Harmonie«.

Eine Reise ins Licht – Despair. *R* Rainer Werner Fassbinder. *B* Tom Stoppard, nach dem Roman von Vladimir Nabokov. *K* (Farbe) Michael Ballhaus. *M* Peer Raben. *A* Rolf Zehetbauer, Herbert Strabel, Jochen Schumacher, Dagmar Schauberger. *T* James Willis, John Stevenson, Milan Bor. *S* Reginald Beck, Juliane Lorenz. *D* Dirk Bogarde (Hermann Hermann), Andréa Ferréol (Lydia Hermann), Volker Spengler (Ardalion), Klaus Löwitsch (Felix Weber), Alexander Allerson (Mayer), Bernhard Wicki (Orlovius), Peter Kern (Müller), Gottfried John (Perebrodov), Adrian Hoven, Roger Fritz, Hark Bohm, Voli Geiler, Hans Zander, I Sa Lo, Liselotte Eder, Armin Meier, Gitty Djamal, Ingrid Caven, Isolde Barth. *P* Geria/Bavaria, München SFP, Paris (Peter Märthesheimer, Dieter Minx). 119 Minuten. 1978.
Berlin 1930. Im Zeichen der Weltwirtschaftskrise und der unruhigen Verhältnisse in Deutschland stagnieren die Geschäfte des Schokoladenfabrikanten Hermann Hermann. Seine Beziehungen zu seiner Frau Lydia sind gestört; Lydia genießt statt dessen die Aufmerksamkeiten ihres Vetters, des Malers Ardalion. Doch die wirtschaftlichen und privaten Malaisen kümmern Hermann nur wenig. Zunehmend ist er von der Idee besessen, eine doppelte Existenz zu führen. Auf einer Geschäftsreise lernt er den Landstreicher Felix Weber kennen; Hermann glaubt, in ihm einen Doppelgänger von sich zu sehen; in Wirklichkeit hat Weber kaum Ähnlichkeit mit ihm. Bei dem Versicherungsagenten Orlovius läßt Hermann sein Leben hoch versichern; seine Frau Lydia instruiert er, wie sie sich bei der Nachricht von seinem Tode verhalten soll. Dann bringt er seinen vermeintlichen Doppelgänger so um, daß es seiner Meinung nach wie Selbstmord aussieht. Er reist in die Schweiz, ganz glücklich in dem Bewußtsein, das perfekte Verbrechen begangen zu haben. Die Polizei kann den Fall schnell aufklären. Hermann wird als Mörder verhaftet. Er ist inzwischen völlig in Wahnsinn versunken und hält die wirklichen Geschehnisse für einen Film, dessen Hauptrolle er spielt.
Fassbinder zum erstenmal als Regisseur einer international arrangierten, mit einem Weltstar besetzten, teuren (2,5 Millionen Dollar), in englischer Sprache gedrehten Großproduktion, deren Autorenschaft nicht bei ihm und seinen üblichen Mitarbeitern lag, sondern bei den nicht beliebig verwert- und adaptierbaren Dichtern Nabokov (Stoff) und Stoppard (Drehbuch). Der Stoff hatte ihn freilich seit Jahren fasziniert; nach eigenem Eingeständnis gelang ihm erst dank der Hilfe des englischen Dramatikers Tom Stoppard *(Rosenkranz und Güldenstern sind tot)*, Nabokovs Geschichte zu einer Filmhandlung zu formen. Fass-

binder: »Jeder Mensch gelangt in seinem Leben einmal an den Punkt, an dem ihm klar wird, daß nun nichts mehr weiter geschehen wird – es wird keine neuen Ideen mehr geben, keine neuen Empfindungen. Von diesem Punkt an muß man hart daran arbeiten, die Dinge zu mögen, die man mag, die Dinge zu fühlen, die man fühlt. Man muß sie wiedererschaffen, man muß sie von neuem machen. Man kommt zum Beispiel zu dem Augenblick, wo man sich sagen muß, daß man gerne Kaffee trinkt, weil man ja bereits weiß, daß man gerne Kaffee trinkt. Die meisten Leute arrangieren sich, wenn es ihnen klar wird, daß sie diesen Punkt erreicht haben, das heißt, sie machen Kompromisse. Viele machen sich vielleicht nicht einmal klar, daß ihr Leben beendet ist. Aber dieser Mann, Hermann, will keinen Kompromiß; seine Lösung ist es, in das Land des Wahnsinns zu reisen. Ich weiß es nicht genau, weil ich noch nicht dort gewesen bin, aber ich nehme an, es ist ein Land, wo man ein neues Leben finden kann. Ich glaube, er folgt dem Prinzip Hoffnung. Nicht der simplen Hoffnung, Systeme zu verändern, sondern einer Art individueller Hoffnung. Es mag vielleicht seltsam klingen, von Optimismus zu sprechen, wenn jemand in den Wahnsinn geht; aber ich stehe zu dieser Vorstellung, ich finde das besser, als Kompromisse zu schließen« (*Sight and Sound*, 1977). Dirk Bogarde war nach den Dreharbeiten voller Lob für seinen Regisseur: »Es war das erstemal, daß ich einem Regisseur absolut gefolgt bin, Visconti natürlich ausgenommen.« *Eine Reise ins Licht* wurde bei den Festspielen Cannes 1978 uraufgeführt. Bei der Bundesfilmpreisverleihung dieses Jahres erhielten Fassbinder, Kameramann Michael Ballhaus und Architekt Rolf Zehetbauer je ein Filmband in Gold.

Die Reise nach Wien. *R* Edgar Reitz. *B* Edgar Reitz, Alexander Kluge. *K* (Farbe) Robby Müller. *M* Hans Hammerschmidt. *D* Elke Sommer (Toni), Hannelore Elsner (Marga), Mario Adorf (Scheuermann), Nicolas Brieger, Heinz Reincke, Michael Janisch, Peter Moland, Ferdy Mayne. *P* Edgar Reitz / WDR. 102 Minuten. 1973.
Deutschland im Frühjahr 1943. Während die Männer an den verschiedenen Fronten in Hitlers Armee die Welt zu erobern versuchen, leben die Frauen zu Hause in einer Welt von Illusionen. Auch Toni und Marga träumen. In ihrem kleinen Hunsrückstädtchen wird zu Ehren eines dekorierten Jagdfliegers ein Fest veranstaltet. Die Frauen schlachten heimlich ein Schwein, versuchen vergeblich, den jungen Helden zu erobern, und finden schließlich eine Zigarrenkiste voll Geld. Sie unternehmen eine Vergnügungsfahrt nach Wien. In dieser Stadt haben sie zwar Abenteuer, finden jedoch nicht die ersehnte Erfüllung. Enttäuscht kehren sie nach Hause zurück. Dort hat Ortsgruppenleiter Fred Scheuermann inzwischen ein Ermittlungsverfahren gegen sie eingeleitet, nachdem er der

Schwarzschlachtung auf die Spur gekommen war. Toni und Marga sinnen auf Rache und kompromittieren Fred, so daß er vor das Parteigericht zitiert wird. Wenige Wochen später ist er tot, gefallen »für Volk, Reich und Führer«.
Die Reise nach Wien lief als deutscher Beitrag auf den Filmfestspielen von Sorrent und Teheran. In Sorrent erhielt er die »Silberne Sirene«. Mario Adorf wurde mit dem Ernst-Lubitsch-Preis für die Rolle des Parteigenossen Scheuermann ausgezeichnet. »Am Schluß, 1945, ein Panzer bleibt stecken in der engen Ortsdurchfahrt, er muß auf lächerliche Weise die Waffen streichen, er scheitert an der traditionellen bürgerlichen Enge, einer Enge, die im Angesicht der rollenden Bedrohung als retardierendes Moment alle Sympathien für sich hat. Sie gehört auch den Personen dieses Films: Sie alle betrügen irgendwann das System. Selten wurden in Deutschland so wichtige Dinge so einfach und unterhaltsam gesagt« (Gottfried Knapp, *Süddeutsche Zeitung*).

Rheingold. *R* und *B* Niklaus Schilling. *K* (Farbe) Ernst Wild. *M* Eberhard Schoener. *A* Gretel Zeppel. *T* Rolf Maaß. *S* Thomas Nikel. *D* Rüdiger Kirschstein (Wolfgang Friedrichs), Gunther Malzacher (Karl-Heinz Drossbach), Elke Haltaufderheide (Elisabeth Drossbach), Alice Treff, Reinfried Keilich, Alfred Baarovy, Petra Maria Grühn, Franz Zimmermann, Claudia Butenuth, Horst Pasderski, Dorothea Moritz, Michael Tietz, Claudius Kracht. *P* Visual (Elke Haltaufderheide). 91 Minuten. 1978.
Im Trans-Europa-Expreß »Rheingold« trifft Elisabeth Drossbach, die Frau eines Diplomaten, auf einer ihrer regelmäßigen Reisen zur Mutter nach Düsseldorf ihren Jugendfreund Wolfgang Friedrichs wieder, der als Kellner im Zug arbeitet. Es beginnt eine Leidenschaft, die sich nach dem Fahrplan richtet – zwischen Genf und Düsseldorf. Eines Tages benutzt Karl-Heinz Drossbach überraschend zur gleichen Zeit den »Rheingold«. Er entdeckt die Untreue seiner Frau. Im Affekt sticht er auf sie ein und verläßt in Panik den Zug. Die verletzte Elisabeth verbirgt ihrer Umgebung die Wunde. Sie gerät in einen traumhaft-ekstatischen Zustand. Begleitet von ihren Erinnerungen und den Mythen und Legenden des Rheins fährt sie dem Ziel ihrer Reise entgegen: ihrem Tod.
»Natürlich kann man das alles lächerlich finden, aber wohl nur dann, wenn einem das schleichende Fernsehgift schon alle Sinne gelähmt hat. *Rheingold* ist ein Triumph der schieren, schönen Unvernunft: ein Triumph des Kinos« (Hans C. Blumenberg, *Die Zeit*). »Als ihr Leben zu Ende geht, sieht die Frau in einem Fiebertraum ihren Liebhaber. Wir sehen diese Visionen. Sie gehören zu den ungewöhnlichsten der Filmgeschichte. Ich kann die Majestät und Romantik dieser Szenen nicht beschreiben« (Gene Youngblood, *Take One*).

Der Richter und sein Henker (US-Titel: *End of the Game*). *R* Maximilian

Rheingold: Rüdiger Kirschstein, Elke Haltaufderheide

Der Räuber Hotzenplotz: Gert Fröbe

Die Reinheit des Herzens: Elisabeth Trissenaar

Eine Reise ins Licht – Despair: Klaus Löwitsch, Dirk Bogarde

Schell. B Maximilian Schell, Bo Goldmann, Friedrich Dürrenmatt, nach der Novelle von Friedrich Dürrenmatt. K (Farbe) Ennio Guarnieri, Roberto Gerardi, Klaus König. M Ennio Morricone. A Mario Garbuglia. T Robi Güver. S Dagmar Hirtz. D Jon Voight (Walter Tschanz), Jacqueline Bisset (Anna Crawley), Martin Ritt (Hans Bärlach), Robert Shaw (Richard Gastmann), Helmut Qualtinger, Gabriele Ferzetti, Rita Calderoni, Friedrich Dürrenmatt, Norbert Schiller, Margarethe Schell von Noé, Lil Dagover, Donald Sutherland. P MFG (Maximilian Schell/TRAC, Rom. 92 Minuten. 1976.

Kurz nach dem Zweiten Weltkrieg schließen die beiden Schweizer Bärlach und Gastmann in Istanbul eine Wette ab: Gastmann sagt, er könne ein Verbrechen begehen, ohne daß jemand imstande wäre, es ihm nachzuweisen; Bärlach hält dagegen. Da stößt Gastmann eiskalt ihre gemeinsame Geliebte Nadine von einer Brücke, und die türkische Polizei legt den Fall als Selbstmord zu den Akten. Dreißig Jahre später in der Schweiz: Polizeikommissar Bärlachs Assistent wird ermordet, und alle Spuren scheinen zu dem Großindustriellen und Waffenschieber Gastmann zu führen. Bärlach setzt seinen neuen Mitarbeiter Tschanz auf Gastmann an und bringt ihn schließlich dazu, seinen Widersacher zu erschießen. Dabei wußte er genau, daß Tschanz der Täter war. So hat Bärlach den Mörder Gastmann für das einzige Verbrechen, das dieser nicht begangen hat, »richten« lassen.

Die Besetzung von Dürrenmatts Schweizer Schachfiguren mit amerikanischen Stars (darunter Regisseur Martin Ritt in seiner ersten Hauptrolle seit zwanzig Jahren) läßt darauf schließen, daß Maximilian Schell seinen dritten Spielfilm als deutsch-italienische Co-Produktion gedreht – auch in US-Kinos laufen sehen wollte. Tatsächlich gelangte der Film in den Staaten bereits 1976 zur Aufführung, zwei Jahre früher als in der Bundesrepublik. Doch das »internationale Format« vertrug sich nicht mit dem hintergründigen Dürrenmatt-Stoff (Bernhard Wickis Der Besuch hatte schon an derselben Krankheit gelitten), und Schells effektheischerische Inszenierung ließ die wahre Kraft von Dürrenmatts bitterböser Mär allenfalls erahnen.

Rio das Mortes. R Rainer Werner Fassbinder. B Rainer Werner Fassbinder; nach einer Idee von Volker Schlöndorff. K (Farbe) Dietrich Lohmann. M Peer Raben. A Kurt Raab. S Thea Eymèsz. D Hanna Schygulla (Hanna), Michael König (Michel), Günther Kaufmann (Günther), Katrin Schaake (Katrin), Joachim von Mengershausen (Joachim), Lilo Pempeit (Günthers Mutter), Franz Maron (Hannas Onkel), Harry Baer (Kollege von Michel), Marius Aicher (Meister), Carla Aulaulu (Kundin), Walter Sedlmayr (Sekretär), Ulli Lommel (Autohändler), Monika Stadler (Angestellte im Reisebüro), Hanna Ax-

mann-Rezzori (Mäzenin), Ingrid Caven / Kerstin Dobbertin / Magdalena Montezuma / Elga Sorbas (Kolleginnen von Hanna), Kurt Raab, Rudolf Waldemar Brem, Carl Amery, Rainer Werner Fassbinder, Eva Pampuch. P Janus / antiteater-X-Film. 84 Minuten. 1971.

Der Fliesenleger Michel und der gerade aus der Bundeswehr entlassene Günther sind fest davon überzeugt, am Rio das Mortes in Peru einen Schatz zu finden. Eine Mäzenin gibt ihnen das Reisegeld. Hanna, die von solchen Spinnereien nichts hält und lieber möchte, daß Michel sie heiratet, versucht vergeblich, den Aufbruch der beiden zu verhindern.

»Wie zwei junge Leute mit dem Anspruch des Märchens an ihren Alltag fordernd herantreten, und wie dieser Alltag dann unmerklich sich ins Märchenhafte verwandelt, dieser Vorgang selbst ist ein Märchen, ein sehr zeitgemäßes dazu. Fassbinder wollte einen Unterhaltungsfilm drehen, gelungen ist ihm aber eine grundsätzliche Rehabilitierung des undefinierbaren Genres selbst: In diesem Film wird kein Traum vorfabriziert, vielmehr wird ein Wunsch dargestellt, und die Erfüllung dieses Wunschtraums steht im Mittelpunkt des Films. – Es fällt übrigens auf, daß sich die streng stilisierte Sprache der ersten drei Filme hier auflockert, daß die improvisierende Arbeitsmethode bei Herr R. nicht ohne Spuren geblieben ist« (Ekkehard Pluta, Film + Fernsehen, 1970). Liebhabern der Münchner Szene bietet Rio das Mortes viel Bekanntes. Die Malerin Hanna Axmann-Rezzori trug tatsächlich als Mäzenin zu Fassbinders Traum, der Produktion von Liebe ist kälter als der Tod, bei. Hanna von Mengershausen war damals Filmkritiker bei der Süddeutschen Zeitung und ist heute Dramaturg beim WDR, Monika Stadler ist die heutige Filmbuch-Verlegerin Monika Nüchtern, der Schriftsteller Carl Amery war damals tatsächlich Münchner Stadtbibliothekar, Kerstin Dobbertin wurde Filmproduzentin, und Magdalena Montezuma und Carla Aulaulu waren damals schon die Stars von Werner Schröter, es wußte bloß noch niemand.

Rosemaries Tochter. R Rolf Thiele. B Ted Rose, Friedhelm Lehmann, Helmut Ruge, Joe Berger. K (Farbe) Charly Steinberger. M Norbert Schultze. D Lillian Müller (Annemarie Maier-Wippertal), Bela Erny, Werner Pochath, Hanne Wieder, Tamara Lund, Jo Herbst, Herbert Fux, Karl Schönböck, Horst Frank. P Roxy-Divina (Luggi Waltleitner). 91 Minuten. 1976.

Annemarie Maier-Wippertal sucht die Mörder ihrer vor 18 Jahren umgebrachten Mutter Rosemarie Nitribitt.

Der grauenhafte letzte Film von Rolf Thiele.

Die Rote. R Helmut Käutner. B Helmut Käutner, Alfred Andersch, nach dem Roman von Alfred Andersch. K Otello Martelli. M Emilia Zanetti. A

Saverio d'Eugenio, Robert Stratil, Margot Schönberger. D Ruth Leuwerik (Franziska Lucas), Rossano Brazzi (Fabio), Girogio Albertazzi (Patrick O'Malley), Harry Meyen (Herbert Lucas), Richard Münch (Joachim), Gert Fröbe (Kramer). P Real, Hamburg Magic, Rom Compania Cinematografica Champion, Rom (Walter Koppel, Carlo Ponti). 100 Minuten. 1962.

Der Versuch von Franziska Lucas, aus der Routine und den Bindungen ihres Lebens auszubrechen, nimmt in Venedig einen katastrophalen Verlauf.

»Ein prätentiöser, poetischer, überflüssiger und marienbadensischer Film. Käutner wird von Film zu Film schlimmer. Man fragt sich, wie tief er noch fallen kann« (Luc Moullet, Cahiers du Cinéma, 1962). In einem Artikel für den Merkur führte der Schriftsteller Alfred Andersch die Misere des deutschen Films »nicht auf die Unbildung und Profitgier der Produzenten, sondern auf die vollständige Interesselosigkeit der deutschen Literatur am Film« zurück. In durchaus lobenswerter Absicht ging er mit gutem Beispiel voran, verbündete sich zur filmischen Umsetzung seines komplexen Romans Die Rote aber ausgerechnet mit Helmut Käutner und Ruth Leuwerik. Auf einer Pressekonferenz nach der Uraufführung des Films auf den Berliner Filmfestspielen 1962 meinte Andersch denn auch kleinlaut: »Wenn ich das vorher gewußt hätte, was ich jetzt weiß – was man beim Film lernen kann –, dann hätte ich den Film natürlich anders angelegt . . .«

Rote Sonne. R Rudolf Thome. B Max Zihlmann. K (Farbe) Bernd Fiedler. M Tommaso Albinoni, »The Nice«, »The Small Faces«. S Jutta Brandstaedter. D Marquard Bohm (Thomas), Uschi Obermeier (Peggy), Diana Körner (Christine), Sylvia Kekulé (Sylvie), Gaby Go (Isolde), Peter Moland (Wenders), Henry van Lyck (Lohmann), Don Wahl (Howard), Günter Lemmer, Peter Berling. P Independent (Heinz Angermeyer). 89 Minuten. 1970.

Thomas möchte mit Peggy leben, aber Peggy gehört zu einer Gruppe von Freundinnen, die sich geschworen haben, nie länger als fünf Tage mit einem Mann zusammen zu sein – dann muß er sterben. Thomas entgeht diesem Schicksal nicht, aber Peggy stirbt mit ihm.

Rudolf Thome erzählt, wie Ende der sechziger Jahre eine Produktion zustande kam: »An einem wunderschönen Pfingstwochenende kam Detektive schließlich in München im Lenbachkino, wo die meisten jungen deutschen Filme liefen, heraus. Ich verteilte mit ein paar Mädchen Flugblätter an die in den Isarauen liegenden Badegäste, und so kam es, daß die Abendvorstellungen doch nicht so katastrophal besucht waren, wie ich befürchtet hatte. Einer der Besucher war ein Filmproduzent, Heinz Angermeyer. Ihm hatte der Film so gut gefallen, daß er bereit war, den nächsten, Rote Sonne, zu finanzieren. Nicht mit Geldern von der Filmförderungsanstalt oder vom Bun-

desinnenministerium, sondern ganz einfach aus seiner eigenen Brieftasche. Das war vor zehn Jahren! Allerdings stellte er die Bedingung, daß Marquard Bohm und Uschi Obermeier die Hauptrollen spielen müßten. Mit Marquard wollte ich nach Detektive nie wieder im Leben drehen, und Uschi lebte mit Rainer Langhans in der K 1 in Berlin. Sie zu gewinnen, erwies sich als ungewöhnlich schwierig, weil Rainer Langhans Angst hatte, sie durch die Dreharbeiten zu verlieren. Bei der Berlinale 69 schließlich unterschrieb Uschi den außerordentlich komplizierten Vertrag, der ihr nach vier Drehtagen drei drehfreie Tage zusicherte (in dieser Zeit flog sie mit Langhans auf Produktionskosten zurück nach Berlin) und ihr die damals stattliche Gage von 20 000 DM einbrachte« (Filme). Der Film wurde kein großer Erfolg, aber zumindest in München auf Anhieb ein Kultfilm; die Januar 1970-Nummer der Filmkritik widmete der Roten Sonne nicht weniger als drei große Rezensionen, von Enno Patalas, Klaus Bädekerl und Wim Wenders. Die Wenders-Kritik trug den Titel »Baby, you can drive my car, and maybe I'll love you« und ging zum Beispiel so: »Die Rote Sonne ist einer der ganz seltenen europäischen Filme, die das amerikanische Kino nicht bloß nachmachen wollen und damit zeigen, daß sie eigentlich in New York und mit Humphrey Bogart hätten gedreht werden müssen, sondern die vielmehr von den amerikanischen Filmen eine Haltung übernommen haben, ohne Aufdringlichkeit 90 Minuten lang nichts als ihre Oberfläche ausbreiten. Diese EINSTELLUNG wird in jedem Bild dieses Films sichtbar; sie zeigt sich in der ständigen Flachheit der Einstellungen, in der Monotonie der Optik, die sich nur an eine handvoll Bildgrößen hält, in der Banalität der Kamerabewegungen, die nie aufwendiger sind, als es gerade not tut, in der merkwürdigen Farblosigkeit der Farben, die genau dieselbe ist wie in Micky-Maus-Heften: Es würde niemanden wundern, wenn die eben noch gelblichen Wände plötzlich blau wären, das kommt vor . . . In der Roten Sonne reden die Leute dauernd so, als ginge sie der Fortlauf des Films nichts an. Sie reden unverfroren in ihrer jeweiligen Situation. Sie sind immer nur gerade da präsent, wo sie sind. Sie wissen noch nicht, wie es weitergeht: Der Film läßt sich auf ihre Geschichte ein, er drängt sich ihnen nicht auf. Der Film spielt in München. Er schämt sich nicht darüber. I like the way you walk. I like the way you talk. Oh, Suzie Q.«

Die Sachverständigen R und B Norbert Kückelmann. K (Farbe) Alfred Tichawsky. M Janis Joplin. T Hajo von Zündt. D Matthias Eysen (Matthias Mainzer), Gisela Fischer, Miriam Mahler, Roland Wiegenstein, Martin Ripkens, Hans Brenner, Walter Sedlmayr. P Report (Norbert Kückelmann) / SWF. 98 Minuten. 1973.

Der Angestellte Matthias Mainzer gerät in einem Lokal in einen harmlosen Streit. Als man ihn auf der Polizeiwache gegen seinen Widerstand durchsucht, findet man bei ihm ein Aufputschmittel. Für den Amtsarzt ist dies Grund genug, um Mainzer in eine Nervenheilanstalt zur Untersuchung einzuweisen. Für Richter und Sachverständige ist er nur noch ein »Fall«. Es gelingt ihm zwar, wieder in die Freiheit entlassen zu werden, doch bleibt er gezeichnet. Im Affekt erschlägt er einen Kollegen und scheint damit einen Teil der Gutachten im Nachhinein zu bestätigen.

Der Münchner Rechtsanwalt Dr. Norbert Kückelmann, Jahrgang 1930, zählte 1965 zu den Begründern des Kuratoriums Junger Deutscher Film. Fünf Jahre später reichte er das Drehbuch zu *Die Sachverständigen* unter dem Pseudonym Bernhard Guba zur Förderung beim Bundesinnenministerium ein und bekam 300 000 Mark für die Realisierung. Kückelmann begann, Filme zu machen, um sein »Engagement im Beruf mit anderen Mitteln fortzusetzen«. *Die Sachverständigen* lief 1973 als bundesdeutscher Beitrag bei den Berliner Filmfestspielen und erhielt im selben Jahr den Bundesfilmpreis als bester abendfüllender Spielfilm.

San Domingo *R* Hans Jürgen Syberg. *B* Hans Jürgen Syberberg, nach der Novelle *Die Verlobung von San Domingo* von Heinrich von Kleist. *K* Christian Blackwood. *M* Amon Düül. *T* Jürgen Martin. *S* Ingrid Fischer. *D* Alice Ottawa (Alice), Michael König (Michael), Hans Georg Behr (Rauschgiftexperte), Carla Aulaulu (Mutter), Peter Moland (Vater) sowie Rocker der Münchner Vorstadt Harras und Mitglieder der Roten Zellen der Münchner Germanistik. *P* TMS (Hans Jürgen Syberberg). 128 Minuten. 1970.

Alice, ein in Deutschland geborenes farbiges Mädchen, lebt in einer Rokker-Kommune. Ihre Freunde stiften sie an, Michael, einen Jungen, der von zu Hause weggelaufen ist und nach Afrika will, an sich zu fesseln; so wollen sie an das Geld seiner Eltern herankommen. Alice und Michael lieben sich. Bald glaubt Michael Grund zur Annahme zu haben, Alice habe ihn nur ausgenutzt. Er bringt sie um. Dann erfährt er, daß Alice ihn wirklich geliebt hat. Er bringt sich selber um.

Kleists Liebesgeschichte zwischen einem weißen Offizier und einem Mulattenmädchen in den bayerischen Untergrund von 1970 verlegt. »Ich versuchte einen eigenen Stil eines jungen deutschen Neorealismus zu finden und gleichzeitig doch auf neue Art zu stilisieren« (*Syberbergs Filmbuch,* 1979). Bundesfilmpreis 1970 für die Amon Düül-Musik.

Der sanfte Lauf. *R* Haro Senft. *B* Haro Senft, Hans Noever. *K* Jan Curik. *M* Erich Ferstl. *A* Gabriel Pellon. *T* Klaus Eckelt. *S* Thurid Söhnlein. *D* Bruno Ganz (Bernhard Kral), Verena Buss (Johanna Benedikt), Wolfgang Büttner (Richard Benedikt), Hans-Dieter Asner (Otmar Benedikt), Lia Eibenschütz (Gertrud Benedikt), Hans Putz (Wolf Kamper), Danny Mann (Susanne Kamper), Peter Höfer, Henning Harmssen, Frantisek Smolik, Jan Kacer, Lutz Hochstraate, Manfred Fürst, Hans Ohly, Robert Azderbal, Ralf Gregan, Inge Schwannee. *P* Haro Senft. 88 Minuten. 1967.

»Haro Senft, aktiver Oberhausener, variiert mit diesem Erstling, zu dem er mit Hans Noever auch das Drehbuch schrieb, abermals das Leitmotiv des modernen deutschen Kinos: das Lebensgefühl junger Leute, die sich von ihrer Umwelt angewidert fühlen; das Dilemma der Anpassungsverweigerer. Der Film ist vorsichtig mit Sympathien. Man begreift diesen Studenten, der sich die glatte Erfolgslaufbahn mit einer Vorstrafe bekleckerte (wie man später erfährt, hat er einen antisemitischen Schwachkopf für sein einschlägiges Gewäsch verprügelt). Man mag ihn fast. Aber man begreift auch die anderen, denen er mit seinem Dauergrant auf die Nerven fällt. Er schlägt sich mit einem Versandjob durch, bastelt an Elektroerfindungen und verliebt sich vage in eine aparte Fabrikantentochter, deren arrivierte Familie ihn (mit ihrem echten Wohlwollen!) fortan zur Weißglut bringt. Die Geschichte endet wie die meisten Geschichten zwischen den Generationen: Die vermeintliche Kraft zum erneuernden Widerstand war nur der Mut zu schlechten Manieren. Er erlahmt mit der Zeit. Man arrangiert sich – erbittert oder ironisch – innerhalb der Spielregeln« (Ponkie, *Abendzeitung*). Keinem der Oberhausener Rebellen hatten seine Freunde – und er hatte nur Freunde – so von Herzen ein glückliches Spielfilmdebüt gewünscht wie Haro Senft. Der Böhme Senft (geboren 1928 in Budweis) war unermüdlich in seinen künstlerischen und filmpolitischen Aktivitäten, einmalig in seiner selbstlosen Integrität und Freundlichkeit: »Er ist eigentlich der einzige ehrliche Charakter von uns allen«, habe ich (J.H.) es allen Ernstes einmal sagen hören in dem Oberstübchen des Restaurants »Hongkong« in der Tengstraße, wo damals die Münchener Kurzfilmer sich trafen, um den Aufstand zu besprechen. Seine Arbeiten als Kurzfilmer waren immer interessant und engagiert. Mit Franz-Josef Spieker, Wolf Wirth und einigen anderen hat er 1959 die Arbeitsgruppe DOC 59 gegründet; das war der erste Schritt auf dem Weg nach Oberhausen, auf dem er dann den anderen immer ein Stück voraus war. Ohne Haro Senft kein Junger Deutscher Film – das war damals völlig klar, und dann die Enttäuschung dieses *Sanften Laufs,* ein ähnlicher Fall wie Peter Schamoni mit seinem *Schonzeit für Füchse,* ein weiteres trübseliges Werk des »Selbstbetrachtungsgrams«, wie es Ponkie dann nannte, die in ihrer oben zitierten Premierenkritik sehr milde auf die Schwächen des Films hinweist, weil offensichtlich auch ihr ein gelungenes Senft-Debüt sehr willkommen gewesen wäre. Bruno Ganz, von dem es damals in einem Pressetext zu *Der sanfte Lauf* hieß, »er könnte ein deutscher James Dean werden«, hat den Film, in dem er zum Protagonisten des

Der sanfte Lauf: Verena Buss, Bruno Ganz

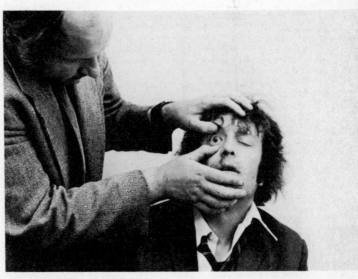

Die Sachverständigen: Matthias Eysen

Rote Sonne: Marquard Bohm (links)

zu übellauniger Arroganz sublimierten Weltekels geworden war, inzwischen offensichtlich völlig verdrängt: In einem Jan-Dawson-Interview in *Sight and Sound* vom Sommer 1979 nennt er *Sommergäste*, 1976, seinen ersten Film.

Satansbraten. *R* und *B* Rainer Werner Fassbinder. *K* (Farbe) Jürgen Jürgens, Michael Ballhaus. *M* Peer Raben. *A* Kurt Raab, Ulrike Bode. *T* Paul Schöler, Rolf-Peter Notz, Roland Henschke. *S* Thea Eymèsz, Gabi Eichel. *D* Kurt Raab (Walter Kranz), Margit Carstensen (Andrée), Helen Vita (Luise Kranz), Volker Spengler (Ernst), Ingrid Caven (Lilly), Marquard Bohm (Rolf), Ulli Lommel (Lauf), Y Sa Lo, Katharina Buchhammer, Armin Meier, Vitus Zeplichal, Dieter Schidor, Peter Chatel, Hannes Gromball, Adrian Hoven, Monika Teuber. *P* Albatros / Trio. 112 Minuten. 1976.

Der Poet Walter Kranz, zu 1968er Zeiten als »Dichter der Revolution« gefeiert, ist inzwischen völlig heruntergekommen. Als ihm nach Jahren der kreativen Krise wieder ein Gedicht gelingt, stellt sich heraus, daß das Werk in Wirklichkeit von Stefan George stammt. Kranz zieht die Konsequenz und stilisiert sich zum Großen Meister George hoch, komplett mit einer Jünger-Schar aus Strichjungen und schönen Seelchen. Als der Hokuspokus mit einem Knall auffliegt, findet Kranz zu seiner Schaffenskraft zurück und schreibt ein neues Erfolgswerk: *Der Faschismus wird siegen oder Keine Feier für den toten Hund des Führers.*

Fassbinders »neues Erfolgswerk« ist *Satansbraten*, eine Fortführung der Auseinandersetzung um Führungsprobleme im Kollektiv (*Warnung vor einer heiligen Nutte*) und der zur Lächerlichkeit herabgewirtschafteten Revolution (*Mutter Küsters' Fahrt zum Himmel*); eine wilde autobiographische Angelegenheit von schreckenerregender Komik. »So konsequent und unbeirrt wie einst die herrliche, traurig-sanfte *Effie Briest*, aber andererseits so bösartig und angriffslustig wie bisher noch kein deutscher Film nach dem Kriege, wirkt *Satansbraten* wie eine Befreiung – nicht etwa nur von Fassbinders eigenen Traumata (das wäre zu privat), sondern, viel wichtiger, von der lähmenden Resignation eines einschläfernden Geisteslebens, in dem so viele Hoffnungen versackt sind. Wut ist darum die hervorstechende Qualität dieses Films. Aber es ist längst nicht mehr diese verbissene Wut, die aus der Entlarvung einer falschen Ordnung ihr nicht immer zweifelsfreies Recht zog, sondern, richtiger inzwischen, eine abgefeimte, die vor den eigenen Wünschen nicht haltmacht. So ist *Satansbraten* ein fast schon abgeklärter Rundumschlag, der mit zynischer Komik weniger auf abgegrenzte Mißstände als auf eine verschwommene Atmosphäre haut, daß einem die Trümmer von Wirklichkeit nur so in die Augen fliegen« (Peter Buchka, *Süddeutsche Zeitung*, 1976).

Scarabea – Wieviel Erde braucht der Mensch. *R* Hans Jürgen Syberberg. *B* Hans Jürgen Syberberg, nach der Novelle *Wieviel Erde braucht der Mensch* von Leo Tolstoi. *K* (Farbe) Petrus Schloemp. *M* Eugen Thomass. *S* Barbara Mondry. *D* Walter Buschhoff (Manager), Nicoletta Machiavelli (Bettina), Franz Graf Treuberg (Dolmetscher), Karsten Peters (Regisseur). *P* TMS (Hans Jürgen Syberberg). 130 Minuten. 1969.

Ein deutscher Tourist läßt sich mit der Bevölkerung eines sardischen Dorfes auf eine Wette ein. Er wird alles Land bekommen, das er an einem Tag vom Sonnenaufgang bis zum Sonnenuntergang umlaufen kann. Sein Einsatz: sein Wagen und das ganze Geld, das er dabei hat. Am Ende des mörderischen Tages braucht er nur noch so viel Erde, um sein Grab darin zu finden. Unterwegs hat er so viel erfahren, daß er hier auch ohne Besitz glücklich geworden wäre.

Der erste Spielfilm von Hans Jürgen Syberberg, sein einziger Film, der nicht von Deutschland handelt (der Tourist ist deutscher Manager, aber ihn treibt kein spezifisch deutscher Wahn), eine Geschichte, die man sich auch als Werner Herzog-Film vorstellen kann, ein Kompaß-Werk, das die Richtung der Syberbergschen Obsessionen anzeigt, Emblem seines Mytho-Masochismus. »Was mich an dieser Geschichte interessierte, waren archaische Dinge: diese runden Symbole, ein Tag, von Sonnenaufgang bis Untergang, Mittagssonne am Wasser und größte Versuchung, Höhlen, das lockende Mädchen, das Fest mit den Tänzen und Blut, echtes Blut statt Tomatenketchup, Schlachten, von lebenden Augen bis Gehirnen, die aufgeschlagen werden, um das Hirn zu essen, und am Ende die Maden in wieder prall von ihnen lebenden Därmen (es sind effektiv dieselben Tiere von Anfang bis Ende), die Zeremonie der milchspritzenden Mutterbrüste, ein Mensch, also, der irgendwo hinkommt, sich sein Paradies sucht, das Utopische, die Wandlung, wieviel Erde, der Scarabäus, der eine Kugel vor sich herschiebt aus Mist, wie Sisyphus den Stein, dann die Einlage einer Westernparodie mit gestelltem Dokumentarfilm und drehendem Filmteam. Vieles war Experiment in einem unterbewußten System zu einer heutigen Ästhetik« (Hans Jürgen Syberberg: *Syberbergs Filmbuch*, 1979).

Schachnovelle. *R* Gerd Oswald. *B* Harold Medford, Gerd Oswald, Herbert Reinecker, nach der Erzählung von Stefan Zweig. *K* Günther Senftleben. *M* Hans-Martin Majewski. *A* Wolf Englert, Hans Richter, Ursula Stutz. *T* Bernhard Reicherts. *S* K.M. Eckstein. *D* Curd Jürgens (Werner von Basil), Claire Bloom (Irene Andreny), Hansjörg Felmy (Hans Berger), Mario Adorf (Mirko Centowic), Alan Gifford, Dietmar Schönherr, Karel Stepanek. *P* Roxy (Luggi Waldleitner). 103 Minuten. 1960.

Der Wiener Rechtsanwalt Werner von Basil wird 1938 von den Nazis inhaftiert. Um die Isolationsfolter zu überstehen, stiehlt er bei einem Verhör ein Lehrbuch mit der Wiedergabe von 150 Schach-Meisterschaftsspielen. Die Beschäftigung mit dem Schach bewahrt ihm seine Integrität, führt dann aber auch zu Bewußtseinsstörungen.

Zur Verfilmung von Stefan Zweigs *Schachnovelle* holte sich Luggi Waldleitner Gerd Oswald aus Hollywood, den Sohn des 1933 emigrierten Richard Oswald. Der junge Oswald hatte sich einen Ruf als erstklassiger Action-Regisseur gemacht, was bei der *Schachnovelle* freilich wenig half, zumal Autor Herbert Reinecker alle schönen Möglichkeiten der Vorlage bereits abgeblockt hatte. »Der deutsche Problemfilm gefällt sich wieder einmal in der Rolle des umgekehrten König Midas: Was er an Literatur berührt, verwandelt er in Unterhaltungsschrott ...« (Karl Schumann, *Süddeutsche Zeitung*, 1960).

Der scharlachrote Buchstabe. *R* Wim Wenders. *B* Wim Wenders, Bernardo Fernandez, Tankred Dorst, nach dem Roman von Nathaniel Hawthorne und dem Szenarium *Der Herr klagt über sein Volk in der Wildnis Amerika* von Tankred Dorst und Ursula Ehler. *K* (Farbe) Robby Müller. *M* Jürgen Knieper. *A* Manfred Lütz, Adolfo Cofino. *S* Peter Przygodda. *D* Senta Berger (Hester Prynne), Hans Christian Blech (Chillingworth), Lou Castel (Dimmesdale), Yella Rottländer (Pearl), Rüdiger Vogler (Matrose), William Layton, Alfredo Mayo, Angel Alvarez, Yellena Samarina, Laura Currie, José Vivo, Julian del Monte. *P* Filmverlag der Autoren / Elias Quereteja, Madrid / WDR. 90 Minuten. 1973.

Der Schauplatz ist Salem, eine der ersten Puritaner-Kolonien in der Wildnis Amerika. Die Zeit: gegen Ende des 17. Jahrhunderts. Auf dem Pranger des Dorfes steht eine junge Frau. Die Frau heißt Hester Prynne, sie trägt einen scharlachroten Buchstaben am Kleid als Mal, das ihre Schande bezeichnet: ein gesticktes »A« (die »Adultery« – Ehebruch). Einmal im Jahr muß Hester vor der Strenge der Gemeinde Buße tun, denn seit sieben Jahren weigert sie sich, den Namen des Mannes preiszugeben, der der Vater ihres unehelichen Kindes ist. Als Chillingworth auftaucht, der Mann, mit dem Hester in Europa verheiratet war, erschrickt Hester tödlich. Chillingworth kommt bald dahinter, daß der Gemeindepfarrer Arthur Dimmesdale der Vater von Pearl ist, und will sich an ihm rächen. Ein Schiff aus England legt in Salem an. Hester versucht den kränkelnden Dimmesdale zu überreden, mit ihr und dem Kind nach Europa zurückzufahren. Doch auch dieser Ausweg aus dem Teufelskreis der Vergangenheit vereitelt Chillingsworth ...

»Jeder Film ist gleichzeitig ein Dokumentarfilm von sich selbst und seinen Bedingungen. Für mich persönlich dokumentiert der *Scharlachrote Buchstabe* auch einen Zwang, mit dem ich nicht mehr arbeiten möchte: Ich möchte keinen Film mehr machen, in dem ein Auto oder eine Tankstelle, ein Fernsehapparat oder eine Telefonzelle nicht zumindest erscheinen dürfen. Das ist emotional, aber es geht auch um Emotionen: die mir nur möglich scheinen in Filmen, die keinen Zwängen mehr ausgesetzt sind und keinen Zwang mehr ausüben, weder auf sich selbst noch auf die Leute, die in ihnen vorkommen, und auch nicht auf den Himmel über ihnen und den Hund, der im Hintergrund vorbeiläuft. Die Kinder im *Scharlachroten Buchstaben* bringen allerdings alles durcheinander, was ich hier geschrieben habe. Sie bewegen sich schon in einem Science-Fiction-Film« (Wim Wenders in: *Fernsehspiele Westdeutscher Rundfunk, Januar bis Juni 1973*).

Schatten der Engel. *R* Daniel Schmid. *B* Daniel Schmid, Rainer Werner Fassbinder, nach dem Bühnenstück *Der Müll, die Stadt und der Tod* von Fassbinder. *K* (Farbe) Renato Berta. *A* Raul Gimenez. *M* Peer Raben, Gottfried Hüngsberg. *S* Ila von Hasperg. *D* Ingrid Caven (Lily Brest), Rainer Werner Fassbinder (Raoul), Klaus Löwitsch (Jude), Annemarie Düringer (Frau Müller), Adrian Hoven (Müller), Boy Gobert (Müller II), Ulli Lommel (kleiner Prinz), Jean-Claude Dreyfuss, Irm Hermann, Debria Kalpataru, Hans Kratzer, Peter Chatel, Ila von Hasperg, Harry Baer, Alexander Allerson. *P* Albatros (Michael Fengler). 101 Minuten. 1975.

Ein jüdischer Bauspekulant, der seinen Nutzen aus der Verfilzung von Staat und Kapital schlägt, ermordet die Prostituierte. Er entgeht der Verfolgung und Bestrafung, weil der korrupte Polizeipräsident ihn deckt. Die Tat wird Lilys ehemaligem Zuhälter Raoul in die Schuhe geschoben.

Die Vorlage des Films, Fassbinders Bühnenstück *Der Müll, die Stadt und der Tod*, wurde zum Skandalfall, als seine Buchausgabe vom Suhrkamp-Verlag zurückgezogen wurde, als Folge einer von konservativen Kritikern gegen das angeblich antisemitische Stück entfachten Kampagne. Gleichzeitig kam es zu heftigen öffentlichen Kontroversen um die von Fassbinder vorbereitete (dann nicht realisierte) Verfilmung des thematisch verwandten Romans *Die Erde ist unbewohnbar wie der Mond* von Gerhard Zwerenz. Fassbinder: »In dieser ekelhaften Diskussion über Juden habe ich immer gesagt, daß man am Verhalten der Minderheit sehr viel mehr über die Mehrheit begreifen kann« (Wolfgang Limmer: *Rainer Werner Fassbinder Filmemacher*, 1981). *Schatten der Engel* ist der erste deutsche Spielfilm des Schweizers Daniel Schmid (nach drei schweizer Produktionen); vor seinen eigenen Arbeiten hat Schmid als Assistent und Darsteller unter anderem bei Peter Lilienthal, Werner Schroeter und Fassbinder mitgearbeitet.

Das Schloß. *R* Rudolf Noelte. *B* Rudolf Noelte, nach dem Roman von Franz Kafka. *K* (Farbe) Wolfgang Treu. *M* Herbert Trantow. *A* Otto und Hertha Pischinger. *T* Oskar Haarbrandt. S Dagmar Hirtz. D Maximilian Schell (Landvermesser K.), Cordula Trantow (Frieda), Trudik Daniel, Helmut Qualtinger, Hanns Ernst Jaeger, Friedrich Maurer, Martha Wallner, Georg Lehn, Karl Hellmer, Ilse Künkele, Benno Hoffmann, Hans Pössenbacher, Ernst Otto Fuhrmann. P Rudolf Noelte / Alfa (Maximilian Schell). 112 Minuten. 1968/71.

Jahrelang fand sich kein Verleih, der bereit war, den 1968 von Maximilian Schell produzierten und von Theater-Regisseur Rudolf Noelte inszenierten Kafka-Film *Das Schloß* dem deutschen Publikum vorzuführen. Nach der Erstaufführung 1971 schrieb der *Spiegel:* »Die Verleiher haben sich gewiß geirrt mit ihrem Zaudern, aber auch Noelte hatte Pech bei seinem Spielfilmdebüt: Er wollte vereinfachen und hat vergröbert, er wollte aktualisieren und hat sich von der labyrinthischen, vielschichtigen, auch widersprüchlichen Vorlage so weit entfernt, daß vom *Schloß* allenfalls die Umrisse sichtbar bleiben. Noch immer scheitert der Landvermesser K. (gespielt vom Koproduzenten Maximilian Schell), obschon von der Herrschaft in den Dienst gerufen, an der Unmöglichkeit, das Schloß zu betreten. Doch anders als im Roman, wo er ein Opfer absurder Realitätsverschiebung wird, scheitert K. nun am Willkürregiment der Schloßbürokratie. Statt subjektiv in seiner Existenz verstört, ist er nun ein objektiv um den Job betrogener Arbeitnehmer, der vom Regisseur als Denkmal unschuldig leidender Menschlichkeit mißverstanden wird. Noelte hat den schillernden, surrealen Traum-Stoff aufs Niveau eines naturalistischen Elendsdramas heruntergebracht, und das läßt sich gut an seiner Kameraführung ablesen: Pedantisch am Objekt, gestattet sie dem Betrachter keine Entdeckung, pocht auf Glaubwürdigkeit aller äußeren Vorgänge und scheut die Auseinandersetzung mit dem literarischen Text.«

Schluchtenflitzer. *R* und *B* Rüdiger Nüchtern. *K* (Farbe) Jürgen Jürgens. *M* Jörg Evers. *T* Kurt Hüttl. *S* Manja Rock. *D* Hans Kollmannsberger (Andy), Hans Brenner (Schwaiger), Ruth Drexel (Schwaigerin), Eva Mattes (Barbara), Renard Hatzke, Verena Disch, Anette Jünger, Paul Lys, Lothar Meid, Helmut Alimonta. *P* Monika Nüchtern / BR. 121 Minuten. 1979.

Andy, siebzehn Jahre, hat keine Lust, den kleinen Bauernhof seines Vaters zu übernehmen und macht lieber eine Schreinerlehre. In der Freizeit flitzt er mit seiner Freundesclique auf dem Moped von einer Diskothek in die nächste. Ein Mädchen aus München, deren Eltern ein Wochenendhaus in Andys Gegend besitzen, geht eine Weile mit ihm, zeigt ihm aber später die kalte Schulter. Der Vater will den Hof modernisieren – was Andy kritisch kommentiert – und stürzt beim Aufrichten eines Silos von der Leiter. Andy wird durch den Tod seines Vaters aus dem Gleichgewicht geworfen. Erst in der Wohnung der Schallplattenverkäuferin Barbara aus dem

Kaufhaus in der Stadt kommt er wieder zur Ruhe.

»Auch in seinem dritten Spielfilm ist Rüdiger Nüchtern den (reiferen) Teens treu geblieben. Wie in *Anschi und Michael* und *Komm Baby,* seinem Abschlußfilm, liefert er in *Schluchtenflitzer* Aspekte des Lebens zwischen mühseligen Ausbruchversuchen und tastendem Streben nach einer Bindung – die die Illusion der Freiheit nicht zerstört. Und wiederum versucht der Münchner Jungregisseur in diesem Land-Roadie-Film höchstmögliche Authentizität in der Schilderung der (Gefühls-)Welt der 17jährigen durch den Einsatz von Laiendarstellern zu erreichen; von Jugendlichen, die an den ›Originalschauplätzen‹ aufgewachsen und dem noch unmittelbar ausgeliefert sind, wovon der Film handelt« (Thomas Thieringer, *Süddeutsche Zeitung*). Die Kinofassung von *Schluchtenflitzer* litt ein wenig darunter, daß Nüchtern sich an die vom Verleih vorgeschriebene Länge von 120 Minuten halten mußte und daher gezwungen war, auf ganze Nebenhandlungen der Geschichte zu verzichten. Die komplette, dem eigentlichen Konzept des Autors entsprechende Version des Films wurde im Januar 1981 in drei Teilen im Fernsehen ausgestrahlt.

Schmetterlinge weinen nicht. *R* Klaus Überall. *B* Willi Heinrich, Jürgen Hansen, Mario Foglini, nach dem Roman von Willi Heinrich. *K* (Farbe) Jost Vacano. *M* Kai Rautenberg. *A* Ludwig Wiedemann, Ellen Schiller. *T* Franis Quinton, Rainer Lorenz. *S* Heidi Genée. *D* Gaby Fuchs (Cilly Schneider), Lyvia Bauer (Laura Klein), Siegfried Wischnewski (Karl Engelmann), Klaus Grünberg (Wolfang Wagner), Antje Weisgerber, Elisabeth Wiedemann, Katharina Matz, Fritz Wepper, Wolfgang Stumpf, Elmar Wepper, Siegrid Beer. *P* Peter Schamoni. 88 Minuten. 1970.

Bauunternehmer Engelmann ruiniert seine Ehe und sein Familienleben durch eine Liaison mit einem Mädchen, das er bald wieder an einen jungen Mann verliert.

Der erste und einzige Kinofilm des Fernsehregisseurs Klaus Überall. Peter Schamonis Rückkehr zu Papas Kino.

Schneeglöckchen blühn im September. *R* Christian Ziewer. *B* Christian Ziewer, Klaus Wiese. *K* (Farbe) Kurt Weber. *M* Lokomotive Kreuzberg. *S* Stefanie Wilke. *D* Claus Eberth (Hannes), Wolfgang Liere (Ed), Horst Pinnow, Claus Jurichs, Nikolaus Dutsch, Hans-Peter Fischer, Gerhard Konzack, Barbara Morawiecz, Hans Rickmann, Kurt Michler. *P* Basis / WDR. 108 Minuten. 1974.

Der Film erzählt von zwei Arbeitern einer Akkordkolonne im Kesselbau: dem jungen Akkordarbeiter Ed und dem Vertrauensmann Hannes. Nachdem man erfolgreich um eine Leistungszulage gekämpft hat, droht die entstandene Solidarität unter den Arbeitern wieder auseinanderzubrechen, als bekannt wird, daß ihre Abteilung

Satansbraten: Kurt Raab

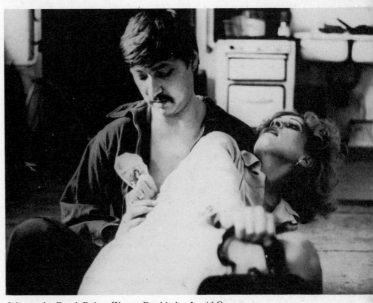

Schatten der Engel: Rainer Werner Fassbinder, Ingrid Caven

Schluchtenflitzer: Hans Kollmannsberger

Scarabea: Nicoletta Machiavelli, Walter Buschhoff

stillgelegt werden soll. Aus Angst um den Arbeitsplatz nehmen sie eine Lohnkürzung hin, ohne Gegenmaßnahmen zu ergreifen. Das Privatleben von Ed und Hannes bleibt von den Ereignissen im Betrieb nicht unberührt. Nur mit Mühe gelingt es Hannes, die Belegschaft zu Warnstreiks aufzufordern, als er von neuen Aufträgen erfährt. Eine weitere Verschlechterung ihrer Lage wird dadurch verhindert.

Christian Ziewers zweiter Spielfilm, der sich nahtlos an *Liebe Mutter, mir geht es gut* anfügte. Diesmal bezog er sich auf Ereignisse, die im September 1969, während der Tarifkämpfe 71/72 und in den großen Auseinandersetzungen um Teuerungszulagen 1973 stattgefunden hatten. »Ziewer/Wiese zeigen aber auch die Verlängerung der gesellschaftlichen Widersprüche bis in die individuelle Existenz. So verfällt jener Vertrauensmann, der für jeden Kollegen Verständnis zeigt, zu Hause plötzlich in die Rolle eines verständnislosen Vaters gegenüber seiner Tochter, die in der Schule Schwierigkeiten hat. Vor dem Hintergrund einer so differenzierten Dramaturgie verliert die Forderung nach Solidarität ihren abstrakt-plakativen Anschein und gewinnt einen konkreten Inhalt« (Wolfgang Ruf, *Die Zeit*).

Schneewittchen und die sieben Gaukler. *R* Kurt Hoffmann. *B* Günter Neumann. *K* (Farbe) Sven Nykvist. *M* Heino Gaze. *L* »Schneewittchen«, »Herr Schmidt«, »Heut ist Sonntag«, »Unsere Welt ist die Manege« von Heino Gaze *(M)* und Günter Neumann *(T)*. *A* Otto und Herta Pischinger. *D* Caterina Valente (Dr. Anita Rossi), Walter Giller (Norbert Lang), Hanne Wieder (Ines del Mar), Ernst Waldow (Hoteldirektor Säuberlich), Günther Schramm (Marcel), Rudolf Rhomberg (Simson), Georg Thomalla (Lukas), Gaston Palmer, Otto Storr, Helmut Brasch, Klaus Havenstein, Horst Tappert. *P* Independent, München Praesens, Zürich (Max Dora). 116 Minuten. 1962.
Die Heizungs-Ingenieurin Anita Rossi und sieben Artisten eines Pleite-Zirkus helfen dem Hotelier Norbert Lang, aus seinem heruntergekommenen Klostermatter Fremdenheim ein Erfolgsunternehmen zu machen.
Kurt Hoffmanns halbwegs gelungener Versuch, mit einem phantasievollen, auch formal ambitionierten »Frostical« aus der Routine der Caterina Valente-Musikfilme auszubrechen.

Der Schneider von Ulm. *R* Edgar Reitz. *B* Petra Kiener, Edgar Reitz. *K* (Farbe) Dietrich Lohmann, Martin Schäfer (Flugaufnahmen). *M* Nikos Mamangakis. *A* Winfried Hennig, Karel Vacek, Ludwig Siroky, Milos Preclik. *T* Siegrun Jäger. *D* Tilo Prückner (Berblinger), Vadim Glowna (Fesslen), Hannelore Elsner (Anna), Harald Kuhlmann (Degen), Dieter Schidor (Schlumberger), Rudolf Wessely (Pointet), Herbert Prikopa, Marie Colbin, Otto Lackovic, Michael Hofbauer, Ivan Vyskocil, Karel Augusta, Bronislav Poloczek, Daha Medricka. *P* Edgar Reitz / Peter Genée / Veith von

Fürstenberg / ZDF. 115 Minuten. 1978.
Ende des 18. Jahrhunderts. Albrecht Berblinger, Schneidergeselle aus Ulm, träumt von einem Gerät, mit dem man wie ein Vogel fliegen kann. In Wien erlebt er die erste Vorführung eines absonderlichen Flattergerätes, das der Luftschiffer Jakob Degen gebaut hat; Degen wird sein Freund. Nach Ulm heimgekehrt, bastelt er in monatelanger Arbeit Flügel. Bis zur Erschöpfung nimmt er in einem entlegenen Tal nahe der Stadt Anlauf um Anlauf, verletzt sich die Knochen, verliert seine Frau, sein Geschäft, sein Geld, baut Bruch um Bruch. Seine Verbindung mit dem Jakobiner Fesslen, Anführer eines Ulmer Bürgeraufstandes, bringt ihn zudem in politische Schwierigkeiten und vorübergehend in Haft. Wieder frei, setzt er seine Flugversuche fort. In immer größeren Luftsprüngen lernt er wirklich fliegen. Fesslen, todkrank aus dem Gefängnis zurückgekehrt, druckt vor seinem Tod noch das politische Testament der süddeutschen Jakobiner-Bewegung, seinen utopischen Traumflug in eine bessere Gesellschaft. Anläßlich eines Königsbesuches soll Berblinger einen Flug über die Donau wagen. Das Spektakel vor 10 000 Zuschauern wird zum Fiasko, weil gefährliche Abwinde am Fluß ihn nach unten ziehen. Er kann sein Leben retten und muß flüchten, aber indem er eine neue Erfahrung bei der Überwindung der Schwerkraft gemacht hat, ist er in Wirklichkeit der Erfüllung seines Traumes noch nähergekommen.
Rund zehn Jahre nach seinem *Cardillac* drehte Edgar Reitz wieder mit großem Ernst und unendlicher Liebe die Geschichte einer kreativen Besessenheit, die einen genialen Individualisten seinem Traum näherbringt und zugleich von der Gesellschaft entfernt; *Der Schneider von Ulm* ist ein anrührender persönlicher Film, der über sein eigentliches Thema hinaus viele Obsessionen seines Autors bezeugt. Reitz: »Es gibt eine Liebesgeschichte, eine Ehegeschichte, es gibt eine Freundschaftsgeschichte, es gibt die Geschichte einer deutschen Kleinstadt mit ihren Engeproblemen, es gibt eine Geschichte von Konventionen und Ängsten; eine Geschichte handelt vom Handwerk, von den Tugenden, die ein Mensch erlernt, um aus diesem Geist heraus Handwerker zu sein und wie diese handwerkliche Tugend sich fortpflanzt und fortsetzt in dieser Tätigkeit des Fliegens. Der Stoff geht lange zurück, es ist eine meiner ältesten Lieblingsideen und stammt noch aus der Ulmer Zeit, aus den Jahren, als ich in Ulm am Institut für Filmgestaltung arbeitete, also Mitte der sechziger Jahre. Wir wissen, daß es seit Jahrtausenden und in allen Kulturen Darstellungen gibt von Menschen mit Flügeln. Sind es wirklich Fabelwesen oder sind es Erinnerungen? Sicher nicht in dieser Form. Aber in irgendeiner vorausgegangenen Entwicklung, die weder Mensch noch Vogel war, kann es möglich gewesen sein; und wir haben in unserem Körper mehr Erinnerungen gespart, als unser Bewußtsein sich vor-

stellen kann. Ich glaube fest daran, daß Berblinger solche Vorstellungen hatte. Ich habe sie im übrigen auch. Da fühle ich mich ihm verwandt, wenn ich die Geschichte erzähle.« Von seiner Ulmer Zeit als Dozent am Institut für Filmgestaltung wußte Reitz nicht nur, daß es dort an der Donau nur wenig, wenn nicht überhaupt gar keinen Aufwind gibt, sondern daß er da auch nicht die historische Kulisse seines Films finden konnte; er fand sein Ulm in der Tschechoslowakei. Ein besonders großer Reiz des Films liegt darin, daß er die technischen, flugtechnischen und kameratechnischen Anstrengungen samt den körperlichen Strapazen, die die Nachahmung und Aufnahme der Berblingerschen Experimente erforderten, dem Zuschauer sehr gegenwärtig macht. Beeinträchtigt wird der Film durch die kompliziert-lärmende Musik des Griechen Nikos Mamangakis; der Regisseur kann fliegen, sein Komponist nicht.

Schöner Gigolo – armer Gigolo. *R* David Hemmings. *B* Ennio de Concini, Joshua Sinclair. *K* (Farbe) Charly Steinberger. *M* Günther Fischer. *A* Peter Rothe. *T* Gunther Kortwich. *S* Alfred Srp. *D* David Bowie (Paul), Sydne Rome (Cilly), Kim Novak (Helga), David Hemmings (Hermann), Maria Schell (Mutter), Curd Jürgens (Prinz), Marlene Dietrich (Baroneß von Semering), Erika Pluhar, Rudolf Schündler, Hilde Weissner, Werner Pochath, Evelyn Künneke. *P* Leguan (Rolf Thiele). 98 Minuten. 1978.
Der Berliner Paul von Przygodski erlebt als frischgebackener Leutnant gerade noch die letzten Schüsse des Ersten Weltkrieges mit. Als er nach Berlin zurückkehrt, hat seine Mutter, die ihren Sohn tot glaubte, aus ihrem Haus inzwischen eine »Pension« gemacht und sich selbst eine Stellung in einem Türkischen Bad besorgt. Paul erlebt amouröse Abenteuer mit einer Jugendfreundin, die schließlich als Showtalent nach Hollywood geht und einen Prinzen heiratet, mit einer eleganten Lebedame und mit einer Generalswitwe. Sein ehemaliger Hauptmann Hermann Kraft bemüht sich darum, ihn für seine rechtsradikale Truppe zu gewinnen, verliert ihn dann aber an die betagte Baroneß von Semering, Inhaberin eines Gigolo-Etablissements. Auf nächtlicher Straße wird Paul schließlich von Krafts Leuten versehentlich erschossen. Die NS-Männer kleiden seinen Leichnam in eine braune Uniform und proklamieren ihn zum Märtyrer.
Das dilettantische Drehbuch, die Abwesenheit irgendeiner erkennbaren Regieleistung und das lieblose Aneinanderreihen von bilderbogenhaften Sequenzen ließen diesen Film das gleiche Schicksal erleiden wie schon so manche »deutsche Produktion mit internationalem Format« vor ihm: Es entstand eine blutleere und unpersönliche Folge bunter Bilder. In grotesk vereinfachender Weise wird versucht, die politische Situation im damaligen Berlin zu skizzieren, indem ein am Rande des Vulkans tanzendes, vergnügungssüchtiges Volk einer Gruppe

von homosexuellen Faschisten gegenübergestellt wird. So mangelt es dem Film sowohl an einer relevanten Aussage als auch an Unterhaltungswert. Da trotz der Stars in der Besetzung auch das Publikum fernblieb, verschwand der Film bereits nach wenigen Tagen wieder aus den Kinos. Eine veränderte Schnittfassung (105 Minuten), die in Großbritannien zur Aufführung kam, ist hierzulande nie aufgetaucht. Es ist einfach nicht zu verstehen, daß Marlene Dietrich nach 17 Jahren ausgerechnet für diesen Film wieder vor die Kamera zurückgekehrt ist und für jemanden wie Rolf Thiele ihren Schwur gebrochen hat, nie mehr in einem deutschen Film aufzutreten . . .

Schonzeit für Füchse. *R* Peter Schamoni. *B* Günter Seuren, nach seinem Roman. *K* Jost Vacano. *M* Hans Posegga. *A* Gabriel Pellon. *S* Heidi Rente (= Heidi Genée). *D* Helmut Förnbacher (Er), Christian Doermer (Viktor), Andrea Jonasson (Clara), Monika Peitsch (Lore), Edda Seipel (Claras Mutter), Helmuth Hinzelmann (Viktors Vater), Willy Birgel (Jagdautor), Hans Posegga, Alexander Golling, Nina Stepun, Erna Haffner. *P* Peter Schamoni. 92 Minuten. 1966.
Er und sein Freund Viktor, zwei Düsseldorfer Ende der Zwanzig, arrangieren sich mit der bürgerlichen Gesellschaft, die sie immer verachtet haben. »ER, der auf feudalen Treibjagden als Treiber mitmachen durfte, der weiß, wie man auf Niederwild schießt, der die Etikette ebenso kennt wie Viktor, sein Freund, die Etikette, die sie beide verachten, über die sie sich lächerlich und lustig machen, die ihnen aber eine Heimat darstellen, in der sie zurechtkommen, während sie ›draußen‹, im Leben, manövrierunfähig sind. Sie weichen wie die Füchse aus, denen sie auf den Treibjagden immer begegnen, sie drücken sich ins Unterholz ihrer Einkapselung, feiern Schonzeit, die sie sich selbst gewährt haben. Viktor, der verspielte und halbintellektuelle niederrheinische Junker (wenn es das geben sollte), geht in die ›Emigration‹, wird Büchsenverkäufer in Australien. ER wird weiterhin als freier Journalist Brotarbeiten verrichten, schreiben über Dinge, die ihn eigentlich nicht interessieren . . . Nichts Neues mehr wird stattfinden, immer wieder das Alte. Die Schonzeit für Füchse, widerwillig abgerungen, ist vorbei« (aus der von Peter H. Schröder verfaßten Inhaltsbeschreibung des Presseheftes).
Dem Kurzfilmregisseur, Filmpolitik-Promoter und Ur-Oberhausener Peter Schamoni, Sohn des Filmwissenschaftlers Victor Schamoni, Berliner vom Jahrgang 1934, Clanführer der filmenden Schamoni-Brothers Ulrich, Thomas und Viktor, hatte man das beste Spielfilmdebüt der Welt gewünscht: Seine Kurzfilme (u. a. 1958 *Osterspaziergang*, zusammen mit Enno Patalas 1960, *Brutalität in Stein*, zusammen mit Alexander Kluge, 1963 *Max Ernst – Entdeckungsfahrten ins Unbewußte*, zusammen mit Carl Lamb) erfüllten den selbstgesteckten

Anspruch, »filmische Dokumente zum Verständnis unserer Zeit zu schaffen«; seine filmpolitischen und filmdiplomatischen Initiativen trugen wesentlich zum Aufbruch des Jungen Deutschen Films bei, von seinem gesunden Produzenten-Naturell konnten auch andere Regisseure profitieren, und bereits 1963 hatte er den Mut, auf eigene Faust nach New York zu gehen, um mit einer Kurzfilmschau für den kommenden deutschen Film zu werben. Statt des verdienten und erwarteten Gala-Debüts lieferte Peter Schamoni dann aber ein Hauptwerk dessen, was die Kritikerin Ponkie später den »Selbstbetrachtungsgram« nannte, andere Rezensenten »das Muffel-Syndrom des Jungen Deutschen Films«, einen Film der larmoyant-masochistischen Attitüden. Das lag natürlich ganz in Schamonis unseliger Stoffwahl begründet, und die freundlicheren Kritiker richteten ihren ganzen Groll auf Günter Seuren, den Autoren der Romanvorlage; der Regisseur kam dabei wieder ganz gut weg: »Daß es Peter Schamoni gelungen ist, aus den Porträts zweier öder Menschen einen lebendigen Film zu machen, verrät den geschickten Erzähler.« *Schonzeit für Füchse* wurde als deutscher Beitrag der Berlinale 1966 uraufgeführt und mit einem Silbernen-Bären-Sonderpreis ausgezeichnet, »für die Frische und das Talent, mit denen ein wichtiges zeitgenössisches Thema behandelt wird«. Zuvor hatte er Bundesfilmpreise für die beste Musik (Hans Posegga) und die beste weibliche Nebenrolle (Edda Seippel) bekommen. Daß Peter Schamonis Regie-Karriere dann nur noch zu den Filmen *Deine Zärtlichkeiten* (1969) und *Potato Fritz* (1975) führte, ist bei einem Mann seines Kunstverstands und seiner Durchsetzungskraft kaum zu fassen.

Schulmädchen-Report-Filme: *Schulmädchen Report – Was Eltern nicht für möglich halten* (R Ernst Hofbauer, mit Friedrich von Thun, Günter Kieslich, Rolf Harnisch, Helga Kruck, Oktober 1970). *Der neue Schulmädchen-Report – Was Eltern den Schlaf raubt* (R Ernst Hofbauer, mit Friedrich von Thun, August 1971). *Schulmädchen-Report 3. Teil – Was Eltern nicht mal ahnen* (R Ernst Hofbauer, Walter Boos mit Friedrich von Thun, Michael Schreiner, Werner Abrolat, Februar 1972). *Schulmädchen-Report 4. Teil – Was Eltern oft verzweifeln läßt* (R Ernst Hofbauer, mit Christine Lindberg, Gunther Möhner, Wolf Harnisch, September 1972). *Schulmädchen-Report 5. Teil* (R Ernst Hofbauer, April 1973). *Schulmädchen-Report 6. Teil – Was Eltern gern vertuschen möchten* (R Ernst Hofbauer, Oktober 1973). *Schulmädchen-Report 7. Teil – Doch das Herz muß dabei sein* (R Ernst Hofbauer, mit Puppa Armbruster, Elke Deuringer, Margot Mahler, April 1974). *Schulmädchen-Report 8. Teil – Was Eltern nie erfahren dürfen* (R Ernst Hofbauer, mit Liz Keterge, Claus Tinney, Elke Deuringer, November 1974). *Schulmädchen-Report 9. Teil – Reifeprüfung vor dem Abitur* (R Walter Boos, August 1975).

Schulmädchen-Report 10. Teil – Irgendwann fängt jede an (R Walter Boos, mit Astrid Boner, Yvonne Kerstin, April 1976). *Schulmädchen-Report 11. Teil – Probieren geht über Studieren* (R Ernst Hofbauer, mit Evelyne Bugram, Erika Deuringer, Astrid Boner, 1976). *Schulmädchen-Report 12. Teil – Junge Mädchen brauchen Liebe* (R Walter Boos, mit Karin Kernke, Elisabeth Weltz, Claus Tinney, 1978). *Schulmädchen-Report 13. Teil – Vergiß beim Sex die Liebe nicht* (R Walter Boos, mit Katja Bienert, Sylvia Engelmann, Gaby Fritz, 1980). Sämtliche Filme produziert von Rapid-Film (Wolf C. Hartwig) und geschrieben von Günther Heller.

»Nothing succeeds like excess«, und: »Für einsuffzich kann ick verlangen, daß an meine niedersten Instinkte appelliert wird« (alte Berliner Kinoweisheit). Nach der Devise, daß jede Sache zum Erfolg führt, wenn man sie nur wirklich exzessiv betreibt, führte der Produzent Wolf C. Hartwig bei der Verfilmung der Illustrierten- und Taschenbuchserie *Schulmädchen-Report* den Appell an die niedersten Instinke (unter Berufung auf die pädagogischsten Absichten) und das Bemühen um eine völlig verrottete Filmform auf einen derart schwindelerregenden Gipfelpunkt, daß der Erfolg nicht ausbleiben konnte: die Serie ist ein wahrer Weltschlager. Der Deutsche als Tourist mag bis nach Mykonos oder bis nach Saskatschewan fahren: Noch zuverlässiger als die Bratwurst mit Sauerkraut erwartet ihn dort ein Kino, das einen *Schulmädchen-Report* spielt. Der Wandel der Untertitel von *Was Eltern nicht für möglich halten* bis *Irgendwann fängt jede an* zeigt am deutlichsten an, daß die heuchlerische Attitüde einer um wahre Aufklärung besorgten Recherche in dem Maß aufgegeben wurde, in dem der Erfolg gesichert war; der Terminus »Report«, der seriöse Dokumentation suggerieren sollte, wurde zum Synonym für Schweinskram und als solches zum Aushängeschild einer ganzen Welle weiterer Sexfilme: *Hausfrauen-Report* (mehrere Teile), *Intim-Report, Schüler-Report, Schlüsselloch-Report, Schwabing-Report, St.-Pauli-Report, Teenager-Report, Ostfriesen-Report, Tanzstunden-Report, Urlaubs-Report, Bademeister-Report, Krankenschwester-Report, Ehemänner-Report, Kopenhagen-Sex-Report, Welt-Sex-Report, Frühreifen-Report, Jungfrauen-Report, Hochzeitsnacht-Report, Verführerinnen-Report, Skihaserl-Report, Sex-Träume-Report, Hostessen-Sex-Report, Hotelzimmer-Report, Briefträger Report (Wer einmal in das Posthorn stößt . . .)* und *Lehrmädchen-Report.* Aus der Geschichte der Mutter-Serie *Schulmädchen-Report* werden viele heitere Anekdoten erzählt. Der Ur-Autor der Illustrierten-Serie, Günther Hunold, glaubte nicht an einen Verfilmungserfolg, schlug deshalb eine prozentuale Beteiligung am Einspiel aus und kassierte lieber gleich und in bar und verschenkte damit ein Millionen-Vermögen. Die deutsche Kinobranche war sehr erfreut über den warmen Regen, den die Schulmädchen

Schöner Gigolo – armer Gigolo: Kim Nowak, David Bowie

Der Schneider von Ulm: Tilo Prückner

Schonzeit für Füchse: Willy Birgel, Helmuth Förnbacher

Schonzeit für Füchse: Peter Schamoni, Helmuth Förnbacher, Christian Doermer

über ihre Kassen brachte, schämte sich aber zugleich derart darüber, sich von solchem Schund zu nähren, daß sie dem Hersteller Hartwig die übliche offizielle Trophäe des großen Kassenerfolges, die »Goldene Leinwand«, verweigerte; als Hartwig seinen Anspruch dann sanft durchsetzte, liefen bereits so viele seiner Schulmädchen auf dem Kinostrich, daß er in einer einzigen Zeremonie gleich drei »Goldene Leinwände« entgegennehmen konnte.

Das schwarze Schaf. *R* Helmuth Ashley. *B* Istvan Bekeffi, Hans Jacoby, nach den Pater-Brown-Geschichten von G. K. Chesterton. *K* Erich Claunigk. *M* Martin Böttcher. *A* Hans Berthel, Robert Stratil, Ingeborg Ege Grützner. *D* Heinz Rühmann (Pater Brown), Karl Schönböck (Scarletti), Maria Sebaldt (Gloria), Siegfried Lowitz (Flambeau), Lina Carstens (Frau Smith), Fritz Rasp (Lord Kingsley), Rosl Schäfer, Herbert Tiede, Friedrich Domin, Hans Leibelt. *P* Bavaria (Utz Utermann, Claus Hardt). 95 Minuten. 1960.

Nachdem er durch die Lösung eines Mordfalles in seiner Gemeinde in die Schlagzeilen gekommen ist und deshalb von seinem Bischof strafversetzt wurde, bemüht sich Pater Brown, seine kriminalistischen Instinkte zu zügeln. Als es aber auch an seinem neuen Wirkungsfeld zu einer Mordserie kommt und Browns Freund Flambeau, ein bekehrter Ex-Krimineller, tatverdächtig wird, bleibt ihm nichts anderes übrig, als auch diesen Fall zu lösen. Und wieder weist der Bischof ihm eine neue Gemeinde zu.

Das Regiedebüt des Kameramanns Helmuth Ashley, eine brave Arbeit ohne auffällige persönlichen Ideen und individuellen Stil, ganz den Bedürfnissen des Stars Heinz Rühmann untergeordnet, der seinerseits gegen den idealen Leinwand-Brown, Alec Guiness, keine Chance hat. Einen noch schwächeren Rühmann-Brown-Film drehte Axel von Ambesser 1962: *Er kann's nicht lassen.* Ashley drehte bis 1966 noch vier weitere Filme und landete dann beim TV-Krimi.

Schwarz und weiß wie Tage und Nächte. *R* Wolfgang Petersen. *B* Karl-Heinz Willschrei, Jochen Wedegärtner, Wolfgang Petersen. *K* (Farbe) Jörg-Michael Baldenius. *M* Klaus Doldinger. *A* O. Jochen Schmidt. *S* Johannes Nikel. *D* Bruno Ganz (Thomas Rosenmund), Gila von Weitershausen (Marie), René Deltgen (Lindford), Ljubo Tadić (Koruga), Joachim Wichmann, Annemarie Wendl, Alexis von Hagemeister, Alexander Hegarth, Gudrun Vaupel, Markus Helis, Elke Schüssler, Eberhard Stanjek. *P* Monaco/Radiant/ORF/WDR. 103 Minuten. 1978.

Im Alter von sieben Jahren lernt Thomas Rosenmund durch bloßes Zusehen Schach. Innerhalb kürzester Zeit hat dieses Spiel von ihm Besitz ergriffen. Er erkennt die Gefahr, dieser Obsession zu verfallen, und rührt die Figuren zwanzig Jahre lang nicht mehr an. Dann entwickelt er ein Computer-

programm, dem angeblich kein Schachspieler gewachsen sein soll. Seine Firma arrangiert ein Fernseh-Duell zwischen dem Computer und Stefan Koruga, dem amtierenden Schachweltmeister. Koruga gewinnt, Rosenmund fühlt sich gedemütigt und schwört Rache. Er hängt seinen Beruf an den Nagel und wird Schachprofi. Fanatisch verfolgt er nur das eine Ziel, Koruga eines Tages herausfordern zu können. Schließlich ist es wirklich soweit. In einem scheinbar endlos sich dahinziehenden, nervenzermürbenden Spiel bringt Rosenmund es fertig, den Schachweltmeister zu schlagen. Damit beginnt aber auch der endgültige psychische Zerfall dieses Genies: Rosenmund landet im Irrenhaus.

Petersens Film, der hierzulande bisher nur im Fernsehen zu sehen war, lief mit Erfolg auf zahlreichen internationalen Filmfestivals.

Das schwarz-weiß-rote Himmelbett. *R* Rolf Thiele. *B* Ilse Lotz-Dupont, Georg Laforet, nach dem Roman *Cancan und großer Zapfenstreich* von H. R. Berndorff. *K* Heinz Schnackertz, Friedl Behn-Grund. *M* Rolf Wilhelm. *A* Max Mellin. *D* Daliah Lavi (Germaine) Martin Held (Friedrich de Wehrt), Thomas Fritsch (Jean), Margot Hielscher (Hortense), Marie Versini (Gertrude), Elisabeth Flickenschildt (Arabelle), Karl Schönböck, Monika Dahlberg, Monika John, Elfriede Kuzmany, Margarete Haagen, Hans Leibelt, Fritz Tillmann, Hubert von Meyerinck. *P* Franz Seitz. 100 Minuten. 1962.

Jean, ein junger Mann der rheinischen Gesellschaft vor dem 1. Weltkrieg, erlangt Reife durch den Umgang mit der Schauspielerin Germaine und der Französin Gertrude.

»Rolf Thiele, der neben Kurt Hoffmann in der Bundesrepublik der Spezialist des leichten, leckeren, lockeren Kino-Schaumgebäcks ist, kann sich mit diesem Film, der geschickt eine sanft-satirische Evokation des Deutschlands von Wilhelm II. mit all jenen Arten von Pikanterien verbindet, von denen wir offensichtlich zu Unrecht dachten, sie seien unsere exklusive Spezialität, durchaus sehen lassen« (*Cinema 63*, Paris).

Schwestern oder Die Balance des Glücks. *R* Margarethe von Trotta. *B* Margarethe von Trotta, unter Mitarbeit von Luisa Francia und Martje Grohmann. *K* (Farbe) Franz Rath. *M* Konstantin Wecker. *A* Winfried Hennig. *T* Vladimir Vizner. *S* Annette Dorn. *D* Jutta Lampe (Maria), Gudrun Gabriel (Anna), Jessica Früh (Miriam), Konstantin Wecker (Robert), Rainer Delventhal (Maurice), Agnes Fink, Heinz Bennent, Fritz Lichtenhahn. *P* Bioskop (Eberhard Junkersdorf)/WDR. 95 Minuten. 1979.

Die Schwestern Maria und Anna haben eine gemeinsame Wohnung in der Stadt. Maria ist eine tüchtige, strebsame Chefsekretärin, die sensible Anna studiert Biologie. Als Anna sich das Leben nimmt, ist Maria erschüttert. Sie lernt Miriam kennen, ein akti-

ves, lustiges Mädchen mit Flausen im Kopf, und nimmt sie bei sich auf. Maria versucht, Miriam auf ebensolche Weise von sich abhängig zu machen, wie sie es unbewußt mit Anna getan hatte. Doch Miriam ist stärker als Anna und macht sich selbstbewußt von Maria frei. Erst jetzt beginnt Maria, die Ursachen von Annas Selbstmord zu begreifen und selbst zu einer Veränderung zu kommen.

Auch in Margarethe von Trottas zweiter Solo-Regiearbeit geht es um die Veränderung dreier Frauen durch ihr Verhältnis zueinander. Anders als bei *Christa Klages* sind die gesellschaftlichen Implikationen hier allerdings versteckter und die psychologischen Entwicklungen entscheidender. Bei keinem anderen deutschen Film ist ein Einfluß Ingmar Bergmans so deutlich spürbar wie hier.

Sein bester Freund. *R* Luis Trenker. *B* Luis Trenker, Gustav Kampendonk. *K* (Farbe) Rolf Kästel. *M* Peter Sandloff. *D* Toni Sailer (Peter Haller), Dietmar Schönherr (Marius Melichar), Hans Nielsen (Imhoff), Elke Roesler (Clarissa), Carmela Corren, Peer Schmidt, Hans Richter, Franz Muxeneder, Rudolf Platte, Paul Westermaier. *P* Kurt Ulrich. 97 Minuten. 1962.

Toni Sailer und Dietmar Schönherr steigen in der Eiger-Nordwand herum.

Der letzte Film von Luis Trenker, größtenteils einem Heimat-Schlager-Film ähnlicher als einem Trenker-Film. »Es singen Carmela Corren, Rocco Granata und das Trio Schmid . . .«

Die Sendung der Lysistrata. *R* Fritz Kortner. *B* Fritz Kortner, nach der Komödie von Aristophanes. *K* Wolfgang Zeh. *M* Herbert Brün. *A* Helmut Koniarski. *D* Barbara Rütting (Lysistrata/Agnes Salbach), Romy Schneider (Myrrhine/Uschi Hellwig), Karin Kernke (Kalonike), Ruth Maria Kubitschek (Lampito), Peter Arens (Kinesias/Hans Flims), Willy Reichert, Wolfgang Kieling, Karl Lieffen, Franz Schafheitlin, Ullrich Haupt. *P* Gyula Trebitsch. 100 Minuten. 1961.

Die Komödie des Aristophanes, eingebettet in eine Rahmenhandlung, in der einige der Mitwirkenden und deren Ehepartner den aktuellen Stand des Pazifismus diskutieren.

Der erste (unfreiwillige) Amphibienfilm, ursprünglich nur fürs Fernsehen inszeniert und nur deshalb schleunigst ins Kino lanciert, weil einige Sender den damals als sehr heiß geltenden Film nicht ausstrahlen. Auf diesem Umweg auch Kortners letzte Arbeit fürs Kino.

Servus Bayern. *R* und *B* Herbert Achternbusch. *K* (Farbe) Jörg Schmidt-Reitwein. *T* Peter van Anft. *S* Christl Leyrer. *D* Herbert Achternbusch (Dichter und Wilddieb), Annamirl Bierbichler (Ehefrau), Sepp Bierbichler (Jäger Bellbell), Heinz Braun (Reporter Knallhart), Barbara Gass (seine Freundin), Karolina Herbig (Mutter), Gunter Freyse, Gerda Achternbusch. *P* Herbert Achternbusch/SDR. 84 Minuten. 1977.

Der Dichter Achternbusch flüchtet aus Bayern. Das Wildern macht ihm keinen Spaß mehr, seine Geliebte hängt sich an einen Jäger, ein Reporter verfolgt ihn, seine Dichtkunst hat ihn verlassen. Er flieht nach Grönland, wo sie alle umkommen.

»Herbert Achternbusch, der bayerische Dichter, macht jedes Jahr seinen Film. Und jeder dieser Filme, angefangen mit dem unerschrockenen *Andechser Gefühl*, über *Die Atlantikschwimmer* und den *Bierkampf*, ist ein unersetzliches Stück deutscher Filmgeschichte geworden. Mit dem vierten Film, *Servus Bayern*, der vom Süddeutschen Rundfunk finanziert wurde, gelang es Achternbusch zum ersten Male, aus dem Schmalfilmghetto herauszukommen, um sich jetzt seinen Platz in den Kinos zu erobern« (Martje Grohmann, *Die Zeit*).

Sex-Business made in Pasing. *R* und *B* Hans Jürgen Syberberg. *K* Christian Blackwood. *P* TMS Hans Jürgen Syberberg. 96 Minuten. 1970.

Kommentarloser Dokumentarfilm über die Sexfilm-Produktion von Alois Brummer, mit Interviews Brummers und seiner Darstellerinnen.

1965 hatte Syberberg einen äußerst widerlichen Film über Romy Schneider gemacht, *Romy – Anatomie eines Gesichts;* wer die lieblose und inhumane Attitüde erlebt hatte, in der der Dokumentarist die Krise eines Menschen genoß, konnte von einem Porträt des Sexfilmers Brummer, der sich auf ganz andere Weise als leichtes Opfer anbot, nur das Schlimmste erwarten. Um so größer die Überraschung über diesen ganz fairen, sanft insistierenden Film, der völlig frei ist von den mokant-ironischen Tönen, in die sich fast jeder Reporter bei einem derartigen Sujet sofort verirrt. Siehe auch *Brummer-Filme*.

Shirins Hochzeit. *R* und *B* Helma Sanders. *K* Thomas Mauch. *A* Manfred Lütz. *S* Margot Löhlein. *D* Ayten Erten (Shirin), Jürgen Prochnow (Aida), Aras Ören (Mahmud), Peter Franke, Hildegard Wensch, Hans Peter Hallwachs, Ortrud Beginnen. *P* WDR (Volker Canaris). 120 Minuten. 1976.

»Ins Blickfeld einer breiteren Öffentlichkeit geriet Helma Sanders-Brahms mit ihrem Spielfilm *Shirins Hochzeit*, der Geschichte eines türkischen Mädchens, das auf der Suche nach dem ihr versprochenen Verlobten Mahmud in die Bundesrepublik kommt, dort zunächst als Gastarbeiterin, dann als Prostituierte tätig ist und am Ende umgebracht wird. Als der Film am 20. Januar 1976 als WDR-Fernsehspiel ausgestrahlt wurde, betrug die Einschaltquote 37 Prozent. Er wurde zum ›Fernsehspiel des Monats‹ erklärt und erhielt den Fernsehpreis der Akademie der Darstellenden Künste für die beste Inszenierung 1976. Außerdem wurde er auf dem 29. Internationalen Filmfestival in Locarno prämiert. Damit war Sanders-Brahms der Durchbruch als renommierte deutsche Filmemacherin gelungen« (Renate Möhrmann, *Die Frau mit der Kamera*).

Simmel-Filme: *Affäre Nina B.* (R Robert Siodmak, mit Nadja Tiller, Walter Giller, Pierre Brasseur, September 1961). *Es muß nicht immer Kaviar sein* (R Geza von Radvanyi, mit O. W. Fischer, Eva Bartok, Senta Berger, Werner Peters, Viktor de Kowa, Jean Richard, Oktober 1961). *Diesmal muß es Kaviar sein* (R Geza von Radvanyi, mit O. W. Fischer, Senta Berger, Eva Bartok, Jean Richard, Werner Peters, Peter Carsten, Dezember 1961). *Und Jimmy ging zum Regenbogen* (R Alfred Vohrer, mit Ruth Leuwerik, Alain Noury, Doris Kunstmann, Judy Winter, Konrad Georg, Horst Tappert, Horst Frank, Heinz Moog, März 1971). *Liebe ist nur ein Wort* (R Alfred Vohrer, mit Judy Winter, Malte Thorsten, Herbert Fleischmann, Donata Höffer, Holger Hagen, Carl Lange, Konrad Georg, Inge Langen, November 1971). *Der Stoff, aus dem die Träume sind* (R Alfred Vohrer, mit Herbert Fleischmann, Paul Neuhaus, Edith Heerdegen, Hannelore Elsner, Arno Assmann, Konrad Georg, Heidi Stroh, Malte Thorsten, Klaus Schwarzkopf, September 1972). *Alle Menschen werden Brüder* (R Alfred Vohrer, mit Harald Leipnitz, Doris Kunstmann, Rainer von Artenfels, Roberto Blanco, Klaus Schwarzkopf, Herbert Fleischmann, Konrad Georg, März 1973). *Gott schützt die Liebenden* (R Alfred Vohrer, mit Harald Leipnitz, Gila von Weitershausen, Andrea Jonasson, Walter Kohut, Paul Esser, Oktober 1973). *Die Antwort kennt nur der Wind* (R Alfred Vohrer, mit Marthe Keller, Maurice Ronet, Karin Dor, Walter Kohut, Charlotte Kerr, Raymond Pellegrin, Herbert Fleischmann, November 1974). *Bis zur bitteren Neige* (R Gerd Oswald, mit Maurice Ronet, Suzy Kendall, Susanne Uhlen, Christine Wodetzky, Ferdy Mayne, Balduin Baas, Rudolf Fernau, Oktober 1975). *Lieb Vaterland, magst ruhig sein* (R Roland Klick, mit Heinz Domez, Catherine Allégret, Günter Pfitzmann, Rolf Zacher, Georg Marischka, Inge Wolffberg, März 1976).

»Johannes Mario Simmel, deutscher Unterhaltungsschriftsteller, geb. 1924. Der ehemalige Lehrer und Journalist wurde bereits mit seinem ersten Roman (*Mich wundert, daß ich so fröhlich bin,* 1948) bekannt. Der Erfolg seiner weiteren Romane ist vor allen Dingen seiner Fähigkeit zuzuschreiben, Elemente der Hochliteratur (Rückblende, Vermischung von Gegenwart und Vergangenheit, Verästelung der Handlung etc.) mit solchen der Trivialliteratur zu verknüpfen und somit einem breiten Publikum die Befriedigung des Wunsches nach Sensationen, ›großen‹ Leidenschaften und Gefühlen sowie Bestätigung von Vorurteilen zu gestatten, ohne daß die Trivialität der Themen sofort deutlich würde« (Georg Seeßlen, *Unterhaltung*). Die drei Simmel-Verfilmungen Anfang der sechziger Jahre (ein Gesellschaftskrimi, zwei Gesellschaftskomödien) ließen kaum erahnen, welch schwindelerregende Auflagenzahlen die Bücher erreichen sollten, die der fleißige, sich schüchtern ge-

bende Autor in den nächsten Jahren zu Papier brachte. Roxy-Produzent Luggi Waldleitner sicherte sich frühzeitig die Rechte, holte sich den Edgar-Wallace- und Karl-May-Routinier Alfred Vohrer in seinen Stall und warf in viereinhalb Jahren sieben nach dem gleichen Muster gestrickte Rühr- und Schicksalskrimis auf den Markt. Daß der letzte Simmel-Waldleitner-Film von Gerd Oswald inszeniert wurde, fiel nicht weiter auf, ebensowenig, daß die Romanvorlage zu dem Waldleitner-Vohrer-Film *Und der Regen verwischt jede Spur* (November 1972, mit Alain Noury, Anita Lochner, Wolfgang Reichmann) nicht von Simmel, sondern von Alexander Puschkin (!) stammte. Mit *Lieb Vaterland, magst ruhig sein,* einer Fluchthelfer-Story aus dem Kalten Krieg, beteiligte sich 1976 überraschend auch der Neue Deutsche Film am kassenträchtigen Simmel-Boom: Roland Klick inszenierte (mit Bernd Eichingers Solaris als Produzent) nach eigenem Drehbuch (Waldleitners Hausautor war stets Manfred Purzer gewesen), und zum ersten Mal gab es freundliche bis positive Kritiken. »Denn wer an diesem Film nur das Negative bemerkt, übersieht nicht nur den gewaltigen Fortschritt gegenüber allen bisherigen Simmel-Verfilmungen, sondern sogar gegenüber Simmels Romanvorlage. Klick hat in das wuchernde Gestrüpp der Simmel-Figuren Schneisen hineingeschnitten, so daß jetzt endlich einzelne Menschen mit einer gewissen Würde sichtbar werden. Und Klick hat Simmels masochistisch überbetonte These von der Verstricktheit des einzelnen ins große Räderwerk getilgt und durch einen schönen volkstümlichen Optimismus ersetzt. Das heißt, Klick hat eigentlich nur den besseren Simmel gegen den schlechteren ausgespielt. Er hat, ohne Simmel zu tilgen, doch Simmel erst wahrhaft zu sich selbst gebracht« (Wilfried Wiegand, *Frankfurter Allgemeine Zeitung*). Für 1982 plant wieder ein »junger« Regisseur einen Simmel-Film: Rainer Werner Fassbinder dreht *Hurra, wir leben noch.*

Ski-Faszination. R Willy Bogner jr. K (Farbe) Willi Bogner jr., Klaus König, Luggi Foeger. M Benny Golson. S Beate Mainka-Jellinghaus. Mit den Skifahrern Barbi Henneberger, Buddy Werner, Toni Sailer, Willy Bogner jr., Jean-Claude Killy, Guy Perillat, Luggi Leitner, Heidi Mittermaier, Fritz Wagnerberger und vielen anderen. P Willy Bogner jr. 44 Minuten. 1965.
Die Ski-Faszination des deutschen Films hat 1919 mit Arnold Fancks *Wunder des Schneeschuhs* begonnen und in den folgenden Jahrzehnten mit den Filmen der Fanck- und Leni-Riefenstahl-Schule, in denen die Alpengipfel stets »heilige Berge« und »Berge des Schicksals« waren, düster-mythische Ausmaße angenommen. Die *Ski-Faszination* von Willy Bogner jr. ignoriert souverän diese Tradition. »Willy Bogner hat einen Ski-Film gemacht, der sich von den anderen dieser Gattung darin unterscheidet, daß er weder die Schönheit

Schwestern oder Die Balance des Glücks: Gudrun Gabriel, Jutta Lampe, Jessica Früh

Servus Bayern: Josef Bierbichler, Gerda und Herbert Achternbusch

der Berge pathetisch verklärt, noch Sportkameradschaft verherrlicht, noch eine beliebige Liebesgeschichte in die Berge versetzt: Er zeigt mit behender Kamera die Freude am Lauf, am Schwung, am Jux. Skilauf als Vergnügen, diese simple Sache wird mit Geschick und optischem Witz auf die Leinwand gebracht« (*Film*, 1966). Wesentlich für einen solchen Dokumentarfilm ist die Montage; hier wurde sie besorgt von einer der berühmtesten Cutterinnen des Neuen Deutschen Films, Beate Mainka-Jellinghaus, der Mitarbeiterin von Alexander Kluge und Werner Herzog (der mit seinem eigenen Beitrag zur Ski-Faszination, *Die große Ekstase des Bildschnitzers Steiner*, geschnitten von Beate Mainka-Jellinghaus, wieder zum Mythos zurückfand).

Sommersprossen. R Helmut Förnbacher. B Martin Roda-Becher, Helmut Förnbacher. K (Farbe) Igor Luther. M Charly Niessen. A Guy Sheppard, Brigitte Lange. S Clara Fabry. D William Berger (Velte), Helmut Förnbacher (Sandweg), Helga Anders (Monika), Giorgia Moll (Brigitte), Grit Böttcher (Christine), Willy Birgel, Benno Hoffmann, Harald Dietl. P Rinco, München/United, Rom. 90 Minuten. 1968.
Deutschland 1934. Sandweg und Velte kommen aus politischen Gründen ins Gefängnis, brechen aus und beginnen eine blutige Verbrecher-Karriere. Sie werden durch Deutschland, die Schweiz und Frankreich gehetzt. Als sie schließlich in eine Falle geraten, aus der es kein Entrinnen gibt, erschießen sie sich gegenseitig.
Das Regiedebüt des Schauspielers Helmut Förnbacher, nicht ungeschickt bei *Bonnie and Clyde* abgeguckt. Mit dem Titel sind die von den Helden verursachten Schußwunden gemeint. Nach diesem Erstling wurden in Förnbacher große Hoffnungen gesetzt, aber gleich sein nächster Film hieß *Köpfchen in das Wasser, Schwänzchen in die Höh'* (1969).

Sonja schafft die Wirklichkeit ab oder Ein unheimlich starker Abgang. R Michael Verhoeven. B Michael Verhoeven, nach dem Theaterstück *Ein unheimlich starker Abgang* von Harald Sommer. K (Farbe) Igor Luther. M Franz Liszt, Richard Strauß, Procol Harum. D Katja Rupé (Sonja), Elmar Wepper (Manfred), Ingold Platzer, Wolfgang Fischer, Ilona Grübel, Irm Hermann, Hans-Jürgen-Bäumler. P Sentana (Senta Berger, Michael Verhoeven)/Bavaria. 86 bzw. 96 Minuten. 1974.
Sonja, ohne Schulbildung, ohne Berufsausbildung und ohne Arbeitsstelle, erwartet ein Kind von ihrem Freund Manfred, der sie zu einer Abtreibung veranlaßt. Nach einem Aufenthalt in einer Erziehungsanstalt wird sie wiederum von Manfred ausgebeutet. Als sie zum zweiten Mal schwanger wird, verläßt Manfred sie. Sonja tötet ihn und entflieht in eine Traumwelt.
Nach seiner überaus erfolgreichen Erstaufführung im Fernsehen war Verhoevens Film kurze Zeit später

auch im Kino zu sehen (35-mm-Fassung: 86 Minuten, 16-mm-Fassung: 96 Minuten). »Katja Rupé – mit ihrer ungeheuer aggressiven und intelligenten Präsenz ist sie nicht die Sonja, sie kann mir keine junge Schauspielerin denken, die mit derart affenartiger Sicherheit emanzipiert und souverän über ihre Mittel verfügt« (Wolfgang Limmer, *Süddeutsche Zeitung*). Hans-Jürgen Bäumler, Eisprinz und Gelegenheitsschauspieler, hatte hier die beste Rolle seiner gesamten Filmkarriere, wenngleich es sich nur um einen Auftritt von einer halben Minute handelt: Als Mann ihrer Träume steht er zum Schluß zuversichtlich lächelnd vor Sonja und nimmt sie mit ins Reich der Imagination.

So weit das Auge reicht. R und B Erwin Keusch. K (Farbe) Dietrich Lohmann. M Axel Linstädt (Gruppe Improved Sound Ltd.), Bernd Tauber. A Winfried Hennig. T Vladimir Vizner. S Bettina Lewertoff. D Bernd Tauber (Robert Lueg), Aurore Clément (Anna Aurey), Jürgen Prochnow (Alexander Späh), Antonia Reininghaus (Iris), Hans Michael Rehberg (Richard Kuhl), Werner Kreindl, Klaus Fuchs, Claus-Dietrich Reents. P prokino (Stephan Hutter, Erwin Keusch) / ZDF / Les Films du Losange, Paris (Margaret Menegoz) / Cactus, Zürich (Toni Stricker) / DRS. 137 Minuten. 1980.
Robert Lueg, von Beruf Masseur, ist fast taub. Ohne Hörgeräte und Mundablesen kommt er nicht aus, aber er läßt sich seine Behinderung – zumal sein Sprachvermögen normal ist – nicht anmerken. Der Börsenmakler Kuhl erfährt, daß Lueg demnächst eine Erbschaft in Höhe von 8,7 Millionen Mark zu erwarten hat: Sie stammt von seinem Vater, einem Amerikaner, der Roberts Mutter kurz nach Beendigung des Zweiten Weltkriegs im Stich gelassen hatte. Der ahnungslose Erbe wird nun das Opfer einer Intrige, deren Fäden Kuhls skrupelloser Gehilfe Alexander Späh in der Hand zu haben glaubt. Spähs Freundin Iris soll Robert heiraten, sich gleich darauf wieder von ihm scheiden lassen und die Hälfte der Erbschaftssumme abkassieren. Doch es kommt anders. Späh erschießt Luegs Anwalt, von dem er sich bedrängt sah, und die Umstände lassen Robert glauben, man halte ihn für den Mörder. Er hat keine Ahnung, weshalb sich plötzlich zwei schöne Frauen für ihn interessieren, denn neben Iris hat nun auch Kuhls Sekretärin und Geliebte Anna ihre Finger im Spiel. Robert »flieht« mit Anna nach Amerika, und er beginnt erst argwöhnisch zu werden, nachdem er sie in Las Vegas geheiratet hat. Zurück in München erfährt er endlich von seiner Erbschaft, die ihn kaum mehr interessiert. Kuhl wird vor seiner Wohnungstür erschossen, und Robert fährt den beiden Frauen auf die französische Insel Noirmoutier nach. Im Wattenmeer wartet der Mörder Alexander Späh auf ihn, aber es ist Robert Lueg, der den Kampf auf Leben und Tod gewinnt.
Erwin Keuschs zweiter Spielfilm nach seinem erfolgreichen Debüt mit *Das*

Brot des Bäckers (1976) – dazwischen entstand das Werner-Herzog-Porträt *Was ich bin, sind meine Filme* – stieß bei der Kritik auf völliges Unverständnis. Die wenigen Schwächen des Originaldrehbuches (z. B. die etwas unglückliche Amerika-Episode) wurden breit herausgestrichen, die enormen Qualitäten des Films dagegen entweder überhaupt nicht wahrgenommen oder einfach unterschlagen. Schon die ersten Minuten sind unvergeßlich: Zuerst sehen wir einen Saal mit einer Bühne, auf der ein junger Mann (Bernd Tauber als Robert Lueg) ein Lied zur Gitarre vorträgt. Neben ihm steht einer, der den Text des Songs in die Gebärdensprache der Gehörlosen übersetzt, und erst jetzt dämmert es uns, daß die Menschen im Saal nicht hören können. Es folgt ein atemberaubender Schnitt in die große Halle der Münchner Börse, wo aufgeregt, schwitzende, schreiende Leute ebenfalls eine Zeichensprache benutzen und wo ein Höllenlärm herrscht. Was geschieht, wenn der taube Sänger aus Szene 1 mit der geldgierigen Meute aus Szene 2 konfrontiert wird, zeigt Keusch in den folgenden zwei Stunden. *So weit das Auge reicht* war der erste deutsche Film, dessen (Original)-Ton in Dolby-Stereo aufgenommen wurde, und vielleicht der erste Film überhaupt, der den stereophonen Ton bewußt und unabdingbar als dramaturgisches Mittel und Informationsträger eingesetzt hat: Der Dolby-Ton lenkt die Aufmerksamkeit des Zuschauers verstärkt auf alles Gesprochene, auf jegliche Geräusche und selbst auf die Richtung, aus der man etwas hört; Robert Luegs Handicap wird dadurch unterstrichen und paradoxerweise begreifbar gemacht, und die Ungewißheit, ob er eine für ihn buchstäblich lebenswichtige Information überhaupt *gehört* hat, ist in den besten Momenten des Films schier unerträglich. Die thematische Auseinandersetzung zwischen Gut und Böse, Wahrheit und Lüge, Liebe und Geld bekommt durch Keuschs meisterhafte Manipulation von Ton und Bild eine sinnlich faßbare Dimension, wie man sie nur im Kino erleben kann. Von daher scheint es fast zwangsläufig, daß dieser Film an einer auf beschreibbare Inhalte fixierten Filmkritik vorbeiging.

Die Spalte. R und B Gustav Ehmck. K (Farbe) Gabor von Hamory, Rudolf Blanacêk. S Gerhild Berktold, Gustav Ehmck. D Gerhild Berktold (Sophie), Werner Umberg (Petry), Axel Schiessler (Hotte), Dursun Firat (Sandro), W. Bruck. P Gustav Ehmck. 86 Minuten. 1971.
Sophie, 14, entflieht einem Erziehungsheim, gerät bei einer Gruppe von Zuhältern, findet bei einem Studentenkollektiv Zuflucht und kommt wieder in den Gewahrsam der Jugendbehörde.
Ein überaus schäbiger Film, von Gustav Ehmck mit dem Schutz-Etikett »Sozialreport« versehen.

Sperrbezirk. R Will Tremper. B Will Tremper, nach dem Roman von Ernst Neubach. K Hans Jura. M Heinz

Schreiter. A Christine Viertel. T Wolfgang Lührse. S Ursula Möhrle. D Harald Leipnitz (Bernie Kallmann), Suzanne Roquette (Ann), Guido Baumann (Detlev Rhombus), Rudolf Schündler (Klipitzki), Ingeborg Schöner (Jolly), Bruce Low, Christian Rode, Ernst Neubach, Max Nosseck, Johanna König, Ralph Gregan, Ruth Maria Kubitschek. P Ernst Neubach / Ufa International. 94 Minuten. 1966.
Zuhälter Bernie Kallmann schickt Ann, bislang Süßwarenverkäuferin im Autokino, auf den Strich, und sie macht alles mit, weil sie Bernie halt liebt, und nun passiert das Unglaubliche: auch Bernie verliebt sich in sie, und so wird aus ihm tatsächlich doch noch ein guter Mensch.
»Der Witz, den Tremper hier entfaltet, ist beträchtlich und durch die verbiedernde Bearbeitung (durch den Produzenten, A. d. A.) keineswegs ausgetrieben. Er oszilliert zwischen Parodie (ein Stück ›Dokumentarbericht‹ à la *Vivre sa Vie*), Selbstironie (›Wollen Sie mir vielleicht die traurige Geschichte von einem gefallenen Mädchen erzählen?‹ – nichts anderes tut er selbst) und Kalauer (ein Neger, dem ›Negerküsse‹ angeboten werden!). Dabei erhebt sich Tremper nie arrogant über sein Sujet – was Parodien so unerläßlich macht –, sondern bringt sein Vergnügen am Kino, auch an der Kolportage, und am Leben, zu dem sie gehören, in den Film mit ein. Ein Routinier ohne Routine, ein Handwerker ohne Ausbildung, ein Cinephile ohne Filmkultur – in alledem ist Tremper ein präziser Ausdruck unseres Filmdilemmas. Er als einziger (außer Straub) *lebt* und *filmt* dieses Dilemma, führt es vor. In seinen Filmen reibt sich ein Talent an den Schranken, die die jahrzehntelange Dekadenz des deutschen Films gesetzt hat. Erst mit den Filmen Trempers, neben denen Straubs, Schlöndorffs, Kristls, Kluges und der Neuen Münchner, komplettiert sich das Bild des Jungen Deutschen Films, dem es aufgegeben ist, sich am eigenen Schopf aus dem Morast zu ziehen« (Enno Patalas, *Filmkritik*).

Spiel der Verlierer. R und B Christian Hohoff. K (Farbe) Horst Knechtel. M Peer Raben. A Rosima Hasshoff. T Sylvia Tewes. S Juliane Lorenz, Franz Walsch. D Jörg von Liebenfels (Matthias Kluth), Maria Schell (Anna Friedrichs), Claus Holm (Georg Friedrichs), Martina Winkelbach (Anita Friedrichs), Margit Carstensen, Carola Fahr, Christiane Maybach, Michael Ballhaus, Renate Pelster, Armin Meier, Karl Scheydt, Klaus Jepsen, Angelika Milster. P Tango (Rainer Werner Fassbinder) / Christian Hohoff. 80 Minuten. 1978.
Christian Hohoff, mehrere Jahre Assistent Fassbinders und gelegentlich Mitarbeiter an dessen Drehbüchern, hatte sich für sein Regiedebüt ein ebenso einfaches wie interessantes Thema ausgesucht: Ein fünfzigjähriger Fuhrunternehmer merkt, daß sich die fünfzehnjährige Tochter eines befreundeten Wirtsehepaares in ihn verliebt und erwidert diese Liebe. Die Eltern stellen sich ahnungslos, weil ihnen

250

die Affäre Gelegenheit gibt, den Mann um Bürgschaften und Geld zu bitten. Als der Vater die Wechsel platzen läßt, kommt es zu einer Auseinandersetzung, in deren Verlauf die Mutter dem Liebhaber der Tochter mit einer Anzeige droht. »Ihr denkt ja ganz anders als ich«, sagt der Mann, geht nach Hause und nimmt sich das Leben. Unter Fassbinders Händen wäre daraus wahrscheinlich eine Kleinbürgerstudie à la *Angst essen Seele auf* geworden. Obwohl Fassbinders Einfluß auf die Gestaltung von Hohoffs Film nicht gering war (er ist nicht nur Produzent des Films, sondern hat unter seinem Pseudonym Franz Walsch auch am Schnitt mitgearbeitet) – Regie und Schauspielerführung sind so miserabel, daß selbst Ulli Lommels frühe Filme dagegen bessere »Fassbinders« sind. Ein Film, der traurig macht. Aber nicht wegen seines Themas, sondern wegen des Scheiterns des Autor/Regisseurs, dem man die Redlichkeit des Versuchs nicht absprechen kann.

Spielst du mit schrägen Vögeln. *R* Gustav Ehmck. *B* Günter Seuren. *K* (Farbe) Egon Mann. *D* Jürgen Draeger (Georg), Horst Janson (Alfred), Margarethe von Trotta (Helga), Brigitte Harrer (Ilse), Eva-Ingeborg Scholz, Joachim Schneider. *P* Gustav Ehmck. 91 Minuten. 1969.
Zwei Düsseldorfer Pärchen fahren an die französische Atlantikküste, lieben sich (auch über Kreuz) und treiben Späße mit einem dicken deutschen Touristen. Eines der Mädchen wendet sich schließlich dem eigenen Geschlecht zu.
»Ein neues Exemplar aus Jungfilmers Nacktfilm-Welle. Nachdem Gustav Ehmck mit seinem psychologisierenden Erstling *Spur eines Mädchens* nicht so recht zu reüssieren vermochte, versucht er es jetzt mit der Sex-Masche. Ehrlich ist er, das muß man ihm zugestehen: In einem Interview gab er treuherzig zu, bei seinen Filmen auch immer ans Geschäftliche zu denken« (A. W., *Evangelischer Film-Beobachter*).

Spur eines Mädchens. *R* Gustav Ehmck. *B* Gustav Ehmck, Susanne Jordan, Egon Mann. *K* Egon Mann. *M* Gunter Hampel *D* Carola Wied (Hanna), Gunther Lagarde (Hannas Freund), Rainer Basedow, Günter Seuren. *P* Gustav Ehmck. 89 Minuten. 1967.
Der Film, der überraschend als deutscher Beitrag (neben *Mahlzeiten* und *Tätowierung*) bei den Filmfestspielen Venedig 1967 auftauchte, nachdem man weder von ihm noch von seinem Regisseur in der Bundesrepublik je etwas gehört hatte. Im Festivalbericht der *Süddeutschen Zeitung* schrieb Urs Jenny: »Ein Überraschungsaußenseiter, den auch bei uns noch niemand gesehen hatte: *Spur eines Mädchens.* Der 30jährige Düsseldorfer Gustav Ehmck, der bisher als Gestalter pädagogischer und kunsthistorischer Kulturfilme wenig von sich reden machte, hat ihn in aller Stille gedreht und nach Venedig spediert: noch ein sehr deutscher Film. Merkwürdige Erscheinun-

gen an unseren Universitäten werden da sichtbar, bedauernswerte Opfer des akademischen Systems, das bekanntlich langsam, aber furchtbar fein mahlt. Wer je studiert hat, erinnert sich wohl an verhuschte Mädchengeschöpfe, die in leicht hysterischer Trance durch Seminarräume segeln, mit gretchenhafter Inbrunst an allen Quellen der Wissenschaft gleichzeitig saugen, unstet und rastlos, bis ihnen nur noch ein Mühlrad im Kopf herumgeht. Man verliert solche Wesen, deren etwas schroffe Versponnenheit ja ganz charmant sein kann, rasch aus den Augen, sie segeln davon – und Gustav Ehmcks Film, der auf der Spur eines solchen Mädchens bleibt, zeigt uns nun, wo sie offenbar enden: im Irrenhaus. Carola Wied spielt das bald himmelhochjauchzende, bald zu Tode betrübte Geschöpf, mit dem weder sein schafsbraver Bräutigam noch prominente Jungdüsseldorfer (Günter Seuren, Charles Wilp) zurechtkommen, eine flatterhafte Studentin, die später Mannequin wird, spinnt, an unpassendem Ort Strip-tease tanzt und endlich – schriller Free-Jazz von Gunter Hampel signalisiert es – in wildem Wahnsinn versinkt. Übrigens hat dieses Schicksal, wider Erwarten, nichts mit dem Zustand unserer Universitäten zu tun; es handelt sich, wie der Regisseur mitteilt, um eine Geisteskrankheit namens Hebephrenie, und bei seinem Film – dessen Stil etwas linkisch der frohen Lebensfrische eines Ulrich Schamoni nacheifert – also um eine klinische Studie. Sehr ernst und sympathisch, wenn man auch über Hebephrenie nicht mehr erfährt, als daß es sie gibt.«

Die Standarte *R* Ottokar Runze. *B* Herbert Asmodi, nach dem Roman von Alexander Lernet-Holenia. *K* (Farbe) Michael Epp. *M* Hans Martin Majewski. *A* Peter Scharff. *T* Klaus-Peter Hein, Wolfgang Löper. *S* Tamara Epp. *D* Simon Ward (Menis), Siegfried Rauch (Bottenlauben), Viktor Staal (Anton), Veronica Forqué (Resa), Gerd Böckmann, Robert Hoffmann, Wolfgang Preiss, Peter Cushing, Jon Finch, Lil Dagover, Maria Perschy, Friedrich von Ledebur, Rudolf Prack. *P* Ottokar Runze / Neue Thalia, Wien / Norddeutsche Filmproduktion / Orfeo, Madrid / NDR / ORF. 120 Minuten. 1977.
Herbst 1928, das Ende des Krieges zeichnet sich ab. Ein junger Fähnrich erlebt die erste Liebe und kurz darauf eine Meuterei des ganzen Regiments ruthenischer, polnischer und galizischer Soldaten. Er empfängt aus der Hand eines sterbenden Kameraden die Standarte des Regiments, das Symbol des einst glanzvollen Reiches. Er rettet die Standarte über alle Stationen einer abenteuerlichen Flucht aus der Belgrader Burg bis nach Wien, wo er Zeuge des Auszuges seines Kaisers wird. Sein Regiment besteht nicht mehr, die Kameraden sind tot. Und die Standarte verbrennt – fast unbeachtet – in einem Kamin des kaiserlichen Schlosses. Die Zeit der Donau-Monarchie ist abgelaufen. Erst jetzt findet der Fähnrich zu seiner Liebe zurück.

So weit das Auge reicht: Bernd Tauber

Die Standarte

Spiel der Verlierer: Jörg von Liebenfels, Martina Winkelbach

Der Roman von Lernet-Holenia wurde bereits 1935 unter dem Titel *Mein Leben für Maria Isabell* von Erich Waschneck verfilmt. Ehe Lernet-Holenia einen eigens für Runzes Film verfaßten Prolog aufnehmen konnte, starb er am 3. Juli 1976. – Kameramann Michael Epp drehte einige Passagen mit dem neuen, erschütterungsfreien Handkamerasystem Steadicam.

Der starke Ferdinand. *R* Alexander Kluge. *B* Alexander Kluge, nach seiner Erzählung *Ein Bolschewist des Kapitals* in *Lernprozesse mit tödlichem Ausgang. K* (Farbe) Thomas Mauch, Martin Schäfer. *T* Heiko Hinderks, Reiner Wiehr. *S* Heidi Genée, Agape von Dorstewitz. *D* Heinz Schubert (Ferdinand Rieche), Verena Rudolph (Gertie Kallmann), Gert Günther Hoffmann (Wilụtzki), Joachim Hakkethal (Kniebeling), Heinz Schimmelpfennig (Ganter), Siegfried Wischnewski (Kobras), Erich Kleiber, Franz Kollasch, Dan van Husen, Rudolf Wessely, Daphne Wagner, Klaus Altmann, Hark Bohm, Klaus Dersch. *Sprecher* Alexander Kluge. *P* Kairos (Alexander Kluge), Edgar Reitz. 97 Minuten. 1976.
Der Betriebsschutz-Leiter Ferdinand Rieche darf seine Fähigkeiten dem Feind gegenüber nicht voll einsetzen, also setzt er sie ein, indem er dem eigenen Vorstand »Landesverrat im Betrieb« nachzuweisen sucht.
Die Literatur von Alexander Kluge ist, da sie nicht den Regeln des Filmtheoretikers Kluge zu folgen hat, in ihrer Wirkung meist so filmhaft, daß sie sich auch im Kopf dessen, der eigentlich lieber Filme sieht als Bücher liest, zu einem genuß- und lehrreicheren Film zusammensetzt als die montierten Einzelteile des Verfilmungsversuches. Das gilt in besonderem Maße für *Ein Bolschewist des Kapitals* / *Der starke Ferdinand,* da dies die eindeutigste Satire unter allen verfilmten Kluge-Stoffen ist. Die Satire schafft Beunruhigung, indem sie das, was passieren kann, so zeigt, als sei es schon passiert und akzeptiert und integriert; nur so wird die Gefährlichkeit dessen spürbar, vor dem man warnen will. Die Satire ist also umso wirkungsvoller, je authentischer ihre Fiktionen wirken. Das literarische Produkt *Ein Bolschewist des Kapitals,* außerordentlich cool und gradlinig erzählt, erfüllt diese Bedingung ideal; als Filmvorlage betrachtet, ist die Erzählung ein Szenario von einem Reichtum und einer Schärfe wie sonst unter vergleichbarem nur Fassbinders *Dritte Generation,* in dieser Papierform zum Beispiel auch Erzählung und Drehbuch *Die verlorene Ehre der Katharina Blum* glatt überlegen. Als Film *Der starke Ferdinand* ist daraus eine Montage von Elementen der Vorlage geworden, die ihren sinnlichen und Sinn-Zusammenhang nur mit Mühe wahrt und deren *grand guignol*-hafte Züge vor allem am Ende fatal die Überhand gewinnen. In der Erzählung wird der in der Wirtschaft gescheiterte und vom Bundeskriminalamt übernommene Rieche auf das Grundgesetz vereidigt, und der

letzte Dialog lautet: »Dienstvorgesetzter: ›Wählen Sie die weltliche oder die religiöse Eidesformel?‹ Rieche: ›Die religiöse.‹« Im Film schießt der entlassene Rieche einem Bonner Minister in die Backe, nur um zu beweisen, daß der Minister von den zuständigen Sicherheitsleuten nicht hinreichend gesichert ist, und um auf diese Weise seine eigenen Dienste zu empfehlen; einem Reporter erklärt der festgenommene Rieche: »Ich habe ihn in die Backe geschossen, weil unser Leben keinen genauen Sinn hat. Da kann man nicht immer genau schießen.« Die umwerfend lakonische Ironie eines Finales, das mit einer Pokermiene für die Zukunft des im Staatsdienst installierten Rieche die unheiligsten Perspektiven aufreißt, wird also ersetzt durch eine groteske Witzelei, die impliziert, daß man von diesem armen Irren fortan nichts mehr zu fürchten hat. Im Vorbereitungsstadium des Films arbeiteten die an seiner Finanzierung beteiligten ZDF und Filmförderungsanstalt Hand in Hand, um Kluge statt des ursprünglich vorgesehenen Martin Benrath, der in seiner Mischung aus Intelligenz und Virilität ein wirklich gefährlich verrückter Rieche gewesen wäre, den als »Ekel Tetzlaff« bekanntgewordenen Heinz Schubert einzureden; als Signal, daß das Ganze nur als Spaß zu verstehen ist und nicht wirklich etwas mit der Wirklichkeit zu tun hat. (In der gleichen Absicht hatte das ZDF Schubert schon in die Sendereihe *Notizen aus der Provinz* eingeschleust, deren Macher in durchaus richtigem Satire-Verständnis bemüht waren, dieses satirische Magazin wie ein »richtiges« Polit-Magazin wirken zu lassen, mit authentisch wirkenden, möglichst anonym besetzten Beiträgen. Schon dies war natürlich nebenbei ein Mißbrauch des vorzüglichen Schauspielers Schubert, den man nicht mehr als solchen begriff, nur noch als Politclown mit fest umrissener Mission.) Mit der Manier seiner Verfilmung und der Bereitschaft, Schubert als Ferdinand Rieche zu nehmen statt Benrath, der ohne Image-Belastung einen authentischen und bedrohlichen, darum nicht weniger komischen Betriebsschützer hätte spielen können (übrigens wäre auch der als Unternehmer Wilutzki fehlbesetzte G. G. Hoffmann ein großartiger Rieche gewesen), arbeitete Kluge nun in die vereinigten Hände von ZDF und Filmförderungsanstalt.

Steiner – das Eiserne Kreuz. *R* Sam Peckinpah. *B* Julius Epstein, Herbert Asmodi, nach dem Roman *Das geduldige Fleisch* von Willi Heinrich. *K* (Farbe) John Coquillon. *M* Ernest Gold. *A* Ted Haworth. *T* David Hildyard. *S* Tony Lawson, Herbert Taschner. *D* James Coburn (Feldwebel Steiner), Maximilian Schell (Hauptmann Stransky), James Mason (Oberst Brandt), Klaus Löwitsch, David Warner, Vadim Glowna, Senta Berger, Roger Fritz, Burkhard Driest, Dieter Schidor, Arthur Brauss, Veronique Vendell. *P* Rapid (Wolf C. Hartwig) / Terra / EMI, London. 132 Minuten. 1977.

Steiner – Das Eiserne Kreuz 2. Teil. *R* Andrew V. McLaglen. *B* Peter Berneis, Tony Williamson. *K* (Farbe) Tony Imi. *M* Peter Thomas. *A* Gerhard Janda. *T* David Hildyard. *S* Ray Poulton. *D* Richard Burton (Feldwebel Steiner), Robert Mitchum (Major Rogers), Rod Steiger (Colonel Webster), Helmut Griem (Hauptmann Stransky), Curd Jürgens (General Hoffmann), Klaus Löwitsch, Michael Parks, Horst Janson, Sieghart Rupp, Joachim Hansen, Werner Pochath, Dieter Schidor, Veronique Vendell. *P* Palladium / Rapid (Wolf C. Hartwig). 111 Minuten. 1979.
Wolf C. Hartwig holte mit durch ein Dutzend *Schulmädchen-Reports* verdientes Geld eine Reihe der besten Action-Spezialisten Hollywoods in die Bundesrepublik und ließ Willi Heinrichs Bestseller *Das geduldige Fleisch* verfilmen. Das ist die Geschichte vom wackeren Feldwebel Steiner, der immer über den Krieg schimpft, für seinen Haufen treuer Landser aber selbst die Krankenschwester im Lazarett links liegen läßt. Sein Vorgesetzter, Hauptmann Kransky, ist ein wahrer Fiesling, wünscht sich nichts sehnlicher als das Eiserne Kreuz und schießt sogar wieder besseren Wissens auf seine eigenen, sprich: Steiners, Leute. »*Steiner* scheitert wie die meisten ›Anti‹-Kriegsfilme an dem Widerspruch zwischen der behaupteten Sinnlosigkeit des Krieges und der sinnlichen Faszination seiner Gewalt – nur scheitert er etwas perfekter und erheblich teurer als die anderen« (Wolfgang Limmer, *Der Spiegel*). Aber Hartwigs Rechnung ging auf: Peckinpahs *Steiner* erwies sich im Nu als einer der erfolgreichsten deutschen Filme überhaupt. Das machte eine Fortsetzung unvermeidlich, und so inszenierte zwei Jahre später Andrew V. McLaglen mit umbesetzten Hauptrollen die Abenteuer von Steiner und Stransky in der Normandie (der erste Teil spielte an der Ostfront). *Steiner – das Eiserne Kreuz 2. Teil* war insgesamt unkritischer und noch weniger analytisch als sein Vorgänger. Das Schlachtfeld wird zum Tummelplatz markiger Männlichkeit, die nicht etwa das Phänomen des Krieges, sondern allenfalls das unsportliche Benehmen einiger Soldaten in Frage stellt.

Sternsteinhof. *R* Hans W. Geissendörfer. *B* Hans W. Geissendörfer, Herman Weigel, nach dem Roman von Ludwig Anzengruber. *K* (Farbe) Frank Brühne. *M* Eugen Thomass. *A* Hans Gailling. *T* Peter Beil. *S* Peter Przygodda. *D* Katja Rupé (Leni), Tilo Prückner (Muckerl), Peter Kern (Toni), Gustl Bayrhammer (Sternsteinhofbauer), Agnes Fink (Zinshoferin), Elfriede Kuzmany, Irm Hermann, Ulrike Luderer, Alfred Edel, Anne Bennent. *P* Roxy (Luggi Waldleitner) / BR. 125 Minuten. 1976.
Oben auf dem Hügel liegt der Sternsteinhof, unten am Waldrand stehen zwei Hütten. In der einen wohnt die Leni mit ihrer Mutter, und Lenis heimliches Ziel ist es, einmal Sternsteinhofbäuerin zu werden. Der Muckerl, der mit seiner Mutter in der anderen Hütte

wohnt und Holzschnitzer ist, liebt Leni und will sie heiraten. Doch Leni umgarnt Toni, den Sohn des Sternsteinhofbauern, und läßt sich von ihm ein schriftliches Heiratsversprechen geben. Tonis Vater macht ihr einen Strich durch die Rechnung und schickt Toni für zwei Jahre zum Militär. So wird sie doch noch Muckerls Frau. Als Toni zurückkommt, heiratet er die ihm zugedachte Sali, die im Kindbett stirbt. Muckerl bekommt eine Lungenentzündung, und Leni sorgt dafür, daß sie nicht lebend übersteht. Nach einer angemessenen Trauerfrist heiraten Toni und Leni, und sie ist Bäuerin auf dem Sternsteinhof. Wenig später, im Jahre 1914, bricht der Weltkrieg aus, aus dem der Toni nicht mehr zurückkehren wird.
»Hans W. Geissendörfer gehört zu jenen deutschen Filmemachern, die jahrelang mehr mit Kino-Genres spielten, anstatt auf sie einzugehen. Mit seinem *Sternsteinhof* hat er sich auf ein Genre handfest eingelassen, hat versucht, es mit neuer Vitalität zu füllen: Kein desillusionierender ›Anti-Heimatfilm‹ mehr wie Hauffs *Mathias Kneissl,* Schlöndorffs *Plötzlicher Reichtum der armen Leute von Kombach* oder auch Vogelers *Jaider;* sondern ein richtiges, herzbewegendes Bauern-Melodram« (Peter Steinhart, *Rheinische Post*).

St. Pauli-Filme: *Zwischen Shanghai und St. Pauli* (*R* Wolfgang Schleif, mit Joachim Hansen, Karin Baal, Horst Frank, 1962). *Polizeirevier Davidswache* (*R* Jürgen Roland, mit Wolfgang Kieling, Günther Ungeheuer, Hannelore Schroth, 1964). *St. Pauli Herbertstraße* (*R* Akos von Ratony, mit Eva Astor, Elma Karlowa, Pinkas Braun, 1965). *Mädchenjagd in St. Pauli* (*R* Günter Schlesinger, mit Margot Hildenbrand, Dagmar Schneider, 1966). *St. Pauli zwischen Nacht und Morgen* (*R* José Benazeraf, mit Eva Christian, Helmut Förnbacher, Dunja Rajter, 1967). *Wenn es Nacht wird auf der Reeperbahn* (*R* Rolf Olsen, mit Erik Schuman, Heinz Reincke, Marianne Hoffmann, 1967). *Tränen trocknet der Wind* (*R* H. G. Schier, mit Margarethe von Trotta, Günter Bekker, 1967) *Straßenbekanntschaft auf St. Pauli* (*R* Werner Klingler, mit Günther Stoll, Suse Wohl, Rainer Brandt, 1968). *Der Arzt von St. Pauli* (*R* Rolf Olsen, mit Curd Jürgens, Horst Naumann, Christiane Rücker, 1968). *Auf der Reeperbahn nachts um halb eins* (*R* Rolf Olsen, mit Curd Jürgens, Heinz Reincke, 1969). *Eros-Center Hamburg* (*R* Günter Hendel, mit Christine Lange, Regina Jorn, Achim Hammer, 1969). *Die Engel von St. Pauli* (*R* Jürgen Roland, mit Horst Frank, Herbert Fux, Werner Pochath, 1969). *Unter den Dächern von St. Pauli* (*R* Alfred Weidenmann, mit Jean-Claude Pascal, Joseph Offenbach, Werner Peters, 1970). *Das Stundenhotel von St. Pauli* (*R* Rolf Olsen, mit Curd Jürgens, Konrad Georg, Andrea Rau, 1970). *Der Pfarrer von St. Pauli* (*R* Rolf Olsen, mit Curd Jürgens, Heinz Reincke, Barbara Lass, 1970). *Das Loch zur Welt* (Neufassung von *Polizeirevier Davidswache,* 1970).

St. Pauli-Nachrichten – Thema Nr. 1 (R Franz Marischka, mit Helmut Förnbacher, Brigitte Skay, 1971). *Käp'n Rauhbein aus St. Pauli* (R Rolf Olsen, mit Curd Jürgens, Heinz Reincke, Johanna von Koczian, 1971). *Fluchtweg St. Pauli – Großalarm für die Davidswache* (R Wolfgang Staudte, mit Horst Frank, Christiane Krüger, Heinz Reincke, 1971). *Jürgen Rolands St. Pauli-Report* (R Jürgen Roland, mit Helen Vita, Günther Jerschke, Rudolf Schündler, 1971).

Es ist ja nicht so, daß man mit diesem Revier nichts anfangen könnte: Werner Hochbaum (*Razzia in St. Pauli*) und Helmut Käutner (*Große Freiheit Nr. 7*) haben es gezeigt. In der St. Pauli-Filmwelle der sechziger und siebziger Jahre aber teilen die Regisseure die klebrige Kleinbürger-Porno-Phantasie eines Publikums, das nichts versteht und sich nichts traut. Das geht selbst den Staudtes und Weidenmanns so, wenn sie auf diesem Pflaster fremdgehen. Von den Rolands und Olsens gar nicht zu reden. Wieso man Jürgen Rolands *Polizeirevier Davidswache* für ein Stück besserer Filmunterhaltung halten konnte, scheint uns heute völlig unverständlich.

Strohfeuer. R Volker Schlöndorff. B Volker Schlöndorff, Margarethe von Trotta. K (Farbe) Sven Nykvist. M Stanley Myers. A Nicos Perakis. T Wolfgang Richter. S Suzanne Baron. D Margarethe von Trotta (Elisabeth Junker), Friedhelm Ptok (Hans-Helmut), Martin Lüttge (Oskar), Ute Ellin (Irm), Nikolaus Vesely (Nikki), Ruth Hellberg (Mutter), Walter Sedlmayr, Georg Marischka, Dr. Konrad Farner, Eli Pilgrim, Hans Ohly, Wolfgang Bächler, Peter Kaiser, Horatius Haeberle, Wilhelm Grasshoff. P Hallelujah (Eberhard Junkersdorf) / HR. 101 Minuten. 1972.

Elisabeth Junker läßt sich von ihrem Mann Hans-Helmut, einem Verlagslektor, scheiden und hofft, mit dem Abstreifen der Rolle der braven Hausfrau ihr Leben nun nach ihren Wünschen und Vorstellungen gestalten zu können. Doch bereits bei der Suche nach einer Stelle muß sie feststellen, daß ihrer Selbstverwirklichung Grenzen gesetzt werden. Erst ist sie Messehosteß, dann Verkäuferin in einem Pelzgeschäft und schließlich Assistentin eines vermeintlich sympathischen Kunsthistorikers, dessen wahre Absichten ihr aber auf einer Geschäftsreise nach Italien klar werden. Hinzu kommt, daß sie verzweifelt um das Sorgerecht für ihren Sohn Nikki kämpft, den ihr Ex-Mann sie kaum noch sehen läßt. Ihre Emanzipationsversuche werden ihr aber zum Nachteil ausgelegt. Schließlich flüchtet Elisabeth in eine neue Ehe, was – wie der Film unmißverständlich deutlich macht – alles andere als ein Happy-End ist.

Strohfeuer schildert autobiographische Erfahrungen der Co-Drehbuchautorin und Hauptdarstellerin Margarethe von Trotta, die für ihre Rolle mit vier internationalen Preisen ausgezeichnet wurde.

Stroszek. B und R Werner Herzog. K (Farbe) Thomas Mauch, Ed Lachmann. M Chet Atkins, Sonny Terry. T Haymo Henry Heyder, Peter van Anft. S Beate Mainka-Jellinghaus. *Mitarbeit* Cornelius Siegel, Henning von Gierke, Peter Holz, Angelika Dreis. D Bruno S. (Stroszek), Eva Mattes (Eva), Clemens Scheitz (Scheitz), Norbert Grupe (Zuhälter), Burkhard Driest (Zuhälter), Pitt Bedewitz (Zuhälter), Clayton Szlapinski (Mechaniker), Ely Rodriguez (Mechanikergehilfe), Alfred Edel (Gefängnisdirektor), Scott McKain (Bankangestellter), Ralph Wade, Dr. Vaclav Vojta, Michael Gahr, Yücsel Topcugürler und der brave Beo. P Werner Herzog / ZDF. 108 Minuten. 1977.

Stroszek wird aus einem Berliner Gefängnis entlassen und lernt die Streunerin Eva kennen, die von Zuhältern bedroht wird. Stroszeks Nachbar, Herr Scheitz, hat einen Neffen in Amerika. Stroszek, Eva und Scheitz beschließen, in den USA ihr Glück zu versuchen. In Plainsfield, Wisconsin, leben sie eine Weile in einem Mobile Home. Dann verläßt Eva die beiden, um mit einem Fernfahrer nach Vancouver zu fahren. Der Wohnwagen wird versteigert. Bruno und Herr Scheitz machen einen Überfall, um mit den erbeuteten 22 Dollar beim Supermarkt gegenüber einkaufen zu gehen. Scheitz wird verhaftet, Stroszek flüchtet. Die Flucht endet in einem Indianerreservat in North Carolina. Stroszek setzt eine Seilbahn in Gang und erschießt sich in einer Gondel.

Peter Schneider, Autor der Erzählung *Lenz* und des Drehbuchs *Messer im Kopf*, im *Spiegel* über *Stroszek*: »*Stroszek* von Werner Herzog ist der schönste Film, den ich seit Jahren gesehen habe. Wie bestimmte Lieblingslieder, die einen vom ersten Takt an hellwach machen, reißt der Film von Anfang an alle Aufmerksamkeit an sich. Bei der Münchner Premiere im ›Eldorado‹ saßen die Zuschauer nach wenigen Filmmetern in ihren Kinosesseln, als wären es Startlöcher zu einem Hundertmetersprint. Gleich bei der zweiten Szene, in der Bruno S. aus dem Gefängnis entlassen wird, entstand diese Aufmerksamkeit vor dem Startschuß. Von da an blieb man dem hinkenden Bruno auf den Fersen, durch Kreuzberger Straßen und Hinterhöfe, über New Yorks Brücken und die Highways nach Wisconsin bis zur Endstation in einem Indianerreservat . . . *Stroszek* ist ein gleichzeitig einfacher und phantastischer Film, er interessiert sich vor allem für die Träume und Spleens seiner Helden und erzählt dennoch eine nacherzählbare Geschichte. Herzogs Leidenschaft für unerhörte Begebenheiten und nie gesehene Bilder ist darin genau so zu spüren wie in seinem Kaspar Hauser-Film *Jeder für sich und Gott gegen alle*, aber sie äußert sich hier mit einer Art verhaltenem, irren Witz, auf den man bei diesem Regisseur nicht gefaßt war. Der chaplineske Humor in Herzogs neuem Film hat vielleicht damit zu tun, daß es ihm hier gelungen ist, seine eigenen Faszinationen für das Unge-

Der starke Ferdinand: Heinz Schubert

Stroszek: Bruno S.

Sternsteinhof: Katja Rupé, Peter Kern

Steiner – Das Eiserne Kreuz: Burkhard Driest, James Coburn

wöhnliche und Bizarre in seine Figuren hineinzuverlegen.«

Studenten aufs Schafott. *R* Gustav Ehmck. *B* Christian Petry, Gustav Ehmck. *K* Rudolf Blahacek, Franz Rath. *D* Gerhild Berktold, Christa Brauch, Stefan Miller, Walther Schmieding, Else Goelz, Dr. Jörg Zenker, Ilse Bethge. *P* action 1 (Gustav Ehmck). 67 Minuten. 1972.
Gustav Ehmcks kurzer Film über die Geschwister Scholl und die »Weiße Rose« (ihre Rebellion gegen den Nationalsozialismus wird in Spielszenen, authentischen Bildern, synthetischen Zeugenaussagen und Interviews gezeigt) lief als Eröffnungsbeitrag auf der Biennale in Venedig 1972.

Stunde Null. *R* Edgar Reitz. *B* Peter Steinbach, Edgar Reitz. *K* Gernot Roll. *M* Nicos Mamangakis. *A* Winfried Hennig. *T* Vladimir Vizner. *S* Ingrid Broszat, Annette Dorn. *D* Kai Taschner (Joschi), Annette Jünger (Isa), Herbert Weissbach (Mattiske), Klaus Dierig (Paul), Günter Schiemann, Erika Wackernagel, Erich Kleiber, Torsten Henties, Bernd Linzel. *P* Edgar Reitz / Solaris (Bernd Eichinger) / WDR. 108 Minuten. 1977.
Im Juli 1945 kommt der junge Joschi in den Leipziger Vorort Möckern, wo er auf dem Friedhof einen vergrabenen Nazi-Schatz zu finden hofft. Auf dem Wege dorthin ist er den abziehenden amerikanischen Truppen begegnet, und in Möckern findet er nur eine Handvoll Menschen – die meisten sind in die Stadt geflüchtet, aus Angst vor den nahenden Russen, ihren »zweiten Befreiern«. Bevor er den Schatz findet und bevor die Russen kommen, hat Joschi zwei Tage Zeit, um die Leute, die in den Häusern rund um die Bahnschranke der ehemaligen Station Möckern leben, kennenzulernen: den alten Eisenbahner Matiske, den Invaliden Paul, den Opportunisten Franke, den Polen Motek, einen fahrradfahrenden Jungen und vor allem das Mädchen Isa, das bei der resoluten Frau Unterstab wohnt. Mit dem gehobenen Schatz wollen Joschi und Isa sich zu den Amerikanern durchschlagen. Nach dem Einmarsch einer russischen Abteilung gelingt es ihnen auch, unbemerkt das Dorf zu verlassen, doch die erste amerikanische Streife, die sie treffen, konfisziert den Schmuck und nimmt Isa mit. Joschi bleibt allein und desillusioniert zurück.
Mit großer Objektivität und beachtlicher psychologischer Genauigkeit zeichnet Edgar Reitz in diesem Film das Porträt einer Gruppe an einem bestimmten Ort zu einer bestimmten Zeit. Diese Zeit ist historisch definierbar als die Geburtsstunde der beiden deutschen Staaten. Reitz benutzt den Personen seines Films aber nicht etwa dazu, seine eigene Vorstellung über das »richtige« Verhalten in der damaligen Situation verkörpern und artikulieren zu lassen, sondern er versucht sich in die Lage seiner fiktiven Charaktere zu versetzen und bemüht sich um eine realistische Schilderung ihres Verhaltens. Joschis Begegnungen mit den Amerikanern klammern das Warten der Dorfleute auf und ihre Konfrontation mit den Russen ein. Die Hoffnungen oder Befürchtungen der Gruppe in Bezug auf die Russen erweisen sich freilich als falsch: Die sind nämlich weder die glorreichen Befreier, die sich der fahnenschwenkende Franke wünscht, noch die plündernden Schänder, die sich Paul und die Frauen ausmalen. Joschi, der die Amerikaner um ihre Bügelfalten und Konserven beneidet, wird von ihnen zum Schluß böse düpiert – sein Erwachen, sein Rückkehren in die Wirklichkeit der Situation ist brutaler und abrupter als das der Dorfbewohner. Durch die Einheit von Zeit und Raum entsteht eine vom Zuschauer emotional erfaßbare Atmosphäre, die Reitz durch sicheren Gebrauch von Schwarzweißkamera, Schnitt und Musik sowie durch die beachtenswerte Führung seiner Darsteller noch verdichten kann. Wie kein anderer deutscher Film zuvor ließ Edgar Reitz' *Stunde Null* an osteuropäische Meisterregisseure wie Andrzej Wajda oder Jiri Menzel denken. Am allerwenigsten könnten einen wohl die Trümmerfilme der ersten Nachkriegsjahre zu solchen Vergleichen inspirieren, die versucht haben, denselben geschichtlichen Zeitpunkt zu behandeln. Im Vergleich zu jenen Filmen wird die Bedeutung von *Stunde Null* als deutscher Film und die Leistung von Edgar Reitz als Regisseur in einem geradezu erschreckenden Maße deutlich.

Der Sturz. *R* Alf Brustellin. *B* Alf Brustellin, Bernhard Sinkel, nach dem Roman von Martin Walser. *K* (Farbe) Dietrich Lohmann. *M* Klaus Doldinger. *A* Winfried Hennig. *T* Hajo von Zündt. *S* Annette Dorn. *D* Franz Buchrieser (Anselm Kristlein), Hannelore Elsner (Alissa Kristlein), Wolfgang Kieling (Edmund Gabriel), Eva Maria Meineke (Rosa Blomich), Klaus Pohl (Elmar Glatthaar), Kurt Raab (Theopont Dirlewanger), Carl Fox-Duering, Mady Rahl, Heidi Forster, Kurt Weinzierl, Max Strecker, Oskar Heiler, Dieter Augustin, Joachim Hackethal, Marquard Bohm, Jan Husen. *P* Independent (Heiner Angermeyer)/ABS (Alf Brustellin/Bernhard Sinkel)/Maran/Joachim von Vietinghoff. 101 Minuten. 1979.
Anselm Kristlein erlebt eine Pleite in der Flipperbranche. Nach dem Geld verliert er auch noch den Job, als das Unternehmen, für das er tätig ist, an die Amerikaner verkauft wird. Seine Frau Alissa, mit der er seit fünfzehn Jahren verheiratet ist, hält zu ihm, wenn ihr auch der Schmarotzer Edmund Gabriel und Elmar Glatthaar, die sich bei ihnen eingenistet haben und deren Anwesenheit Anselm gleichmütig hinnimmt, auf die Nerven gehen. Zum Schluß packt er sich und seine Familie in ein Segelboot und steuert es bei Blitz und Donner über den Bodensee.
Von der Anselm-Kristlein-Trilogie Martin Walsers kamen 1979 gleich zwei Titel verfilmt ins Kino: *Das Einhorn* von Peter Patzak und *Der Sturz* von Alf Brustellin, der damit sein Debüt als Solo-Regisseur gab. *Der Sturz,* ein Sammelsurium aus kaputten Typen und chaotischen Situationen, erwies sich als einer der ärgsten Enttäuschungen des Jahres.

Das sündige Dorf. *R* Werner Jacobs. *B* Joe Stoeckel, Joseph Dalman, nach dem Bühnenstück von Max Neal. *K* (Farbe) Gerhard Krüger. *M* Mladen Franco. *D* Hans Jürgen Bäumler, Hannelore Auer, Michl Lang. *P* Music House. 94 Minuten. 1966.
Fürchterliche Mißverständnisse um un- und außereheliche Kinder erregen eine bayerische Gemeinde.
Noch ehe das Interesse des Neuen Deutschen Films am Heimatfilm erwachte (*Mathias Kneissl, Jaider, Ich liebe dich – ich töte dich),* besang Peter Handke die Schönheiten des traditionellen Heimatfilms: »In jedem anderen Film etwa wäre die folgende Szene kitschig, in einem Film wie *Das sündige Dorf* aber ist sie schön: In das unwirklich schöne Bauernzimmer mit der blau bemalten Tür tritt erwachsen das Mädchen, das die Bäuerin einst als unehelich jemanden vor die Tür gelegt hat. Das Mädchen weiß natürlich (für den Film natürlich) nicht, daß die Bäuerin seine Mutter ist, aber die Bäuerin . . . das Mädchen steht vor der Bäuerin, die Bäuerin zittert, das Mädchen wundert sich, es ist still, und die Bäuerin schaut das Mädchen an, wir wissen, was sie denkt. Dann sagt sie: ›Ja, du bist also die Vroni . . .‹« *(Vorläufige Bemerkungen zu Landkinos und Heimatfilmen).* Frühere Verfilmungen: 1940, Regie Joe Stoeckel, mit Hansi Knoteck, Josef Eichheim, Joe Stoeckel, und 1954, Regie Ferdinand Dörfler, mit Joe Stoeckel, Elise Aulinger, Thomas Reyer.

Sufferloh – Von heiliger Lieb und Trutz. *R* Hans-Christof Stenzel. *B* Karl Günther Hufnagel, Hans-Christof Stenzel. *K* (Farbe) Paco Joan. *S* Rosemarie Stenzel-Quast. *D* Michael Langenbeck (Bullerer), Sandro Hauth (Mütze), Martina Winkelbach (Jungfrau), Susanne Baer, Herbert Behrent, H. C. Artmann, Uli Kasten. *P* Distelfilm (Rosemarie Stenzel-Quast). 84 Minuten. 1979.
Der Bullerer, ein Mann ohne Alter und Ziel, und Mütze, ein pfiffiger Dreikäsehoch, wollen einen Goldfisch ertränken. Der Goldfisch war einmal ein Mädchen. In heißer Liebe ware die beiden zu der schnöden Kühlen entbrannt, und der Kleine, der Realist, war dem Großen, dem Träumer, überlegen; mit einer Kneifzange hatte er sich ihres hellblauen BH's bemächtigt. Dieses Relikt, inzwischen seziert und zur Reliquie erhoben, tragen sie in einer Urne, einem Buddeleimer, mit sich, um es an würdigem Ort zu bestatten. Die Isar finden sie nicht, dafür aber den Starnberger See, wo der Bullerer mit dem Eimer untergeht.
Sufferloh heißt Sufferloh, weil Hans-Christof Stenzel lange in einem bayrischen Örtchen gleichen Namens wohnte. Kurz nach Fertigstellung dieses Films (sein zweiter fürs Kino) zog er nach Berlin um, wo er eigentlich zu Hause ist. »Eine bayerische Reminiszenz . . ., das war sicherlich eines der Motive, den Film zu machen. Nun unterscheide ich mich maßgeblich von Herbert Achternbusch; ich habe nicht diese Haßliebe zu meinem Gastland – auch haben Hufnagels Dialoge nichts mit Achternbuschs Sprache gemein, wie dieser selbst betont. Aber auch H. J. Syberbergs und W. Herzogs Bayern ist nicht Gegenstand meines Films; mir ging es um die zarteren Töne und um die vertrackte Komik einer Lebensbewältigung, wie sie einem Karl Valentin eigen ist« (Hans-Christof Stenzel).

Summer in the City. *R* und *B* Wim Wenders. *K* Robby Müller. *M* Kinks, Lovin' Spoonful, Chuck Berry. *T* Gerd Conrad. *S* Peter Przygodda. *D* Hanns Zischler, Edda Köchl, Libgart Schwarz, Marie Bardischewski, Gerd Stein, Helmut Färber, Wim Wenders, Muriel Werner. *P* Hochschule für Fernsehen und Film. 145 Minuten. 1970.
Ein Mann wird aus dem Gefängnis entlassen. Seine Freunde von früher sind hinter ihm her. Der Mann sucht bei einer Freundin Zuflucht, läßt sich im Taxi ziellos durch München fahren, übernachtet bei einer anderen Bekannten von früher. Die Verfolger sind immer noch da. Er setzt sich nach Berlin ab, träumt davon, nach New York zu fliegen. Als er zufällig auf ein Zeitungsbild gerät, reist er wieder ab, Ziel Amsterdam.
Dies ist Wim Wenders' Abschlußfilm für die Münchner Hochschule für Fernsehen und Film, sein erster Langfilm nach sechs Kurzfilmen. »Für mich ist *Summer in the City* heute wirklich ein Dokumentarfilm über das Ende der sechziger Jahre: Er ist von allen meinen Filmen der dokumentarischste. Er ist zwar ein Spielfilm, doch seine Länge, auch das Schwarzweiß und die Weitwinkelaufnahmen und die festen Einstellungen machen ihn eher zum Dokumentarfilm: über die Ideen, die die Leute 1969/70 hatten, und wie sie sich fühlten« (Wim Wenders in: Jan Dawson, *Wim Wenders*).

Supergirl. *R* Rudolf Thome. *B* Max Zihlmann, Rudolf Thome. *K* (Farbe) Alfonso Beato. *D* Iris Berben, Marquard Bohm, Karin Thome. *P* Rudolf Thome. 100 Minuten. 1971.
Ein Mädchen von einem anderen Stern zeigt den Männern auf der Erde, was ein Supergirl ist, und macht ihnen klar, daß ein weiblicher Alien nicht das Schlimmste ist, was ihnen droht.
Rudolf Thome: »Ich bekam viele Anrufe von Leuten, die mir alle Möglliche androhten. Sie haben sich von mir verschaukelt gefühlt. Sie dachten, ich habe die Geschichte von Supergirl, dem Mädchen, das von einem anderen Stern kommt, nicht ernst gemeint« *(Filme,* 1980).

Tagebuch. *R* Rudolf Thome. *B* Rudolf Thome, nach dem Roman *Wahlverwandtschaften* von Johann Wolfgang Goethe. *K* Martin Schäfer. *D* Angelika Kettelhack, Cynthia Beatt, Rudolf Thome, Holger Henze. *P* Rudolf Thome. 146 Minuten. 1975.

254

Zwei junge Berliner Ehepaare versuchen ihre Schwierigkeiten durch Partnertausch zu lösen.

Sehr freie Verfilmung von Goethes *Wahlverwandtschaften*, die als Filmprojekt in vielen prominenten Köpfen herumspuken (unter anderem in dem von Francis Coppola). »Die totale, spitzweghafte Reprivatisierung eines großen Teils der 30jährigen, die Thomes Film deprimierend wie kein anderer dokumentiert, ist offensichtlich das Ergebnis einer großen Ermüdung und Resignation, wo nur Kraft bleibt und Kraft geschöpft wird in Ehe- und Partnerquerelen« (Siegfried Schober, *Der Spiegel*).

Tagebuch eines Liebenden. *R* Sohrab Shahid Saless. *B* Sohrab Shahid Saless, Helga Houzer. *K* (Farbe) Mansur Yazdi. *M* Rolf Bauer. *A* Wolfgang Bösken. *T* Gunther Kortwich. *S* Christel Orthmann. *D* Klaus Salge (Michael), Eva Manhardt (Christel), Edith Hildebrandt (Mutter), Ingeborg Ziemendorff, Robert Dietl, Inge Sievers, Dorothea Moritz, Gerhard Wollner. *P* Provobis. 92 Minuten. 1977.

»Der herausragende neue Film im Jungen Forum der Filmfestspiele Berlin war der jüngste Film des iranischen Exil-Regisseurs Sohrab Shahid Saless, den er wieder in Deutschland drehte. *Tagebuch eines Liebenden* ist seine bisher bedrückendste Studie der Entfremdung eines Individuums von der Gesellschaft, die einen Einblick gewährt in dieses Leben stiller Verzweiflung, das so viele Menschen führen. Hier ist es ein Mann, der in der Fleischabteilung eines Kaufhauses arbeitet; während er sich auf seinen Jahresurlaub vorbereitet, scheint seine Welt zusammenzubrechen. Seine Freundin taucht mysteriöserweise nicht mehr auf, und seine Mutter, die ihn regelmäßig besucht, hat ihm nichts zu sagen. Die Figurenzeichnung ist außergewöhnlich stark und berührt, weil sie so real wirkt. Eine Szene schwärzesten Humors ist die, wenn der Protagonist allein in seiner Wohnung ist, nicht weiß, was er zu tun soll, und beschließt, alle Einkäufe auf einmal zu besorgen, um sich die Ferien nicht zu verderben. Eine bewegende, eindrucksvolle Leistung« (Ken Wlaschin, *Films and Filming*).

Ein Tag mit dem Wind. *R* und *B* Haro Senft. *K* (Farbe) Kurt Lorenz. *M* Richard W. Palmer-James. *T* Vladimir Vizner. *S* Rainer Schmitt. *D* Marcel Maillard (Marcel), Barbara Rutzmoser (Barbara), Klaus Wiese, Ma Wild, Herbert Kreil, Will Danin. *P* Haro Senft. 94 Minuten. 1978.

Marcel, 8 Jahre alt, beschließt eines Morgens, für sein Kaninchen eine Gefährtin zu suchen. Ganz allein macht er sich auf den Weg, trifft in der Stadt viele Leute, und alle meinen, ein Kaninchen finde man nur auf dem Land. Also trampt Marcel aus der Stadt hinaus; eine Wohngemeinschaft nimmt ihn auf ihrem Bauernhof freundlich auf, und hier findet er auch ein Kaninchen.

Haro Senfts dritter Kinofilm (sein erster nach neun Jahren Fernseh- und Kurzfilmarbeit) setzte im kranken Bereich des deutschen Kinderfilms endlich Maßstäbe: Unter Einsatz höchsten finanziellen Risikos hatte er einen behutsamen und einfühlsamen Film weitab jeglicher dramaturgischen Klischees gedreht, der seinen achtjährigen Hauptdarsteller und dessen Phantasie ernst nimmt und respektiert. Der Zwang der Erwachsenenwelt und der Zwang eines Produktionsapparates – die größten und am schwersten zu vermeidenden Gefahren für jeden Kinderfilm – sind in *Ein Tag mit dem Wind* nicht zu spüren. Es ist ein Film, der seinem Publikum (auch den Erwachsenen!) Freiheit beim Betrachten läßt und ihm ein Gefühl der Freiheit mit auf den Weg gibt.

Das Tal der tanzenden Witwen. *R* und *B* Volker Vogeler. *K* (Farbe) Fernando Arribas. *M* Carmelo A Bernaola. *S* Eduardo Biurrun, Norbert Herzner. *D* Harry Baer (Bogdan Witkow), Leonie Thelen (Julia Littek), Judith Stephen (Scarlett O'Hara), Tilo Prückner (Crazy Butch), Chris Huerta (Robert Breidlinger), Hugo Blanco, Daniel Martin, George Rigaud. *P* Albatros (Michael Fengler)/Maran/Luis Megino/SDR. 84 Minuten. 1975.

Die Frauen eines kleinen texanischen Ortes wollen von ihren Männern, die nach vier Jahren Bürgerkrieg nach Hause zurückkehren, nichts mehr wissen. Sie glauben fest daran, daß sie den Alltag alleine besser und vergnügter bewältigen können, als wenn ihre Männer ihnen Vorschriften machen. Sie wollen allein bleiben und die heimkehrenden Kriegshelden auch gegen den Widerstand ihrer Gefühle töten, wenn diese sich der neuen Situation nicht fügen.

Ein koketter und selbstgefälliger kleiner Film, der potentielle Zuschauer fairerweise mit einem Untertitel warnt: »Eine deutsche Filmidylle mit Arsen – nach einer wahren Begebenheit und eigenen Erfahrungen erzählt von Volker Vogeler.« Die wahre Begebenheit ist eine Serie von Giftmorden, mit denen sich nach dem Ersten Weltkrieg ungarische Frauen ihrer aus dem Krieg heimkehrenden Männer entledigten. Hinzu kamen laut Aussage des Regisseurs Schwierigkeiten in der Entwicklung seiner Ehe. Nach diesem seinem dritten Spielfilm haperte es auch mit der Entwicklung von neuen Projekten, und Vogeler wandte sich wieder der TV-Arbeit (meistens Serien) zu.

Taugenichts. *R* Bernhard Sinkel. *B* Alf Brustellin, Bernhard Sinkel, nach der Novelle *Aus dem Leben eines Taugenichts* von Joseph von Eichendorff. *K* (Farbe) Dietrich Lohmann. *M* Hans Werner Henze. *A* Nicos Perakis. *T* Edward Parente. *S* Dagmar Hirtz. *D* Jacques Breuer (Taugenichts), Eva Maria Meineke (Gräfin), Sybil Schreiber (Aurelie), Mareike Carrière (Flora), Matthias Habich (Leonard), Wolfgang Reichmann (Portier), Peter Berling, Pizi Adam, Jiri Kritinar, Karel Hermanek, Mario Adorf. *P* ABS (Alf Brustellin/Bernhard Sinkel)/Solaris

Stunde Null: Kai Taschner, Klaus Dierig

Sufferloh: Sandro Hauth

Taugenichts: Jacques Breuer

(Bernd Eichinger)/WDR. 91 Minuten. 1978.

Aus der alten Mühle seines Vaters stolpert der Taugenichts in die »gute, alte, scheußliche« Zeit. Er will in die weite Welt und landet auf dem Schloß einer bankrotten Gräfin, wo er von den weisen Liebes- und Lebensregeln eines pedanten Portiers geplagt wird und schließlich aus Liebeskummer nach Italien flieht. Er wird in ein verwirrendes Intrigenspiel gezogen und gerät gerade in die Gesellschaft, vor der ihn die bürgerliche Moral retten wollte. Die brotlosen Künste, die Maler und die Dichter und ein flirrendes Italien ziehen ihn in ihren Bann, bis seine Sehnsucht nach Freiheit und Glück schließlich doch in den Armen der wunderschönen Aurelie endet.

Zweiter Regie-Alleingang von Bernhard Sinkel nach *Lina Braake*. Der Film hatte das Pech, zu einer Zeit herauszukommen, in der sich die Kritik mit Wutgeheul auf jede Verfilmung eines Werkes aus der klassischen Literatur stürzte. »Filme wie dieser werden, wie man weiß, von allen möglichen Kommissionen, die Förderungs-Gelder vergeben, hoch geschätzt und heiß geliebt« (Maria Ratschewa, *medium*). Auch das Publikum konnte sich trotz der Slapstick-Nummern nicht für den Film erwärmen – nach dem großen Erfolg von *Der Mädchenkrieg* also eine mächtige Schlappe, von der sich das Team Brustellin/Sinkel nicht so bald erholen sollte.

Taxi zum Klo. *R* und *B* Frank Rippploh. *K* (Farbe) Horst Schier. *M* Hans Wittstadt (Flying Gay). *T* Frank Soletti. *S* Gela-Marina Runne. *D* Frank Rippploh (Frank), Bernd Broaderup (Bernd), Tabea Blumenschein, Magdalena Montezuma. *P* Laurens Straub, Frank Rippploh, Horst Schier. 92 Minuten. 1980.

Taxi zum Klo spielt in Berlin. Frank Rippploh (alias Peggy von Schnottgenberg), der sich vorher durch zwei Dia-Shows einen Namen gemacht hatte, nimmt sich selbst und seinen Alltag als homosexueller Hauptschullehrer zum Thema seines ersten, mit minimalem Budget (unter 100 000 Mark) produzierten Spielfilms. Im Gegensatz zu Rosa von Praunheims Schwulenfilmen will *Taxi zum Klo* weder problematisieren noch politisieren oder agitieren, sondern schlichtweg unterhalten. Daß ihm das gelingt, dafür sorgen die Spielfreude der Darsteller und die Kamera von Horst Schier, der sicher größeren Anteil an der filmischen Professionalität des Films hat als Regisseur Rippploh. Spaß an dem Film hatten vor allem diejenigen, die sich den Schwulen sowieso schon solidarisch verbunden fühlten und schon lange auf eine unverkrampfte Homo-»Ehe«-Komödie gewartet hatten.

Tobby. *R* und *B* Hansjürgen Pohland. *K* Wolf Wirth. *M* Manfred Burzlaff. *D* Tobias Fichelcher, Eva Häussler, Francis Charles, Manfred Burzlaff. *P* modern art film (Hansjürgen Pohland). 83 Minuten. 1961.

Tobby, ein individualistischer Jazz-Musiker, bekommt von einer Konzertagentur ein Angebot für eine größere Tournee als Schlagersänger. Zwei Tage lang überdenkt er das Angebot, dann lehnt er es ab. Er will lieber weiter Jazz machen, auch wenn das nicht so viel einbringt.

Der erste abendfüllende Spielfilm eines Oberhauseners, Opus 1 des Jungen Deutschen Films, noch vor dem Oberhausener Manifest entstanden, bei den Mannheimer Filmtagen 1961 uraufgeführt und mit dem Regie-Preis ausgezeichnet, ein mit Anstand gescheitertes Pionierwerk. Der Berliner Pohland, Jahrgang 1934, gründete nach einer Ausbildung im Mosaik-Kopierwerk 1955 die modern art film-Produktion; der erste von vielen folgenden Dokumentarfilmen war 1956 *Hunde mit Liebe erzogen*. Beeindruckt von der *nouvelle vague* und vom *cinema verité* einerseits und dem Jazzmusiker Tobias »Tobby« Fichelcher andererseits, den er als Amateur-Jazzer und von einer Zusammenarbeit bei einem Werbefilm her kannte, entwickelte er das Projekt *Tobby*: die nach vorgegebenen Motiven improvisierte Story eines Musikers, der in der Auseinandersetzung mit kommerziellen Verlockungen versucht, seine Integrität zu wahren. Der Film ist ziemlich mißlungen, weil Pohland sich über die Voraussetzungen für ihre angewandten Arbeitsweise zu wenig Gedanken gemacht hat, was im Verein mit dem mangelnden Talent Tobbys zur Selbstdarstellung zum Leerlauf der meisten Sequenzen führt. »Der Zuschauer, der die Entstehungsgeschichte nicht kennt, wird allzuleicht den Eindruck einer fehlbesetzten Rolle und einer verwirrten Dramaturgie haben. Pohlands Einsichten gehen soweit, daß er mir am Ende eines längeren Gesprächs erklärte: ›Den eigentlichen Film über Tobby müßte ich jetzt drehen, nachdem ich ihn soviel besser kenne.‹ Aber noch damit trifft er haarscharf am Kern der Sache vorbei: Nicht ein fertiges Bild von Tobby, sondern der Weg, auf dem Pohland zu diesem Bild gelangt, wäre das eigentlich interessante Thema des Films gewesen« (Reinold E. Thiel, *Filmkritik*, 1962). Pohlands wichtigste weitere Produktionsleistungen sind *Das Brot der frühen Jahre* (1962) und *Die Tote von Beverly Hills* (1964), sein bedeutendster Film als Regisseur ist *Katz und Maus* (1966). Seine bislang letzte Regie-Fehlleistung ist die völlig infantile Science-Fiction-Klamotte *Checkpoint Charly* von 1980.

Tod oder Freiheit. *R* Wolf Gremm. *B* Wolf Gremm, Fritz Müller-Scherz, Thomas Keck, Barbara Naujok, nach Motiven von Friedrich von Schiller (*Die Räuber*). *K* (Farbe) Jost Vacano. *M* Guido und Maurizio de Angelis. *A* Götz Heymann, Jürgen Henze. *T* Gunther Kortwich. *S* Siegrun Jäger. *D* Peter Sattmann (Fritz von Buttlar), Erika Pluhar (Nicole von Beck), Mario Adorf (Max), Gert Fröbe (Graf von Buttlar), Wolfgang Schumacher, Harald Leipnitz, Christine Böhm, Dieter Schidor, Guido de Angelis, Stefan Ostertag, Volker Bogdan, Georg Lehn, Klaus Münster, Michael Tietz, William Hobbs, Dorothea Moritz, Hildegard Wensch. *P* Regina Ziegler/Paramount-Orion/ZDF. 94 Minuten. 1977.

Deutschland um 1750. Die Fürsten-Herrschaft degeneriert zum schlimmsten Despotismus. Bauern werden auf ihren Feldern verhaftet und als Söldner ins Ausland verkauft. Fritz von Buttlar, Sohn eines Grafen, rebelliert gegen die Obrigkeit, und zusammen mit seinem treuen Freund Max schließt er sich einer Räuberbande an. Fritz hat noch einen bösen, intriganten Bruder, der ihn beim Vater schlecht macht und ihm obendrein seine geliebte Maria abspenstig machen will. Max stirbt an den Folgen grausamer Folter, der alte Graf stirbt an gebrochenem Herzen, Ludwig stirbt durch die Hand eines der Räuber, und Fritz und Maria schlagen sich in die Büsche.

»Ich bin fest entschlossen, auch noch die Leute im letzten Kleinstadtkino zu unterhalten«, sprach Regina Ziegler und produzierte – allerdings nicht mehr unabhängig wie *Die Brüder*, sondern mit Fernseh- und Verleihbeteiligung – Wolf Gremms vierten Film. Der Horsemaster von *Lawrence of Arabia*, Richard Graydon, und der Action-Arrangeur von Lesters *Musketier*-Filmen, William Hobbs, mochten vielleicht während der Dreharbeiten einen Hauch von Hollywood-Professionalität vermitteln; was auf die Leinwand kam, erinnerte freilich mehr an die Aufführung einer räumlich etwas ausgedehnten Freilichtbühne. (Darsteller Wolfgang Schumacher ist übrigens identisch mit Malte Thorsten, der für seine Rolle in der Simmel-Verfilmung *Liebe ist nur ein Wort* einen Bundesfilmpreis bekommen hatte.)

Tonio Kröger. *R* Rolf Thiele. *B* Erika Mann, Ennio Flaiano, nach der Erzählung von Thomas Mann. *K* Wolf Wirth. *M* Rolf Wilhelm. *D* Jean-Claude Brialy (Tonio Kröger), Nadja Tiller (Lisaweta Iwanowa), Werner Hinz (Konsul Kröger), Anaid Iplicjian (Frau Kröger), Rudolf Forster (Herr Seehase), Matthieu Carrière (der junge Tonio), Walter Giller, Theo Lingen, Gert Fröbe, Günther Lüders. *P* Franz Seitz, München/Filmaufbau, Göttingen/Thalia, Berlin/Mondex-Proxinex, Paris. 90 Minuten. 1964.

Der Patriziersohn Tonio Kröger aus Lübeck geht in die Welt, wird Schriftsteller, erlebt Italien, ist mit der Malerin Lisaweta Iwanowa in München, besucht die alte Heimat Lübeck und reist nach Dänemark weiter; dort trifft er Lisaweta wieder.

»Kröger reist nach Dänemark. Auf der Schiffsbrücke spricht er mit einem anderen Passagier über die Sterne. Einige wenige Einstellungen, die Kamera folgt elegant den zwei Figuren, die des Windes wegen ihre Position ändern. Ach, seufzt der andere Passagier, Poet müßte man sein, aber ich bin im Kaufhandel, da ist die Poesie zu nichts nutze. Dieser Dialog zwischen dem Poeten und dem Kaufmann rührt mich, weil er der unmögliche Dialog zwischen Mann und Thiele ist, und noch mehr der Dialog zwischen dem Film und Thiele. Die beste Kritik eines großen Films ist der Film selbst, und ein kleiner Film wird ein bißchen größer durch die Selbstkritik« (François Weyergans, *Cahiers du Cinéma*).

Total vereist. *R* Hans Noever. *B* Hans Noever, Ursula Jeshel. *K* (Farbe) Jacques Steyn. *M* Ton Steine Scherben. *A* Georg von Kieseritzky. *T* Olaf Griepenkerl. *S* Christine Leyrer. *D* Rio Reiser (Hans N.), Adam Alexander Kaz (Adam N.), Jürgen von Alten (Großvater), Renate Reiche, Silvia Janisch, Ginka Steinwachs, Ursula Wachnowski, Kurt Raab, Hanns Zischler, Burghard Schlicht, Rainer-Götz Otto, Harold Waistnage. *P* DNS (Kerstin Dobbertin, Denyse Noever, Elvira Senft)/Olga/BR. 81 Minuten. 1980.

Familienvater Adam N. stirbt bei Puccini auf dem Klo. Im Wohnzimmer wird er aufgebahrt, und alle Verwandten und Bekannten versammeln sich zum Leichenschmaus.

Der fünfte Spielfilm von Hans Noever. Weil er als Leiche (und unter dem Pseudonym Adam Alexander Kaz) die meiste Zeit im Bild herumliegt, stellte sich die Frage, wer hier wohl Regie geführt haben mochte. Die surreal-makabre Groteske ist eine bitter schmeckende Mischung aus schlechtem Buñuel (wenn es das gäbe) und gutem (Klimbim-)Pfleghar (dto.).

Ein Toter hing im Netz. *R* und *B* Fritz Böttger. *K* Georg Krause. *M* Willy Mattes. *D* Alex d'Arcy (Gary), Barbara Valentin, Harald Maresch, Helga Neuner, Helga Frank, Rainer Brandt, Dorothee Glöcklen. *P* Rapid (Wolf C. Hartwig). 86 Minuten. 1960.

Durch eine Flugzeugpanne wird eine Girltruppe auf eine einsame Insel verschlagen. Dort hängt ein Forscher tot im Netz einer Monster-Spinne! Das Ungeheuer tut sich an einigen weiteren Opfern gütlich, dann wird es erledigt.

Das Hauptwerk des Barbara Valentin-Kults, seinerzeit ein Welthit unter den Titeln *It's Hot in Paradise*, *The Spider's Web* und *Horrors of Spider Island*. Im besten Stil des kulinarischen Realismus fotografiert von Georg Krause, dem Kameramann von Stanley Kubrick (*Wege zum Ruhm*) und Robert Siodmak (*Nachts, wenn der Teufel kam*).

Die Tote von Beverly Hills. *R* Michael Pfleghar. *B* Peter Laregh, Hansjürgen Pohland, Michael Pfleghar, nach der Satire von Curt Goetz. *K* (Farbe) Ernst Wild. *M* Heinz Kiessling. *A* Helmuth Holger. *S* Margot von Schlieffen. *D* Heidelinde Weis (Lu), Klausjürgen Wussow (C. G.), Horst Frank (Dr. Maning), Wolfgang Neuss (Ben), E. F. Fürbringer (Sostlov), Peter Schütte (Swendka), Bruno Dietrich (Peter Dehne), Herbert Weissbach (Pfarrer), Alice und Ellen Kessler (Tiddy Sisters). *P* modern art film (Hansjürgen Pohland). 110 Minuten. 1964.

Eine Nymphe erweist sich als Nymphomanin und findet ihr verdientes Ende.

Der brillanteste deutsche Debütfilm der frühen sechziger Jahre. Keinem Vorbild verpflichtet und nur auf den Strategien seiner frühen Fernseh-Shows aufbauend, verwandelt Michael Pfleghar die Realität so, daß sie der auf schwindelerregende Gipfel getriebenen Vorstellungswelt seiner Figuren und Kinoerfahrung seiner Zuschauer sowie ihrem eigenen, verborgenen Sinngehalt entspricht. Alles ist so, wie es sein könnte, sein sollte, sein müßte; und diese Phantasie-Ebenen der Realität werden mit völlig realistischen Mitteln dargestellt, als Realität (nicht etwa als die kinoüblichen Träume und Visionen) ausgegeben. Und dabei schafft es Pfleghar mit traumwandlerischer Sicherheit, die pikante Sinnlichkeit der Lolita-Geschichte, den Thrill der Krimi-Story und den Witz der Satire zu einem Ganzen zu integrieren; die Spannung hat Komik und das Komische bringt das Sinnliche nie um seine Wirkung. Der einzige Fehler des Films ist die überbordende Geschwätzigkeit des Kommentars gegen Ende hin, eine unausrottbare Pfleghar-Marotte. Der Film lief als deutscher Beitrag bei den Festspielen Cannes 1964, in *Positif* schrieb Gérard Legrand: »Ich hoffe, wir haben bald das Vergnügen, auf den Pariser Leinwänden den Film wiederzusehen, den ich ohne zu zögern für den originellsten des ganzen Wettbewerbs halte: *Die Tote von Beverly Hills* von Michael Pfleghar. Ein überraschender und sehr anregender Cocktail, der unter dem Vorwand, uns die Geschichte einer nackt und tot in den Wäldern von Beverly Hills aufgefundenen jungen Frau zu erzählen – oder vielmehr unter dem Vorwand eines Filmes, den man aus diesem Fall gemacht hat, denn der Handlung geht ein amüsanter Prolog vor dem Chinese Theatre voraus –, das Tagebuch einer Nymphomanin ohne Komplexe aufblättert. Weniger eine Amazone als vielmehr ein perverses junges Mädchen, hat diese unwiderstehliche Person, wie wir durch eine Serie von Flashbacks erfahren, mit vierzehn Jahren einen patentierten Verführer in Gestalt eines Wagner-Tenors verführt, einen Ministranten erweckt (der sich dann zum Autoren von Serien-Western mausert), einen desillusionierten Archäologen geheiratet, einem ›gefallenen‹ (gefallen nämlich in seinen Swimmingpool, in dem er seine Happenings veranstaltet) Schweizer Romancier und einem frühzeitig erblichenen, geheimnisumwitterten Maler die Sinne geraubt und schließlich das Interesse eines Akrobaten erregt, der allabendlich auf einer Las-Vegas-Bühne die Zwillingsliebe der Kesslers genießen darf. Wer unter diesen vielen Eroberern hat dem Leben der süßen Eroberin ein Ende gesetzt? Neben den Magnum-Portionen Champagner ein paar Schlucke Bier: die den typischen kalifornischen Sheriff parodierenden Passagen zwischen dem geschwätzigen Detektiv und dem Romancier sind die schwächsten des Films (amüsantes Detail: Pfleghar hat die in Hollywood und Arizona spielenden Szenen im Handstreichverfahren gedreht, da er keine offizielle

Drehgenehmigung bekommen konnte). Aber der Rest ist von einer Phantasie, einer Drolerie und selbst noch im Disparaten von einer Eleganz ohne Ende, und das trotz der stets drohenden Gefahr, in die wohlfeile Parodie abzurutschen. Die Episode mit dem Opernsänger simuliert einen diskreten Dadaismus, die Sequenzen mit dem schreckenerregenden Richter, der dem Mädchen sein wahres Alter entreißt (14, und nicht 17!) leben von einem expressionistischen Onirismus. Und auf welch schönen Schultern ruht das ganze Gewicht des Films! Die junge Heidelinde Weis, die das verliebte Schulmädchen wie den Star von Malibu spielen kann und die imstande ist, die extravagantesten Toiletten zu tragen, ohne daß deren groteske Note die heißen Emotionen der Heldin verdeckt, wird morgen eine der größten internationalen Schauspielerinnen sein. Sie bereichert den Garten unserer Erotik um ein Gewürz und eine Blume von exquisiter Modernität.« Daß Michael Pfleghar nach diesem Triumph nichts Nennenswertes mehr für das Kino geleistet hat (nur sein Beitrag zum Episodenfilm *Das älteste Gewerbe der Welt,* 1966, ist noch akzeptabel, völlig verunglückt sind die Bond-Parodie *Serenade für zwei Spione,* 1965, und der Peter Alexander-Film *Bel ami 2000,* 1966) und auch in seinem Fernsehschaffen inzwischen völlig verkommen ist, stellt eine der traurigsten Katastrophen des neueren deutschen Films dar.

Das Traumhaus. *R* Ulrich Schamoni. *B* Wolfgang Menge. *K* (Farbe) Igor Luther. *M* Peter Herbolzheimer. *T* Wolf-Dietrich Peters. *S* Dörthe Völz. *D* Horst Frank (Conrad Stolberg), Judy Winter (Sybille), Jochen Schroeder (Julius), Leslie Malton (Esther), Kika Mol, Jakobine Engel, Max Grothusen, Hans-Joachim Grubel. *P* Bärenfilm (Ulrich Schamoni) / Paramount. 113 Minuten. 1980.
Der Traum vom einfachen Leben, den vier Jugendliche in einem paradiesisch verfallenden Haus träumen, wird gefährdet von einer Großbauunternehmerin, die das Haus abreißen, und einem Elektroniker, der es zu einem futuristischen Musterhaus umbauen will.
Ulrich Schamonis bislang letzte Huldigung an die Furtwängerstraße 19, Berlin 33.

Traumstadt. *R* Johannes Schaaf. *B* Johannes Schaaf, Rosemarie Fendel, Russell Parker, nach dem Roman *Die andere Seite* von Alfred Kubin *K* (Farbe) Gerard Vandenberg, Klaus König. *M* Eberhard Schoener. *A* Wilfried Minks, Bohuslar Kulič. *S* Russell Parker, Petra von Oelffen. *D* Per Oscarsson (Florian Sand), Rosemarie Fendel (Anna), Eva-Maria Meineke, Alexander May, Heinrich Schweiger, Helen Vita. *P* Independent (Heinz Angermeyer) / Maran. 124 Minuten. 1973.
Der Maler Florian und seine Frau Anna folgen einer geheimnisvollen Einladung in die Traumstadt. Dort herrscht die totale Freiheit, die auch zum totalen Chaos werden kann. Flo-

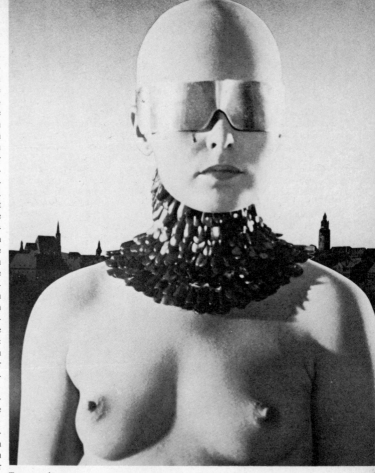

Traumstadt

Die Tote von Beverly Hills: Michael Pfleghar, Heidelinde Weis

Tonio Kröger: Matthieu Carrière, Rosemarie Lücke

Tod oder Freiheit: Dieter Schidor, Mario Adorf, Peter Sattmann

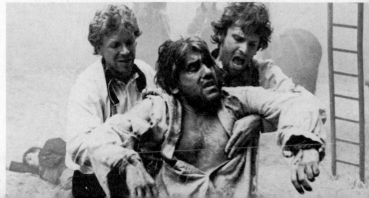

rian besteht dieses Abenteuer, Anna geht an ihm zugrunde.

»Man fragt sich in *Traumstadt* nie, was wohl real gemeint, was geträumt sei. Ein Märchen vielleicht, ein Tagtraum, eine surreale Vision. Ganz nüchtern und selbstverständlich wird das makabre, absurde Geschehen vorgeführt, wie staunende Touristen stolpern die zwei in die Phantasmagorie: er distanziert, registrierend, sie fröhlich plappernd und geradezu enervierend diesseitig. Er arrangiert sich und bleibt doch immer passiv, sie spielt notgedrungen mit, und das bekommt ihr schlecht. Träume sind gefährlich . . . Johannes Schaaf hat lange an *Traumstadt* gearbeitet, viel Persönliches investiert und einige überreizte Vorreklame gehabt. *Tätowierung, Trotta,* nun *Traumstadt:* Von seinem Kredit als einer der wichtigsten deutschen Regisseure hat er nichts eingebüßt« (Wolf Donner, *Die Zeit*). In Anspruch genommen hat Johannes Schaaf diesen Kredit bis jetzt nicht mehr: Seit *Traumstadt* war er nur noch als Bühnen- und Fernsehregisseur aktiv. Jetzt will er *Dr. Faustus* nach Thomas Mann und einem Drehbuch von Franz Seitz drehen; da hat er jeden Kredit der Welt nötig.

Trotta. *R* Johannes Schaaf. *B* Johannes Schaaf, Maximilian Schell, nach dem Roman *Kapuzinergruft* von Joseph Roth. *K* (Farbe) Wolfgang Treu. *M* Eberhard Schoener. *A* Matyas Varga, Charlotte Flemming. *S* Dagmar Hirtz. *D* Andras Balint (Trotta), Rosemarie Fendel (Almarin), Doris Kunstmann (Elisabeth), Elma Bulla (Trottas Mutter), Istvan Iglodi (Chojnicki), Tomas Mayor, Heinrich Schweiger. *P* Johannes Schaaf / Independent (Heinz Angermeyer). 95 Minuten. 1971.
1914. Baron Trotta heiratet die reiche Bürgerstochter Elisabeth Kovacs, dann zieht er ins Feld. Nach dem Krieg kommt er in eine Welt zurück, in der er sich nicht mehr zurechtfindet. Seine Frau verliert er an die emanzipierte Almarin. Das Vermögen zerrinnt. Trotta ergibt sich seiner Lethargie. Entfernte Gefühle, mit sensibler Distanz beschrieben. Am ehesten ist man noch von dem gefesselt, was auch den Filmemacher offensichtlich am meisten fasziniert: der Geschmack vermodernder Dekors, der Duft von Reinigungs-Ritualen, vom türkischen Männer-Bad bis zur Leichenwäsche . . .

Tschetan, der Indianerjunge. *R* und *B* Hark Bohm. *K* (Farbe) Michael Ballhaus. *M* Peer Raben. *D* Marquard Bohm (Alaska), Dschingis Bowakow (Tschetan), Willy Schultes (Ben Johnson), Erich Dolz, Eduard Hendorfer, Bembe Bowakow. *P* Filmverlag der Autoren / Hark Bohm. 94 Minuten. 1973.
Ein Schäfer sucht in den Weiten des amerikanischen Nordwestens einen Winterplatz für sich und seine Schafe. Dabei gerät er in Streit mit einem Rancher, aus dessen Gewahrsam er einen Indianerjungen befreit. Sie lernen voneinander und werden allmählich

Freunde. Nach einer Schießerei mit dem Rancher müssen sie fliehen. Der Junge schließt sich Indianern an, die nach Kanada wollen, der Schäfer folgt ihnen.
Mit diesem Western, der in Bayern gedreht wurde, debütierte Hark Bohm, der mit Kurzfilmen begann, als Spielfilmregisseur. »Mit viel Einfühlung charakterisiert Bohm die beiden in ihrem Verhältnis vor allem zur Umwelt. Die Landschaft, die Tiere, all das, dem sie begegnen oder mit dem sie hantieren, legt ihre Eigenheiten bloß. Marquard Bohm spielt den Alaska, der als Schäfer gleichermaßen wie der Indianerjunge verfolgter Außenseiter ist, mit intensivem Ausdruck, aber ohne große Gesten. Der kleine Kalmücke Dschingis Bowakow als Tschetan fasziniert in den kargen Dialogszenen ebenso wie in mutigen Reitszenen: ein Kinderdarsteller, der keineswegs mit dem sonst üblichen, eingepaukten falschen Zungenschlag geführt wird. Hark Bohms Film ist das sehenswerte Ergebnis einer filmischen Phantasie, die bewußt die beschränkten ökonomischen Mittel in ihre Realisierung mit einbezogen hat« *(medium)*.

Tunnel 28. *R* Robert Siodmak. *B* Gabriele Upton, Peter Berneis, Millard Lampell. *K* Georg Krause. *M* Hans-Martin Majewski. *A* Ted Haworth, Dieter Bartels. *S* Maurice Wright. *D* Don Murray (Kurt Schröder), Christine Kaufmann (Erika Jürgens), Ingrid van Bergen (Ingeborg Schröder), Werner Klemperer (Brunner), Carl Schell, Bruno Fritz, Horst Janson, Edith Schultze-Westrum, Arne Elsholtz, Benno Hoffmann. *P* Hans Albin, München / Walter Wood, Hollywood / MGM. 94 Minuten. 1962.
28 Ostberliner graben einen Tunnel unter der Mauer und flüchten nach Westberlin.
Robert Siodmak: »Der Film ist für Analphabeten gemacht, die nicht wissen, was die Mauer ist« (*Die Zeit,* 1962).

Über Nacht. *R* Karin Thome. *B* Karin Thome, Max Zihlmann. *K* (Farbe) Martin Schäfer, Achim Lenz. *M* Werner Penzel, Toni Wohlfahrt, Oase Kebili Orchester. *D* Werner Penzel, Karin Thome, Rudolf Thome. *P* Karin Thome. 85 Minuten. 1973.
»Eine Beschreibung von Fluchtträumen, von falschen Freiheitsvorstellungen, von scheiternden Versuchen zu menschlicheren Beziehungen. In ruhigen, langen Einstellungen wird die Flucht eines Paares verfolgt, das sich trennt, wieder zusammenfindet, wieder getrennt wird. Der Film ist eine Folge von Fragmenten, innerhalb deren die Figuren ihrerseits fragmentarische Geschichten erleben und nie loskommen von ihrem Ausgangspunkt« *(Filme 1971–76)*.
Karin Thome ist die Autor-Regisseurin von drei Spiel- und vielen Kurz- und Dokumentarfilmen, außerdem hat sie Leben und Werk zweier führender Vertreter des Neuen Deutschen Films bereichert. 1943 als Karin Ehret in Tübingen geboren und seit 1966 bei Film und Fernsehen, war sie

1969–70 mit Uwe Brandner verheiratet und Mitarbeiterin bei dessen *Blinker* (Hauptrolle) und *Ich liebe dich – ich töte dich* (Produktion), 1970–75 verheiratet mit Rudolf Thome und Mitarbeiterin bei dessen *Supergirl, Fremde Stadt* und *Made in Germany und USA* (jeweils Hauptrollen und Mitarbeit in der Produktion). Ihre weiteren Spielfilme sind *Amerika* (1974) und *Also es war so . . .* (1977).

Umarmungen und andere Sachen. *R* Jochen Richter. *B* Eike Barmayer, Jochen Richter. *K* (Farbe) Hermann Reichmann. *M* Michael Lewis-Dean. *Lieder* Sibylle Baier. *A* Nino Borghi. *S* Luti Rüth. *D* Jean-Pierre Léaud (Tom), Sydne Rome (Jennifer), Anny Duperey (Maria), Alfred Edel, Uschi Lina, Ludwig Schmid-Wildy, Willi Trenk-Trebitsch, Helmut Brasch, Dieter Augustin, Marquard Bohm. *P* Jochen Richter / Solaris (Bernd Eichinger) / BR. 107 Minuten. 1976.
Nachdem er zufällig in einen Bankraub verwickelt wurde und nun mit einer halben Million dasteht, braucht Tom erst einmal Zeit zum Nachdenken. Er zieht sich in das einsam gelegene Bauernhaus zurück, in dem er aufgewachsen ist, und trifft dort Maria, eine verkrachte Werbefotografin, und Jennifer, ein Filmsternchen auf der Flucht vor ihrem exzentrischen Ehemann. Gemeinsam träumen die drei die Utopie eines von allen Zwängen befreiten Lebens.
»Richard Lester und französische Komödien zwischen Realismus und Surrealismus dienten offensichtlich als Vorbilder des durch völlige ›Moralfreiheit‹ gekennzeichneten Films. Was die Autoren wirklich wollten, ist nicht auszumachen« *(Filme 1971–76)*.

Der Umsetzer. *R* Benno Trautmann und Brigitte Toni Lerch. *B* Benno Trautmann. *K* Aribert Weis. *M* Dieter Siebert. *A* Horst Lange. *T* Detlev Fichtner. *S* Regine Heuser. *D* Klaus Jepsen (der Umsetzer), Charles H. Vogt (der Nachtwächter), Peter Schlesinger (der Hauswart), Charlotte Adami, Wanda Bräuniger, Till Hoffmann, Vera Kluth, Friedhelm Lehmann, Liesel Pansegrau, Edith Robbers, Hildegard Wensch, Brigitte Zeller. *P* Benno Trautmann, Brigitte Toni Lerch. 75 Minuten. 1976.
Der Umsetzer ist Angestellter einer gemeinnützigen Wohnungsbaugesellschaft und sorgt dafür, daß renitente Mieter ihre Altbauwohnungen verlassen, damit diese abgerissen und »modernen Neubauten«, sprich: Wohnsilos, Platz machen können. Ein alter Nachtwächter bleibt störrisch. Er und seine Frau weigern sich, dem Sanierungs-Schmus auf den Leim zu gehen. Der immerzu lächelnde Umsetzer ist in der Wahl seiner Methoden, den Widerstand zu brechen, nicht zimperlich: Treppengeländer werden angesägt, Lichtleitungen nicht mehr repariert, das Gas abgedreht. Der Frau des Nachtwächters kosten diese Maßnahmen sogar das Leben. Als die Feuerwehr den alten Mann schließlich mit Gewalt aus dem Haus holt, muß er noch für eine Werbefilmaufnahme

herhalten: Seine bitteren Klagen werden sinnentstellend umsynchronisiert.
»Nach *Krawatten für Olympia* ist dies der zweite Film aus Berlin, der jenseits ideologischer Verkrampfung einen Weg weisen könnte zum dringend gebrauchten deutschen B-Picture mit aktuellem Gesellschaftsbezug« (Hans C. Blumenberg, *Die Zeit*). Benno Trautmann, der mit Adolf Winkelmann zusammen auf der Kunsthochschule Kassel studierte, hatte den Film mit mühsam zusammengeborgten 80 000 Mark realisiert. Seinem zweiten Projekt mit dem Titel *Der Spitzel* war weniger Glück beschieden: Seit 1978 bemüht er sich vergeblich um eine Finanzierung.

Das Unheil. *R* Peter Fleischmann, Martin Walser. *K* (Farbe) Dib Lufti. *M* »Xhols«. *D* Vitus Zeplichal (Hille), Reinhard Kolldehoff (Vater), Ingmar Zeisberg (Frau des Fabrikanten), Werner Hess (Fabrikant), Silke Kulik (Dimuth), Helga Riedel-Hassenstein, Christoph Geraths. *P* Hallelujah, München / Artistes Associes, Paris / Artemis, Berlin. 106 Minuten. 1972.
Hille, Gymnasiast in einer deutschen Kleinstadt, lebt im Zentrum des Unheils. Sein Vater, der Pfarrer, rüstet zum Glockenfest der schlesischen Heimatvertriebenen. Der Lehrer paukt ihm die Vorzüge der Leistungsgesellschaft ein, während Hille selbst mit Hilfe eines Metronoms fürs Abitur paukt. Sexuelle Lernversuche bei einer Fabrikantengattin führen zu keinem Ziel. Der Fabrikant selbst hat ein Chemiewerk, das die ganze Gegend verpestet. Alles, was begonnen wird, scheitert in Panik.
Wie die späteren Fleischmann-Filme *Dorotheas Rache* und *Die Hamburger Krankheit* ein apokalyptisches Bild der Bundesrepublik – und wie diese ein Film, den sich kein Publikum antun wollte. »Peter Fleischmanns *Unheil* ist neben Alexander Kluges *Abschied von gestern* der einzige deutsche Spielfilm, in dem ein konkretes, kritisches und dabei auch sinnlich engagiertes Interesse für das bundesrepublikanische Wirklichkeit deutlich wird. Fleischmanns waghalsig und meisterhaft inszeniertem Kleinstadt- und Kleinbürger-Panorama gelingt es, einen Wahrnehmungs- und Lernprozeß in Gang zu setzen, der zu einer unbequemen Selbstüberprüfung und Orientierungskorrektur führen müßte, wenn man nur einen Funken Verstand dafür hat, wo man wirklich sein Leben fristet. Der Film macht klar: Dies ist das Deutschland, in dem ich lebe, und die Welt, in der ich den größten Teil meines Lebens verbringe, egal wohin meine Phantasie schweift, ist eben dieses schwierige, unheilvolle Deutschland, das Peter Fleischmann und Martin Walser (als sein Dialogschreiber) gesehen und kenntlich gemacht haben« (Siegfried Schober, *Der Spiegel,* 1974).

Unordnung und frühes Leid. *R* Franz Seitz. *B* Franz Seitz, nach dem Roman von Thomas Mann. *K* (Farbe) Wolf-

gang Treu. M Rolf Wilhelm, Hans Pfitzner, Friedrich Meyer. D Martin Held (Professor Cornelius), Ruth Leuwerik (Frau Cornelius), Sabine von Maydell, Frederic Meissner, Sophie Seitz, Markus Sieburg. P Franz Seitz / GGB3. 86 Minuten. 1977.
Professor Cornelius versucht, mit sich, seinen Studenten und seiner Familie ins reine zu kommen.
Der Film erreicht die Franz Seitz'sche Literaturverfilmungs-Idealform, bei welcher der Originalautor völlig in dem Drehbuchautor aufgeht, ohne daß der Produzent etwas davon merkt.

Unter dem Pflaster ist der Strand. R Helma Sanders. B Helma Sanders, Grischa Huber, Heinrich Giskes. K Thomas Mauch. D Grischa Huber, Heinrich Giskes, Gesine Strempel, Heinz Hönig, Traute Klier-Siebert. P Helma Sanders / ZDF. 103 Minuten. 1975.
In langen Gesprächen klären die beiden Schauspieler Grischa und Heinrich ihr Verhältnis zueinander, das aus der Krise der großen Berliner Studentenbewegung 1968 erwachsen ist. Während die Bewegung in Heinrichs Augen nicht die Hoffnungen erfüllt hat, die er (man) in sie gelegt hat, fühlt Grischa sich in ihrer Rolle als Frau stimuliert und emanzipiert.
»Hier wird durch die differenzierte und im emotionalen Bereich ganz neue Ausdrucksformen entwickelnde Darstellungsweise der Schauspielerin Grischa Huber ein Bild der Frau geschaffen, wie es der Junge Deutsche Film bis dahin noch nicht gezeigt hat« (Renate Möhrmann, Die Frau mit der Kamera).

Die Unterdrückung der Frau ist vor allem an dem Verhalten der Frauen selbst zu erkennen. R, B und K (Farbe) Hellmuth Costard. D Christoph Hemmerling. P Hellmuth Costard. 65 Minuten. 1969.
Der Tageslauf einer Hausfrau.
Viele der besten feministischen Filme sind von Männern gedreht, und das nicht erst seit den sechziger Jahren. Der Titel des Costard-Films ist in den allgemeinen Sprachschatz eingegangen, auch in vielen Variationen (Die Unterdrückung der Kameraleute ist vor allem an dem Verhalten der Kameraleute selbst zu erkennen). »Das Aufstehen, das Frühstücken, das Geschirrspülen, das Saubermachen, das Aufräumen, dann eine selbstverliebte Szene vor dem Spiegel, wobei in der Fernsehfassung ein Schwenk nach unten auf den nackten Körper der Hausfrau geschnitten wird, womit einem leider eine zart gefilmte Nacktheit entgeht, die um so kostbarer ist, als es sich um einen Mann handelt, der die Hausfrau darstellt. Bewegungen einer Hausfrau, von einem Mann ausgeführt, haben Spielcharakter, die Gegensätze, mit denen die Hausfrau umgeht, erscheinen fremdartig, vielfältig und kompliziert. Nichts ist trist an dem Film. Die Wohnung ist sorgsam ausgeleuchtet. Gleichmäßiges Licht für die Farbfilmaufnahme. Die Beschäftigung im Haus ist Arbeit. Es wird mit Gegen-

ständen umgegangen, welche Widerstände setzen. Aufräumen, Abwaschen, Ausfegen, das alles sind Arbeiten, welche gestörte Ordnung wiederherstellen. Hausfrauen-Arbeit ist nicht vor allem niedere Arbeit, sondern aussichtslose Arbeit: der aussichtslose Versuch, Unregelmäßigkeiten zu beseitigen; die Hausfrau als Haus-Polizei gegen die permanente Unordnung« (Werner Kliess, Film).

Vera Romeyke ist nicht tragbar. R Max Willutzki. B Renke Korn, Max Willutzki. K (Farbe) Dietrich Lohmann. M Dieter Siebert. D Rita Engelmann (Vera Romeyke), Dieter Eppler, Angelia Milster, Ina Halley, Karl-Heinz Müller, Horst Lateika, Herbert Chwoika, Manfred Günther, Gerd Burckhard. P Basis (Max Willutzki). 102 Minuten. 1976.
»Die Lehrerin Vera Romeyke stößt mit ihren Unterrichtsmethoden auf Widerstand eines Teils der Eltern, der politischen Behörden, der Schulaufsicht und einiger Kollegen. In Situationsbildern werden einerseits die Repressionsmechanismen, andererseits der Versuch zur Rechtfertigung, zur sachlichen Diskussion geschildert. Wider alle fachlichen Argumente ›gewinnt‹ die politische Macht: Die Lehrerin wird versetzt. Eindrücklicher, sehr brauchbarer Lehrfilm zum Problem des Berufsverbots« (Zoom-Filmberater). »Ganze 300 000 DM, darunter 120 000 vom Kuratorium Junger Deutscher Film, standen zur Verfügung, die Projektkommission der Filmförderungsanstalt hatte eine freundliche Absage geschickt. Verständlich, daß ein derart bescheidener Etat auch entsprechende Handikaps im Schlepptau haben mußte. Hätte man das Drehbuch sorgfältiger ausfeilen können, mehr Zeit für Proben gehabt, der Film, zumal sein etwas plakatives letztes Drittel, wäre noch überzeugender ausgefallen« (D. Sch., Kirche und Film).

Verdammt zur Sünde. R Alfred Weidenmann. B Eberhard Keindorff, Johanna Sibelius, nach dem Roman Die Festung von Henry Jaeger. K Enzo Serafin. M Gert Wilden. A Herta Hareither. D Martin Held (Hugo Starosta), Else Knott (Eliese), Christa Lindner (Mi Mo), Michael Ande (Albert), Sieghardt Rupp (Hermann), Tilla Durieux (Großmutter), Heidelinde Weis (Edeltraut), Joseph Offenbach (Kainrath), Hildegard Knef (Alwine), Robert Graf (Vertreter), Alice Treff (die Leise), Gertraud Jesserer (Dora), Peter Vogel (Hans). P Eichberg / Team (Eberhard Klagemann). 104 Minuten. 1964.
Mit vielen anderen Flüchtlingen hat Hugo Starosta, ehemaliger Gespannführer und Oberhaupt einer vielköpfigen Familie, in einer alten Burg ein Notquartier gefunden. Während die anderen sich schlecht und recht eine neue Existenz zimmern, findet er und ein wohliges Zuhause in seinen Illusionen. Schließlich bleibt er alleine in seiner »Festung« und unterhält als Fremdenführer die Touristen mit lustvoll zusammengelogenen Historien.

Trotta: Andras Balint, Doris Kunstmann

Umarmungen: Sydne Rome, Jean-Pierre Léaud

Unordnung und frühes Leid: Martin Held, Ruth Leuwerik, Christian Kohl und Sabine von Maydell

Henry Jaeger wurde 1956 als Anführer einer jugendlichen Gangsterbande zu 12 Jahren Zuchthaus verurteilt, 1963 begnadigt. Im Zuchthaus schrieb er *Die Festung* und sicherte sich damit eine neue Zukunft als Bestsellerautor. Mit der Verfilmung versuchte Weidenmann, den Stil des italienischen Neo-Realismus nachzuahmen, der in seinem Heimatland schon vor zehn Jahren aus der Mode gekommen war. »Der Film gibt eine Idee davon (leider nur eine *Idee*), wie der deutsche Film sein könnte: wild und ruchlos. Oder doch wenigstens entschlossen, sich wild und ruchlos zu gebärden. Ein guter Schauspieler, der die Idee dieser Wildheit kapiert: Martin Held. Dazu ein wunderbares Mädchengesicht – oh Deutschland! Wenn es dort solche Mädchen gibt: Christa Linder. Und eine fabulöse Schauspielerin, ebenbürtig unserer Sylvie: Tilla Durieux« (Pierre Kast, *Cahiers du Cinéma*).

Verflucht dies Amerika. *R* Volker Vogeler. *B* Volker Vogeler, Ulf Miehe, Bernardo Fernandez. *K* (Farbe) Louis Cuadrado. *M* Luis de Pablo. *D* Arthur Brauss (Bastian), Geraldine Chaplin (Kate Elder), William Berger (Doc Holliday), Francisco Algora, Kinito, Fred Stillkrauth, Sigi Graue. *P* Filmverlag der Autoren / Elias Querejeta, Madrid / ZDF. 93 Minuten. 1973.
1885. Fünf bayerische Wilddiebe werden, nachdem sie eine Zuchthausstrafe verbüßt haben, der Heimat verwiesen und hoffen, sich in Amerika eine neue Existenz aufzubauen. Nachdem sie der Zwangsarbeit in einer Silbermine in Nevada glücklich entkommen sind, geraten sie in die kleine puritanische Stadt Yanktown. Zunächst werden sie als komische Außenseiter aufgenommen, doch schon bald beschäftigt man sie mit dem Entleeren von Abortgruben, wodurch die Indianer, die vorher diese Arbeit verrichten durften, arbeitslos werden. Als gute Katholiken kommen die Auswanderer schon bald mit der puritanischen Kirche in Konflikt, was ihre Ausweisung aus Yanktown zur Folge hat. Sie finden eine Erfahrung bestätigt, die sie schon aus der alten Heimat mitgebracht haben: Wer nichts hat, ist nichts, und wer nichts ist, kriegt nichts. So entschließen sie sich, mit Doc Holliday gemeinsame Sache zu machen und die Bank zu berauben, um sich mit Hilfe des erbeuteten Geldes wenigstens die Heimkehr nach Europa zu ermöglichen. Doch vier von ihnen sterben bei dem Überfall, und ihre letzten Worte sind: »Verflucht dies Amerika!«
Der Film setzt die Handlung und die sozialgeschichtlichen Spekulationen der Wilderer-Geschichte *Jaider – der einsame Jäger* fort, die Volker Vogeler 1970 im Stil eines Italo-Western gedreht hatte, ebenfalls nach einem Buch von Ulf Miehe. Er erinnerte viele Kritiker an eine selbstgefällig arrangierte Ausstellung von Versatzstücken, anderen kam er wie eine Revolutionierung des Western vor.

Verlorenes Leben. *R* Ottokar Runze. *B* Peter Hirche. *K* Michael Epp. *M* Hans Martin Majewski. *A* H.U.

Thormann. *T* Christian Moldt. *S* Marlies Dux. *D* Gerhard Olschewski (Siegfried Cioska), Marius Müller-Westernhagen (Wenzel von Sigorski), Gert Haucke (Kommissar Weber), Richard Beek (Dr. Joachim), Willmut Borell, Jürgen Feindt, Henning Schlüter, Uwe Dallmeier, Katrin Schaake, Wolfgang Spier, Heinz Schubert. *P* Ottokar Runze. 92 Minuten. 1976.
Der junge Pole Siegfried Cioska wird verdächtigt, einen Lustmord begangen zu haben. Weil ihm die Schuld nicht nachzuweisen ist und er auch kein Geständnis ablegt, wird der Student Wenzel von Sigorski als Spitzel auf ihn angesetzt. Er schleicht sich als Freund bei dem bisher völlig einsamen Cioska ein. Als die Ermittlungen ins Stocken geraten, fingiert Wenzel selber einen Mord und behauptet, fliehen zu müssen, weil er nun völlig in Cioskas Hand sei. Cioska hat Angst, den Freund zu verlieren, an den er bedingungslos glaubt, und gesteht ihm, um den Ausgleich herzustellen, den Mord, dessen er verdächtigt wird. Siegfried Cioska wird verhaftet und hingerichtet. In einer Bombennacht des Jahres 1944 erzählt Wenzel einem Hitlerjungen diese Geschichte, die sich 1927 in Schlesien und Berlin abgespielt hat, auf dessen Frage, weshalb er Priester geworden sei.
Verlorenes Leben wurde schwarzweiß gedreht und auf Farbmaterial kopiert, was ihm den Anstrich verblichener Fotos verleihen sollte. Als einziger deutscher Wettbewerbsbeitrag auf der Berlinale 1976 wurde er mit freundlichen Kritiken bedacht – vor seiner Ehrenhaftigkeit (thematisch wie formal) kapitulierte jeder Feuilletonist.

Vier Schlüssel. *R* Jürgen Roland. *B* Max Pierre Schaeffer, Thomas Keck. *K* Wolfgang Treu. *M* Konrad Elfers. *A* Dieter Bartels, Will Vierhaus, Ingrid Neugebauer. *T* Rudolf Böttger. *S* Christel Orthmann. *D* Günther Ungeheuer (Alexander Ford), Hanns Lothar (Richard Hiss), Walter Rilla (Eduard Rose), Hellmut Lange (Rolf Thilo), Ellen Schwiers (Irene Quinn), Ida Krottendorf, Monika Peitsch, Paul Edwin Roth, Joseph Offenbach, Jürgen Draeger, Horst Michael Neutze, Heinz Engelmann. *P* Hanns Eckelkamp. 107 Minuten. 1966.
Der mit einem Millionenbetrag gefüllte Haupttresor einer Bank kann nur mit vier Schlüsseln geöffnet werden, die von vier vertrauenswürdigen Führungskräften der Bank verwaltet werden. Gangster versuchen, diese vier Schlüssel mit einem Schlag in Hand zu bekommen.
Ein genießbarer Jürgen Roland-Film, seinerzeit vom Atlas-Verleih als »der erste deutsche Gangsterfilm« annonciert.

Viola und Sebastian. *R* Ottokar Runze. *B* Ottokar Runze, nach der Komödie *Was ihr wollt* von William Shakespeare. *K* (Farbe) Horst Schier. *M* Frank Duval. *A* Michael Girsche. *T* Hans Dieter Hoffmann, Günter Hoffmann. *S* Alfred Srp. *D* Karin Hübner (Viola), Frank Glaubrecht (Sebastian), Inken Sommer (Olivia),

Michael J. Boyle (Orsino), Uwe Dallmeier, Heinz Theo Branding, Herbert Stass, Gottfried Kramer. *P* Wilmar R. Guertler und Ottokar Runze. 93 Minuten. 1972.
Völlig mißratene Filmversion von Shakespeares *Was ihr wollt,* verlegt in die heutige Zeit und in die holsteinische Marsch. Erwähnenswert nur als Erstlingswerk von Ottokar Runze.

Von der Wolke zum Widerstand. *R* Jean-Marie Straub, Danièle Huillet. *B* Straub / Huillet, nach *Dialoghi con Leucò* und *La luna e i falò* von Cesare Pavese. *K* (Farbe) Saverio Diamanti, Gianni Canfarelli. *M* Johann Sebastian Bach. *A* Francesco Ragusa, Cantini. *T* Louis Hochet. *S* Straub / Huillet. *D* Olimpia Carlisi (Wolke Nephele), Guido Lombardi (Ixion), Gino Felici (Hippolocus), Lori Pelosini (Sarpedon), Walter Pardini (Ödipus), Maria di Mattia (Cinto), Mauro Monni (Bastard), Luigi Giodanello (Valino). *P* Janus, Frankfurt / Straub-Huillet, Rom / RAI, Rom / Italneggio, Rom / Institut National de l'Audiovisuel, Paris / Artificial Eye, London. 104 Minuten. 1978.
1. Teil: Sechs Gespräche unter Gestalten der griechischen Geschichte und Mythologie über Existenz und Verhalten der Götter und um das Thema des Opfers. 2. Teil: Ein unter Mussolini emigrierter Italiener kehrt nach dem Krieg in seine Heimat zurück und erfährt in seinen Begegnungen mit dem Kommunisten Nuto Geschichten und Konflikte der Widerstandsbewegung.
Mit der in multinationaler Produktion entstandenen, in der Toskana gedrehten Pavese-Verfilmung kehren Jean-Marie Straub und Danièle Huillet zu den Themen und dem Stil von *Nicht versöhnt* zurück. »Obwohl *Nicht versöhnt* mit einem Familientreffen schließt, bedeutet das nicht, daß irgendwelche Probleme gelöst seien oder der Weg frei sei in eine neue Zukunft – und noch viel weniger gibt es eine solche Hoffnung am Ende des zweiten Teils von *Von der Wolke*. Stilistisch folgt *Von der Wolke* dem zuerst mit *Nicht versöhnt* entworfenen und im gesamten Werk von Straub / Huillet durchgehaltenen Muster, das alle ›filmischen‹ Ausschmückungen des literarischen Textes strikt vermeidet . . . Dieses Beim-Wort-Nehmen von literarischen Texten ist nicht so unschuldig-respektvoll, wie es vielleicht manchem scheinen mag, denn bei ihrer Art von Reproduktion des Originaltextes entblößen ihn die Filmemacher seines natürlichen Kontextes und präsentieren ihn zur Inspektion, Zeile für Zeile, Wort für Wort« (Geoffrey Nowell-Smith, *Monthly Film Bulletin*, 1980).

Wälsungenblut. *R* Rolf Thiele. *B* Erika Mann, Georg Laforet (Franz Seitz) nach der Novelle von Thomas Mann. *K* (Farbe) Wolf Wirth. *M* Rolf Wilhelm. *A* Maleen Pacha. *D* Rudolf Forster (Graf Arnstatt), Margot Hielscher (Gräfin Isabella), Ingeborg Hallstein (Comtess Märit), Gunther Malzacher (Rittmeister Kunz), Michael Maien

(Siegmund), Elena Nathanael (Sieglinde), Gerd Baltus (Leutnant Beckerath), Heinz-Leo Fischer, Karl-Heinz Peters, Christoph Quest. *P* Franz Seitz. 86 Minuten. 1965.
München 1911. Der bürgerliche Leutnant Beckerath findet Zugang zu der Familie des Grafen Arnstatt, wo er dem Geschwisterpaar Siegmund und Sieglinde, die sich zärtlich verbunden sind, zum Ziel ihres Dünkels wird. Trotzdem hält er um Sieglindes Hand an. Ihre Antwort: eher würde Beckerath nackt durch die Stadt reiten, als daß sie ihn nimmt. Er läßt sich die Uniform auf den nackten Leib malen und erfüllt die Bedingung. Die Heirat wird beschlossen. Aber die Geschwister trennen sich nicht, ohne vorher ihre Liebe zu erfüllen.
»Nach Thomas Mann eine brillante Übung in dekadenter Schlüpfrigkeit . . . Vor der drohenden Trennung sehen sich die Geschwister in der Oper eine Vorstellung der *Walküre* an, was ihre inzestuösen Neigungen noch beflügelt; dann gehen sie sich in einem Rausch der Farben und Gefühle ihrer Liebe hin. ›Dein Verlobter soll uns dankbar sein‹, sagt der Bruder, ›er wird ein minder triviales Dasein führen, von nun an.‹ Der leidenschaftliche Ton dieses eleganten und perversen Films hebt ihn aus dem Werk von Rolf Thiele heraus, der hier neben *Lulu*, mit dem *Wälsungenblut* einige Ähnlichkeit hat, seinen einzigen interessanten Film vorlegt« (Robert Benayoun, *Positif*).

Wahnsinn, das ganze Leben ist Wahnsinn. *R* Petra Haffter. *B* Petra Haffter, Richard Claus. *K* (Farbe) Richard Claus, Hille Sagel. *M* Artischock. *A* Reinhild Paul. *T* Margit Eschenbach. *S* Richard Claus. *D* Germaine Radinger (Karin Q.), Ronni Tanner (Robert), Ellen Esser (Karins Mutter), Ludwig Kaschke, Werner Rehm. *P* C & H (Richard Claus, Petra Haffter) / ZDF. 88 Minuten. 1980.
Karin, eine sechzehnjährige Berliner Schülerin, verliebt sich in Robert, der etwas älter ist als sie und verheiratet. Karin möchte am liebsten von heute auf morgen ins Erwachsenenleben eintreten und träumt von einer Familie. Als sie merkt, daß es Robert nicht ernst ist, flüchtet sie sich immer mehr in eine Phantasiewelt.
Grundlage des Drehbuchs bildete das Tagebuch der wirklichen Karin Q. »In dem wir das Tagebuch zitieren, bewahren wir etwas von der authentischen Denkweise und Sprache eines sechzehnjährigen Mädchens, können wir uns gerade da, wo ein Film sonst am spekulativsten sein müßte, bei der Darstellung der Psychologie und Innenwelt der Hauptperson, auf ein ehrliches Dokument stützen« (Petra Haffter, Richard Claus).

Warnung vor einer heiligen Nutte. *R* und *B* Rainer Werner Fassbinder. *K* (Farbe) Michael Ballhaus. *M* Peer Raben, Gaetano Donizetti, Elvis Presley, Ray Charles, Leonhard Cohen. Spooky Tooth. *A* Kurt Raab. *S* Franz Walsch, Thea Eymèsz. *D* Lou Castell (Jeff, der Regisseur), Eddie Constantine (er selbst), Hanna Schygulla (Hanna), Marquard Bohm (Ricky), Rainer Werner Fassbinder (Sascha), Ulli Lommel (Korbinian), Katrin Schaake (Scriptgirl), Benjamin Lev (Candy), Monika Teuber (Billi), Margarethe von Trotta (Produktionssekretärin), Gianni di Luigi (Kameramann), Rudolf Waldemar Brem (Oberbeleuchter), Herb Andress (Coach), Thomas Schieder (Jesus), Hannes Fuchs (David), Marcella Michelangeli (Margret), Ingrid Caven, Harry Baer, Magdalena Montezuma, Werner Schroeter, Karl Scheydt, Tanja Constantine, Maria Novelli, Enzo Monteduro, Achmed Em Bark, Michael Fengler, Burghard Schlicht, Dick Randall, Peter Berling, Tony Bianchi, Peter Gauhe, Marcello Zucche. *P* antiteater-X-Film, München / Nova International, Rom (Peer Raben). 103 Minuten. 1971.

In einem alten Luxushotel am Meer in Spanien wartet ein Filmteam auf den Regisseur, den Hauptdarsteller und die Produktionsmittel finanzieller und technischer Natur, damit endlich mit den Dreharbeiten der Produktion *Patria o muerte* begonnen werden kann. Endlich treffen Jeff, der Regisseur, und Eddie Constantine, der Star ein. Die zuvor schon gereizte Stimmung ufert in Chaos aus. Der wachsende Unmut des Teams macht sich in handgreiflichen Aktionen Luft. Aber der Film wird gedreht.

»Jetzt dreht er schon seinen *8½*«, sagte Volker Schlöndorff, als der 24jährige Rainer Werner Fassbinder nach acht langen und zwei kurzen Spielfilmen den Film über das Selbstverständnis des Filmemachers drehte, den Fellini nach siebzehn Filmjahren gemacht hatte. Das auslösende Element waren die Dreharbeiten zu *Whity* gewesen, die Fassbinder und die antiteater-Kommune in derartige Krisen stürzte, daß Selbstmord des Regisseurs oder zumindest Abbruch der Dreharbeiten in der Luft lagen. Diese Krisen werden in *Warnung vor einer heiligen Nutte*, das heißt der großen Hure Film, aufgearbeitet. Der Film wird allgemein als ein Wendepunkt in Fassbinders Karriere angesehen. »Ich war nicht sicher, ob es ein neuer Anfang war, aber ich wußte, daß es ein Ende war. Mit diesem Film haben wir das anti-teater begraben, das unser erster Traum gewesen war. Ich wußte nicht, wie es nun weitergehen sollte, aber ich wußte, daß sich etwas ändern mußte« (Fassbinder im Gespräch mit Christian Braad Thomsen, in *I Fassbinders Spejl*, 1975).

Warum läuft Herr R. Amok? *R* und *B* Rainer Werner Fassbinder, Michael Fengler. *K* (Farbe) Dietrich Lohmann. *M* »Geh' nicht vorbei« von Christian Anders. *T* Klaus Eckelt, Franz Pusl. *S* Franz Walsch, Michael Fengler. *D* Kurt Raab (Herr R.), Lilith Ungerer (seine Frau), Amadeus Fengler (ihr Sohn), Franz Maron (Chef), Harry Baer / Peter Moland / Lilo Pempeit (Kollegen im Büro), Hanna Schygulla (Schulfreundin), Herr und Frau Sterr (Vater und Mutter), Peer Raben (Schulfreund), Carla Aulaulu / Eva Pampuch (Schallplattenverkäuferinnen), Ingrid Caven / Doris Mattes / Irm Hermann / Hannes Gromball (Nachbarn der Familie R.), Peter Hamm / Jochen Pinkert (Kommissare), Eva Madelung (Schwester des Chefs), Liselotte Eder, Johannes Fengler, Niels Peter Rudolph, Paul Haller, Ulli Lommel, Katrin Schaake, Volker Schlöndorff, Margarethe von Trotta, Reinhard Hauff, Hanna Axmann-Rezzori, Günther Kaufmann. *P* Antiteater / Maran. 88 Minuten. 1970.

Herr R. ist technischer Zeichner. Er hat eine Frau und einen kleinen Sohn. Sie haben eine gemütliche Wohnung, sitzen am Fernseher, gehen spazieren, vertragen sich mit den Nachbarn, bekommen Besuch von Kurts Eltern. Herr R. verträgt sich gut mit den Kollegen, der Chef ist mit ihm zufrieden, hat es freilich mit einer Gehaltsaufbesserung nicht eilig. Auch der Arzt ist mit R.'s Zustand fast zufrieden; allerdings wäre es dringend angeraten, daß R. das Rauchen einstellt, er leidet auch unter Kopfschmerzen und ist oft etwas geistesabwesend. Eines Abends aber erschlägt R. seine Frau, seinen Sohn und die Nachbarin, die gerade zu Besuch ist. Am nächsten Morgen erhängt er sich in der Toilette seiner Firma.

Ein ohne Drehbuch, nur mit einer »Improvisationsvorlage« entwickelter Film über die Schwierigkeiten der Kommunikation, der die trotz aller Spannungen funktionierende kreative Kommunikationsfähigkeit der antiteater-Gruppe erweist. »Die Identifikation von Sprache und sozialer Aggression ist immer ein Charakteristikum der Fassbinder-Filme gewesen, und Fassbinder hat dem Weltkino eine der definitiven Ausformulierungen des inartikulierten Protagonisten geliefert. Wenn etwas in *Warum läuft Herr R. Amok?* die Sympathie des Publikums weckt, so ist es des Helden totale Unfähigkeit, seine Frustration, Entfremdung und Wut auszudrücken. Der finale Amoklauf von Herrn R. ist sein Statement an die Welt, ein Statement, das sich eher in Taten als in Worten formuliert« (J. C. Franklin, *The Films of Fassbinder: Form and Formula*, in *Quarterly Review of Film Studies*, 1980). Bundesfilmpreis 1971 für beste Regie an Fassbinder und Fengler.

Was heißt'n hier Liebe? *R, B, K* (Farbe) und *S* Walter Harrich, Claus Strigel, Bertram Verhaag. Bühnenstück *Was heißt hier Liebe?* von Holger Franke, Helma Fehrmann, Jürgen Flügge, Günter Brombacher und Alfred Cybulska. *T* Günther Keil. *M* Heiner Goebbels. *D* Helma Fehrmann (Paula), Günter Brombacher (Paul), Ulli Radhöfer (Ansagerin), Holger Franke (Ansager), Alfred Cybulska (Musiker). *P* Pro-ject. 133 Minuten. 1978.

Das Filmer-Kollektiv DENKmal (Harrich, Strigel, Verhaag) zeichnete in einem Zirkuszelt auf einem Münchner Baugelände mit seinen Filmkameras das Aufklärungs-Stück *Was heißt hier Liebe?* der Berliner Theatergruppe Rote Grütze auf und montierte das Material zu einem Film, der die

Verflucht dies Amerika: Geraldine Chaplin

Warnung vor einer heiligen Nutte: Lou Castel, Eddie Constantine, Hanna Schygulla

Verlorenes Leben: Gerhard Olschewski

Was heißt'n hier Liebe?: Holger Franke

Spontaneität des Spiels auf der Bühne und der Reaktionen im Publikum bruchlos auf die Leinwand überträgt. Kameraassistent bei dieser Produktion war übrigens Josef Rödl, der im gleichen Jahr seinen HFF-Abschlußfilm *Albert – warum?* präsentierte.

Was ich bin, sind meine Filme. *Ein Film von* Christian Weisenborn und Erwin Keusch. *K* (Farbe) René Perraudin, Martin Schäfer. *Mit* Werner Herzog und Laurens E. Straub. *P* Nanuk (Christian Weisenborn, Erwin Keusch) / WDR. 95 Minuten. 1978.
»In einem aus sechs Stunden Filmmaterial zusammengefaßten Gespräch erzählt Werner Herzog von seinem Werdegang, seinen Reisen, von charakteristischen Erlebnissen, die ihn als den ›athletischen Filmemacher‹ geprägt haben. Neben einer ausführlichen ›Herzog-Werkschau‹ und neben Beobachtungen während der Dreharbeiten zu *Stroszek* steht ein langes Gespräch zwischen Herzog und Laurens Straub im Mittelpunkt dieses Porträts. Werner Herzog bekommt in diesem Film reichlich Gelegenheit, ›die bedingungslose Radikalität, mit der er Grenzbereiche des Lebens erforscht‹, darzustellen, begreifbar zu machen. Er tut es, wie wir meinen, auf eine höchst ruhige und anschauliche Weise. Nach langem, scheuem Zögern, vor allem in Zusammenhang mit psychologischen Fragen (›Man darf nicht alles wissen – ein Zimmer, das bis in den letzten Winkel ausgeleuchtet ist, ist nicht mehr bewohnbar‹), gelingt es Herzog, uns durch seine Erzählung zu faszinieren. Anders als bei den meisten Fernsehporträts und Talkshows können wir uns gänzlich auf einen Menschen und seine Arbeit, dokumentiert durch viele Ausschnitte aus seinen Filmen, konzentrieren« (Christian Weisenborn und Erwin Keusch).

Wehe, wenn Schwarzenbeck kommt. *R* May Spils. *B* Werner Enke, Jochen Wedegärtner. *K* (Farbe) Petrus Schloemp. *M* Kristian Schultze. *S* Norbert Herzner. *D* Werner Enke (Charly), Benno Hoffmann (Schwarzenbeck), Sabine von Maydell (Charlotte), Helmuth Stange (Schmäkel), Werner Schwier, Elma Karlowa, Kasimir Esser, Joachim Hackethal, Dan van Husen, Edgar Wenzel. *P* Cinenova. 80 Minuten. 1979.
Der vierte Streich des Teams Werner Enke / May Spils (*Zur Sache, Schätzchen*). Was in den sechziger Jahren als Schwabing-Comedy mit APO-Touch zumindest noch gute Laune verbreiten konnte, wirkte Ende der siebziger Jahre dilettantisch, fade und hoffnungslos überholt. Werner Enke ist wieder Charly, der sich in Jeans-Klamotten und mit ›orinellen‹ Sprüchen lustlos durchs Leben schlägt. Sein fatalistisch-destruktives Outsider-Gehabe (in den ersten beiden Filmen wirkte das noch stellenweise erfrischend) entlarvt ihn jetzt als hoffnungslos kaputten Typen. Daß dies von den Autoren des Films beabsichtigt war und sie durch die Veränderung bzw. Nicht-Veränderung in ihrem alternden Anti-Helden einen bewußten, kritischen Kommentar zum aktuellen politischen Klima abgeben wollten, kann selbst bei gutem Willen nicht abgenommen werden: Dafür bietet das Drehbuch nicht den geringsten Ansatz. Hier überhaupt von einer Handlung zu sprechen, wäre schon zuviel: Wie Charly den Schrotthändler Schwarzenbeck kennenlernt und mit ihm einen Schlag gegen das Finanzamt plant und ausführt, das spielt sich in lose aneinandergefügten Slapstick-Episoden niedrigsten Niveaus ab. Bis auf den fehlenden Sex unterscheidet sich *Schwarzenbeck* somit kaum von anderen deutschen »Komödien« mit Lederhosen und Schwedinnen im Titel. Dennoch: Dem Publikum hat's gefallen; der Film gehörte zu den erfolgreichsten deutschen Produktionen des Jahres 1979.

Wer im Glashaus liebt … *R* und *B* Michael Verhoeven. *K* (Farbe) Igor Luther. *M* Axel Linstädt / Improved Sound Ltd. *T* Haymo Heyder. *S* Monika Pfefferle. *D* Senta Berger (Hanna), Marianne Blomquist (Christine), Hartmut Becker (Igor). *P* Sentana (Michael Verhoeven). 85 Minuten, spätere Fassung 79 Minuten. 1971.
Der Werbeleiter Igor wird in seiner Atelierwohnung am Wiener Graben von seiner Frau Hanna mit seiner Geliebten Christine erwischt. Mit einem Revolver in der Hand zwingt Hanna die beiden, vor ihren Augen den Ehebruch zu wiederholen; dann läuft sie in Panik davon. Christine holt sie zurück und entschuldigt sich. Die beiden Frauen arrangieren sich und unternehmen mit Igor den Versuch, abseits bürgerlicher Traditionen, neue Formen des Zusammenlebens zu versuchen.

Werwölfe. *R* und *B* Werner Klett. *Co-R* Michael Wewerka. *K* (Farbe) Ulrich Meier. *M* Franz Liszt. *D* Wolfgang Ziffer, Klaus Jepsen, Günter Meisner, Gisela Albrecht, Rolf Bogus. *P* Werner Klett. 79 Minuten. 1973.
»Erzählt wird die Geschichte von zwölf Jungs aus Hitlers letztem Aufgebot, den Werwölfen, die nach Beendigung des Krieges den Kampf in den Wäldern weiterführen gegen die Amis und die deutschen Kollaborateure. Was hier vorgibt, Kritik am Militarismus zu sein, ist nichts als dessen dümmlichste faschistischste Verherrlichung« (Wolfgang Limmer, *Süddeutsche Zeitung*).

Whity. *R* und *B* Rainer Werner Fassbinder. *K* (Farbe) Michael Ballhaus. *M* Peer Raben. *A* Kurt Raab. *S* Franz Walsch, Thea Eymèsz. *D* Günther Kaufmann (Whity), Hanna Schygulla (Hanna), Ulli Lommel (Frank), Harry Baer (Davy), Katrin Schaake (Katherine), Ron Randell, Thomas Blanco, Stefano Capriati, Elaine Baker, Mark Salvage, Helga Ballhaus, Kurt Raab, Rainer Werner Fassbinder. *P* Atlantis/antiteater-X-Film. 95 Minuten. 1971.
1878, im Westen. Der Neger Whity ist Diener auf der Ranch von Ben Nicholson, der auch sein illegitimer Vater ist. Bens Sohn Frank ist homosexuell, sein zweiter Sohn Davy geisteskrank, seine zweite Frau Katherine nymphomanisch. Als nacheinander mehrere Mitglieder der Familie ihn auffordern, andere Familienmitglieder umzubringen, tötet er alle. Dann wandert er mit der Prostituierten Hanna in die Wüste, wo sie der Tod durch Verdursten erwartet.
»Bevor ich *Whity* machte, habe ich mir einige Filme von Raoul Walsh angesehen, besonders *Band of Angels* (1957, mit Clark Gable, Yvonne de Carlo und Sidney Poitier), der einer der schönsten Filme ist, die ich je gesehen habe« (Fassbinder in einem Interview mit Christian Braad Thomsen, 1971). Der Film wurde bei den Berliner Filmfestspielen 1971 uraufgeführt und kam dann weder ins Kino noch ins Fernsehen, was ihn zum erfolgslosesten Fassbinder-Film macht. Folgenschwerer als der Film selbst waren die Dreharbeiten im spanischen Almeria. Nachdem Fassbinder und das antiteater-Kollektiv in München binnen eines Jahres ihre ersten fünf Filme gedreht und dabei die auflaufenden Probleme der Zusammenarbeit und der Führungsrolle Fassbinders verdrängt hatten, »kam die Gruppe bei den Dreharbeiten zu *Whity* aus dem Münchner Eintopf heraus und begriff dann erst, daß sie nie eine Gruppe gewesen war« (Fassbinder in Wolfgang Limmer: *Rainer Werner Fassbinder Filmemacher*, 1981). Zu welchen Konflikten es in Almeria kam und wie sie ausgetragen wurden, schildert der Fassbinder-Film *Warnung vor einer heiligen Nutte*. Dem Vorbild Raoul Walsh huldigt Fassbinder auch mit dem Pseudonym, das er als Cutter seiner eigenen Filme führt: Franz (wie Franz Biberkopf) Walsch (wie Raoul Walsh).

Wie ich ein Neger wurde. *R* Roland Gall. *B* Roland Gall, nach dem Roman *Jugend ohne Gott* von Ödön von Horvath. *K* Georg Panussopulos. *A* Monika Altmann. *D* Gerd Baltus (Lehrer), Walter Ladengast (Cäsar), Wolf Euba (Pfarrer), Helmut Alimonta (Ex-Feldwebel), Veronika Fitz (Nelly), Annemarie Wendl, Heidi Ederer, Linda Caroll. *P* Roland Gall. 104 Minuten. 1971.
Süddeutschland, kurz vor Ausbruch des 2. Weltkrieges. Ein junger Gymnasiallehrer, der die Jugenderziehung nach nationalsozialistischen Prinzipien nicht mitmachen will, wird von Eltern wie Schülern angefeindet. Im Sommer-Zeltlager muß er hilflos mitansehen, wie seine Schüler vormilitärisch geschult werden. Unter den Schülern kommt es zu einem mysteriösen Mordfall, den der Lehrer nur auf die nazistische Indoktrinierung der Jugendlichen zurückführen kann. Er verzweifelt darüber, daß er gegen das um sich greifende Unheil nichts ausrichten kann, und geht nach Afrika, um an einer Missionsschule Negerkinder zu unterrichten.
Der Debütfilm des Bühnenregisseurs Roland Gall vertrat die Bundesrepublik beim Festival des Jungen Films in Pesaro 1970 (neben Fassbinders *Katzelmacher*). Seine deutsche Erstaufführung hatte er 1971 im Fernsehen, danach kam er auch in die Kinos. »Der christliche Humanismus Roland Galls, eines Theatermannes aus Tübingen, dessen erster Film dies ist, und die brennende Ehrlichkeit seines Anliegens stehen außer Zweifel. Der Roman von Ödön von Horvath, der zur Vorlage diente, heißt *Jugend ohne Gott*, was genau den Ton von Buch wie Film trifft, auch wenn die Priester ebenso schuldig gesprochen werden wie die Laien. Unter Hitler hat ein Volk seine Seele verloren, und der Kreis, den Galls Parabel schließt, gibt zu verstehen, daß es diese Seele bisher auch nicht wiedergefunden hat. Gott allein, sagt der zwischen Luther und dem Katholizismus angesiedelte Film, ist in der Lage, seine Kreaturen zu retten, aber dazu braucht es die Bereitschaft, sich diese Rettung zu verdienen und an ihr mitzuwirken – und an dieser Bereitschaft mangelt es meist. Die Alternative ist die Verzweiflung und der Ekel. Diese strenge Meditation wird mit einer durchaus klassischen Würde durchgeführt und vermittelt eine sehr gerechte Evokation und sehr glaubwürdige Reproduktion des kleinmütigen Liberalismus des Kleinbürgertums unter dem Nazismus« (Louis Seguin, *Positiv*).

Die Wildente. *R* Hans W. Geissendörfer. *B* Hans W. Geissendörfer, nach dem Bühnenstück von Henrik Ibsen. *K* (Farbe) Robby Müller. *M* Niels Janette Walen. *A* Ulrich Schröder. *T* James Mack. *S* Jutta Brandtstätter. *D* Jean Seberg (Gina), Peter Kern (Hjalmar), Bruno Ganz (Gregers), Anne Bennent (Hedwig), Martin Flörchinger (alter Ekdal), Heinz Bennent (Relling), Heinz Moog (Konsul), Sonja Sutter, Robert Werner, Guido Wieland. *P* Solaris (Bernd Eichinger) / Sascha / WDR. 105 Minuten. 1976.
»Die 12jährige Hedwig zerbricht an der Lebenslüge ihrer Eltern und am Wahrheitsfanatismus eines ›Idealisten‹, der zum Zerstörer ihrer Familie wird, indem er das Vorleben ihrer Mutter enthüllt und mit einem sinnlosen Opfer Hedwigs ihren Vater versöhnen möchte. Sehr sorgfältige, subtile und atmosphärisch dichte Verfilmung des gleichnamigen, 1884 entstandenen Dramas von Henrik Ibsen. Bemerkenswert sind auch die stimmigen Leistungen der Darsteller« (Zoom-Filmberater). Zum ersten Mal wird hier die Rolle der Hedwig tatsächlich von einem Kind gespielt. Anne Bennent, die drei Jahre zuvor für die Hauptrolle in Geissendörfers Fernsehfilm *Die Eltern* zum ersten Mal vor der Kamera stand, ist die Tochter des Schauspielers Heinz Bennent und Schwester von David Bennent (*Die Blechtrommel*). Vier Jahre später wird sie in Walerian Borowczyks Wedekind-Neuverfilmung auch die jüngste Lulu, die die Leinwand je sah.

Wildwechsel. *R* Rainer Werner Fassbinder. *B* Rainer Werner Fassbinder, nach dem Bühnenstück von Franz Xaver Kroetz. *K* (Farbe) Dietrich Lohmann. *M* Ludwig van Beethoven. *A* Kurt Raab. *S* Thea Eymèsz. *D* Jörg von Liebenfels (Erwin), Ruth Drexel (Hilda), Eva Mattes (Hanni), Harry Baer (Franz), Rudolf Waldemar Brem (Dieter), Hanna Schygulla (Ärztin), Kurt Raab, Karl Scheydt, Klaus Löwitsch, Irm Hermann, Marquard Bohm, El Hedi Ben Salem. P Intertel. 102 Minuten. 1972.

Franz, 19, kommt wegen Verführung einer Minderjährigen ins Gefängnis, weil er mit Hanni, 14, geschlafen hat. Wegen guter Führung wird er vorzeitig entlassen. Hanni und Franz setzen ihr Verhältnis fort. Als Hanni ein Kind erwartet, stiftet sie Franz an, ihren Vater umzubringen, dessen Zorn sie fürchtet. Franz kommt wieder ins Gefängnis, Hanni besucht ihn dort und erzählt ihm, das Kind sei bei der Geburt gestorben. Hanni sagt: »Es war keine richtige Liebe, es war nur körperlich.« Aber wir sehen, daß es bei Franz schon richtige Liebe ist.

Franz kommt bei Fassbinder besser weg als Hanni, und die Verfilmung wurde zum Skandalfall, als Autor Kroetz den Verfilmer Fassbinder mit einer Klage überzog und in der Presse erklärte: »Obszön nenne ich die Denunzierung der Menschen, die der Film betreibt« *(Abendzeitung,* 1973). Dazu Fassbinder, als er 1974 in einem Interview mit Wilfried Wiegand auf den Fall zurückkam: »Ich meine, daß ich wirklich weniger als fast alle anderen Leute Leute denunziere und viel zu sehr positiv auf Leute eingehe, wo es eigentlich schon gar nicht mehr tragbar ist. Wenn zum Beispiel in *Wildwechsel* der Vater von seinen Kriegserlebnissen erzählt, wenn seine Ansichten besonders schrecklich werden, dann sind wir immer besonders zart mit ihm umgegangen, um klarzumachen, daß das Schreckliche etwas ist, was sie sprechen und was natürlich ihre Ansichten sind, die ihnen aber beigebracht worden sind, also daß eigentlich der Mensch etwas Zartes oder Zärtliches ist und daß das, was er sagt oder denkt, das Schreckliche ist – und nicht, daß er das ist« (Wiegand u. a.: *Rainer Werner Fassbinder,* 1979).

Der Willi-Busch-Report. *R* und *B* Niklaus Schilling. *K* (Farbe) Wolfgang Dickmann. *M* Patchwork. *A* Christa Molitor. *T* Herbert Prasch, Klaus Ekkelt. *S* Niklaus Schilling. *D* Tilo Prückner (Willi Busch), Dorothea Moritz (Adelheid Busch), Kornelia Boje (Rose-Marie Roth), Karin Frey (Helga), Jenny Thelen, Hannes Kaetner, Klaus Hoser, Wolfgang Grönebaum, Horst Pasderski, Elisabeth Bertram, Willy Meyer-Fürst, Eike Gallwitz. *P* Visual (Elke Haltaufderheide). 120 Minuten. 1979.

In Friedheim, einem Provinzstädtchen im Osten der Bundesrepublik, betreiben Willi Busch als Reporter und seine Schwester Adelheid als Redakteurin eine Zeitung, die *Werra-Post.* Doch weil absolut nichts passiert und die überregionale Konkurrenz immer mächtiger wird, greift der pfiffige Willi kurzerhand zur Selbsthilfe: Er schneidet in öffentlichen Telefonzellen die Hörer ab. Schlagzeile in der Werra-Post: »Telefon-Terror in Friedheim!« Plötzlich stolpert Willi über Leichen.

Hat er die Spionage-Affäre etwa auch nur erfunden? Er ist sich selbst nicht ganz sicher.

»Der Willi ist von seinem Vater sicher nicht umsonst Wilhelm getauft worden. Willi Busch also quasi als Nachfolger von Wilhelm Busch, der eigentlich eine sehr bösartige und destruktive Sicht vom Kleinbürgertum hatte – nicht in dem Sinne, daß er die Menschen verachtet oder denunziert, sondern daß er ihnen Feuer unterm Hintern macht. Dem Willi gelingt es ja doch, zumindest eine gewisse Unruhe in die Provinz, in diese Ecke am Zaun zu bringen und wenigstens für ein paar Tage aus dem kleinen Städtchen eine belebte Großstadt zu machen« (Niklaus Schilling). *Der Willi-Busch-Report* war der erste Spielfilm (noch vor Kubricks *Shining),* der ausschließlich – von einigen wenigen Landschaftstotalen abgesehen – mit dem gleitenden Handkamera-System Steadicam gedreht wurde.

Winifred Wagner und die Geschichte des Hauses Wahnfried von 1914–1975. *R* und *B* Hans Jürgen Syberberg. *K* Dietrich Lohmann. *S* Agape Dorstewitz. *P* Hans Jürgen Syberberg. 5 Stunden. 1975.

»Außer Aufnahmen des zerstörten Hauses Wahnfried und einigen Familienfotos sieht man nur Winifred Wagner in verschiedenen Räumen des von ihr bewohnten Flügels der Villa vor der Kamera postiert. Die Musik beschränkt sich auf ein paar leise Takte Siegfried-Idyll; der naiv-selbstbewußte Redefluß der alten Dame wird nur durch wenige gesprochene oder schriftlich eingeblendete kommentierende Zitate von Hannah Arendt, Adorno, Benjamin und anderen unterbrochen. Zeitsprünge, Ergänzungen und Wiederholungen in den oft erstaunlich detailgetreuen Erinnerungen der 78jährigen blieben erhalten, weil sich dadurch das Bild der Persönlichkeit rundet« *(Der Tagesspiegel).*

Ein Wintermärchen. *R* Ulf Michael von Mechow. *B* Laurens Straub, Ulf Michael von Mechow. *K* (Farbe) Petrus Schloemp. *M* Siegfried Schwab, »The Schlippenbach Family«, »Popol Vuh«, Antonio Vivaldi. *A* Nikos Perakis, Norbert Scherer, »Strawberry Company«. *T* Wilhelm Schmidtke, Dieter Schwarz, Jennifer Weigert. *S* Barbara Mondry, Elfi Tillack. *D* David Heinemann (David), Gaby Straub (Bebe), Angelika Bender (Olga), Kasimir Esser (Kasimir), Walter Buschhoff (1. Leutnant), Christoph Brückner-Rüggeberg, Sebastian von Schlippenbach, Dietrich Kerky, Axel Scholtz, Henry van Lyck, Sabine Plessner, Petrus Schloemp, Dora Carras. *P* Ulf Michael von Mechow. 90 Minuten. 1971.

Auf der Flucht vor der Kälte trampt der 18jährige David mit einem Sextanten und einer Landkarte durch die Bundesrepublik. Er hat absonderliche Begegnungen mit alten Nazis, frühreifen kleinen Mädchen und Drogen-Freaks. Mit zwei anderen Driftern richtet er sich schließlich zur Überwinterung in einer abgelegenen Strand-

Die Wildente: Jean Seberg, Anne Bennent

Whity: Günther Kaufmann, Hanna Schygulla

Der Willi-Busch-Report: Tilo Prückner

hütte ein. Aber als es immer kälter wird und der erste Schnee fällt, verkauft er seinen Sextanten und zieht weiter auf der Suche nach etwas Wärmerem.

Der erste und letzte Film von Ulf Michael von Mechow, die große allegorische Reise durch Deutschland, die frostige Heimat, wo nicht nur Liebe kälter ist als der Tod; angenehm vom Geist der deutschen Romantik und der kalifornischen Blumenkinder-Mythen inspiriert, unangenehm vom Geist des deutschen Kabaretts beeinflußt. Einer der verschwundenen, verschollenen Filme, an die man sich gerne erinnert; vor einer Wiederbegegnung würde man aber wahrscheinlich zurückscheuen.

Winterspelt 1944. *R* Eberhard Fechner. *B* Eberhard Fechner, nach dem Roman von Alfred Andersch. *K* (Farbe) Rudolf Körösi, Kurt Weber. *M* Gyorgy Ligeti. *A* Hans-Jürgen Kiebach. *T* Jochen Schwarzat, Peter Kellerhals. *S* Barbara Grimm. *D* Ulrich von Dobschütz (Major Joseph Dincklage), Katharina Thalbach (Käthe Lenk), Hans-Christian Blech (Wenzel Hainstock), Henning Schlüter (Dr. Bruno Schefold), Claus Theo Gärtner, George Roubicek, Frederick Jaeger, Andreas von Studnitz, Ulrich Radke, Ulrike Bliefert. *P* Ullstein AV / Sunny Point / SFB / HR. 108 Minuten. 1978.

Winterspelt ist der Name eines kleinen Ortes in der Eifel. Im Sommer 1944, kurz vor der Ardennen-Offensive, stehen sich hier an der belgisch-deutschen Grenze Deutsche und Amerikaner passiv wartend gegenüber. In dieser Situation faßt der Kommandeur des deutschen Bataillons, Major Dincklage, den Entschluß, sich und seine Männer den Amerikanern ohne Widerstand auszuliefern. Drei Menschen sind bereit, ihm bei diesem Unternehmen als Vermittler zur Verfügung zu stehen: die Lehrerin Käthe Lenk, der alte Wenzel Hainstock und der Kunsthistoriker Dr. Schefold. Schefold genießt das Vertrauen der Amerikaner und kann sich im belgischen und im deutschen Grenzgebiet ungehindert bewegen. Der kühne Plan des deutschen Offiziers wird im amerikanischen Lager mit Unglauben, Mißtrauen und schließlich Ablehnung aufgenommen: Einen Bruch des Fahneneides – gleich auf welcher Seite und mit welchen Motiven – kann man unmöglich befürworten.

Winterspelt ist zwischen den beiden *Steiner*-Teilen entstanden, die vorgeblich die Absurdität des Krieges verdeutlichen wollten. Fechners Kriegsfilm ohne Bomben und Nahkampf wäre geeignet gewesen, gleichzeitig die Absurdität dieser Großproduktionen zu entlarven. Doch dazu reichte es leider nicht: Der Film ist – trotz guter Besetzung und Ausstattung – zu sehr akademischer Testfall, zu sehr sich logisch entwickelndes »Was-wäre-wenn«-Denkspiel, als daß er den Zuschauer betroffen machen oder berühren könnte. Für Eberhard Fechner, seit 1966 einer der profiliertesten Fernsehspielregisseure *(Tadellöser &*

Wolff) und Dokumentaristen *(Die Comedian Harmonists),* war Winterspelt 1944 der erste und bisher einzige Ausflug in den Bereich des Kinospielfilms.

Wir Kellerkinder. *R* Jochen Wiedermann. *B* Wolfgang Neuss. *M* Peter Sandloff. *D* Wolfgang Neuss (Macke Prinz), Jo Herbst (Adalbert), Wolfgang Gruner (Arthur), Karin Baal, Ingrid van Bergen, Helmut Käutner. *P* Hans Oppenheimer. 86 Minuten. 1960.

Die drei Irrenhaus-Insassen Macke, Adalbert und Arthur versuchen, ihre Erfahrungen in der irren deutschen Vergangenheit zu bewältigen. Macke hat in der Nazizeit einen Kommunisten im Keller versteckt, in der Nachkriegszeit leistete er einem Nazi denselben Liebesdienst. Adalbert entfaltete in seiner Schlüsselposition als Toilettenwärter im Münchner Hofbräuhaus diktatorische Gelüste und ließ in seinem Einflußbereich keinen mehr pinkeln, der nicht mit dem Deutschen Gruß grüßte. Arthur gründete in der DDR das »Modern Marx Quartett« und gab sich die größte Mühe, mit »Verdienten Jazzer des Volkes« aufzusteigen.

Wolfgang Neuss, in den fünfziger Jahren einer der schärfsten deutschen Satiriker und zugleich ein willfähriger Chargenspieler in ungezählten Filmen, liefert mit *Wir Kellerkinder* sein Gegenprogramm zu Kurt Hoffmanns *Wir Wunderkinder* (1958), in dem er, zusammen mit Wolfgang Müller, als Erklärer fungiert hatte. Sein Film ist sehr viel unverbindlicher, ungemütlicher und politisch relevanter als die *Wunderkinder,* formal aber leider nur ein völlig anspruchsloses Kabarettprogramm.

Wir – zwei. *R* und *B* Ulrich Schamoni. *K* (Farbe) Michael Ballhaus. *M* »Xhol Caravan«. *T* Jürgen Kaschewsky. *S* Heidi Genée. *D* Sabine Sinjen (Hella), Christoph Bantzer (Andreas), Corny Collins (Marlies), Blandine Ebinger (Mutter), Ulrich Schamoni (Willy), Käte Jaenicke, Ulrike Schamoni, Dagmar Kotschenreuther, Rainer Christian Mehring, Herbert Weissbach, Bernhard Minetti. *P* Terra / Ulrich Schamoni. 88 Minuten. 1970.

Hella, verheiratet mit dem Exportkaufmann Willy Meyer und Mutter einer dreijährigen Tochter, begegnet einem Jugendfreund, Andreas. Die beiden holen nach, was sie damals versäumt haben, doch Hellas Ehe und Familie bleiben intakt.

»Virtuoser Umgang mit Vorstellungen von Romantik; in keinem seiner Filme hat Ulrich Schamoni soviel Kunstverstand und Intelligenz gezeigt wie in *Wir – zwei.* Während die Kamera schon beim ersten gemeinsamen Spaziergang der beiden vorführt, wie herrlich romantisch so eine Wiederbegegnung ist, zeigt die Handlung, der Dialog und das Spiel die große Fremdheit, die zwischen ihnen nun liegt und die jede Wiederbegegnungssentimentalität unmöglich macht. Diese Handlung entlarvt zudem durch Ironie: Er, der ganz als typischer Vertreter der li-

beralen jungen Generation erscheint, forciert die Sentimentalität ständig; sie, der Prototyp einer dem Establishment verfallenen Jungverheirateten, wahrt allem gegenüber gelassene Sachlichkeit, was er wiederum nicht zur Kenntnis nimmt. So bleibt alles Distanz; Harmonie bietet allein die ihrerseits alles ignorierende Kamera, indem sie alles vorführt, was sich in Wald und Feld sowie am abendlichen Fluß als Schönheitsklischee anbietet. Das Verblüffende: Die Aufnahmen sind nun plötzlich gar keine Klischees mehr; nach wie vor Bilder einer Illusion, sind sie jetzt doch als solche erkennbar, können sie als solche wirken: Und diese Wirkung ist grausamer, angsterregender als die aller häßlichen Bilder, die in der letzten Zeit in den sogenannten Anti-Filmen zwecks Desillusionierung gezeigt wurden« (r. s., *Fernsehen und Film,* 1970).

Die Wollands. *R* Marianne Lüdcke und Ingo Kratisch. *B* Ingo Kratisch, Marianne Lüdcke, Johannes Mayer. *K* (Farbe) Ingo Kratisch, Martin Streit. *S* Esther Dayan. *D* Nicolas Brieger (Horst Wolland), Peter Fitz (Wolfgang), Jörg Friedrich (Günter), Heinz Hermann (Meister), Elfriede Irrall (Karin Wolland), Rüdiger Kirschstein, Horst Lange, Otto Mächtlinger, Evelyn Meyka, Horst Pinnow, Klaus Sonnenschein, Katharina Tüschen, Rudi Unger. *P* Deutsche Film- und Fernsehakademie. 92 Minuten. 1972.

Horst Wolland ist Schweißer in einem Berliner Betrieb, seine Frau ebenfalls berufstätig. Ihre kleine Tochter wächst bei den Großeltern auf. Wolland steht kurz vor einer Beförderung, als seine Kollegen durch eine Arbeitsniederlegung gegen die Kürzung der Akkordzeiten protestieren. Der Streik hat Erfolg. Wolland wird vom Abteilungsleiter aufgefordert, die »Rädelsführer« zu nennen, er weigert sich, und ein anderer wird an seiner Stelle befördert. Wolland, der sich aus der ersten Arbeitsniederlegung herausgehalten hatte, versucht jetzt, einen neuen Streik zu organisieren, doch das Vorhaben mißlingt. Trotzdem werden Wolland und seine Kollegen von nun an auf Gewerkschaft und Betriebsrat Druck ausüben.

Nach Christian Ziewers *Liebe Mutter, mir geht es gut* war dies der zweite wichtige Berliner Arbeiterfilm. »Der entscheidende Vorteil der *Wollands* gegenüber vergleichbaren Filmen scheint mir darin zu bestehen, daß er sich nicht darauf beschränkt, Horst Wollands Arbeitswelt zu zeigen. Geht man davon aus, daß sich Arbeitswelt und Familienleben wechselseitig durchdringen, daß Impulse und Rückschläge im einen Bereich sich auch im anderen niederschlagen, so ist es ein Manko, wenn ein Film den einen oder anderen Bereich ausklammert. Die Gewichtung in den *Wollands* entspricht exakt dem tatsächlichen Verhältnis von Arbeit und Freizeit im Leben eines Lohnabhängigen« (Hans-Ulrich Pietsch, *Jugend Film Fernsehen).* Die beiden Regisseure Marianne Lüdcke und Ingo Kratisch ließen diesem Film, der ihre Abschlußarbeit für

die Berliner Film- und Fernsehakademie darstellte, noch zwei weitere nach ihrem Motto »vom Einzelfall zum Klassenfall« gedrehten Filme folgen *(Lohn und Liebe* und *Familienglück),* ehe sich ihre Wege trennten.

Woyzeck. *R* Werner Herzog. *B* Werner Herzog, nach dem Bühnenstück von Georg Büchner. *K* (Farbe) Jörg Schmidt-Reitwein. *M* Fiedelquartett Telc, Antonio Vivaldi, Benedetto Marcello. *A* Henning von Gierke, Gisela Storch. *T* Harald Maury, Jean Fontaine. *S* Beate Mainka-Jellinghaus. *D* Klaus Kinski (Woyzeck), Eva Mattes (Marie), Wolfgang Reichmann (Hauptmann), Willy Semmelrogge (Doktor), Sepp Bierbichler (Tambourmajor), Paul Burian (Andres), Volker Prechtl (Handwerksbursche), Dieter Augustin (Marktschreier), Irm Hermann, Wolfgang Bächler, Rosemarie Heinikel, Herbert Fux, Thomas Mettke, Maria Mettke. *P* Werner Herzog. 82 Minuten. 1979.

Eine kleine Garnisonstadt, Mitte des 19. Jahrhunderts. Verängstigt und gehetzt versucht der Füsilier Woyzeck, sich mit allerlei Tätigkeiten Nebenverdienste zu schaffen, um Marie und sein uneheliches Kind zu ernähren. Marie läßt sich von dem stattlichen Tambourmajor verführen. Woyzeck merkt nichts, bis der Hauptmann und der Doktor sich einen Spaß daraus machen, ihn aufzuklären. Nachts am Teich ersticht Woyzeck seine Marie, dann geht er selbst immer tiefer in das Wasser hinein.

Herzogs *Woyzeck* gehörte neben Schlöndorffs *Blechtrommel* und Fassbinders *Dritter Generation* zu den deutschen Beiträgen der Cannes-Festspiele 1979 und schnitt dort unter diesen Werken am schlechtesten ab. »Daß Werner Herzog mit *Woyzeck* einen Fehlschlag erleben würde, war eigentlich voraussehbar; in der Tat sagt er selbst, alle seine Freunde hätten ihm das vorausgesagt. Ursprünglich wollte er den Woyzeck mit Bruno S. besetzen, aber eines Nachts kam ihm der Blitz der Erleuchtung: nur Kinski könnte die Rolle spielen. Nun ist Kinski ein außerordentlicher Schauspieler, aber das einzige was er nicht spielen kann – ähnlich wie Barbara Stanwyck in ihrer Version von *Stella Dallas* – ist eine dumpfe Kreatur. *Woyzeck* markiert die Einführung des Lumpenproletariats in die Literatur, und Kinski mag sich so viel Mühe geben wie er will: er kann uns unmöglich davon überzeugen, daß er nicht schlauer, mächtiger und beherrschender ist als alle anderen Figuren des Films. Ein anderes Problem war, daß Herzog sich als Drehort eine ganz entzückende alte tschechische Stadt ausgesucht hat. Ich weiß nicht, ob das Stück außerhalb des klaustrophobischen Rahmens einer Bühne funktionieren kann, aber dieses Operetten-Dorf war vielleicht doch ein Fehler. Herzog macht offensichtlich derzeit eine kreative Krise durch; seine beiden letzten Filme, *Nosferatu* und *Woyzeck,* sind beide Adaptionen von bereits existierenden Werken. Man kann nur hoffen, daß er es schaffen wird, auf eine fündigere Ader zu stoßen – und zwar möglichst bald« (Richard Roud, *Sight and Sound*). Frühere Verfilmung: *Wozzeck*, 1947, R Georg C. Klaren, mit Kurt Meisel.

Die wunderbaren Jahre. R und B Reiner Kunze. R K (Farbe) Wolfgang Treu. M Rolf Wilhelm. A Gerd Staub. T Peter Beil. S Barbara von Weitershausen. D Gabi Marr (Cornelia), Martin May (Stephan), Dietrich Mattausch (Herr Bergmann), Christine Wodeztky (Frau Bergmann), Rolf Boysen (Pfarrer), Bärbel Deutschmann, Thomas Frontzek, Hans Helmut Dickow, Katharina Matz, Harald Dietl, Klaus Münster, Joachim Hackethal, Wolf Dietrich Berg, Erika Wackernagel, Claus-Dieter Reents, Karl Josef Cramer, Herbert Chwoika, Nikolas Lansky, Dieter Möbius. P Franz Seitz / Caro. 104 Minuten. 1980.

Cornelia, die »Tochter eines Übersetzers, der aus Protest gegen den Einmarsch in die Tschechoslowakei sein Parteibuch zurückgegeben hat«, verliebt sich in den siebzehnjährigen Stephan. Als die Schulbehörde eine kritische Äußerung Stephans zum Anlaß nimmt, ein Exempel zu statuieren, ist für ihn die Zukunft als Musiker verbaut und damit das Leben sinnlos geworden; er nimmt sich das Leben. Cornelias Eltern halten Cornelia im letzten Moment davon ab, ihrem Freund in den Tod zu folgen.

Produzent Franz Seitz machte es möglich, daß der im Westen lebende DDR-Schriftsteller Reiner Kunze in eigener Regie seinen Bestseller *Die wunderbaren Jahre* verfilmen konnte. »Ort des Geschehens ist die Deutsche Demokratische Republik der siebziger Jahre. Sie ist aber nicht der einzige Schauplatz, an dem dieser Film spielen könnte – gestern, heute und morgen«, versichert Kunze und bleibt damit so vage, unverbindlich und nichtssagend wie der ganze Film. Einmal gibt es eine Szene, in der sich Stephan, Cornelia und ihre Freunde um den Pfarrer scharen, weil der sich ihren Fragen stellt, für sie laut Kunze ein »existentielles Schlüsselerlebnis«. Dergleichen hat man im Kino lange nicht mehr gesehen, schon Georg Tressler und seine *Halbstarken* (1956) hatten damit aufgeräumt.

Das Wunder des Malachias. R Bernhard Wicki. B Heinz Pauck, Bernhard Wicki, nach dem Roman von Bruce Marshall. K Klaus von Rautenfeld, Gerd von Bonin. M Hans-Martin Majewski. A Otto Pischinger, Ernst Schomer, Ilse Dubois. D Horst Bollmann (Pater Malachias), Richard Münch (Dr. Erwin Glass), Christiane Nielsen (Helga Glass), Günther Pfitzmann (Rudolf Reuschel), Brigitte Grothum (Gussy), Karin Hübner (Nelly Moorbach), Pinkas Braun (Christian Krüger), Kurt Ehrhardt (Bischof Reuschel), Günter Strack, Romuald Pekny, Paul Edwin Roth, Senta Berger, Charlotte Kerr, Ellen Umlauf, Joachim Teege, Günter Meisner, Loriot. P Deutsche Film Hansa (Jochen Severin). 122 Minuten. 1961.

Gott erhört das Gebet des frommen Paters Malachias und versetzt eines Nachts die der katholischen Kirche St. Johannes benachbarte Eden-Bar samt Gästen und Personal auf eine öde Nordsee-Insel. Der Schauplatz des Wunders wird zum Rummelplatz hemmungsloser Geschäftemacherei, während die auf die Insel versetzte Bar zu einem feudalen Jet-Set-Club aufgedonnert wird. Pater Malachias bittet den Herrn mit Erfolg, das Wunder wieder ungeschehen zu machen.

»*Das Wunder des Malachias,* nach einem Roman des schottischen Schriftstellers Bruce Marshall, ließen Wicki und seinen Drehbuchautor Heinz Pauck auf Anraten ihres ›theologischen Beraters‹, des Dominikanerpaters Rochus Spieker, vor der Kulisse des Ruhrgebiets der Gegenwart spielen; so sollte die Reaktion der modernen Gesellschaft auf ein Wunder gezeigt werden. Wickis Arbeitsbesessenheit steigert sich an diesem Film bis zur völligen physischen Erschöpfung. Er verwarf alle Atelieraufnahmen. Monatelang suchte er im ›Revier‹ nach den passenden Schauplätzen für seine Szenen, wieder ging er in die Straßen und Plätze, in Gaststätten und Werksanlagen und betraute Außenseiter oder Laien mit Neben- und Episodenrollen. Monatelang – bis unmittelbar vor der Uraufführung bei den Berliner Filmfestspielen 1961, wo Wicki den ›Regiepreis‹ erhielt – feilte er dann an den Schnitt- und Synchronarbeiten für die im Straßenlärm aufgenommenen Dialoge. Der hektisch wilde ›Reportagestil‹ des Films, die unaufhörlichen Wiederholungen bestimmter Einstellungen, die blitzartig wechselnden Szenen und die rasend schnell gesprochenen Dialoge waren das Ergebnis dieser wütenden, berserkerhaft anmutenden Regiearbeit. Sie ließen Wicki indes nicht merken, daß seine gesellschaftskritischen Ambitionen letztlich nur zu einer Oberflächenerfassung bestimmter Entartungserscheinungen geführt hatten. In der großen, mit allen fotografischen Mitteln dargestellten Schlußorgie des *Malachias* erschien der Sektkonsum, nicht aber die Manipulationen der Oberklassengesellschaft als Menetekel ihrer Verderbtheit« (Walther Schmieding: *Kunst oder Kasse*, 1961).

Zahltag. R Hans Noever. B Denyse und Hans Noever. K (Farbe) André Dubreuil. M Johannes Brahms. D André Rouyer (Lino Jancier), Harry Baer, Karl Scheydt, Kerstin Dobbertin, Ingrid Caven, Marquard Bohm. P Filmverlag der Autoren / BR. 105 Minuten. 1973.

Ein verkrachter Reeder überfällt mit seinen früheren Angestellten einen Lohngeldtransport, zahlt aber nur einen Teil der Beute an seine Komplizen aus. Mit dem Rest, den er ihnen für später verspricht, versucht er vergeblich, in der Gesellschaft Fuß zu fassen. Schließlich lockt er seine Kumpane zu sich, tötet seine frühere Geliebte, die mit einem von ihnen zusammenlebt, und macht aus der Jagd auf sich ein ausgeklügeltes Harakiri.

Der Film, auch bekannt unter dem Ti-

Das Wunder des Malachias: Horst Bollmann

Winterspelt 1944: Andreas von Studnitz, Claus Theo Gärtner

Woyzeck: Klaus Kinski, Willy Semmelrogge

tel *Mourir tranquille,* war der erste Spielfilm des ehemaligen Schriftstellers und späteren (bis 1977) Dokumentarfilmers Hans Noever. Noever zählte zu den Gründungsmitgliedern des Filmverlags der Autoren, in dessen Produktion der stilistisch uneinheitliche, nach Melville schielende *Zahltag* entstand. Erst mit seinem zweiten Spielfilm *Die Frau gegenüber* (1978) gab er seinen eigentlichen Einstand in das Bewußtsein von Publikum und Kritik.

Die Zelle. *R* und *B* Horst Bienek. *K* Jürgen Jürges. *S* Bettina Lewertoff. *D* Robert Naegele (Robert Beck), Helmut Pick (Peter Saizew), Wolf Martienzen (Kubelka), Gert Höllerbauer, Friedrich Gärtner, Nancy Illig, Achim Hammer, K.H. Mauthe. *P* Syrinx (Horst Bienek). 88 Minuten. 1971.
»Wie bei seinem Erstlingsroman *Die Zelle* steht auch in Horst Bieneks gleichnamigem ersten Spielfilm die zeitlos-aktuelle Erfahrung des Gefangenseins im Mittelpunkt des Geschehens. Obwohl der Autor und Regisseur, hier von ferne an Robert Bresson erinnernd, auf Elemente äußerer Handlung weitgehendst verzichtet, erreicht der Film einen hohen Grad innerer Spannung. Er wird sich freilich nur jenem Zuschauer völlig erschließen, der zur Konzentration fähig und zum Mitgehen bereit ist« (*Evangelische Filmgilde, Filme des Monats 1971–72*).

Zu böser Schlacht schleich ich heut nacht so bang. *R* und *B* Alexander Kluge. *K* (Farbe und Schwarzweiß) Dietrich Lohmann, Alfred Tichawsky, Thomas Mauch. *T* Bernd Hoeltz. *S* Maximiliane Mainka, Beate Mainka-Jellinghaus. *D* Alfred Edel (Willi Tobler), Helga Skalla (Dorle Tobler), Hark Bohm (Chef-Admiral der 6. Flotte), Kurt Jürgens (Konteradmiral von Carlowitz), Natalia Bowakow (Geheimagentin Paula Stihi), Joachim Hirsch (Propagandabeauftragter der Rebellen), Hannelore Hoger (Polizeiinspektorin), Horst Sachtleben, Agneta Löfving, Bernd Hoeltz. *P* Kairos (Alexander Kluge). 81 Minuten. 1977. »Der Film ist eine vollständige Neufassung aufgrund von Materialien des früheren Films *Willi Tobler und der Untergang der 6. Flotte,* 1969, unter Verwendung neuer Negative« (Kluge).
Inhaltsbeschreibung der Produktion: »Im Jahr 2040, Bürgerkrieg. Willi Tobler, Kybernetik-Professor, verheiratet, 3 Kinder, gerät mit seiner Familie in einen Bombenangriff. Er kann sich und seine Familie mit knapper Not retten. Er zieht aus dem Elend die Konsequenz: trennt sich von seiner Familie, gibt den Lehrstuhl auf und wird 3. Pressesprecher im Flotten-Hauptquartier. Nur im Zentrum der Macht, nimmt er an – und er ist Intelligenzler –, gibt es Sicherheit. Toblers Aufgaben in seiner neuen Stellung: Imagepflege des Admirals, Frontberichterstattung, Teilnahme an Kabinettssitzungen. Tobler läßt sich bestechen und gibt Nachrichten an Private. Börsenmanöver sind die Folge. Tobler

bewährt sich. Als Durchbruchspezialist in vorderster Front in verschiedenen Kesselschlachten macht er sich einen Namen, wird zum Hauptmann befördert, schließlich wieder eingestellt als Pressesprecher im Hauptquartier. Das Kriegsglück wendet sich. Das Gros von Toblers Flotte wird auf einem einsamen Gestirn eingekesselt und vernichtet. ›Das alte Scheißhaus steht in Flammen ...‹ Chefadmiral und Chef des Stabes sind verhaftet. Die neuen Herren wollen Willi Tobler als Pressesprecher nicht übernehmen. Tobler aber braucht den Einsatz, die Aktion, die erneute Bewährung. Widerstrebend nimmt ihn ein Freund, Ministerialrat Weitling, befehlswidrig mit auf eine Propagandatour für das neue Regime. Das neue Regime hält sich nicht lange. Bald sind die alten Kräfte wieder am Ruder. Tobler – als Mitläufer schwer belastet – steht im Polizeiverhör. Ihm winkt die Todesstrafe.«
Die meisten intellektuellen Filmemacher, die sich der Science Fiction zuwenden, unternehmen gewaltige formale Anstrengungen und bemühen sich um gewaltige zukunftsphilosophische Gedanken. Die »Fiktion eines (Spieß-)Bürgerkriegs im Weltall«, die Alexander Kluge mit den Mitarbeitern des von ihm auch »Labor« genannten »Instituts für Filmgestaltung Ulm« entwickelt hat, ist von solchem großen Wahn völlig frei; *Der große Verhau* und *Zu böser Schlacht* sind mit großer Lust und umwerfendem Witz gemachte Sandkasten-Spiele und Bastelfilme, die an Comics und an frühe amerikanische SF-Filme erinnern, Perry Rhodan-Stories für Eierköpfe, die mit erheiternd primitiven Mitteln eine »konkrete Utopie« (Kluge) hochrechnen mit starkem Effekt ihre Botschaft an den Mann bringen, daß auch die kommenden kosmischen Katastrophen von denselben machtpolitischen, militärstrategischen und privatkarrieristischen Kräften und Erwägungen determiniert werden, die heute schon weltbewegend sind, auch von den gleichen Marotten und Manieren. »Stalingrad ist überall, im Zeitalter der Kreuzer ›Wasp‹ und ›Voraus Elender Hund‹ schrumpfen die Distanzen im All zu Entfernungen von jenem bescheidenen Ausmaß, wie sie einst, im Süden des Kessels, die Infanterie zwischen Zybenko, Krawzow und der Höhe 129 zu überwinden hatte. Im übrigen aber ist alles beim alten geblieben: PK-Berichterstatter feiern fröhliche Urstände; man zotet und schiebt, wird geschaßt und befördert und wieder geschaßt; Offiziere reden wie Offiziere und legen noch immer die Hand salopp an die Mütze; wenn paradiert wird, sehen sich galaktische Formationen auf fritzischen Weisen begleitet; die Helden von einst haben alle Katastrophen unversehrt überstanden: *Immer auf der Seite der Macht* heißt die Devise« (Walter Jens, *Die Zeit,* 1972 zu *Willi Tobler*).

Zuckerbrot und Peitsche. *R* und *B* Marran Gosov. *K* (Farbe) Werner Kurz. *M* Hans Posegga. *A* Hans Ehegartner, Utz Elsässer, Eva-Maria

Hammer. *T* Haymo Henry Heyder. *S* Gisela Haller. *D* Helga Anders (Helga), Roger Fritz (Roger), Harald Leipnitz (Robert), Dieter Augustin (Augustin), Monika Lundi (Franziska), Jürgen Jung (Jörg), Werner Enke, Jürgen Draeger, Gudrun Vöge, Helmut Hanke. *P* Rob Houwer. 85 Minuten, 1968.
Weil sie sich in ihrer Ehe mit dem Kunsthändler Robert langweilt, wird Helga die Komplizin des Gangsters Roger. Als Roger bei einem Raubüberfall Robert erschießt, folgt Helga ihm und wird für eine Nacht seine Geliebte. Dann will sie die Polizei rufen, aber Roger wird noch vorher das Opfer eines Rivalen.
In seinem zweiten Film nach *Engelchen* zeigt Marran Gosov, daß er nicht so naiv ist, den Kampf um die Unschuld für den letzten Thrill zu halten.

Zum Abschied Chrysanthemen. *R* Florian Furtwängler. *B* Florian Furtwängler, Russell Parker, Knut Boeser, Laurens Straub. *K* (Farbe) Russell Parker. *M* Pierre Janssen. *D* Klaus Grünberg, Christine Kaufmann, Lisbeth List, Panos Papadopoulos, Louis Waldon, Ronnie Williams, Franky Maier, Isolde Barth, Mariechen, Herr und Frau Badewitz, Handballmannschaft Hof 1861. *P* Florian Furtwängler. 99 Minuten. 1974.
Ein Sportlehrer, der nach außen hin mit seiner jungen Familie recht glücklich lebt, verliebt sich in eine junge Tänzerin. Hier glaubt er seine Selbstbestätigung und die Erfüllung seiner geheimsten Wünsche gefunden zu haben. Doch die geplante Abreise seiner Geliebten in die Großstadt zerstört seine Traumwelt, und er tötet sie im Affekt.
Der erste und bisher einzige Film von Florian Furtwängler, einem der Gründungsmitglieder des Filmverlags der Autoren, ist eine Dreiecksgeschichte nach Chabrolschem Muster (Pierre Janssen, Chabrols Hauskomponist, schrieb hier zum ersten Mal für einen deutschen Film die Musik). Die Stärke seiner Vorbilder erreicht der Film nicht annähernd.

Der zweite Frühling. *R* und *B* Ulli Lommel. *K* (Farbe) Lothar E. Stickelbrucks, Giovanni Narzisi. *M* Stelvio Cipriani, »Cam«. *S* Christa Pohland. *D* Curd Jürgens (Fox), Irmgard Schönberg (Gertrud), Eddie Constantine (Frank Cabot), Anna Orso, Umberto Raho, Philippe Hersent. *P* Point (Hansjürgen Pohland). 84 Minuten. 1975.
Der alternde Klatschkolumnist Fox versucht in einem zweiten Frühling aufzublühen, was aber sein Verwelken nur beschleunigt.
Der Versuch von Ulli Lommel, sich selbst und seinen Star auf einen Trip zum Boulevard der Dämmerung zu schicken.

Zwischengleis. *R* Wolfgang Staudte. *B* Dorothea Dhan. *K* (Farbe) Igor Luther. *M* Eugen Illin. *A* Peter Hermann, Stasi Kurz. *T* Klaus Eckelt, Klaus Müller. *S* Lilo Krüger. *D* Mel Ferrer (Henry C. Stone), Pola Kinski (Anna

Eichmayr, geb. Almany), Martin Lüttge (Alfons Eichmayr), Hannelore Schroth, Volker Kraeft, Armin Pianka, Karl Maria Schley, Alexander Allerson. *P* Artus / BR (Harald Müller). 110 Minuten. 1978.
Anna wird traumatisch von einem Vorfall bei der Flucht 1945 verfolgt, bei der sie den Tod eines Kindes nicht verhindern konnte. Nach einer unerfüllten Beziehung zu einem amerikanischen Besatzungs-Offizier und einer unbefriedigenden Ehe verübt sie Selbstmord.
Ein verschnulztes Pendant zu Fassbinders *Ehe der Maria Braun.* Der traurige letzte Film von Wolfgang Staudte.

Zwischen zwei Kriegen. *R* Harun Farocki. *B* Harun Farocki, nach dem Hörspiel *Das große Verbindungsrohr* von Harun Farocki. *K* Axel Block, Melanie Walz, Ingo Kratisch. *A* Ursula Lefkes. *T* Karlheinz Rösch. *S* Harun Farocki. *D* Jürgen Ebert, Michael Klier, Ingemo Engström, Hartmut Bitomsky, Geoffrey Layton, Peter Fitz, Hildegard Schmahl, Carlos Bustamante, Friedhelm Ptok, Peter Nau. *P* Harun Farocki (Eigenproduktion aus Mitteln aller Beteiligter). 83 Minuten. 1978.
»Ich verfolge eine Rationalisierungsidee für den Eisenverhüttungsprozeß durch die Geschichte der Weimarer Republik. Warum ist ihre Einführung einmal unmöglich, warum wird sie das andere Mal dringend verlangt? Ich rekonstruiere die Gedanken, die sich fortschreitende und stillstehende Industrie, organisierte und vereinzelte Arbeiterschaft zu dieser Frage machen. Die Rationalisierungsidee wird schließlich verwirklicht und scheitert; sie treibt die deutschen Schwerindustriellen in das Hitlerlager. Ich untersuche die ökonomischen Ursachen des Faschismus exzessiv, um auch die Grenzen dieser Untersuchungsmethode zu finden« (Harun Farocki). Harun Farocki, Absolvent der Deutschen Film- und Fernsehakademie Berlin und Redaktionsmitglied der *Filmkritik,* arbeitete an *Zwischen zwei Kriegen* von 1971 bis 1977; es war sein erster Langfilm. Neben Hellmuth Costards *Der kleine Godard* und Alexander Kluges *Die Patriotin* ist dies der wichtigste Versuch eines deutschen Filmemachers, Ende der siebziger Jahre zu einer Erneuerung filmischer Inhalte und Sprachformen zu gelangen. »Am Ende des Films stürzt sich ein Hochöfner, verzweifelt über den Sieg der Nazis, aus einem Fenster in den Hof. Wo er auf dem Boden aufgeschlagen ist, hat die Polizei die Umrisse seines Körpers aufgezeichnet. Es beginnt zu regnen. Die Kreide fließt weg, ein weißer Strom sammelt sich um den Gully, verschwindet darin. Herzzerreißender (unterstützt von Musik Gustav Mahlers), endgültiger kann ein Untergang nicht sein; er könnte aber auch kaum formalisierter dargestellt werden. Einfache Bilder mit mehrfachen Bedeutungen: Farocki zeigt wie kaum ein anderer, was Kino, selbst mit ärmlichsten Mitteln, leisten kann« (Wilhelm Roth, in: *Jahrbuch Film 79/80*).

266

Chronik 1960 – 1980

1960

Die Bande des Schreckens
Die Botschafterin
Bumerang
Fabrik der Offiziere
Die Fastnachtsbeichte
Flucht nach Berlin
Freddy unter fremden Sternen
Das Glas Wasser
Gino
Der Jugendrichter
Kirmes
Lampenfieber
Der letzte Zeuge
Der liebe Augustin
Peter und Conny machen Musik
Schachnovelle
Das Spukschloß im Spessart
Strafbataillon 999
Die tausend Augen des Dr. Mabuse

»Das Grab für den Kintopp konventioneller Art ist schon geschaufelt. Alle wissen es.«

»Kaum neue Namen und Talente. Keine neuen Themen. Kein Wagemut. Man wurschtelt weiter.«

»Der Gagenstop ist absolut absurd.«

DIE LAGE

Jahresproduktion 98 Filme, in der Mehrzahl Schlagerfilme, Krimis und Filme über die »unbewältigte Vergangenheit.« Jahresbilanz von Friedrich Luft in der *Welt:* »Ein bißchen verwundert, ja fast etwas beängstigt sieht man der geistigen Sorglosigkeit unserer Filmhersteller zu. Das Grab für den Kintopp konventioneller Art ist schon geschaufelt. Alle wissen es. Jetzt müßte der Aufschwung kommen, müßte Neuland erobert werden, müßte der Film sich unentbehrlich machen, müßte er geradezu strampeln vor Vitalität. Bei uns nicht. Keine ›neue Welle‹, keine neue Mannschaft ist aufgetaucht, die uns in die Kinos zwänge. Nirgends die Anzeichen eines neuen Stils. Kaum neue Namen und Talente. Keine neuen Themen. Kein Wagemut. Man wurschtelt, geht weiter auf ›Nummer Sicher‹; das Unklügste, was man an dieser Bruchstelle der Filmgeschichte überhaupt tun kann.« »Was soll denn das Gerede von einer neuen, nun auch deutschen Welle, wer tut denn etwas dafür?« schreibt der Kurzfilmer Bernhard Dörries in einem für das Oberhausen-Festival 1960 bestimmten, aber nie veröffentlichten Pamphlet; Dörries ist Mitglied der *DOC 59,* einem Zusammenschluß Münchner Filmemacher (darunter Haro Senft, Franz-Josef Spieker, Rob Houwer, Wolf Wirth), aus dem sich dann die Oberhausener Gruppe entwickelt. In einer kulturpolitischen Bundestagsdebatte beklagt der Außenminister v. Brentano, daß infolge der unzureichenden Produktion guter deutscher Spielfilme die entsprechenden Bestände bei den Auslandsvertretungen der BRD zu niedrig seien. Der Vorsitzende des kulturpolitischen Bundestagsausschusses, Dr. Martin (CDU), später Initiator eines Filmhilfsgesetzes: »Es geht in der kulturpolitischen Arbeit um die Erhaltung, um die Bewahrung, um die Verteidigung der eigenen Kultur angesichts der aufsteigenden Völker Asiens und Afrikas und angesichts des Bolschewismus.« Rückgang des Kinobesuchs um 9,1 % gegenüber dem Vorjahr. Die bereits mit 21 Millionen Mark verschuldete Ufa meldet im Geschäftsbericht für 1959 5,4 Millionen Reinverlust. Der Ufa-Generaldirektor Arno Hauke wird entlassen. Produzenten und Verleiher verabreden einen Gagenstop: Für die Spitzenstar-Klasse, die bisher bis zu einer halben Million pro Film kassieren konnte, wird eine Höchstgage von 100 000 Mark festgesetzt. In der Praxis läßt sich der Gagenstop nicht durchsetzen. Robert Siodmak im *Spiegel:* »Der Gagenstop ist absolut absurd.«

VERMISCHTES

Erste Kurzfilme von Volker Schlöndorff *(Wen kümmert's)* und Alexander Kluge *(Brutalität in Stein,* zusammen mit Peter Schamoni); erster Fernsehfilm von Peter Lilienthal *(Die Nachbarskinder);* erster Spielfilm von Will Tremper *(Flucht nach Berlin).* Letzte Filme von Fritz Lang *(Die tausend Augen des Dr. Mabuse),* Rolf Hansen *(Gustav Adolfs Page)* und Karl Anton *(Der Rächer).* Preise: Bambisieger *Freddy unter fremden Sternen* (geschäftlich erfolgreichster Film des Jahres), *Das Spukschloß im Spessart* (künstlerisch wertvollster Film des Jahres), Ruth Leuwerik, O. W. Fischer (beliebteste Stars), Helmut Griem, Karin Baal (bester Nachwuchs). Preis der deutschen Filmkritik für *Die Brücke,* Regisseur Bernhard Wicki, Kameramann Igor Oberberg, Komponist Hans Martin Majewski, Darsteller Hanns Lothar, Götz George. Bundesfilmpreise für *Die Brücke* und *Rosen für den Staatsanwalt,* den Regisseur Wicki, den Autor Georg Hurdalek, den Kameramann Klaus von Rautenfeld, den Komponist Majewski, den Architekt Robert Herlth, die Darsteller Nadja Tiller, Walter Giller, Cordula Trantow, Götz George, Hanns Lothar, Edith Schultze-Westrum. – Gestorben: Henny Porten, 70, Deutschlands erster Kinostar, erste Hauptrolle in *Das Liebesglück der Blinden* 1910; Hans Albers, 69, der große Otto-Otto, beim Film seit 1918, große Hauptrollen in fünfzig Tonfilmen; Liesl Karlstadt, 67, als Karl Valentin-Partnerin »die bessere Hälfte des besten Paares« (Sandy Böhl, *NZZ).* Curt Goetz, 71, Autor, Regisseur, Darsteller, Erforscher der Mikrobe der menschlichen Dummheit; Vicki Baum, 72, die Autorin von *Menschen im Hotel* und anderer vielverfilmter Romane. Harald Braun, 59, Regisseur und Autor. Jakob Tiedtke, 85, Darsteller. Hermann Speelmans, 57, Darsteller. Hermine Körner, 78, Darstellerin. Gisela von Collande, 45, Darstellerin. Julius von Borsody, 68, Architekt. Albert Matterstock, 50, Darsteller. Wolfgang Müller, 37, Darsteller. Curt Oertel, 69, Regisseur. Ernst Stahl-Nachbaur, 74, Regisseur und Darsteller. Kurt E. Walter, 52, Autor.

Fritz Lang

1961

Die Ehe des Herrn Mississippi
Es muß nicht immer Kaviar sein
Junge Leute brauchen Liebe
Lebensborn
Der Lügner
Das Mädchen mit den schmalen Hüften
Man nennt es Amore
Schwarzer Kies
Tobby
Der Transport
Der Traum von Lieschen Müller
Via Mala
Das Wunder des Malachias
Zwei unter Millionen

Die Katastrophe der Ufa und andere Zusammenbrüche

»Der Zusammenbruch war vollständig, alles kam unter den Hammer.«

Avantgarde aus Schwabing im New Yorker Goethe-Haus

»Eine Liebeserklärung an den deutschen Film von morgen.«

DIE LAGE

Jahresproduktion 79 Filme, vorwiegend Schlagerfilme (20%), Krimis und Heimatfilme. Die katastrophale Entwicklung der Ufa zwingt die Gesellschaft, mit der Deutschen Filmhansa zur Ufa-Filmhansa zu fusionieren. Zusammenbruch des Union-Verleihs, des Neuen Filmverleih (NF) und einer Reihe kleinerer Verleihe und Produktionsfirmen. Die Ateliers in Göttingen müssen schließen. Der deutsche Marktanteil, 1960 noch bei 47,3%, sinkt auf 32,1%, im folgenden Jahr auf 28,5%. Die Zahl der Kinobesucher ist in den letzten vier Jahren um 27% gesunken. Die Leitung der Filmfestspiele Venedig weist alle fünf von der Bundesrepublik nominierten Filme zurück *(Flucht nach Berlin, Der Transport, Der Teufel spielte Balaleika, Bis ans Ende aller Tage, Frau Cheyneys Ende).* Bei der Verleihung der Bundesfilmpreise 1961 werden erstmalig überhaupt keine Spielfilme ausgezeichnet, auch der Regie-

und Drehbuchpreis wird nicht verliehen. »Der Zusammenbruch war vollständig ... alles kam unter den Hammer«« – in seiner aufsehenerregenden Festansprache zitiert Georg Ramseger *Felix Krull* und sagt weiter: »Gerade in den letzten Jahren hat uns das Ausland mit einer Fülle von Anregungen überschüttet, die bei uns niedergegangen sind wie Bleikugeln im Moor. Es ist, als wären wir immun gegen jeden Reiz, als seien wir an das Brett des Konventionellen und der Einfallslosigkeit gefesselt, zu schwach, auch nur eine dieser Fesseln zu zerreißen. Man würde einen Breughel bemühen müssen, jenen Breughel der Monstren, wenn man sich ein Bild machen lassen wollte von dem, was gegenwärtig deutscher Film heißt.« Erstmalige Vergabe von Spielfilmprämien des Bundes-Innenministeriums von 250 000 und 200 000 Mark. Die Auswahl stößt auf harte Kritik, da Filme wie *Rosen für den Staatsanwalt, Kirmes* und *Das Spukschloß im Spessart* zugunsten von Filmen wie *Fabrik der Offiziere, Hunde, wollt ihr ewig leben* und *Der Gauner und der liebe Gott* übergangen werden. 1961 ist das Jahr, in dem Konrad Adenauer zum drittenmal Kanzler der BRD wird.

VERMISCHTES

Erste Regie-Arbeiten von Niklaus Schilling (8-mm-Kurzfilm *Cosmos Action Painting*), Christian Rischert (Lehrfilm *Pamphylos*) und Rainer Erler (Fernsehkurzfilme). Ein Münchner Kurzfilmprogramm im New Yorker Goethe-Haus wird zur bescheidenen Vorwegnahme späterer USA-Triumphe des Neuen Deutschen Films: »Einen ungewöhnlichen, beinahe sensationellen Erfolg hatte im November 1961 die Aufführung von sechs deutschen Kurzfilmen experimentierenden, um nicht zu sagen avantgardistischen Charakters, die der Münchner Regisseur Peter Schamoni kurz entschlossen über den Ozean geflogen hatte ... Die Veranstaltung mußte zweimal wiederholt werden, sie zog Scharen von jungen amerikanischen Cineasten ins Haus« (Hans E. Holthusen, *Der Monat*). – Preise: Bundesfilmpreise für *Faust* (als Dokumentarfilm), den Kameramann Günther Anders, den Komponi-

sten Peter Thomas, die Architekten Herbert Kirchhoff und Albrecht Becker, die Darsteller Hilde Krahl, Heinz Rühmann, Christian Doermer, Blandine Ebinger, Hanns Lothar. Bambi-Sieger *Das Spukschloß im Spessart* (geschäftlich erfolgreichster Film). *Das Wunder des Malachias* (künstlerisch wertvollster Film), Ruth Leuwerik, O. W. Fischer (beliebteste Stars). Preis der deutschen Filmkritik an *Das Glas Wasser, Der brave Soldat Schwejk*, Regisseur Kurt Hoffmann, Kameramann Günther Anders, Darsteller Hubert von Meyerinck, Karin Baal. Silberner Bär für Bernhard Wicki als bester Regisseur der Berlinale. Gert Fröbe in *Der Gauner und der liebe Gott* bester Darsteller des Festivals San Sebastian. Ein Hauptpreis des Oberhausen-Festivals an *Brutalität in Stein* von Kluge/Schamoni. Nebenpreise der Mannheimer Filmwoche an *Tobby* von Hansjürgen Pohland und *Notizen aus dem Altmühltal* von Strobel/Tichawsky. Hauptpreise der Industriefilmtage Berlin an *Kahl* von Haro Senft und *Moltopren* von Edgar Reitz. – Bücher: *Kunst oder Kasse – Der Ärger mit dem deutschen Film* von Walther Schmieding (»Treffliches Pamphlet ... besorgte Analyse ... wohlfundierte Studie«, Heinz Ungureit, *Frankfurter Rundschau*). *Der Deutsche Film kann gar nicht besser sein* von Joe Hembus (»Ein Grabgesang auf den deutschen Film, wie er ist, und eine Liebeserklärung an den deutschen Film, wie er morgen sein könnte«, Martin Ripkens, *Frankfurter Hefte*). – Gestorben: Seymour Nebenzal, 63, vor 1933 neben Erich Pommer der beste deutsche Produzent *(Dreigroschenoper);* Gustav Ucicky, 61, Regisseur staatspolitisch und kulturell wertvoller Ware *(Flüchtlinge, Der Postmeister),* nach 1945 nur noch Schnulzen. Geza von Bolvary, 63, der Willi Forst des kleinen Mannes. Paul Richter, 66, Fritz Langs Siegfried, später in Ganghofers Revier. Aribert Wäscher, 66, Darsteller. Hedwig Wangel, 85, Darstellerin. Friedrich Domin, 59, Darsteller. Walter Franck, 65, Darsteller. Max Hansen, 64, Darsteller. Charlott Daudert, 47, Darstellerin. Albin Skoda, 51, Darsteller. Maria Fris, 29, Tänzerin. Fritz Imhoff, 70, Darsteller. Eduard Köck, 79, Darsteller. Curt J. Braun, 58, Autor.

1962

Das Brot der frühen Jahre
Die glücklichen Jahre der Thorwalds
Genosse Münchhausen
Heißer Hafen Hongkong
Ich bin auch nur eine Frau
Ihr schönster Tag
Lulu
Notabene Mezzogiorno
Ohne Datum
Die Parallelstraße
Die Rote
Der Schatz im Silbersee
Schneewittchen und die sieben Gaukler
Das schwarz-weiß-rote Himmelbett
Tunnel 28

»Der alte Film ist tot. Wir glauben an den neuen.«

Bundesprämien gegen den neuen Film, für den herkömmlichen Altfilmschund.

Keine Liebe zwischen Gruppe 47 und Gruppe Oberhausen.

»Wir machen heute zuwenig Firlefanz.«

DIE LAGE

Jahresproduktion 64 Filme, vorwiegend Schlagerfilme, Krimis, Operettenfilme und Tourismusfilme. Im Januar Zusammenbruch der Ufa-Filmhansa, deren 1961 herausgebrachte Filme rund 6 Millionen Verlust gebracht haben; Produktion und Verleih werden eingestellt, die Ufa-Tochtergesellschaften reorganisiert. Am 28. Februar Verkündigung des Oberhausener Manifestes (siehe Kasten). In einer Dokumentation zum Manifest werden konkret Ausbildungsstätten für den Filmemacher-Nachwuchs und eine »Stiftung Junger Deutscher Film« als Finanzierungsrahmen für Debütfilme gefordert; als erste Ausbildungsstätte wird noch im gleichen Jahr von Alexander Kluge und Detten Schleiermacher das Institut für Filmgestaltung in Ulm eingerichtet, die »Stiftung« folgt zwei Jahre später als »Kuratorium«. Im März gründet Artur Brauner als Tochtergesellschaft seiner CCC-Produktion die CCC-Kunstfilm zur Realisierung seiner Idee einer »riskanten Welle«. Brauners Initiative wird von der Presse und den Jungfilmern schnell als die Spekulation durchschaut, mit untauglichen Strategien auf einer möglichen Welle mitzureiten. Im Mai kommt ein »Bericht der Bundesregierung über die Situation der deutschen Filmwirtschaft« heraus. Darin heißt es: »Ein Verzicht auf eine nationale Produktion oder eine verkümmerte Herstellung des deutschen Films würde zu einer einseitigen geistigen Beeinflussung durch ausländische Filme führen ... Die Bundesrepublik braucht den deutschen Film als Vermittler von Anschauungen und Meinungen von einem Volk zum anderen, als nationale Repräsentanz und nicht zuletzt als Abwehr der außerordentlich starken Kulturoffensive des Ostblocks in fast allen Teilen der Welt.« Im Mai vertritt Herbert Veselys *Brot der frühen Jahre* die Bundesrepublik in Cannes; der Film wird nicht unfreundlich aufgenommen, erfüllt aber nicht die sehr hohen Erwartungen, die man in Deutschland in ihn gesetzt hat. Im Dezem- ber erstmalige Vergabe von Drehbuchprämien als Beginn einer Filmprojektförderung des Bundes, in die die Jungfilmer große Hoffnungen gesetzt hatten; für produktionsreife Bücher gab es Prämien von je 200 000 Mark. Die vom Innenminister berufene Jury entscheidet sich aber gegen alle neuen formalen und thematischen Tendenzen und für den herkömmlichen Altfilmschund. Auch die Spielfilmprämien gehen an die Art von Filmen, die das Elend des deutschen Films herbeigeführt haben. Im Dezember Zusammenbruch des Europa-Verleihs und seiner Hausproduktion Real-Film; davon betroffen auch einige Oberhausener, die sich zur Mitwirkung an den Europa-Episodenfilm *Mutter, hütet eure Töchter* hatten verleiten lassen. Zu Weihnachten startet der Altfilm mit dem Karl-May-Western *Der Schatz im Silbersee* eine Erfolgsserie.

VERMISCHTES

Erste Regie-Arbeiten von Jean-Marie Straub (Kurzfilm *Machorka-Muff*), Werner Herzog (Kurzfilm *Herakles*), Peter Nestler (Kurzfilm *Am Siel*), Helmut Herbst (Trickfilm *Kunstraub*), Thomas Schamoni (TV-Film *Die Passion*), Gustav Ehmck (Kurzfilm *Ferien auf der Straße*), Theo Gallehr (TV-Dokumentation *Sieben auf einen Streich*). Erste Spielfilme von Herbert Vesely (*Brot der frühen Jahre*) und Ferdinand Khittl (*Die Parallelstraße*). Ein gemeinsames Treffen der Oberhausener und der Gruppe 47 führt nicht, wie erhofft, zu einer Solidarisierung beider Gruppen, sondern zu einer kühlen Entfremdung zwischen Filmemachern und Literaten und dazu noch zu einer Spaltung innerhalb der Oberhausener, die sich über ihre Stellung den Literaten gegenüber nicht einig werden können. – Preise: Bundesfilmpreise für *Das Brot der frühen Jahre, Zwei unter Millionen, Das Wunder des Malachias, Frage 7*, den Regisseur Vesely, den Kameramann Wolf Wirth, die Architekten Otto Pischinger und Ernst Schomer, die Musi- ker Attila Zoller und Joachim E. Behrendt, den Autor Gerd Oelschlegel und die Darsteller Vera Tschechowa, Richard Münch, Loni von Friedl, Walter Giller. Bambi-Sieger *Via Mala* (geschäftsstärkster Film), *Das schwarz-weiß-rote Himmelbett* (künstlerisch wertvollster Film), Liselotte Pulver, Heinz Rühmann (beliebteste Stars). Ernst-Lubitsch-Preis an Gustav Knuth. Preis der deutschen Filmkritik an Kameramann Wolf Wirth und die Darsteller Richard Münch, Walter Giller, Loni von Friedl. Bester Trickfilm in Oberhausen (das auf Bonner Pression in diesem Jahr die DDR ausladen mußte, worauf auch die meisten anderen Ostblockländer fernblieben) *Don Quichotte* von Vlado Kristl. Bücher: Auf Antrag des Bundesministers des Innern verfügt die Bundesprüfstelle die Indizierung des Romans *Dein Sohn läßt grüßen* von Ulrich Schamoni. In der Begründung heißt es: »Als Mädchen von heute kommen in der Schrift fast ausnahmslos solche vor, die sich hemmungslos als Sexualobjekt gebrauchen lassen ... und bei Partys nur das eine Ziel haben: ›petting to climax‹ oder ›es‹ zu tun.« Alexander Kluge veröffentlicht seinen ersten Erzählband, *Lebensläufe*, der mit der Geschichte der Anita G. auch den Stoff seines ersten Spielfilms enthält. – Gestorben: Robert Herlth, 69, der (meist zusammen mit Walter Röhrig) *Der müde Tod, Der letzte Mann, Faust, Der Kongreß, Amphitryon* gebaut hat und 1960 als Bundesfilmpreisträger für *Buddenbrooks* erklärte: »Wir machen heute zu wenig Firlefanz. Damals lebte der Film vom schöpferischen Firlefanz. Wir erfanden den Film. Wir lernten den Film kennen. Wir waren technisch noch nicht so perfekt, aber wir hatten mehr Phantasie« (*Der deutsche Film kann gar nicht besser sein*). Karl Grune, 77, bedeutender Regisseur des deutschen Stummfilms, sein Pionierwerk *Die Straße* kam ohne Zwischentitel aus und kreierte den »Straßenfilm«, ging 1931 nach Frankreich, dann nach England. Hanns Eisler, 64, Komponist (*Kuhle Wampe*), ab 1937 in USA, ab 1948 wieder in Europa.

OBERHAUSENER MANIFEST

Der Zusammenbruch des konventionellen deutschen Films entzieht einer von uns abgelehnten Geisteshaltung endlich den wirtschaftlichen Boden. Dadurch hat der neue Film die Chance, lebendig zu werden.

Deutsche Kurzfilme von jungen Autoren, Regisseuren und Produzenten erhielten in den letzten Jahren eine große Zahl von Preisen auf internationalen Festivals und fanden Anerkennung der internationalen Kritik. Diese Arbeiten und ihre Erfolge zeigen, daß die Zukunft des deutschen Films bei denen liegt, die bewiesen haben, daß sie eine neue Sprache des Films sprechen.

Wie in anderen Ländern, so ist auch in Deutschland der Kurzfilm Schule und Experimentierfeld des Spielfilms geworden.

Wir erklären unseren Anspruch, den neuen deutschen Spielfilm zu schaffen.

Dieser neue Film braucht neue Freiheiten. Freiheit von den brancheüblichen Konventionen. Freiheit von der Beeinflussung durch kommerzielle Partner. Freiheit von der Bevormundung durch Interessengruppen.

Wir haben von der Produktion des neuen deutschen Films konkrete geistige, formale und wirtschaftliche Vorstellungen. Wir sind gemeinsam bereit, wirtschaftliche Risiken zu tragen.

Der alte Film ist tot. Wir glauben an den neuen.

1963

Die Dreigroschenoper
Durchbruch Lok 234
Die endlose Nacht
Das Feuerschiff
Das große Liebesspiel
Heimweh nach St. Pauli
Moral 63
Schloß Gripsholm
Verspätung in Marienborn
Winnetou I

*Nach dem großen
Aufbruch alles wie
gelähmt*

*Freude bei den
Freunden der Kine-
mathek*

*Advokaten des Alt-
films machen einen
Plan*

*Eine amtliche War-
nung vor ausländi-
schen Erzeugnissen*

DIE LAGE

Jahresproduktion 58 Filme, vorwiegend Krimis (20%) und Schlagerfilme (20%). Die einzige interessante Produktion des ganzen Jahres ist die Außenseiterproduktion *Die endlose Nacht*. Das Ereignis des Jahres ist die Eröffnung der Deutschen Kinemathek in Berlin, deren erste Schätze die Privatarchive Gerhard Lamprecht und Albert Fidelius sind, verbunden mit der Gründung des »Vereins Freunde der Deutschen Kinemathek«. »Daß die Gründung einer Deutschen Kinemathek endlich möglich war, achtzehn Jahre nach dem Ende des Zweiten Weltkriegs, ist eines der wenigen positiven Ergebnisse der permanenten Krise des deutschen Films« *(Filmkritik)*. Alt- und Jungfilm sind nach den großen Zusammenbrüchen der letzten Jahre und nach dem großen Aufbruch der Oberhausener 1962 wie gelähmt. Nach der Pleiten-Serie waren noch drei Großverleihe übriggeblieben, Constantin, Gloria und Bavaria; die Bavaria gibt nun auch auf und fusioniert mit der amerikanischen Columbia zur Columbia-Bavaria. Die Jungfilmer lassen nicht nur mit ihren Spielfilmen auf sich warten, sondern enttäuschen auch mit ihrem Kurzfilmprogramm auf dem Oberhausen-Festival; »Das deutsche Programm enthielt nur einen Film, *Die Pistole* von Wolfgang Urchs, der den Ansprüchen gerecht wurde, die das Oberhausener Manifest beim Publikum geweckt hatten« (Wilfried Berghahn, *Filmkritik*). Bei seiner Rede zur Verleihung der Bundesfilmpreise erntet Staatssekretär Hölzl vom Innenministerium dröhnendes Gelächter, als er die Deutschen davor warnt, sich von ausländischen Filmschaffen imponieren zu lassen: »Gar manches dieser ausländischen Erzeugnisse ist in Thema und Durchführung für einen Film doch reichlich problematisch.« Ein erster Entwurf eines Filmhilfegesetzes, erarbeitet von dem Vorsitzenden des kulturpolitischen Bundestags-Ausschusses Dr. Berthold Martin (CDU) und dem Advokaten des Altfilms, Horst von Hartlieb, wird von der Filmkritik und dem Jungfilm heftig angegriffen (»Nach dem gegenwärtigen Entwurf würden allein die Produzenten derjenigen Filme hohe Zuwendungen erhalten, die auf bequeme Weise dem Publikumsgeschmack entsprechen«) und bleibt vorerst auf der Strecke; das 1967 dann endlich verabschiedete Filmförderungsgesetz bewahrt dann aber diesen Geist, der nur die bequeme Spekulation honoriert.

VERMISCHTES

Erste Regie-Arbeiten von Johannes Schaaf (TV-Spiel *Ein ungebetener Gast*), Uwe Brandner (Kurzfilm *Nachmittag im Steinbruch*), Roger Fritz (Kurzfilm *Verstummte Stimmen*), Roland Klick (Kurzfilm *Weihnacht*), Ottokar Runze (TV-Film *Das Echo*) und erster deutscher Kurzfilm von Vlado Kristl *(Arme Leute)*. Letzte Filme von Frank Wisbar *(Durchbruch Lok 234, Marschier oder krepier)*. – Preise: Bundesfilmpreise an die Spielfilme *Die endlose Nacht* und *Das Feuerschiff*, die Dokumentarfilme *Alvorada – Aufbruch in*

FILM 1
Zeitschrift
für Film
und Fernsehen
April/Mai 1963, 1. Jahrgang, Heft

Brasilien von Hugo Niebeling und *Notabene Mezzogiorno* von Hans Rolf Strobel/Heinz Tichawsky, die Kurzfilme *Geschwindigkeit* von Edgar Reitz, *Die Pistole* von Wolfgang Urchs und *Die Teutonen kommen* von Peter Schamoni, die Regisseure Strobel/Tichawsky, den Kameramann Hans Jura, den Komponisten Peter Thomas, die Architekten Max· Mellin, Bruno Monden, Jürgen Rose, die Darsteller Elisabeth Bergner, Harald Leipnitz, Michael Hinz und Elfriede Kuzmany. Bambi-Sieger *Der Schatz im Silbersee* (geschäftlich erfolgreichster Film), *Die endlose Nacht* (künstlerisch wertvollster Film), Liselotte Pulver, Heinz Rühmann (beliebteste Stars). Preis der deutschen Filmkritik an Will Tremper. Ernst-Lubitsch-Preis an Rolf Thiele. – Hans Dieter Roos und Werner Schwier gründen eine neue Filmzeitschrift, *Film;* dieses neue Blatt, die 1957 gegründete *Filmkritik* und das 1962 aus studentischen Filmclubs hervorgegangene *Filmstudio* bilden bis Ende der sechziger Jahre, als sie eingehen oder zur Bedeutungslosigkeit verkümmern, eine starke publizistische Stütze des Neuen Deutschen Films. – Gestorben: Slatan Dudow, 60, Regisseur, lernte bei Lang, Pabst und Eisenstein, Debütfilm *Kuhle Wampe*, 1933 Emigration in die Sowjetunion, 1946 Beginn einer neuen Karriere als führender DDR-Filmemacher *(Hauptmann von Köln)*. Richard Oswald, 83, produktiver Regisseur des deutschen Stummfilms, der auch bemerkenswerte Sachen drehte *(Alraune* 1930, *Der Hauptmann von Köpenick,* 1931), 1938 Emigration nach USA.

Franz (Frank) Planer, 69, einer der besten Kameraleute des deutschen Films *(Liebelei)*, dann des amerikanischen Films *(The Big Country)*. Harry Piel, 71, als Produzent, Autor, Regisseur und Darsteller deutscher Sensationsfilm-Macher von 1912 bis 1950. Gustaf Gründgens, 64, »in angepaßten Zeiten ein anarchischer Schauspieler *(Tanz auf dem Vulkan)* und subversiver Regisseur *(Effi Briest)*. Der junge deutsche Film kam für ihn zu spät; die Partituren von Werner Schroeter zum Beispiel hätte er sicher *molto cantabile* gefunden« (Alexandra Paradine, *Ego's Voice)*. Winfried Zillig, 58, Komponist.

1964

**Der Damm
Herrenpartie
Hütet eure Töchter
Das Lamm
Lausbubengeschichten
Polizeirevier Davidswache
Der Schut
Tonio Kröger
Die Tote von Beverly Hills
Unter Geiern
Zeit der Schuldlosen**

*»Das Verschwinden
des deutschen Men-
schen und des deut-
schen Milieus aus
dem deutschen Film.«*

*»Die Bonner Politi-
ker haben das Klima
des geringsten Wider-
standes in der Film-
produktion erheblich
mitbestimmt.«*

*»Es ist weiß Gott
ein hartes Brot,
sich diesen Film
auch nur anschauen
zu müssen.«*

DIE LAGE

Jahresproduktion 69 Filme, überwiegend Krimis, Schlagerfilme und Western. »Edgar Wallace wurde inzwischen siebzehnmal verfilmt, Karl May sechsmal. Gewiß machen derartige Produktionen das Überleben einer Filmkrise leicht, denn sie werden unter der Voraussetzung des Fortdauerns dieser Krise gedreht, schnell und ohne Ehrgeiz« (Rolf Dörrlamm, *Christ und Welt*, November 1964). Angesichts einer Flut von Titeln wie *Wenn man baden geht in Teneriffa, Weiße Fracht für Hongkong, Die goldene Göttin vom Rio Beni, Die Goldsucher von Arkansas, Das Phantom von Soho* und *Unsere tollen Tanten in der Südsee* rechnet der *Spiegel* nach, daß von 100 deutschen Filmen nur noch 18 vor heimatlicher Kulisse spielen: »Der Hang zum Exotischen, die Lust am Duft der weiten Welt . . . ist im neueren deutschen Filmschaffen übermächtig geworden und hat zu einem Phänomen ohne Parallele geführt: zum Verschwinden des deutschen Menschen und des deutschen Milieus aus dem deutschen Film.« Typisch für diese Produktion der deutsche Film mit dem halbenglischen Titel *Holiday in St. Tropez*, in Jugoslawien gedreht; seine Handlung kreist, um den Titel zu rechtfertigen, um ein jugoslawisches Hotel namens »St. Tropez«, und präsentiert den deutschen Eislauf-Meister Manfred Schnelldorfer als schlagersingenden französischen Polizisten. Die Filmpolitik des Bundes, wie sie sich in diesem Jahr mit dem Bundesfilmpreisregen für *Kennwort Reiher* am deutlichsten ausdrückt, ist an dieser Entwicklung mitschuldig. »Die Bonner Kultur- und Wirtschaftspolitiker haben das Klima des geringsten Widerstands in der deutschen Filmproduktion erheblich mitbestimmt. Sie haben in diesem Klima beinahe ausschließlich Produzenten, Verleiher, Autoren und Regisseure groß werden lassen, denen Spekulation und Kompromißbereitschaft selbstverständlich waren« (Heinz Ungureit, *Filmkritik*). Gleichzeitig erste Anzeichen einer Besserung der Verhältnisse. Nach jahrelangen Bemühungen von Alexander Kluge, Hans-Rolf Strobel und Norbert Kückelmann wird das Kuratorium Junger Deutscher Film etabliert, das mit Mitteln bis zu 300 000 Mark zur Finanzierung von Erstlingswerken beiträgt; das Kuratorium wird zuerst hauptsächlich vom Bund getragen, ab 1968 von den Ländern. Mit Hilfe des Kuratoriums entstehen in den nächsten Jahren die Spielfilme *Abschied von gestern* von Alexander Kluge, *Mahlzeiten* von Edgar Reitz, *Katz und Maus* von Hans-Jürgen Pohland, *Der sanfte Lauf* von Haro Senft, *Professor Columbus* von Rainer Erler, *Tätowierung* von Johannes Schaaf und *Das Schloß* von Rudolf Noelte. 1964 kommen endlich auch Jungfilmer in den Genuß der Bundes-Drehbuchprämien, mit denen in den zwei letzten Jahren fast ausschließlich konventionelle, teilweise nie realisierte Altfilm-Projekte bedacht worden waren; jetzt gehen 200 000-Mark-Prämien an die Produzenten der Filme *Abschied von gestern, Der junge Törless* und *Schonzeit für Füchse*, die auf den Festivals von 1966 den Ruhm des Neuen Deutschen Films begründen. Eine trügerische Hoffnung für den deutschen Film: Der Bertelsmann-Konzern kauft die verbliebenen Ufa-Einrichtungen und -Vermögenswerte (Ateliers, Kopierwerke, Kinos, Musikverlage etc.), teils um eine Expansion auf dem Medienmarkt zu ermöglichen, teils der enormen Steuervorteile wegen. Die Bertelsmann-Abenteuer auf dem Filmmarkt werden mit großem Ungeschick betrieben und forcieren auf Dauer nur die Filmkrise. Eine bescheidenere Expansion mit ergiebigeren Folgen: Dem Literarischen Colloquium Berlin wird eine Filmabteilung angegliedert, eine kleine, feine Außenseiter-Produktion, die als erste Filme *Inside Out* von George Moorse und *Abends wenn der Mond scheint* von Peter Rühmkorf und Helmut Herbst herstellt.

VERMISCHTES

Erste Regie-Arbeiten von Robert Van Ackeren (Kurzfilm *Einer weiß mehr*), Theodor Kotulla (TV-Dokumentation *Camus und Algier*), George Moorse (Kurzfilm *Inside Out*), Ula Stöckl (Kurzfilm *Antigone*), Horst Manfred Adloff (Kurzfilm *Der Buchbinder Wanninger*). Erste Spielfilme von Vlado Kristl (*Der Damm*) und Michael Pfleghar (*Die Tote von Beverly Hills*). – Festival-Erfolge: *Filmecho*-Bericht über das Internationale Experimentalfilm-Festival von Knokke (das nur alle fünf Jahre stattfindet und das diesmal 107 unter 365 Nominierungen ausgewählte Filme zeigt): »Die Preisverleihungszeremonie wurde zu einem Triumph Deutschlands. Der Grand Prix fiel an den von Ferdinand Khittl vor über zwei Jahren gedrehten Spielfilm *Die Parallelstraße*. Deutschlands zweiter Erfolg: die Verleihung eines 2000-Dollar-Preises an den exzentrischhumoristischen Film *Madeleine Madeleine*, der im Jahre 1963 von dem Jugoslawen Vlado Kristl in München hergestellt wurde.« Beim Festival von Tours gewinnt Roland Klick mit *Ludwig* den Preis als bester ausländischer Film. In Berlin geschieht indessen dies: »In Berlin wurde jetzt mit *Kennwort Reiher* ein Werk als bester Spielfilm, für beste Kamera, beste Nachwuchsleistung und beste Filmarchitektur mit Bundesfilmpreisen überschüttet, der völlig indiskutabel ist und von dem ein Kritiker

Peter Lorre in *Der Rabe* (1963) von Roger Corman, einem seiner letzten Filme

schrieb: ›Es ist weiß Gott ein hartes Brot, sich diesen Film auch nur anschauen zu müssen.‹« (Rolf Dörrlamm, *Christ und Welt*). Unter den Bundesfilmpreisträgern in den Kurzfilmkategorien sind einige Oberhausener: Peter Schamoni für *Max Ernst*, Raimond Rühl für *Signale*, Haro Senft für *Auto, Auto*. Carl-Mayer-Preis des Clubs Münchner Filmkritiker für das beste noch nicht realisierte Drehbuch (erstmals verliehen und mit 10 000 Mark dotiert) an *Lebenszeichen* von Werner Herzog; von den eingereichten 94 Drehbüchern werden zur Verfilmung empfohlen: *Der junge Törless* von Volker Schlöndorff, *Nicht versöhnt* von Jean-Marie Straub, *Der Brief* von Vlado Kristl und *Schonzeit für Füchse* von Günter Seuren. Ernst-Lubitsch-Preis an Walter Buschhoff. – Gestorben: Hans Moser *(Hallo Dienstmann, Maskerade, Burgtheater)* 84, »Die großen Komiker sind Autoren in neuen Sprachen; Hans Moser ist der größte unter diesen« (Henny Paredy, *Swiss Graffiti*). Georg Jacoby, 74, Regisseur, vornehmlich der Filme seiner Frau Marika Rökk. Wilfried Berghahn, Filmkritiker und Musil-Monograph, »Wie eine Schulklasse sind wir hinter seinem Sarg hergegangen« (Volker Schlöndorff). Peter Lorre, 60, Meister der gefährlichen Komik und der möglicherweise komischen Gefährlichkeit, große Karriere in Deutschland (M), England (*The Man Who Knew Too Much*) und USA (*Casablanca*), erste und einzige Filmregie 1951 *Der Verlorene*. Veit Harlan, 65, der Paraderegisseur des Dritten Reichs.

1965

DM-Killer
Das Haus in der Karpfengasse
Hokuspokus
Das Liebeskarussell
Nicht versöhnt
Schüsse aus dem Geigenkasten
Vier Schlüssel

». . . weil die Raffer und Abgraser der Filmkonjunkturzeiten nur bemüht waren, Geld zu scheffeln, aber nicht das geringste für eine Zukunftsförderung des deutschen Films getan haben.«

»Höchstens 5 Jahre wird es dauern, dann hat der deutsche Film wieder Weltgeltung.«

Rebellion gegen die Rebellen.

»Der größte deutsche Film seit Fritz Lang und Murnau.«

DIE LAGE

Jahresproduktion 56 Filme, überwiegend Western, Sex-Filme und Agenten-Filme. »Für künftige Historiker des deutschen Films wird das Jahr 1965 von besonderer Bedeutung sein. Sie werden feststellen, daß es – von der Übergangszeit nach dem 2. Weltkrieg abgesehen – einen mengenmäßigen Tiefstand der deutschen Spielfilmproduktion brachte . . . Am 1. Oktober waren für die Spielzeit 1965/66 elf rein deutsche Filme angelaufen oder in Arbeit« *(Film-Echo).* (Zwei Jahre später wird das Bild so aussehen: Am 1. Oktober 1967 werden allein die Jungfilmer 30 Filme gestartet oder in Arbeit haben.) Bertelsmann kauft die Mehrheitsanteile der Constantin, den Pallas-Verleih und 15 Erstaufführungskinos. Der Columbia-Bavaria-Verleih, der für die Saison 1964/65 noch 13 deutschsprachige Produktionen angeboten hatte, bietet in seinem neuen Programm für 65/66 gar keine deutschen Filme mehr an. Firmenchef Erich Müller: »Die erste deutsche Staffel für 1964/65 hat . . . gezeigt, daß hierzulande so ungefähr alle Voraussetzungen für eine erfolgversprechende Produktionsplanung fehlen. Nicht zuletzt darum, weil die Raffer und Abgraser der deutschen Filmkonjunkturzeiten ausschließlich bemüht waren, Geld zu scheffeln, aber nicht das geringste für Nachwuchs, Talentpflege oder ähnliches im Sinne einer Zukunftsförderung des deutschen Films getan haben« *(Film-echo).* Weiterhin Verleih-Pleiten: Schorcht und Piran müssen ihren Betrieb einstellen. Hanns Eckelkamps Atlas-Film, die Hoffnung vieler Jungfilmer, schlidert in eine Finanzkrise; zudem erleidet sie einen verlustreichen Schiffbruch mit einem ehrgeizigen Projekt *Transit* (nach Max Frisch), das nach einem Regiewechsel von Erwin Leiser zu Bernhard Wicki ganz aufgegeben werden muß. Die Festivalleitung von Cannes lehnt den einzigen von der Bundesrepublik nominierten Film, Kurt Hoffmanns *Haus in der Karpfengasse*, aus »technisch-ästhetischen Gründen« ab. Das Kuratorium zeigt bei der Verteilung seiner ersten Gelder sowohl eine glückliche Hand (Zuwendungen an u.a. *Abschied von gestern* und *Mahlzeiten*), zugleich auch erstaunliche Blindheit (Ablehnung von Herzogs *Lebenszeichen* und Spiekers *Wilder Reiter GmbH*). Im September beginnen die Dreharbeiten zu *Abschied von gestern,* im Oktober zu *Es* und *Schonzeit für Füchse,* im November zu *Der junge Törless.* »German Film Industry Finds Reason to Hope«

schreibt das Hollywood-Fachblatt *Motion Picture Herald.* Ebenfalls in Hollywood erklärt Maximilian Schell: »Höchstens 5 Jahre wird es dauern, dann hat der deutsche Film wieder Weltgeltung« *(Film-Echo).*

VERMISCHTES

Erste Regie-Arbeiten von Rainer Werner Fassbinder (Kurzfilm *Der Stadtstreicher*), Hellmuth Costard (Kurzfilm *Tom ist doof*), Klaus Lemke (Kurzfilm *Kleine Front*), Ru-

Jean-Marie Straub (rechts), Regisseur von *Nicht versöhnt*, 1955 mit François Truffaut in Metz

dolf Thome (Kurzfilm *Die Versöhnung*), Hans-Jürgen Syberberg (Dokumentarfilm *Fünfter Akt, Siebte Szene*), Eckhart Schmidt (Kurzfilm *Nachmittags*), Ulrich Schamoni (Dokumentarkurzfilm *Hollywood in Deblatschka Pescara*), Michael Fengler (TV-Dokumentation *In einem Ort wie Weinheim*), Werner Nekes (8-mm-Experimentalfilm *Tom Doyle und Eva Hesse*), Marran Gosov (Kurzfilm *Antiquitäten*), Max Willutzki (Kurzfilm *Les Préludes*), Erster Spielfilm von Jean-Marie Straub *(Nicht versöhnt)*. Beim Oberhausen-Festival tritt eine neue Generation von Jungfilmern auf und macht Front gegen die »Väter«-Generation des Oberhausener Manifestes 1962 wie gegen das Festival selbst, das einige Filme der Jüngst-Rebellen abgelehnt hat. Im Oberhausen-Manifest 1965 erklären Jean-Marie Straub, Klaus Lemke, Max Zihlmann und Rudolf Thome: »Die Auswahlkommission hat in diesem Jahr westdeutsche Filme abgelehnt, deren Autoren es gewagt hatten, auf Realität Rücksicht zu nehmen. Die Aus-

wahlkommission hielt sich somit strikt an die Regel der letzten Jahre, möglichst nur solche Filme auszuwählen, die ihrer Vorstellung von Filmkunst entsprechen: Subtile oder gewaltsame Wirklichkeitsverfälschung.« Beim Festival selbst gewinnen *Porträt einer Bewährung* von Kluge und *Hollywood in Deblatschka Pescara* Hauptpreise. Straubs *Nicht versöhnt* wird in einer Sonderveranstaltung der Berlinale uraufgeführt und löst eine turbulente Diskussion aus. Peter Schamoni nennt den Film »eine Katastrophe«, der *Cahier du Cinéma*-Kritiker Michel Delahaye »den größten deutschen Film seit Fritz Lang und Murnau.«

Zwei Monate später gewinnt *Nicht versöhnt* beim Bergamo-Filmfestival einen Hauptpreis, im November beim London Film Festival viel Anerkennung. Bundesfilmpreise an *Das Haus in der Karpfengasse* (bester Film, Regie Kurt Hoffmann, Buch Gerd Angermann, Darstellerin Jana Brejchova, Musik Zdenek Liska), *Polizeirevier Davidswache* (zweitbester Film, Darsteller Wolfgang Kieling), *Wälsungenblut* (Darsteller Rudolf Forster, Gerd Baltus, Ausstattung Maleen Pacha), *Dresden 1964 – Im Zwinger* von Peter Schamoni, *Hollywood in Deblatschka Pescara* von Ulrich Schamoni, *Inside Out* von George Moorse (beste Kurzfilme), *Verdammt zur Sünde* (Darstellerin Tilla Durieux). Ernst-Lubitsch-Preis an Rainer Erler. – Gestorben: Otto Wernicke, 72, Schauspieler *(M, Das Testament des Dr. Mabuse).* Julie Serda, 90, Darstellerin *(Der letzte Walzer).* Ladislao Vajda, 59, Regisseur *(Ein Mann geht durch die Wand);* Hans-Dieter Roos, 33, Kritiker und *Film*-Chefredakteur. Hans Nielsen, 53, Schauspieler *(Nachtwache).*

273

1966

Abschied von gestern
Der Brief
Es
Der junge Törless
Die Nibelungen
Playgirl
Schonzeit für Füchse
Sperrbezirk

»Seit langem gab es in Deutschland nicht mehr einen solchen Reichtum an Talenten und Temperamenten.«

»Dem künstlerischen Erfolg folgt der kommerzielle.«

Ansonsten auf dem deutschen Filmmarkt weiterhin Unruhe.

Fassbinder und Schroeter fallen durch die Filmakademie-Aufnahmeprüfung.

»Überall Verwunderliches, Erheiterndes, Unzulängliches und Menschliches – eine köstliche Aufgabe für Menschenkenner mit Humor.«

DIE LAGE

Jahresproduktion 60 Filme, vorwiegend Neuer Deutscher Film, Agentenfilme und Sexfilme. »Der deutsche Nachkriegsfilm wird in diesem Jahr zwanzig Jahre alt. Es gäbe keinen Grund, das Jubiläum zu feiern, erlebten wir nicht in diesen Wochen und Monaten schier Unglaubliches: Seit Oktober 1965 haben in demselben deutschen Film, wo bislang das Auftauchen *eines* neuen Regisseurs bereits einer Sensation gleichkam, nicht weniger als sechs Regie-Debütanten ihre Erstlingswerke abgedreht. In den kommenden Monaten folgen ihnen mindestens sechs weitere. Wenn das so weitergeht, werden wir 1966 mehr Filme von neuen Regisseuren als von alten sehen ... Im Januar 1965 hätte kein Mensch mit einem solchen Aufbruch gerechnet. Im Januar 1967 werden wir vielleicht feststellen, daß unsere Zuversicht von heute noch zu kleinlich war. Denn außer denen, die schon im Rennen sind, stehen noch zwei Dutzend nicht minder hoffnungsfroher Talente in den Startlöchern« (J. H., *Twen*, Januar 1966). Der Neue Deutsche Film setzt sich durch: in Cannes mit *Der junge Törless* (FIPRESCI-Preis), *Es* und *Nicht versöhnt*, beim Festival des Nuovo Cinema in Pesaro wieder mit *Nicht versöhnt* (Preis der jungen Kritik, Preis der Regisseure), bei der Berlinale mit *Schonzeit für Füchse* (Silberner Bär), in Venedig mit *Abschied von gestern* (Silberner Löwe und sieben weitere Preise), bei der Internationalen Filmwoche Mannheim mit *Jimmy Orpheus* (Roland Klick), *Henker Tom* (Klaus Lemke, Nebenpreis), *Stella* (Max Zihlmann und Rudolf Thome), *Der Spezialist* (Walter Krüttner, Nebenpreis), *Das Porträt* (May Spils, Lobende Erwähnung) und beim London Film Festival wieder mit *Abschied von gestern.* »Seit langem gab es in Deutschland nicht mehr einen solchen Reichtum an Talenten und Temperamenten« (*Cinema 66*, November 66). Er siegt auch an der Kasse hinreichend, um die Fachpresse, bislang dem Jungfilm eher feindselig gesinnt, zu Komplimenten zu verführen: »Dem künstlerischen Erfolg folgt der kommerzielle ... Filme junger deutscher Regisseure, die weder Lust noch Geld für aufwendige Auslandsreisen hatten, brachten bessere Kassen als die Werke vieler Globetrotter zwischen Hongkong und Caracas« *(Film-Echo).* Ansonsten auf dem deutschen Filmmarkt weiterhin Unruhe. Ein im April gegründeter neuer Verleih, Team-Film, bricht nach einem Jahr wieder zusammen. Im März erwirbt Bertelsmann, bereits Mehrheitsinhaber der Constantin, eine wesentliche Beteiligung am Nora-Verleih, im Dezember zieht sie sich wieder von der Nora zurück. »Was die Filmtheater, sofern sie nicht Bertelsmann gehören, und die Filmemacher, sofern sie nicht bei Bertelsmann in Arbeit und Brot sind, beunruhigt, ist der einfache Umstand, daß mehr und mehr Macht in eine einzige Hand gerät, und daß es, will man nicht von dieser Hand leben, oder wird man von ihr zurückgestoßen, immer weniger Möglichkeiten gibt, anderweitig Geschäfte oder Kunst oder beides zu machen. Indem der Filmbereich, der nicht Bertelsmann-Kontrolle unterliegt, immer kleiner wird, wird auch die Filmfreiheit in der Bundesrepublik immer kleiner. Die Lähmung, die die Bertelsmann-Expansion auslöst, ließe sich leichter überwinden, wenn das Unternehmen über die bedeutende Produzentenpersönlichkeit verfügte (oder gleich mehrere), die allen deutschen Filmfirmen fehlt, was schließlich der Urgrund unserer Misere ist. Ließe sich mit Bertelsmann die Hoffnung auf eine echte Revitalisierung des deutschen Films verknüpfen, der Horror vor der neuen Super-Ufa wäre nicht so groß. Für eine solche Hoffnung aber gibt es bis heute keinen Anhaltspunkt. Schon der Fernseharbeit des Unternehmens fehlte jeder außerordentliche Impuls. Der Pallas-Verleih, früher eine Firma mit einem stets interessanten Programm, zeigt unter Bertelsmann-Leitung kaum noch Sehenswertes. Der Constantin-Verleih bringt, wie bisher, ein Programm, in dem fast jeder Film die Wiederholung eines im letzten Programm erfolgreichen Films ist: endlose Serien von Karl May, Edgar Wallace, Jerry Cotton und so fort. Bei der Nora wußte man bisher nicht so recht, was man eigentlich wollte; dort soll ›sich auch in Zukunft nichts ändern‹. Die einzige Filmnachricht, die uns von Bertelsmann zwischen dem Constantin-Erwerbskommuniqué und dem Nora-Erwerbskommuniqué, das heißt in den letzten neun Monaten, erreichte, besagte, man habe Peter Alexander unter Vertrag nehmen können. Man müßte Klavier spielen können« (J. H., *Süddeutsche Zeitung*, 25. 3. 1966). Der entscheidende erste Schritt in der Nachwuchs-Ausbildung wird getan mit der Eröffnung der Deutschen Film- und Fernsehakademie Berlin (DFFB). (Kluges Ulmer Institut für Filmgestaltung erweist sich sehr schnell als ein sehr spezielles, von seinem Initiator und Leiter selbst so genanntes »Labor«, das für die weitere Entwicklung des Neuen Deutschen Films ohne Bedeutung bleibt.) Zu den ersten Studenten der DFFB gehören Hartmut Bitomsky, Lutz Eisholtz, Harun Farocki, Bernd Fiedler, Wolf Gremm, Thomas Hartwig, Holger Meins, Hans-Rüdiger Minow, Wolfgang Petersen, Helke Sander, Daniel Schmid, Max Willutzki und Christian Ziewer. Unter den Bewerbern, die bei der Aufnahmeprüfung zum ersten Lehrgang durchfallen, sind Rainer Werner Fassbinder und Werner Schroeter. – Beginnende Emanzipation des Jungfilms durch die Gründung der Arbeitsgemeinschaft Neuer Deutscher Spielfilmproduzenten, als Gegenorganisation zum Verband Deutscher Film- und Fernsehproduzenten.

VERMISCHTES

Erste Regie-Arbeiten von Reinhard Hauff (TV-Shows), Helke Sander (Kurzfilm *Subjetitude*), Claudia Aleman (Kurzfilm *Einfach*), Hartmut Bitomsky (Kurzfilm *Das Vöglein*), Harun Farocki (Kurzfilm *Jeder ein Berliner Kindl*), Eberhard Fechner (TV-Film *Selbstbedienung*), May Spils (Kurzfilm *Das Porträt*). Erste Spielfilme von Volker Schlöndorff (*Der junge Törless*), Alexander Kluge (*Abschied von gestern*), Ulrich Schamoni (*Es*), Peter Schamoni (*Schonzeit für Füchse*), Robert Van Ackeren (*Der magische Moment*), Adrian Hoven (*Fesseln der Angst*), Lothar Bündisch (*Komm mit zur blauen Adria*), Sammy Drechsel (*Zwei Girls vom roten Stern*). Von den 11 im Spielfilmbereich vergebenen Bundesfilmpreisen gehen 10 an den Neuen Deutschen Film (den Ausstattungspreis bekommt Kurt Hoffmanns *Hokuspokus*), den Preissegen teilen sich die drei Filme *Der junge Törless* (bester Film, Regie Schlöndorff, Drehbuch Schlöndorff), *Es* (zweitbester Film, Regie Ulrich Schamoni, Kamera Gerard Vandenberg, Hauptdarstellerin Sabine Sinjen, Nachwuchsdarsteller Bruno Dietrich) und *Schonzeit für Füchse* (Musik Hans Possega, weibliche Nebenrolle Edda Seipel). Weitere Bundesfilmpreise an die Jungfilmer Walter Krüttner (Dokumentarfilm *Der vorletzte Akt*), Thomas Schamoni (Kurzfilm *Charly May*) und Wolfgang Urchs (Trickfilm *Die Maschine*). Zur allgemeinen Erheiterung rät der Bundespreis-Festredner Dr. Krüger (FSK), ein erprobter Verteidiger der Altfilm-Qualitätsmaßstäbe und Feind alles Neuen, den Jungfilmern, humorvolle Filme zu drehen, denn es gäbe doch ›überall Verwunderliches, Erheiterndes, Unzulängliches und Menschliches – ein weites, reiches, unbestelltes Feld, das des Dichters, des Filmgestalters harrt – eine köstliche Aufgabe für Menschenkenner mit Humor.« Filmpreis der deutschen Kritik an Alexandra Kluge. – Bücher: *Geschäfte, die es nicht gibt,* Gedichtband von Vlado Kristl; *Im Schatten meiner Filme,* Memoiren von Veit Harlan. – Gestorben: Erwin Piscator, 73, deutscher Theaterregisseur, der seinen einzigen Film *Der Aufstand der Fischer von St. Barbara* im sowjetischen Exil drehte. Erich Engel, 75, Bühnen- und Filmregisseur: 1923 Karl Valentins *Mysterien eines Frisiersalons,* 1938 ein halsbrecherisch subversiver *Maulkorb,* 1948 die *Affäre Blum* im Geiste Brechts (mit dem er viel am Theater zusammengearbeitet hat). Josef von Baky, 64, Regisseur (*Münchhausen*), »gehört zu der Vielzahl deutscher Unterhaltungsfilmer mit mehr Talent als Engagement« *(rororo Filmlexikon).* Erich Pommer, 77, von 1919 *(Caligari)* bis 1931 *(Der Kongreß tanzt)* der berühmteste deutsche Filmproduzent, nach 1933 in Frankreich, England und Hollywood, nach 1946 vorübergehend wieder in Deutschland. Siegfried Kracauer, 77, Filmhistoriker und -theoretiker *(Von Caligari zu Hitler),* ab 1933 in Frankreich, dann in USA.

1967

48 Stunden bis Acapulco
Alle Jahre wieder
Helga
Herrliche Zeiten im Spessart
Katz und Maus
Kopfstand, Madam!
Kuckucksjahre
Mädchen, Mädchen
Mahlzeiten
Mord und Totschlag
Oswalt Kolle – Das Wunder der Liebe
Der sanfte Lauf
Spur eines Mädchens
Tätowierung
Wilder Reiter GmbH

Die Filmförderung als Schnulzenkartell

Eine Honorierung des Erfolgsschunds und eine Ermutigung zur Herstellung von weiterem Erfolgsschund.

»Es gibt dann zwei, inzwischen resignierende und gegeneinander verbitterte Parteien im deutschen Film: eine Pornokultur und eine Kunstfilmkultur.«

»Wenn die Filmwirtschaft uns draußen vor der Tür haben will, wird sie einen langen, heißen Winter erleben!«

In Hof ein Hausfestival für den Neuen Deutschen Film.

DIE LAGE

Jahresproduktion 72 Filme, vorwiegend Neuer Deutscher Film (27 %), Sexfilme (27 %) und Krimis. Nach jahrelangen Auseinandersetzungen um ein Filmhilfegesetz wird das Gesetz über Maßnahmen zur Förderung des Deutschen Films (Filmförderungsgesetz = FFG) erlassen und die zu seiner Durchführung bestimmte Filmförderungsanstalt (FFA) gegründet. Aus der kulturpolitischen Erwägung der Adenauer-Zeit, die im nationalen Film eine Waffe im Kalten Krieg sah, ist ein Wirtschaftsgesetz geworden, das zwar als sein Ziel nennt, »die Qualität des deutschen Films auf breiter Basis zu steigern und die Struktur der Filmwirtschaft zu verbessern«, de facto aber dazu angelegt ist, unter Ignorierung der Interessen des Neuen Deutschen Films den Altfilm als »Schnulzenkartell« zu stabilisieren. Aus Mitteln, die hauptsächlich einer Kinoabgabe entstammen, fördert die FFA in ihrer Grund- und Zusatzförderung neue Projekte von finanzstabilen Produzenten, die mit einem voraufgegangenen Film bestimmte kommerzielle und/oder Prestigeanforderungen erfüllt haben; eine Sittenklausel soll zwar das Schlimmste verhindern, aber die Praxis der nächsten Jahre zeigt, daß neben dem ganzen Lümmel-, Jerry-Cotton- und Edgar-Wallace-Genre auch der Oswalt-Kolle-, St.-Pauli- und Frau-Wirtin-Bereich gefördert wird. Bei den herrschenden Umständen und Mentalitäten stellt das FFG in seiner Fassung von 1967 eine Honorierung des unglaublichen Erfolgsschunds dar und eine Ermutigung zur Herstellung von weiterem Erfolgsschund. »Die zweifelhafte Stellung von Abgeordneten als Repräsentanten einer Wirtschaftsorganisation wie der FFA, die Habegeldparagraphen und das Bestehen von Eingangsschwellen für die Förderung, die den Nachwuchs und die unabhängige Produktion aus dem System der geschlossenen Branche heraushalten sollen, die Nichtrepräsentanz wichtiger Gruppen des deutschen Films in der FFA, die Abwesen-

heit fast jeder dynamischen Komponente dieser Förderung, die Beschränkung der Förderung auf das reine Binnenabspiel und die Gleichgültigkeit gegenüber der Weltöffentlichkeit des Films – alles dies sind Kristallisationspunkte, an denen sich das Erbe der bisherigen deutschen Entwicklung mit der Krisensituation, in der sich das Kino allgemein befindet, auf schwer erträgliche Weise verbindet« (Enno Patalas u. a.: *Filmwirtschaft in der BRD und Europa*). Als Folge sieht Alexander Kluge eine verhängnisvolle Polarisierung voraus (zu der es dann auch tatsächlich weitgehend gekommen ist): »Es gibt dann zwei, inzwischen resignierende und gegeneinander verbitterte Parteien im deutschen Film: eine Pornokultur und eine Kunstfilmkultur, eine sprachlich ausweglose Kommerzwirtschaft und einen vom Ausschluß aus den deutschen Kinos bedrohten Autorenfilm, der seine Uraufführung in Paris, London oder Stockholm sucht« (op. cit.). Die Entfremdung zwischen Alt- und Jungfilm nimmt schon in diesem Sommer 1967 derartige Formen an, daß Haro Senft sagt: »Wenn die Filmwirtschaft uns draußen vor der Tür haben will, wird sie einen langen, heißen Winter erleben.« Draußen vor der Tür muß der Jungfilm schon bei der Gründung einer Bundesvereinigung der deutschen Film- und Fernsehproduzentenverbände bleiben, die die Arbeitsgemeinschaft Neuer Deutscher Spielfilmproduzenten nicht dabeihaben will. Auch die Spitzen- und die Export-Organisation der Filmwirtschaft (Spio und Export-Union) riegeln sich gegen die Jungproduzenten ab, denen damit auch die Mitsprache bei den Auswahlgesprächen zu Festivalbeschickungen verwehrt bleibt; die entscheidenden Festivalerfolge von 66/67 kommen durch die Einladung der jeweiligen Festival-Leitungen auf diese Festspiele zustande, nicht auf Initiative der deutschen Filmwirtschaft. Diese *splendid isolation* muß im Lauf der kommenden Jahre als völlig absurd aufgegeben werden, da der Altfilm gar nichts Repräsentables zu bieten hat, während der Jungfilm schon 1967 durch eine Flut von Erstlingswerken seine Position ausbaut und sich auf Festivals erfolgreich behauptet: *Wilder Reiter GmbH* in Hyeres (Preis »Art es Essai«), *Mord und Totschlag* in Cannes (schon zuvor hat die amerikanische Universal den Film für 185 000 Dollar für die Weltauswertung erworben und seinem Regisseur Schlöndorff einen mehrjährigen Vertrag angeboten), *Tätowierung* und *Alle Jahre wieder* (Silberner Bär) in Berlin, *Mahlzeiten* (Preis für den besten Erstlingsfilm), *Tätowierung* und *Spur eines Mädchens* in Venedig. Inzwischen kann die Filmemacher-Generation der siebziger Jahre nun auch in München ihr Fach lernen: hier wird die Hochschule für Film und Fernsehen (HFF) eröffnet; zu ihren ersten Studenten gehören Wim Wenders, Ingemo Engström, Rüdiger Nüchtern, Eberhart Schubert, Gerhard Theuring und Klaus Emmerich.

VERMISCHTES

Erste Kurzfilme von Heidi Genée (*Hinter Ihnen dreht einer*), Wolf Gremm (*Jeden Tag*), Wim Wenders (*Schauplätze*), Christian Ziewer (*Karl Moll, Jahrgang 30*), Wolfgang Petersen (*Der eine – der andere*), Rosa von Praunheim (*Von Rosa von*

Praunheim), Werner Schroeter (*Zwei Katzen*), Karin Thome (*Emigration*). Erste Regie-Arbeit von Hans Noever (TV-Film *Eine Luftreise, ein Abenteuer, etwas für Kenner*, zusammen mit Thomas Schamoni). Erste Spielfilme von Edgar Reitz (*Mahlzeiten*), Johannes Schaaf (*Tätowierung*), Klaus Lemke (*48 Stunden bis Acapulco*), Haro Senft (*Der sanfte Lauf*), Michael Verhoeven (*Paarungen*), Gustav Ehmck (*Spur eines Mädchens*), Christian Rischert (*Kopfstand, Madam!*), Franz-Josef Spieker (*Wilder Reiter GmbH*), George Moorse (erster deutscher Spielfilm *Der Findling*). Im April finden in Stockholm und Kopenhagen »Wochen des Jungen Deutschen Films« statt, die ersten derartigen Veranstaltungen. Im Berliner Europa-Center zeigt die Constantin-Film eine Ausstellung »Der junge deutsche Film«, die dazu herausgegeben umfassende Dokumentation wird zum ersten Handbuch des Neuen deutschen Films. Heinz Badewitz organisiert zum erstenmal die Internationalen Filmtage Hof, die in den siebziger Jahren zum Hausfestival des Neuen Deutschen Films werden. Beim Mannheimer Festival protestieren Filmemacher, Kritiker, die deutschen Filmclubs, Norbert Kückelmann als Vorstand des Kuratoriums Junger Deutscher Film und Jury-Präsident Josef von Sternberg gegen das vor der Verabschiedung stehende Filmförderungsgesetz mit der »Mannheimer Erklärung«, in der es heißt »Das geplante Filmförderungsgesetz fördert einseitig Großverleihe und Großproduktionen. Es diskriminiert die typischen Erscheinungsformen von Filmkultur und Nachwuchs (›das kleine Geld‹). Wir lehnen das Gesetz in dieser Form ab.« – Bundesfilmpreise für *Abschied von gestern* (bester Film, Alexander Kluge für Regie, Alexandra Kluge und Günther Mack als Darsteller), *Alle Jahre wieder* (zweitbester Film, Ulla Jacobson und Hans Dieter Schwarze als Darsteller), *Mord und Totschlag* (zweitbester Film, Franz Rath für Kamera), *Mädchen, Mädchen* (Helga Anders beste Nachwuchsdarstellerin), *Wilder Reiter GmbH* (Komponist Erich Ferstl). Weitere Bundesfilmpreise erhalten Strobel/Tichawsky (langer Dokumentarfilm *Das Wunder von Mailand*), Peter Schamoni (Kurzfilm *Die widerrechtliche Ausübung der Astronomie*), Walter Krüttner (Kurzfilm *Der Spezialist*), Wolfgang Urchs und Robert Menegoz (*Herr Kekule, ich kenne Sie nicht*). Bambisiegerin Alexandra Kluge und *Abschied von gestern*. Filmpreis des Verbands der deutschen Kritiker an Johannes Schaaf. Ernst-Lubitsch-Preis an Martin Held. – Gestorben: G. W. Pabst, 80, der Regisseur von *Die freudlose Gasse*, *Kameradschaft* und *Westfront 1918*. Oskar Fischinger, der Experimentalfilmer, der aus Musik Filme machte (*Ungarischer Tanz Nummer 5*). Wolfgang Zeller, 74, Komponist (*Melodie der Welt*, *Vampyr*). Wolf Albach-Retty, 58, Schauspieler, Vater von Romy Schneider. Fita Benkhoff, 66, Darstellerin. Hans Schomburgk, 86, Expeditionsfilmer. Will Meisel, 69, Komponist. Adolf Wohlbrück, 66, »eine elegante Seele, von *Maskerade* über *Life and Death of Colonel Blimp* bis *La Ronde*« (Giuseppe Pecora, *Sotto Voce*). Rudolf Vogel, 67, für den der Film Arbeit und keine Rollen hatte. Heinz Hilpert, 77, Regisseur und Schauspieler. Kurt Ulrich, 63, Produzent. Frank Wisbar, 68, Regisseur.

1968

Die Artisten in der Zirkuskuppel: ratlos
Chronik der Anna Magdalena Bach
Engelchen oder die Jungfrau von Bamberg
Die goldene Pille
Kampf um Rom
Der kleine Vampir
Lebenszeichen
Die Lümmel von der ersten Bank
Morgens um sieben ist die Welt noch in Ordnung
Negresco****
Das Schloß
Sommersprossen
Die Wirtin von der Lahn
Zur Sache, Schätzchen

Die Artisten teils ratlos, teils mit außerfilmischen Aktivitäten absorbiert.

»Dutschkes Kinostürmer – und die Manifeste der Fahnenschwinger im Mao-Look«

»Besonders wertvoll«, ein Skandal in Oberhausen

»Der Terror, den Haag Boom und seine Freunde auf die Filmwoche ausüben.«

Das »andere Kino« formiert sich

»Setz dich nie zu einem Kritiker an den Tisch!«

DIE LAGE

Jahresproduktion 89 Filme, vorwiegend Sexfilme (44%) und Neuer Deutscher Film (29%). 1968 ist das Jahr der politischen Protestbewegung, was die Artisten teils ratlos macht, teils mit außerfilmischen Aktivitäten absorbiert; zugleich ist es das Jahr der neuen Freizügigkeit und einer hemmungslos ausbrechenden Sexwelle – und das erste Jahr im Zeichen des neuen Filmförderungsgesetzes, was Teile des Jungfilms anregt, mit einer Unterhaltungsware neuer Qualität zu schnellen Kassenerfolgen zu kommen und so förderungswürdig zu werden, und den ganzen Altfilm animiert, mit sittlich gerade noch akzeptabler Spekulationsware in den vollen Benefit des Gesetzes zu kommen. Auf diesem Weg qualifizieren sich unter den in diesem Jahr uraufgeführten Filmen für die Förderungsgelder einerseits Filme wie *Engelchen* und *Zur Sache, Schätzchen*, andererseits Schnulzenkartell-Produkte wie *Der Arzt von St. Pauli, Komm nur, mein liebstes Vögelein, Die Lümmel von der ersten Bank, Lady Hamilton* (Regie Christian-Jaque), *Angelique und der Sultan* (Regie Bernard Borderie), *Der Tod im roten Jaguar* (Hauptrolle George Nader) und *Der Tod ritt dienstags* (Regie Tonino Valeri).
Das erste Festival des Jahres gibt einen Begriff von der Dynamik, mit der die Protestbewegung die Filmszene erfaßt: das Experimentalfilm-Festival von Knokke wird heimgesucht von »Dutschkes Kinostürmern« und den »Manifesten der Fahnenschwinger im Mao-Look«, so Enno Patalas, der bei dieser Gelegenheit rechtzeitig (*Filmkritik*, Februar 1968), aber wirkungslos ein paar klärende Worte sagt: »Vor den Filmen reagierten die Studenten als Bürger: keinen Augenblick bereit, den Anforderungen der Kunst sich zu stellen, zogen sie gegen deren vermeintliche Unverbindlichkeit zu Felde. Ihre Manifeste verrieten die Haltung des Spießers, der verlangt, daß die Kunst seine Welt spiegelt und ihm seine

Überzeugung bestätigt; darin enttäuscht, riefen sie zur Zensur auf. Den vermeintlichen Narzissmus der Filmpoeten tadelnd, verrieten sie nur allzudeutlich ihren eigenen.« Von den zehn Hauptpreisen von Knokke geht je einer an *Selbstschüsse* von Lutz Mommartz und *Warum hast du mich wachgeküßt?* von Hellmuth Costard. Bei der neugeschaffenen Hamburger Filmschau (Hauptpreis an *Der warme Punkt* von Thomas Struck) geht es friedlich zu, da dies bereits ein Gegenfestival ist, ein Festival der Nicht-Etablierten, des »anderen Kinos«. Oberhausen verläuft so tumultuös, daß für den Fortbestand des Festivals gefürchtet wird: Aus Angst vor dem Staatsanwalt setzt die Stadt den von der Auswahlkommission angenommenen Hellmuth-Costard-Film *Besonders wertvoll*, in dem ein Penis die berüchtigte Sittenklausel des Filmförderungsgesetzes zitiert, vom Programm ab, woraufhin der Großteil der Filmemacher seine Filme zurückzieht. Das Festival von Cannes wird von französischen Filmemachern, die im Verlauf der Protestbewegung in spezielle filmpolitische Konflikte mit ihrer Regie gekommen sind, im Handstreichverfahren vorzeitig beendet; der deutsche Beitrag *Das Schloß* von Rudolf Noelte fällt dem Abbruch zum Opfer, Straubs *Chronik der Anna Magdalena Bach* erlebt in der Woche der Kritik noch seine Geburt als internationaler Kultfilm. In Berlin versuchen Film- und andere Studenten das Festival zu sprengen, was an der Uneinigkeit unter den verschiedenen Linksfraktionen scheitert. Alexander Kluge wird mit Eiern beworfen, weil er statt Vernichtung des Festivals vorschlägt, durch »massenhaftes Eindringen« in die Festspiele Öffentlichkeit erst einmal herzustellen. Werner Herzog, der einen Silbernen Bären für seinen Festspiel-Beitrag *Lebenszeichen* bekommt, verwirklicht diese Idee auf seine Weise und eigene Faust, indem er in einem selbstgemieteten Neuköllner Kino Festivalfilme zeigt und diskutiert. In Venedig gewinnt Alexander Kluge den Goldenen Löwen mit dem Film, mit dem er die Revolution und den Kampf um das Reformkino bereits metaphernhaft beschrieben hat, noch ehe diese ausgebrochen waren: *Die Artisten in der Zirkuskuppel: ratlos*. In diesem Film prophezeit er den entschiedensten Reformern eine schmählich angepaßte Zukunft beim Fernsehen. Bei der Mannheimer Filmwoche tritt als rabiatester Unruhestifter ein manchmals bekannter Filmemacher auf, der seinen Gegnern vorerst auch mit seinem Namen Schwierigkeiten macht; Hans-Rolf Strobel erhebt förmlich Protest »gegen den Terror, den Hark Boom und seine Freunde auf die Filmwoche ausüben.« Bei den Hofer Filmtagen schlägt der Regisseur von *Besonders wertvoll* wieder zu. »Hellmuth Costard wollte den ›ersten nicht-autoritären Film‹ gemeinsam mit dem Publikum drehen. Doch die Kameraleute des Mainzer Fernsehens und Anka Kirchner mit einem Team des Bayerischen Dritten Programms weigerten sich, ihre Kameras herzuleihen. Damit sabotierten sie Costards Plan, jeden der anwesenden Kinofans ein Stück Zelluloid eigenhändig belichten zu lassen. Zuvor hatte Costard zum Rauchen aufgefordert, die Kinostuhl-Reihen als Autorität apostrophiert und die Projektoren ohne Film leer laufen lassen, um ›das autoritäre Kino zu entlarven‹« *(Filmkritik).*

VERMISCHTES

Erste Regie-Arbeiten von Ingemo Engström (Kurzfilm *Candy Man*), Erwin Keusch (langer Experimentalfilm *Geni*), Alf Brustellin (TV-Feature *Kluge, Leni und der Löwe*), Hans W. Geissendörfer (TV-Film *Der Fall Leni Christ*), Rainer Boldt (Kurzfilm *Die Zeit hat zugebissen*), Erika Runge (TV-Dokumentation *Warum ist Frau B. glücklich?*). Erste Spielfilme von Werner Herzog (*Lebenszeichen*), Marran Gosov (*Engelchen*), Ula Stöckl (*Neun Leben hat die Katze*), Eckhart Schmidt (*Jet Generation*), Rudolf Noelte (*Das Schloß*). Zur Erschließung neuer Vorführ- und Vertriebsmöglichkeiten gründen unabhängige Filmemacher und Underground-Filmer in Hamburg die COOP, in München das »independent film center«, in Köln das XSCREEN. Die besonders aktive Hamburg COOP bietet schon ein halbes Jahr nach ihrer Gründung rund 50 Filme an, hauptsächlich Werke von Werner Nekes, Hellmuth Costard, Thomas Struck, Adolf Winkelmann und Lutz Mommarz. Im November findet in München das »Erste Treffen europäischer unabhängiger Filmemacher« statt, veranstaltet von »independent film center«, XSCREEN und »Supervisuell«-Zürich. Jean-Marie Straub und Danièle Huillet verlassen die BRD und gehen nach Italien: »Man hat mich in den Untergrund gedrängt und deshalb mache ich mich fort.« Auf den Rencontres Cinématographiques Nantes läuft der Festival-Dauererfolg *Die Parallelstrasse*. In Tours erlebt Peter Fleischmann mit *Herbst der Gammler* sein Festival-Debüt. Der revolutionäre Ton schlägt auch in neuen Produkten der Filmpublizistik voll durch, so im Hamburger Blatt *Filmartikel:* »Setz dich nicht zu einem Kritiker an den Tisch, auch wenn er dir sympathisch ist oder gar dein Freund. Sei unhöflich und dummhaft in Gesprächen mit Kulturfunktionären. Sei ungalant zu den guten, teuren Puppen der Filmproduzenten. Vergewaltige sie. Vergewaltige auch die guten Frauen der Kritiker. (Was nicht viel Mühe macht, da nur ein einziger deutscher Kritiker eine nennenswerte Frau hat.) Also: Vergewaltige Frau Nettelbeck. Störe die Aufnahmevorgänge des TV-Teams. Klaue den TV-Leuten Kameras und Filmmaterial.« Bundesfilmpreise an *Tätowierung* (bester Film, Regie Johannes Schaaf, Hauptdarsteller Alexander May), *Lebenszeichen* (zweitbester Film), *Zur Sache, Schätzchen* (beste Dialoge Spils und Enke, Nachwuchsdarsteller Enke), *Spur eines Mädchens* (Nachwuchsregisseur Gustav Ehmck, Hauptdarstellerin Carola Wied), *Paarungen* (Darstellerin Ilona Grübel), *Engelchen* (Nachwuchsdarstellerin Gila von Weitershausen), *Das Schloß* (Kamera Wolfgang Treu, Ausstattung Hertha und Otto Pischinger). Bambi-Sieger *48 Stunden bis Acapulco* und *Chronik der Anna Magdalena Bach*. Filmpreis des Verbands der deutschen Kritiker an Hans-Jürgen Syberberg. Ernst-Lubitsch-Preis an Cornelia Froboess. – Gestorben: Rudolf Forster, 84, erste Filmrollen 1920, ein Star von *Erdgeist* (1923) bis *Lulu* (1962). Lilian Harvey, 61, der deutsche Star aus England *(Die Drei von der Tankstelle, Der Kongreß tanzt)* mit kurzer Karriere in Hollywood. Carl Theodor Dreyer aus Dänemark, 79, ab 1921 auch in Deutschland tätig.

1969

Eika Katapa
Eine Ehe
Detektive
Ich bin ein Elefant, Madame
Jagdszenen aus Niederbayern
Katzelmacher
Liebe ist kälter als der Tod
Michael Kohlhaas – der Rebell
Scarabea
Die Unterdrückung der Frau ist vor allem am
Verhalten
der Frau selber zu erkennen

Werner Schroeter, Regisseur von *Eika Katapa*

Bertelsmann verliert die Lust am Filmgeschäft.

Nur noch drei größere Filmverleihe; keines dieser Unternehmen wird das kommende Jahrzehnt überleben.

Ein gescheitertes Dokumentar-Projekt.

DIE LAGE

Jahresproduktion 110 Filme, vorwiegend Sexfilme (50%) und Neuer Deutscher Film. Bertelsmann verliert die Lust am Filmgeschäft, das es nicht in den Griff bekommen hat, und verhandelt mit der amerikanischen Firmengruppe Commonwealth United über einen Verkauf seiner 60% Anteile an der Constantin; das Absetzmanöver stürzt die Constantin samt Tochtergesellschaften in eine über ein Jahr währende Dauerkrise und die ganze Filmbranche, die sich von Bertelsmann einmal Knowhow, Phantasie und eine insgesamt stabilisierende Kraft erwartet hatte, in eine Panik. (Nach dem Scheitern der Verhandlungen mit Commonwealth United bietet Bertelsmann seine Anteile Cinerama an; im Januar 1971 findet der Konzern einen Käufer in dem alten, nun wieder neuen Alleininhaber der Constantin, Waldfried Barthel.) Der Nora-Verleih, der ebenfalls vorübergehend in Bertelsmann-Hand war, bricht nach provisorischer Rettung durch österreichische Unternehmen endgültig zusammen. Hanns Eckelkamps Atlas hat schon früher zumachen müssen, fand einen Nachfolger im Eckelkamp-Verleih, der nun Konkurs macht; Eckelkamp selbst fängt aber unter der Atlas-Marke wieder zu verleihen an. Die BRD hat jetzt noch drei größere Filmverleihe, Constantin, Gloria und Inter; keines dieser Unternehmen wird das kommende Jahrzehnt überleben.

VERMISCHTES

Erste Regie-Arbeiten von Daniel Schmid (Kurzfilm *Exhibition Alan Jones*), Klaus Emmerich (TV-Brecht-Inszenierung *Die Maßnahme*), Helma Sanders-Brahms (Kurzfilm *Angelika Urban, Verkäuferin, verlobt*). Erste Spielfilme von Peter Fleischmann *(Jagdszenen aus Niederbayern)*, Rudolf Thome *(Detektive)*, Hellmut Costard *(Die Unterdrückung der Frau ist vor allem am Verhalten der Frauen selber zu erkennen)*. Erster Erzählband von Herbert Achternbusch: *Hülle.* Volker Schlöndorff, Peter Fleischmann, Werner Herzog

verabreden ein langfristiges Dokumentarfilmprogramm *Über Deutschland*, ein groß angelegtes, leider nie realisiertes, mit *Deutschland im Herbst* und *Der Kandidat* im bescheideneren Rahmen wieder aufgegriffenes Projekt: Im Lauf von mehreren Jahren sollten junge Filmemacher rund 100 kurze bis mittellange Dokumentarfilme drehen, »Monographien einzelner Ereignisse, Gruppen oder Personen, die Rückschlüsse auf die Situation, in der wir uns befinden, zulassen . . . Diese Arbeiten sollen mit der Zielrichtung vorgenommen werden, einen deutlich erkennbaren nationalen Dokumentar-Stil zu schaffen.« Auf der Berlinale werden Fassbinders *Liebe ist kälter als der Tod* und Zadeks *Ich bin ein Elefant, Madame* (Silberner Bär) gezeigt, in Venedig *Cardillac* von Reitz (CIDALC-Preis), In Mannheim *Eika Katapa* von Werner Schroeter (Josef von Sternberg-Preis), *Italienisches Capriccio* von Vlado Kristl (Filmdukaten), *Schwestern der Revolution* von Rosa von Praunheim (Filmdukaten), *Katzelmacher von Fassbinder* (FIPRESCI-Preis, Evangelischer

Filmpreis). Bundesfilmpreise an *Die Artisten in der Zirkuskuppel: ratlos* (bester Film), *Jagdszenen aus Niederbayern* (zweitbester Film, Darsteller Michael Strixner), *Adam 2* (bester langer Animationsfilm), *Ich bin ein Elefant, Madame* (Regie Peter Zadek, Darsteller Wolfgang Schneider), *Scarabea* (Kamera Petrus Schloemp, Darsteller Walter Buschhoff), *Der kleine Vampir* (Darstellerin Renate Roland). Preise der deutschen Filmkritik an *Katzelmacher* und *Die Unterdrückung der Frau ist vor allem am Verhalten der Frauen selber zu erkennen*. Filmpreis des Verbandes der deutschen Kritiker an Werner Herzog. Ernst-Lubitsch-Preis an Ulrich Schamoni. Werner Nekes bekommt einen Bambi für seine Experimentalfilme, verweigert aber die Annahme. Gestorben: Karl Freund, der Kameramann Murnaus, Fritz Langs, Ernst Lubitschs, nach 1929 in Hollywood, dort auch Regisseur *(Mad Love)*. Peter van Eyck, 59, Darsteller. Heiner Braun, 43, Filmkunst-Verleiher (neue filmform), auch Darsteller bei Straub *(Nicht versöhnt)*.

1970

Der amerikanische Soldat
Auch Zwerge haben klein angefangen
Götter der Pest
Ein großer grau-blauer Vogel
Jonathan
Josefine Mutzenbacher
Malatesta
Nicht fummeln, Liebling
o. k.
Othon
Rote Sonne
San Domingo
Schulmädchen-Report
Sex-Business made in Pasing
Warum läuft Herr R. Amok?
Wie ich ein Neger wurde

»Jetzt ist die alte Filmindustrie in Deutschland restlos zusammengebrochen.«

Die »menschenverachtende Profitgier« der Altbranche.

Der große Coop-Krach von Hof und der noch größere »o. k.«-Krach der Berlinale

»Im Grund ist das Kino natürlich besser für den Film, aber in der momentanen Situation ist das Fernsehen besser, weil ich in der Kinolandschaft nicht gegen Frau-Wirtin-Filme konkurrieren kann.«

DIE LAGE

Jahresproduktion 105 Filme, vorwiegend Sexfilme, teils in Krimi- und Heimatfilm-Verkleidung (42%) und Neuer Deutscher Film (19%). Volker Schlöndorff über die Lage 1970:
»...Jetzt ist die alte Filmindustrie in Deutschland restlos zusammengebrochen. Es gibt zwar immer noch kommerzielle deutsche Filme, die sogar finanziell recht erfolgreich sein können, aber das beweist noch nicht, das es eine Filmindustrie gibt. Ich glaube, die ist nun endgültig dahin. Und das ist für uns alle sehr erfreulich, denn das schafft klare Zustände ... Ich glaube, daß zunächst eine große Solidarisierung von denen stattfindet, die sich um andere Filmformen auch bei uns bemühen. Mit ›Film‹ meine ich auch andere Vorführmöglichkeiten und andere Kontaktmöglichkeiten mit dem Publikum ...« (Aus einem Interview von Egon Netenjakob in *Fersehen + Film*, Mai 1970). Daß der Zusammenbruch des Altfilms wesentlich von einem falschen Marketing, von dem Ignorieren der Publikumsbedürfnisse und einer von diesem Publikum selbst als »menschenverachtende Profitgier« angesehene Haltung herbeigeführt worden ist, wird belegt durch die sogenannte »Dichter-Studie«, eine vom »Institute for Motivational Research« im Auftrag der Filmförderungsanstalt erarbeiteten Untersuchung der Frage, was die Bundesrepublikaner ins Kino treibt oder von ihm fernhält. Die von Schlöndorff propagierte Solidarisierung der Filmemacher führt zur Gründung eines Syndikats der Filmemacher, dem Erschließen neuer Kontaktmöglichkeiten mit dem Publikum soll in München ein »Filmforum München« dienen; Schlöndorff: »Ein nichtkommerzieller Treffpunkt mit vielen Vorführräumen für Filme aller Formate und für das Ausprobieren aller möglichen technischen Verfahren. Unabhängig vom Angebot der Filmbranche soll eine ständige Filmschau entstehen, in der Filmemacher und Publikum praktisch zusammenarbeiten ... Das ist eigentlich anderswo schon zum Teil realisiert: von der Süd-Coop in Stuttgart, von der Cooperative in Hamburg, vom Arsenal in Berlin.« Während aber an der Verwirklichung dieses schönen Plans gearbeitet wird, kommt es zum großen Coop-Krach. »Am Rande der Filmtage (in Hof, A. d. A.) spielte sich ein aufschlußreicher Machtkampf zwischen Südcoop und Nordcoop um Monopole und Vertriebsstrategien ab. Während die Südcoop mit schmissigen Parolen nichts anderes beabsichtigt, als sich in den Zentren der Film- und Fernsehmächte einzunisten, will die Nordcoop das gesamte Gesellschaftssystem stürzen und verweigert sich bis dahin allem, was den Ruch des Kommerziellen trägt. So jedenfalls war es den Flugblättern zu entnehmen, mit denen sie sich bekämpften. In Wahrheit jedoch ging es um handfeste Vertriebsinteressen. Ich schlage vor, daß sich beide Coops statt nutzlose Diskussionen zu führen gemeinsam den Film *Al Capone* von George Wilson anschauen. Aus dem darin gezeigten Strategien des illegalen Biervertriebs durch die Cosa Nostra ließen sich wertvolle Erkenntnisse für ihre Sache gewinnen, z. B. daß Ideologien keine Kampfmittel sind, wenn es um Nicht-Ideologisches geht. Oder daß das Alkoholmonopol Al Capones dazu führte, daß das Bier immer schlechter wurde« (Wolfgang Limmer, *Fernsehen + Film*). Die nach den Protestbewegungen der letzten zwei Jahre gründlich reformierten Berliner Filmfestspiele sprengen sich in diesem Jahr von innen heraus, mit einem Wettbewerbsfilm, dem deutschen Beitrag *o. k.;* die Amerikaner fühlen sich von dem Vietnam-Film brüskiert und führen den Abbruch der Berlinale herbei.

VERMISCHTES

Erste Regie-Arbeiten von Walter Bockmayer und Rolf Bührmann (S8mm-Film *Nymphomanie*), Hark Bohm (Kurzfilm *Wie starb Roland S.?*). Erste Spielfilme von Rosa von Praunheim *(Die Bettwurst)*, Ingemo Engström *(Dark Spring)*. Letzter Spielfilm von Helmut Käutner *(Die Feuerzangenbowle)*. Der Bundesfilmpreisregen für *Katzelmacher*, *Liebe ist kälter als der Tod* und *Malatesta* läßt zum erstenmal die Frage »Kinofilm oder Fernsehfilm?« mit großer Heftigkeit ausbrechen. Das Filmtheater-Fachblatt *Film-Echo* empfindet »herbe Enttäuschung ... nicht nur darüber, daß Filme und Leute ausgezeichnet worden sind, die mit der Filmwirtschaft kaum Verbindung haben, sondern vor allem auch darüber, daß die prämierten Filme vorwiegend Fernsehfilme sind.« Günter Rohrbach (WDR) formuliert in *Fernsehen + Film* erstmals sein später als »amphibischen Film« propagiertes Konzept: »Man wird die Konsequenz daraus ziehen, daß beide Medien, von Ausnahmen abgesehen, das gleiche Produkt verlangen. Das Fernsehspiel, dereinst von strengen Televisions-Theoretikern auf eigene Wege gewiesen, hat sich mehr und mehr in eine Richtung entfaltet, die kaum noch Unterscheidung vom Kinofilm zuläßt ... Nichts könnte den ambitionierten Kinofilm entschiedener fördern als eine finanzielle Abstützung durch das Fernsehen, wie umgekehrt die freie Konkurrenz des Kinomarktes den Fernsehfilm von seiner muffigen Provinzialität befreien würde.« Fassbinder weist in einem Interview darauf hin, wie die (in ihrem Umfang damals noch gar nicht absehbare) Verkleinerung der Kinosäle diese dem Fernseh-Wohnzimmer annähert: »Ich weiß nicht, wo die größere Dringlichkeit liegt: daß der Film ein größeres Publikum erreicht oder daß er genau die Wirkung hat, die er im Kino hat. Im Grund ist das Kino natürlich besser für den Film. Ich sage nur, daß in der momentanen Situation das Fernsehen besser ist, weil es nicht viel Unterschied ist, ob ein Film im Theatiner läuft (ein Filmkunst-Minikino in München, A.d.A.), wo die Leinwand auch winzig ist, oder im Fernsehen; und weil ich in der Kinolandschaft nicht gegen Frau-Wirtin-Filme oder gegen Pauker-Filme konkurrieren kann, das geht nicht, weil die Kinos verstopft sind mit diesen Filmen« *(Fernsehen + Film)*. Auf der Berlinale werden *o. k.*, *Warum läuft Herr R. Amok?* und *Wie ich ein Neger wurde* gezeigt. In Cannes sind außer dem offiziellen deutschen Beitrag *Maltesta* die Filme *Auch Zwerge haben klein angefangen, Eika Katapa, Othon, Wie ich ein Neger wurde, Film oder Macht* und *Sex-Business made in Pasing* zu sehen, ein Angebot, das die internationale Kritik sehr beeindruckt. In San Sebastian gewinnt Maximilian Schells *First Love* eine Silberne Muschel. In Pesaro machen *Katzelmacher* und *Wie ich ein Neger wurde* Aufsehen. Bundesfilmpreise an *Katzelmacher* (bester Film, Regie Fassbinder, Buch Fassbinder), *Malatesta* (zweitbester Film, Regie Lilienthal, Darsteller Vladimir Pucholt, Kamera Willy Pankau, Ausstattung Roger von Moellendorf), *Ein großer grau-blauer Vogel* (Nachwuchsregisseur Thomas Schamoni), *Mädchen mit Gewalt* (Darsteller Klaus Löwitsch), das Ensemble des antiteaters bekommt einen Preis für *Katzelmacher, Liebe ist kälter als der Tod* und *Götter der Pest* und Kameramann Dietrich Lohmann bekommt das Filmband der drei Fassbinder-Filme und für *Ein großer grau-blauer Vogel*. Der Lubitsch-Preis geht an May Spils und Werner Enke. – Das Ende zweier Filmzeitschriften: Die *Filmkritik*, aus der Enno Patalas die stabilste Tribüne des Neuen Deutschen Films gemacht hatte, wird von ihren Mitarbeitern zu einem Fanzine für beliebige Kulturfreaks umgewandelt; *Film* wird zum *Fernsehen + Film*-Zwitter umgestaltet, eine Operation, die das Blatt nicht lange überlebt. –Gestorben: Josef von Sternberg, 76, der Regisseur des *Blauen Engel*. Fritz Kortner, 78, der große Schauspieler des deutschen Stumm- und frühen Tonfilms *(Dreyfus)*, erste Filmregie *Der brave Sünder* 1931, Emigrant in England und Hollywood, letzter Film nach der Heimkehr *Die Sendung der Lysistrata* 1960. Hein Heckroth, 77, in der englischen Emigration als Art Director weltberühmt geworden (Oscar für *Die roten Schuhe*), in den fünziger Jahren Ausstattung für *Ludwig II.* und andere Großproduktionen. Grethe Weiser, Schauspielerin, und ihr Mann Hermann Schwerin, Produzent, bei einem Autounfall umgekommen. Hertha Feiler, 54, Schauspielerin, oft in Filmen ihres Mannes Heinz Rühmann *(Lauter Lügen)*.

1971

Bettwurst
Carlos
Dark Spring
Eins
Fata Morgana
Fegefeuer
Furchtlose Flieger
Ein großer, grau-blauer Vogel
Der große Verhau
Ich liebe dich, ich töte dich
Jaider – der einsame Jäger
Land des Schweigens und der Dunkelheit
Lenz
Mathias Kneißl
Der plötzliche Reichtum der armen Leute
von Kombach
Rio das Mortes
Supergirl
Trotta
Und Jimmy ging zum Regenbogen
Warnung vor einer heiligen Nutte
Die Zelle

Der neue deutsche Heimatfilm

Aufrüstung des Arsenals.

13 Filmemacher gründen einen Filmverlag.

»Unbeirrt von der Klage der Kinobesitzer wurde das Kommunale Kino Frankfurt eröffnet.«

Eine Qualitätsklausel gegen »die Darstellung von Sexualität und Brutalität in aufdringlich vergröbernder, spekulativer Form.«

Vlado Kristl ringt mit dem Edelweißkönig.

DIE LAGE

Jahresproduktion 112 Filme, davon 22 deutsch-ausländische Coproduktionen. Das Jahr des »neuen deutschen Heimatfilms«: *Der plötzliche Reichtum der armen Leute von Kombach* (Schlöndorff), *Mathias Kneißl* (Hauff), *Jaider – der einsame Jäger* (Vogeler), *Ich liebe dich, ich töte dich* (Brandner) und *Lenz* (Moorse). Die Zahl der Kinobesucher in der BRD liegt nur noch bei 161,4 Millionen (1956: 817,5 Millionen). Umorganisation des Vereins Deutsche Kinemathek in die Stiftung Deutsche Kinemathek in Berlin. In den Vorjahren hat die Kinemathek bereits neben der Archivarbeit einen eigenen Verleih und mit dem »Arsenal« ein eigenes Kino in Betrieb genommen; man wird sich auch der Publikation von Filmliteratur und Nachschlagewerken widmen, so Gerhard Lamprechts zehnbändigem Katalog des deutschen Stummfilms. Anläßlich des Starts des Films *Moderne Zeiten* aus seinem Chaplin-Paket gründet Horst Wendlandt in Berlin den Verleih Tobis Filmkunst. Später nimmt man auch aktuelle internationale Filme ins Programm auf, und die Tobis entwickelt sich rasch zum bestflorierenden Verleih überhaupt (Devise: »Qualität vor Quantität«). Bertelsmann, seit 1965 sechzigprozentiger Constantin-Besitzer, steigt wieder aus dem Unternehmen aus, das in den Alleinbesitz von Waldfried Barthel zurückgeht. Dreizehn Filmemacher (Hark Bohm, Michael Fengler, Peter Lilienthal, Hans Noever, Pete Ariel, Uwe Brandner, Veith von Fürstenberg, Florian Furtwängler, Thomas Schamoni, Laurens Straub, Wim Wenders, Hans W. Geissendörfer, Volker Vogeler) unterzeichnen einen Gesellschaftervertrag und gründen damit den Filmverlag der Autoren, in dem sie – nach dem Prinzip des Frankfurter *Verlags* der Autoren – Produktion, Rechteverwaltung und Vertrieb eigener Filme kollektiv regeln wollen und durch den sie sich von den der Altbranche verbundenen deutschen Verleihern unabhängig machen. Der erste Film der »Produktion 1 im Filmverlag der Autoren« ist *Furchtlose Flieger* von Veith von Fürstenberg und Martin Müller. Das Kuratorium Junger Deutscher Film verzichtet in diesem Jahr auf eine Förderung von Filmvorhaben und finanziert stattdessen die Einrichtung des »Koordinationsbüros Film«, das den Vertrieb bereits fertiggestellter Filme, die keinen Verleih finden, sichern soll. Hilmar Hoffmann leitet zum letzten Mal die Westdeutschen Kurzfilmtage in Oberhausen und wird Kulturdezernent der Stadt Frankfurt. Er tritt sein Amt an »mit dem Vorsatz, in Frankfurt das erste städtische Kino der Bundesrepublik einzurichten, das nicht Teil einer bereits vorhandenen Institution (etwa der Volkshochschule) sein sollte, sondern das institutionell völlig eigenständig geleitet würde. Die Stadtverordnetenfraktion der SPD beschloß die Einrichtung einer solchen Spielstelle noch im September 1970. Bereits vom 7. Januar 1971 stammt die erste Meldung über den Protest der kommerziellen Filmtheaterbesitzer gegen das geplante Gemeindekino. In der Stadtverordnetenversammlung vom 11.2.1971 konnte die SPD-Fraktion den Beschluß durchsetzen, ein Kommunales Kino als selbständige Spielstelle einzurichten und zunächst 80 000 Mark für diesen Zweck bereitzustellen. . . . Unbeirrt von der Klage der Kinobesitzer wurde das Kommunale Kino Frankfurt am 3. Dezember 1971 mit einer Buster-Keaton-Retrospektive eröffnet« (Joachim/Nowotny: *Kommunale Kinos in der BRD*). Dem Frankfurter Beispiel und Hilmar Hoffmanns Konzept folgend, entstehen in den folgenden Jahren in vielen Städten der Bundesrepublik kommunale Spielstellen. Im Sommer tritt die seit längerem vorbereitete Novelle zum Filmförderungsgesetz in Kraft; eine »Qualitätsklausel« ermöglicht nun endlich, Filme von geringerer Qualität (»namentlich die Darstellung von Sexualität und Brutalität in aufdringlich vergröbernder, spekulativer Form«) von der Förderung auszuschließen.

VERMISCHTES

Erste Regie-Arbeiten von Ingo Kratisch (Kurzfilm *In Kreuzberg*), Nicos Perakis und Alf Brustellin (Co-Regie neben Edgar Reitz und Ula Stöckl bei *Das goldene Ding*), Peter Handke (TV-Film *Chronik der laufenden Ereignisse*), und Gloria Behrens (Kurzfilm-Reihe *Die Kinderbande*). Erste Spielfilme von Reinhard Hauff (*Mathias Kneißl*), Ottokar Runze (*Viola und Sebastian*) und Niklaus Schilling (*Nachtschatten*). Letzter Spielfilm von Kurt Hoffmann (*Der Kapitän* mit Heinz Rühmann). Hauff, Herzog, Schlöndorff, Moorse und Fassbinder sind mit ihren neuen Filmen auf der Quinzaine des Réalisateurs in Cannes vertreten, außerdem laufen Vlado Kristls *Obrigkeitsfilm* und – als Wettbewerbsbeitrag! – Paul Anczykowskis »pseudopoetischer Schwachsinn« *(Film + Fernsehen)* *Apokal*. Die Westdeutschen Kurzfilmtage Oberhausen verzichten erstmals auf den Wettbewerb. Nach dem Eklat im vergangenen Jahr wird die Berlinale zwar als A-Festival fortgeführt, doch findet in diesem Jahr zum ersten Mal gleichzeitig das Forum des Internationalen Jungen Films statt, organisiert von den »Freunden der deutschen Kinemathek« unter der Leitung von Ulrich Gregor. »Mit dieser strikten Trennung von Kunst und Kommerz hat sich die Filmwirtschaft durchgesetzt« *(Filmkritik)*. In San Sebastian erhält Schlöndorffs *Der plötzliche Reichtum der armen Leute von Kombach* den Preis des Katholischen Filmbüros (OCIC). Auf den 5. Hofer Filmtagen erlebt Werner Herzog mit *Fata Morgana* einen Riesen-Erfolg; Vlado Kristl, dessen *Obrigkeitsfilm* in Hof laufen sollte, reist mitsamt seinem Film wütend und persönlich beleidigt ab, als Heinz Badewitz es wagt, unangekündigt den *Edelweißkönig* vorzuführen, um die Reaktion seines Publikums zu testen. Der Preis der deutschen Filmkritik geht an den Kurzfilm *Rote Fahnen sieht man besser* von Theo Gallehr und Rolf Schübel, auf die Auszeichnung eines Spielfilms wird verzichtet. Johannes Schaaf bekommt den Filmpreis des Verbandes der deutschen Kritiker, Sabine Sinjen den Ernst-Lubitsch-Preis. Bundesfilmpreise an *Lenz* (Produktion, Kamera Gerard Vandenberg, Darsteller Michael König), *Warum läuft Herr R. Amok?* (Regie Fassbinder und Fengler), *San Domingo* (Kamera Christian Blackwood, Musik Amon Düül), *First Love* (Produktion), *o.k.* (Drehbuch Michael Verhoeven), *Whity* (Ausstattung Kurt Raab), die Regisseure Roland Klick (*Deadlock*), Volker Vogeler (*Jaider – der einsame Jäger*), Volker Schlöndorff (*Der plötzliche Reichtum . . .*) und Horst Bienek (*Die Zelle*) sowie an die Darstellerinnen Hanna Schygulla (*Whity* und *Mathias Kneißl*) und Eva Mattes (*o. k.* und *Mathias Kneißl*). Das Gemeinschaftswerk der evangelischen Publizistik in Frankfurt ruft die Zeitschrift *medium* ins Leben, die auch Filmkritiken und Aufsätze zu Filmtheorie, -ästhetik und -politik enthält; dafür wird das Erscheinen des *Evangelischen Film-Beobachters* (seit 1948) eingestellt. In einem der letzten Hefte der Zeitschrift *Fernsehen + Film* schreibt Rainer Werner Fassbinder seine Liebeserklärung an das Kino des Douglas Sirk: »Ich möchte sie alle sehen, alle 39, die Sirk gemacht hat. Dann bin ich vielleicht weiter, mit mir, mit meinem Leben, mit meinen Freunden. Ich habe 6 Filme von Douglas Sirk gesehen. Es waren die schönsten der Welt dabei.« – Gestorben: Leonard Steckel, 70, Regisseur (in der Schweiz) und Schauspieler, kommt bei einem Zugunglück ums Leben. Hubert von Meyerinck (»Zack, zack!«), Darsteller im komischen Fach. Albert Lieven, 65, Schauspieler in deutschen und internationalen Filmen.

1972

Aguirre, der Zorn Gottes
Die Angst des Tormanns beim Elfmeter
Die bitteren Tränen der Petra von Kant
Fremde Stadt
Geschichtsunterricht
Händler der vier Jahreszeiten
Harlis
Laß jucken, Kumpel
Liebe Mutter, mir geht es gut
Ludwig – Requiem für einen jungfräulichen König
Die Moral der Ruth Halbfass
Nachtschatten
Strohfeuer
Das Unheil
Wildwechsel
Die Wollands

Das Jahr des Arbeiterfilms

Straub, Friedel und »Die bitteren Tränen« beim Filmverlag.

DIE LAGE

Jahresproduktion 108 Filme, davon 45 deutsch-ausländische Coproduktionen. Das Jahr des Arbeiterfilms der Berliner Schule: In Berlin wird bei den Filmfestspielen mit großem Erfolg Christian Ziewers *Liebe Mutter, mir geht es gut* uraufgeführt (innerhalb des Forum-Programms), und in Mannheim bekommt *Die Wollands* von Marianne Lüdcke und Ingo Kratisch auf den 21. Internationalen Filmwochen drei Auszeichnungen. An beide Filme gleichzeitig geht der diesjährige Preis der deutschen Filmkritik. Laurens Straub wird Geschäftsführer beim Filmverlag der Autoren, seine rechte Hand ist Christian Friedel; Fassbinders *Die bitteren Tränen der Petra von Kant* ist der erste Film, den die beiden in die Kinos bringen. Dem Filmverlag wird ein eigener Weltvertrieb angegliedert. Zusammen mit der Arbeitsgemeinschaft Neuer Deutscher Spielfilmproduzenten gestaltet das Koordinationsbüro Film das Programm des Münchner Kinos Neues Arri. In Hamburg wird die Arbeitsgemeinschaft Kino e.V. gegründet, ein Zusammenschluß gewerblicher »Programm-Kinos«, die sich neben den Kommunalen Kinos als zweite Alternative zu den gesichtslosen Erstaufführungstheatern verstehen. In den nächsten Jahren werden die Mitglieder der AG auf über sechzig ansteigen. Die Vertreter der Kirchen ziehen sich aus der FSK zurück und beschränken sich auf eine Mitwirkung bei der Jugendfreigabe. Im Oktober zieht das Kommunale Kino Frankfurt, das bisher provisorisch im Theater am Turm untergebracht war, in den Neubau des Historischen Museums am Römerberg.

VERMISCHTES

Erste Regie-Arbeit von Ulli Lommel (unvollendeter Spielfilm *Tödlicher Poker*). Erste Spielfilme von Hark Bohm (*Tschetan, der Indianerjunge*), Hans Noever (*Zahltag*) und Christian Ziewer (*Liebe Mutter, mir geht es gut*). Der Filmpreis des Verbandes der deutschen Kritiker geht an Jutta Hoffmann und Margarethe von Trotta, den Ernst-Lubitsch-Preis bekommt Herbert Fleischmann. Bundesfilmpreise: *Trotta* und *Ludwig – Requiem für einen jungfräulichen König* werden als beste Spielfilme ausgezeichnet, Fassbinder (*Der Händler der vier Jahreszeiten*), Ulrich Schamoni (*Eins*), Johannes Schaaf (*Trotta*) und Bernhard Wicki (*Das falsche Gewicht*) für ihre Regie. *Der Händler der vier Jahreszeiten* erhält weitere Filmbänder in Gold für die darstellerischen Leistungen von Irm Hermann und Hans Hirschmüller, *Trotta* für die Schauspielerin Rosemarie Fendel, den Nebenrollendarsteller Istvan Iglody (der auch in *Das falsche Gewicht* auftritt) und den Filmschnitt von Dagmar Hirtz. Kamera-Filmbänder: Jerzy Lipman (*Das falsche Gewicht*), Igor Luther (*Eins*); weitere Darsteller-Preise: Helmut Qualtinger (*Das falsche Gewicht*), Claus Theo Gärtner (*Zoff*) und Malte Thorsten (*Liebe ist nur ein Wort*). Das Filmband in Gold für die Sparte Drehbuch erhält Hans-Jürgen Syberberg für seinen *Ludwig*-Film. – Gestorben: Wilhelm (William) Dieterle, 79, ehemaliger Max-Reinhardt-Schauspieler, der in den zwanziger Jahren beginnt, Regie zu führen (*Ludwig, der zweite König von Bayern*, 1929, *Der Tanz geht weiter*, 1930); 1932 beginnt er eine glänzende Karriere in Hollywood (*Der Glöckner von Notre-Dame* mit Charles Laughton) und kehrt 1958 nach Deutschland zurück (*Herrin der Welt*, 1960). Edgar Ulmer, 72, Regie-Assistent Murnaus bei *Der letzte Mann*, *Tartüff* und *Faust*, Co-Regisseur von *Menschen am Sonntag* (1929), ab 1930 Hollywood-Regisseur und von den französischen *Cahiers*-Kritikern heiß geliebt. Paul Czinner, 82, Ehemann von Elisabeth Bergner und ihr häufigster Regisseur (*Ariane*, *Der träumende Mund*).

1973

Der Fußgänger
Gelegenheitsarbeit einer Sklavin
Ich dachte, ich wäre tot
La Victoria
Der lange Jammer
Liebesgrüße aus der Lederhose
Die Reise nach Wien
Die Sachverständigen
Traumstadt
Tschetan, der Indianerjunge
Verflucht dies Amerika
Die Zärtlichkeit der Wölfe

Konjunktur für »Liebesgrüße aus der Lederhose.«

Zum erstenmal das Internationale Frauenfilmseminar.

DIE LAGE

Jahresproduktion 82 Filme, davon 10 deutsch-ausländische Coproduktionen. Die drei erfolgreichsten Filme des Jahres sind *Liebesgrüße aus der Lederhose*, *Das Bullenkloster* und *Schulmädchen-Report 5. Teil*. Ilse Kubaschewski verkauft ihren traditionsreichen Gloria-Filmverleih an die US-Gesellschaft »Project Seven Inc.« (Barney Bernhard). In den vom Vorstand der SPD beschlossenen »Filmpolitischen Leitsätzen« findet sich der Satz: »Das Mißverhältnis der staatlichen Ausgaben für Theater und für den Film verrät eine katastrophale Unterschätzung der Möglichkeiten des Mediums Film.« Das Koordinationsbüro Film stellt seine Verleihtätigkeit ein und wird in das Kuratorium Junger Deutscher Film eingegliedert.

VERMISCHTES

Erste Regiearbeit von Bernhard Sinkel (Fernsehfilm *Clinch*). Erste Spielfilme von Wolf Gremm (*Ich dachte, ich wäre tot*), Norbert Kückelmann (*Die Sachverständigen*), Ulli Lommel (*Die Zärtlichkeit der Wölfe*), Karin Thome (*Über Nacht*) und Max Willutzki (*Der lange Jammer*). Claudia von Aleman und Helke Sander organisieren das 1. Internationale Frauenfilmseminar in Berlin. Preis der deutschen Filmkritik: *Tschetan, der Indianerjunge*. Wolf Gremm erhält den Filmpreis des Verbandes der deutschen Kritiker, Robert Van Ackeren den Ernst-Lubitsch-Preis für *Harlis*, Christian Ziewer und Klaus Wiese den Filmpreis der Akademie der Künste Berlin. Kückelmanns *Die Sachverständigen* wird auf den Filmfestspielen in Berlin mit einem Silbernen Bären ausgezeichnet, außerdem erhält er neben *Harlis* einen Bundesfilmpreis als bester Spielfilm. Weitere Filmbänder: Syberbergs Hofkoch-Film *Theodor Hirneis*, die Darsteller Margit Carstensen, Eva Mattes und Walter Sedlmayr, die Kameraleute Michael Ballhaus und Thomas Mauch und die Van-Ackeren-Mitarbeiterin Iris Wagner. Die einzigen Bundesfilmpreise, die nicht an Vertreter des Neuen Deutschen Films gehen, sind die Darstellerpreise für Paul Neuhaus in dem Simmel-Film *Der Stoff aus dem die Träume sind* und für Klaus Schwarzkopf in dem Simmel-Film *Alle Menschen werden Brüder*. – Bücher: Barbara Bronnen und Corinna Brocher sprechen in *Die Filmemacher* mit 17 Regisseuren über den neuen deutschen Film zehn Jahre nach Oberhausen. Außerdem: *Filmwirtschaft in der BRD und in Europa* von Michael Dost, Florian Hopf und Alexander Kluge; *Lernprozesse mit tödlichem Ausgang* von Alexander Kluge, darin die literarischen Vorlagen oder Weiterverarbeitungen von *Der starke Ferdinand* und den Science-Fiction-Filmen. – Gestorben: Robert Siodmak, 73, Co-Regisseur von *Menschen am Sonntag* (1929) und einer der besten Hollywood-Regisseure der vierziger Jahre, der seine letzten Filme (wie Fritz Lang) für Arthur Brauners CCC drehte (*Kampf um Rom*, 1968). Viktor de Kowa, 69, Staatsschauspieler. Lex Barker, 54, alias Old Shatterhand alias Kara ben Nemsi. Willy Fritsch, 72, Partner von Lilian Harvey und Käthe von Nagy und Vater von Thomas Fritsch. Willy Birgel, 82, ritt für Deutschland bis zur *Schonzeit für Füchse*.

1974

Alice in den Städten
Angst essen Seele auf
Chapeau Claque
Dorotheas Rache
Einer von uns beiden
Fontane Effi Briest
Hau drauf, Kleiner
Im Namen des Volkes
In Gefahr und größter Not
bringt der Mittelweg den Tod
Jeder für sich und Gott gegen alle
Karl May
Die letzten Tage von Gomorrha
Lohn und Liebe
Der Lord von Barmbeck
Output
Der Räuber Hotzenplotz
Schneeglöckchen blühn im September
Supermarkt
Unterm Dirndl wird gejodelt
Die Verrohung des Franz Blum

»Ich geniere mich etwas vor dem Begriff ›Junger deutscher Film‹, denn die Hersteller dieses Genres sind so jung an Jahren nicht mehr.«

Die Verunsicherung der Altbranche, die schon bald gehörig umdenken muß.

34 Fernseh-Millionen für den Film.

Neue und alte Zulieferer für Programmkinos und Kommunale Kinos.

Fassbinders Abenteuer am »Theater am Turm«.

DIE LAGE

Jahresproduktion 77 Filme, davon 18 deutsch-ausländische Coproduktionen. Geschäftlich am erfolgreichsten sind *Geh, zieh dein Dirndl aus* und *Unterm Dirndl wird gejodelt*, an dritter Stelle *Hau drauf, Kleiner* von May Spils, aber der alte Schwung ist hin. Obwohl die Dirndl-Filme auf den ersten Plätzen liegen, kann niemand mehr übersehen, daß der Neue Deutsche Film allmählich sein Publikum findet. So gesteht Klaus Hebecker in der von der SPIO herausgegebenen *film-information* zu: »Ich geniere mich etwas vor dem Begriff ›Junger deutscher Film‹, denn die Hersteller dieses Genres sind so jung an Jahren nicht mehr. Es muß auffallen, daß ein Regisseur wie Ottokar Runze mit *Der Lord von Barmbeck* und *Im Namen des Volkes* 1974 gleich mit zwei Filmen Furore machte. Es muß auffallen, daß der als Spezialverleih gegründete ›Filmverlag der Autoren‹ 1974 erstmals auch kommerziell Erfolge verbuchte, etwa mit den Rainer-Werner-Fassbinder-Filmen *Effi Briest* und *Angst essen Seele auf*. Dazu konnte der Verleih mehrere interessante Streifen offerieren wie etwa Werner Herzogs Kaspar-Hauser-Film *Einer für sich und Gott gegen alle* (sic). Ein wenig Sorge bereitet mir der kalkulierte deutsche Kommerzfilm. Und da meine ich nun nicht etwa die Reporte und die vorsätzlichen Lustbarkeitsstreifen, sondern das, was unter dem schrecklichen Begriff ›gute Unterhaltung‹ auf den Markt kommt. Hier gab es, zugegeben, 1974 Schlappen. Immerhin so solide gearbeitete Kommerz-Streifen wie *Einer von uns beiden* oder *Supermarkt* erreichten ihr finanzielles Klassenziel nicht. Man wird zu untersuchen haben, woran das liegt. Auch so

manche aufwendige bundesdeutsch-ausländische Coproduktion fand nicht jene Resonanz, die sich die Produzenten erhofft hatten.« Aus diesen Zeilen spricht die Verunsicherung der Altbranche, die schon bald gehörig umdenken muß. Eine weitere Novellierung des Filmförderungsgesetzes sieht eine verstärkte Projektförderung vor, außerdem wird zwischen der FFA und den Fernsehsystemen ARD und ZDF das »Film/Fernseh-Abkommen« geschlossen, das die Fernsehinvestitionen in Coproduktionen zwischen TV-Anstalten und Filmproduktionsfirmen regelt (34 Millionen in den folgenden fünf Jahren) sowie die Regeln des »Vorabkaufs« von nicht mit dem Fernsehen koproduzierten Filmen durch die Anstalten festlegt und die übrigen Geschäfte zwischen Fernsehen und Filmproduktion fixiert. Film/TV-Coproduktionen bleiben laut Abkommen zwei Jahre dem Kino vorbehalten, vorabgekaufte Filme fünf Jahre. Eine Zusammenarbeit von TV-Anstalten und Filmproduktionen sind auch außerhalb des Abkommens wie gehabt möglich. Walter Kirchners ambitionierter »Neue Filmkunst«-Verleih geht in Konkurs, doch bleibt der größte Teil seines Filmstocks über die Nachfolgefirma »Die Lupe GmbH« und Hans J. Flebbes »Impuls-Film« erhalten. In Berlin gründen Klaus Wiese und Christian Ziewer den »Basis-Film Verleih«, der sich in den nächsten Jahren zu einem der wichtigsten Zulieferer für Programmkinos und Kommunale Kinos entwickelt. Walter Schobert

Hanna Schygulla, Wolfgang Schenck und Karlheinz Böhm in *Fontane Effi Briest*

übernimmt die Leitung des Kommunalen Kinos Frankfurt und gehört zu den Gründern der Arbeitsgemeinschaft für Kommunale Filmarbeit e. V. Der Filmverlag der Autoren wird in eine GmbH & Co. KG umgegründet, und es bleiben nur noch sieben Gesellschafter im Geschäft: Bohm, Brandner, Fassbinder (neu), Fengler, Geissendörfer, Noever und Wenders. Ausschließlicher Zweck der Firma ist jetzt der Verleih. In Hamburg finden zum ersten Mal die von der AG Kino organisierten Hamburger Kinotage statt, eine Sichtveranstaltung für die Mitglieder der AG, bei der über die Filme abgestimmt wird, die in der kommenden Saison von der AG an die Programmkinos verliehen werden, wobei die Kosten für die Verleihrechte anteilmä-

ßig von den Mitgliedstheatern aufgebracht werden.

VERMISCHTES

Erste Regiearbeit des Dichters Herbert Achternbusch *(Das Andechser Gefühl)*. Erster Spielfilm von Uschi Reich *(Anna)*. Rainer Werner Fassbinder wird Leiter des Theaters am Turm (TAT) in Frankfurt am Main. Nach einem halben Jahr kündigt er den Job wieder. »Fassbinder hatte den Grund zum Zusammenbruch schon damit gelegt, daß er das Ensemble unter dem Gesichtspunkt der Verwendbarkeit für die Filme, die er zu drehen wünschte, zusammenstellte« *(Frankfurter Allgemeine Zeitung)*. In Cannes feiert Filmregisseur Fassbinder Triumphe mit *Angst essen Seele auf* (OCIC- und FIPRESCI-Preis), sein Star Brigitte Mira ist der Liebling des Festivals. Auf der Berlinale bekommt Ottokar Runzes Spiel-Dokumentation *Im Namen des Volkes* einen Silbernen Bären. Preis der deutschen Filmkritik: *Alice in den Städten*. Filmpreis des Verbandes der deutschen Kritiker: Ottokar Runze. Ernst-Lubitsch-Preis: Mario Adorf. Zum ersten Mal seit Bernhard Wickis *Die Brücke*, also nach vierzehn Jahren, wird der höchste Bundesfilmpreis, die Goldene Schale, vergeben, und zwar an Maximilian Schells *Der Fußgänger*. Hauptdarsteller Gustav Rudolf Sellner erhält für denselben Film ein Film-band in Gold. Weitere ausgezeichnete Filme: *Supermarkt* (Regisseur Roland Klick, Darsteller Walter Kohut), *Der Lord von Barmbeck* (Regisseur Ottokar Runze, Komponist Hans-Martin Majewski), *Einer von uns beiden* (Nachwuchsregisseur Wolfgang Petersen, Kameramann Charly Steinberger), *Der lange Jammer* (bester programmfüllender Film ohne Spielhandlung), *Angst essen Seele auf* (Darstellerin Brigitte Mira). Filmemacherin Helke Sander gründet die Zeitschrift *Frauen und Film*. – Gestorben: Leontine Sagan, 85, Regisseurin von *Mädchen in Uniform* (1931). Erik Charell, 80, Regisseur von *Der Kongreß tanzt* (1931). Bergfilm-Regisseur Arnold Fanck, 85. Hans Leibelt, Schauspieler *(Die Feuerzangenbowle)*.

1975

Die Antwort kennt nur der Wind
Die Atlantikschwimmer
Berlinger
Eiszeit
Es herrscht Ruhe im Land
Falsche Bewegung
Faustrecht der Freiheit
In der Fremde
John Glückstadt
Der letzte Schrei
Lina Braake
Made in Germany and USA
Meine Sorgen möcht' ich haben
Moses und Aron
Mutter Küsters' Fahrt zum Himmel
Das Tal der tanzenden Witwen
Die verlorene Ehre der Katharina Blum

»Das teutonische Fieber der Franzosen«.

»Die Kluft zwischen den lauten und den leisen Filmen wird sich in den nächsten Jahren vertiefen; die Harten werden das Geschäft vorantreiben und die Zarten die Entwicklung des Films.«

Francis Copolla entdeckt Kaspar Hauser.

DIE LAGE

Jahresproduktion 55 Filme, davon 19 deutsch-ausländische Coproduktionen. War 1966 das Geburtsjahr des Jungen Deutschen Films, so ist dies das Jahr seiner Volljährigkeit: Ab sofort spricht man vom Neuen Deutschen Film, womit man sich dem Begriff des New German Cinema angleicht, der seit einiger Zeit in England und USA gebräuchlich ist. *Die verlorene Ehre der Katharina Blum* von Schlöndorff/Trotta wird der erfolgreichste deutsche Film des Jahres, dicht gefolgt von Bernhard Sinkels Erstlingsfilm *Lina Braake*. Anläßlich der beachtlichen Repräsentanz bundesdeutscher Filme in Cannes (Helma Sanders' *Unter dem Pflaster ist der Strand,* Werner Schroeters *Schwarzer Engel,* Fassbinders *Faustrecht der Freiheit* und natürlich Herzogs *Jeder für sich und Gott gegen alle*) schreibt Wolf Donner in der *Zeit:* »Trotz des ›teutonischen Fiebers‹ der Franzosen, trotz der fragwürdigen Rezeption von Regisseuren wie Syberberg, Fleischmann, Wenders, Schroeter als besonders exotischen Vögeln hat sich gezeigt, daß der deutsche Film, vom weiterhin blühenden Sex-Markt einmal abgesehen, durchaus internationale Chancen hat. Denn je beherrschender das amerikanische Gigantenkino der Superstars, der achtstelligen Dollar-Budgets und des bombastischen Horrors wird, desto wichtiger werden andererseits die nationalen, regionalen, individuellen Alternativen. Die Kluft zwischen den lauten und den leisen Filmen wird sich in den nächsten Jahren vertiefen; die Harten werden das Geschäft vorantreiben und die Zarten die Entwicklung des Films.« Die Gierse-Unternehmensverwaltung steigt in die Constantin ein, zunächst übernimmt sie 50%, ein Jahr später auch die zweite Hälfte. Drei Klein-Verleihe werden gegründet: Prokino, Impuls und NEF. Das Kommunale Kino Frankfurt veranstaltet zum ersten Mal seine Kinderfilmwoche, die ab 1978

Festivalcharakter haben wird. Dabei geht es dem deutschen Kinderfilm so schlecht wie nie zuvor: Das Bundesministerium für Jugend, Familie und Gesundheit streicht der »Aktion Kuno« 400 000 DM, was das Ende dieses nichtgewerblichen Kinderfilm-Verleihs bedeutet.

Fritz Rasp gratuliert dem 50 000 Besucher von *Lina Braake*

VERMISCHTES

Erste Regie-Arbeiten von Ulf Miehe *(John Glückstadt)* und Margarethe von Trotta (Co-Regie bei *Die verlorene Ehre der Katharina Blum).* Erste Spielfilme von Hartmut Bitomsky *(Auf Biegen oder Brechen),* Manfred Purzer *(Das Netz),* Bernhard Sinkel *(Lina Braake).* Wolfgang Ruf wird nach dem plötzlichen Tod von Will Wehling neuer Leiter der Westdeutschen Kurzfilmtage Oberhausen. Den großen Spezialpreis von Cannes erhält Werner Herzogs Kaspar-Hauser-Film *Jeder für sich und Gott gegen alle* (dazu noch den OCIC- und FIPRESCI-Preis). Francis Ford Coppola (»Noch nie hat mich ein Film so gerührt. Ich will ihn haben.«) kauft den Film für den US-Markt. In San Sebastian wird *Die verlorene Ehre der Katharina Blum* mit dem OCIC-Preis und Maximilian Schells *Der Richter und sein Henker* mit einer silbernen Muschel ausgezeichnet. Nach fünfjähriger Pause gibt es wieder Film-Bambis: Runzes *Der Lord von Barmbeck* bekommt einen als bester deutscher Film, ein weiterer geht an Terence Hill und Bud Spencer, »weil sie durch ihre von der Brutalität wegführende und zum Spaß hinführende Abenteuerfilmserie neue Besucherschichten für die Kinos gewonnen haben«. Der Preis der deutschen Filmkritik wird an *Es herrscht Ruhe im Land* vergeben, der

Filmpreis des Verbandes der deutschen Kritiker an Angela Winkler und der Ernst-Lubitsch-Preis an Angelika Milster. Mit dem Bundesfilmpreis ausgezeichnete Filme: *Lina Braake* (für die Produktion und Titeldarstellerin Lina Carstens), *Jeder für sich und Gott gegen alle* (für Regisseur Herzog, Ausstatter Henning von Gierke und Cutterin Beate Mainka-Jellinghaus), *Im Namen des Volkes* (als bester programmfüllender Film ohne Spielhandlung), *John Glückstadt* (für Nachwuchsregisseur Ulf Miehe und Darsteller Dieter Laser), *Unter dem Pflaster liegt der Strand* (für die Darsteller Grischa Huber und Heinrich Giskes), *Karl May* (für Darsteller Helmut Käutner und die Ausstattung von Nino Borghi), *In Gefahr und größter Not bringt der Mittelweg den Tod* (für die Musikdramaturgie von Kluge und Reitz und die Cutterin Beate Mainka-Jellinghaus); gleich sechs Filmbänder gehen an *Falsche Bewegung* (für Regisseur Wim Wenders, Autor Peter Handke, das Schauspieler-Ensemble, den Komponisten Jürgen Knieper, Kameramann Robby Müller und Cutter Peter Przygodda). – Bücher: *Gelegenheitsarbeit einer Sklavin. Zur realistischen Methode,* von Alexander Kluge. Im Chabrol-Band der Reihe Film bei Hanser (die sich als erste Filmmonographie-Reihe in deutscher Sprache durchsetzt) verfaßt Fassbinder eine scharfe Abrechnung mit Claude Chabrol: »Schatten freilich und kein Mitleid«. – Gestorben: Regisseur E. W. Emo. Schauspieler Carl Wery, 78. Schauspielerin Agnes Windeck. Paul Verhoeven, 74, Schauspieler, Regisseur und Vater von Michael Verhoeven. Gustav von Wangenheim, 80, Darsteller in Murnaus *Nosferatu* und Langs *Frau im Mond,* nach dem Krieg Regisseur in der DDR. Wilhelm (William) Thiele, 85, Regisseur von *Die Drei von der Tankstelle* (1930), ab 1933 in Hollywood (Tarzan-Filme), nach dem Krieg wieder in Deutschland *(Der letzte Fußgänger,* 1960, mit Heinz Erhardt). Therese Giehse, 77, »die Giehse« – sie starb kurz nach Beendigung der Dreharbeiten zu dem Film *Black Moon,* den Regisseur Louis Malle ihr widmete. Victor Schamoni, 43, Kameramann beim Bayerischen Rundfunk und älterer Bruder der Regisseure und Produzenten Peter, Thomas und Ulrich Schamoni.

Londoner Plakat zu *Die verlorene Ehre . . .*

1976

Ansichten eines Clowns
Der aufrechte Gang
Bomber und Paganini
Das Brot des Bäckers
Der dritte Grad
Der Fangschuß
Hauptlehrer Hofer
Herz aus Glas
Im Lauf der Zeit
Lieb Vaterland, magst ruhig sein
Die Marquise von O ...
MitGift
Nordsee ist Mordsee
Reifezeit
Schatten der Engel
Sommergäste
Der starke Ferdinand
Sternsteinhof
Vera Romeyke ist nicht tragbar
Verlorenes Leben
Die Wildente

»*Der deutsche Film ist heute einer der intelligentesten und einfallsreichsten in Europa.*«

»*Unverständliche oder politisch belehrende Hirngespinste gut subventionierter Filmemacher.*«

»*Jungfilmer stehen meist links und sind daher der jetzigen Regierung angenehm.*«

Fassbinder kommt in einen furchtbaren Verdacht.

Eine kleine Welle Film-Publizistik.

DIE LAGE

Jahresproduktion 60 Filme, davon 24 aus der Umgebung des Neuen Deutschen Films und kaum noch Sexfilme. Die an der Kinokasse erfolgreichsten bundesdeutschen Filme sind *Die verlorene Ehre der Katharina Blum* (im zweiten Jahr), *Berlinger* von Sinkel/Brustellin und Jasnys Böll-Verfilmung *Ansichten eines Clowns;* auch *Sommergäste* und *Im Lauf der Zeit* finden ihr Publikum. *Newsweek* bringt eine Titelstory, »THE GERMAN FILM BOOM«, in der es (nach der Beschreibung typischer Szenen aus *Jeder für sich und Gott gegen alle, Faustrecht der Freiheit* und *Katharina Blum*) heißt: »Für eine stets wachsende Zahl von führenden Kritikern und Filmfans der ganzen Welt gehören diese harschen Visionen zu den aufregendsten des zeitgenössischen Kinos. Mehr als 40 Jahre nachdem der Nationalsozialismus den goldenen Zeiten des deutschen Films ein Ende bereitet hat, bringt eine engagierte Mannschaft junger Regisseure, die oft kein Produktionsquartier als die Wohnung eines Freundes haben und in improvisierten Schneideräumen arbeiten, Deutschland auf die kinematographische Landkarte zurück. ›Der deutsche Film ist heute einer der intelligentesten und einfallsreichsten in Europa‹, sagt die dynamische italienische Filmemacherin Lina Wertmuller.« Am Ende der fünfseitigen Eloge zitiert das Magazin Henri Langlois, den berühmten Chef der Pariser Cinémathèque: »Als ich in den vierziger und fünfziger Jahren in Deutschland war, wurde mir klar, daß man die deutsche Kultur totgetrampelt hatte; es war, als wäre sie einfach nicht mehr existent. In so einem Fall muß man darauf warten, daß eine neue

Generation einen neuen Anfang macht. Das ist jetzt passiert. Aber der neue deutsche Film ist gerade erst geboren.« Ein Teil der deutschen Altbranche ignoriert weiterhin standhaft das, was *Newsweek* »Die deutsche Film-Renaissance« nennt: »Die ständig wiederholte Behauptung, der ›neue deutsche Film‹ habe unser Kinopublikum längst zu einem ›besseren Geschmack‹ erzogen, wird durch ihre penetrante Verbreitung in der Tagespresse keineswegs wahrhaftiger. Es bleibt dabei: die Kinobesucher hierzulande wollen Unterhaltung und keine unverständlichen oder politisch belehrenden Hirngespinste gut subventionierter Filmemacher« Horst Axtmann, *Film-Echo/Filmwoche,* September 1976). In einem Interview mit der *Abendzeitung* fordert Luggi Waldleitner: »Novellierung und effektivere Gestaltung des Filmförderungsgesetzes, Neuordnung des Verhältnisses Film/Fernsehen, kurzfristige Befriedigung des Marktes, um die Filmtheater am Leben zu erhalten, langfristiges Konzept, das den deutschen Film international konkurrenzfähig macht.« Waldleitner im gleichen Interview zum Erfolg des Neuen Deutschen Films im Ausland: »Jungfilmer stehen meist links und sind daher der jetzigen Regierung angenehm. Sie werden mit Hilfe öffentlicher Gelder als sogenanntes Repräsentationsgut im Ausland herumgereicht. Die Erfolge, die sie im Ausland erzielen, sind optische Erfolge, aber keine geschäftlichen.«
Die Deutsche Film- und Fernsehakademie Berlin feiert ihr zehnjähriges Bestehen. Ingmar Bergmann fühlt sich durch die Steuerbehörden seines Heimatlandes ungerecht behandelt, emigriert in die Bundesrepublik und dreht in München für Dino de Laurentiis (USA) und Horst Wendlandt (Berlin) seinen Film *Das Schlangenei.* Fassbinders Drehbuch *Die Erde ist unbewohnbar wie der Mond* nach dem gleichnamigen Roman von Gerhard Zwerenz, in dem es um Bauspekulation in Frankfurt geht, wird von der Projektkommission der FFA durch zwei Instanzen abgelehnt. Fassbinder hatte Zwerenz' Roman aber auch als Vorlage für sein Theaterstück *Der Müll, die Stadt und der Tod* benutzt (das zunächst vom Suhrkamp-Verlag ausgeliefert, dann aufgrund einiger »antisemitischer« Dialogstellen wieder zurückgezogen wurde), und Daniel Schmids Film *Schatten der Engel* nach Fassbinders Stück und mit Fassbinder in der Hauptrolle kommt ins Kino; Schnittauflagen der FSK – eben jene Dialogstellen – werden ignoriert. Der Filmverlag der Autoren, der inzwischen auch internationale Filme verleiht (Scorseses *Hexenkessel,* Malles *Black Moon*), schlittert in eine finanzielle Krise; Laurens Straub (»Ich will keine Mini-Constantin sein!«) scheidet aus der Firma aus, es gibt Streit und Intrigen zwischen den Gesellschaftern.

VERMISCHTES

Erste Spielfilme von Jutta Brückner (*Ein ganz und gar verwahrlostes Mädchen*), Heidi Genée (*Grete Minde*) und Erwin Keusch (*Das Brot des Bäckers*). In Cannes geht der Große Spezialpreis der Jury an Eric Rohmers deutschen Film *Die Marquise von O ...* (ex aequo mit Sauras *Cria Cuervos*), und den FIPRESCI-Preis teilen sich Wim Wenders' *Im Lauf der Zeit* und

Alexander Kluges *Der starke Ferdinand.* Ohne den betreffenden Film überhaupt gesehen zu haben, reist die israelische Delegation aus Protest gegen Daniel Schmids *Schatten der Engel* (s. Die Lage) aus Cannes ab. Auf der Berlinale, die zum letzten Mal unter der Leitung von Alfred Bauer steht, gewinnt Gerhard Olschewski einen Silbernen Bären für seine darstellerische Leistung in Ottokar Runzes Film *Verlorenes Leben.* Vojtech Jasny bekommt in San Sebastian eine Silberne Muschel für *Ansichten eines Clowns.* Zum zehnten Mal: Internationale Hofer Filmtage; dieses Festival ist inzwischen weltbekannt und nach Berlin das wichtigste in der Bundesrepublik. Preis der deutschen Filmkritik an *John Heartfield, Fotomonteur* von Helmut Herbst (als bester Kurzfilm, Spielfilmpreis nicht vergeben). Filmpreis des Verbandes der deutschen Kritiker an Klaus Kirschner, Ernst-Lubitsch-Preis an Bernhard Sinkel. Bundesfilmpreise: Wanderpreis Goldene Schale an *Es herrscht Ruhe im Land;* Filmband in Silber für die beste Gestaltung eines abendfüllenden Spielfilms an Hans W. Geissendörfer für *Sternsteinhof;* bester abendfüllender Film ohne Spielhandlung: *Mozart – Aufzeichnungen einer Jugend* von Klaus Kirschner; Filmbänder in Gold an Jost Vacano (Kamera in *Die verlorene Ehre der Katharina Blum* und *Lieb Vaterland, magst ruhig sein*), das Ausstattungsteam des Films *Die Marquise von O ...* sowie an die Darsteller Edith Clever (*Die Marquise von O ...*), Bruno Ganz (*Die Marquise von O ...*), Ulrike Luderer (*Sternsteinhof*), Gerhard Olschewski (*Verlorenes Leben*), Karl Maria Schley (*Mozart – Aufzeichnungen einer Jugend*) und Angela Winkler (*Die verlorene Ehre der Katharina Blum.* Publikationen: Syberbergs *Filmbuch; Im Lauf der Zeit* als Fotoscript; *Herzog Kluge Straub* in der Reihe Film bei Hanser; Alexandra Kluge und Bion Steinborn gründen die Zeitschrift *filmfaust;* das Gemeinschaftswerk der evangelischen Publizistik erweckt den *Filmbeobachter* zu neuem Leben; der Hamburger Verleger Dirk Manthey bringt die erste deutsche Publikums-Filmzeitschrift seit Jahrzehnten auf den Markt. – Gestorben: Ferdinand Khittl, 52, Dokumentar- und Industriefilm-Regisseur, der mit seinem einzigen Spielfilm *Die Parallelstraße* 1964 internationale Anerkennung fand. Hans Richter, 88, Pionier des abstrakten Films. Hans Sohnle, 81, Filmarchitekt (*Die freudlose Gasse*). UFA-Produzent Günther Stapenhorst, 92. Hermann Warm, 87, Filmarchitekt (*Das Kabinett des Dr. Caligari, Der müde Tod*). Regisseur Paul May, 66. Komponist Friedrich Hollaender, 79. Lucie Mannheim, 77, Schauspielerin. Hans Seitz, 53, Bruder des Produzenten Franz und unter dem Pseudonym Hans Terofal Komiker in dessen Filmen. Fritz Rasp, 85, Filmschauspieler in Deutschland von *Metropolis* (1926) und Fritz Lang bis *Lina Braake* (1975) und Bernhard Sinkel. Fritz Lang, 85; »Ich denke, ich weiß, warum mir *Der Spiegel* angeboten hatte, über Lang zu schreiben: In *Im Lauf der Zeit* ist er anwesend, es wird von den *Nibelungen* geredet, man sieht zwei Fotos von ihm, eines davon aus *Le Mépris.* Ich hatte das nicht im Sinn. In diesem Film über das Bewußtsein von Kino in Deutschland hat sich der verlorene, nein der verpaßte Vater von selbst eingestellt, hat sich eingeschlichen« (Wim Wenders in: *Jahrbuch Film 77/78*).

1977

Der amerikanische Freund
Aus einem deutschen Leben
Belcanto oder Darf eine Nutte schluchzen
C'est la vie rrose
Fluchtweg nach Marseille
Grete Minde
Gruppenbild mit Dame
halbe-halbe
Der Hauptdarsteller
Kreutzer
Heinrich
Hitler – eine Karriere
Hitler – ein Film aus Deutschland
Jane bleibt Jane
Johnny West
Die Konsequenz
Die linkshändige Frau
Der Mädchenkrieg
Das Schlangenei
Steiner – das Eiserne Kreuz
Stroszek
Tod oder Freiheit
**Zu böser Schlacht schleich ich heut nacht
so bang**

»Dem deutschen Film geht es besser denn je. Der deutsche Film ist am Ende. Der deutsche Film besitzt Weltgeltung. Der deutsche Film ist provinziell.«

»Wir sind das bedeutendste Filmland der Welt.«

»Sie schlagen uns das Kino tot!«

Augstein rettet den Filmverlag, ein Schnapsfabrikant die Constantin.

»Die sentimentalen Jammergurken, die behaupten, sie müßten ins Exil, um Filme zu machen.«

Hexenjagd auf Volker Schlöndorff.

DIE LAGE

Jahresproduktion 51 Filme, davon über die Hälfte Neuer Deutscher Film. Geschäftlich erfolgreichste Filme des Jahres sind die beiden Großproduktionen (mit internationaler Beteiligung) *Steiner – das Eiserne Kreuz* und *Das Schlangenei*; deren Regisseure sind importierte Leinwandgrößen: Sam Peckinpah und Ingmar Bergmann. Der Neue Deutsche Film erringt mit *Der Mädchenkrieg* von Sinkel/Brustellin und *Der amerikanische Freund* von Wim Wenders weitere Publikumserfolge. In einer Artikelserie des Magazins *Die Zeit* formuliert und erläutert Hans C. Blumenberg »acht Thesen, acht Widersprüche« zur Situation des deutschen Films, die das augenblickliche Bewußtseinsdilemma exakt reflektieren: »Dem deutschen Film geht es besser denn je. Der deutsche Film ist am Ende. Der deutsche Film besitzt Weltgeltung. Der deutsche Film ist provinziell. Ohne staatliche Förderung gäbe es keinen deutschen Film. Der deutsche Film wird zu Tode subventioniert. Das Fernsehen hilft dem deutschen Film. Das Fernsehen bringt den deutschen Film um. Jeder dieser Sätze ist richtig, jeder für sich allein ist falsch.« Während einer Podiumsdiskussion im Düsseldorfer Filmforum scheut Werner Herzog indessen nicht den Superlativ: »Wir sind das bedeutendste Filmland der Welt. Wir sind vom filmhistorischen Kapazitäten wie Lotte H. Eisner abgesegnet worden wie die Kirchenhäupter vom Papst. Diese Gunst, die vor uns kein deutscher Regisseur erfahren hat, macht mich per-

sönlich ungeheuer stolz und hilft mir sehr.« Der seit Jahren ständig zunehmende Besucherrückgang kann endlich gestoppt werden: 1977 wird im Vergleich zum Vorjahr ein Ansteigen des Filmbesuchs um 7,9% verzeichnet (und eine Umsatzsteigerung von 6%). Auch das Kinosterben hat ein Ende, was allerdings durch die immer häufigere Aufteilung großer Filmtheater in mehrere kleine, oft winzige »Säle« (Schuhkarton-Kinos) bedingt ist. Unter dem Motto »Sie schlagen uns das Kino tot« befaßt sich auf den Frankfurter Römerberg-Gesprächen ein Expertenkreis mit der Situation des Films in der Bundesrepublik. In einem Nachwort dazu greift Rosa von Praunheim die »arrivierten« Fassbinder, Herzog und Sanders an und fordert mehr Chancen für den Nachwuchs: »Wir Etablierten müssen lernen, aus weniger mehr zu machen, um denen zu helfen, die aus gar nichts etwas Großartiges und Neues machen können. Die alten Knacker, die bei den Römerberg-Gesprächen auftauchten, kennt man. Man kennt ihre Argumente und ihre Arbeiten. Sie tun mir leid. Sie waren in den zwei Tagen so lieb und nett zueinander, so vorsichtig wie ihre Arbeiten und Ideen. So spießig ist das Leben wie im Film. Ich fordere Römerberg-Gespräche der Machtlosen, der Neuen, Unbekannten, nicht nur der Filmemacher (denn Film hat weniger etwas mit Film als mit Leben zu tun), sondern der Kreativen. Ich fordere auf zur Kulturrevolution, so lächerlich das auch in Deutschland klingen mag« (*Die Zeit*, 13. 5. 1977). Filmförderungsmaßnahmen der Länder: Die Konferenz der Kultusminister beschließt in Lübeck einen Stufenplan zur Aufstockung der Kuratoriumsmittel; der Westberliner Senat delegiert einen »Filmbeauftragten« und richtet eine eigene Filmförderung ein. Wolfdieter von Stein meldet für seinen Cinerama-Filmverleih Konkurs an. Im Februar rettet *Spiegel*-Verleger Rudolf Augstein den Filmverlag der Autoren vor dem gleichen Schicksal. Matthias Ginsberg und Theo Hinz werden neue Geschäftsführer des Filmverlags, Rainer Werner Fassbinder scheidet als Gesellschafter aus, übriggeblieben sind nur noch Bohm, Brandner, Geissendörfer und Wenders. Ende des Jahres kommt das Aus für die Constantin, ein Konkurs, den auch der riesige Erfolg von Peckinpahs *Steiner* nicht verhindern konnte. Der Schnapsfabrikant Ludwig Ekkes ermöglicht die Gründung der Neuen Constantin (Geschäftsführer: Jungproduzent Bernd Eichinger), der Übergang vollzieht sich rasch und ohne nennenswerte Änderungen im Verleihkonzept. Die Münchner Hochschule für Fernsehen und Film feiert ihr zehnjähriges Bestehen

VERMISCHTES

Erster »großer« Spielfilm der Super-8-Filmer Walter Bockmayer und Rolf Bührmann *(Jane bleibt Jane).* Erster Spielfilm von Helke Sander *(Redupers).* Fassbinder, Syberberg, Wenders und Herzog beabsichtigen ins Ausland abzuwandern. Im US-Magazin *Newsweek* motiviert Fassbinder dies mit dem Ärger über die Fördergremien und ihre repressiven und quasi zensoralen Praktiken: »Die wollen jetzt nur noch unpersönliche Geschichten mit hübschen Stories, weil unpersönliche Filme nicht gefährlich sind; sie haben

keine Realität.« Außer Wenders (siehe 1978) setzt aber keiner seine Karriere im Ausland fort. Werner Schroeter in *tip:* »Ich gehöre absolut nicht zu den sentimentalen Jammergurken, die behaupten, sie müßten ins Exil, um zu arbeiten . . . Ich finde, es gibt nur einen Grund für Emigration, das ist der, wenn das eigene Leben bedroht ist. Alles andere ist nur Flucht vor einer Auseinandersetzung mit den bestehenden Zuständen.« Die Münchner Bavaria-Studios als Klein-Hollywood: Nach Ingmar Bergmans *Schlangenei* entstehen hier die (Abschreibungs-)Filme *Feodora* von Billy Wilder und *Das letzte Ultimatum* von Robert Aldrich. Im Herbst (*dem Herbst*) wird Volker Schlöndorff als »Sympathisant« angegriffen und scheidet aus dem Verwaltungsrat der Filmförderungsanstalt aus. Aus den Duisburger Informationstagen »Film 71« bis »Film 76« entwickelt sich die 1. Duisburger Filmwoche, die neueste deutsche Spiel- und Dokumentarfilme vorstellt und Vertreter der verschiedensten Interessengemeinschaften (so Gewerkschaftler und Kinobesitzer) zu Gesprächen an einen Tisch zu bringen versucht. Die Berliner Filmfestspiele stehen erstmals unter der Leitung von Dr. Wolf Donner (vorher Filmkritiker und -redakteur bei *Die Zeit*); eine der Neuerungen: die von Heinz Badewitz organisierte »Deutsche Reihe«. Badewitz gehört auch zu den Organisatoren des 1. Münchner Filmtreffens (auch Schlöndorff, Hauff und Reitz sind aktiv daran beteiligt): »Weder auswandern noch aufgeben, hierbleiben und machen – das gilt für uns Filmer wie für alle anderen.« In San Sebastian gibt es eine Silberne Muschel für *Der Mädchenkrieg*. Der Bundesverband der Fernseh- und Filmregisseure vergibt erstmals seine Darstellerpreise (Chaplin-Schuh); die diesjährigen Preisträger sind Edith Clever und Tilo Prückner. Der Filmpreis des Verbandes der deutschen Kritiker geht an Wim Wenders. Bundesfilmpreise: Die Goldene Schale bekommt *Heinrich* von Helma Sanders-Brahms; Filmbänder an *Das Brot des Bäkkers* (für Erwin Keuschs Regie und Bernd Taubers darstellerische Leistung), *Die Eroberung der Zitadelle* (für Bernhard Wickis Regie und Igor Luthers Kamera), *Grete Minde* (für Heidi Genées Regie), *Gruppenbild mit Dame* (für Aleksandar Petrovics Regie und Romy Schneiders Darstellung), *Stunde Null* (für Regisseur Edgar Reitz), *Der Mädchenkrieg* (für Sinkel/Brustellins Regie, Katherine Hunters Darstellung und die Ausstattung von Hans Gailling und Karel Vacek), *C'est la vie rrose* (als programmfüllender Film ohne Spielhandlung und für Hans-Christof Stenzels Regie, Drehbuch und Musikbearbeitung), *Wer will krank sein auf der Welt* (programmfüllender Film ohne Spielhandlung von Maximiliane Mainka und Peter Schubert), *Der Fangschuß* (für Regisseur Volker Schlöndorff und Igor Luthers Kamera) und *Herz aus Glas* (für Kameramann Jörg Schmidt-Reitwein). – Gestorben: Eugen Schüfftan, 84, Kameramann und Erfinder des nach ihm benannten Spiegeltrick-Verfahrens (erstmals angewandt in *Metropolis* und *Die Nibelungen*). Karl Ritter, 89, Regisseur von Propaganda-Filmen im Dritten Reich. Paul Hartmann, 88, und Elisabeth Flickenschildt, 72, Schauspieler. Carl Zuckmayer, 81, Schriftsteller und Drehbuchautor *(Der Hauptmann von Köpenick).*

1978

»In der Bundesrepublik wird kein Kino mehr gemacht. Bei uns herrschen der Kunstfilm und seine Exkremente, der Kommerz.«

München blamiert sich mit einem Filmfest-Projekt.

Untergang der Gloria, Aufgang der Filmwelt.

DIE LAGE

Jahresproduktion 57, davon 33 Neuer Deutscher Film. Hark Bohm, dessen *Moritz, lieber Moritz* erfolgreichster deutscher Film des Jahres ist, bricht im *Spiegel* (Nr. 32/1978) eine Lanze für den Publikumsfilm: »Heute ist der deutsche Film Kunst und hat nichts mehr mit dem zu tun, was herkömmlich Kino heißt. Das Faszinierende am Kino war, daß potentiell jeder Zuschauer Kinofilme unabhängig von seiner jeweiligen Bildung verstehen und genießen konnte. Kunstwerke im herkömmlichen Sinn kann nur der traditionell Gebildete verstehen und erst recht genießen. . . . In der Bundesrepublik wird kein Kino mehr gemacht. Bei uns herrschen der Kunstfilm und seine Exkremente, der Kommerz. In der Bundesrepublik liegt der Gral des Cinéasmus, der Lehre vom publikumsfreien, vom künstlerischen Film. . . . Eine internationale Mode, wie sie der neue deutsche Film zur Zeit ist, geht vorüber. Wir hatten den Neo-Realismus, die Nouvelle Vague. Wenn wir nicht den Anschluß an den Hauptstrom des Kinos finden, wird unser Staatsfilm durch Inzucht wegdegenerieren.« Bohms Polemik kommt ein wenig zu spät, denn noch im selben Jahr wird gleich eine ganze Reihe von Filmen uraufgeführt, die die Popularität, die Bohm sich zu recht wünscht, wirklich erreichen: *Die gläserne Zelle, Messer im Kopf, Was heißt'n hier Liebe, Albert – warum?, Die Abfahrer, Flammende Herzen* und – nicht zuletzt – *Deutschland im Herbst* und *Das zweite Erwachen der Christa Klages*. Diese Entwicklung geht parallel mit einem weiteren Anstieg (+ 9,1%) des Kinobesuchs; die Anzahl der Filmtheater steigt um 87 auf 3159. Die Münchner CSU schreibt das Motto »Filmstadt München« auf ihr Wahlkampf-Banner und leitet damit ein sich über mehrere Jahre hinziehendes Trauerspiel ein. Ein »Bayerischer Staats-Filmpreis« wird eingerichtet, und im Juni wird Modewochenchef Alfred Wurm zum Organisator einer jährlichen Filmmesse bestellt; das ganze bekommt den Namen »Filmwochen GmbH«. Über organisatorische Details und Programmvorstellungen schweigt man sich beharrlich aus, Warnungen Münchner Filmemacher werden nicht beachtet. Auf Initiative der Zeitschrift *filmfaust* gründen 30 Regisseure den Verband Deutscher Nachwuchsfilm, der »die Interessen derjenigen wahrnehmen will, die angesichts der Förderungspraxis in der Bundesrepublik mit ihren Filmprojekten keine Chance haben«. Weitere Maßnahmen zur Gewährleistung einer funktionierenden Kinderfilm-Produktion: In Frankfurt wird der Fond Deutscher Kinderfilm gegründet (Sitz: München); der Berliner Senat stellt dem Kuratorium Junger Deutscher Film Landesmittel zur Verfügung, die ausschließlich der Förderung von Kinderfilmen zugedacht sind (noch im selben Jahr werden vier Projekte ausgewählt). Ein Verwaltungsabkommen schließt die Filmarchive Kinemathek, Berlin, Deutsches Institut für Filmkunde, Wiesbaden, und das Bundesarchiv Koblenz zu einem Kinematheken-Verbund zusammen. Der Gloria-Verleih geht in Konkurs; die Firma Residenz-Film, deren Programm die Gloria zunächst mitverliehen hatte, füllt die Lücke. Wim Wenders geht im März in die USA und arbeitet in San Francisco an dem Drehbuch zu *Hammett*, den er im Auftrag von Francis Ford Coppola drehen wird. Laurens Straub stellt mit Christian Friedel und Michael Pakleppa den Filmwelt-Verleih auf die Beine, dessen mit Sorgfalt und Kinosucht zusammengestelltes Programm sich auf neue deutsche Filme, alte Roger-Corman-Produktionen und Hollywood-Outsider konzentriert. Der Filmverlag der Autoren wird wieder produzieren: Project Filmproduktion heißt die neugegründete Schwesterfirma.

VERMISCHTES

Erste Regiearbeit von Robert Fischer (Kurzfilm *Strange Behaviour of Moving Pictures*, zusammen mit Klaus-Peter Heß und Christoph Schwalb). Die Internationalen Filmfestspiele Berlin finden zum ersten Mal Ende Februar/Anfang März statt. Werner Schroeter bekommt für *Neapolitanische Geschwister* den Großen Preis der 9. Internationalen Filmfestspiele von Taormina, der Hauptpreis der Internationalen Filmfestspiele Kairo geht an *Der Hauptdarsteller* von Reinhard Hauff. Mit je einem Chaplin-Schuh als Darsteller-Preis werden dieses Jahr Katja Rupé und Jürgen Prochnow ausgezeichnet. Erwin Keusch bekommt den Ernst-Lubitsch-Preis. Preis der deutschen Filmkritik: *Stroszek* von Werner Herzog. Bundesfilmpreise: bester programmfüllender Spielfilm *Die gläserne Zelle*; je ein Filmband in Silber an *Aus einem deutschen Leben, Das zweite Erwachen der Christa Klages, Der amerikanische Freund, Flammende Herzen, Rheingold, Taugenichts, Der Garten Eden* und *Ich denke oft an Hawaii*; Filmbänder in Gold für Regie: Rainer Werner Fassbinder *(Eine Reise ins Licht)* und Wim Wenders *(Der amerikanische Freund)*; Filmbänder in Gold für Kamera: Ernst Wild *(Rheingold)* und Michael Ballhaus *(Eine Reise ins Licht)*; Filmbänder in Gold für darstellerische Leistungen: Tina Engel *(Das zweite Erwachen der Christa Klages)*, Peter Kern *(Flammende Herzen* und *Hitler – ein Film aus Deutschland)* und Rio Reiser *(Johnny West)*; ein Filmband in Gold für die Filmkonzeption an das Team von *Deutschland im Herbst*; ein Filmband in Gold an Peter Przygodda für den Schnitt der Filme *Der amerikanische Freund, Die linkshändige Frau* und *Die gläserne Zelle*; ein Filmband in Gold für die Ausstattung des Films *Eine Reise ins Licht* an Rolf Zehetbauer. Douglas Sirk erhält ein Filmband in Gold für langjähriges und hervorragendes Wirken im deutschen Film. – Publikationen: Im Hanser Verlag erscheint *Vom Gehen im Eis*, ein Bericht Werner Herzogs über seine Fußwanderung München–Paris 1974. Mit *Kino 78* legt die Münchner Verlegerin Monika Nüchtern das erste Jahrbuch des Neuen Deutschen Films vor (1978 herausgegeben von Doris Dörrie und Robert Fischer, ab 1979 allein von Robert Fischer). – Gestorben: Franz-Josef Spieker, 44, dem mit *Wilder Reiter GmbH* einer der ersten wirklichen Publikumserfolge des Jungen Deutschen Films gelang, kommt auf Bali um. Roald Koller, 33, vielversprechendes Regietalent *(Johnny West)*, nimmt sich in München das Leben. Theo Lingen, 76. Valeska Gert, 78 (letzte Rolle: *Der Fangschuß* von Volker Schlöndorff). O. E. Hasse, 75, (letzte Rolle: *Eiszeit* von Peter Zadek). Lina Carstens, die in Filmen von Detlef Sierck debütierte und als Lina Braake unvergeßlich bleiben wird.

Strange Behaviour of Moving Pictures: das Team (Ch. Schwalb, S. Geiermann, R. Fischer, K. P. Heß, Hans Michael Schulz)

1979

... als Diesel geboren
Armee der Liebenden
Beschreibung einer Insel
Bildnis einer Trinkerin
Die Blechtrommel
David
Die dritte Generation
Die Ehe der Maria Braun
1 + 1 = 3
Das Ende des Regenbogens
Geschichten aus dem Wiener Wald
Grandison
Die Hamburger Krankheit
Kalte Heimat
Ein komischer Heiliger
Lena Rais
Letzte Liebe
Die letzten Jahre der Kindheit
Monarch
Die Nacht mit Chandler
Nosferatu – Phantom der Nacht
Die Patriotin
Schluchtenflitzer
Schwestern oder die Balance des Glücks
Sufferloh – Von heiliger Lieb und Trutz
Wehe, wenn Schwarzenbeck kommt
Der Willi-Busch-Report
Woyzeck

»Wenn es eine gemeinsame Tendenz für eine widersprüchliche Saison gibt, dann die: ins Kino zurückkehren, Filme fürs Kino drehen!«

Das Filmförderungsgesetz wird reformiert.

Das Münchner Filmfest emigriert nach Hamburg.

DIE LAGE

Jahresproduktion 65 Filme, davon 37 Neuer Deutscher Film. »Kinoerfolge erstmals wieder seit langer Zeit *(Die Blechtrommel, Die Ehe der Maria Braun, Nosferatu, Wehe, wenn Schwarzenbeck kommt):* um welchen Preis? Retten die amerikanischen Verleiher den deutschen Film? Haben wir noch ein Publikum für persönliche, radikale Kinofilme wie die von Fassbinder? Mißtrauen gegen den ›Gremien‹-Film, Abwehr gegen den Kino/TV-Zwitter: dennoch sind alle Hits des Jahres 79 gefördert oder vom Fernsehen mitfinanziert. Will das jugendliche Publikum Filme über die Jugend sehen? Exponenten der Avantgarde der sechziger Jahre, die lange geschwiegen, sich mit Nebenarbeiten über Wasser gehalten hatten, drängen ins Kino: Hellmuth Costard und Harun Farocki. Ein TV-Spezialist wendet sich wieder dem Kino zu und dreht die einzige ernstzunehmende Komödie: Klaus Lemke. Außenseiterfilme, mit minimalen Mitteln hergestellt, werden zu Außenseitererfolgen: *Albert – warum?* von Josef Rödl oder *Die Anstalt* von Hans-Rüdiger Minow. Wenn es eine gemeinsame Tendenz für eine widersprüchliche Saison gibt, dann die: ins Kino zurückkehren, Filme fürs Kino zu drehen. Nur, was ›Kino‹ eigentlich ausmacht – eine

Anhäufung von Kapital kombiniert mit einer guten Marktstrategie oder eine extrem subjektive Sehweise, radikale Erzählmethode? –, darüber gehen die Meinungen und Erfahrungen weit auseinander« (Wilhelm Roth in: *Jahrbuch Film 79/80).* Nachdem das erste Filmförderungsgesetz aus dem Jahre 1968 zweimal geändert (1971 und 1974) und 1978 kurzfristig verlängert wurde, tritt am 1. Juli ein in vielen Punkten erneuertes und gänzlich neu formuliertes Filmförderungsgesetz in Kraft. Statt bisher 15 Pfennig pro verkaufter Eintrittskarte regelt sich die Abgabe der Filmtheater an die Filmförderungsanstalt künftig auf prozentualer Basis je nach Größe und Umsatz des Kinos. Anstelle der bisherigen Projekt-Kommission tritt eine Vergabe-Kommission, die bereits mit einfacher Mehrheit (vorher war eine Zweidrittel-Mehrheit erforderlich) über die Förderung eines Antrags entscheiden kann. Förderungsmöglichkeiten bestehen nun auch für die Entwicklung von Drehbüchern sowie die Planung und Vorbereitung von Filmvorhaben. Eine dreiköpfige Unterkommission der Vergabe-Kommission regelt die ebenfalls erstmals gesetzlich verankerte Förderung von Low-Budget-Filmen. Schon 1978 hatte es erregte Diskussionen um die Neufassung des FFG gegeben, und nach der Verabschiedung kündigt der Hauptverband deutscher Filmtheater (HDF) einen Boykott der gesetzlichen Abgaben und Musterprozesse an. Doch alles verläuft im Sande, und nach wenigen Monaten hat man sich offensichtlich auch auf Seiten der Filmwirtschaft mit einem Gesetz abgefunden, das immerhin bis Ende 1986 wirksam sein wird. Als Antwort auf die undurchsichtigen Praktiken der Münchner Filmwochen GmbH (die angekündigte glanzvolle Filmmesse wird weder in diesem noch im nächsten Jahr stattfinden) gründen die Filmemacher den »Verein Münchner Filmfest e. V.«. Als feststeht, daß sie von der Stadt München keinerlei Unterstützung für ihr Vorhaben zu erwarten haben, wenden sie sich an die Stadt Hamburg. Von dort gibt man grünes Licht, und so findet im Herbst das 1. Filmfest der Filmemacher, an dem sich 43 deutsche Regisseure beteiligen, in Hamburg statt. Am 22. September formulieren die Filmemacher unter der Überschrift »Unsere Stärke ist die Vielfalt« die Hamburger

Erklärung (siehe Kasten), die wichtigste Solidaritätskundgebung der Filmschaffenden seit dem Oberhausener Manifest. Gleichzeitig gründet man die »Bundesvereinigung Film«, die »endgültige Verselbständigung des Neuen Deutschen Films im Hinblick auf die Filmwirtschaft« (Reinhard Hauff). Die statistischen Trends gehen weiter aufwärts: Kinobesuch = 4,8%, Umsatz = 13,5%, Anstieg der Kinos um 86 auf 3196. Nach Berlin richten auch die Länder Hamburg und Bayern eine regionale Filmförderung ein.

VERMISCHTES

Ron Holloway, Berliner *Variety*-Korrespondent, reist im Auftrage der Export-Union und des Goethe-Instituts mit einem Paket von deutschen Filmen quer durch die USA. Vlado Kristl, jugoslawischer Filmemacher in Deutschland, bekommt von der Stadt München keine Verlängerung seiner Aufenthaltserlaubnis; mit Lehrauftrag und Stipendium versehen, ist er wenig später »Auswärtiger Künstler zu Gast in Hamburg«. Wolf Donner leitet zum letzten Mal die Berliner Filmfestspiele, bei denen es in diesem Jahr einen Preissegen für deutsche Filme gibt: Goldener Bär an Peter Lilienthals *David,* je ein Silberner Bär an Hanna Schygulla für *Die Ehe der Maria Braun,* an das technische Team dieses Films sowie an Henning von Gierke für seine Ausstattung von Werner Herzogs *Nosferatu;* der FIPRESCI-Preis geht an *Albert – warum?.* Auch in Cannes geht der Hauptpreis (zum ersten Mal überhaupt) an einen deutschen Film: Volker Schlöndorffs *Die Blechtrommel* wird ex aequo mit Coppolas *Apokalypse Now* mit einer Goldenen Palme ausgezeichnet; Eva Mattes bekommt für ihre Rolle in Herzogs *Woyzeck* den Darstellerpreis. Weitere Festival-Erfolge des Neuen Deutschen Films: Großer Preis beim Festival von Varna für *Messer im Kopf;* Hauptpreis beim Festival in Figuera do Foz (Portugal) für *Die Ehe der Maria Braun;* Großer Preis der Filmfestspiele in Montreal für Heidi Genées *1 + 1 = 3.* Rainer Werner Fassbinder bekommt in Rom einen »Visconti-David«, mit dem vor ihm nur die Regisseure Antonioni, Bresson und Wajda ausgezeichnet

Montreal Film Festival 79: Gina Lollobrigida überreicht Heidi Genée den Großen Preis für *1 + 1 = 3*

»*Wir müssen uns auf die Socken machen.*«

worden sind. *Die gläserne Zelle* von Hans W. Geissendörfer wird als bester ausländischer Film für den Oscar nominiert. Den Chaplin-Schuh-Darstellerpreis erhalten in diesem Jahr Erika Skrotzki und Bruno Ganz. Ernst-Lubitsch-Preisträgerin ist Elisabeth Bergner für ihre Rolle in *Der Pfingstausflug.* Preis der deutschen Filmkritik: *Der kleine Godard an das Kuratorium junger deutscher Film* von Hellmuth Costard. Bundesfilmpreise: Wanderpreis Goldene Schale an *Die Blechtrommel; Die Ehe der Maria Braun:* Produktion, Regie (Fassbinder), Darstellung (Hanna Schygulla und Gisela Uhlen), Ausstattung (Norbert Scherer und Helga Ballhaus);

Messer im Kopf: Produktion, Kamera (Frank Brühne); *David:* Produktion, Darstellung (Valter Taub); *Der Richter und sein Henker:* Produktion, Schnitt (Dagmar Hirtz); *Der Durchdreher:* Produktion; *Die Abfahrer:* Produktion; programmfüllende Filme ohne Spielhandlung: *Derby Fever USA* von Roland Klick, *Die Patriotin* von Alexander Kluge und *Tally Brown New York* von Rosa von Praunheim; *Neapolitanische Geschwister:* Regie (Schroeter), Kamera (Thomas Mauch); *Albert – warum?:* Nachwuchsregie (Rödl); *Von wegen »Schicksal«:* Nachwuchsregie (Helga Reidemeister); *Nosferatu – Phantom der Nacht:* Darstellung (Klaus Kinski). – Im

Hanser-Verlag erscheint das Handbuch *Film in der Bundesrepublik Deutschland* von Hans Günther Pflaum und Hans Helmut Prinzler. – Gestorben: Filmkaufmann Waldfried Barthel, »Mr. Constantin«. Die Darsteller Albrecht Schoenhals, 90, und René Deltgen, 70. Kurt Joachim Fischer, 67, engagierter Filmpublizist (vor allem im Bereich der kommunalen Filmarbeit) und Drehbuchautor (*Liebe 47, Warum sind sie gegen uns*). Die Regisseure Rudolf Jugert, 72, und Karl Anton, 81. Paul Dessau, 85, Komponist. Nicholas Ray, 68, der Wim Wenders geholfen hat, über sein Sterben einen Film zu drehen: *Lightning Over Water.*

Die »Hamburger Erklärung« der Filmer:
UNSERE STÄRKE IST DIE VIELFALT
»Anläßlich des Hamburger Filmfestes haben wir deutschen Filmemacher uns getroffen. Wir haben 17 Jahre nach Oberhausen eine Art Bilanz gezogen:
● Die Stärke des deutschen Films ist seine Vielfalt. In drei Monaten beginnen die achtziger Jahre.
● Phantasie läßt sich nicht verwalten. Gremienköpfe können nicht bestimmen, was der produktive Film tun soll. Der deutsche Film der achtziger Jahre kann nicht mehr von Gremien, Anstalten und Interessengruppen so wie bisher fremd bestimmt werden.
● Vor allem: Wir lassen uns nicht auseinanderdividieren.
– der Spielfilm nicht vom Dokumentarfilm,
– Filmemacher, die schon Filme gemacht haben, nicht vom Nachwuchs,
– Filme, die das Medium reflektieren (und das praktisch tun, indem sie experimentieren), nicht vom Erzähl- und Kinofilm.
● Wir haben unsere Professionalität erprobt. Wir können uns deshalb nicht als Zunft verstehen. Wir haben gelernt, daß unsere Verbündeten nur die Zuschauer sein können:
Das sind die Menschen, die arbeiten, die Wünsche, Träume und Interessen haben, das sind Menschen, die ins Kino gehen, auch die, die sich einen ganz anderen Film vorstellen können.
Wir müssen uns auf die Socken machen.«
22. Sept. 1979

Cannes Film Festival 79: Vitus Zeplichal,
Rainer Werner Fassbinder, Volker Schlöndorff

1980

Der Aufstand
Berlin Chamissoplatz
Deutschland, bleiche Mutter
Deutschland privat
Endstation Freiheit
Fabian
Fünf Flaschen für Angelika
Gibbi Westgermany
Groß und klein
Hungerjahre
Kaltgestellt
Der Kandidat
Die Kinder aus No. 67
Die Ortliebschen Frauen
Palermo oder Wolfsburg
Der Preis fürs Überleben
Die Reinheit des Herzens
So weit das Auge reicht
Taxi zum Klo
Theo gegen den Rest der Welt
Total vereist
Das Traumhaus
Die wunderbaren Jahre

»Es scheint, daß wir endlich in das Jahrzehnt des Deutschen Films eintreten.«

Die Filmarbeiterinnen fordern 50 Prozent.

Der Oscar für die »Blechtrommel«.

DIE LAGE

Jahresproduktion 61 Filme, davon 50 Neuer Deutscher Film. Erfolgreichster deutscher Film des Jahres wird – völlig überraschend – Peter F. Bringmanns Kinoerstling *Theo gegen den Rest der Welt*, der sogar die *Blechtrommel* überrundet und binnen kurzem zum erfolgreichsten deutschen Film aller Zeiten wird. Der internationale Applaus für den Neuen Deutschen Film schwillt immer wieder mächtig an: »Es scheint, daß wir endlich in das Jahrzehnt des Deutschen Films eintreten« (Vincent Canby, *New York Times*). Eine originelle (negativ gemeinte) Bilanz zieht der Filmkritiker Kraft Wetzel, der auf einer Veranstaltung des Filmforums meint, die jetzige Bundesregierung habe ihren Neuen Deutschen Film, so wie die Adenauer/Erhard-Regierung den deutschen Altfilm gehabt habe. In Berlin gründen Ulrike Ottinger, Ula Stöckl, Helke Sander, Helma Sanders-Brahms, Jeanine Meerapfel, Jutta Brückner u. a. den »Verband der Filmarbeiterinnen« und fordern: »50 Prozent aller Mittel für Filme, Produktionsstätten und Dokumentationsvorhaben, 50 Prozent aller Arbeits- und Ausbildungsplätze, 50 Prozent aller Gremiensitze und Förderung für den Verleih, Vertrieb und Abspielstätten für Filme von Frauen.« In Duisburg wird die »Arbeitsgemeinschaft Dokumentarfilm« ins Leben gerufen. Das ausgelaufene Film/Fernseh-Abkommen wird für weitere fünf Jahre mit nahezu verdoppeltem Etat erneuert.

VERMISCHTES

Volker Schlöndorffs *Die Blechtrommel* wird als bester ausländischer Spielfilm mit dem Hollywood-Oscar ausgezeichnet. In der Bundesrepublik erhält er eine Goldene Leinwand für mehr als 3 Millionen Besucher innerhalb von 18 Monaten. Die Berlinale steht erstmals unter der Leitung von Moritz de Hadeln; Werner Schroeters *Palermo oder Wolfsburg* wird (ex aequo mit *Heartland* von Richard Pearce) der Goldene Bär zuerkannt, Jutta Brückners *Hungerjahre* bekommt den FIPRESCI-Preis. In Venedig ist Rainer Werner Fassbinders vierzehnteilige TV-Verfilmung von Alfred Döblins Roman *Berlin Alexanderplatz* die Attraktion des Festivals. Das 2. Filmfest der Filmemacher findet gleichzeitig in den Städten Düsseldorf, Duisburg und Oberhausen statt, erweist sich aber als Regional-Veranstaltung der nordrhein-westfälischen Filmemacher. Regionale Aktivitäten auch in Baden-Württemberg: die von Alexander Kluge mitinitiierten »Filmwochen« finden allerdings kaum Publikumszuspruch. Berlin veranstaltet sein 1. Film-Volksfest; auf dem 2. Göttinger Filmfest gibt es die erste komplette Retrospektive der Filme von Niklaus Schilling (einschließlich früher Schmalfilm-Arbeiten). In München wird zum ersten Mal der Bayerische Filmpreis vergeben: Reiner Kunze erhält den Drehbuchpreis für *Die wunderbaren Jahre*, Dominik Graf den Nachwuchs-Regiepreis für *Der kostbare Gast*, Birgit Doll den Darstellerpreis für *Geschichten aus dem Wiener Wald* und Hans Jürgen Syberberg den Preis für Gestaltung für den 3. Teil (!) seines *Hitler*-Films. Katharina Thalbach und Otto Sander werden mit dem Darsteller-Preis des Bundesverbandes der Fernseh- und Filmregisseure (Chaplin-Schuh) ausgezeichnet. Der Preis der deutschen Filmkritik geht an Uwe Frießners Erstlingsfilm *Das Ende des Regenbogens*. Die Stadt Saarbrücken verleiht erstmals den Max-Ophüls-Preis; für dieses Jahr bekommt ihn Niklaus Schillings *Willi-Busch-Report*. Ernst-Lubitsch-Preis: Heidi Genées *1 + 1 = 3*. Bundesfilmpreise: *Die letzten Jahre der Kindheit* (Filmband in Gold für die Produktion); *Das Ende des Regenbogens, Der Aufstand, Die Ortliebschen Frauen, 1 + 1 = 3, Geschichten aus dem Wiener Wald, Lena Rais* (je ein Filmband in Silber für die Produktion); *Monarch* (programmfüllender Film ohne Spielhandlung); Einzelleistungen: Heidi Genée (Drehbuch und Regie *1 + 1 = 3*), Usch Barthelmeß-Weller und Werner Meyer (Nachwuchsregie *Die Kinder aus No. 67*), Jutta Lampe (darst. Leistung *Schwestern oder Die Balance des Glücks*), Adelheid Arndt (darst. Leistung *1 + 1 = 3*), Krista Stadler und Nikolaus Paryla (darst. Leistungen in *Lena Rais*), Thomas Kufahl (darst. Leistung *Das Ende des Regenbogens*), Jürgen Jürges (Kamera *Die letzten Jahre der Kindheit* und *Die Kinder aus No. 67*), Peer Raben (Filmmusik *Die Reinheit des Herzens* und *Die Ortliebschen Frauen*), Siegrun Jäger (Filmschnitt *Der Aufstand*), Jan Schlubach (Ausstattung *Fabian*). – Gestorben: Lil Dagover, 82, die ihre erste Filmrolle in Fritz Langs *Harakiri* (1919) und ihre letzte in Maximilian Schells *Geschichten aus dem Wiener Wald* (1980) spielte. Rosa Albach-Retty, 105, Schauspielerin und Großmutter von Romy Schneider. Helmut Käutner, 72. Willi Forst, 77. Olga Tschechowa, 83. Walter Kohut, 63, Darsteller in *Supermarkt, Die gläserne Zelle* und zuletzt in Udo Lindenbergs *Panische Zeiten* (1980). Filmarchivar Paul Sauerlaender, 64. Walter Schmieding, 51, Publizist. Jan Dawson, 41, britische Filmkritikerin und -publizistin, hierzulande Mitarbeiterin der *Film-Korrespondenz* und Co-Redakteurin der Festivalzeitschrift *berlina-tip;* zum Zeitpunkt ihres Todes arbeitete Jan an einer Geschichte des Neuen Deutschen Films; the New German Cinema owes her a lot.

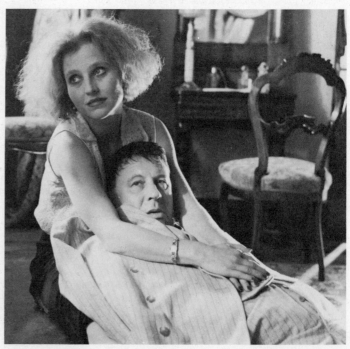

Hanna Schygulla und Günter Lamprecht in der TV-Serie Berlin Alexanderplatz von Rainer Werner Fassbinder

Biblio-
graphie

Bawden, Liz-Anne und Wolfram Tichy (Hrsg.): *Buchers Enzyklopädie des Films.* Verlag C. J. Bucher. Luzern und Frankfurt 1977.
Blumenberg, Hans C.: *Kinozeit – Aufsätze und Kritiken zum modernen Film 1976–1980.* Reihe Fischer Cinema. Fischer Taschenbuchverlag. Frankfurt 1980.
Bronnen, Barbara und Corinna Brocher: *Die Filmemacher – zur Neuen deutschen Produktion nach Oberhausen 1962.* Mit einem Beitrag von Alexander Kluge. C. Bertelsmann Verlag. München, Gütersloh, Wien 1973.
caméra/stylo (Revue Trimestrielle): *Wim Wenders.* Heft Januar 1981. Mit Beiträgen von Lotte H. Eisner, Nicole Casanova, Jérôme Prieur, Pierre Madaule u. a. Verlag Repro – doc. Paris 1981.
Cattini, Alberto: *Volker Schlöndorff.* Reihe *Il castoro cinema.* La Nuova Italia. Florenz 1981.
Collins, Richard und Vincent Porter: *WDR and the Arbeiterfilm: Fassbinder, Ziewer and others.* BFI Publishing. London 1981.
Dawson, Jan: *Wim Wenders.* New York Zoetrope. New York 1976.
Dörrie, Doris und Robert Fischer (Hrsg.): *Kino 78 – Bundesdeutsche Filme auf der Leinwand.* Verlag Monika Nüchtern. München 1978.
Dost, Michael und Florian Hopf, Alexander Kluge: *Filmwirtschaft in der BRD und in Europa – Götterdämmerung in Raten.* Mit einem Beitrag von Dieter Prokop. Carl Hanser Verlag. München 1973.
Eder, Klaus (Hrsg.): *Syberbergs Hitler-Film.* Reihe *Arbeitshefte Film* 1. Carl Hanser Verlag. München/Wien 1980.
Eder, Klaus und Alexander Kluge: *Ulmer Dramaturgien. Reibungsverluste.* Reihe *Arbeitshefte Film* 2/3. Carl Hanser Verlag. München/Wien 1980.
Fassbinder, Rainer Werner: *Katzelmacher.* Reihe *Zelluloid-Filmtexte.* Neuenheerse o. J.
Fassbinder, Rainer Werner: *Angst essen Seele auf.* G. E. C. Gad. Kopenhagen 1980.
Fassbinder, Rainer Werner und Harry Baer: *Der Film Berlin Alexanderplatz. Ein Arbeitsjournal.* Zweitausendeins. Frankfurt 1980.
Filme 1959/61. Handbuch VI der Katholischen Filmkritik. Verlag Haus Altenberg. Düsseldorf 1962.
Filme 1962/64. Handbuch VII der Katholischen Filmkritik. Verlag Haus Altenberg. Düsseldorf 1965.
Filme 1965/70 (zwei Bände). Handbuch VIII der Katholischen Filmkritik. Verlag J. P. Bachem. Köln 1971.
Filme 1971/76. Handbuch IX der Katholischen Filmkritik. Verlag J. P. Bachem. Köln 1977.
filmjournal (Sonderheft): *Wim Wenders.* Kommunales Kino Freiburg o. J.
Fischer, Robert (Hrsg.): *Kino 79/80 – Bundesdeutsche Filme auf der Leinwand.* Verlag Monika Nüchtern. München 1979.
Fischer, Robert (Hrsg.): *Kino 80/81 – Bundesdeutsche Filme auf der Leinwand.* Verlag Monika Nüchtern. München 1980.
Gmür, Leonhard H. (Redaktion): *Der junge deutsche Film.* Dokumentation zu einer Ausstellung der Constantin-Film. München 1967.
Hanck, Frauke und Hanns Baur (Redaktion): *Der Knüller Edgar Wallace.* Constantin-Film. München 1968.
Handke, Peter: *Falsche Bewegung.* suhrkamp taschenbuch. Frankfurt 1975.

Hembus, Joe: *Der deutsche Film kann gar nicht besser sein.* Carl Schünemann Verlag. Bremen 1961.
Herzog, Werner: *Drehbücher I – Lebenszeichen / Auch Zwerge haben klein angefangen / Fata Morgana.* Skellig Edition. München 1977.
Herzog, Werner: *Drehbücher II – Aguirre, Der Zorn Gottes / Jeder für sich und Gott gegen alle / Land des Schweigens und der Dunkelheit.* Skellig Edition. München 1977.
Herzog, Werner: *Stroszek/Nosferatu – Zwei Filmerzählungen.* Carl Hanser Verlag. München/Wien 1979.
Jansen, Peter W. und Wolfram Schütte (Hrsg.): *Rainer Werner Fassbinder.* Reihe Film 2. Carl Hanser Verlag. München/Wien 1974, 1979.
Jansen, Peter W. und Wolfram Schütten (Hrsg.): *Herzog/Kluge/Straub.* Reihe Film 9. Carl Hanser Verlag. München/Wien 1976.
Jansen, Peter W. und Wolfram Schütte (Hrsg.): *Werner Schroeter.* Reihe Film 20. Carl Hanser Verlag. München/Wien 1980.
Jansen, Peter W. und Wolfram Schütte (Hrsg.): *Werner Herzog.* Reihe Film 22. Carl Hanser Verlag. München/Wien 1979.
Jurgan, Hans-Wolfgang: *Filmbibliographisches Jahrbuch der BRD 1970.* Deutsche Gesellschaft für Filmdokumentation. Wiesbaden-Breckenheim 1972.
Jurgan, Hans-Wolfgang: *Filmbibliographisches Jahrbuch der BRD 1971.* Deutsche Gesellschaft für Filmdokumentation. Wiesbaden-Breckenheim 1973.
Jurgan, Hans-Wolfgang: *Filmbibliographisches Jahrbuch der BRD 1972.* Deutsche Gesellschaft für Filmdokumentation. Wiesbaden-Breckenheim 1975.
Joachim, Dierk und Peter Nowotny: *Kommunale Kinos in der BRD.* Arbeitshefte zur Medientheorie und Medienpraxis. Münster/Osnabrück 1978.
Kirschner, Klaus und Christian Stelzer: *Die Filme von Hans Wilhelm Geissendörfer – Gespräche, Materialien, Daten.* Erlanger Beiträge zur Medientheorie und -praxis. Selbstverlag der Videogruppe Erlangen. Erlangen 1979.
Kluge, Alexander: *Abschied von gestern. Protokoll.* Reihe *Cinemathek* 17. Verlag Filmkritik. Frankfurt o. J.
Kluge, Alexander: *Die Artisten in der Zirkuskuppel: ratlos / Die Ungläubige / Projekt Z / Sprüche der Leni Peickert.* R. Piper und Co. Verlag. München 1968.
Kluge, Alexander: *Gelegenheitsarbeit einer Sklavin. Zur realistischen Methode.* edition suhrkamp 733. Suhrkamp Verlag. Frankfurt 1975.
Kluge, Alexander: *Die Patriotin. Texte/Bilder 1–6.* Zweitausendeins. Frankfurt 1979.
Koschnitzki, Rüdiger: *Deutsche Filme 1977.* Deutsches Institut für Filmkunde. Wiesbaden-Biebrich 1978.
Koschnitzki, Rüdiger: *Deutsche Filme 1978.* Deutsches Institut für Filmkunde. Wiesbaden-Biebrich 1980.
Kötz, Michael und Petra Höhne: *Sinnlichkeit des Zusammenhangs – Zur Filmarbeit von Alexander Kluge.* Prometh Verlag. Köln 1981.
Kranz, Erhard: *Filmkunst in der Agonie – Eine Untersuchung zu den staatsmonopolistischen Machtverhältnissen in der westdeutschen Filmwirtschaft.* Henschelverlag. Berlin (Ost) 1964.

Künzel, Uwe: *Wim Wenders – ein Filmbuch.* Reihe Medien im Dreisam-Verlag. Freiburg 1981.
Lewandowski, Rainer: *Die Filme von Alexander Kluge.* Olms Presse. Hildesheim 1980.
Limmer, Wolfgang: *Rainer Werner Fassbinder Filmemacher.* *Spiegel*-Buch im Rowohlt Taschenbuchverlag. Reinbek bei Hamburg 1981.
Möhrmann, Renate: *Die Frau mit der Kamera. Filmemacherinnen in der Bundesrepublik Deutschland / Situation, Perspektiven, 10 exemplarische Lebensläufe.* Carl Hanser Verlag. München/Wien 1980.
Orbanz, Eva (Redaktion): *Wolfgang Staudte.* Herausgegeben von der Stiftung Deutsche Kinemathek. Verlag Volker Spiess. Berlin 1977.
Pflaum, Hans Günther (Hrsg.): *Jahrbuch Film 77/78 – Berichte/Kritiken/Daten.* Carl Hanser Verlag. München/Wien 1977.
Pflaum, Hans Günther (Hrsg.): *Jahrbuch Film 78/79 – Berichte/Kritiken/Daten.* Carl Hanser Verlag. München/Wien 1978.
Pflaum, Hans Günther (Hrsg.): *Jahrbuch Film 79/80 – Berichte/Kritiken/Daten.* Carl Hanser Verlag. München/Wien 1979.
Pflaum, Hans Günther (Hrsg.): *Jahrbuch Film 80/81 – Berichte/Kritiken/Daten.* Carl Hanser Verlag. München/Wien 1980.
Pflaum, Hans Günther und Rainer Werner Fassbinder: *Das bißchen Realität, das ich brauche. Wie Filme entstehen.* Carl Hanser Verlag. München 1976.
Pflaum, Hans Günther und Hans Helmut Prinzler: *Film in der Bundesrepublik Deutschland.* Carl Hanser Verlag. München/Wien 1979.
Quarterly Review of Film Studies (Sonderheft): *West German Film in the 1970s.* Redgrave Publishing Company. Pleasantville N. Y. 1980.
Rayns, Tony (Hrsg.): *Fassbinder.* British Film Institute. London 1976, 1979.
Roud, Richard: *Jean-Marie Straub.* The Viking Press. New York 1972.
Sandford, John: *The New German Cinema.* Oswald Wolff. London 1980.
Schlöndorff, Volker: *Der plötzliche Reichtum der armen Leute von Kombach.* Reihe *Filmtexte.* Kommunales Kino Frankfurt. Frankfurt 1970.
Schlöndorff, Volker (Geneviève Dormann, Margarethe von Trotta, Jutta Brückner): *Le Coup de Grâce.* L'Avant-Scène du Cinéma No. 181. Paris 1977.
Schlöndorff, Volker: *»Die Blechtrommel« – Tagebuch einer Verfilmung.* Sammlung Luchterhand 272. Darmstadt und Neuwied 1979.
Schlöndorff, Volker und Günter Grass: *Die Blechtrommel als Film.* Zweitausendeins. Frankfurt 1979.
Schmieding, Walther: *Kunst oder Kasse. Der Ärger mit dem deutschen Film.* Rütten & Loening Verlag. Hamburg 1961.
Schneider, Peter: *Messer im Kopf. Drehbuch.* Rotbuch Verlag. Berlin 1979.
Sperr, Martin: *Der Räuber Mathias Kneißl. Textbuch zum Fernsehfilm.* R. Piper & Co. Verlag. München 1970.
Siodmak, Robert: *Zwischen Berlin und Hollywood – Erinnerungen eines großen Filmregisseurs.* Herausgegeben von Hans C. Blumenberg. Herbig Verlag. München 1980.
Spieker, Franz-Josef: *Wilder Reiter GmbH. Protokoll.* Reihe *Cinemathek* 19. Verlag Filmkritik. Frankfurt 1967.

Straub, Jean-Marie: *Chronik der Anna Magdalena Bach.* Verlag Filmkritik. Frankfurt 1969.

Syberberg, Hans Jürgen: *Syberbergs Filmbuch.* Nymphenburger Verlagshandlung. München 1976.

Syberberg, Hans-Jürgen: *Hitler, ein Film aus Deutschland.* Reihe *das neue buch.* 108. Rowohlt Taschenbuchverlag. Reinbek bei Hamburg 1978.

Trotta, Margarethe von und Luisa Francia: *Das zweite Erwachen der Christa Klages.* Reihe *Fischer Cinema.* Fischer Taschenbuchverlag. Frankfurt 1980.

Trotta, Margarethe von: *Schwestern oder Die Balance des Glücks.* Reihe *Fischer Cinema.* Fischer Taschenbuchverlag. Frankfurt 1979.

Urania-Filmkunsttheater Biberach Riß und Filmverlag der Autoren: *Werner Herzog – Eine Dokumentation seines filmischen Gesamtwerks.* Biberach Riß und München 1977.

Vierte Welt Aktuell (Sonderausgabe): *Der Fall Werner Herzog.* Eine Dokumentation der »Gesellschaft für bedrohte Völker«. Göttingen 1979.

Wenders, Wim: *Texte zu Filmen und Musik.* Reihe

Materialien zur Filmgeschichte Nr. 4. Freunde der Deutschen Kinemathek e. V. Berlin o. J.

Wenders, Wim (Wim Wenders, Veith von Fürstenberg): *Alice dans les Villes.* L'Avant-Scène du Cinéma. Paris 1981.

Wenders, Wim und Fritz Müller-Scherz: *Der Film von Wim Wenders Im Lauf der Zeit.* Zweitausendeins. Frankfurt 1976.

Wenders, Wim und Chris Sievernich: *Nick's Film/Lightning Over Water.* Zweitausendeins. Frankfurt 1981.

Zwerenz, Gerhard: *Die Ehe der Maria Braun. Roman. Nach einem Film von Rainer Werner Fassbinder mit Hanna Schygulla.* Goldmann Verlag. München 1979.

Zeitschriften

Arts. Paris.
Cahiers du Cinéma. Paris.
Cinéma 68 (ff.). Paris.
Film (später *Fernsehen + Film*). Velber.
Filmbeobachter. Frankfurt.
Film-Echo/Filmwoche. Wiesbaden.
Filmfaust. Frankfurt.
Filmkritik. München.
Filmreport. München.
Films and Filming. London.
Film-Telegramm. Hamburg.
Image et Son. Paris.
Jugend Film Fernsehen (später *Medien + Erziehung*). München.
Medium. Frankfurt.
Monthly Film Bulletin. London.
Sight & Sound. London.
Tip. Berlin.
Zitty. Berlin.
Zoom-Filmberater. Zürich/Bern.

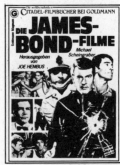

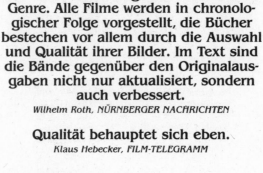

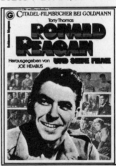

Abo à la carte: Medienzeitschriften

FILME erscheint 6 x jährlich mit einem Umfang von 64 Seiten. FILME will die Auseinandersetzung mit Filmen wieder auf eine Ebene führen, bei der die Lust aufs Kino im Vordergrund steht: nicht so sehr um Meinungen, Botschaften, Ideen soll es gehen, sondern vor allem um den Spaß, den wir als Zuschauer im Kino erleben. Jede Ausgabe von FILME hat einen thematischen Schwerpunkt, einen Magazinteil mit Buchrezensionen, Dokumenten, Nachrufen usw., einen Dokumentationsteil, in dem Neuerscheinungen auf dem Film-Buch-Markt vorgestellt werden, neue deutsche Filme aufgelistet sind und natürlich viele Filmkritiken.

MEDIEN erscheint 4 x jährlich mit einem Umfang von 72 Seiten und will Praktikern, Wissenschaftlern und Betroffenen des Medienbetriebs eine Plattform für die Diskussion bieten. So stammen die Autoren, die sich zu den jeweiligen Schwerpunktthemen äußern, aus verschiedenen Bereichen. Auf diese Weise kommt neben der vielbeschworenen Interdisziplinarität ein Dialog zwischen den professionell am Mediengeschehen Beteiligten und den Rezipienten zustande. Neben dem jeweiligen thematischen Schwerpunkt werden im Rezensionsteil die wichtigsten Buch-Neuerscheinungen zu Medienfragen ausführlich vorgestellt.

WEITERBILDUNG & MEDIEN wendet sich an alle Praktiker und Wissenschaftler im Bereich der Erwachsenenbildung und erscheint 6 x jährlich mit einem Umfang von 48 Seiten. Herausgegeben wird „W&M" vom Adolf-Grimme-Institut im Deutschen Volkshochschulverband, in dem alle Forschungen über und Erfahrungen in der Erwachsenenbildung zusammenfließen. Neben einem aktuellen Magazinteil, Artikeln zu Theorie und Praxis der Weiterbildung und einen Rezensionsteil gibt „W&M" in jeder Ausgabe eine Fernsehprogrammvorschau über alle bildungsintentionalen Sendungen. Die „Mediendidaktischen Handreichungen" widmen sich ausführlich bestimmten Praxisfeldern der Weiterbildung.